J. RIZZI

DER BROCKHAUS IN FÜNFZEHN BÄNDEN

DER BROCKHAUS

in fünfzehn Bänden

Dreizehnter Band

Ses – Tam

F.A. BROCKHAUS
Leipzig · Mannheim

Redaktionelle Leitung: Marianne Strzysch, Dr. Joachim Weiß

In Band 15 ist die Redaktion vollständig genannt.

Einbandgestaltung: James Rizzi

Einbandtypographie: Jürgen Sauerhöfer

Herstellung: Günter Schwab

Typographische Konzeption: Norbert Wessel

Satz: Bibliographisches Institut & F. A. Brockhaus AG
(PageOne Siemens Nixdorf)
und Mannheimer Morgen Großdruckerei
und Verlag GmbH

Druck: Neue Stalling GmbH, Oldenburg

Bindearbeit: Großbuchbinderei Lachenmaier, Reutlingen

Papier: 120 g/m² holzfrei, mattgestrichen, chlorfrei
der Papierfabrik Aconda Paper S. A., Spanien

Die Deutsche Bibliothek – CIP-Einheitsaufnahme
Der **Brockhaus**: in 15 Bänden /
[red. Leitung: Marianne Strzysch; Joachim Weiß]. –
Leipzig; Mannheim: Brockhaus.
Bd. 13. Ses–Tam. – 1999
ISBN 3-7653-2363-2

ISBN für das Gesamtwerk 3-7653-2350-0
Band 13: 3-7653-2363-2

Printed in Germany

Sẹsam [grch.-arab.] *der* (Sesamum), Gattung der S.-Gewächse im trop. und subtrop. Afrika und im südl. Indien; Kulturpflanze ist der **Indische S.** (Sesamum indicum). Die an den Fingerhut erinnernde einjährige, weiß bis weinrot blühende Pflanze bildet 2 mm lange Samen, die etwa 50% fettes Öl, etwa 25% Eiweiß und rd. 7% Kohlenhydrate enthalten. Durch Pressen der Samen wird das hellgelbe, geruchlose und fast geschmacklose **S.-Öl** gewonnen, das als Speiseöl und bei der Margarineherstellung verwendet wird; die Pressrückstände **(S.-Kuchen)** dienen als Viehfutter.

Sẹsambeine (Sesamknochen), bei Wirbeltieren und dem Menschen v.a. im Verlauf von Sehnen und Bändern vorkommende, meist kleine, rundl. Knochenelemente zur Verbesserung der Zugwirkung des betreffenden Muskels und als Stützelement (z.B. die Kniescheibe).

Sesshū: Herbstlandschaft (2. Hälfte des 15. Jh.; Privatbesitz)

Seschẹllen, Inselgruppe und Staat, →Seychellen.

Sẹsel [grch.] *der* (Bergfenchel, Seseli), Gattung der Doldenblütler, von Europa bis Zentralasien verbreitet; Stauden mit vielstrahligen, meist weißl. Doppeldolden. Eine einheim. Art ist der **Steppenfenchel.**

Sẹsenheim (frz. Sessenheim), Gemeinde im Unterelsass, Dép. Bas-Rhin, Frankreich, 1500 Ew.; bekannt durch Goethes Beziehungen zu Friederike Brion, die dort lebte; Goethe-Gedächtnisstätte und Goethe-Friederike-Museum.

Sẹsklokultur, jungsteinzeitl. Kultur Griechenlands (um 4000 v.Chr.); kennzeichnend ist v.a. eine auf hellem Grund mit geometr. Motiven rot oder braun bemalte Keramik; benannt nach dem Fundort **Sesklo** bei Volos in S-Thessalien.

Sesọstris (altägypt. Senwosret), Name von drei ägypt. Königen der 12. Dynastie. Der bedeutendste war **S. III.** (1878–40 v.Chr.), der die ägypt. Eroberung Nubiens abschloss; seine Ziegelpyramide steht in Dahschur.

Sessellift (Sesselbahn), eine Seilschwebebahn (→Seilbahn) mit Einzel- oder Doppelsitzen ohne Kabinenverkleidung.

Sesshaftigkeit, Lebensform des Menschen, die auf ortsgebundenem Wohnen und Arbeiten gegründet ist. Die S. trat historisch mit dem Übergang zu Ackerbau und Viehhaltung zu Beginn der Jungsteinzeit (»neolith. Revolution«) ein.

Sesshū [sɛʃʃuː], eigtl. Sesshū Tōyō, japan. Maler und Zenpriester, *Akahama (Präfektur Okayama) 1420, †Masuda (Präfektur Shimane) 26. 8. 1506; Schüler des Shūbun; eine der genialsten Künstlerpersönlichkeiten der japan. Tuschmalerei; schuf impressionistisch wirkende »Skizzen« in Hatsuboku-Technik (»gespritzte Tusche«) mit bewusst gewählten Formfragmenten. Seine Landschaftsbilder dienten Gärtnern als Vorlagen.

Sesam: Indischer Sesam (Höhe 0,3–2 m)

Sesel: Steppenfenchel (Höhe 15–50 cm)

Sessilität [spätlat.] *die,* festsitzende **(sessile)** Lebensweise vieler im Wasser lebender Tiere.

Sessions ['sɛʃnz], Roger, amerikan. Komponist, *Brooklyn (heute zu New York) 28. 12. 1896, †Princeton (N. J.) 16. 3. 1985; 1944–52 Kompositionslehrer an der University of California, 1952–65 an der Princeton University; vertrat zunächst die neoklassizist. Richtung, beschäftigte sich dann mit einer nicht tonal gebundenen Chromatik und später mit der Zwölftontechnik; schrieb zwei Opern, Orchester- und Kammermusik.

Sesterz [lat.] *der,* altröm. Silbermünze, Wert: 2½ As; seit Augustus Messing- bzw. Bronzemünze (100 S. = 1 Aureus).

Sestine [italien., zu sesto »der Sechste«] *die,* lyr. Lied- und Strophenform, in der durch sechs reimlose sechszeilige Strophen und eine dreizeilige Schlussstrophe dieselben sechs Schlussworte der Verse stets in anderer Reihenfolge wiederkehren. Die S. ist provenzalisch-italien. Herkunft und vermutlich von dem Provenzalen Arnaut Daniel erfunden worden; sie findet sich in der Renaissance- und Barockdichtung (M. Opitz, A. Gryphius), bei den Romantikern und bes. bei F. Rückert.

Seston [zu grch. sēstós »gesiebt«] *das,* im Wasser schwebende lebende (Plankton) und leblose (Tripton) filtrierbare Teilchen.

Sesto San Giovanni [-dʒo'vanni], italien. Industriestadt nördlich von Mailand, 89 500 Ew.; Stahl-, Metall-, Elektro- und Textilindustrie.

Sestri Levante, Winterkurort und Seebad an der Riviera di Levante, Prov. Genua, Italien, 21 500 Einwohner.

Set [engl., zu to set »setzen«] *das,* auch *der,* **1)** *allg.:* 1) mehrere zusammengehörige Gebrauchsgegenstände; 2) zusammengehörige Platzdeckchen für je ein Gedeck.

2) *der, Film* und *Fernsehen:* Szenenbild.

3) *Sucht:* Erwartungszustand und körperl. Verfassung eines Drogensüchtigen, die auf die Wirkungsweise des Rauschgifts Einfluss haben.

Seth
mit dem Kopf eines unbestimmbaren heiligen Tieres

Sète [sɛ:t] (früher Cette), Stadt im Dép. Hérault, Frankreich, am Ende einer Nehrung, die den Étang de Thau vom Meer trennt, 41 900 Ew.; Paul-Valéry-Museum. S. ist nach Marseille wichtigster Mittelmeerhafen Frankreichs, Endpunkt des Canal du Midi; Fischfang; Salinen, chem., Textil-, Nahrungsmittelindustrie, Zementfabrik.

Setesdal, Gebirgstal der oberen Otra, in der Prov. Aust-Agder, S-Norwegen; gut erhaltenes Brauchtum (Trachten, alte Bauernhäuser).

Seth (Setech, Sutech), ägypt. Gott der Wüste und des Unwetters, neben Horus der Schutzgott des ägypt. Königs. Sein Hauptkultort war Ombos in Oberägypten. Im Mythos Bruder und Mörder des Osiris, wurde er in der Spätzeit die Verkörperung des Bösen.

Seth [hebr. »Ersatz«], *A. T.:* der 3. Sohn Adams und Evas.

Sethos I., ägypt. König (etwa 1304–1290 v. Chr.) der 19. Dynastie, Vater Ramses' II.; festigte die ägypt. Herrschaft und entfaltete eine rege Bautätigkeit (u. a. Tempel in Abydos und auf dem W-Ufer von Theben); sein Grab befindet sich im Tal der Könige. BILDER Abydos, Anubis

Sétif [frz. se'tif], Stadt in N-Algerien, in der Kleinen Kabylei, 200 000 Ew.; Univ.; Landwirtschaftszentrum; Kunststoff-, Schuh-, Nahrungsmittelind., Herstellung von Batterien; Kunsthandwerk (Goldbrokat).

Seton [si:tn], Ernest Thompson, eigtl. E. S. Thompson, amerikan. Schriftsteller engl. Herkunft, *South Shields 14. 8. 1860, †Santa Fe (N. Mex.) 23. 10. 1946; kam 1866 nach Kanada, lebte als Naturforscher in den Wäldern; schrieb wiss. und volkstüml., z. T. selbst illustrierte Tiergeschichten (u. a. »Bingo und andere Tiergeschichten«, 1898) sowie Werke über nordamerikan. Indianer.

Setschenow, Iwan Michailowitsch, russ. Physiologe, *Tjoply Stan (heute Setschenowo, Gebiet Nischnegorod) 13. 8. 1829, †Moskau 15. 11. 1905; beschäftigte sich mit der Physiologie der Reflexe und des Zentralnervensystems und beeinflusste I. P. Pawlow.

Settecento [sɛtɛ'tʃɛnto; italien., eigtl. »700«, kurz für »1700«] *das,* italien. Bez. für das 18. Jh. und seinen Stil.

Setter [engl.] *der,* versch. langhaarige brit. Jagdhundrassen: **English S.,** 61–68 cm hoch, weiß mit Platten oder Tupfen; **Irish S.,** 65–67 cm hoch, satt kastanienrot; **Gordon-S.,** 62–66 cm hoch, tiefschwarz mit mahagoniroten Abzeichen.

Setúbal [sə'tuβal], **1)** Distrikt in Portugal, in der Estremadura, 5 064 km², (1991) 713 700 Einwohner.

2) Hptst. von 1) an der Mündung des Sado, 103 200 Ew.; Ind.stadt mit Fischereihafen, Konserven-, Zement-, Kunststoff-, Papierind., Superphosphatwerk, Automobilmontage, Schiffbau, Korkverarbeitung, Weinkellereien; nahebei Salinen. – Kirchen und Klöster im Emanuelstil.

Setzerei, graf. Betrieb oder Betriebsteil, in dem nach einer Satzvorlage (Manuskript) eine Druckvorlage bzw. Druckform erstellt wird; früher im Bleisatz, heute zumeist im Fotosatz.

Setzlatte, *Vermessungskunde:* Gerät zur Aufmessung von Querprofilen in steilem Gelände: Die S. wird mithilfe einer Röhrenlibelle horizontal an einen vertikalen Peilstab angelegt, sodass der Höhenunterschied daran abzulesen ist.

Setzmaschine, 1) *Aufbereitung:* Maschine zum Trennen verwertbarer Mineralkörner von tauben Gesteinskörnern in einem pulsierenden Wasser- oder Luftstrom infolge ihrer unterschiedl. Dichte.

2) *graf. Technik:* Maschine zur Herstellung eines Schriftsatzes. Zeilen- und Einzelbuchstaben-S. dienen zur Herstellung von Bleisatz. Die **Zeilensetz- und -gießmaschine** (Linotype, 1884 von O. Mergenthaler erfunden) liefert fertig gesetzte Zeilen. Der Setzer betätigt eine Tastatur, wodurch aus einem Magazin eine den angeschlagenen Buchstaben tragende Gussform (Matrize) fällt und in einem Sammler zu einer Zeile aneinander gereiht wird. Diese gesetzte Zeile gelangt zur Gießvorrichtung und wird abgegossen. Die gegossene Zeile wird ausgestoßen und beschnitten, die Matrizen werden durch einen Aufzug in die Magazine zurückgeführt. Die Maschine liefert 5000–7000 Buchstaben stündlich. Bei der **Einzelbuchstaben-S.** (Monotype) sind Setzen und Gießen zwei getrennte Arbeitsgänge. Mit einem Taster werden in ein laufendes Lochband den Buchstaben entsprechende Lochkombinationen gestanzt, oder der Text wird auf Magnetband gespeichert. In der Gießmaschine werden die den Lochkombinationen entsprechenden Buchstaben einzeln gegossen und dann zu Zeilen aneinander gereiht (über 8000 Buchstaben stündlich). – Foto- und Lichtsatz liefern Film oder Papier für die Druckformen des Flach- und Tiefdrucks. Bei **Foto-S.** wird der Satz photomechanisch mithilfe von Filmnegativen hergestellt. Die Buchstabenvorlagen sind Negative, je nach Maschinentyp auf viereckigen Schriftrahmen oder runden Schriftscheiben, flachen oder zylindr. Filmstreifen. Für Foto-S., die das Buchstabenbild elektronisch speichern und nach Art des Fernsehbildes zur Belichtung abbilden, hat sich die Bez. **Licht-S.** eingebürgert. Die Foto-S. werden wegen ihrer hohen Arbeitsgeschwindigkeiten (bis zu 1 Mio. belichtete Buchstaben je Stunde) i. d. R. durch Lochbänder, Magnetband oder in der S. selbst (→Computersatz) mit Satzrechnern gekoppelt. Da beim Fotosatz keine an starre Körper gebundene Buchstaben benutzt werden, lassen sich diese flexibel rücken, verändern oder kursiv stellen. Dank der fast immer eingebauten Vergrößerungseinrichtung sind beliebige Schriftgrade möglich ohne den bei Bleisatz nötigen großen Bestand an Lettern oder Matrizen. Bei **Schreib-S.** entsteht das Schriftbild direkt, oder ein vorher mit dem Perforator gestanztes Lochband steuert das Schreiben des Klartextes (Composersatz).

Setzwaage, die →Wasserwaage.

Seuche, Infektionskrankheit, die infolge ihrer großen Verbreitung eine Gefahr für die Allgemeinheit ist (→Epidemie, →Tierseuchen). – Die den Menschen betreffenden Maßnahmen zur S.-Verhütung und zur Eindämmung bereits bestehender S. sind in Dtl. im Bundesseuchen-Ges. i. d. F. v. 18. 12. 1979 geregelt. – Auch in *Österreich* und der *Schweiz* bestehen diesbezügl. Bundes-Ges.

Setzmaschine 2) für den Bleisatz: 1911 entwickeltes Modell der Doppelmagazin-Linotype mit beweglich angeordneten Matrizenmagazinen, die den gleichmäßigen Fall der Matrizen gewährleisten; mit diesem Modell konnte bereits ein Satz mit dreifacher Schriftmischung hergestellt werden

Der internat. S.-Bekämpfung dienen bes. die »internat. Gesundheitsvorschriften« vom 25. 5. 1951, denen die Bundesrep. Dtl. durch Ges. vom 21. 12. 1955 beitrat. (→Weltgesundheitsorganisation)

Seu d'Urgell, La [-dur'dʒɛl] (span. Seo de Urgel), Stadt in Katalonien, Prov. Lleida, Spanien, in den Pyrenäen, 691 m ü. M., 11500 Ew.; Textilind.; Fremdenverkehr; kath. Bischofssitz (seit dem 9. Jh.). Der Bischof von Urgel übt seit 1278 gemeinsam mit dem frz. Staatsoberhaupt die Oberherrschaft über Andorra aus. – Festungsartige roman. Kathedrale San Odón (von oberitalien. Meistern Anfang des 11. Jh. über Vorgängerbau begonnen), mittelalterl. Altstadt (Barrio Medieval).

Seulingswald (Sillingswald), Teil der Buntsandsteintafel des Hess. Berglands, nordöstlich von Bad Hersfeld, bis 483 m ü. M.; Abbau der reichen Kalisalzlager.

Seume, Johann Gottfried, Schriftsteller, *Poserna (bei Weißenfels) 29. 1. 1763, †Teplitz (heute Teplice) 13. 6. 1810; Bauernsohn, studierte in Leipzig Theologie und klass. Literatur, fiel 1781 hess. Werbern in die Hände und wurde nach Nordamerika eingeschifft. Nach der Rückkehr (1784) wurde er Schriftsteller in Leipzig, nahm als russ. Offizier an den Kämpfen in Warschau teil und wurde schließlich Korrektor bei Göschen in Grimma. 1801/02 unternahm er die durch seine Schilderung (»Spazier-

Johann Gottfried Seume (Ausschnitt eines Kupferstichs nach einer Zeichnung von Julius Schnorr von Carolsfeld, 1809)

Heinrich Seuse: Darstellung des Autors auf einer Seite der Gesamtausgabe seiner Schriften, Papierhandschrift (15. Jh.; Einsiedeln, Stiftsbibliothek)

gang nach Syrakus ...«, 1803) bekannt gewordene Fußreise nach Sizilien, 1805 eine Fußreise nach Russland, Finnland und Schweden (»Mein Sommer 1805«, 1806); bes. durch die Darstellung sozialer und wirtsch. Verhältnisse kulturhistorisch bedeutsam.

Seurat [sœ'ra], Georges, frz. Maler, *Paris 2. 12. 1859, †ebd. 29. 3. 1891; malte nach eingehenden farbtheoret. Studien Landschaften und große figürl. Kompositionen in der von ihm begründeten Technik des Pointillismus (→Neoimpressionismus). Gleichzeitig überwand er den Illusionismus durch seinen strengen, geometrisierenden Bildaufbau und schuf damit grundlegende Voraussetzungen für die weitere Entwicklung der modernen Kunst.

Seuse, Heinrich (latinisiert Henricus Suso), Mystiker, *Konstanz 21. 3. 1295 (?), †Ulm 25. 1. 1366; Dominikaner, Schüler Meister Eckharts, seit 1348 Seelsorger in Ulm; sah die Nachfolge Christi v. a. in einem asket. Leben. Sein in Dialogform verfasstes »Büchlein der ewigen Weisheit« (1328) war eines der beliebtesten mittelalterl. Andachtsbücher, die »Vita« die erste geistl. Selbstbiographie in dt. Sprache.

Severing, Carl, Politiker, *Herford 1. 6. 1875, †Bielefeld 23. 7. 1952; 1907–12 und 1920–33 MdR (SPD); 1920–26 und 1930–32 preuß. Innenminister, setzte die Bildung eines verfassungsbejahenden Verwaltungsbeamtentums (u. a. Polizei) durch. Als Reichsinnenmin. (1928–30) unter H. Müller, vertrat er eine vermittelnde »staatspolit.« Linie; 1947–52 MdL in Nordrhein-Westfalen.

Severini, Gino, italien. Maler, *Cortona 7. 4. 1883, †Paris 26. 2. 1966; gilt als wichtiger Vermittler zw. dem frz. Kubismus und dem italien. Futurismus, dem er sich 1910 anschloss; arbeitete auch in neoklassizist. Stil.

Severn ['sevən] *der,* Fluss im SW Englands, 354 km lang, entspringt in Wales in den Cambrian Mountains, mündet mit 80 km langem Mündungstrichter in den Bristolkanal; über ihn führt die längste (4,8 km) Brücke Großbritanniens.

Georges Seurat (von links): »Brücke von Courbevoie« (1886/87; London, Courtauld Institute Galleries); »Im Zirkus« (1891; Paris, Louvre)

Severus Alexander, Marcus Aurelius, röm. Kaiser, →Alexander (Herrscher).

Seveso, Gemeinde in der Prov. Mailand, Italien, zw. Mailand und Como, 17600 Ew.; Holzindustrie. 1976 gerieten bei einer Chemiefirma im Nachbarort Meda →Dioxine (bes. TCDD, »S.-Gift«) ins Freie und verseuchten die Umgebung.

Marie Marquise de Sévigné: Ausschnitt eines Kupferstichs aus dem 18. Jh. nach einer zeitgenössischen Vorlage

Sévigné [sevi'ɲe], Marie Marquise de, geb. de Rabutin-Chantal, *Paris 5. 2. 1626, †Schloss Grignan (Dép. Drôme) 16. 4. 1696; schrieb ihrer in der Provence lebenden Tochter, Madame de Grignan, rd. 1500 Briefe mit Berichten vom gesellschaftl. und kulturellen Leben der Zeit (sie führte einen bed. Salon), die zu den klass. literarischen Werken des 17. Jh. zählen.

Sevilla [sɛ'βiʎa], **1)** Provinz in Andalusien, Spanien, 14036 km², (1991) 1,62 Mio. Einwohner.

2) Hptst. von 1), am Guadalquivir, 87 km vor seiner Mündung, 678200 Ew.; wirtsch. und kultureller Mittelpunkt Andalusiens; Erzbischofssitz, Univ. (gegr. 1502), Hochschulen für Musik, Kunst, Architektur, älteste naut. Schule der Erde (gegr. 1552), Priesterseminar, mehrere Bibliotheken, Museen, Archivo General de Indias, Stierkampfarena; Flugzeugwerke, Werft, Textil-, chem., metallurg., Porzellan-, Keramik-, Tabak- u. a. Ind., Korkverarbeitung; Handelshafen, der bei Flut für Seeschiffe bis 9 m Tiefgang zugänglich ist; internat. Flughafen. – Die got. Kathedrale (1402 begonnen) birgt bed. Kunstschätze und das Grabmal des Kolumbus. Im N ist ihr der ehem. Moscheehof Patio de los Naranjos vorgelagert, an der NO-Ecke erhebt sich der 93 m hohe Glockenturm Giralda, ein ehem. Minarett, das Wahrzeichen der Stadt. Der urspr. almohad. Alcázar (erhalten blieb der Innenhof »Patio del Yeso«) wurde im 14. Jh. im Mudéjarstil umgebaut. Kathedrale, Alcázar und Archivo General de Indias sind UNESCO-Weltkulturerbe. Weitere bed. Bauten: Casa Pilatos (1492–1519, im Mudéjarstil), Renaissance-Rathaus (1527), Casa Lonja (ehem. Börse, 1583–98; beherbergt heute das Archivo General de Indias). Im Zusammenhang mit der Weltausstellung 1992 wurden weitgehende städtebaul. Veränderungen durchgeführt, neben Wohnanlagen entstanden u. a. das Opernhaus (1991 eingeweiht), der Bahnhof Santa Justa sowie der Flughafen San Pablo. – S., eine phönik. Gründung, hieß unter den Iberern **Hispalis** und wurde 45 v. Chr. von den Römern erobert; 411 wurde es Hptst. der Wandalen, 441–567 war es Hptst. des Westgotenreichs. Ab 712 unter arab. Herrschaft, erlebte es ab 1147 als Hptst. des Almohadenreichs eine Blütezeit. 1248 fiel es an Kastilien. Seit der Entdeckung Amerikas war S. bis zum Anfang des 18. Jh. wichtigster Hafen und eine der reichsten Städte Spaniens.

Sèvres ['sɛ:vr], Stadt im Dép. Hauts-de-Seine, Frankreich, südwestlich von Paris, 22100 Ew.; FH für Ind.keramik, Internat. Büro für Maße und Gewichte (im Pavillon de Breteuil werden das Urkilogramm und das Urmeter aufbewahrt); Herstellung von chirurg. Instrumenten und von Sprengstoffen, Porzellanmanufaktur (→Sèvresporzellan). – Am 10. 8. 1920 Abschluss des Friedensvertrages von S. mit dem Osman. Reich (von Kemal Atatürk nicht anerkannt; →Türkei, Geschichte).

Sèvresporzellan ['sɛ:vr-], das in der Manufaktur Sèvres hergestellte Porzellan. Die Manufaktur, 1738 in Vincennes gegr., 1756 nach Sèvres verlegt, seit 1759 königl. Manufaktur und seit 1793 frz. Staatsmanufaktur, stellte zunächst Weichporzellan her; das Frittenporzellan zeichnet sich durch die Leuchtkraft seiner Fondfarben aus; seit 1769 wird Hartporzellan produziert. Modelle für figürl. Porzellan schufen v. a. É. M. Falconet und J. B. Pigalle. BILD S. 10

Sevilla 2) Stadtwappen

Sewansee, See im Armen. Hochland, in Armenien, (1989) 1244 km² groß; sein Abfluss **Rasdan** (146 km) wird in der S.-Rasdan-Kaskade durch sechs Stauwerke zur Energieerzeugung (zus. 554 MW) und für die Bewässerung genutzt; der S. ver-

Sevilla 2): Blick in den von zweigeschossigen Arkaden umgebenen Innenhof der 1492–1519 erbauten Casa Pilatos

kleinerte sich durch die Rasdannutzung 1934–90 um 672 km².

Sewardhalbinsel ['sju:əd-, engl.], rund 50 000 km² große Halbinsel Alaskas, USA; bedeutendste Siedlung ist →Nome.

Sèvresporzellan: Kanne und Schüssel (1757; München, Bayerisches Nationalmuseum)

Sewastopol (früher Sebastopol), Hafenstadt und Flottenstützpunkt im SW der Halbinsel Krim, Ukraine, an der S.-Bucht des Schwarzen Meeres, 374 000 Ew.; Hochschule; Meeresobservatorium Museen, Theater; Werft, Textil-, Nahrungsmittelind., Weinkellereien. – 1783 in der Nähe der Ruinen des antiken grch. Chersones als russ. Festung und Kriegshafen angelegt; seit 1804 Hauptstützpunkt der Schwarzmeerflotte. Während des →Krimkrieges 1854/55 belagert und im 2. Weltkrieg hart umkämpft.

Sewernaja Semlja (Nordland, Nikolaus-II.-Land), unbewohnte, zu Russland gehörende Inselgruppe im Nordpolarmeer, nördlich der Halbinsel Taimyr; 37 000 km² (zu 47 % vergletschert).

Sewerodonezk (ukrain. Sjewerodonezk), Stadt in der Ukraine, im Donez-Kohlenbecken, 131 000 Ew.; Chemiewerk, Maschinen-, Gerätebau; Holzindustrie.

Sewerodwinsk (1938–57 Molotowsk), Stadt im Gebiet Archangelsk, Russland, im Mündungsdelta der Dwina, am Weißen Meer, 249 000 Ew.; Maschinenbau, Holz-, Nahrungsmittelindustrie.

Sewerski Donez, Nebenfluss des Don, →Donez.

Sex [engl., aus lat. sexus »Geschlecht«] *der, umgangssprachlich* für Geschlechtlichkeit; Geschlecht (Sexus); Geschlechtsverkehr; Sexappeal.

Sexchromatin, das →Barr-Körperchen.

Sexismus [lat.] *der,* Bez. für jede Art der Diskriminierung und Benachteiligung von Menschen aufgrund ihres Geschlechts sowie für die diesen Erscheinungen zugrunde liegende Ideologie; i. e. S. Begriff der →Frauenbewegung, der die Bestimmtheit des gesellschaftl. Denkens durch geschlechtsbezogene, auf die Benachteiligung der Frau zielende Stereotypen bezeichnet. S. findet sich in Einstellungen und psych.-emotionalen Dispositionen, in Vorurteilen und Weltanschauungen ebenso wie in sozialen, rechtl. und wirtsch. Regelungen sowie in der Form fakt. Gewalttätigkeit im Verhältnis der Geschlechter (Vergewaltigung, Frauenhandel, sexuelle Belästigung, herabwürdigende Behandlung und Sprache) und in der Rechtfertigung dieser Gewaltstrukturen durch den Verweis auf eine »naturgegebene« Geschlechterdifferenz. Der wiss. Aufarbeitung des S. hat sich v. a. die Frauenforschung gewidmet. Der Überwindung von S. im öffentl. sowie im Arbeitsleben (→Frauenarbeit) dienen die Frauenförderung sowie Frauenquoten.

📖 JANSSEN-JURREIT, M.: *S. Über die Abtreibung der Frauenfrage. Neuausg. Frankfurt am Main 1987.* – *Frauen, die letzte Kolonie, Beiträge v.* M. MIES *u. a. Neuausg. Zürich 1992.* – MEIER-SEETHALER, C.: *Ursprünge u. Befreiungen. Die sexist. Wurzeln der Kultur. Frankfurt am Main 1994.*

Sext [aus lat. sexta (hora) »die sechste (Stunde)«] *die,* Gebetszeit des →Stundengebets.

Sexta [lat.] *die,* früher die 1. Klasse des Gymnasiums (von der Prima heruntergezählt die sechste Klasse); jetzt allg. durch die Bez. 5. Klasse ersetzt.

Sext|akkord, *Musik:* Akkord aus Grundton, Terz und Sexte, erste Umkehrung des →Dreiklangs mit der Terz als Basston.

Sextant [lat.] *der,* **1)** *Astronomie:* (Sextans) Sternbild der Äquatorzone.

2) *Metrologie:* Gerät zur Messung von Winkeln für Navigation und Geodäsie. Der S. wird v. a. zum Messen des Elevations- bzw. Höhenwinkels benutzt, den ein Himmelskörper mit dem Horizont bildet. Mit mehreren solcher Messwerte ist die astronom. Standortbestimmung möglich. Der v. a. in der Seefahrt verwendete **Spiegel-S.** besteht aus einem mit einem Handgriff versehenen Sechstelkreis-Gradbogen von etwa 60°, mit einer Teilung von 0 bis 120° (12°-Intervalle), an dem ein zur Hälfte verspiegeltes und zur anderen Hälfte durchsichtiges Glas (Horizontspiegel) und das Fernrohr fest montiert sind. Durch Drehung des bewegl. Spiegels werden die Bilder zweier Sterne (bzw. von Stern und Horizont) zur Deckung gebracht, auf dem Teilkreis lässt sich der Winkel zw. den beiden anvisierten Objekten ablesen. Die Außenkante des Gradbogens beim heute allg. verwendeten **Trommel-S.** trägt einen Zahnkranz, in den eine mit einer Zahlentrommel verbundene Mikrometerschraube eingreift. Die Genauigkeit liegt bei etwa einer zehntel Winkelminute.

Sexte [lat.] *die, Musik:* die 6. Stufe der diaton. Tonleiter und das →Intervall, das fünf diaton. Tonschritte enthält. Man unterscheidet große S. (z. B.

c-a), kleine S. (z. B. c-as), übermäßige S. (z. B. c-ais, klanglich gleich der kleinen Septime) und verminderte S. (z. B. cis-as, klanglich gleich der Quinte).

Sextett [italien.] *das,* Musikstück für sechs Gesangsolostimmen oder für sechs Soloinstrumente, z. B. **Streich-S.** (i. d. R. je zwei Geigen, Bratschen, Violoncelli); auch die Gruppe der Musizierenden.

Sextole [italien.] *die,* Tongruppe in sechsteiligem Rhythmus auf dem Raum von vier oder acht Noten gleichen Wertes, angezeigt durch die Zahl 6 (oft auch mit Klammer).

Sextourismus, schlagwortartige Bez. für Vergnügungsreisen mit dem nahezu ausschließl. Zweck, im Gastland zur Befriedigung der eigenen Sexualität Dienste von Prostituierten entgegenzunehmen. Bevorzugtes Zielgebiet des überwiegend von Männern praktizierten S. sind die Staaten SO-Asiens, in denen v. a. junge Frauen in der →Prostitution die einzige Möglichkeit sehen, ihren oft bedrückenden wirtsch. Lebensumständen zu entkommen. Der damit einhergehende Menschenhandel hat zu einer Verschärfung der Strafvorschriften und zur Ausdehnung des Weltstrafrechtsprinzips (Strafbarkeit eines Delikts unabhängig vom Begehungsort) geführt. Eine starke Zunahme im Zusammenhang mit dem S. ist bei der **Kinderprostitution** zu beobachten. So wird die Zahl der minderjährigen Prostituierten mit einem Alter zw. acht und 16 Jahren für Thailand auf 100 000 geschätzt, für die Philippinen und Taiwan auf je 20 000, für Sri Lanka auf 10 000. Auch in Westafrika und Lateinamerika müssen Kinder als Prostituierte arbeiten. Bevorzugte Reiseziele für Sextouristen sind die Philippinen, Sri Lanka und Thailand, in jüngster Zeit auch Brasilien. In den letzten Jahren hat der S. durch Aids eine neue Dimension erhalten, u. a. hat sich die Nachfrage nach unberührten Mädchen erhöht und so die Kinderprostitution verstärkt. – In Dtl. kann seit 1993 der sexuelle Missbrauch von Kindern unabhängig vom Tatort (d. h. auch wenn er im Ausland stattfindet) bestraft werden, wenn der Täter Deutscher ist oder in Dtl. lebt.

Sextourismus: Plakat der Organisation »terre des hommes« gegen Kinderprostitution und Sextourismus

Sextus Empiricus, grch. Philosoph aus der Schule des Pyrrhon von Elis; lebte um 200 n. Chr., der Ort ist nicht bekannt; sammelte, analysierte und ordnete die Argumente und Thesen des antiken Skeptizismus. Sein →Skeptizismus richtet sich gegen den Dogmatismus bes. der Stoa. – Im 15. Jh. wieder entdeckt, leiteten seine Schriften eine intensive Diskussion um Erkenntnisfragen ein.

Sexualerziehung, →Sexualpädagogik.

Sexualhormone, *die* →Geschlechtshormone.

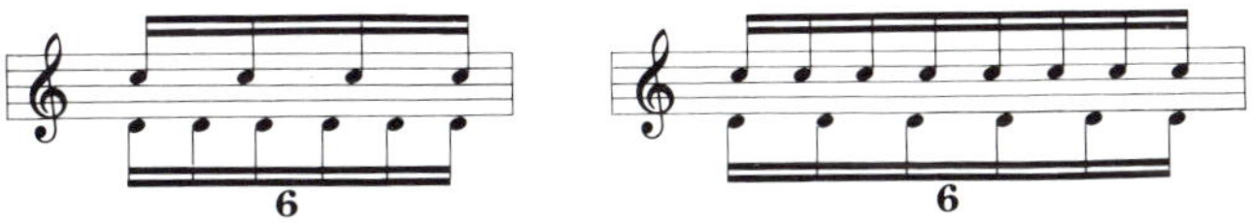

Sextole

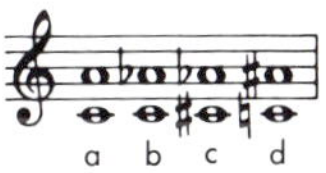

Sexte: a große, b kleine, c verminderte, d übermäßige Sexte

Sexualität [lat.] *die* (Geschlechtlichkeit), das auf die Befriedigung der sexuellen Bedürfnisse und die geschlechtl. Vereinigung (→Geschlechtsverkehr) gerichtete Verhalten **(Geschlechtstrieb)** beim Menschen und bei Tieren. Während bei niederen Tierarten das Fortpflanzungsverhalten (Sexualverhalten) allein von Geschlechtshormonen gesteuert, artspezifisch stereotyp und ausschließlich heterosexuell ist, spielt bei höheren Arten die Großhirnsteuerung und damit das Lernen sexueller Praktiken eine stetig zunehmende Rolle. Die S. wird variationsreicher; Selbststimulation und -befriedigung sowie homosexuelle Handlungen kommen vor (bes. bei den Menschenaffen). In der aufsteigenden Primatenreihe nimmt ferner die Bevorzugung bestimmter Paarungspartner zu. Mit der Höherentwicklung der Tiere wird somit die sinnl. Funktionslust wichtiger als das Ziel der Fortpflanzung. – Die S. des *Menschen* geht weit über das hinaus, was mit der Lust und den Aktivitäten in Abhängigkeit vom Funktionieren der Geschlechtsorgane sowie mit dem Verhalten, das zur Befruchtung führen kann, zusammenhängt; sie ist ein wesentl. Bestandteil (der Entwicklung) seiner Gesamtpersönlichkeit. Ihr liegt ein vielschichtiger Komplex biolog., psycholog. und soziolog. Faktoren zugrunde, die jeweils für eine unmittelbare (intime) Begegnung von Angehörigen beider Geschlechter (Hetero-S.) oder eines Geschlechts (Homo-S.) bedeutungsvoll sind. Dies gilt bes. für deren Gefühle und Bedürfnisse sowie für entsprechende Verhaltensweisen, die den Geschlechts- oder Sexualtrieb als hormonal stimulierende, verhaltensphysiolog. Antriebsgrundlage für sexuelle Beziehungen (speziell im Hinblick auf die Befriedigung dieses Triebs) betreffen. Der Mensch verfügt in unterschiedl. Maß über die Fähigkeit zur Kontrolle seines sexuellen Verhaltens, das bis zum

Triebverzicht (Keuschheit) reichen kann. Ein besonderes Phänomen der menschl. S. ist die →Erotik, die als umfassende Sensibilisierung psych. und phys. Erlebens über die unmittelbare Bedürfnisbefriedigung hinausgeht.

📖 CLEMENT, U.: *S. im sozialen Wandel. Stuttgart 1986.* – SCHMIDT, GUNTER: *Das große Der Die Das. Über das Sexuelle. Reinbek 1991.* – HAUENSCHILD, C.: *Fortpflanzung u. S. der Tiere. Mannheim u. a. 1993.* – *Schülerduden, S., Redaktion:* E. BRECHNER *u. a. Mannheim u. a. 1997.*

Sexuallockstoffe, artspezifisch wirkende Duftstoffe (v. a. bei Insekten und Wirbeltieren), die in Duftdrüsen gebildet werden; dienen der Anlockung und sexuellen Erregung des Geschlechtspartners. (→Pheromone).

Sexualneurose, Begriff für alle nach Ursachen und Auswirkungen verschiedenartigen Formen der →Neurose, die mit Unstimmigkeiten im sexuellen Funktionsablauf und Erleben verbunden sind, z. B. Berührungsangst, Koitusangst, Impotenz, Vaginismus, sexuelle Gehemmtheit und übersteigerte Erregbarkeit. Auslöser kann ein →sexuelles Trauma sein.

Sexualpädagogik, Teilbereich der Erziehungswiss., der die Theorien über die gezielte Beeinflussung sexueller Einstellungen und Verhaltensweisen von Kindern und Jugendlichen umfasst. Für deren prakt. Umsetzung hat sich die Bez. **Sexualerziehung (Geschlechts-, Geschlechtererziehung)** durchgesetzt. – Breitere Aktivitäten zur sexuellen Aufklärung und Erziehung setzten im 1. Drittel des 20. Jh. ein, gefördert u. a. von der Psychoanalyse und der reformpädagog. Bewegung. Vorrangiges Ziel blieb jedoch bis in die 60er-Jahre die Verhinderung sexueller Aktivitäten von Kindern und Jugendlichen. Heute gehört Sexualerziehung in Dtl. zum festen Bestandteil des Unterrichts in der Schule; sie soll als Unterrichtsprinzip über die reine Sexualkunde (Wissensvermittlung über die biolog. Grundlagen der Sexualität) hinausgehen. In der Familie sind emotionale Zuwendung und die wahrheitsgemäße, verständl. Beantwortung kindl. Fragen wichtig für eine gesunde Entfaltung der Sexualität und der Gesamtpersönlichkeit. Schon vor Beginn der Pubertät sollte das Kind über die bevorstehenden körperl. Veränderungen, sexuelle Praktiken (z. B. Masturbation, Petting, Geschlechtsverkehr) und Empfängnisverhütung informiert sein; darüber hinaus kann man bereits über Fragen des Wertempfindens, abweichendes Sexualverhalten, Aids, soziale und jurist. Aspekte des Sexuallebens sprechen.

📖 *Stichwörter zur Sexualerziehung, hg. v.* F. KOCH *u. a. Weinheim u. a.* [2]*1989.* – GLÜCK, G. *u. a.: Heiße Eisen in der Sexualerziehung. Wo sie stecken u. wie man sie anfaßt. Weinheim 1990.* – *Sexualerziehung u. Aids. Das Ende der Emanzipation?, hg. v.* F. KOCH. *Hamburg 1992.*

Sexualpsychologie, Teilgebiet der Psychologie, das die Erscheinungsformen sexuellen Verhaltens und Erlebens untersucht. Erforscht werden u. a. die Entwicklung der kindl. und jugendl. Sexualität sowie der Alterssexualität, die Unterschiede im Sexualverhalten, Fragen der Partnerwahl, Geschlechterrollen und die Einstellung zu Sexualität, sexuelle Störungen und Abweichungen (Neurosen, Perversionen) sowie deren Therapie.

Sexualstraftaten, Straftaten gegen die sexuelle Selbstbestimmung (§§ 174 ff. StGB). Schutzgut dieses 13. Abschnitts des StGB ist seit der Reform des Sexualstrafrechts von 1973 nicht mehr die allg. Sittlichkeit, sondern die Freiheit der Entscheidung über die geschlechtl. Betätigung sowie die ungestörte sexuelle Entwicklung junger Menschen und der Schutz vor schwerwiegenden sexuellen Belästigungen. Straftatbestände sind u. a. sexueller Missbrauch von Kindern, von Jugendlichen (früher als »Verführung« strafbar), von Schutzbefohlenen, von Gefangenen, Anstaltsinsassen, von Widerstandsunfähigen (früher »Schändung«), sexuelle Nötigung, Vergewaltigung, Förderung der Prostitution, Menschenhandel und Zuhälterei.

Sexualwissenschaft (Sexologie, Sexuologie), komplexe wiss. Disziplin, die sich mit der Erforschung der Sexualität und des Sexualverhaltens beschäftigt; umfasst v. a. Sexualmedizin und -biologie, Sexualpädagogik und -therapie, Sexualpsychologie, Teilbereiche der Soziologie, Rechtswiss. und Theologie (Sexualethik). Institute für S. bestehen in Frankfurt am Main und Hamburg.

sexuelle Nötigung, →Vergewaltigung.

sexueller Missbrauch, *Strafrecht:* der schwere Verstoß gegen das sexuelle Selbstbestimmungsrecht (→Sexualstraftaten). Das StGB kennt mehrere Straftatbestände, die die Vornahme sexueller Handlungen bei bestimmten geschützten Personen unter Strafe stellen: Der **s. M. von Schutzbefohlenen** (§ 174) erfasst den s. M. bei Personen bis zum Alter von 16 bzw. 18 Jahren durch Ausbilder, Erzieher, Betreuer, Eltern; Strafe: Geld- oder Freiheitsstrafe bis zu fünf Jahren; eigens strafbar ist der s. M. von Gefangenen, behördlich Verwahrten, Kranken und Hilfsbedürftigen in stationären Einrichtungen (§ 174a), der s. M. unter Ausnutzung einer Amtsstellung (§ 174b) oder der s. M. Widerstandsunfähiger (§ 179); der **s. M. von Kindern** (§§ 176 ff.) erfasst sexuelle Handlungen an Personen unter 14 Jahren (Strafe: Freiheitsstrafe zw. sechs Monaten und zehn Jahren, Strafmilderung bei minder schweren Fällen); schwere Fälle (bes. Beischlaf mit Kindern) sind im Mindestmaß mit Freiheitsstrafe nicht unter einem Jahr bedroht. Die

Seychellen

Fläche: 443 km²
Einwohner: (1995) 73 000
Hauptstadt: Victoria
Amtssprache: Kreolisch
Nationalfeiertag: 29. 6.
Währung: 1 Seychellen-Rupie (SR) = 100 Cents (c)
Zeitzone: MEZ+3 Std.

Strafvorschrift des **s. M. von Jugendlichen** (§182) wurde durch Gesetz vom 31. 5. 1994 neu gefasst (bis dahin →Verführung). Gleichzeitig wurde der bestimmte Formen der Homosexualität unter Strafe stellende §175 StGB aufgehoben und §182 StGB geschlechtsneutral formuliert. Danach wird mit Freiheitsstrafe bis zu fünf Jahren oder mit Geldstrafe bestraft, wer als Erwachsener an einer Person unter 16 Jahren unter Ausnutzung einer Zwangslage oder gegen Entgelt sexuelle Handlungen vornimmt oder von ihr an sich vornehmen lässt oder sie unter Ausnutzung einer Zwangslage dazu bestimmt, sexuelle Handlungen an Dritten vorzunehmen oder an sich durch Dritte vornehmen zu lassen. – Das *österr.* StGB enthält als Missbrauchtatbestand im Bereich der Sittlichkeit den »Missbrauch eines Autoritätsverhältnisses« (§212), allerdings auch Strafvorschriften mit parallelem Schutzzweck; Letzteres gilt auch für die *Schweiz* (Art. 187 ff. StGB).

sexuelles Trauma, mit emotionaler Erschütterung verbundenes, oft Angst erzeugendes Erlebnis im Sexualbereich (Strafandrohung bei Onanie, Vergewaltigungserlebnis, Versagen beim Geschlechtsakt); kann zu seel. Störungen oder neurot. Erkrankungen führen (→Sexualneurose).

Seychellen [zɛʃ-] (Seschellen, engl. und frz. Seychelles, amtlich kreol. Repiblik Sesel), Inselstaat im Ind. Ozean, umfasst die Inselgruppe der S. (32 Inseln) sowie die Amiranten, die Aldabra- und Farquhar-Inseln, Assumption, Astove, Cosmoledo, Providence, Curieuse, Cerf, Coëtivi und Plate.

Staat und Recht: Nach der Verf. von 1993 (im Juni 1993 durch Referendum gebilligt) sind die S. eine präsidiale Rep. im Commonwealth. Staatsoberhaupt, Reg.chef und Oberbefehlshaber der Streitkräfte ist der Präs. (auf fünf Jahre direkt gewählt). Die Legislative liegt bei der Nationalversammlung (33 Abg.). Die neue Verf. sieht u.a. einen Ausbau des Mehrparteiensystems vor. Neben der bisherigen Einheitspartei Progressive Volksfront der S. (SPPF) existieren zahlreiche Oppositionsgruppen und -parteien (u.a. Demokrat. Partei, Zentrist. Partei).

Landesnatur: Die S. bestehen aus über 100 z.T. gebirgigen Inseln. Die S.-Inselgruppe liegt etwa 1 000 km östlich der Küste Kenias; größte Insel ist Mahé (148 km², 912 m ü. M.). Die höheren Inseln bestehen aus Granit und Syenit, haben schroffe Steilküsten und ein bewegtes Relief. Sie sind der Rest einer isolierten kontinentalen Scholle. Die übrigen Inseln sind niedrige Koralleninseln. Das Klima ist tropisch-ozeanisch mit gleichbleibend hohen Temperaturen und hoher Luftfeuchtigkeit. Die niederschlagsreiche Zeit fällt auf Dez. bis März (Nordwestmonsun). Für die Seychellennusspalme (ein Endemit) besteht ein Schutzgebiet auf Praslin.

Bevölkerung: Die Bewohner (zu 89% Kreolen) sind Nachkommen von frz. Siedlern, ehem. afrikan. Sklaven, Seeräubern des 17. Jh. und Zuwanderern von Mauritius, aus Indien und China. 80% der Bev. leben auf Mahé. – Allg. Schulpflicht besteht vom 7. bis 15. Lebensjahr. Es gibt ein Polytechnikum und eine lehrerbildende Anstalt. – Die überwiegende Mehrheit der Bev. sind Christen.

Wirtschaft, Verkehr: Haupterwerbszweig ist der Fremdenverkehr, gefolgt von Hochseefischerei und Ackerbau. Dauerkulturen (Kokospalm-, Zimt-, Vanille-, Teepflanzungen) bes. für den Export; für den Eigenbedarf werden Bataten, Maniok, Jamswurzel und Gemüse angebaut. Guanoabbau auf den Amiranten. Die Ind. verarbeitet v.a. landwirtsch. Produkte. Ausfuhr v.a. von Fisch, Kopra, Zimt, Guano; Haupthandelspartner ist Frankreich. – Die wichtigsten Verkehrsträger sind Schiff und Flugzeug; das Straßennetz umfasst 323 km. Überseehafen ist Victoria; internat. Flughafen auf Mahé.

Geschichte: Die S. wurden im 16. Jh. von Portugiesen entdeckt, 1743 von Frankreich in Besitz genommen, 1794 von den Briten erobert, 1903 Kronkolonie unter einem Gouverneur. 1976 entließ Großbritannien die S. in die Unabhängigkeit; der erste Staatspräs. wurde J. R. M. Mancham. Nach ei-

Staatswappen

SY

Internationales Kfz-Kennzeichen

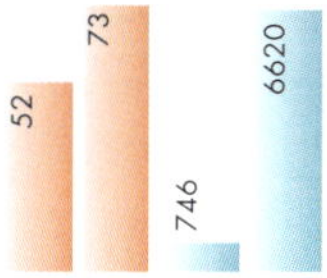

Bevölkerung (in Tausend)
Bruttosozialprodukt je Ew. (in US-$)

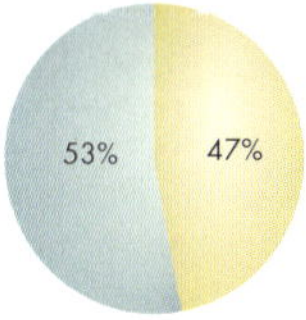

Stadt
Land
Bevölkerungsverteilung 1995

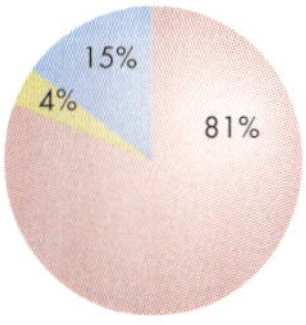

Industrie
Landwirtschaft
Dienstleistung
Bruttoinlandsprodukt 1995

Lynn Seymour

nem Staatsstreich (1977) übernahm F. A. René die Macht und baute als Präs. einen sozialistisch orientierten Staat auf. Nach Einführung eines Mehrparteiensystems wurde bei den Wahlen im Juli 1993 René im Amt bestätigt.

📖 *Biogeography and ecology of the Seychelles Islands, hg. v.* D. R. Stoddart. *Den Haag 1984.*

Seychellennuss [zɛʃ-] (Maledivennuss), die Frucht der **S.-Palme** (Lodoicea maldivica) auf den Seychellen; eine Doppelnuss, die einen von einer dicken Faser- und Fleischhülle umgebenen Steinkern enthält, bis 0,5 m lang, bis 20 kg schwer; größte Baumfrucht der Erde.

Seydlitz, 1) Friedrich Wilhelm von, preuß. General (seit 1757), *Kalkar 3. 2. 1721, †Ohlau (heute Oława) 8. 11. 1773; führte die Ausbildung der gesamten Kavallerie bei Geländeübungen ein; entschied im Siebenjährigen Krieg den preuß. Sieg bei Roßbach (5. 11. 1757) und führte bei Zorndorf (25. 8. 1758) die entscheidende Wende herbei.

2) Walther von, eigtl. S.-Kurzbach, Generaloberst, *Hamburg 22. 8. 1888, †Bremen 28. 4. 1976; im 2. Weltkrieg Kommandierender General eines Armeekorps in Stalingrad; war in sowjet. Kriegsgefangenschaft 1943–45 Vors. des →Bundes Deutscher Offiziere; 1950 von einem sowjet. Gericht zum Tode verurteilt, später begnadigt und 1955 aus der Kriegsgefangenschaft in die Bundesrep. Dtl. entlassen.

Seyfer (Syfer), Hans, Bildhauer, *um 1460, †Heilbronn März 1509; dort seit 1502 nachweisbar. Sein Stil wurzelt in der spätgot. Kunst des Oberrheins; schuf für den Hochaltar der Kilianskirche in Heilbronn die Holzbildwerke des Mittelschreins (1498 vollendet) und für Stuttgart die steinerne Kreuzigungsgruppe hinter dem Chor der Leonhardskirche (1501; durch Kopie ersetzt, Original in der Hospitalkirche).

Dietmar Seyffert

Seyfert-Galaxi|en, erstmals (ab 1943) von dem amerikan. Astrophysiker Carl Keenan Seyfert (*1911, †1960) erforschte aktive Galaxien mit äußerst hellen Kernen, die breite Emissionslinien im Spektrum zeigen.

Seyffert, Dietmar, Tänzer und Choreograph, *Reichenberg (heute Liberec) 7. 4. 1943; war 1962–85 Tänzer und Choreograph an der Dt. Staatsoper in Berlin (Ost), 1979–88 auch Chefchoreograph und künstler. Leiter des Balletts der Leipziger Oper; wurde 1988 Prof. für Choreographie und Bewegungspädagogik an der Hochschule für Schauspielkunst »Ernst Busch« in Berlin.

Arthur Seyß-Inquart

Seyhan [ˈsɛjhan] *der,* Fluss in der Türkei, 560 km lang, entspringt im Inneren Osttaurus, mündet bei Adana ins Mittelmeer, im Unterlauf durch eine Talsperre zur Bewässerung gestaut.

Seymour [ˈsiːmɔː], **1)** David, gen. Chim, amerikan. Fotojournalist poln. Herkunft, *Warschau 20. 11. 1911, †am Sueskanal 10. 11. 1956; ging 1939 in die USA. 1947 war er Mitbegründer der Fotoagentur Magnum. S. arbeitete als Kriegsberichterstatter und wurde v. a. durch seine Bilder von Kindern als Betroffenen und Opfern der Kriege bekannt.

2) Lynn, eigtl. L. Springbett, kanad. Tänzerin und Choreographin, *Wainwright 8. 3. 1939; war Solistin des Londoner Royal Ballet, tanzte u. a. Hauptrollen in eigens für sie geschaffenen Balletten von F. Ashton, R. Petit, J. Neumeier und v. a. von K. MacMillan; 1978–80 Ballettdirektorin der Bayer. Staatsoper in München, danach Gastchoreographin; Choreographien: u. a. »Rashomon« (1976), »Intimate letters« (1978), »Wolfi« (1987).

Seychellennuss: Steinkerne, die von der Faserhülle befreit sind

Seyppel, Joachim, Schriftsteller, *Berlin 3. 11. 1919; 1949–60 Dozent in den USA, übersiedelte 1973 in die DDR, dort 1979 wegen Solidarisierung mit S. Heym Ausschluss aus dem Schriftstellerverband; lebt seit 1982 (Ausbürgerung) in der Bundesrep. Dtl.; schrieb u. a. »Torso Conny der Große« (R., 1965), »Ein Yankee in der Mark. Wanderungen nach Fontane« (1970), »Ahnengalerie« (R., 1984), »Die Wohnmaschine oder wo aller Mohn blüht« (R., 1991).

Seyß-Inquart, Arthur, österr. Politiker, *Stannern (heute Stonařov, bei Iglau) 22. 7. 1892, †(hingerichtet) Nürnberg 16. 10. 1946; ab 1931 in Verbindung mit der österr. NSDAP (1938 Beitritt), vollzog als Bundeskanzler (ab 11. 3. 1938) den Anschluss Österreichs an das Dt. Reich, war bis April 1939 Reichsstatthalter für die Ostmark; 1940–45 Reichskommissar für die besetzten Niederlande; 1946 vom Internat. Militärgerichtshof in Nürnberg zum Tode verurteilt.

sezernieren [lat.], *Medizin:* ein Sekret absondern (von Drüsen, auch von Wunden gesagt).

Sezession [lat. »Absonderung«, »Trennung«] *die,* **1)** *Kunst:* (Secession) die bewusste und programmat. Abspaltung von Künstlergruppen von herkömml., oft offiziellen Künstlervereinigungen wie auch der Zusammenschluss von Künstlern mit neuen Zielen. S.-Bewegungen entwickelten sich in verschiedenen europ. Kunstzentren fast gleichzeitig seit Ende des 19. Jh., bes. in Dtl. und Österreich; sie wandten sich gegen die akadem. Malerei. 1892 wurde die Münchener S. u.a. von F. von Stuck, F. von Uhde und W. Trübner gegründet; die Berliner S. entstand 1898 (M. Liebermann, W. Leistikow). Die wichtigste S. wurde die 1897 gegr. Wiener S., die der österr. Variante des Jugendstils den Namen **Sezessionsstil** gab (Hauptvertreter: G. Klimt, Koloman Moser, J. M. Olbrich).

2) *Völkerrecht:* Abtrennung eines Gebietsteiles eines Staates gegen dessen Willen durch die dort ansässige Bev. mit dem Ziel, einen neuen Staat zu bilden oder sich einem bestehenden Staat anzuschließen.

Sezessionskrieg, der Krieg zw. den Nordstaaten der USA und elf aus der Union ausgetretenen Südstaaten 1861–65. Die Ursachen liegen in den wirtsch., polit. und sozialen Gegensätzen zw. den industrialisierten Nordstaaten und den Südstaaten, in denen die Plantagenwirtschaft auf der Basis der Sklaverei vorherrschte. Die Wahl des Sklavereigegners A. Lincoln zum Präs. der USA löste den Austritt (Sezession) der Südstaaten aus der Union aus. Diese schlossen sich unter Präs. J. Davis zu den **Konföderierten Staaten von Amerika** zusammen (1861; Hptst. Richmond), während die Nordstaaten auf der Unauflösbarkeit der Union beharrten. Der Krieg begann mit dem Angriff der Konföderierten auf das Unionsfort Sumter bei Charleston (S. C.) am 12. 4. 1861. Nach anfängl. Erfolgen der Südstaatenarmee (u.a. Schlachten am Bull Run, 21. 7. 1861 und 29./30. 8. 1862) führten Versuche von General R. E. Lee, den Krieg in die Unionsstaaten zu verlagern, zur Niederlage bei Gettysburg (1.–3. 7. 1863). Mit dem Fall von Vicksburg (4. 7. 1863) kam das ganze Mississippital in die Gewalt der Unionstruppen. In der Schlacht von Chattanooga (23.–25. 11. 1863) gelang es General U. S. Grant, den wichtigsten Eisenbahnknotenpunkt des Südens und damit dessen Nachschublinien zu zerstören. General Lee kapitulierte am 9. 4. 1865 in Appomattox Court House. Der opferreiche Krieg (rd. 600 000 Tote) endete, als sich die letzten konföderierten Truppen im Mai 1865 ergaben. Die siegreichen Nordstaaten setzten die Abschaffung der Sklaverei durch (Verfassungszusatz 1865). Zu den Auswirkungen des S. → Vereinigte Staaten von Amerika (Geschichte).

📖 Schiller, D. T.: *Der amerikan. Bürgerkrieg. Düsseldorf 1990.* – McPherson, J. M.: *Für die Freiheit sterben. Die Geschichte des amerikan. Bürgerkrieges. A. d. Amerikan. München u. a. ²1995.*

sezieren [lat.], eine Leichenöffnung (→ Sektion) durchführen.

sf, *Musik:* Abk. für → **sf**orzato.

Sfax: Das 1944 erneuerte Haupttor Bab Diwan im Südosten der Stadt ist ein Teilstück der Stadtmauer (9. Jh.), die die rechteckige Medina umgibt

Sfântu Gheorghe ['sfintu 'george] (ungar. Sepsiszentgyörgy), Hptst. des Kreises Covasna, Rumänien, im südöstl. Siebenbürgen, am Alt, 68 100 Ew.; kulturelles Zentrum der Szekler, Museum, Theater; Werkzeugmaschinen- und Elektrogerätebau, Textil-, Möbel-, Nahrungsmittelindustrie. – 1332 erstmals urkundlich erwähnt.

Sfax, Gouvernoratshauptstadt an der O-Küste Tunesiens, 231 900 Ew.; Wirtschaftszentrum S-Tunesiens; bed. Ind.standort, u.a. Phosphatexport und -verarbeitung, Seidenind., Kunsthandwerk; Handels-, Fischerei- und Jachthafen; Fremdenverkehr (Seebad); Verkehrsknotenpunkt, Flughafen. –

Sezessionskrieg

Mauerumgebene Altstadt (Medina) mit zwei Kasbas und der Großen Moschee (849 gegr., im 10./11. Jh. erneuert, 1748 erweitert).

SFB, Abk. für → **S**ender **F**reies **B**erlin.

Sferics, verkürzt aus engl. Atmo**sferics,** → Spherics.

Sgraffito: Ein Porträt in Kratzputztechnik entsteht

Sforza, italien. Adelsgeschlecht, in der Hauptlinie 1450–1535 Herzöge von Mailand. Bed. Vertreter:

1) Carlo Graf, italien. Politiker, *Montignoso di Lunigiana (Prov. Massa-Carrara) 25. 9. 1872, †Rom 4. 9. 1952; 1920–21 und 1947–51 Außenmin., Liberaler und entschiedener Gegner des Faschismus, lebte 1926–43 in der Emigration; förderte den Gedanken der europ. Einigung.

Carlo Graf Sforza

2) Francesco, italien. Condottiere, *San Miniato (Prov. Pisa) 23. 7. 1401, †Mailand 6. 3. 1466; durch Heirat mit der Erbtochter Bianca Maria Visconti seit 1450 Herzog von Mailand und Graf von Pavia, erwarb 1464 Genua (mit Korsika) und Bari.

3) Ludovico, gen. il Moro, Herzog von Mailand (1494–99), *Vigevano 27. 7. 1452, †Loches (bei Tours, Frankreich) 27. 5. 1508; suchte im Bündnis mit Karl VIII. von Frankreich seine Herrschaft zu sichern, trat jedoch nach der frz. Eroberung von Neapel (1495) zu Frankreichs Gegnern über; starb in frz. Gefangenschaft.

sforzato [italien.], Abk. **sf, sfz** (sforzando, seltener: forzato, forzando, Abk. fz.), musikal. Vortragsbezeichnung: stark betont, hervorgehoben; gilt nur für einen Ton oder einen Akkord.

sfumato [italien.], *Malerei:* mit verschwimmenden Umrissen in gedämpfter Farbigkeit gemalt (z.B. bei Leonardo da Vinci).

Sgambati, Giovanni, italien. Komponist, Pianist und Dirigent, *Rom 28. 5. 1841, †ebd. 14. 12. 1914; komponierte v.a. Instrumentalmusik, u.a. Sinfonien, Kammermusik sowie ein Requiem.

Sganarelle [-'rɛl, frz.] *der,* Possengestalt, eine spießbürgerl. Abart des Harlekins; von Molière 1660 geschaffen.

SGB, Abk. für **S**ozial**g**esetz**b**uch.

SGML [Abk. für engl. **s**tandard **g**eneralized **m**arkup **l**anguage], normierte Auszeichnungssprache zur Beschreibung strukturierter Texte, deren Syntax 1986 durch die ISO-Norm 8879 standardisiert wurde. Für jeden verwendeten Dokumenttyp muss eine inhaltsbezogene Struktur definiert werden (**DTD**, Abk. für **D**okument**t**typ**d**efinition), deren einzelne Elemente durch »Tags« markiert werden. Die Verarbeitung eines SGML-Dokuments erfolgt im Prinzip in zwei Stufen. In einem ersten Schritt überprüft ein Parser die syntakt. Korrektheit der Dokumentstruktur und erzeugt einen Zwischencode, auf dem aufbauend in einem zweiten Schritt ein Formatierer das eigentl. Ausgabeformat erzeugt.

📖 SZILLAT, H.: *SGML. Eine prakt. Einführung. Bonn u. a. 1995.*

Sgraffito [italien., zu graffiare »kratzen«] *das* (Graffito), Technik zur dekorativen Fassadengestaltung. Auf Rauputz wird Kratzputz aufgetragen, zuerst der Kratzgrund, darauf die dünnere Kratzschicht. Bevor diese hart geworden ist, wird die gewünschte Darstellung oder ein Muster herausgekratzt, sodass der meist gefärbte Kratzgrund sichtbar wird. An norditalien. Renaissancebauten war S. bes. beliebt, später auch in Böhmen, Schlesien und Sachsen.

's-Gravenhage [sxra:vən'ha:xə], amtl. niederländ. Name von → Den Haag.

sh, Abk. für → Shilling.

Shaanxi [ʃa:nçi:] (Shenxi, Shensi, Schensi), Provinz in China, am Mittellauf des Hwangho, 205 600 km², (1994) 34,8 Mio. Ew.; Hptst. ist Xi'an. Im N 1 000–2 000 m hohes Lössbergland mit tief eingeschnittenen Erosionstälern, dem sich nach S die 60 km breite Wei-He-Ebene (Hauptsiedlungs- und Wirtschaftsgebiet) und der Qin Ling anschließen. Im N trockenes gemäßigtes (Steppen), im S subtrop. Klima (Bewässerungsfeldbau); in der Wei-He-Ebene Anbau von Baumwolle, Weizen, Reis, Tee; im S. Tungölgewinnung aus den Nüssen des Tungbaums, eines Wolfsmilchgewächses, u.a. zur Herstellung von Lackfarben. An Bodenschätzen werden Steinkohle, Eisenerz, Erdöl, Gold und Salze abgebaut; in Xi'an stark entwickelte Textilind. und Maschinenbau.

Shaba ['ʃaba] (bis 1971 Katanga), Provinz im SO der Demokrat. Rep. Kongo, 496 877 km², (1994) 5,6 Mio. Ew.; Hptst. ist Lubumbashi. Das Savannenhochland ist eine der reichsten Bergbauregionen der Erde (Kupfer, Kobalt, Zinn, Uran, Mangan, Steinkohle) und das wichtigste Industriegebiet des Landes.

Shackleton ['ʃækltən], Sir (seit 1909) Ernest Henry, brit. Südpolarforscher, * Kilkee (Cty. Clare, Irland) 15. 2. 1874, † auf Südgeorgien (Antarktis) 5. 1. 1922; nahm 1901–04 an der »Discovery«-Expedition von R. F. Scott teil, unternahm 1908/09 von Süd-Victoria-Land aus einen ersten Vorstoß zum Südpol (erreichte 88° 23' s. Br.); entdeckte 1915 die Cairdküste (Coatsland) südöstlich der Weddellsee.

Shaffer ['ʃæfə], Peter, engl. Dramatiker, * Liverpool 15. 5. 1926; schrieb Dramen über myth., histor. und psycholog. Stoffe, u. a. »Fünffingerübung« (1958), »Schwarze Komödie« (1965), »Equus« (1973), »Amadeus« (1980; verfilmt 1984), »The gift of the Gorgon« (1993).

Peter Shaffer

Shaftesbury ['ʃɑːftsbərɪ], Anthony Ashley Cooper, 3. Earl of S. (seit 1699), engl. Philosoph, * London 26. 2. 1671, † Neapel 4. 2. 1713. Nach seiner von J. Locke und dem Platonismus beeinflussten Lehre stellt das Sittliche die vollkommene harmon. Entfaltung natürlicher menschl. Anlagen dar. Damit beantwortete er eines der Hauptprobleme der Aufklärung, ob Sittlichkeit ohne Offenbarungsreligion möglich sei, in positivem Sinn. – Sein Einfluss, bes. auf die Ästhetik, war bedeutend (A. Pope, J. G. Herder, Schiller, Goethe, J.-J. Rousseau, Voltaire). Die Vorstellung des aus »Enthusiasmus« schaffenden Genies wurde zur Kernidee der moralisch-ästhet. Revolte im Sturm und Drang. Wichtige Werke sind »Untersuchung über die Tugend« (1699); »Ein Brief über den Enthusiasmus« (1708); »Die Moralisten« (1709).

Anthony Ashley Cooper, 3. Earl of Shaftesbury (Ausschnitt eines zeitgenössischen Kupferstichs)

📖 VOITLE, R.: *The third Earl of S., 1671–1713. Baton Rouge, La., 1984.*

Shakespeare ['ʃeːkspiːr, engl. 'ʃeɪkspɪə], William, engl. Dramatiker, Lyriker und Schauspieler, * Stratford-upon-Avon 23. 4. (?; getauft 25. 4.) 1564, † ebd. 23. 4. 1616. Seine Herkunft und sein Leben liegen weitgehend im Dunkeln. Neuere Forschungen haben die früher angenommenen Details (Vater als Zunftmitglied der Handschuhmacher in Stratford, Heirat 1582) eher relativiert als bestätigt. Etwa ab 1589 dürfte er sich in London aufgehalten haben, er gehörte zumindest ab 1594 zur Theatergruppe der Chamberlain's Men (ab 1603 King's Men), bei der er während seiner gesamten Theaterkarriere blieb. Ab 1599 war S. Teilhaber am Globe Theatre, ab 1608 am Blackfriars Theatre; etwa um 1612 siedelte er nach Stratford über, etwa ab 1613 zog er sich aus dem Theaterleben zurück. Bereits zu Lebzeiten genoss er hohes Ansehen. Die bis heute anhaltende reiche internat. Wirkung seines Gesamtwerks macht ihn zu einer Ausnahmeerscheinung der Weltkultur.

Versdichtung: Die wohl während der pestbedingten Schließung des Theaters entstandenen Versepen »Venus und Adonis« (1593) und »Die Vergewaltigung der Lukretia« (1594) waren Versuche, den Anforderungen der Renaissancepoetik zu genügen. Wegen ihrer Konventionalität bleiben sie jedoch hinter den wohl zw. 1592 und 1598 entstandenen 154 Sonetten zurück, die Liebe und Freundschaft sowie das Wirken der Zeit zum Thema haben.

S.s dramat. Werk umfasst 35 Stücke, an drei weiteren hat er maßgeblich mitgearbeitet. Die »Folio«-Ausgabe der Werke (1623) enthält 36 Stücke, die im Sinn zeitgenöss. Verständnisses als Komödien, Historien bzw. Tragödien klassifiziert werden.

Historien oder »Königsdramen«: Die nach dem Sieg über die span. Armada (1588), einer Zeit nat. Hochgefühls und wirtsch. Aufschwungs unter der Regentschaft Elisabeths I., populären Dramatisierungen engl. Geschichte stellen, abgesehen von Heinrich V. und Heinrich VIII., schwache oder schurk. Herrscher vor, deren unheilvolles Wirken die Probleme Usurpation und polit. Legitimität von Gegengewalt, Intrigen der Mächtigen sowie Notwendigkeit nat. Einheit in den Vordergrund rückt. Sie lassen den Kreislauf von Schuld (Usurpation Heinrichs IV.), Sühne (polit. Wirren der Rosenkriege zw. den Häusern York und Lancaster) und Erlösung (Befriedung Englands durch Henry Tudor, den späteren Heinrich VII.) deutlich werden. Die zehn teilweise als Geschichtspanoramen konzipierten Historien setzen sich zusammen aus der Lancaster-Tetralogie (»Richard II.«, entstanden um 1595, gedruckt 1597; »Heinrich IV.«, 2 Tle., entstanden 1596–98, gedruckt 1598; »Heinrich V.«, entstanden 1599, gedruckt 1600) und der York-Tetralogie (»Heinrich VI.«, 3 Tle., entstanden 1589–91, gedruckt 1595; »Richard III.«, entstanden 1592/1593, gedruckt 1597) sowie »König Johann« (entstanden 1594/96?, gedruckt 1623) und »Heinrich VIII.« (entstanden 1612/13, gedruckt 1623). S.s Originalität besteht darin, sprachlich-stilist. Kon-

Shakespeare

Außer fünf Unterschriften und den zwei Worten »by me« vor der letzten Unterschrift unter dem Testament ist von dem großen Dramatiker William Shakespeare nichts Handschriftliches erhalten. Er selbst unterschrieb mit Shak(e)spere oder Shak(e)speare, während fast alle zeitgenössischen Drucke der Dramen die heute übliche Schreibung benutzen. An Bildnissen gibt es nur zwei, die eine gewisse Authentizität beanspruchen können: die Büste des Grabmals in der Trinity Church in Stratford und der Kupferstich in der ersten Gesamtausgabe von 1623. Obwohl Shakespeare als Mitglied der beliebtesten Schauspielertruppe seiner Zeit, als Mitbesitzer eines erfolgreichen Theaters und als Dramatiker zu Wohlstand und Berühmtheit gelangte, war sein Kollege Ben Jonson zu seiner Zeit viel berühmter als er. Angemessene Anerkennung wurde ihm erst durch den Nachruf Jonsons in der Gesamtausgabe von 1623 zuteil.

2 B 15/13 E D C B A

traste und Parallelhandlungen eingefügt und Historie in zusammenhängenden Zyklen präsentiert zu haben.

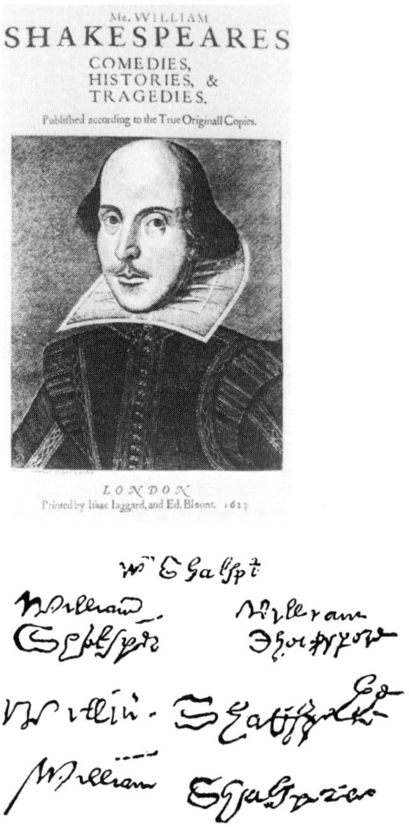

William Shakespeare in der Darstellung des flämisch-englischen Kupferstechers Martin Droeshout auf der Titelseite der ersten Gesamtausgabe seiner Dramen aus dem Jahr 1623; darunter die fünf erhaltenen Unterschriften Shakespeares

Tragödien: Die zehn Tragödien entstanden in S.s mittlerer Schaffensperiode. Das Grundmuster liefert das aus dem MA. tradierte Konzept eines durch das Wirken der Fortuna bewirkten Aufstiegs und Falls der Mächtigen, das S. jedoch unter dem Einfluss der Seneca-Tragödie und T. Kyds Typ der Rachetragödie im melodramat. Drama »Titus Andronicus« (1593/94, gedruckt 1594) variiert. »Romeo und Julia« (entstanden 1595, gedruckt 1597) gestaltet das Motiv der reinen, der Fortuna unterworfenen Liebe. In den Römerdramen »Julius Caesar« (entstanden 1599, gedruckt 1604), »Antonius und Cleopatra« (entstanden 1606/07, gedruckt 1623) und »Coriolan« (entstanden 1607/08, gedruckt 1623) nutzt S. antike Stoffe, um verdeckt sonst nicht erlaubte Themen und Figuren zu dramatisieren. »Timon von Athen« (entstanden 1607/08, gedruckt 1623) gestaltet das Thema des durch den Undank der Welt zum Menschenfeind Gewordenen. Die »großen Tragödien« – »Hamlet« (entstanden 1600/01, gedruckt 1603), »Othello« (entstanden 1604, gedruckt 1622), »König Lear« (entstanden um 1605, gedruckt 1608) und »Macbeth« (entstanden 1606, gedruckt 1623) – bringen überzeitlich relevante Gestalten und Geschehen auf die Bühne und gehören zu S.s unbestrittenen Meisterwerken. Sie dramatisieren das Wirken des Bösen in der Welt und siedeln den Konflikt im einzelnen Menschen selbst an, anhand von Themen wie dem des polit. Verbrechens aus Ehrgeiz und Verblendung, der unüberlegten Machtabgabe und des Generationskonflikts, der privaten Rache, des Intrigenspiels und der Täuschung der Liebenden. Hervorstechende stilist. Merkmale der großen Tragödien sind: unterschiedlichste sprachl. Mittel der Dialogführung, funktionelle Vielfalt der Monologe, leitmotivisch Szenen und Akte strukturierende Bildlichkeit, Konzentration der dramat. Handlung, schließlich die bis in seel. Tiefendimensionen reichende Zeichnung der Hauptfiguren, die durch den subtilen Einsatz der dramat. Sympathielenkung den Zuschauer auch dann noch als zutiefst menschlich anrühren, wenn sie zum Bösen und Verwerflichen neigen.

Komödien: Mit seinen Komödien knüpft S. an mittelalterl. Traditionen des Volksschauspiels, an antike Muster der Situationskomik (Plautus) sowie an die erfolgreichen Hofkomödien J. Lylys an. Die frühen Komödien »Die Komödie der Irrungen« (entstanden 1592/94, gedruckt 1623), »Der Widerspenstigen Zähmung« (entstanden 1593/94, gedruckt 1594), »Die beiden Veroneser« (entstanden 1594, gedruckt 1623) und »Verlorene Liebesmüh« (entstanden 1594/95, gedruckt 1598) zeigen mit vielfältigen farcenhaft-kom. Mitteln verwickelte Verwechslungs- und Intrigenspiele um Liebe und Freundschaft, Lüge und Entlarvung, weisen jedoch auch zunehmend reflexive Züge auf. Zu den Komödien der mittleren Schaffenszeit gehören »Ein Sommernachtstraum« (entstanden 1595/96, gedruckt 1600), »Viel Lärm um nichts« (entstanden 1598/1599, gedruckt 1600), »Wie es euch gefällt« (entstanden 1599, gedruckt 1623) und »Was ihr wollt« (entstanden 1601/02, gedruckt 1623). Sie beschäftigen sich feinsinnig mit den ernsten und heiteren Seiten der Liebe, die in den Nebenhandlungen vielfach bis ins Derbe oder Verstiegene abgewandelt, mit ernsten Themen wie dem der politischen Herrschaft verknüpft und zur Darstellung menschl. Vervollkommnung durch Selbsterkenntnis und Herzensbildung geführt werden. Zu den Problemkomödien gehören »Der Kaufmann von Venedig« (entstanden 1596/97, gedruckt 1600), »Troilus und Cressida« (entstanden 1601/02, gedruckt 1609), »Ende gut, alles gut« (entstanden 1602/03, gedruckt 1623) und »Maß für Maß« (entstanden 1604, gedruckt 1623), in denen Themen grundsätzlicher durchgespielt und erweitert werden. Die späteren, häufig als »romant. Komödien« oder »Romanzen« bezeichneten Stücke »Perikles, Fürst von Tyrus« (entstanden 1607/08, gedruckt 1609), »Cymbeline« (entstanden 1609/10, gedruckt 1623), »Ein Wintermärchen« (entstanden 1610/11, gedruckt 1623) und »Der Sturm« (entstanden 1611, gedruckt 1623) greifen auf spätgrch. und mittelalterl. Romanzenstoffe zurück, wobei trag. Geschehen z.T. durch mag. Kräfte zu einem glückl. Ende gewendet wird.

Gesamtcharakteristik: Ob persönl. Erleben das Werk S.s bestimmt hat, lässt sich nicht mehr ermitteln. S. bediente sich z.T. wohl bekannter Vorlagen (G. Boccaccio, G. Chaucer, Plutarch, R. Holinshed). Zweifellos deutet das Werk jedoch auf die Fähigkeit, diesen Stoffen unterschiedlichste Erfahrungen und Erlebnisse, Gefühle und Fantasien unter Einsatz vielfältiger sprachl. Mittel von der holprigen Prosa der niederen Figuren bis zum Blankverspathos der politisch Mächtigen abzugewinnen und sie so zu gestalten, dass ein fast unbegrenzter Facettenreichtum von Personen und Haltungen entsteht. Deshalb lässt sich zu Recht sagen, dass die dichter. Einbildungskraft für S. die Quelle des künstler. Schaffens dargestellt haben muss. S.s Werk deutet angesichts der Fülle von gegensätzl. Figuren, miteinander kontrastierenden Handlungen und der Vermischung des Komischen mit dem Tragischen, des Derben mit dem Sentimentalen, dem Pathetischen, Grotesken und Satirischen auf eine als realistisch zu bezeichnende multiperspektiv. Weltabbildung hin, die das Leben, die Menschen und die Gesellschaft in ihrer Breite und Vielschichtigkeit darstellt. Wenn er einerseits häufig auf Techniken und Figuren des Volkstheaters zurückgreift und Gestalten aus dem Volk (die Totengräber in »Hamlet«) oder die Narren überraschende Einsichten formulieren lässt, schreibt er andererseits auch für das gebildete Publikum der Londoner Juristenschulen oder für den Hof Jakobs I. Der überständischen Rezeption in seiner eigenen Zeit entspricht die überzeitl. Aussagekraft von S.s Werk, die in der Ausweitung seiner Stoffe auf universell-philosoph. Fragen und das gesamte Spektrum menschl. Empfindungen begründet ist.

Weiterwirken: Schon zu seinen Lebzeiten galt S. als der führende Dramatiker Englands. Sein Ansehen stieg in der Folgezeit, auch wenn nach Wiedereröffnung der während der Puritanerherrschaft geschlossenen Theater (1660) seine »barock« scheinenden Regelverstöße kritisiert wurden. Mit der Werkausgabe N. Rowes (6 Bde., 1709) begann die S.-Philologie, die bereits Ende des 18. Jh. in E. Malones Ausgabe von 1790 (überarbeitet 1821) einen Höhepunkt fand. Gleichzeitig wurde S. v.a. in Dtl. zum dramat. Paradigma (G. E. Lessing, H. W. Gerstenberg) und Inbegriff des Originalgenies (J. G. Herder, Goethe). Mit der kongenialen Übersetzung von A. W. Schlegel, D. Tieck und W. von Baudissin wurden die Dramen S.s zum festen Bestandteil des dt. Theaters. Nachhaltig ist das S.-Bild immer auch durch die wechselnde Aufführungspraxis geprägt worden: während des 19. Jh. durch die historist. Detailtreue ebenso wie durch die Rekonstruktion der S.-Bühne und den Anti-Illusionismus des modernen Theaters zu Beginn des 20. Jh. (E. G. Craig, H. Granville-Barker). In den 1960er-Jahren wurden v.a. die Inszenierungen der Royal Shakespeare Company durch P. Brook und P. Hall wegweisend; das Buch des Polen J. Kott (»S. heute«, 1961) wirkte nachhaltig auf S.-Bearbeitungen u.a. von E. Ionesco (»Macbett«, 1972) und Heiner Müller (»Macbeth«, 1971). Autoren wie B. Brecht (»Coriolan von S.«, hg. 1959), P. Ustinov (»Romanoff und Julia«, 1957), G. Grass (»Die Plebejer proben den Aufstand«, 1966), T. Stoppard (»Rosenkranz und Güldenstern sind tot«, 1967, Film 1990), F. Dürrenmatt (»König Johann«, 1968; »Titus Andronicus«, 1970) oder B. Strauss (»Der Park«, 1983) schrieben S.-Stücke um. S.-Dramen waren häufig auch Vorlagen für Opernkomponisten wie G. Verdi (»Otello«, 1887; »Falstaff«, 1893), B. Britten (»Ein Sommernachtstraum«, 1960) und A. Reimann (»Lear«, 1978) oder Ballett- und Musicalbearbeitungen (S. S. Prokofjew, »Romeo und Julia«, 1938; C. Porter, »Kiss me, Kate«, 1948; L. Bernstein, »West side story«, 1957). Die Popularität der S.-Dramen zeigt sich auch in den zahlr.

Shakespeare war Teilhaber des 1599 aus bemaltem Holz erbauten Londoner Globe Theatre; das 1644 abgerissene Theater wurde nach gut 350 Jahren im Jahr 1996 in sorgfältiger Originalkonstruktion neu eröffnet

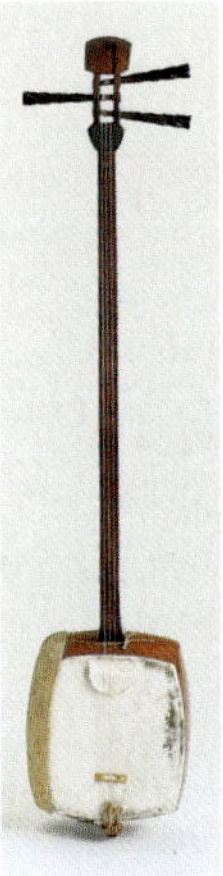

Shamisen: um 1900 gebautes Instrument (München, Deutsches Museum)

Verfilmungen, u.a. von F. Zefirelli »Romeo und Julia« (1967), R. Polanski »Macbeth« (1971), K. Branaghs »Heinrich V.« (1989) oder P. Greenaways »Sturm«-Version (»Prosperos Bücher«, 1991). Weiteres BILD englische Literatur

📖 BERMAN, R.: *A reader's guide to S.'s plays. Neuausg. Glenview, Ill., 1973.* – MUIR, K.: *The sources of S.'s plays. Neuausg. New Haven, Conn., 1978.* – MEHL, D.: *Die Tragödien S.s. Berlin 1983.* – BOYCE, C.: *S. A–Z. New York 1990.* – STEIGER, K. P.: *Moderne S.-Bearbeitungen. Stuttgart u. a. 1990.* – SCHOENBAUM, S.: *S.'s lives. Neuausg. Oxford 1991.* – PARIS, J.: *W. S. Aus dem Frz. Reinbek 1992.* – *S.-Handbuch, hg. v.* I. SCHABERT. *Stuttgart ³1992.* – LOQUAI, F.: *Hamlet u. Deutschland. Zur literar. S.-Rezeption im 20. Jahrhundert. Stuttgart u. a. 1993.* – POSENER, A.: *W. S. Reinbek 1995.*

Shakespearebühne ['ʃeːkspiːr-], die für das volkstümliche engl. Theater des ausgehenden 16. und beginnenden 17. Jh. charakterist. Bühnenform mit weit in den Zuschauerraum (eigtl. ein Hof) vorspringender Vorderbühne, kleiner Hinterbühne und darüber angeordneter Ober- oder Balkonbühne.

Shakespeare-Gesellschaft ['ʃeːkspiːr-], →Deutsche Shakespeare-Gesellschaft.

Shamir [ʃ-], Yitzhak, israel. Politiker, →Schamir.

Shamisen [ʃ-] *die* (Samisen), japan. Spießlaute mit langem Hals und kleinem Resonanzkörper mit Zargen aus Holz; Boden und Decke sind mit Katzen- oder Hundeleder bespannt. Die drei Saiten aus Seide oder Nylon werden mit einem großen, spatelförmigen →Plektron geschlagen. Die S. ist in Japan führendes Melodieinstrument im Kabuki-Theater.

Shamo [ʃ-], chines. Name der →Gobi.

Shan [ʃ-], Tai sprechendes Volk, überwiegend in N- und NO-Birma (v.a. im **Shanstaat;** Gliedstaat in O-Birma, 155 222 km²; Hptst.: Taunggyi); etwa 3,6 Mio. Angehörige. Die S. leben zumeist in Tälern und Ebenen; Hauptanbauprodukt ist Reis. Die Religion der S. ist der Buddhismus.

Ntozake Shange

Shandong [ʃ-] (Schantung, Shantung), Provinz an der NO-Küste von China, am Gelben Meer, 153 300 km², (1994) 86,7 Mio. Ew.; Hptst. ist Jinan. S. wird im O von der buchtenreichen und gebirgigen Halbinsel S. (Erdnussanbau; Seidenraupenzucht) eingenommen, hat im W Anteil an der Großen Ebene (Anbau von Weizen, Kauliang, Sojabohnen, Hirse; Obstbau) mit der Gebirgskette Tai Shan (1545 m ü.M.) im zentralen Teil. Reiche Bodenschätze: Steinkohle, Eisenerz, Gold, Erdöl (Shengli-Bohrfeld); an der Küste Meersalzgewinnung und Fischerei; Küsten- und Binnenschifffahrt (Großer Kanal); Haupthäfen sind Tsingtau und Yantai.

Claude E. Shannon

Shang [ʃ-] (später Yin), älteste historisch belegte chines. Dynastie, herrschte etwa vom 16. Jh. v. Chr. bis um 1050 v. Chr. (→China, Geschichte).

Shange [ʃeɪndʒ, auch 'ʃɑːŋgɪ], Ntozake, eigtl. Paulette Williams, amerikanische Schriftstellerin, *Trenton (N. J.) 18. 10. 1948. Ihre aus lyr. Gedichten sowie surrealist. und expression. Stilelementen bestehenden Sing-Tanz-Theaterstücke (»For colored girls who have considered suicide/When the rainbow is enuf«, 1975), Gedichte und Prosa (»Schwarze Schwestern«, R., 1982; »A daughter's geography«, Gedichte, 1983) entwerfen eine feminist. Perspektive, die der Befreiung schwarzer Frauen dienen soll.

Shanghai [ʃaŋxaɪ], Stadt in China, →Schanghai.

Shankar [ʃ-], Ravi, ind. Sitarspieler und Komponist, *Varanasi 7. 4. 1920; gründete 1949 das Indian National Orchestra, 1962 die Kinnara School of Music in Bombay und 1967 eine Dependance in Los Angeles; zahlr. Konzertreisen, spielte u.a. zusammen mit Y. Menuhin und den Beatles. BILD indische Musik

Shankara [ʃ-], ind. Philosoph und Heiliger, *Kaladi (Kerala) 788, †Kedarnath (Uttar Pradesh) 820; Hauptvertreter der Philosophie des Vedanta und der Lehre der Identität von Brahman und Atman (→indische Philosophie und Religion). Sein Hauptwerk sind die Kommentare zu den Vedantasutras (auch Brahmasutras), einem der Grundtexte des Vedanta.

Shannon ['ʃænən] *der,* längster Fluss Irlands, 370 km lang, entspringt am Cuilcagh in der histor. Prov. Leitrim, bildet ab Limerick einen 113 km langen Mündungstrichter zum Atlantik.

Shannon ['ʃænən], Claude Elwood, amerikan. Ingenieur und Mathematiker, *Gaylord (Mich.) 30. 4. 1916; ab 1956 Prof. am Massachusetts Institute of Technology; u.a. Arbeiten zur Schaltungstheorie elektron. Rechner sowie zur Nachrichtencodierung; begründete 1949 die →Informationstheorie.

Shansi [ʃ-], Provinz in China, →Shanxi.

Shantou [ʃantɔu̯] (Schantou), Hafenstadt in der Prov. Guangdong, S-China, 578 600 Ew.; Bekleidungs-, Elektro-, Keramik-, Konservenind.; Hafen am Delta des Han Shui; Mittelpunkt einer 52,6 km² großen Wirtschaftssonderzone.

Shantung [ʃ-], Provinz in China, →Shandong.

Shanty ['ʃæntɪ, engl.] *das* (Chanty), Seemannslied, meist von Vorsänger und Chor zur Arbeit gesungen und deren Rhythmus angepasst. Die S. entstanden zur Zeit der Segelschifffahrt.

Shanxi [ʃanɕiː] (Schansi, Shansi), Provinz in N-China, westlich der Großen Ebene, 156 300 km², (1994) 30,5 Mio. Ew., Hptst. ist Taiyuan; das Hochland von S. ist durch einzelne Gebirgsketten stark gegliedert; bei künstl. Bewässerung v.a. im Terrassenfeldbau Anbau von Hirse, Kauliang, Weizen,

Hafer, Baumwolle und Tabak. Die Prov. ist eines der chines. Kohlehauptfördergebiete (Datong), chem. Ind.; außerdem Textil-, Eisen- und Stahlind., Maschinenbau.

Shaoxing [ʃaụçɪŋ] (Shaohsing, Schauhing), Stadt in der chines. Prov. Zhejiang, 174 000 Ew.; Seiden-, Baumwoll-, keram. Ind., Reisweinherstellung. – Sechsstöckige Pagode (11. Jahrhundert).

SHAPE [ʃeɪp, engl.], Abk. für **S**upreme **H**eadquarter **A**llied **P**owers in **E**urope, das Oberkommando der Streitkräfte der NATO in Europa; geführt vom → SACEUR; Sitz in der Nähe von Mons (Belgien).

Shapiro [ʃəˈpɪrəʊ], Joel, amerikan. Bildhauer, * New York 27. 9. 1941. In seinen Plastiken in einfachen kompakten oder raumgreifenden Formen ist die Auseinandersetzung mit Gleichgewicht und Schwerkraft von gestalter. Bedeutung.

Joel Shapiro: ohne Titel (1980/81; Privatbesitz)

Shapley [ˈʃeɪplɪ], Harlow, amerikan. Astronom, * Nashville (Mo.) 2. 11. 1885, † Boulder (Colo.) 20. 10. 1972; Direktor des Harvard Observatory in Cambridge (Mass.); wichtige Arbeiten auf dem Gebiet der veränderl. Sterne, der Sternhaufen, des Aufbaus des Milchstraßensystems und der Verteilung der Sternsysteme sowie zur photometr. Bestimmung von Sternentfernungen.

Sharaku [ʃ-], eigtl. Tōshūsai S., als Meister des japan. Farbholzschnitts 1794/95 in Edo (heute Tokio) tätig, schuf etwa 140 aggressiv-satir. Schauspielerbildnisse.

Share [ˈʃeə; engl. »Anteil«] *der, angloamerikan. Recht:* Anteilsrecht an einer Kapitalgesellschaft. Der S. wird (im Unterschied zur dt. Aktie) nicht in einer Urkunde verbrieft. Das Anteilsrecht wird durch Eintragung in das Mitgliedsregister der Gesellschaft, die über die Beteiligung ein beglaubigtes Zertifikat ausstellt, erworben.

Shareholder-Value [ˈʃeəhəʊldə ˈvælju:, engl.] *das,* i. e. S. das Aktionärsvermögen, das nach der modernen Finanzierungstheorie dem auf das Eigenkapital bezogenen Barwert der erwarteten zukünftigen Einzahlungen entspricht. I. w. S. wird der Begriff in der Portfoliotheorie als Konzept der Unternehmensführung verstanden, das mittel- bis langfristig die Maximierung des Unternehmenswerts im Interesse der Aktionäre (dauerhafte Dividende und Kurssteigerung) verlangt.

Omar Sharif

Sharif [ʃ-], Omar, eigtl. Maechel Chalhoub, ägypt. Schauspieler syrisch-libanes. Abstammung, * Alexandria 10. 4. 1932; populär durch Filme wie »Lawrence von Arabien« (1962), »Doktor Schiwago« (1965), »18 Stunden bis zur Ewigkeit« (1974), »Palast der Winde« (1984), »Peter der Große« (1986), »Das Gesetz der Wüste« (1990).

Sharja [ˈʃardʒa], Scheichtum der → Vereinigten Arabischen Emirate.

Sharp [ʃɑ:p], **1)** Phillip A., * Falmouth (Ky.) 6. 6. 1944; amerikan. Chemiker und Genetiker; erhielt für die Entdeckung der diskontinuierlich aufgebauten Gene 1993 (mit R. J. Roberts) den Nobelpreis für Physiologie oder Medizin.

Phillip A. Sharp

2) William, Pseud. Fiona MacLeod, schott. Dichter, * Paisley 12. 9. 1855, † Castello di Maniace (Sizilien) 14. 12. 1905; schrieb Erzählungen aus dem schott. Hochland, Dramen aus der ir. Sage und lyrisch-ep. Dichtungen.

Sharpe [ʃɑ:p], William Forsyth, amerikan. Wirtschaftswissenschaftler, * Cambridge (Mass.) 16. 6. 1934; Prof. an der Stanford University (1970–89); erhielt 1990 für seinen Beitrag zur Preisbildungstheorie von Finanzvermögen gemeinsam mit M. H. Miller und H. M. Markowitz den Nobelpreis für Wirtschaftswissenschaften.

William F. Sharpe

Sharpeville [ˈʃɑ:pvɪl], Wohnstadt für Schwarze bei Vereeniging, Rep. Südafrika, 50 600 Ew.; war 1960 Schauplatz einer von der Polizei blutig aufgelösten Demonstration von Schwarzafrikanern gegen die Passgesetze der Rep. Südafrika.

Shaw [ʃɔ:], **1)** Artie, eigtl. Arthur Arshawsky, amerikan. Jazzklarinettist, * New York 23. 5. 1910; gründete Mitte der 30er-Jahre eines der erfolgreichsten Swingorchester.

2) George Bernard, irischer Schriftsteller, * Dublin 26. 7. 1856, † Ayot Saint Lawrence (Cty. Hertfordshire) 2. 11. 1950; lebte ab 1876 in London, Journalist; schloss sich 1884 der → Fabian Society an; ab 1885 Musik- und Theaterkritiker. In dem Essay »Ein Ibsenbrevier« (1891) legte S. erstmals sein literar. Programm dar: Kritik an sozialen Missständen und entleerten Idealen. In seinen ersten drei von rd. 70 Schauspielen (»unpleasant plays«) behan-

George Bernard Shaw

delte S. der Öffentlichkeit unbequeme Themen: »Die Häuser des Herrn Sartorius« (1893, 1907 u. d. T. »Heuchler«), »Frau Warrens Gewerbe« (gedruckt 1898), »Der Liebhaber« (1898); ihnen wurden vier »pleasant plays« gegenübergestellt: »Helden«, »Candida«, »Der Mann des Schicksals«, »Man kann nie wissen« (alle 1898 gedruckt); danach folgten »Three plays for Puritans«: »Der Teufelsschüler«, »Cäsar und Cleopatra«, »Kapitän Brassbounds Bekehrung« (alle 1901 gedruckt). »Die heilige Johanna« (1923) zeigt das histor. Thema in völlig neuartiger Weise; eine polit. Komödie ist »Der Kaiser von Amerika« (1929). Den Dramen »Mensch und Übermensch« (1903), »Pygmalion« (1912; als Musical u. d. T. »My fair Lady«) und »Haus Herzenstod« (1919) liegt die in den 1890er-Jahren unter dem Einfluss F. Nietzsches und H. Bergsons entwickelte Hypothese einer kreativen Evolution, die den Menschen zu steter Höherentwicklung treibt, zugrunde. S. verfasste auch zahlreiche kunst- und literaturkrit., sozialkrit. und polit. Schriften. 1925 erhielt er den Nobelpreis für Literatur.

George Bernard Shaw: Ausschnitt eines Aquarells (um 1925; London, National Portrait Gallery), darunter Autogramm

📖 Holroyd, M.: *B. S., 3 Bde. London 1988–91.* – Stresau, H.: *G. B. S. Reinbek 52.–54. Tsd. 1993.* – *Dichtung ist ein Akt der Revolte. Literaturpsycholog. Essays über Heine, Ibsen, S., Brecht u. Camus, hg. v.* G. Danzer. *Würzburg 1996*

Sheffield
Stadtwappen

3) Irwin, amerikan. Schriftsteller, * New York 27. 2. 1913, † Davos (Schweiz) 16. 5. 1984; begann mit Arbeiten für Film und Rundfunk, verfasste Dramen und Kurzgeschichten mit z. T. sozialkrit. Thematik; zum populären Romancier wurde er mit dem antimilitarist. Kriegsroman »Die jungen Löwen« (1948); weitere Romane sind »Zwei Wochen in einer anderen Stadt« (1960), »Aller Reichtum dieser Welt« (1970), »Auf Leben und Tod« (1982).

Shawn [ʃɔ:n], Ted, amerikan. Tänzer, Choreograph und Tanzpädagoge, * Kansas City (Mo.) 21. 10. 1891, † Orlando (Fla.) 9. 1. 1972; gründete 1915 in Los Angeles (Calif.) mit seiner Frau Ruth Saint Denis die Denishawn School, die für den modernen Tanz in den USA wegweisend wurde.

Shawnee [ˈʃɔ:ni:], nordamerikan. Indianerstamm der Algonkin, urspr. im mittleren Ohio-Tal ansässig; bekannt durch den Kampf gegen die vordringenden weißen Siedler unter ihrem Führer Tecumseh. Teile der S. leben in Oklahoma.

SHB, Abk. für **S**ozialdemokratischer **H**ochschul**b**und, → studentische Vereinigungen.

Shearer [ˈʃɪərə], Moira, brit. Tänzerin, * Dunfermline (Fife) 17. 1. 1926; war 1942–52 Mitgl. des Sadler's Wells Ballet in London; wurde international bekannt durch den Ballettfilm »Die roten Schuhe« (1948).

Shearing [ˈʃɪərɪŋ], George, brit. Jazzpianist, * London 13. 8. 1919; von Geburt an blind; seit 1947 in den USA; leitete in den 50er-Jahren mit großem Erfolg ein Quintett, das eine popularisierte Form des Bebop spielte; seit den 70er-Jahren oft Auftritte als Solist. S. schrieb u. a. den Hit »Lullaby of birdland«.

Sheffield [ˈʃefi:ld], Stadt in der Metrop. County South Yorkshire, England, am O-Rand der Pennines, 528 300 Ew.; Univ., Polytechnikum (FH), Forschungsinst. für Molekularbiologie; Herstellung von Messerwaren, Eisen-, Messing- und Letterngießereien, chem., Farben-, Genussmittel-, Bekleidungs-, Papier- u. a. Ind., Maschinenbau, Instrumentenherstellung. – Rathaus (1890–97) mit 70 m hohem Turm. – Das im Domesday Book erstmals erwähnte S. entwickelte sich im 12. Jh. bei einer normann. Burg.

Sheldon [ˈʃeldən], William Herbert, amerikan. Mediziner und Psychologe, * Warwick (R. I.) 19. 11. 1898, † Cambridge (Mass.) 16. 10. 1977; Prof. in New York; stellte in seiner Konstitutionstypologie drei Körperbeschaffenheiten drei psych. Verfasstheiten gegenüber. (→ Charakterologie)

Shell [ʃel], → Royal Dutch/Shell-Gruppe.

Shelley [ˈʃelɪ], **1)** Mary Wollstonecraft, engl. Schriftstellerin, * London 30. 8. 1797, † ebd. 1. 2. 1851; Tochter von W. und Mary → Godwin, ab 1816 ⚭ mit 2); schrieb den Schauerroman »Frankenstein, oder der moderne Prometheus« (3 Bde., 1818). »The last man« (1806) ist eine bis in das Jahr 2100 reichende Antiutopie.

2) Percy Bysshe, engl. Dichter, * Field Place (bei Horsham, Cty. West Sussex) 4. 8. 1792, † (bei einem Segelunfall ertrunken) bei Viareggio (Italien) 8. 7. 1822, ab 1816 ⚭ mit 1); schrieb als Student in Oxford 1811 die Streitschrift »The necessity of atheism« (mit T. J. Hogg) und wurde deshalb von der Univ. verwiesen. Von der Gesellschaft geächtet, flüchtete er 1814 in die Schweiz, dann nach Italien. – Aus seinen Schriften spricht leidenschaftl. Auflehnung gegen jede Art der Einengung des Individuums (»Königin Mab«, Lehrgedicht 1813, auch u. d. T. »Feenkönigin«; »Alastor«, 1816; »Die Empörung des Islam«, Epos, 1818; »Der entfesselte Prometheus«, Drama, 1820). Ein aus der antiken Philosophie (Plato) und der Vernunftreligion der Aufklärung geschöpfter idealist. Pantheismus ist für ihn persönl. Erlebnis; das Gefühl des Einsseins mit der Natur findet unmittelbaren Ausdruck, v. a. in den großen Oden (»Ode to the west wind«, »To a skylark«), die wie die melodramat. Renaissancekomödie »Die Cenci« (1819) in Italien entstanden.

Percy Bysshe Shelley

📖 O'Neill, M.: *P. B. S. London 1989.*

Shensi [ʃ-], Provinz in China, → Shaanxi.

Shenyang [ʃɛnjaŋ] (Schenjang, früher Mukden), Hauptstadt der Prov. Liaoning, NO-China, im S der mandschur. Ebene, 3,5 Mio. Ew.; Univ., TU, mehrere Hochschulen, Museen, Bibliotheken, Theater; Hauptwirtschaftszentrum NO-Chinas; auf der Grundlage naher Kohle- und Erzvorkommen entwickelte sich früh eine vielseitige Ind., bes. Maschinenbau, Metallverarbeitung, Elektronik, chem., Textilind.; bed. Bahnknotenpunkt. – Palastanlage (17. Jh.) z. T. erhalten; Grabmal Beiling des 1. Qingkaisers. – 1621 von den Mandschuren erobert; Blütezeit als deren Residenz (1625–44) unter dem Namen **Mukden;** 1931–45 japanisch besetzt. – Im Russisch-Japan. Krieg erlitt die russ. Armee in der **Schlacht bei Mukden** (1905) eine entscheidende Niederlage.

Shenzhen [ʃɛndʒən], Stadt in der Prov. Guangdong, S-China, neuer Hafen am Südchines. Meer, grenzt an Hongkong, 280 000 Ew.; Zentrum einer 327 km² großen Wirtschaftssonderzone; durch ausländ. Investitionen im W-Teil Ausbau des Shekou-Ind.gebiets, im mittleren Teil der Elektronikind. und im O Entwicklung des Tourismus; Aktienbörse (erste Chinas); Flughafen.

Shepard ['ʃepəd], Sam, eigtl. Samuel S. Rogers, amerikan. Schriftsteller, * Fort Sheridan (Ill.) 5. 11. 1943. Seine von der amerikan. Gegenwartskultur, Drogenszene, Rockmusik, von Sciencefiction, Film und Cowboymythos beeinflussten Stücke stellen eine Mischung aus myth. Nostalgie, Destruktion und Gewalt dar (»La Turista«, 1966; »Fluch der verhungernden Klasse«, 1976; »Goldener Westen«, 1981; »Liebestoll«, 1983; »Baby Boom«, 1987); schrieb auch Drehbücher (u. a. »Zabriskie point«, 1965, Regie M. Antonioni; »Paris, Texas«, 1984, Regie W. Wenders); wirkte als Schauspieler u. a. in »Wehrlos« (1991), »Homo faber« (1991).

📖 Adolphs, U.: *Die Tyrannei der Bilder. S. S.s Dramen. Frankfurt am Main u. a. 1990.*

Sam Shepard

Shepp [ʃep], Archie, eigtl. Vernon S., amerikan. Tenorsaxophonist, * Fort Lauderdale (Fla.) 24. 5. 1937; Vertreter des schwarzen Freejazz; wandte sich in den 70er-Jahren bewusst älteren Spielweisen des Jazz (Blues, Bebop) zu.

Archie Shepp

Sherardisieren [ʃ-; nach dem brit. Erfinder Sherard O. Cowper-Coles, † 1936], Verfahren zum Verzinken von Randschichten von Eisen- und Stahlgegenständen in rotierenden Eisentrommeln mit Zinkstaub bei 250–400 °C.

Sheraton ['ʃerətn], Thomas, engl. Schreiner und Möbelzeichner, * Stockton-on-Tees 1751, † London 22. 10. 1806; veröffentlichte Vorlagebücher für elegante, bürgerl. Möbel, deren feingliedrig klassizist. Stil großen Einfluss auf die Möbelherstellung Englands, N-Europas und Amerikas hatte.

Sheridan ['ʃerɪdən], Richard Brinsley, engl. Dramatiker und Politiker irischer Herkunft, * Dublin 30. 10. 1751, † London 7. 7. 1816; übernahm 1776 als Nachfolger D. Garricks die Leitung des Drury Lane Theatre, stellte in seinen geistreichen Lustspielen (»Die Nebenbuhler«, 1775; »Die Lästerschule«, 1777) das Treiben einer auf Lüge und Heuchelei aufgebauten Gesellschaft dar. Nach 1780 widmete er sich der Politik (1780–1812 Parlamentsabg.) und glänzte als polit. Redner.

Sherlock Holmes

Der Schöpfer von Holmes und Watson, Arthur Conan Doyle, studierte während seiner Ausbildung zum Arzt im schottischen Edinburgh. Einer seiner Lehrer war Dr. Joseph Bell (1837, † 1911), Chirurg und Medizinischer Rat am dortigen Königlichen Militärhospital.*
Bell konnte bei Fremden auf Anhieb durch logische Schlussfolgerungen wesentliche Aussagen über deren Lebensweg und Angewohnheiten treffen.
Doyle selbst gab später zu, dass er Bells Methoden verwertet und erweitert habe, als er seinen wissenschaftlich arbeitenden Detektiv schuf. Die Vorbilder für Dr. med. John H. Watson dürften nicht ganz so rar gewesen sein.

John Sherman

William T. Sherman

Charles Sherrington

Shiitakepilz (Hutbreite bis 10 cm)

Sheriff ['ʃerɪf, engl.] *der,* in England und Nordirland der von der Krone ernannte ehrenamtl. Verwaltungsbeamte einer County. Neben v.a. repräsentativen Aufgaben ist er für die Vollstreckung gerichtl. Urteile und Anordnungen zuständig. In Schottland ist der S. Zivilrichter mit fest umschriebener Zuständigkeit. – In den USA ist der S. der oberste auf Zeit gewählte Vollzugsbeamte eines VerwBez. (County) mit polizeil. und begrenzten richterl. Aufgaben.

Sherlock Holmes ['ʃəːlɔk həʊmz], Privatdetektiv in den Kurzgeschichten und Romanen von A. C. Doyle, der zus. mit Dr. Watson die schwierigsten Fälle durch seine Kombinationsgabe löst. INFO S. 23

Sherman ['ʃəːmən], **1)** John, amerikan. Politiker (Republikan. Partei), *Lancaster (Oh.) 10. 5. 1823, †Washington (D. C.) 22. 10. 1900, Bruder von 2); 1877–81 Finanz- und 1897/98 Außenmin.; konzipierte das erste amerikan. Antitrustgesetz (**Sherman Act,** 1890).

2) William Tecumseh, amerikan. General, *Lancaster (Oh.) 8. 2. 1820, †New York 14. 2. 1891, Bruder von 1); im →Sezessionskrieg seit 1864 Oberbefehlshaber der Unionstruppen auf dem westl. Kriegsschauplatz; verwüstete Nov./Dez. 1864 Georgia; 1869–84 Oberkommandierender der Streitkräfte der USA.

Sherpa [ʃ-; tibet. sher-pa »die aus dem Osten«, d.h. O-Nepal], Bergbevölkerung mit tibet. Sprache in O-Nepal, im Everest-Gebiet des Himalaja; im 15. oder 16. Jh. aus Tibet eingewandert; etwa 90 000. Die S. sind ausgezeichnete Bergsteiger.

Sherriff ['ʃerɪf], Robert Cedric, engl. Schriftsteller, *Kingston upon Thames (heute zu London) 6. 6. 1896, †Esher (Cty. Surrey) 13. 11. 1975; schrieb Dramen, das Kriegsschauspiel »Die andere Seite« (1929) und Romane, u.a. »Badereise im September« (1931), »Grüne Gartentüren« (1936).

Sherrington ['ʃerɪŋtən], Sir (seit 1922) Charles Scott, brit. Neurophysiologe, *London 27. 11. 1857, †Eastbourne 4. 3. 1952; befasste sich mit der Physiologie des Nervensystems, bes. mit den Reflexen. Mit E. D. Adrian erhielt er 1932 den Nobelpreis für Physiologie oder Medizin.

Sherry ['ʃerɪ, engl.] *der,* hell- bis goldgelber span. Likörwein aus der Umgebung von Jerez de la Frontera in W-Andalusien; Alkoholgehalt 15,5 bis 21 Vol.-%.

's-Hertogenbosch [shɛrto:xən'bɔs], Stadt in den Niederlanden, →Herzogenbusch.

Sherwood ['ʃəːwʊd], Robert Emmet, amerikan. Schriftstller, *New Rochelle (N. Y.) 4. 4. 1896, †New York 14. 11. 1955; zunächst Literatur- und Filmkritiker, Hg. von Zeitschriften; verfasste neben Lustspielen aktuelle Problemstücke (u.a. »Idiot's delight«, 1936). 1939–45 war er Mitarbeiter des Verteidigungsministeriums und schrieb Reden für F. D. Roosevelt; nach dem Krieg v.a. Drehbuchautor (»The best years of our lives«, 1946).

Shetland ['ʃetlənd, engl.] *der,* urspr. Gewebe (meist in Köperbindung) und Gestricke aus von den Shetlandinseln stammender **S.-Wolle,** jetzt auch aus anderen fülligen und leichten Wollgarnen gefertigte Gewebe und Gestricke, die durch Walken verfilzt und so dem Griff der Original-S.-Wolle angeglichen werden.

Shetlandinseln ['ʃetlənd-] (Shetland Islands, Zetland), Inselgruppe im N Schottlands; die S. bilden das Verw.gebiet (Local Authority) Shetland, 1 438 km², (1993) 22 800 Ew.; Hauptort ist Lerwick auf Mainland. Die S. sind hügelig mit felsigen Steilküsten, baumarm und haben feuchtes, mildes Klima; Fischerei, Viehhaltung (Rinder, Schafe, Shetlandponys), Wollverarbeitung (Strick- und Tweedwaren), Fremdenverkehr; Versorgungsbasis für die Nordsee-Erdölwirtschaft ist Lerwick; Erdölhafen ist Sullom Voe. Die größten Inseln sind Mainland, Yell, Unst, Fetlar.

Shigatse [ʃ-] (Schigatse, Xigazê), Stadt in der Autonomen Region Tibet, China, 3 600 m ü. M. im Tal des Tsangpo (Brahmaputra-Oberlauf); etwa 30 000 Ew.; in der Nähe das lamaistische Kloster →Tashilumpo.

Shigemitsu [ʃ-], Mamoru, japan. Politiker, *in der Präfektur Ōita 29. 7. 1887, †Kanagawa (bei Tokio) 26. 1. 1957; 1943–45 Außenmin., unterzeichnete 1945 die Kapitulation Japans, 1948 als Kriegsverbrecher verurteilt, 1950 entlassen; 1954–56 erneut Außenmin. und zugleich stellv. Ministerpräsident.

Shihchiachuang [ʃidʒja:dʒwaŋ], Stadt in China, →Shijiazhuang.

Shiitakepilz [ʃ-, japan.] (Schiitakepilz, Pasaniapilz, Tricholomopsis edodes), den Ritterlingen nahe stehender, auf morschem Laubholz wachsender mittelgroßer Pilz mit rötlich braunem, bis 10 cm breitem Hut; Lamellen weiß bis hellocker, Fleisch weißlich und fest; Speisepilz, der seit über 2 000 Jahren in Japan und China kultiviert wird.

Shijiazhuang [ʃidʒja:dʒwaŋ] (Shihchiachuang), Hauptstadt der Provinz Hebei, N-China, am W-Rand der Großen Ebene, 1,068 Mio. Ew.; Zentrum der chines. Baumwollverarbeitung, Düngemittel-, Eisen- und Stahlindustrie, Maschinen- und Fahrzeugbau; Flughafen.

Shijing [ʃidʒiŋ; »Buch der Lieder«] (Shihching), älteste chines. Lyriksammlung, →chinesische Musik.

Shikimisäure [ʃ-], eine Carbonsäure, wichtiges Zwischenprodukt in der Biosynthese der für den Menschen essenziellen aromat. Aminosäuren Phenylalanin, Tyrosin und Tryptophan bei Pflanzen und Mikroorganismen.

Shikoku [ʃ-] (Schikoku), die kleinste der vier Hauptinseln Japans, mit Nebeninseln 18808 km², 4,2 Mio. Ew.; die Bev. konzentriert sich an den Küsten der größtenteils gebirgigen Insel; mit Honshū durch die 1988 fertig gestellte, 9,4 km lange zweistöckige Setobrücke verbunden.

Shilh [ʃɪl] (Schluh, Schlöh, frz. Chleuh), Volksgruppe der Berber in S-Marokko. Die über 2 Mio., in viele Stämme gegliederten S. leben überwiegend in festen Siedlungen (Stampflehmhäuser, Kasbas, Speicherburgen) und sind v.a. Ackerbauern (Getreidebau, daneben Baumkulturen). Sie sind sunnit. Muslime.

Shilling [ˈʃɪlɪŋ, engl.] *der,* Abk. **s, sh,** früheres (bis 1971) engl. bzw. brit. Münznominal, urspr. nur Rechnungseinheit, seit um 1550 Silbermünze; 1 S. = 12 Pence, 20 S. = 1 Pound.

Shillong [ˈʃɪlɔŋ], Hauptstadt von Meghalaya, Indien, Höhenkurort in den Khasibergen, 1500 m ü.M.; 131700 Ew.; Erzbischofssitz; Univ., Institut Pasteur, seismolog. Observatorium; pharmazeut. Industrie.

Shilluk [ˈʃi-] (Schilluk), Volk der →Niloten am Nilbogen um Malakal und Kodok, Rep. Sudan; rd. 200000 S.; Ackerbauern mit Viehhaltung.

Shimla [ʃim-] (Simla), Hauptstadt von Himachal Pradesh, Indien, 2130 m ü.M., im Vorderhimalaja, 82100 Ew.; Univ.; Höhenluftkurort. – Ab 1834 Sommersitz der Reg. von Britisch-Indien.

Shikoku: Die 9,4 km lange zweistöckige Auto- und Eisenbahnbrücke zwischen Honshū und Shikoku wurde 1988 eröffnet

Shintō: Shintōfeste gelten den örtlichen Gottheiten und ihrer Wirksamkeit, wie sie in den Kräften der Natur (hier des Feuers) sowie in der Fruchtbarkeit von Mensch und Tier erscheint

Shimmy [ˈʃɪmɪ, engl.] *der,* populärer, aus Amerika stammender Gesellschaftstanz der 1920er-Jahre, musikalisch dem Ragtime verwandt.

Shimonoseki [ʃi-], Hafenstadt in der Präfektur Yamaguchi, Japan, am W-Ende der Insel Honshū, durch die Straße von S. von der Insel Kyūshū getrennt, 259900 Ew.; mit der Stadt →Kitakyūshū durch den Kammontunnel und Brücke verbunden; Fischereiwirtschaft, Metallwaren-, chem. Ind., Schiffbau. – Der Frieden von S. (1895) beendete den chinesisch-japan. Krieg von 1894/95 (→Japan, Geschichte).

Shinkansen [ʃ-; japan. »neue Fernstrecke«], ein elektrisch betriebenes, normalspuriges Eisenbahnfernschnellnetz in Japan; von Hakata/Fukuoka auf Kyūshū über Tokio (Neue Sanyolinie, Neue Tokaidolinie) nach Morioka (Honshū; Tohokulinie), Weiterführung bis Sapporo auf Hokkaidō durch den Seikantunnel vorgesehen; in Betrieb ferner Joetsulinie zw. Tokio und Niigata sowie Naritalinie zw. Tokio und internat. Flughafen Narita; insgesamt 2384 km.

Shintō [ʃ-; sinojapan. »Weg der Götter, Geister«] *der* (Shintoismus, Schintoismus), die ursprüngl., aus dem Erleben von Natur und Seele hervorgegangene Religion Japans. Ihre japan. Bez. ist Kami no michi (»Weg der kami [Gottheiten]«). – Der S. ist gekennzeichnet durch Naturverehrung, Ahnenkult und die Verehrung der Klangottheiten.

Die Ahnen werden als allzeit existent und in ihren Gemeinschaften (Familie, Klan) weiterlebend angesehen und verehrt. – Als Schöpfer Japans gelten die Erdmutter Izanami und der Himmelsvater Izanagi, der die Herrschaft über den Himmel der Sonnengöttin Amaterasu übergab. Sie ernannte ihren Enkel Ninigi zum Herrscher über Japan. Er gilt als göttl. Ahnherr der bis heute herrschenden Dynastie. Deren jeweiliges Oberhaupt ist der Tenno (»Himmelsherrscher«), der Kaiser Japans, in dem das traditionelle japan. Denken die sichtbare Manifestation des Willens der Sonnengöttin Amaterasu sieht. – Der Kult des S. besteht vornehmlich in der Darbringung von Zweigen des Kirschbaumes und in Speiseopfern sowie rituellen Gebeten und wird sowohl als Familienkult als auch offiziell an den mit Miya (»erlauchtes Haus«) bezeichneten →Schreinen vollzogen. Die shintoist. Ethik betont Pflichttreue, Ehrlichkeit und Selbstbeherrschung, zusammengefasst im Ideal des »lauteren Herzens« (Magokoro). Die Kodifizierung hl. Texte erfolgte im 8. Jh. im →Kojiki. – Der S. erlebte zahlr. Wandlungen, v. a. als Folge seiner Begegnung und Auseinandersetzung mit dem seit dem 6. Jh. nach Japan gekommenen Buddhismus und dem chines. Konfuzianismus. In der Folge einer die nat. Traditionen betonenden Restaurationspolitik wurde der S. 1868 zum Staatskult erhoben, 1945 auf alliierten Befehl als solcher v. a. wegen der mit ihm verbundenen totalitär-chauvinist. Gedanken (Japan als auserwähltes »göttl. Land«) verboten.

📖 NAUMANN, N.: *Die einheim. Religion Japans, Bd. 1 Leiden 1988.*

Shiva:
Linga mit dem Gesicht Shivas aus Uttar Pradesh, Terrakotta, Höhe 29,5 cm (4.–5. Jh.; Stuttgart, Linden-Museum)

Shire [ˈʃi-] *der* (Schire), linker Nebenfluss des Sambesi, 600 km lang, entfließt in Malawi dem Malawisee, mündet in Moçambique; im mittleren Abschnitt Katarakte (Kraftwerke). Östlich vom S. liegt das 600–1100 m hohe **S.-Hochland,** eines der am dichtesten besiedelten Gebiete Malawis.

Shirley [ˈʃɔːlɪ], James, engl. Dramatiker und Lyriker, *London 18. 9. 1596, beerdigt ebd. 29. 10. 1666; anglikan. Geistlicher, konvertierte später zum Katholizismus; 1625 bis zur Schließung der Theater durch die Puritaner 1642 Bühnenautor; schrieb Sittenkomödien sowie aufwendige höf. Maskenspiele.

Shiva [ʃ-; Sanskrit »der Gütige«], einer der drei Hauptgötter des →Hinduismus; verkörpert den Aspekt der Zerstörung; als Zerstörer von Nichtwissen ist er eine segensreiche Gottheit. Sein Symbol ist der →Linga (Phallussäule). Er trägt als höchster Gott auch den Namen Mahadeva (»großer Gott«) und soll als Asket und Herr der Yogis mit seiner Gattin Durga und seinen Söhnen Skanda und Ganesha auf dem Berg Kailas im Himalaja leben. Verehrt und dargestellt wird S. v. a. als »Herr der Tänzer« (Nataraja), dessen kosm. Tanz die Zerstörung der Welt symbolisiert. Die hinduist. Tradition verbindet mit S. eine Vielzahl von Vorstellungen, die in seinen über 1000 Beinamen ihren Ausdruck finden. Weiteres BILD Hinduismus

Shivaismus [ʃ-] *der,* Hauptrichtung des Hinduismus, in der Shiva als höchster Gott verehrt wird.

Shizuoka [ʃiz-], Hauptstadt der Präfektur S., Japan, an der SO-Küste der Insel Honshū, 474 200 Ew.; Univ., Forschungsinstitut für Pflanzen; Zentrum des japan. Teehandels; Lack-, Bambus- und Korbwarenherstellung, Maschinenbau. – Reste einer gewaltigen Festung (nach 1570).

Shkodër [ˈʃkodər] (italien. Scutari, dt. Skutari), Stadt in Albanien, am SO-Ende des Skutarisees, 83 700 Ew.; größte Stadt sowie wirtsch. und kulturelles Zentrum N-Albaniens; landwirtsch. Forschungsinst.; Maschinenbau, Baustoff-, Textil-, Tabak-, Nahrungsmittel-, Lederind.; Flughafen; Bahnverbindung mit Podgorica in Montenegro (seit 1986), dadurch erhielt Albanien Anschluss an das europäische Streckennetz. – Khamia-e Plumbit (Blei-Moschee; 2. Hälfte 18. Jh.). – Seit Mitte des 3. Jh. v. Chr. Hauptort eines illyr. Reiches (**Skodra,** lat. **Scodra**); fiel 168 v. Chr. an das Röm., 395 an das Byzantin., 1479 an das Osman. Reich (bis 1913; Hptst. des Sandschaks Albanien).

Shockley [ˈʃɔklɪ], William, amerikan. Physiker brit. Herkunft, *London 13. 2. 1910, †Stanford (Calif.) 12. 8. 1989; Hauptarbeitsgebiete: Festkörper- und Halbleiterphysik; erhielt 1956 mit J. Bardeen und W. H. Brattain für die Entdeckung des Transistoreffekts den Nobelpreis für Physik.

Shoemaker-Levy 9 [ˈshuːmeɪkə-; nach den Entdeckern, dem Ehepaar Shoemaker und D. Levy] (SL-9), 1993 entdeckte Kette von Kometenkernen, entstanden 1992 beim Auseinanderbrechen eines Mutterkörpers. Die Bruchstücke schlugen vom 16. 7. bis 22. 7. 1994 auf der Rückseite des Planeten Jupiter ein. Über die Natur des Mutterkörpers (Planetoid oder Komet) sowie über die Größe der Bruchstücke ist nur wenig bekannt, da sie in eine Staubkoma eingehüllt waren.

Shona: John Takawira, »Dona« (1987; Frankfurt am Main, Museum für Völkerkunde)

Shōgun [ʃo-] *der,* eigtl. Seii Taishōgun [japan. »Großmarschall zur Unterwerfung der Barbaren«], in Japan urspr. ein im 8. Jh. erstmals verliehener militär. Titel für den Oberbefehlshaber der Truppen im Kampf mit den Ainu; dann erbl. Titel des Kronfeldherrn, der von 1192 bis 1867 anstelle des machtlosen Kaisers die Regierung **(Shogunat)** leitete (→Japan, Geschichte).

Sholapur [ˈʃəʊlə-], Stadt in Indien, →Solapur.

Shona [ʃ-] (Schona, Maschona), sprachlich und kulturell verwandte Bantuvölker in O-Simbabwe und Moçambique. Die rd. 8 Mio. S. bewohnen z. T. das Gebiet des ehem. Reiches →Monomotapa und betreiben in der Savanne Feldbau (Mais, Hirse) und Viehhaltung. – Die **S.-Kunst** als eine bed. Richtung der zeitgenöss. afrikan. Kunst umfasst expressive Skulpturen aus Stein (bes. Serpentin), die Mensch, Tier und Fabelwesen darstellen.

Shoppingcenter [ˈʃɔpɪŋsentə, engl.] *das,* das →Einkaufszentrum.

Shopping-Goods [ˈʃɔpɪŋ gʊds, engl.], Güter des nicht alltägl. Bedarfs, die ein Konsument selten und deshalb mit größerem Aufwand (Qualitäts- und Preisvergleiche) kauft; Ggs.: →Convenience-Goods.

SHORAN [ʃ-; Abk. für engl. **sho**rt-**ra**nge **n**avigation »Kurzstreckennavigation«], Hyperbelnavigation (→Funknavigation), bei der zur Standlinienbestimmung Laufzeitdifferenzen von impulsförmigen Signalen ausgewertet werden, die zw. mindestens zwei ortsfesten und der navigierenden Station (z. B. Flugzeug) übertragen werden.

Shorts [ʃɔrts, engl. ʃɔːts], kurze Sport- und Freizeithose, um 1932 als Tenniskleidung mit oberschenkellangen Beinen aufgekommen.

Shortstory [ˈʃɔːtstɔːrɪ; engl. »Kurzgeschichte«] *die,* Gattung der amerikan. und engl. Literatur, die sich im 19. Jh. v. a. in den USA herausbildete, formal und inhaltlich weniger eng definiert als die dt. →Kurzgeschichte, mit der sie jedoch wesentl. Merkmale teilt. Als Begründer der eigenständigen Gattung S. gelten v. a. W. Irving, E. A. Poe und N. Hawthorne. Die erste Theorie der neuen Gattung lieferte Poe in seiner Besprechung von Hawthornes »Twice-told tales« (erweiterte Fassung 1842), in der er forderte, die S. müsse alle Details einem zentralen Effekt unterordnen und mittels des Besonderen das Alltägliche erhellen; auch müsse ihre Lektüre in begrenzter Zeit abschließbar sein.

📖 *Die amerikan. Short story. Theorie u. Entwicklung, hg. v.* H. BUNGERT. *Darmstadt 1972.* – AHRENDS, G.: *Die amerikan. Kurzgeschichte. Theorie u. Entwicklung. Stuttgart u. a. 1980.* – LUBBERS, K.: *Typologie der Short story. Darmstadt* ²*1989.* – SHAW, V.: *The short story. A critical introduction. London* ⁵*1992.*

Shorttrackrennen [ˈʃɔːttræk-, engl.], auf 110 m langen Bahnen (auf einem Eishockeyspielfeld) durchgeführte Eisschnelllaufwettbewerbe zw. vier bis sechs Teilnehmern. Distanzen sind 500 m, 1000 m, 1500 m und 3000 m sowie Staffeln (vier Läufer; 3000 m Frauen, 5000 m Männer). (→Eisschnelllauf)

Shoshone [ʃəʊˈʃəʊnɪ] (Schoschonen), nordamerikan. Indianer mit uto-aztek. Sprache, im nördl. Großen Becken **(Nördl. S., Westl. S., Wind River S.)**; insgesamt etwa 9900 Menschen.

Shou [ʃɔu], chines. Schriftzeichen für »Langes Leben«, mit Glück verheißender Bedeutung; erscheint z. B. auf Porzellan und in der Textilkunst.

Shout [ʃaʊt; engl. »Ruf«, »Schrei«] *der* (Shouting), ausdrucksstarker, schreiartiger Gesangsstil der afroamerikan. Musik (insbesondere bei Blues und Spiritual).

Show [ʃəʊ; engl., zu to show »zeigen«] *die,* bunte, aufwendig inszenierte Unterhaltungsdarbietung (früher Revue); als Fernseh-S. mit Gesangstars, Musikbands, Tanzgruppen sowie allerlei Spielen, präsentiert von einem **Showmaster.**

Shredder [ʃ-; engl. to shred »zerfetzen«] *der,* eine Anlage, mit der Autowracks, Gesteine u. a. sperrige Gegenstände durch rotierende Hämmer stark zerkleinert werden. Der bei der Autozerkleinerung zurückbleibende **S.-Müll** ist ein bes. mit Kunststoffen durchmischter Abfall, der überwiegend deponiert wird. Durch einheitl. Anforderungen an die Ablagerung und durch Rücknahmeverpflichtungen der Hersteller oder Importeure von

Shrewsbury: Die zum Teil normannische, auf das 11. Jh. zurückgehende Abteikirche Holy Cross wurde im 14. Jh. vollendet und in den Jahren 1862/63 und 1886/87 restauriert; Ansicht von Südwesten

Kfz sollen die darin enthaltenen Schadstoffe (PCB und Mineralöle) verringert werden.

Shreveport ['ʃri:vpɔ:t], Stadt in Louisiana, USA, am Red River, 197 000 Ew.; Univ.; Erdölraffinerie, Holz- u. a. Industrie.

Shrewsbury ['ʃru:zbərɪ], Verw.sitz der Cty. Shropshire, England, am oberen Severn, 59 800 Ew.; Eisenbahnwerkstätten, Maschinenbau, elektrotechn., Bekleidungsindustrie. – Abteikirche Holy Cross (11.–14. Jh.; 1862/63 und 1886/87 restauriert), normannisch-got. Kirche Saint Mary's; Fachwerkbauten, v. a. aus dem 16. Jahrhundert.

Shropshire ['ʃrɔpʃɪə] (1974–80 Salop), County in W-England, 3 490 km², (1995) 419 900 Ew.; Verw.sitz ist Shrewsbury.

Shūbun [ʃ-], eigtl. Tenshō S., japan. Maler, Priester und Abt in Kyōto in der 1. Hälfte des 15. Jh.; Wegbereiter der buddhist. Zenmalerei (Suiboku-ga) in Japan; malte zarte, meist nebelverhangene Tuschlandschaften mit einsamen Bergklausen oder Küstenansichten.

Clifford Shull

Shull [ʃʌl], Clifford Glenwood, amerikan. Physiker, *23. 9. 1915; Prof. in Cambridge (Mass.); erhielt für seine Arbeiten über Neutronenstreuung zur Untersuchung der atomaren Struktur von Festkörpern und Flüssigkeiten zus. mit B. N. Brockhouse 1994 den Nobelpreis für Physik.

George Shultz

Shultz [ʃʊlts], George Pratt, amerikan. Politiker, *New York 13. 12. 1920; Mitgl. der Republikan. Partei, war 1972–74 Finanzmin. sowie unter Präs. R. Reagan 1982–89 Außenminister.

Shunshō [ʃunʃo], eigtl. Katsukawa S., japan. Maler und Holzschnittmeister, *1726, †Edo (heute Tokio) 1792; entwarf für den Farbholzschnitt des Ukiyo-e die ersten realist. und identifizierbaren Schauspielerporträts.

Shunt [ʃʌnt; engl., eigtl. »(Zusammen)stoß«] *der,* **1)** *Elektrotechnik:* ein Parallelwiderstand, →Nebenschluss.

2) *Medizin:* krankhafte Verbindung zw. zwei Kreislaufsystemen, z. B. dem großen und kleinen Blutkreislauf, kommt bei angeborenen Herzfehlern (z. B. Vorhof- und Kammerscheidewanddefekte) vor.

Shylock ['ʃaɪlɔk], jüd. Wucherer in Shakespeares Drama »Der Kaufmann von Venedig« (1600); besteht auf Erfüllung seiner im Schuldschein festgelegten Ersatzforderung (ein Pfund Fleisch vom Leibe des säumigen Schuldners), wird aber überlistet.

si, *Musik:* die 7. Tonsilbe der →Solmisation; in den roman. Sprachen Name des Tones H.

Si, chem. Symbol für →Silicium.

SI, Abk. für frz. **S**ystème **I**nternational d'Unités, das Internationale Einheitensystem, das von den →SI-Einheiten gebildet wird.

Siad Barre, Mohammed, somal. Offizier und Politiker, →Mohammed Siad Barre.

Sial [Kw. aus **Si**licium und **Al**uminium] *das* (auch Sal), *Geologie:* die bes. durch Silicium- und Aluminiumminerale gekennzeichnete oberste Krustenzone der Erde.

Shunshō: Der Schauspieler Ishikawa Danjuro, Holzschnitt (18. Jh.)

Sialkot ['sja:lkəʊt, engl.], Stadt in der Prov. Punjab, Pakistan, nahe der Grenze zu Indien, 302 000 Ew.; Herstellung von chirurg. Instrumenten, Sportartikeln, Teppichen, Musikinstrumenten. – Mausoleum Nanaks, der den Sikhismus begründete.

Sialsima *das, Geologie:* das →Sima.

Jean Sibelius: Die finnische Bildhauerin Eila Hiltunen gestaltete 1961-67 das Sibeliusdenkmal in Helsinki

Siam, bis 1939 und 1946–49 Name von →Thailand.

Siamesen, ältere Bez. für die Bewohner von Thailand (Siam); heute →Thai.

siamesische Zwillinge, eineiiges, lebensfähiges Zwillingspaar, das durch Gewebsbrücken am Rumpf (Brust, Rücken) miteinander verwachsen ist. Die Bez. geht auf die siames. Brüder Chang und Eng Bunkes (*1811, †1874) zurück.

Sian [ɕi-], Stadt in China, →Xi'an.

Siangkiang [ɕiaŋdʒaŋ], Fluss in China, →Xiang Jiang.

Siangtan [ɕi-], Stadt in China, →Xiangtan.

Šiauliai [ʃæu̯ˈlɛj] (dt. Schaulen, russ. Schawli), Stadt in N-Litauen, 148400 Ew.; histor. Museum; Fahrrad-, Moped-, Fernsehgeräte-, Motorenbau, Bekleidungs-, Schuh-, Nahrungsmittelindustrie. – Bei Saule (wohl identisch mit Š.) erlitt 1236 der Schwertbrüderorden eine schwere Niederlage gegen die Litauer.

Sibelius, Jean, eigtl. Johan Julius Christian S., finn. Komponist, *Hämeenlinna 8. 12. 1865, †Järvenpää (bei Helsinki) 20. 9. 1957. Seine Musik, die von der Identifikation mit finn. Nationalismus und der Beschäftigung mit nord. Mythologie (sinfon. Dichtung »Kullervo«, 1892; nach dem Epos »Kalevala«) und Poesie beeinflusst ist, zeigt einen eigenen Stil zw. Spätromantik und den neuen musikal. Bestrebungen des 20. Jahrhunderts.

Weitere Werke: Oper: Die Jungfrau im Turme (1896). – Sieben Sinfonien (1899–1924). – Sinfon. Dichtungen: Eine Sage (1892, revidiert 1901); Lemminkäinen-Suite (1893–95; Nr. 3 »Der Schwan von Tuonela«); Frühlingslied (1894); Finlandia (1899, revidiert 1900); Der Barde (1913). – Orchestersuiten: Karelia (1893); Suite caractéristique (1922). Kleinere Orchesterwerke. – Violinkonzert: d-Moll (1903, revidiert 1905). – Bühnenmusik, Kammer- und Klaviermusik, Chöre, Lieder.

Jean Sibelius

📖 KROHN, I.: *Der Formenbau in den Symphonien von J. S. Helsinki 1942.* – TAWASTSTJERNA, E.: *S., 2 Bde. London 1976–86.* – JAMES, B.: *The music of J. S. Rutherford, N. J., 1983.*

Šibenik [ˈʃibɛnik] (italien. Sebenico), Hafenstadt in Kroatien, an der dalmatin. Adriaküste, 33000 Ew.; kath. Bischofssitz; Ferrolegierungswerk, Textil-, Nahrungsmittelind.; Fremdenverkehr. – Dom (1431–1536), Renaissancerathaus (1534–42), zahlr. venezian. Bauten.

Sibilant [lat.] *der,* Zischlaut, →Laut.

Sibirien (russ. Sibir), Landschaftsraum in N-Asien, umfasst den größten Teil des asiat. Territoriums von Russland und reicht im SW bis in den N von Kasachstan, etwa 10 Mio. km² und 26 Mio. Ew.; erstreckt sich vom Ural im W bis zu den Gebirgen der pazif. Wasserscheide im O (7000 km) und von der Küste des Nordpolarmeers im N zur Kasach. Schwelle und den S-Hängen der südsibir. Gebirge an den Grenzen zur Mongolei und zu China im S (3500 km).

S. gliedert sich in mehrere Großlandschaften. Zw. Ural und Jenissei breitet sich das Westsibir. Tiefland aus, dem sich nach O zw. Jenissei und Lena das Mittelsibir. Bergland anschließt. Zw. ihm und dem Byrrangagebirge auf der Halbinsel Taimyr liegt das Nordsibir. Tiefland. Östlich der Lena erstreckt sich das im Tscherskijgebirge bis zu 3147 m ü. M. aufragende Nordsibir. Gebirgsland. Im N schließen vermoorte, von Seen durchsetzte Aufschüttungsebenen (Jana-Indigirka-Tiefebene,

Sibirien: Die Gipfel des Tscherskigebirges im Nordsibirischen Gebirgsland ragen bis zu 3 147 m ü. M. auf

Kolymatiefebene) an. Die Gebirge Süd-S.s bilden mit Altai, Sajangebirge, Tannu-Ola, Tuwabergland und den Bergländern Baikaliens und Transbaikaliens eine hohe Barriere, die S. von Zentralasien trennt. S. wird von Ob (mit Irtysch), Jenissei (mit Angara), Lena, Aldan, Kolyma und Indigirka durchflossen, die in das Nordpolarmeer münden. Sie sind im S fünf, im N acht Monate zugefroren. – Das *Klima* gehört zur gemäßigten und zur subpolaren Klimazone. Charakteristisch ist eine extreme Kontinentalität, die sich von W nach O verstärkt. Die mittlere Jahrestemperatur liegt nahezu in ganz S. unter 0 °C, im NO sogar bei –18 °C, wobei sich die Temperaturmittel der wärmsten und kältesten Monate um 35–68 Grade unterscheiden. In Werchojansk und Oimjakon fallen die Temperaturen bis –70 °C (→Kältepole). Dauerfrostböden (etwa 200–500 m mächtig) sind in ganz Ost-S. sowie in West-S. nördlich des 62. Breitengrades verbreitet (etwa 6 Mio. km^2). – Die Vegetationszonen verlaufen annähernd breitenparallel. Von N nach S folgen Tundra, Taiga, Waldsteppe und Steppe. Östlich des Altai treten Waldsteppe und Steppe nur noch inselhaft auf; der vorherrschende Baum ist die Dahur. Lärche. Am Amur und am Ussuri kommen infolge des Monsuneinflusses Mischwälder vor. – Die Bevölkerung ist äußerst ungleichmäßig verteilt (90 % konzentrieren sich auf 10 % der Fläche): Am dichtesten ist der Süden von West-S. entlang der Transsibir. Eisenbahn und ihren Zweigstrecken besiedelt. Zwei Drittel der Bev. (→Sibirier) wohnen in Städten, deren größte Nowosibirsk, Omsk, Krasnojarsk, Irkutsk, Barnaul und Nowokusnezk sind.

Wirtschaft: Nach 1945, bes. aber nach 1971 wurde S. intensiv erschlossen. Die Ausbeutung der Naturschätze in großem Maßstab führte zu beträchtl. Umweltschäden. Hauptwirtschaftszweig ist die Förderung fossiler Brennstoffe (Erdöl und -gas in West-S., Kohle im Kusnezker Steinkohlenbecken, im Kansk-Atschinsker, Irkutsker und Südjakut. Kohlenbecken) und ihre Verarbeitung in der petrochem. Ind. (u. a. in Tomsk) und in Wärmekraftwerken zur Gewinnung elektr. Energie. Diese – ergänzt durch Strom aus den Wasserkraftwerken (v. a. an Angara, Jenissei, Kolyma, Ob) – bilden zus. mit den reichen Erzvorkommen die Grundlage für die Eisen- (Kusnezk), Bunt- (Norilsk) und Leichtmetallurgie (Schelechow, südlich von Irkutsk, Bratsk, Krasnojarsk) sowie für den Maschinenbau. Dazu kommen die Holz- sowie in den Ballungsgebieten der Bev. die Nahrungsmittel- und Konsumgüterindustrie. Die ungünstigen natürl. Verhältnisse lassen nur im S in größerem Umfang Ackerbau und Viehzucht zu. In Nord-S. ist die Rentierhaltung sowie die Pelztierzucht und -jagd entwickelt. – Neben der Transsibir. Eisenbahn sind die Baikal-Amur-Magistrale (BAM) sowie die Süd-, Mittel- und Nordsibir. Eisenbahn die wichtigsten Verkehrswege. Weite Gebiete sind nur auf dem Luftweg erreichbar. Die durch den langen Eisgang behinderte Schifffahrt auf Ob, Jenissei und Lena verbindet einige Wirtschaftsgebiete Süd-S.s mit dem Seeverkehr auf der Nordostpassage; Seehäfen haben Dikson, Dudinka und Igarka. Von den Erdöl- und Erdgasfördergebieten führen Pipelines zu den Verarbeitungs- und Verbrauchszentren im Ural, in Kasachstan, im europ. Teil Russlands sowie in mehreren europ. Staaten.

Geschichte: Altsteinzeitl. Fundstätten im Hochaltai und am Amur zeigen die frühesten Spuren menschl. Besiedlung in S. Die nördlichste Grabungsstelle liegt am Fluss Berelech bei etwa 71° nördl. Breite. Durch Radiokarbonmessungen wurden die Funde in die Zeit zw. 33000 und 8000 v. Chr. datiert. Die jungsteinzeitl. Funde lassen mehrere regionale Gruppen erkennen; aufschlussreich sind die Funde des Baikalgebietes. In der Bronzezeit wurde S. bis zu den Ufern des Nordpolarmeeres besiedelt. Im 2./1. Jt. v. Chr. erlebte S. durch die Steppenbauern der Andronowo- und der Karassukkultur eine Blüte der Bronzeverarbeitung. Seit dem 7. Jh. v. Chr. übernahmen die Skythen (Altaiskythen) die Herrschaft über die westl. Teile der sibir. Reitervölker. Seit dem 3. Jh. v. Chr. gehörte Süd-S. zum Einflussbereich der Hunnen. Ab dem 6. Jh. n. Chr. siedelten in einigen Gebieten S.s Turkvölker.

Im 13. Jh. wurde S. mit Ausnahme des N von den Mongolen unterworfen; West-S. gehörte zur Goldenen Horde, nach deren Zerfall sich im 15. Jh. das Khanat Sibir bildete. Schon im 11./12. Jh. geriet Nordwest-S. (»Jugra«) in den Einflussbereich Nowgorods. Im Auftrag der Kaufmannsfamilie Stroganow drang 1581 (oder schon 1579) von der Kama aus eine Kosakenabteilung unter Jermak Timofejewitsch bis zum Irtysch vor und eroberte das Khanat Sibir (Einnahme der Hptst. Isker 1582). 1586 wurde Tjumen als erste russ. Stadt in S. gegründet; 1604 entstand Tomsk. Im 17. Jh. folgten Kosaken und »Dienstleute« des Zaren den großen Flusssystemen; 1639 war das Ochotsk. Meer erreicht, um 1644/45 die Amurmündung. In Ost-S. entstanden u. a. die Stützpunkte Jenisseisk (1619), Krasnojarsk (1628), Jakutsk (1632) und Irkutsk (1652/61). Die einheim., kulturell und ethnisch sehr unterschiedl. Bev. (Mitte des 17. Jh. rd. 200 000 Menschen) wurde zur Entrichtung von Steuern (»Jasak«, zumeist in Form von Fellen) gezwungen. Nachdem China im Vertrag von Nertschinsk (1689) den Verzicht Russlands auf das Amurgebiet erreicht hatte, musste es 1858/60 alle Ansprüche auf die Gebiete an Amur und Ussuri aufgeben. S. wurde zunächst direkt von Moskau aus verwaltet;

erst 1708 wurde das Gouv. S. (Zentrum Tobolsk) errichtet. 1822 entstanden die Generalgouv. West-S. (Zentrum Tobolsk, seit 1839 Omsk) und Ost-S. (Irkutsk). Seit dem 18. Jh. gewann der Bergbau an Bedeutung (ab dem 19. Jh. bes. die Goldförderung). Im 18. und 19. Jh. wurden Verbrecher und polit. Gefangene, aber auch aufsässige Leibeigene von ihren Gutsherren nach S. deportiert. 1891 begann der Bau der Transsibir. Eisenbahn (1916 fertig gestellt), die einen schnellen Aufschwung ermöglichte. 1896–1914 gab es 4 Mio. Zuwanderer. 1896–1914 wurden etwa 4 Mio. Bauern aus Zentralrussland nach S. umgesiedelt. Im Bürgerkrieg beherrschte 1918/19 Admiral Koltschak West-S. (Reg.sitz Omsk). Als Pufferstaat zu dem 1918–22 von Japan besetzten Ost-S. existierte 1920–22 die »Fernöstl. Republik«. Bis Dez. 1922 eroberte die Rote Armee ganz S. In den 1930er-Jahren entstand eine schwerindustrielle Basis (Kohle, Metallurgie; bes. Ural-Kusnezker Kombinat). Im 2. Weltkrieg verlagerte die sowjet. Reg. viele Ind.betriebe aus dem europ. Teil Russlands nach Sibirien. – Unter der Herrschaft Stalins, bes. während der →Tschistka, wurden Zwangsarbeits- und Internierungslager in S. errichtet; 1947 gab es dort nach Angaben ehem. Häftlinge zw. 4 und 6 Mio. Verbannte und Kriegsgefangene. Die nach 1945 verstärkt betriebene wirtsch. Entwicklung ging einher mit einer weiteren verkehrstechn. Erschließung (u. a. Errichtung der BAM ab 1974), führte jedoch auch zur ökolog. Schädigung großer Gebiete.

📖 THOMAS, L.: *Geschichte S.s. Berlin 1982. – S., ein russ. u. sowjet. Entwicklungsproblem, hg. v.* G. LEPTIN. *Berlin 1986.* – SCHIFFER, J. R.: *Soviet regional economic policy. The East-West debate over Pacific Siberian development. New York 1989. – The history of Siberia. From Russian conquest to revolution, hg. v.* A. WOOD. *London 1991.*

Sibiri|er (Sibirjaken), die russisch sprechende, seit Ende des 16. Jh. eingewanderte Bev. Sibiriens. Außer den S. leben in Sibirien viele kleine Völkerschaften und Stämme unterschiedl. Sprachzugehörigkeit (→Paläosibirier), ferner Samojeden, Ob-Ugrier; Völker mit tungus. (Ewenken, Ewenen, Golden u. a.), türk. (Jakuten, Tuwiner, Sibir. Tataren u. a.) und mongol. (Burjaten) Sprache.

Sibiu, Stadt in Rumänien, →Hermannstadt.

Sibylle *die,* im Altertum Name für weissagende Frauen. Die 83 v. Chr. verbrannten **sibyllin. Bücher** im kapitolin. Jupitertempel in Rom, eine Sammlung von Kultvorschriften und Weissagungen, wurden der S. von Cumae in Unteritalien zugeschrieben. Die **sibyllin. Orakel** sind die christl. Bearbeitung jüd. Orakel in 14 Büchern (Bußmahnungen, Weissagungen über den kommenden Messias und das Weltende). An sie knüpfen die mittelalterl. **Sibyllenbücher** an.

Sica, Vittorio De, Filmregisseur, →De Sica.

Sichel [lat.], an einem Holzgriff befestigte halbkreisförmige Klinge zum Mähen.

Sicheldüne, der →Barchan.

Sichelflügel, *Flugzeugbau:* ein →Pfeilflügel mit vom Rumpf zu den Flügelspitzen hin abnehmender Pfeilstellung der Flügelvorderkante; bietet baul. Vorteile sowie bessere Wirksamkeit der Querruder.

Sichelmöhre (Sperrkraut, Falcaria vulgaris), Doldenblütler auf trockenem Brachland, bes. des Mittelmeergebiets; mit mehrfach gefiederten graugrünen Blättern.

Sichelmöhre

Sichelschrecken (Phaneropteridae), Familie der Langfühlerschrecken mit oft lebhaft grünen, bis 5 cm großen, v. a. trop. Arten; der Legebohrer ist sichelförmig nach oben gebogen.

Sichelzellen (Drepanozyten), bei Sauerstoffmangel (z. B. nach minutenlanger venöser Blutstauung) sich sichelförmig deformierende rote Blutkörperchen mit stark verkürzter Lebensdauer (nur rd. 40 Tage statt vier Monate).

Sichelzellen|anämie (Drepanozytose, Hernicksyndrom), bei dunkelhäutigen Menschen vorkommende erbl. Blutkrankheit mit sichelförmigen roten Blutkörperchen (→Sichelzellen) infolge einer Strukturanomalie des roten Blutfarbstoffs. Die hierdurch bewirkte Zähflüssigkeit des Blutes führt zu Verstopfung der Kapillargefäße mit entsprechenden Organschäden. Träger der reinerbigen Form der S. haben eine geringe Lebenserwartung, die der mischerbigen Form zeigen nur leichte Krankheitserscheinungen.

Sibylle: Der Ausschnitt des Deckenfreskos von Michelangelo in der Sixtinischen Kapelle in Rom zeigt die Sibylle von Cumae (um 1510; Zustand vor der Restaurierung 1980–90)

Sichem [hebr. šeḫæm »Nacken«], im Altertum die bedeutendste Stadt Mittelpalästinas, heute Ruinenhügel **Tell Balata,** 1,5 km südöstlich von Nablus. Seit etwa 4000 v. Chr. besiedelt, wurde S. im 5. Jh. v. Chr. Mittelpunkt der Samaritaner. Aus-

Sichem: Die freigelegte Burganlage am Ruinenhügel von Tell Balata südöstlich von Nablus stammt aus der mittleren Bronzezeit

grabungen legten eine Burganlage aus der mittleren Bronzezeit frei.

Sicherheit, das Freisein von Bedrohung, bezogen einerseits auf den Einzelnen und seine soziale Situation, andererseits auf ein Kollektiv, auf Staat und Gesellschaft und ihre Ordnungen, nicht zuletzt die militär. Absicherung. Durch die Aufstellung von Rechtsnormen und durch ihre Kodifizierung haben die Gesellschaften schon früh dem S.-Bedürfnis des Menschen entgegenzukommen versucht (z. B. im MA. das System der Privilegien, d. h. standesgebundener Rechte und Pflichten; die Freibriefe, das freie Geleit). Jedoch erst mit dem Entstehen des Verfassungs- und Rechtsstaatsgedankens in der Zeit der Aufklärung bildeten sich die Forderungen nach individuellen Schutzrechten heraus (die Menschenrechte, die Grundrechte des Bürgers, die Garantie des Rechtsweges). Seit der industriellen Revolution am Ende des 18. Jh. wurde die Frage der →sozialen Sicherheit des Einzelnen und ganzer Gruppen zu einem Hauptproblem. In der Folge wurde eine gezielte staatl. →Sozialpolitik entwickelt; der Staat sucht seine Ordnung gegen Angriffe von innen wie von außen zu schützen. Die heutigen Bestrebungen, die S. von Staaten im internat. Rahmen zu gewährleisten und Kriege zu verhindern, finden ihren Ausdruck in der →Sicherheitspolitik.

📖 BECK, U.: *Gegengifte. Die organisierte Unverantwortlichkeit. Frankfurt am Main* [3]*1990.* – LUHMANN, N.: *Soziologie des Risikos. Berlin u. a. 1991.* – *S. als Fehlerfreundlichkeit, hg. v.* T. WEHNER. *Opladen 1992.* – JONAS, H.: *Das Prinzip Verantwortung. Frankfurt am Main* [12]*1995.*

Sicherheitsdienst, Abk. **SD** (Sicherheitsdienst des Reichsführers SS), nat.-soz. Organisation, →SS.

Sicherheitsdirektion, in Österreich die der Generaldirektion für die öffentl. Sicherheit (einer Sektion des Bundesministeriums für Inneres) unterstellte, in jeder Landeshauptstadt für das jeweilige Bundesland eingerichtete Bundesbehörde zur Wahrnehmung der Angelegenheiten der allg. Sicherheitspolizei. An ihrer Spitze steht der vom Bundesmin. für Inneres ernannte Sicherheitsdirektor (in Wien, wo Polizeidirektion und S. identisch sind, der Polizeipräsident).

Sicherheitsfahrschaltung, Abk. **Sifa,** *Eisenbahn:* Einrichtung, die bei Dienstunfähigkeit des Triebfahrzeugführers an beliebiger Stelle der Strecke selbsttätig eine Schnellbremsung herbeiführt, wenn er während der Fahrt nicht in regelmäßigen Abständen einen Schaltknopf **(Totmannknopf)** oder eine Fußtaste herunterdrückt.

Sicherheitsglas, Sammelbez. für Gläser mit erhöhter Bruchsicherheit und verringerter Splitterwirkung. Man unterscheidet vorgespanntes Glas **(Einscheiben-S.),** das bei Bruch in kleine, runde, ungefährl. Stücke zerfällt, und **Verbundglas,** bei dem die Scherben von der hochelast. Zwischenschicht (Kunststofffolie) zusammengehalten werden, ferner das →Drahtglas. Verwendung in der Bautechnik und in Verkehrsmitteln.

Sicherheitsgurt (Anschnallgurt), hochfester Gurt in Kfz und Flugzeugen, der die Insassen auf dem Sitz fest hält und vor Aufprallverletzungen schützen soll.

In Dtl. müssen S. nach § 21a StVO während der Fahrt angelegt werden. Kinder bis zum vollendeten 12. Lebensjahr, die kleiner als 1,50 m sind, dürfen im Kfz auf Sitzen, für die S. vorgeschrieben sind, nur mitgenommen werden, wenn amtlich genehmigte Rückhalteeinrichtungen für Kinder benutzt werden. Ausnahmen sind rechtlich geregelt. Verstöße gegen die Anschnallpflicht werden mit Geldbuße bedroht und führen ggf. zur Minderung von Schadensersatzansprüchen. – Anschnallpflicht besteht auch in *Österreich* und der *Schweiz.*

Sicherheitsleistung, eine sich aus Vertrag (Kaution), Gesetz oder richterl. Anordnung ergebende Maßnahme, die einen anderen vor künftigen Rechtsnachteilen schützen soll. Sie erfolgt im bürgerl. Recht u. a. durch Hinterlegung von Geld oder Wertpapieren, durch Verpfändung bewegl. Sachen oder durch Bestellung einer Hypothek (§§ 232 ff. BGB). Im Zivilprozess ist die S. z. B. bei der vorläufigen Vollstreckbarkeit von Urteilen (§§ 709, 711 ZPO), beim Arrest (§ 921 ZPO) und bei der einstweiligen Verfügung (§ 936 ZPO) vorgesehen; ihr Sinn besteht darin, einen Schadensersatzanspruch (z. B. wenn das für vorläufig vollstreckbar erklärte Urteil vollstreckt, später aber abgeändert wurde) oder einen Kostenerstattungsanspruch materiell abzusichern. Im Strafprozess ist die S. zulässig 1) als Kosten-S. des Privatklägers oder desjenigen, der die öffentl. Klage beantragt hat (§§ 176, 379 StPO); 2) zur Verschonung von der

Untersuchungshaft (§§116, 116a StPO); 3) als S. für den einem Verurteilten gewährten Strafaufschub (§456 StPO).

Sicherheits|politik, alle Maßnahmen und Konzepte eines Staates oder einer Staatengruppe, die darauf ausgerichtet sind, die territoriale Unversehrtheit und polit. Selbstbestimmung (Souveränität) zu bewahren, gewaltsame grenzübergreifende Auseinandersetzungen zu vermeiden, einzudämmen oder zu beenden. Gegenstand der S. nach innen ist die Wahrung der öffentl. Sicherheit und Ordnung (einschl. des staatl. Verf.systems); besondere Ziele sind heute der Kampf gegen die organisierte Kriminalität und den Terrorismus. Der Staat handelt in diesem Bereich v.a. durch Polizei und Staatsanwaltschaft, in Fragen des Staatsschutzes zusätzlich durch bestimmte Verf.schutzorgane. – In Staaten, die sich dem Prinzip des Rechtsstaates verpflichtet haben, ist die S. an bestimmte, dem Staat vorgegebene Rechte seiner Bürger und an rechtl. Normen gebunden. In Diktaturen hat der Schutz des Staates (und seiner ihn tragenden Kräfte) absoluten Vorrang vor dem des Einzelnen oder einzelner Gruppen. In politisch-ideologisch bestimmter, selektiver Gestaltung seiner S. instrumentalisiert der diktator. Staat Polizei und Staatsanwaltschaft in enger Verknüpfung mit speziellen Staatsschutzinstitutionen zur Disziplinierung der Bürger sowie zur Einschüchterung und Unterdrückung der Opposition. – Klass. Form internat. S. war vom 17. bis zum 19. Jh. die Politik des Gleichgewichts der europ. Mächte, die im 1. Weltkrieg zusammenbrach. Mit der Gründung des Völkerbundes sollte die »kollektive Sicherheit« als konstitutives Prinzip der neuen internat. Ordnung etabliert werden. Nach dessen Scheitern wurde nach dem 2. Weltkrieg mit der Gründung der UN erneut versucht, ein globales kollektives Sicherheitssystem zu schaffen, das jedoch von der zunehmenden Konfrontation der Supermächte USA und Sowjetunion und ihrer Verbündeten dominiert wurde. Nach einer Phase der Aufrechterhaltung eines Gleichgewichts zw. den Militärblöcken NATO und Warschauer Pakt v.a. in den 1960er-Jahren begann in den 70er-Jahren eine Entspannungspolitik, deren wichtigstes Ergebnis die Konferenz über Sicherheit und Zusammenarbeit in Europa (KSZE) und deren Folgekonferenzen darstellen. Mit den polit. Veränderungen der 80er-Jahre in Europa und dem Zerfall des Warschauer Paktes 1991 eröffnen sich neue Chancen für →Abrüstung und →Entspannung, gleichzeitig aber wird die Sicherheitslage durch das Wiederaufleben von Nationalitätenkonflikten schwer kalkulierbar.

📖 *Gemeinsame Sicherheit, hg. v.* E. Bahr *u. a., auf mehrere Bde. ber. Baden-Baden 1986 ff. – Hamburger Beiträge zur Friedensforschung und Sicherheitspolitik, hg. v. Institut für Friedensforschung und Sicherheitspolitik an der Univ. Hamburg, auf mehrere Bde. ber., Hamburg 1986 ff.*

Sicherheitsrat, der Weltsicherheitsrat, das Hauptorgan der →UN.

Sicherheitstechnik, die Gesamtheit der techn. Maßnahmen zur Erhöhung der Betriebssicherheit und Zuverlässigkeit von Geräten, Maschinen und Anlagen, um Menschen, Tiere und Sachen vor negativen Folgen durch Ausfälle oder fehlerhaftes Verhalten techn. Einrichtungen zu schützen. Daneben umfasst der Begriff auch die Anwendung von Erkenntnissen über die Vermeidung von Unfällen und Berufskrankheiten u.a. in Ind., Handwerk, Verkehr, Haushalt.

Sicherheitsventil, gewichts- oder federbelastetes Ventil an Kesseln, Rohrleitungen u.a., das sich selbsttätig öffnet, wenn der Druck eine einstellbare Größe überschreitet, und sich bei Erreichen des Solldrucks wieder schließt.

Sicherstellungsgesetze, die einfachen Notstandsgesetze (→Notstandsverfassung), die die Sicherstellung der für die Verteidigung erforderl. lebenswichtigen Leistungen, insbesondere zur Versorgung der Zivilbev. und der Streitkräfte, bezwecken, nämlich das Wirtschafts-, das Verkehrs- und das Wassersicherstellungs-Ges. (alle vom 24. 8. 1965), das Ernährungs-S. vom 24. 8. 1965 sowie das Arbeitssicherstellungs-Ges. vom 9. 7. 1968. Die Gesetze ermächtigen die Exekutive, die erforderl. Maßnahmen durch Rechts-VO zu ergreifen.

Sicherstellung von Gegenständen, *Recht:* strafprozessuale Zwangsmaßnahme, die hauptsächlich zur Sicherung von Beweismitteln dient. Sie kann durch schlichtes Inverwahrungnehmen (§94 Abs. 1 StPO), durch →Beschlagnahme und ggf. durch Erzwingung der Herausgabe mittels Ordnungsgeld oder Ordnungshaft (§95 StPO) erfolgen. Auch Führerscheine, die der Einziehung unterliegen, können sichergestellt werden (§§94 Abs. 3, 111a StPO). Daneben kann die S.v.G. auch nach den Polizei-Ges. der Bundesländer zur Gefahrenabwehr erfolgen.

Sicherung, 1) *Elektrotechnik:* eine Schutzvorrichtung, die einen Stromkreis bei Kurzschluss oder Überlastung selbsttätig abschaltet. Die herkömml. S. besteht aus dem in einem Porzellan- oder Glasrohr in Quarzsand eingebetteten Schmelzleiter (Schmelzdraht), der durchschmilzt, wenn die Stromstärke einen bestimmten Höchstwert überschreitet **(Schmelz-S.);** ein mit dem Schmelzdraht verbundenes Plättchen (Unterbrechungsmelder) löst sich beim Schmelzen des Drahtes. Diese S. ist nur einmal einsetzbar. Heute werden vielfach wegen der bequemeren Handhabung (Wiedereinschaltung nach Beseitigung der Störung) in Haushalten und bei elektr. Maschinen anstelle von S. **Leitungsschutzautomaten** oder **Motorschutzschalter** verwendet. Diese werden bei längere Zeit auftretenden Überströmen mithilfe von Bimetallstreifen (→Bimetall) abgeschaltet; bei Kurzschluss werden die Kontakte in sehr kurzer Zeit durch einen von einer Magnetspule bewegten Metallstift betätigt. – In der Fernmeldetechnik werden **Rücklot-** oder **Umkehrauslöser** angewendet; sie bestehen aus einer in dem zu schützenden Stromkreis liegenden Heizspule von einigen Ohm Widerstand mit in einer Rinne befindl. →woodschen Metall. Hat der fließende Strom längere Zeit die Nennstromstärke erreicht, wird ein Kontaktstift aus einem Sicherheitsbügel gedrückt. Durch Umsetzen des erkalteten Löteinsatzes ist die S. wieder gebrauchsfertig.

2) *Militärwesen:* techn. und taktische Maßnahmen der Truppe gegen plötzliche feindl. Angriffe (→Vorhut, →Vorposten).

3) *Waffentechnik:* Schutzvorrichtung an Schusswaffen, die das unbeabsichtigte Abfeuern und selbsttätige Öffnen des Verschlusses verhindert.

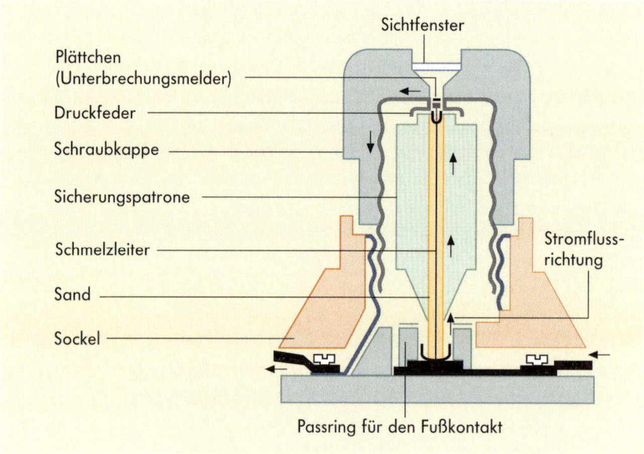

Sicherung 1): Schnittzeichnung einer Schmelzsicherung

Sicherungs|übereignung, die Übertragung des Eigentums an einer bewegl. Sache mit der Abrede, dass die Eigentumsübertragung nur zur Sicherung einer Forderung des Erwerbers, die dieser gegen den Veräußerer besitzt, erfolgt und nur so lange, wie diese Forderung besteht. Die S. dient als Ersatz für das ohne Besitzübertragung nicht zulässige →Pfandrecht. Sie erfolgt durch Übereignung nach §930 BGB, d.h., der Veräußerer bleibt im unmittelbaren Besitz der Sache; anstelle der Übergabe tritt die Vereinbarung eines Rechtsverhältnisses, durch das der Erwerber den mittelbaren Besitz erlangt (z.B. im Rahmen eines Leihvertrags). Nach Befriedigung des Gläubigers hat der ursprüngl. Eigentümer einen Anspruch auf Rückübereignung. Zulässig ist auch die Vereinbarung, dass das Einlösungsrecht des Veräußerers zeitlich beschränkt und nach Fristablauf der Anspruch auf Rückübereignung ausgeschlossen ist. Die S. ist auch an einem Warenlager mit wechselndem Bestand zulässig; doch müssen die übereigneten Waren hinreichend bestimmbar sein. Die S. der gesamten Aktiva kann als →Knebelungsvertrag sittenwidrig und daher nichtig sein, ebenso kann die S. des gesamten Vermögens nach §419 BGB die Haftung des Erwerbers für die Schulden des Veräußerers begründen. – In *Österreich* ist die S. anerkannt und in §§10 der Konkurs- und der Ausgleichsordnung gesetzlich geregelt. In der *Schweiz* ist die S. kaum verbreitet, da die S. Dritten gegenüber wegen des verbleibenden unmittelbaren Besitzes des Veräußerers unwirksam ist (Art. 717, 884 Abs. 3 ZGB).

Sicherungsverfahren, das auf Antrag der Staatsanwaltschaft zu betreibende Verfahren auf selbstständige Anordnung einer →Maßregel der Besserung und Sicherung (z.B. Einweisung in eine psychiatr. Klinik), wenn ein Strafverfahren wegen Schuldunfähigkeit oder Verhandlungsunfähigkeit des Täters nicht durchgeführt werden kann (§§413–416 StPO).

Sicherungsverwahrung, eine der strafrechtl. →Maßregeln der Besserung und Sicherung, die vom Gericht neben der Strafe zum Schutz der Allgemeinheit gegen besonders gefährl. Täter anzuordnen ist, wenn der Täter wegen vorsätzl. Straftaten, die er vor der neu abgeurteilten Tat begangen hat, schon zweimal jeweils zu einer Freiheitsstrafe von mindestens einem Jahr verurteilt worden ist, wenn er deswegen schon mindestens zwei Jahre im Freiheitsentzug verbracht hat und wenn eine Gesamtwürdigung ergibt, dass er infolge eines Hanges zu erhebl. Straftaten (→Hangtäter) für die Allgemeinheit gefährlich ist (§66 StGB). Die S. erfolgt in einer Anstalt und dauert so lange, wie ihr Zweck es erfordert, die erstmalige S. höchstens zehn Jahre (§67d StGB). Gegen Jugendliche und Heranwachsende darf die S. nicht angeordnet werden. Für die neuen Bundesländer finden laut Einigungsvertrag die Vorschriften über die S. keine Anwendung. – Das *österr.* StGB kennt eine entsprechende Maßregel in Form der Unterbringung in einer Anstalt für gefährl. Rückfalltäter (§23 StGB). Das *schweizer.* Recht lässt in Art. 42 StGB die Verwahrung von Gewohnheitsverbrechern anstelle einer verwirkten Freiheitsstrafe zu.

Sichler (Threskiornithinae), Unterfamilie bis zu 1 m großer Ibisse, v.a. in sumpfigen und gewässerreichen Landschaften der Tropen und Subtropen. S. stochern mit ihrem langen, sichelförmig nach unten gebogenen Schnabel in Böden und Schlamm nach Nahrung (bes. Insekten, Würmer); Koloniebrüter, die ihre Nester vorwiegend auf

Bäumen bauen; Arten u.a. Roter S., Waldrapp und Heiliger Ibis.

Sichote-Alin *der,* Gebirgssystem im Fernen Osten Russlands, zw. Ussuri und Amur im W und Japan. Meer und Tatarensund im O, 1200 km lang, bis 2077 m ü.M.; dicht bewaldet; auf der O-Abdachung S.-A.-Nationalpark (3470 km^2).

Sicht, **1)** *Meteorologie:* komplexe Größe, in Bodennähe definiert als größte horizontale Entfernung, in der am Tag ein dunkler Gegenstand im Gelände vor hellem Horizont **(meteorolog. S.)** oder in der Nacht das weiße Licht einer normalen Lampe (kein Schweinwerfer) von einem Beobachter gerade noch wahrgenommen wird **(Feuer-S., Nacht-S.).** Die **S.-Weite** wird durch Trübung der Luft infolge von Dunst, Nebel u.a. vermindert.

2) *Wechselrecht:* Vermerk auf Wechseln, dass der Wechsel bei Vorlage fällig ist.

Sichtbeton, Beton, der am Bauwerk sichtbar bleibt und bei dem die Verschalungsspuren ästhetisch genutzt werden.

Sicht|einlagen (Sichtdepositen), täglich fällige Guthaben bei Kreditinstituten, über die der Bankkunde anders als bei Termineinlagen jederzeit verfügen kann und die v.a. dem bargeldlosen Zahlungsverkehr (Giroverkehr) dienen. S. unterliegen der Mindestreservepflicht.

Sichter, die →Sichtmaschine.

Sichtflug (VFR-Flug), die Führung eines Luftfahrzeugs ohne Überwachung und Lenkung durch den Flugsicherungs-Kontrolldienst, wobei die Vorschriften der **S.-Regeln** (engl. **v**isual **f**light **r**ules, Abk. **VFR**) zu beachten sind. Zum Schutz des Instrumentenflugverkehrs ist in Dtl. der S. oberhalb der Flugfläche 100 (rd. 3000 m Höhe) sowie in besonderen S.-Beschränkungsgebieten (Verkehrsflughäfen mit hohem Verkehrsaufkommen) verboten.

Sichtkurs, Devisenkurs für kurzfristig fällige Auslandszahlungsmittel (v.a. Schecks, Sichtwechsel).

Sichtmaschine (Sichter), Maschine zum Klassifizieren (Trennen) versch. Korngrößen im Luftstrom, z.B. von Mahlerzeugnissen, so der →Plansichter und der →Windsichter.

Sichtvermerk (Visum), die in einen Pass eingefügte Bestätigung, dass Einreise (Einreisevisum), Durchreise oder Aufenthalt in einem fremden Land erlaubt werden; von vielen Staaten nicht mehr gefordert.

Sichuan [-tʃu̯an] (Szechwan, Szetschuan), Prov. im zentralen China, am Oberlauf des Jangtsekiang 488000 km^2, (1994) 81,9 Mio. Ew.; Hptst. ist Chengdu. S. umfasst im Wesentlichen zwei Landschaftsgroßräume: das ausgedehnte, dicht besiedelte **Becken von S.** (wegen des hier verbreiteten roten Sandsteins auch **Rotes Becken** gen.), das allseitig von hohen Gebirgen umgeben wird, und das Gebirgsland im W. Im Becken von S., einem vom mittleren Jangtsekiang durchflossenen Hügelland, werden auf Bewässerungsgrundlage bei subtrop. Klima Reis und Weizen kultiviert, ferner Kauliang, Hirse, Mais, Bataten, Tee, Tabak, Zitrusfrüchte, Baumwolle und Jute; Seidenraupenzucht; reiche Bodenschätze an Eisenerz (Xichang), Kohle, Erdöl (Nanchong), Erdgas, Asbest (Shimian), Salzen und Kupfer.

Sichler: Heiliger Ibis

Siciliano [sitʃiˈlja:no, italien.] *der* (Siciliana, frz. Sicilienne), der →Pastorale verwandtes Vokal- oder Instrumentalstück des 17./18. Jh. in zunächst schnellem, ab 1700 in langsamerem $^6/_8$- oder $^{12}/_8$-Takt mit wiegendem, punktiertem Rhythmus.

Sicker|anlage, Gruben, Schächte u.a. in den Boden verlegte Elemente mit wasserdurchlässigen Wandungen, z.T. gefüllt mit verwitterungsbeständigem, filterstabilem Material; dient zum beschleunigten Versickern von Niederschlags- und Abwasser sowie zum Entzug von Grundwasser.

Sickerwasser, das im Boden zum →Grundwasser absinkende Niederschlags- oder Oberflächenwasser. Die Gesteinszone, in der das Wasser versickert, ist der **S.-Bereich.**

Sickingen, Franz von, Reichsritter, *Ebernburg (heute zu Bad Münster am Stein-Ebernburg) 2. 3. 1481, †Burg Nanstein (bei Landstuhl) 7. 5. 1523; seit 1517 Feldhauptmann Maximilians I., dann Karls V.; gewährte auf der Ebernburg Anhängern des Humanismus und der Reformation Zuflucht. Als Hauptmann der schwäb. und rhein. Ritterschaft griff er 1522 den Kurfürsten von Trier an, musste sich aber, tödlich verwundet, im April 1523 den Fürsten von Hessen, Pfalz und Trier ergeben. BILD S. 36

Sidamo, Gruppe von äthiopiden Stämmen (rd. 1 Mio. Menschen) östlich des Abayasees am Rand des Äthiop. Hochlandes.

Franz von Sickingen: zeitgenössische Bronzemedaille

Sideboard ['saɪdbɔ:d, engl.] *das,* urspr. engl. Möbeltyp (frühe Beispiele im 16. Jh.), heute Bez. für Anrichte.

siderisch [zu lat. sidus »Gestirn«], auf die Sterne bezogen, z. B. sider. →Monat, sider. →Jahr, sider. →Umlaufzeit.

siderisches Pendel, *Okkultismus:* an einem Faden (oder Haar) befestigter Metallgegenstand, der, ähnlich wie die →Wünschelrute, durch Pendelausschläge medial begabten Personen zur Auffindung verborgener Informationen dienen soll.

Siderit [grch.] *der,* der →Eisenspat.

sider(o)... [grch. sídēros »Eisen«], eisen...

Siderochrome, eisenhaltige Naturstoffe aus Mikroorganismen (bes. Pilze und Bakterien), die Eisen zu transportieren vermögen. Zu den S. gehören die wachstumsfördernden **Sideramine** sowie deren antibiotisch wirkende Antagonisten, die **Sideromycine.**

Siders: Wohnturm des Viztumschlosses aus dem 15. Jahrhundert

Siderolith [grch. »Eisenstein«] *der,* Stein-Eisen-Meteorit (→Meteorite).

Siderophilie [grch.] *die,* die →Hämochromatose.

Sideросphäre, der äußere Erdkern, der v. a. aus Eisen und Nickel bestehen soll.

Siderostat [grch.] *der,* Gerät, das mittels eines drehbaren Planspiegels die Strahlung eines astronom. Objekts, unabhängig von der Erddrehung, in eine konstante Richtung reflektiert. S. zur Untersuchung des Sonnenlichts bezeichnet man als **Heliostaten.** Anordnungen mit zwei Spiegeln heißen →Zölostat.

Siders (frz. Sierre), Bezirkshauptort im Kt. Wallis, Schweiz, an der Rhone, 534 m ü. M., an der deutsch-frz. Sprachgrenze, 13 500 Ew.; Aluminiumwalz- und -presswerk; Weinbau und -handel, Fremdenverkehr. – Kirche Notre-Dame-des-Marais (1331 und 1422), Viztumschloss (15. Jh.).

Sidgwick ['sɪdʒwɪk], Nevil Vincent, brit. Chemiker, *Oxford 8. 5. 1873, †ebd. 15. 3. 1952; gestaltete den Begriff der chem. Valenz auf der Grundlage der neuen Atomtheorie um und arbeitete u. a. über Molekülstruktur und Tautomerie.

Sidi-Bel-Abbès [sidibɛla'bɛs], Bezirkshauptstadt in Algerien, am N-Hang des Tell-Atlas, 154 700 Ew.; Handelszentrum; Landmaschinen-, Nahrungsmittel- und Elektroindustrie; Flugplatz. – 1843 bis 1962 Hauptgarnison der frz. Fremdenlegion.

Sidi Krir (Sidi Kerir), Erdölhafen und Badeort 35 km westlich von Alexandria, Ägypten; Kernkraftwerk (Fertigstellung ausgesetzt).

Sidney ['sɪdnɪ], Sir Philip, engl. Dichter, *Penshurst (Cty. Kent) 30. 11. 1554, †Arnheim 17. 10. 1586; trat 1575 in den Dienst der Königin Elisabeth I., Vertreter der engl. Renaissancedichtung. Der Sonettzyklus »Astrophel und Stella« (hg. 1591) enthält Liebesgedichte in der Art Petrarcas. Sein Ritter- und Schäferroman »Das Arcadia der Gräfin von Pembrock« (hg. 1590; übersetzt von M. Opitz) verbindet Elemente der pastoralen und der polit. Dichtung.

📖 DUNCAN-JONES, K.: *Sir P. S. Courtier poet. London 1991.*

Sidon, alte Hafenstadt Phönikiens, an der Stelle des heutigen →Saida, Libanon. S. besaß bis 1000 v. Chr. die Vorherrschaft über Phönikien, dann von Tyros überflügelt. 332 v. Chr. wurde S. von Alexander d. Gr. erobert, 64 v. Chr. kam es unter röm. Herrschaft. Während der Kreuzzüge heftig umkämpft, wurde S. mehrfach zerstört und wieder aufgebaut. In der Nekropole von S. wurde u. a. der →Alexandersarkophag entdeckt.

SIDS, Abk. für engl. **S**udden **I**nfant **D**eath **S**yndrome, der →plötzliche Kindstod.

Philip Sidney: Ausschnitt eines zeitgenössischen Gemäldes

Sieb, Vorrichtung zum Trennen fester Stoffe aus fest-flüssigen Gemischen und zum Trennen fester Stoffe nach ihrer Größe (Klassieren).

Siebbein (Ethmoidale), mit vielen Hohlräumen versehener Schädelknochen zw. den Augenhöhlen und dem Dach der Nasenhöhle; seine dem Gehirn zugewandte Platte **(Siebplatte)** ist für den Durchtritt der Fasern des Riechnervs siebähnlich durchlöchert.

Sieb des Eratosthenes [nach Eratosthenes von Kyrene], Verfahren zur Ermittlung der Primzahlen in einer endl. Folge von natürl. Zahlen.

Siebdruck (Schablonendruck, Filmdruck), ein Durchdruckverfahren, bei dem die Druckfarbe durch ein feinmaschiges Sieb aus Textil- oder Kunststofffasern (Gaze, Seide beim Seiden-S.) oder ein Drahtgeflecht gedrückt wird. Die bildfreien Stellen sind auf dem Sieb bei industrieller Fertigung mit einer Schablone abgedeckt, die einen Farbdurchtritt verhindert. Zur Anfertigung der Schablone wird eine aufgebrachte photosensibilisierte Schicht durch die Vorlage hindurch belichtet. Dabei werden die vom Licht getroffenen bildfreien Stellen gehärtet (Lichthärtung), während die nicht gehärteten Partien (Bildstellen) ausgewaschen werden. Beim Druckvorgang wird die Farbe mit einer Gummirakel durch die offenen Stellen des Siebes gedrückt. Da der S. einen dicken Farbauftrag ermöglicht (gute Deckkraft), durchlaufen die Bedruckstoffe nach dem Druckvorgang Trockenkanäle (Jetdryer), damit die Farbschichten nicht verschmieren. Im S. können auch nicht saugende Materialien (z.B. Glas, Porzellan, Metall, Holz, Kunststoffe) bedruckt werden, da sich das Sieb auch gewölbten Oberflächen anpasst.

Beim künstler. S. **(Serigraphie)** verwendet man geschnittene Schablonen oder zeichnet das Bild mit Fett-Tusche, Lithographiekreide oder gelösten Druckfarben auf das Sieb. Anschließend wird eine Leimlösung aufgetragen und nach deren Trocknung das aufgezeichnete Bild mit Benzin ausgewaschen.

📖 DUPPEN, J. VAN: *Handbuch für den S. Aus dem Niederländ. Neuausg. Lübeck 1986.*

sieben, als Ziffer: **7,** Primzahl. Die Sieben gilt seit alters als heilige Zahl von kosm. Dimensionen (s. Himmelssphären, in der Bibel s. Schöpfungstage, s. Siegel usw.). Im Volksglauben hat sie noch heute große Bedeutung; oft gilt sie auch als Unglückszahl (»böse Sieben«).

siebenarmiger Leuchter, jüdisches Kultgerät, → Menora.

Sieben Berge, Bergzug im Niedersächs. Bergland, entlang dem rechten Ufer der Leine, in der Hohen Tafel 395 m hoch.

Sieb des Eratosthenes

Um alle Primzahlen unterhalb einer natürlichen Zahl N zu finden, schreibt man die Zahlen von 2 bis N auf, markiert die 2 und streicht jede zweite Zahl. Ist nun n die kleinste Zahl, die weder gestrichen noch markiert ist, so markiert man n und streicht dann jede n-te Zahl. Diesen Schritt wiederholt man für alle n mit $n^2 \leq N$. Alle markierten bzw. nicht gestrichenen Zahlen sind dann Primzahlen.

Siebenbürgen (rumän. Transilvania, Ardeal, ungar. Erdély), Landschaft in Rumänien (rd. 80 000 km², 5,8 Mio. Ew.), umfasst das von den O- und S-Karpaten und dem Westsiebenbürg. Gebirge (Bihorgebirge und Siebenbürger Erzgebirge) umschlossene **Siebenbürg. Hochland,** 300–800 m ü.M.; Hauptflüsse sind Szamos und Maros. – Mehr als 65% der Bev. sind Rumänen, im O wohnen Ungarn (→ Szekler), die → Siebenbürger Sachsen im Gebiet zw. Großer Kokel und Alt, im Burzenland

Sieben

Die Primzahl 7 gilt seit alters als die heilige Zahl schlechthin, kann aber auch negative Züge aufweisen wie in Josephs Traum von den sieben fetten und sieben mageren Kühen oder wie im »verflixten siebten Jahr«. Um 1600 v. Chr. verdrängte bei den Babyloniern die siebentägige Woche die bei ihnen früher gebräuchliche fünftägige. Im antiken Griechenland gab es im Kultus seit ältester Zeit siebentägige Fristen; bekannt waren außerdem die sieben Weltwunder, die Sieben Weisen und die sieben Tore Thebens. Die jüdische Religion kennt sieben Schöpfungstage, den siebenten Tag als geheiligten Tag der Gottesruhe, die in den Sprüchen Salomons gepriesenen »sieben Säulen der Weisheit« und den siebenarmigen Leuchter. Im christlichen Glauben bewahrte die Sieben als Zahl der Vollständigkeit und Vollkommenheit ihre Bedeutung: z.B. die sieben Gaben des Heiligen Geistes, die sieben Tugenden und sieben Todsünden sowie Christi sieben Worte am Kreuz. Die Offenbarung des Johannes spricht von dem »Buch des Lebens« als dem Buch mit sieben Siegeln. Nach islamischer Vorstellung ist der Siebente Himmel der oberste von mehreren Himmeln, in dem die Engel das Lob Allahs singen. Bedeutung erlangte die Sieben auch im deutschen Recht (sieben Zeugen, Kurfürsten, Ratsherren) und im Märchen (sieben Raben, Geißlein, Zwerge).

und im NO. Haupterwerbszweige sind Landwirtschaft (Weizen-, Mais-, Kartoffel-, Zuckerrübenanbau, Wein- und Obstbau, Rinder- und Schafzucht), im Gebirge Waldwirtschaft. Wichtige Ind.zweige sind Erdgas-, Salz-, Kohle-, Bauxitförderung, Metallurgie, Maschinenbau, Holz-, Textilindustrie; Ind.zentren sind v.a. Klausenburg, Kronstadt, Hermannstadt und Târgu Mureş (Neumarkt).

Siebenbürgen: Landschaft des Siebenbürgischen Hochlands

Geschichte: Vom 3. Jh. v. Chr. an Teil des Königreichs der Daker, 107–270 n. Chr. Teil der röm. Prov. Dakien, seit dem 7. Jh. von Bulgaren, seit dem 9./10. Jh. von Ungarn beherrscht, vom 11. bis 13. Jh. der ungar. Krone unterstellt. Zum Grenzschutz wurden im 10. Jh. Szekler (1213 erstmals erwähnt), ab etwa 1150 dt. Bauern und Handwerker (Siebenbürger Sachsen) angesiedelt; 1211–25 breitete sich im Burzenland der Dt. Orden aus. Eine rumän. Bevölkerung ist erst seit etwa 1210 sicher bezeugt. 1437 »Union der drei Nationen« (Ungarn, Szekler, Sachsen) zur Abwehr der seit 1432 vordringenden Türken. Nach dem Sieg der Türken bei Mohács (1526) kam S. unter osman. Oberhoheit; nach 1541 ein der Hohen Pforte tributäres, aber weitgehend autonomes Fürstentum mit eigenem Landtag. 1691 (Leopoldin. Diplom) fiel S. vorläufig, 1699 (Frieden von Karlowitz) bei Wahrung seiner Autonomie endgültig an die Habsburger (ab 1765 »Großfürstentum«); 1848/49 kurz, nach dem österr.-ungar. Ausgleich 1867 wieder mit Ungarn vereinigt. Die Magyarisierungspolitik (u.a. Auflösung der Ständevertretung, 1876 Einführung der ungar. Komitatsverfassung) stieß auf den entschiedenen Widerstand der Rumänen und Sachsen. Durch den Frieden von Trianon (1920) kam S. an Rumänien, durch den 2. Wiener Schiedsspruch (1940) Nord-S. und das Szeklerland (Ost-S.) an Ungarn, durch den Pariser Frieden (1947) ganz S. wieder an Rumänien. (→Ungarn, Geschichte; →Rumänien, Geschichte)

📖 Pascu, S.: *A history of Transylvania. A. d. Rumän. Detroit (Mich.) 1982.* – *Wege landeskundl. Forschung. 25 Jahre Arbeitskreis für Siebenbürg. Landeskunde 1962–87, bearb. v.* K. G. Gündisch. *Köln u. a. 1988.* – *Kurze Geschichte S.s, hg. v.* B. Köpeczi. *A. d. Ungar. Budapest 1990.* – *Kirchenburgen in S., Beiträge v.* H. Fabini *u. a. Leipzig ²1991.* – Myss, W.: *Kunst in S. Thaur 1991.*

Siebenbürger Erzgebirge, südl. Teil des Westsiebenbürg. Gebirges, Rumänien, zw. Maros im S und O sowie Weißer Körös und Arieş im N; bes. im O dicht bewaldet.

Siebenbürger Sachsen, dt. Volksgruppe in →Siebenbürgen, nach neueren Angaben noch zw. 35000 und 70000 (1940: 250000). Erstmals um 1150 kamen dt. Kolonisten nach Ungarn und siedelten wie in der Zips auch im südl. und südöstl. Teil Siebenbürgens, v.a. im Gebiet des oberen Alt (Hermannstadt), im Nösnergau (Bistritz) und im Burzenland (Kronstadt). König Andreas II. gewährte ihnen 1224 Sonderrechte und Selbstverw. (bis 1876). Einfälle der Mongolen (1241) und Osmanen (15./16. Jh.) zwangen zur Errichtung von v.a. Kirchenburgen. Die Reformation führte zur selbstständigen luth. Landeskirche (mit Bischof), die das Eigenbewusstsein der seit 1848/49 der Magyarisierung widerstehenden S. S. stärkte. 1876 Aufhebung ihrer Autonomie; 1921 (Bodenreform) Enteignung, 1937 Auflösung der Nationaluniversität als Hauptstütze der kulturellen Einrichtungen der S. S. Etwa 25000 S. S. wurden Ende des 2. Weltkrieges und danach in die UdSSR zur Zwangsarbeit verschleppt. Durch die Bodenreform von 1945 verloren sie ihren gesamten Grundbesitz, der kirchl. Besitz wurde 1948 verstaatlicht. Seitdem in ihren kirchl., wirtsch. und kulturellen Wirkungsmöglichkeiten immer rigoroser beschränkt, sinkt ihre Zahl durch Abwanderung nach Dtl., bes. seit 1988/89, ständig. (→Rumäniendeutsche, →rumäniendeutsche Literatur)

📖 *Gesch. der Deutschen auf dem Gebiete Rumäniens, hg. v.* C. Göllner. *Bukarest 1979.* – *Wir Siebenbürger, hg. v.* H. Bergel *u. a. Innsbruck 1986.* – Wagner, E.: *Gesch. der S. S. Thaur ⁶1990.*

Siebengebirge, tief zertaltes kleines Vulkangebirge zw. Kölner Bucht und Westerwald, am rechten Rheinufer, besteht aus zahlr. bewaldeten Kegeln und Kuppen aus Trachyt und Basalt (Großer Ölberg, 460 m ü. M., Petersberg, Drachenfels u.a.); Naturpark, Fremdenverkehr.

Sieben gegen Theben, *grch. Mythos:* sieben Helden, die mit ihrem Gefolge dem Polyneikes das von seinem Bruder Eteokles beherrschte Theben zurückerobern wollten; sie wurden geschlagen. Erst den →Epigonen gelang die Eroberung der Stadt. – Tragödie u.a. von Aischylos und Euripides.

Sieben Gemeinden (italien. Sette Comuni), sieben ehem. dt.sprachige Gemeinden um deren Hauptort Asiago am Südrand der Alpen in der Prov. Vicenza, Italien; heute romanisiert, nur noch wenige der insgesamt 21700 Ew. sprechen noch deutsch; alte bayer. Hausformen, Flureinteilungen und Familiennamen haben sich erhalten.

Siebengestirn, *Astronomie:* die →Plejaden.

sieben Hauptsünden, *kath. Theologie:* Stolz, Geiz, Unkeuschheit, Neid, Unmäßigkeit, Zorn, Trägheit; im MA. zu Todsünden erklärt. In der bildenden Kunst und in der Literatur werden die s. H. oft allegorisch dargestellt.

Sieben Hügel (italien. Sette Monti), histor. Name für die Erhebungen im Stadtgebiet von Rom: Aventin, Caelius mons, Esquilin, Kapitol, Palatin, Quirinal und Viminal.

sieben Hauptsünden: Das Gemälde »Die sieben Todsünden« von Otto Dix stellt die sieben Hauptsünden dar (1933; Karlsruhe, Kunsthalle)

Siebenjähriger Krieg, Bez. für den 3. Schles. Krieg und den gleichzeitigen britisch-frz. Kolonialkonflikt 1756–63. – Um das von Preußen im 1. und 2. →Schlesischen Krieg eroberte Schlesien zurückzugewinnen, verbündete sich Österreich mit Russland und Frankreich. Daraufhin begann der preuß. König Friedrich II., d. Gr., unterstützt von Großbritannien-Hannover, am 29. 8. 1756 einen Präventivkrieg mit der Besetzung Kursachsens, dessen Heer er am 17. 10. bei Pirna zur Kapitulation zwang. Der Regensburger Reichstag beschloss Anfang 1757 die Reichsexekution gegen Preußen, dem auch Schweden den Krieg erklärte. Im Frühjahr 1757 fiel Friedrich in Böhmen ein und besiegte die Österreicher bei Prag (6. 5.); doch nach der Niederlage bei Kolin (18. 6.) gegen den österr. Feldmarschall L. J. von Daun musste er Böhmen wieder räumen. Gleichzeitig zwangen die Franzosen nach ihrem Sieg bei Hastenbeck (26. 7.) den brit. Befehlshaber in Hannover, Wilhelm August Herzog von Cumberland, in der Konvention von Kloster Zeven (8. 9. 1757) zur Neutralität und Auflösung seiner Armee. Russische Truppen rückten in Ostpreußen,

Siebenjähriger Krieg

schwed. in die Uckermark ein. Doch Friedrich schlug die mit einem frz. Korps heranrückende Reichsarmee bei Roßbach (5. 11.) und kurz darauf die Österreicher, die Schlesien besetzt hatten, bei Leuthen (5. 12.). Im W drängte Herzog Ferdinand von Braunschweig seit Anfang 1758 die Franzosen über den Rhein zurück (Krefeld, 23. 6.). Friedrich besiegte die Russen bei Zorndorf (25. 8.), sodass sie die Neumark und Pommern räumen mussten. Trotz der Niederlage bei Hochkirch (14. 10.) zwang er den in Sachsen einmarschierten Daun zum Abzug. Beim Angriff auf die vereinigten österr.-russ. Truppen erlitten die Preußen bei Kunersdorf (12. 8. 1759) östlich der Oder ihre schwerste Niederlage; in der 1. Hälfte 1760 besetzten russ. Truppen vorübergehend Berlin. Durch seinen Sieg bei Liegnitz (15. 8. 1760) über den österr. General Laudon rettete sich Friedrich aus der drohenden Umklammerung; trotz eines weiteren Erfolges über Daun bei Torgau (3. 11.) war Friedrichs militär. Lage fast aussichtslos. Nach dem Sturz W. Pitts d. Ä. (1761) blieben die engl. Hilfsgelder aus.

Mit dem Tod der russ. Kaiserin Elisabeth (5. 1. 1762) trat eine kriegsentscheidende Wende ein. Ihr Nachfolger Peter III. schloss mit Friedrich am 5. 5. 1762 einen Separatfrieden, kurz darauf auch Schweden (22. 5.). Nach den Siegen über Daun bei Burkersdorf (21. 7. 1762) und Reichenbach (16. 8.) eroberte Friedrich fast ganz Schlesien zurück. Sein Bruder Prinz Heinrich siegte bei Freiberg in Sachsen (29. 10. 1762) über Österreicher und Reichstruppen. Nach dem Vorfrieden von Fontainebleau (3. 11. 1762) gab Frankreich den Krieg in Dtl. auf. Am 15. 2. 1763 wurde auf Schloss Hubertusburg bei Oschatz (Sachsen) der Friede zw. Preußen, Österreich und Sachsen geschlossen; der Gebietsstand von 1756 blieb unverändert.

Mit dem S. K. in Europa war ein britisch-frz. Kolonialkrieg verflochten. In Nordamerika mussten die Franzosen nach der Schlacht von Quebec (13. 9. 1759), in der beide Befehlshaber, der Brite J. Wolfe und der Franzose L. J. de Montcalm, tödlich verwundet wurden, und der Kapitulation Montreals (8. 9. 1760) Kanada den Briten überlassen. Diese besetzten nach dem Kriegseintritt Spaniens (1761) auch Kuba (Juni 1762), die Philippinen (Sept. 1762) und die frz. Besitzungen im Karib. Meer. – In Afrika eroberten die Briten im Mai 1758 die frz. Stützpunkte im Mündungsgebiet des Senegal; R. → Clive konnte sich in Indien gegen J.-F. Dupleix durchsetzen. Im Vorfrieden von Fontainebleau trat Frankreich Louisiana östlich des Mississippi an Spanien ab; im Pariser Frieden (10. 2. 1763) verlor es fast alle Besitzungen in Nordamerika und Indien an Großbritannien.

📖 ARCHENHOLTZ, J. W. VON: *Geschichte des S. K. in Dtl. Leipzig 1911, Nachdr. Osnabrück 1982.* – KUNISCH, J.: *Das Mirakel des Hauses Brandenburg. München u. a. 1978.*

Siebenkampf, leichtathlet. Mehrkampf für Frauen, ersetzte 1979 den Fünfkampf; besteht aus 100-m-Hürdenlauf, Hochsprung, Kugelstoßen, 200-m-Lauf (1. Tag), Weitsprung, Speerwerfen, 800-m-Lauf (2. Tag).

Siebenschläfer, Lostag (27. 6.); Gedenktag für sieben christl. Brüder, die nach legendärer Überlieferung eingemauert fast 200 Jahre schlafend überlebten. Wenn es am S. regnet, hält der Regen nach volkstüml. Überlieferung sieben Wochen an.

Siebenschläfer, ein Nagetier, → Schlafmäuse.

sieben Schwaben, die Helden eines derben Schwanks aus dem MA.; erste Fassung aus dem 15. Jh. in einer lat. Handschrift.

Siebensegment-Anzeige (7-Segment-Anzeige), eine Anzeigeeinheit (Display) aus sieben balkenförmigen Bildelementen. Mit ihr lassen sich die Ziffern 0 bis 9 und einige Buchstaben darstellen; Einsatz u. a. in Taschenrechnern, digital anzeigenden Messinstrumenten, Digitaluhren.

Siebenstern: Der Europäische Siebenstern blüht von Mai bis Juni

Siebenstern (Trientalis), Gattung der Primelgewächse; in mitteleurop. Wäldern nur die Art **Europäischer S.** (Trientalis europaea) mit weißen, siebenzähligen, lang gestielten Blüten mit einem Durchmesser von etwa 15 mm.

Siebenstromland (kasach. Dschetyssu), histor. Landschaft im SO Kasachstans, benannt nach den sieben Hauptflüssen Ili, Karatal, Bijen, Aksu, Lepsa, Baskan und Sarkand.

siebenter Himmel, *Islam:* der oberste von mehreren (meist sieben) übereinander liegenden Himmeln, in dem die Engel das Lob Allahs singen.

Sieben Weise, grch. Staatsmänner und Philosophen des 7. und 6. Jh. v. Chr., denen knapp formulierte Lebensweisheiten zugeschrieben wurden: Thales, Pittakos, Bias, Solon, Kleobulos, Myson und Chilon.

sieben Weltwunder, wohl im 3. Jh. v. Chr. erstmals zusammengestellte Liste der berühmtesten Bau- und Kunstwerke der Antike: die Pyramiden von Giseh, die Hängenden Gärten von Babylon, der Tempel der Artemis in Ephesos, das Kultbild des Zeus von Phidias in Olympia, das Mausoleum in Halikarnassos, der Koloss von Rhodos und der Leuchtturm von Pharos bei Alexandria.

Siebert, Horst, Volkswirtschaftler, *Neuwied 20. 3. 1938; Prof. in Mannheim, Konstanz und Kiel; seit 1989 Präs. des Kieler Inst. für Weltwirtschaft, seit 1991 Mitgl. des Sachverständigenrates zur Begutachtung der gesamtwirtsch. Entwicklung; beschäftigt sich v. a. mit Außenwirtschaft, Umwelt- und Ressourcenökonomie.

Siebkette, elektr. Filteranordnung aus mehreren → Siebschaltungen.

Siebs, Theodor, Germanist, *Bremen 26. 8. 1862, †Breslau 28. 5. 1941; Prof. in Greifswald und Breslau; Untersuchungen zum Friesischen und zu altfries. Rechtsquellen. Seine Schrift »Dt. Bühnenaussprache« (1898) wurde grundlegend für die dt. Bühnenaussprache sowie die dt. Hochlautung.

Siebschaltung, als elektr. Filter wirkende Schaltungsanordnung, die einen bestimmten Frequenzbereich sperrt, einen anderen dagegen durchlässt. Eine S. ist wie ein Tiefpass entweder aus Widerstand und Kondensator (RC-Glied) oder aus Spule und Kondensator (LC-Glied) aufgebaut. Sie dient zur Unterdrückung (Siebung) des bei der Gleichrichtung und Glättung von Wechselspannungen verbleibenden Wechselspannungsanteils. Bei ungenügender Siebung kann der verbleibende Anteil als Brummen zu hören sein.

Siebung, 1) *Elektrotechnik:* → Siebschaltung.

2) *Sozialanthropologie:* nach R. Thurnwald ein kulturell und sozial bestimmter Ausleseprozess, der bestimmte Menschen in einer Ges. bevorzugt.

Sieburg, Friedrich, Schriftsteller und Publizist, *Altena 18. 5. 1893, †Gärtringen (Kr. Böblingen) 19. 7. 1964; 1924–42 Korrespondent der »Frankfurter Zeitung«; stand dem Nationalsozialismus nahe; 1948–55 Mithg. der Zeitschrift »Die Gegenwart«, seit 1956 Leiter der Literaturbeilage der »Frankfurter Allg. Zeitung«; nach 1945 gleichermaßen einflussreicher wie umstrittener Literaturkritiker.

Siebzehnter Juni 1953 (Juniaufstand), Volkserhebung in der DDR am 17. 6. 1953. Nachdem am 9. 6. 1953 das SED-Politbüro den sog. Neuen Kurs beschlossen hatte, jedoch die am 28. 5. verfügte Erhöhung der Arbeitsnormen für Ind.betriebe um generell 10% aufrechterhalten worden war, streikten und demonstrierten am 16. 6. die Arbeiter auf den Baustellen der Stalinallee in Berlin (Ost). Daraus entwickelte sich am 17. 6. der Arbeiteraufstand in der gesamten DDR, in dessen Verlauf es in mehr als 250 Orten, darunter alle Ind.zentren und Großstädte, zu Streiks und Demonstrationen kam. Die urspr. wirtsch. Forderungen schlugen rasch in weitgehende polit. Forderungen (z. B. Rücktritt der Reg. und freie Wahlen) um. Der Aufstand wurde von sowjet. Truppen niedergeschlagen (offiziell 51 Tote, bis 30. 6. 1953 6200 Verhaftete); Streiks gab es aber z. T. noch bis Juli 1953. – In der Bundesrep. Dtl. war der 17. 6. als »Tag der dt. Einheit« nat. Feiertag (1953–90).

Siebzehnter Juni 1953: Sowjetische Panzer fahren auf dem Potsdamer Platz in Berlin auf

Sieden, der Übergang eines Stoffes vom flüssigen in den gasförmigen Aggregatzustand durch Aufnahme therm. Energie **(Verdampfungswärme, -enthalpie).** Im Ggs. zur Verdunstung vollzieht sich das S. nicht an der Oberfläche, sondern in allen Teilen der Flussigkeit unter Bildung von Dampfblasen, wenn der → Dampfdruck im Innern die Größe des äußeren Druckes erreicht hat.

Sieden: Siedepunkt und Verdampfungsenthalpie einiger Stoffe

	Siedepunkt °C	spezifische Verdampfungsenthalpie kJ/kg	molare Verdampfungsenthalpie kJ/mol
Blei	1740,0	921,0	190,83
Zink	907,0	1800,0	117,68
Schwefel	444,6	293,0	9,66
Quecksilber	356,6	301,0	60,38
Kochsalzlösung (gesättigt)	108,0	-	-
Meerwasser	100,5	-	-
Wasser	100,0	2757,1	40,67
Ethanol (Äthanol)	78,3	841,6	38,78
Methanol	64,5	1101,1	35,29
Ammoniak	−33,4	1371,0	23,36
Sauerstoff (O2)	−183,0	214,0	6,85
Stickstoff (N2)	−195,8	198,0	5,55
Wasserstoff	−252,9	454,0	0,92
Helium	−268,9	21,0	0,17

Kai Manne Siegbahn

Karl Manne Siegbahn

Die zugehörige Temperatur heißt **Siedetemperatur** (Siedepunkt, Kochpunkt). Sie ist von der Art des Stoffes und vom äußeren Druck abhängig; z. B. nimmt der Siedepunkt des Wassers bei je 300 m Höhenzunahme und entsprechender Druckabnahme um 1 °C ab **(Siedepunkterniedrigung).** Der Siedepunkt beim Normdruck (1 013,25 hPa) heißt **normaler Siedepunkt** (bei Wasser 100 °C). Im Unterschied zu reinen Stoffen mit definierter Siedetemperatur zeigen Mischungen einen Siedeverlauf innerhalb bestimmter Temperaturgrenzen **(Siedeintervall).** Wärmezufuhr nach Erreichen des Siedepunkts erhöht die Temperatur nicht mehr, die Energie wird zum Verdampfen der Flüssigkeit verbraucht. Jedoch können staub- und gasfreie Flüssigkeiten etwas über den Siedepunkt erwärmt werden, ohne dass sie zu sieden beginnen **(Siedeverzug),** da der Siedebeginn vom Vorhandensein geringer Gasmengen abhängig ist. Bei verdünnten Lösungen schwer flüchtiger Substanzen verringert sich der Dampfdruck im Vergleich zum reinen Lösungsmittel, und die Erhöhung der Siedetemperatur ist der molaren Konzentration des gelösten Stoffes proportional **(Siedepunkterhöhung).** Daraus kann die Molmasse des gelösten Stoffes bestimmt werden (Ebullioskopie).

Siedesalz, → Kochsalz.

Siedethermometer (Siedebarometer, Hypsothermometer, Hypsometer), Thermometer mit einem Messbereich zw. 90 und 102 °C und einer Messgenauigkeit von rd. $\pm 10^{-3}$ °C; dient zur Messung der Siedetemperatur des Wassers, aus der Luftdruck und Ortshöhe ermittelt werden können.

Siedlce: Das 1740 erbaute ehemalige Ogiński-Palais wurde 1776–82 klassizistisch umgestaltet

Siedewasserreaktor, Abk. **SWR,** ein Typ des Leichtwasserreaktors, → Kernreaktor.

Siedlce ['sjɛdltsɛ], Hptst. der Wwschaft S., in Podlachien, O-Polen, 73 600 Ew.; PH, Regionalmuseum; Maschinenbau, elektrotechn., Textil-, Spielzeugindustrie. – In einem Park liegt das ehem. Ogiński-Palais (1740 erbaut, 1776–82 klassizistisch umgestaltet).

Siedlung, jede menschliche Niederlassung. Nach der Benutzungsdauer unterscheidet man die Dauer-S. (ständig bewohnt) von den temporären S. (kurzfristig, etwa bis zu einem halben Jahr bewohnt), unter Letzteren saisonale S. (während mehrerer Wochen bewohnt, z. B. Alm-S., Wochenend-S., Nomadenlager) und ephemere S. (flüchtige S., z. B. Windschirme, Zeltlager u. a. S. der Wildbeuter und Jägervölker). Formen der ländl. S. sind u. a. Einzelhof, Weiler, → Dorf, Kibbuz, Agrostadt. Außer den Behausungen umfasst die S. auch die Grundstücke, Verkehrs- u. a. öffentl. Flächen (z. B. Grünanlagen) sowie Kult- und Schutzanlagen. Aufgegebene S. bezeichnet man als Wüstung. – Städt. S. → Stadt.

Siedlungsgeographie, Zweig der Anthropogeographie; untersucht Verteilung, Lage, Form, Größe, Struktur und Funktion von Siedlungen.

Siedlungswesen, in Planung und Verw. derjenige Sachbereich, der sich mit der Entwicklung der städt. und ländl. Siedlungen befasst. Der Staat übt im planer. Bereich sowohl über Instrumente der Raumordnung und Landesplanung (z. B. Erhaltung gewachsener Siedlungsstrukturen für ländl. Räume) als auch des Städtebaus (z. B. Baunutzungs-VO) Einfluss auf das S. aus. – Die gesetzl. Grundlage des Siedlungsrechts bildet das Reichssiedlungsgesetz vom 11. 8. 1919 i. d. F. des Grundstücksverkehrsgesetz vom 28. 7. 1961. Dieses sieht zur Erleichterung der Landbeschaffung und Ansiedlung die Bildung gemeinnütziger Siedlungsunternehmen vor, die mittels gesetzl. Vorkaufsrechte oder auch durch Enteignung Land zu Siedlungszwecken erwerben und weitergeben können; i. d. R. verfügen sie über ein gesetzl. Wiederkaufsrecht bei nicht zweckentsprechender Verwendung des Grundstücks. Eine besondere Form ist die Ausgabe einer → Heimstätte.

Sieg *die,* rechter Nebenfluss des Rheins, 130 km lang, entspringt im südl. Rothaargebirge, durchfließt das Siegerland, mündet unterhalb von Bonn.

Siegbahn, 1) Kai Manne, schwed. Physiker, *Lund 20. 4. 1918, Sohn von 2); seit 1954 Prof. in Uppsala; entwickelte das als ESCA bezeichnete Verfahren der Photoelektronenspektroskopie, das Rückschlüsse auf die Elektronenstruktur und chem. Zusammensetzung von Festkörpern zulässt; erhielt dafür 1981 den Nobelpreis für Physik (zus. mit N. Bloembergen und A. L. Schawlow).

2) Karl Manne Georg, schwed. Physiker, *Örebro 3. 12. 1886, † Stockholm 26. 9. 1978, Vater von 1); entdeckte 1916 die M-Serie in Röntgenspektren, wies 1924 erstmals die prismat. Brechung der Röntgenstrahlen nach; 1924 Nobelpreis für Physik.

Siegburg, Krst. des Rhein-Sieg-Kr., NRW, an der Sieg, 36 700 Ew.; Bundesfinanzakademie und Bundessteuermuseum (beide in der über der Stadt gelegenen ehem. Benediktinerabtei); Herstellung von Farben, Maschinen, Isolatoren, Verpackungen, Steinguttöpferei. – Pfarrkirche St. Servatius (um 1200). – S. entstand im 9./10. Jh.; entwickelte sich um das 1064 gegr. Benediktinerkloster; 1065 Ersterwähnung als **Sigeburch,** 1182 als Stadt bezeugt.

Siegel [lat. sigillum], Abdruck eines oft ebenfalls S. genannten Stempels (Petschaft), Fingerringes oder im Altertum auch einer kleinen Walze (Roll-S.) mit spiegelverkehrt eingraviertem S.-Bild und Schrift in eine weiche, später erhärtende Masse, z.B. Ton (im Altertum und bei Arabern), Wachs, Blei (Papst-S.), S.-Lack (seit dem 16. Jh.). Das S. diente als Erkennungs- und Beglaubigungszeichen, auch als Verschluss von Schriftstücken oder Gefäßen zum Schutz vor unbefugter Kenntnisnahme oder Verfälschung des Inhalts. Das heutige **Amts-S.** von Behörden ist der Abdruck eines Farbstempels. – Nach der Darstellung im S.-Bild werden **Schrift-, Bildszenen-, Porträt-** und **Wappen-S.** unterschieden.

Im MA. bildeten die S. einen wesentl. Bestandteil des Rechtswesens. Allg. Glaubwürdigkeit besaßen zunächst nur die S. des Papstes, des Kaisers, der Könige und Fürsten sowie der geistl. Korporationen für ihre Urkunden (→Bullen). Zur Erhöhung der Sicherheit dienten rückseitige Abdrücke kleiner Ring-S., die sich zu Sekret- oder Geheim-S. entwickelten. (→Steinschneidekunst)

📖 KITTEL, E.: *S. Braunschweig 1970.* – BOOCHS, W.: *S. u. Siegeln im alten Ägypten. Sankt Augustin 1982.*

Siegel: Thronsiegel Napoleons I. (1806)

Siegel [si:gl], Don, amerikan. Filmregisseur, *Chicago (Ill.) 26. 10. 1912, †Nipomo (Calif.) 20. 4. 1991; erfolgreich mit Actionfilmen (»Ein Fressen für die Geier«, 1969; »Dirty Harry«, 1971; »Der große Coup«, 1972; »Flucht von Alcatraz«, 1979; »Verhext«, 1982).

Siegburg: Stadtansicht mit der Anlage des ehemaligen, 1064 gegründeten Benediktinerklosters, in der sich heute die Bundesfinanzakademie und das Bundessteuermuseum befinden

Siegburg Stadtwappen

Siegelbaum (Sigillaria), ausgestorbene Gattung bis 30 m hoher Schuppenbaumgewächse; vom Oberkarbon bis zum Unterperm verbreitet. Der Fruchtstand war meist zapfenförmig. S. gehörten zur Steinkohlenflora.

Siegelbewahrer, im MA. der mit der Führung oder Verwahrung der Staats- oder Regentensiegel beauftragte Amtsträger; im Hl. Röm. Reich bis 1806 der Kurfürst von Mainz. In Großbritannien war das Amt des **Groß-S.** mit dem des Lordkanzlers verbunden.

Siegelbruch, das unbefugte und vorsätzl. Erbrechen, Ablösen oder Beschädigen amtl. Siegel, die von einer Behörde oder einem Beamten angelegt sind, um Sachen zu verschließen, zu bezeichnen oder in Beschlag zu nehmen. Der S. wird mit Freiheitsstrafe bis zu einem Jahr oder mit Geldstrafe bestraft (§136 Abs. 2 StGB). – Ähnl. Bestimmungen enthalten das *österr.* (§272) und das *schweizer.* StGB (Art. 290).

Siegelkunde, die →Sphragistik.

Siegen, Krst. des Kr. Siegen-Wittgenstein, NRW, an der Sieg, 111000 Ew.; Gesamthochschule, Technologiezentrum; Siegerlandmuseum. Mittelpunkt des Siegerlandes mit Stahl- und Blechverarbeitung, Bau von Werkzeugmaschinen und Apparaten, opt., Elektro-, Leder-, Textil- u.a. Ind., Computer- und Bürotechnik, Herstellung techn. Gase; Brauerei. – Evang. Martinikirche (im Kern 12. Jh., Reste eines Mosaikfußbodens aus dem 10. Jh.), evang. Nikolaikirche (Zentralbau, 2. Hälfte 13. Jh.), Oberes Schloss (vor 1224 begonnen, umgebaut 15.–18. Jh.), Unteres Schloss (1698–1714). – Um 1170 als Stadt genannt. 1303 Soester Recht; 1224 bis etwa 1421 unter gemeinsamer Herrschaft von Nas-

Don Siegel

Siegen: Stadtwappen

sau und Köln, danach von Nassau; 1607–1743 Residenz von Nassau-S. (seit 1623 geteilt); seit 1975 mit Eiserfeld und Hüttental zusammengeschlossen.

Siegen-Wittgenstein, Kreis im RegBez. Arnsberg, NRW, 1131 km², (1996) 299200 Ew.; Kreisstadt ist Siegen.

Siegerland, Industriegebiet und Waldbergland an der oberen Sieg, in NRW und Rheinl.-Pf., zw. Rothaargebirge und Westerwald, 400–650 m ü. M.; die Hüttenind. ist bis auf Walzwerke stillgelegt; Maschinenbau, Blechverarbeitung und Behälterbau. Der über 2000 Jahre alte Erzbergbau wurde 1962 eingestellt.

Heinz Sielmann

Siegfried (jüngere Form Seyfried), german. Sagenheld im Mittelpunkt des ersten Teils des →Nibelungenliedes. S. wird als kühn, unbesiegbar und arglos dargestellt. Sein Vertrauen in die Treue der mit ihm verschwägerten Burgunder wird ihm zum Verhängnis; →Hagen von Tronje tötet ihn hinterrücks. Der Zusammenhang mit Ereignissen im merowing. Königshaus des 6. Jh. und ihre archetypisch-myth. Ableitung bleiben hypothetisch. Im dt. Sprachgebiet ist das mhd. Nibelungenlied (um 1200) die älteste erhaltene Nibelungendichtung. Das erst aus dem 16. Jh. erhaltene »Lied vom Hürnen Seyfrid« behandelt die Abenteuer des jungen S. (Drachenkampf, Unverwundbarkeit durch Bad im Drachenblut, Erwerb des Nibelungenhorts, Befreiung Kriemhilds). In der nord. Überlieferung erscheint der Name S. abgewandelt zu **Sigurd;** hier wird der Hauptakzent auf die Beziehung zw. S. und Brünhild gelegt. Das 19. Jh. knüpfte daran an; so auch R. Wagner in seinem Musikdrama »Der Ring des Nibelungen«. Im 19. und frühen 20. Jh. wurde S. als typ. germanisch-dt. Held zur nat. Identifikationsfigur sowohl im polit. als auch im pädagog. Bereich.

Friedrich Siemens

📖 HOFFMANN, W.: *Das Siegfriedbild in der Forschung. Darmstadt 1979.*

Siegfried, Hermann, schweizer. Topograph und Kartograph, *Zofingen 14. 2. 1819, †Bern 5. 12. 1879; ab 1865 Chef des Generalstabs und des Eidgenöss. Topograph. Bureaus, schuf den »Topograph. Atlas der Schweiz« im Maßstab 1:25000 und 1:50000 **(Siegfriedkarte).**

SI-Einheiten: Basiseinheiten

Größe	*Formelzeichen*	*Basiseinheit*	*Einheitenzeichen*
Länge	l	Meter	m
Masse	m	Kilogramm	kg
Zeit	t	Sekunde	s
elektrische Stromstärke	I	Ampere	A
thermodynamische Temperatur	T	Kelvin	K
Stoffmenge	n	Mol	mol
Lichtstärke	I	Candela	cd

Siegmund, Röm. Kaiser, →Sigismund (Hl. Röm. Reich).

Siegwurz, ein Schwertliliengewächs, →Gladiole.

Siegfried: Die kolorierte Federzeichnung aus »Lienhart Scheubels Heldenbuch« zeigt die Ermordung Siegfrieds (1480–90; Wien, Österreichische Nationalbibliothek)

SI-Einheiten, die im →Internationalen Einheitensystem festgelegten und in Dtl. gesetzlich vorgeschriebenen Einheiten physikal. Größen, bestehend aus den sieben **SI-Basiseinheiten** und allen von diesen Basiseinheiten kohärent (d. h. ohne einen von eins abweichenden Zahlenfaktor) **abgeleiteten Einheiten** (→Einheiten, →Einheitensystem) mit z. T. eigenen Bezeichnungen. SI-Basiseinheiten sind Meter (Länge), Sekunde (Zeit), Kilogramm (Masse), Ampere (elektr. Stromstärke), Kelvin (Temperatur), Mol (Stoffmenge) und Candela (Lichtstärke). – Dezimale Vielfache und dezimale Teile von SI-E., die mittels Vorsätzen gebildet werden, sind nicht mehr kohärent zu den SI-E. und damit keine SI-E. (sie werden manchmal als erweiterte SI-E. bezeichnet). – Neben den Basiseinheiten und den abgeleiteten Einheiten gibt es die **ergänzenden Einheiten,** zu denen der Radiant und der Steradiant gehören.

Siel, ein Durchlass in Deichen zur Entwässerung eingedeichter Niederungsgebiete (Polder); meist mit selbsttätig wirkender Verschlussvorrichtung bei Hochwasser am Außendeich.

Sielmann, Heinz, Publizist und Biologe, *Rheydt (heute zu Mönchengladbach) 2. 6. 1917; bekannt durch Filmproduktionen zu biolog. Themen (u. a. Fernsehreihe »Expeditionen ins Tierreich«), auch Buchveröffentlichungen.

Siemens [nach Werner von Siemens] *das,* Einheitenzeichen **S,** abgeleitete SI-Einheit des elektr. Leitwertes; $1\,S = 1\,A/V = 1\,\Omega^{-1}$.

Siemens, 1) Friedrich, Unternehmer, *Menzendorf (Kr. Nordwestmecklenburg) 8. 12. 1826, †Dresden 26. 5. 1904, Bruder von 3) und 4); erfand

1856 den Regenerativschmelzofen, der 1864 beim S.-Martin-Verfahren zur Anwendung kam.

2) Georg von (seit 1899), Bankier, *Torgau 21. 10. 1839, †Berlin 23. 10. 1901, Vetter von 3); seit 1870 Direktor der von ihm gegr. Dt. Bank AG, durch die er große Auslandsunternehmungen (u. a. Bau der Anatol- und Bagdadbahn) förderte.

3) Werner von (seit 1888), Ingenieur und Unternehmer, Mitbegründer der Elektrotechnik, *Lenthe (heute zu Gehrden) 13. 12. 1816, †Berlin 6. 12. 1892, Bruder von 1) und 4), Vetter von 2), Vater von 5); erfand 1846 einen elektr. Zeigertelegrafen mit Selbstunterbrechung und die nahtlose Umkleidung von Telegrafenleitungen mit Guttapercha. 1847 gründete er mit J. G. Halske die Telegraphen Bau-Anstalt von Siemens & Halske, die die Keimzelle des Unternehmens Siemens wurde. S. erfand u. a. 1856 den Doppel-T-Anker; 1866 die Dynamomaschine, womit er die Starkstromtechnik einleitete, die neben weiteren Erfindungen als neues Betätigungsfeld der Firma Siemens & Halske zu einem stetigen Aufstieg verhalf. 1879 baute er die erste funktionstüchtige elektr. Lokomotive und 1880 den ersten elektr. Aufzug. Mithilfe seiner Brüder Wilhelm und Carl (*1829, †1906) dehnte er seine Geschäftstätigkeit auch auf England und Russland aus. – S. verband wiss. Begabung mit erfinder. Geschick, geschäftl. Weitblick und sozialer Verantwortung. Er war maßgeblich an der Einführung eines dt. Patentgesetzes beteiligt. 1887 wirkte er an der Gründung der »Physikalisch-Techn. Reichsanstalt« mit; schrieb u. a. »Lebenserinnerungen« (1892).

📖 WEIHER, S. VON: *W. v. S. Göttingen u. a. 1970.*

Werner von Siemens (um 1876)

4) Wilhelm (seit 1883 Sir William S.), Industrieller, *Lenthe (heute zu Gehrden) 4. 4. 1823, †London 19. 11. 1883, Bruder von 1) und 3); seit 1843 in London; wandelte die brit. Vertretung der Siemens & Halske AG 1848 in ein Zweiggeschäft um, 1865 als Siemens Brothers & Co. verselbstständigt.

5) Wilhelm von, Industrieller, *Berlin 30. 7. 1855, †Arosa (Schweiz) 14. 10. 1919, Sohn von 3); förderte u. a. die Glühlampenherstellung (Miterfinder der Tantallampe), den Schnelltelegrafen, den elektr. Bahnantrieb, die elektr. Fernsteuerung; wurde 1884 Mitinhaber und nach Ausscheiden seines Vaters 1890 Leiter der Siemens & Halske AG, die von 3 000 auf 65 000 Mitarbeiter anwuchs.

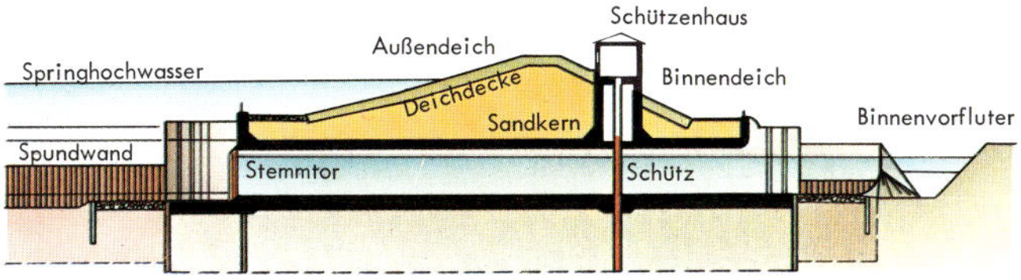

Siel: schematische Darstellung

Siemens AG, führendes Unternehmen der elektrotechn. und elektron. Ind., Sitz: Berlin und München; hervorgegangen aus der 1847 von W. von Siemens und J. G. Halske gegr. **Siemens & Halske OHG,** seit 1890 KG, seit 1897 AG (Abk. S & H). 1903 wurde die Starkstromabteilung der S & H ausgegliedert und mit der Elektrizitäts-AG, vorm. Schuckert & Co., Nürnberg, zur **Siemens-Schuckertwerke GmbH** (seit 1927 AG) vereinigt. 1966 wurden diese Werke, die **Siemens-Reiniger-Werke AG** sowie die S & H zur S. AG zusammengefasst. Das Fertigungsprogramm umfasst Energieerzeugung, -übertragung und -verteilung, Anlagen-, Antrieb-, Schalt- und Installations- sowie Automatisierungstechnik, private Kommunikationssysteme, öffentl. Kommunikationsnetze, Verkehrs-, Automobil- und Medizinaltechnik, Computerhardware und -software, Halbleiter und elektron. Bauelemente. Zahlreiche verbundene oder assoziierte Unternehmen, u. a. Siemens Nixdorf Informationssysteme AG, Osram GmbH, Duewag AG (98 %), Bosch-Siemens Hausgeräte GmbH. Das Aktienkapital ist im Besitz von rd. 573 000 Aktionären und der Familie Siemens.

📖 BRANAHL, M.: *Zum Verhältnis von sittl. u. ökonom. Rationalität. Aufgezeigt am Beispiel der Unternehmenskultur der S. AG. Köln 1991.*

Siemens-Martin-Verfahren, Verfahren der Stahlerzeugung (→Stahl); es wurde von P. Martin und dessen Vater in einem von F. und W. Siemens gebauten Regenerativofen 1864 erstmals zur Erzeugung von Herdstahl angewandt und 1865 in Großbritannien und Frankreich patentiert.

Siemianowice Śląskie [ɕɛmianɔ'vitsɛ 'ɕlɔskjɛ], Stadt in der Wwschaft Katowice (Kattowitz), Polen, am Ostrand des Oberschles. Ind.gebiets, 79 100 Ew.; Steinkohlengruben, Eisenhütte (mit Walz- und Röhrenwerk), Metallverarbeitung, Glashütte. – S. Ś. entstand 1922 aus den bis 1921 preuß. Gemeinden **Siemianowitz** und **Laurahütte;** 1932 zur Stadt erhoben.

Wilhelm Siemens

Siena 2): Das zum großen Teil 1288–1309 erbaute Rathaus mit dem Torre del Mangia (1338–48) befindet sich auf der muschelförmigen Piazza del Campo im Mittelpunkt der Stadt

Siena, 1) Provinz in der Toskana, Italien, 3 821 km², (1995) 251 000 Einwohner.

2) Hptst. von 1), inmitten des toskan. Hügellandes, 55 300 Ew.; Erzbischofssitz, zwei Univ., kulturelles Zentrum mit zahlr. Museen und Bibliotheken, Weinmesse; bed. Fremdenverkehr. – S., mit gut erhaltenem got. Stadtbild, ist reich an Kunstwerken. Der Ende des 12. Jh. begonnene Dom ist ein Hauptwerk der italien. Gotik, mit reicher Fassade, einer Kanzel von Niccolò Pisano (1265–67) und Marmorfußboden mit figürl. oder eingelegten Darstellungen. Auf der muschelförmigen Piazza del Campo, deren Wirkung von einzigartiger Geschlossenheit ist, ragt als weltl. Bau das Rathaus (1288–1309, 1327 und 1340 erweitert) hervor, mit 102 m hohem Glockenturm (Torre del Mangia, 1338–48) und got. Fresken, bes. von Simone Martini und A. Lorenzetti. Auf dem Campo findet jährlich im August die Corsa del Palio, ein Pferderennen mittelalterlichen Ursprungs statt. – Urspr. etrusk. Siedlung, dann röm. Kolonie **(Saena Iulia),** war S. im MA. auf der Seite der Ghibellinen und schärfster Rivale von Florenz. Es erreichte im 13. Jh. den Höhepunkt seiner polit. Macht. 1555 wurde S. von den Spaniern erobert, die es an das Herzogtum Toskana abtraten.

📖 SABELBERG, E.: *Regionale Stadttypen in Italien. Wiesbaden 1984. – Die Kirchen von S., hg. v.* P. A. RIEDL *u. a., auf mehrere Bände. ber. München 1985 ff.*

Sienkiewicz [ɕɛn'kjɛvitʃ], Henryk, polnischer Schriftsteller, *Wola Okrzejska (Wwschaft Siedlce) 5. 5. 1846, †Vevey (Schweiz) 15. 11. 1916; begann als Feuilletonist und Satiriker; schilderte in Erzählungen das Leben der unteren Volksschichten; erfolgreich v. a. mit histor. Romanen: Der nationalgeschichtl. Trilogie (1884–88) aus dem 17. Jh. »Mit Feuer und Schwert«, »Sturmflut«, »Pan Wolodyjowski, der kleine Ritter« folgte der in viele Sprachen übersetzte Roman »Quo vadis?«

Henryk Sienkiewicz (um 1890)

(1896) aus der Zeit der Christenverfolgung unter Nero. S. erhielt 1905 den Nobelpreis für Literatur.

Sienyang, Stadt in China, →Xianyang.

Sieradz ['ɕɛrats], Hptst. der Wwschaft S., Zentralpolen, an der Warthe, 44 300 Ew.; Strickwaren-, Konservenindustrie. – Regionalmuseum (im »Königl. Haus« am Markt, 15. Jh.), barock ausgestattete Pfarr- und Dominikanerkirche (beide 14. Jahrhundert).

Sierksdorf, Gemeinde im Kr. Ostholstein, Schlesw.-Holst., 1 500 Ew.; Ostseebad an der Lübecker Bucht mit Freizeitpark »Hansaland«.

Sierpiński [ɕɛr'piĩski], Wacław Franciszek, poln. Mathematiker, *Warschau 14. 3. 1882, †ebd. 21. 10. 1969; befasste sich v. a. mit Mengenlehre (u. a. Auswahlaxiom) und mit (mengentheoret.) Topologie.

Sierra [span. »Säge«] *die,* span. Bez. für Gebirge oder Gebirgskette.

Sienkiewicz

»Quo vadis?«

Dieser 1896 erschienene Roman des polnischen Schriftstellers Henryk Sienkiewicz spielt in der Zeit der ersten Christenverfolgungen unter dem römischen Kaiser Nero. Der lateinische Romantitel (übersetzt »Wohin gehst du?«) geht auf eine nachbiblische Legende aus dem Leben des Apostels Petrus zurück, die in den Roman eingebaut ist. Dem vor der Verfolgung aus Rom Fliehenden erscheint Christus. Auf die Frage des Petrus »Quo vadis, Domine?« (»Wohin gehst du, Herr?«) antwortet dieser ihm, er gehe nach Rom, um sich ein zweites Mal kreuzigen zu lassen. Petrus kehrt daraufhin in die Stadt zurück und erleidet hier den Märtyrertod. Der Roman wurde in 30 Sprachen übersetzt und mehrmals verfilmt (zuletzt 1951 mit Peter Ustinov als Nero).
Man zitiert den Titel heute als Ausdruck der Besorgnis und Skepsis im Sinne von »Wohin soll das führen?«.

Sierra Leone

Fläche: 71 740 km²
Einwohner: (1995) 4,509 Mio.
Hauptstadt: Freetown
Verwaltungsgliederung: 4 Provinzen
Amtssprache: Englisch
Nationalfeiertag: 27. 4.
Währung: 1 Leone (Le) = 100 Cents (c)
Zeitzone: WEZ

Sierra Leone (amtlich engl. Republic of S. L.), Staat in Westafrika, grenzt im W und SW an den Atlantik, im N und O an Guinea, im SO an Liberia.

Staat und Recht: Nach der Verf. von 1991 ist S. L. eine präsidiale Rep. mit Mehrparteiensystem. Staatsoberhaupt und Reg.chef ist der Präs. (Amtszeit sieben Jahre). Er ernennt die Mitgl. des Kabinetts, die ihm und dem Parlament verantwortlich sind. Die Legislative liegt beim Repräsentantenhaus (127 Abg., davon 105 auf fünf Jahre gewählt, zehn vom Präs. ernannt; zwölf Mandate werden an die Stammeshäuptlinge vergeben). Seit dem Militärputsch von 1992 war die Verf. suspendiert, die Exekutivgewalt ging an den nur aus Militärs bestehenden Supreme Council of State (SCS) über, dessen Vors. Staats- und Reg.chef war. Nachdem der SCS die Reg. Anfang 1996 in zivile Hände gelegt hatte, fanden gemäß den Vorschriften der Verf. von 1991 im März 1996 Präsidentschafts- und Par-

Sierra Leone

lamentswahlen statt. Erneute Putschversuche stellten ihr Ergebnis infrage; Ende 1997 einigten sich die Bürgerkriegsparteien auf die Fortgeltung der Verf. von 1991 und die Anerkennung der Wahlen von 1996. Wichtigste Parteien: Volkspartei S. L. (SLPP), Vereinigte Nat. Volkspartei (UNPP), Demokrat. Volkspartei (PDP) sowie die frühere Einheitspartei APC (All People's Congress).

Landesnatur: Die westl. Landeshälfte ist eine etwa 150 m hohe Rumpfflächenlandschaft mit einzelnen Inselbergen, der die 40 km breite Küstenniederung mit Mangrovensümpfen vorgelagert ist. Auf der gebirgigeren Halbinsel Sierra Leone liegt die Hauptstadt Freetown. Dem mittleren Küstenabschnitt vorgelagert ist die Insel Sherbro. Die Plateaulandschaft im O gehört zum Guineahochland, überragt von den Loma Mountains (bis 1950 m ü. M.) und anderen Bergmassiven. Das Klima ist randtropisch mit einer Regenzeit (Juni bis Sept./Okt.). Der Regenwald im S ist größtenteils gerodet; im nördl. Binnenland herrscht Savanne vor.

Bevölkerung: Größte der 17 ethn. Gruppen sind die Mende (34 %) und die Temne (32 %); rd. 2 % sind Nachkommen ehem. Sklaven (Kreolen), die ab 1787 aus Indien, Kanada und aus anderen brit. Kolonien einwanderten. Sie leben v. a. in der Hptst. und beherrschen Politik, Wirtschaft und Kultur. Knapp 80 % der Bev. sind Analphabeten; es gibt eine Univ. in Freetown (gegr. 1967). 30 % der Bev. sind Anhänger von Naturreligionen, 60 % sunnit. Muslime, 10 % Christen.

Wirtschaft, Verkehr: Hauptzweige der Wirtschaft sind Landwirtschaft und Bergbau. Für die Eigenversorgung v. a. Reisanbau (an Flüssen, in den Küstensümpfen), ferner Maniok, Hirse, Mais; für den Export werden Kaffee, Kakao und Ölpalmen angebaut; in den Savannen im N Rinderhaltung. S. L. verfügt über reiche Bodenschätze; Abbau von Diamanten, Bauxit, Eisenerz, Rutil (Titanerz) und Gold. Die verarbeitende Ind. ist um Freetown konzentriert; Erdölraffinerie, Nahrungsmittel-, Holzind., Herstellung von Textilien, Schuhen, Papierwaren. Ausfuhr von Rutil, Bauxit, Diamanten, Kakao, Kaffee; Haupthandelspartner: USA, Großbritannien, Niederlande, Deutschland. – Die Staatsbahn wurde 1974 stillgelegt, die private Erzbahn Marampa–Pepel ist 84 km lang; das Straßennetz umfasst 11 700 km (1 700 km befestigt).

Staatswappen

WAL

Internationales Kfz-Kennzeichen

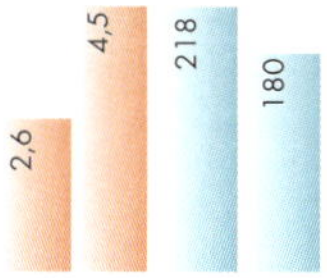

Bevölkerung (in Mio.) Bruttosozialprodukt je Ew. (in US-$)

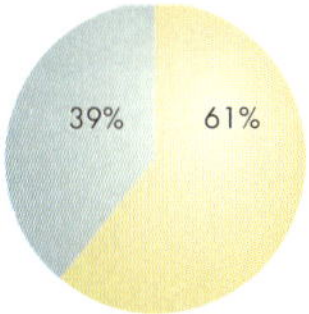

Stadt
Land
Bevölkerungsverteilung 1995

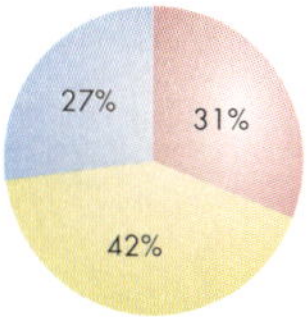

Industrie
Landwirtschaft
Dienstleistung
Bruttoinlandsprodukt 1995

Zwischen Freetown und dem Festland verkehren Fähren. Haupthäfen sind Freetown und Pepel (Erzausfuhr); internat. Flughafen: Lungi bei Freetown.

Geschichte: Die Küste wurde im 15. Jh. von den Portugiesen entdeckt. 1787 gründeten die Briten eine Siedlung für freigelassene Sklaven; 1806 Kronkolonie, 1896 Protektoratsvertrag über das Hinterland. 1961 erlangte S. L. seine Unabhängigkeit und wurde Mitgl. des Commonwealth. Nach Militärputschen (1967/68) und wechselnden Militärregierungen übernahm 1968 S. P. Stevens als Führer der bei Wahlen erfolgreichen Einheitspartei APC die Regierung. Nach Ausrufung der Republik 1971 wurde er Staatspräs. In der Folge verschärfte sich die innenpolit. Lage (Putschversuche, Ausnahmezustand, Ausschaltung der Opposition). 1985 trat Stevens aus Altersgründen zurück; sein Nachfolger J. S. Momoh (1985–92) kündigte 1991 die Rückkehr zum Mehrparteiensystem an. Nach einem Militärputsch 1992 übernahm ein Supreme Council of State unter V. Strasser die Macht. Mit nigerian. und guineischer Hilfe konnte sich die Regierung gegen die Aufstandsbewegung Revolutionary United Front (RUF), die seit 1991 von Liberia auf S. L. übergegriffen hatte, behaupten. Der bei den Präsidentschaftswahlen (Febr./März 1996) gewählte Kandidat der SLPP, A. T. Kabbah, im Mai 1997 im Zuge eines Militärputsches abgesetzt, wurde im Okt. 1997 wieder in sein Amt eingesetzt; der Führer der RUF, F. Sankoh, wurde Mitgl. der Regierung.

Ahmed Tejan Kabbah

📖 MÜHLENBERG, F.: *S. L. Wirtschaftl. u. soziale Strukturen u. Entwicklung. Hamburg 1978.* – FYLE, C. M.: *The history of S. L. London 1981.* – SARIF, G. J.: *Population development in S. L. Frankfurt am Main 1989.*

Sierra Nevada: Die Gipfel der Sierra Nevada in Südandalusien sind bis weit in das Jahr hinein schneebedeckt

Sierra Morena [span.], der zu einem Gebirgssystem aufgewölbte S-Rand der innerspan. Hochfläche, erreicht im Bañuela (Sierra Madrona) 1323 m ü. M. und hat einen 400 km langen Steilabhang zur Guadalquivirniederung, der von zahlr. Flusstälern tief zerschnitten ist. – Die S. M. ist eine der bed. Bergbauregionen Spaniens; abgebaut werden v. a. Kupfererz im Gebiet des Río Tinto, Manganerz bei Puebla de Guzmán, Schwefelkies bei Tharsis und Valverde und Eisenerz bei Aracena und Jerez de los Caballeros; Bleierz und Steinkohle bei Bélmez und Peñarroya, Steinkohle und Ölschiefer bei Puertollano und Quecksilber bei Almadén (größtes Quecksilbervorkommen der Erde); Bleierz um Linares und La Carolina. Ausfuhrhafen für Bergbauprodukte ist Huelva.

Sierra Nevada [span.], **1)** höchstes Gebirge Spaniens, in Andalusien, im Cerro de Mulhacén 3478 m ü. M.; 100 km langer und 40 km breiter Hauptgebirgsstock der südl. Betischen Kordilleren, eines Gebirgssystems, das von der Straße von Gibraltar bis auf die Balearen reicht. Die kahle Gipfelregion hat zahlr. eiszeitliche Kare, die von Okt. bis Juni schneeerfüllt sind. Die N-Abdachung ist Wintersportgebiet.

2) [sɪˈerə nəˈvɑːdə, engl.], Hochgebirge in Kalifornien und Nevada (USA), 600 km lang, bildet mit seiner nördl. Fortsetzung, der Cascade Range, die innere Zone des pazif. Systems der nordamerikan. Kordilleren; im S zahlr. Gipfel über 4000 m (Mount Whitney 4418 m ü. M.); bed. Fremdenverkehr (Wintersport, Nationalparks).

3) S. N. de Santa Marta, isolierter Gebirgsstock in N-Kolumbien, im Pico Cristóbal Colón 5775 m ü. M., fällt steil zum Karib. Meer ab.

Sierre [sjɛːr], frz. Name von →Siders.

Sietland [mittelniederdt. siet »flach«], tiefer gelegener Teil der →Marsch.

Sieveking, Amalie, evang. Krankenpflegerin, *Hamburg 25. 7. 1794, †ebd. 1. 4. 1859; Begründerin der weibl. Diakonie in der evang. Kirche.

Sieverding, Katharina, Künstlerin, *Prag 16. 11. 1944; studierte u. a. bei J. Beuys; meist fotograf. Arbeiten (auch in plakativer Form) zu gesellschaftl. und polit. Themen.

Sievers, Eduard, Germanist, *Lippoldsberg (heute zu Wahlsburg, Kreis Kassel) 25. 11. 1850, †Leipzig 30. 3. 1932; ordnete bei seiner Schallanalyse von durch geschulte Sprecher vorgelesenen Texten phonet. Eigenschaften Köperbewegungen zu; auch Hg. althochdt. Dichtung.

Werke: Grundzüge der Lautphysiologie (1876, 2. Aufl. u. d. T. Grundzüge der Phonetik, 1881); Metrische Studien (Hg.; 7 Tle., 1901–19); Ziele und Wege der Schallanalyse (1924).

Sievert [nach dem schwed. Physiker R. M. Sievert, *1896, †1966] *das,* Einheitenzeichen **Sv,**

SI-Einheit der Äquivalentdosis (→Dosis) auf dem Gebiet des Strahlenschutzes; 1 Sv = 1 J/kg.

Sieyès [sje'jɛs], Emmanuel Joseph Graf (seit 1809), gen. Abbé S., frz. Revolutionär und Politiker, *Fréjus 3. 5. 1748, †Paris 20. 6. 1836; kath. Geistlicher. In der Schrift »Was ist der Dritte Stand?« (1789), der einflussreichsten Flugschrift der Frz. Revolution, verwarf er alle Standesprivilegien und forderte eine Nation gleichberechtigter Bürger. 1799 trat er ins Direktorium ein und wirkte bei Napoléon Bonapartes Staatsstreich mit, wurde dann aber politisch kaltgestellt. 1815–30 war er verbannt.

Sigel [von lat. sigla (Pl.) »Abkürzungszeichen«] *das* (Sigle), feststehende Abkürzung eines Wortes (§ = Paragraph), einer Wortgruppe (usw. = und so weiter), Kürzel (Stenographie), Bibliotheksnummer (für den Fernleihverkehr), für mehrfach zitierte Titel (in wiss. Arbeiten).

Siger von Brabant, Philosoph, *in Brabant um 1240, †Orvieto um 1284; bedeutender Aristoteleskommentator; Haupt des lat. →Averroismus an der Pariser Artistenfakultät. Seine Lehre wurde im Auftrag des Papstes Johannes XXI. verurteilt.

Sighișoara [sigiʃ-], Stadt in Rumänien, →Schäßburg.

Sigismund, Herrscher:

Hl. Röm. Reich: **1) S.** (Siegmund), Röm. König (seit 1410) und Kaiser (seit 1433), *Nürnberg 15. 2. 1368, †Znaim 9. 12. 1437; Sohn Kaiser Karls IV., König von Ungarn (seit 1387) und Böhmen (seit 1419/1436); 1378 Markgraf von Brandenburg; seit 1385 ⚭ mit Maria von Ungarn. Die Verteidigung Ungarns gegen die Osmanen (Niederlage von Nikopolis 1396) zwang ihn 1388 zur Verpfändung der Mark Brandenburg an seinen Vetter Jobst von Mähren und 1402 zum Verkauf der Neumark an den Dt. Orden; 1410 in einer Doppelwahl neben Jobst zum Röm. König gewählt, nach dessen Tod 1411 einstimmig gewählt. S. gelang zwar für eine europ. Koalition gegen die Osmanen die Wiederherstellung der kirchl. Einheit auf dem Konstanzer Konzil (1414–18), doch wurden seine Kräfte durch die Hussitenkriege in Böhmen gebunden, dessen Königskrone er 1419 erbte (1420 gekrönt; 1421–36 für abgesetzt erklärt). Die angestrebte Reichsreform (1434) scheiterte am Widerstand der Fürsten. Weiteres BILD Krönung

Polen: **2) S. I., der Alte,** König von Polen und Großfürst von Litauen (1506–48), *Krakau 1. 1. 1467, †ebd. 1. 4. 1548; Sohn Kasimirs IV., 1499–1508 Herzog von Glogau; konnte durch den Ausgleich mit den Habsburgern (1515), durch die Umwandlung des Ordensstaates in ein lehnspflichtiges weltl. Herzogtum Preußen (1525) und durch die Sicherung der Ostgrenze die außenpolit. Stellung Polens konsolidieren. Unter dem Einfluss seiner

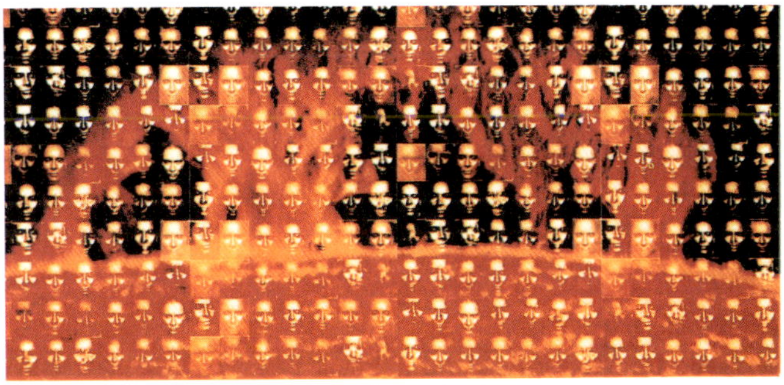

Katharina Sieverding: »Die Sonne um Mitternacht schauen«, Farbfotografie aus dem Zyklus »Kontinentalkern XXXII« (1988; Privatbesitz)

zweiten Frau Bona Sforza (*1494, †1557) entfaltete sich eine bed. Renaissancekultur in Polen.

3) S. II. August, Großfürst von Litauen (seit 1529) und König von Polen (seit 1530/48), *Krakau 1. 8. 1520, †Knyszyn (bei Białystok) 7. 7. 1572, Sohn von 2); der letzte Jagiellone auf dem poln. Thron; gewann 1561 Livland und Kurland für Polen, verlor jedoch 1563 Polozk an Moskau. 1569 ersetzte er die Personalunion zw. Polen und Litauen durch eine Realunion (Union von Lublin).

4) S. III. Wasa, König von Polen (1587–1632) und Schweden (1592–99), *Schloss Gripsholm 20. 6. 1566, †Warschau 30. 4. 1632; Sohn Johanns III. von Schweden und der Jagiellonin Katharina (*1526, †1583). Die nach dem Tod seines Vaters (1592) errichtete polnisch-schwed. Union löste wegen seiner gegenreformator. Politik und seiner Missachtung schwed. Interessen (1600 Abtretung des schwed. Estland an Polen-Litauen) den Widerstand der Schweden aus; 1598 durch seinen Onkel Karl von Södermanland (später Karl IX.) besiegt, 1599 vom schwed. Reichstag abgesetzt; verlor im polnisch-schwed. Krieg (1601–29) Livland bis zur Düna und die Küstenstädte in Preußen; griff 1609 in die russ. Thronwirren ein, ohne seinem Sohn Wladislaw (IV.) die Zarenkrone dauerhaft sichern zu können.

Sigismund, Römischer Kaiser (Ausschnitt eines zeitgenössischen Gemäldes)

Sigma [grch.] *das,* **1)** der 18. Buchstabe des grch. Alphabets (Σ, σ, am Wortende ς).

2) *Mathematik:* Σ, Zeichen für Summe.

Sigmaringen, 1) Landkreis im RegBez. Tübingen, Bad.-Württ., 1204 km^2, (1996) 130 700 Einwohner.

2) Krst. von 1) in Bad.-Württ., am Durchbruch der Donau durch die Schwäb. Alb, 580 m ü. M., 16 900 Ew.; überragt von dem Schloss der Fürsten von Hohenzollern-S. (12.–17. Jh.; 1893 romantisierend um- und ausgebaut) mit bed. Kunstsammlungen; FH; Werkzeugbau, Brauerei. – 1077 erstmals erwähnt; im 13. Jh. Stadtrecht. Die Grafschaft S. (seit 1183 belegt) kam 1535 an die schwäb. Hohenzollern; die Stadt war 1575–1849 Residenz des

Sigismund III. Wasa, König von Polen und Schweden (Ausschnitt eines zeitgenössischen Kupferstichs)

Fürstentums Hohenzollern-S. (kam 1850 an Preußen).

Sigmatịsmus *der,* das →Lispeln.

Signac [siˈɲak], Paul, frz. Maler, *Paris 11. 11. 1863, †ebd. 15. 8. 1935; wandte sich unter dem Einfluss G. Seurats dem Pointillismus (→Neoimpressionismus) zu, dessen Prinzipien er theoretisch begründete; gab später die divisionist. Technik zugunsten größerer Farbflächen auf; malte v. a. Häfen, Fluss- und Seelandschaften. Weiteres BILD Neoimpressionismus

Signal [frz.] *das,* **1)** *Eisenbahn:* →Eisenbahnsignale.

2) *Informatik, Kybernetik, Mess- und Regelungstechnik:* die physikal. Darstellung von Nachrichten oder Daten, durch die Information übertragen und gespeichert werden kann. Wesentl. Komponenten sind der **S.-Träger** (z. B. elektromagnet. Welle) und (wenigstens ein) **S.-Parameter** (z. B. die Amplitude, Frequenz oder Phase einer elektromagnet. Welle), deren Wert oder Werteverlauf der S.-Darstellung dient und entsprechend der zu übertragenden Information moduliert wird. Zur Speicherung oder Aufzeichnung von S. werden die für die Übertragung verwendeten Zeitfunktionen (z. B. elektr. Spannungen) in Ortsfunktionen geeigneter physikal. Größen umgewandelt (z. B. Magnetisierung bei Magnetschichtspeichern). Man unterscheidet zeitkontinuierl. und zeitdiskrete sowie analoge und digitale S.; zeitdiskrete S. nennt man auch **Abtast-S.,** digitale S. auch **quantisierte S.**

3) *Schifffahrt:* Mittel des Nachrichtenaustauschs von Schiffen untereinander oder mit Landstationen und Flugzeugen. Neben Telegrafie oder Sprechfunk werden in der Seeschifffahrt opt. S.-Mittel (Signalflaggen, Licht-S., S.-Körper) und akust. S. (Dampfpfeife, Sirene, Knallkörper) verwendet. Flaggen-S. werden nach dem internat. →Signalbuch gegeben. Jedem Buchstaben des **Flaggenalphabets** entspricht eine Flagge, dazu gibt es zehn Zahlenwimpel, einen Antwortwimpel sowie drei Hilfsstander.

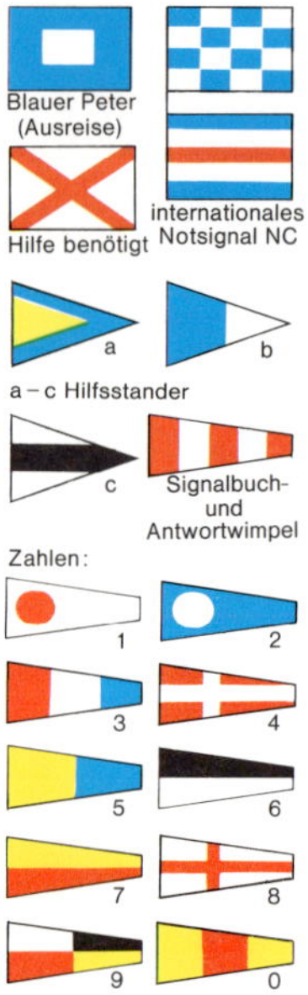

Signal 3): Signalflaggen

Paul Signac: »Die rote Boje« (1895; Paris, Musée d'Orsay)

Sigmaringen 2): Ursprünglich eine auf das 12. Jh. zurückgehende, bis ins 17. Jh. mehrfach umgebaute Burganlage, erhielt das auf einem steil zur Donau abfallenden Felsen gelegene Schloss der Fürsten zu Hohenzollern-Sigmaringen sein heutiges Aussehen Ende des 19. Jahrhunderts

Signalbuch, *Schifffahrt:* Sammlung von opt., akust. und Funksignalen. Das internat. S. vom 1. 4. 1969 enthält Signale für das Flaggen-, Schall- und Blinksignalisieren, den Lautsprechverkehr, Telegrafie und Sprechfunk sowie das Winkern.

Signalkunst, in den 1960er-Jahren entstandene Stilrichtung, in der mit den Grundfarben Flächen oder Objekte symmetrisch oder konzentrisch gestaltet werden; ist dem Hardedge-Painting verwandt.

Signaltechnik, *Eisenbahn:* die Zusammenfassung der Bedienungseinrichtungen der → Eisenbahnsignale, die einen sicheren Zugbetrieb ermöglichen sollen. Zu den **Eisenbahn-Blockeinrichtungen** gehört der automat. Streckenblock, ein selbsttätiges System zur Sicherung der Strecke, die in durch Lichtsignale (Blocksignale) begrenzte Blockabschnitte eingeteilt ist; weiterhin der automatisierte Relaisblock, bei dem Vorblocken (Gegenrichtung gesperrt) und Rückblocken (Entblocken der Gegenrichtung) automatisch ablaufen. Analoge Aufgaben hat der Bahnhofsblock, eine Blockanlage des mechan. Stellwerks zur Sicherung der Zugfahrten innerhalb des Bahnhofs. Die S. umfasst auch Schalt- und Stromversorgungsanlagen, ortsfeste Signale, Weichenstell- und -verschlusseinrichtungen, Gleisschaltmittel, Zugbeeinflussungseinrichtungen und Bahnübergangssicherungen. – Die herkömml. Fernsteuerung in Relaistechnik wird durch die Prozesssteuerung unter Anwendung von Mikroprozessoren abgelöst (automat. Zuglaufverfolgung und automat. Zuglauflenkung zur Steuerung des Eisenbahnbetriebes mittels programmierter Fahrpläne).

Signatar [lat.] *der,* Unterzeichner eines rechtl. Dokuments.

Signatarstaat, Staat, der ein internat. Abkommen unterzeichnet hat.

Signatur [lat.] *die,* **1)** *allg.:* Namenszeichen, Unterschrift.

2) *Drucktechnik:* in Büchern (Werken) auf der ersten und dritten Seite eines Bogens unter der Kolumne befindl. Kennzeichnung der Reihenfolge der Bogen **(Bogensignatur).**

3) *Kartographie:* Kartenzeichen, graf. Zeichen, z. B. abstrahierte Objektbilder, geometr. Figuren, Abkürzungen.

4) *Kunst:* die volle oder abgekürzte, auch verschlüsselte, offen oder versteckt angebrachte Urheberangabe eines Künstlers auf seinem Werk.

Signatur|analyse, *Digitaltechnik:* Test- und Diagnoseverfahren bei der Fehlersuche in umfangreichen digitalen Schaltungen (z. B. Mikroprozessor). Dabei werden an bestimmten Datenknoten die dort in Form elektr. Signale anliegenden Bitfolgen **(Signaturen)** gemessen und mit denen eines fehlerfreien Schaltkreises verglichen.

Signaturenlehre, alte, noch von Paracelsus vertretene Heilmittellehre, wonach die Götter (Gott) die Pflanzen mit Merkmalen ausgestattet haben, die anzeigen, welche Krankheit mit ihnen zu heilen sei: So sollten Disteln gegen stechende Schmerzen, Gewächse, die zwischen Steinen wachsen (wie der Steinbrech), gegen Blasen- und Nierensteine angewendet werden.

Signet [frz. sɪˈɲɛ] *das,* Verlegerzeichen (→Druckerzeichen); Firmen-, Markenzeichen (→Logo).

signifikant [lat.], deutlich erkennbar, erheblich, bezeichnend, wesentlich. In der Statistik heißt ein Unterschied zw. zwei Maßzahlen oder zw. einer Maßzahl und einem Parameter s., wenn er so groß ist, dass er nicht als zufällig zustande gekommen gelten kann.

Signifikant [lat.] *der* (Bezeichnendes, Designator, frz. Signifiant), *Sprachwissenschaft:* Lautung, Wortkörper des sprachl. Zeichens.

Signifikat [lat.] *das* (Bezeichnetes, frz. Signifié), *Sprachwissenschaft:* Wortinhalt, Bedeutung des sprachl. Zeichens.

Signore [siˈɲoːrɛ], italienische Anrede (vor dem Familiennamen): **Signor,** Herr, **Signora,** Frau, **Signorina,** Fräulein.

Signorelli [siɲo-], Luca, italien. Maler, *Cortona zw. 1440 und 1450, †ebd. 16. 10. 1523; vermutlich Schüler von Piero della Francesca. Die anatomisch genau beobachteten und hart modellierten Akte in Bewegung, auch das Aufnehmen antiker Motive in christl. Thematik machten ihn zum Vorbild für Michelangelo. – *Werke:* Fresken in der Sixtin. Kapelle in Rom (1481/82) und im Dom zu Orvieto (1500–04).

Signoret [siɲɔˈrɛ], Simone, eigtl. S. Kaminker, frz. Schauspielerin, *Wiesbaden 25. 3. 1921, †Paris 30. 9. 1985; ab 1951 ⚭ mit Y. Montand; bekannte Charakterdarstellerin des frz. und internat. Films,

Signalkunst: »Signal-Raum München 65«, Environment des Malers Winfred Gaul (1965; München, Haus der Kunst)

Luca Signorelli: Ausschnitt aus dem 1500–04 entstandenen Fresko »Das Jüngste Gericht« im Dom zu Orvieto

u.a. »Zur roten Laterne« (1946), »Der Reigen« (1950), »Goldhelm/Die Sünderin von Paris« (1951), »Hexenjagd« (1957), »Der Weg nach oben« (1958),

Simone Signoret (1959)

»Das Geständnis« (1969), »Die Katze« (1970), »Madame Rosa« (1977). – Schrieb »Ungeteilte Erinnerungen« (1976) und »Adieu Wolodja« (1985).

Norodom Sihanouk

Ota Šik

Signoria [siɲo'ri:a, italien.] *die* (dt. Signorie), im spätmittelalterl. Italien die Herrschaft eines Einzelnen oder eines Geschlechts über ein Stadtgebiet. – Im republikan. Florenz der Rat der Stadt.

Signum [lat.] *das,* Zeichen, Symbol; Namenszeichen.

Sihanouk [sia'nuk, frz.] (Sihanuk), Norodom, kambodschan. Politiker, *Phnom Penh 31. 10. 1922; 1941–55 König von Kambodscha, erreichte 1954 auf der Genfer Indochinakonferenz die Unabhängigkeit seines Landes. 1955 gründete er die »Volkssozialist. Gemeinschaft« und wurde MinPräs. sowie Außenminister. 1960–70 war er Staatschef, verfolgte einen Neutralitätskurs. S. ging nach seinem Sturz durch General Lon Nol 1970 ins Exil nach Peking. Nach dem Sieg der Roten Khmer in Kambodscha war S. 1975/76 erneut Staatschef (Rücktritt). Nach dem Einmarsch vietnames. Truppen (1979) ging er wieder ins Ausland. Ab 1982 Präs. einer Exilreg. der Widerstandskoalition gegen die provietnames. Regierung in Kambodscha, mit der er seit 1987 Verhandlungen zur Beendigung des Bürgerkriegs führte. Nach seiner Rückkehr 1991 wurde er Vors. des Obersten Nationalrats. Nach dem Wahlsieg der von seinem Sohn Prinz Ranariddh geführten »Funcinpec« 1993 wieder Staatsoberhaupt und seit Sept. 1993 wieder König. Weiteres BILD Kambodscha

Sihl *die,* linker Nebenfluss der Limmat, Schweiz, 73 km lang, entspringt in den Voralpen östlich von Schwyz, mündet in Zürich; im Oberlauf zum Sihlsee gestaut.

Šik [ʃik], Ota, schweizer. Politiker und Wirtschaftstheoretiker tschechoslowak. Herkunft, *Pilsen 11. 9. 1919; 1940–45 im KZ Mauthausen; Vertreter einer liberalen Wirtschaftspolitik und Schöpfer des »Neuen Ökonom. Modells«, einer Symbiose von Markt- und Planwirtschaft. Š. war während des »Prager Frühlings« 1968 als stellv. MinPräs. für die Wirtschaftsreform zuständig; ging danach in die Schweiz, wo er seit 1970 in St. Gallen lehrt (seit 1983 schweizer. Staatsbürger).

Werke: Plan und Markt im Sozialismus (1964); Der dritte Weg (1972); Das kommunist. Machtsystem (1976); Ein Wirtschaftssystem der Zukunft (1985); Prager Frühlingserwachen (1988).

Sikahirsch (Cervus nippon), bis zu 1,5 m körperlange ostasiat. Art der Edelhirsche mit heller Fleckenzeichnung und einem acht- bis zehnendigen Geweih. Man unterscheidet mehrere Unterarten (z.B. **Dybowskihirsch**), von denen einige in ihren Beständen bedroht sind.

Sikaner, mediterrane, wohl vorindogerman. Urbevölkerung Siziliens, die von den im 11. Jh. v. Chr. einwandernden →Sikulern in den W der Insel gedrängt wurde.

Sikhs [Hindi »Schüler«], die Anhänger der religiösen Reformbewegung des Sikhismus, Ende des 15. Jh. in Nordindien (Pandschab) von dem Wanderlehrer (Guru) Nanak (*1469, †1539) gegründet. Der **Sikhismus** lehnt (Götter-)Bilderverehrung, Ritualismus und Kastenordnung des Hinduismus ab und stellt eine Synthese hinduist. Vorstellungen (Geburtenkreislauf, →Karma, →Samsara; Erlösung durch Gottesliebe, Bhakti) mit zentralen Lehren des Islam (Verehrung nur eines Gottes, Bilderverbot) dar. Heiliges Buch der S. ist der →Granth, Hauptheiligtum der »Goldene Tempel« in →Amritsar. Seit dem 16. Jh. gewannen die S. großen polit. Einfluss im Pandschab; der 10. Guru Gobind Singh (*1675, †1708) gab ihnen angesichts äußerer Bedrohung eine straffe militär. Organisation. Äußeres Zeichen der männl. S. sind seither Bart, ungeschnittenes Haar, Turban und der Beiname Singh (»Löwe«). – Die jüngere Geschichte der S. ist geprägt durch ihre Ausweisung aus dem an

Sikahirsch: Dybowskihirsch (Körperlänge bis zu 1,5 m)

Pakistan gefallenen Teil des Pandschab (1947) und die Errichtung eines eigenen ind. Bundesstaates (1966, Punjab). Seit den 1970er-Jahren erhobene Forderungen sikhist. Fundamentalisten nach einem unabhängigen Sikh-Staat führten zu wachsenden Spannungen zw. Hindus und S. und eskalierten 1984 in der Erstürmung des »Goldenen Tempels« durch die ind. Armee und der Ermordung der ind. Premierministerin Indira Gandhi durch zwei Leibwächter, die der Sikh-Gemeinschaft angehörten.

📖 MacLeod, W. H.: *Early Sikh tradition. Oxford 1980.* – Singh, K.: *A history of the S., 2 Bde. Neuausg. Princeton, N.J., 1984.* – Singh, K. *u.* Rai, R.: *Die S. Sachsenheim u.a. 1986.*

Sikiang, Fluss in China, → Xi Jiang.

Sikkative [zu lat. siccare »trocknen«], → Trockenstoffe.

Sikkim, Gliedstaat Indiens, im östl. Himalaja, grenzt an Nepal, China (Tibet) und Bhutan. Von S nach N rasch ansteigend, erreicht auf der Grenze zu Nepal 8586 m ü. M.; in den Tälern Anbau von Reis, Getreide, Tee, Baumwolle und Ingwer. – Das ab 1641 von der Namgyal-Dynastie regierte Königreich wurde 1890 brit., 1950 ind. Protektorat, 1974 »assoziierter Staat«; nach einer Volksabstimmung 1975 Indien als 22. Bundesstaat eingegliedert.

Sikorski, Władysław, poln. General und Politiker, *Tuszów Narodowy (Galizien) 20. 5. 1881, † (Flugzeugunglück) Gibraltar 4. 7. 1943; im Polnisch-Sowjetischen Krieg (1920/21) Armeeführer, 1922/23 MinPräs., 1924/25 Kriegsmin.; 1939–43 MinPräs. der poln. Exilregierung.

Sikorsky [sɪˈkɔːskɪ], Igor Iwanowitsch, amerikan. Flugzeugkonstrukteur ukrain. Herkunft, *Kiew 25. 5. 1889, † Easton (Conn.) 26. 10. 1972; baute 1913 in Russland das erste viermotorige Flugzeug, emigrierte 1919 in die USA; konstruierte zahlr. Hubschraubertypen.

Sikuler, antike Bewohner O- und Mittelsiziliens aus der Gruppe der Italiker, nach denen Sizilien benannt ist. Die S. verdrängten die → Sikaner, wurden ihrerseits durch die grch. Kolonisation im 8. Jh. v. Chr. ins Landesinnere verwiesen.

Sikyon, altgrch. Stadt westlich von Korinth, Blütezeit im 6. Jh. v. Chr. unter dem Tyrannen Kleisthenes; im 5. und 4. Jh. Zentrum der Bronzekunst (Polyklet, Lysipp).

Silage [siˈlaːʒə, frz.] *die,* → Gärfutter.

Silane, sehr instabile, sich an der Luft von selbst explosionsartig entzündende Siliciumwasserstoffverbindungen mit der allg. Formel Si_nH_{2n+2} (n = 1, 2, 3, ...), die formal den aliphat. Kohlenwasserstoffen (Alkanen) entsprechen. Einzelne Glieder dieser Reihe sind z. B. die gasförmigen Verbindungen **Monosilan,** SiH_4, und **Disilan,** Si_2H_6, sowie das flüssige **Tetrasilan,** Si_4H_{10}.

Silanole, Derivate der Siliciumwasserstoffverbindungen (→ Silane), bei denen Wasserstoffatome durch Hydroxylgruppen ersetzt sind und die formal den Alkoholen entsprechen. Beispiele sind: **Silanol** ($H_3Si{-}OH$), **Silandiol** ($H_2Si(OH)_2$), **Silantriol** ($HSi(OH)_3$). Die S. stellen Vorprodukte der Siloxane dar, in die sie durch Kondensation übergehen.

Sikhs: Symbol des Sikhismus

Silbe [grch.] *die,* Einheit des Redestroms, die aus einem vokal. Schalldruckgipfel und diesen möglicherweise umgebenden konsonant. Lauten besteht; dabei unterscheidet man **offene S.,** die auf einen Vokal enden, und **geschlossene S.,** die auf einen Konsonanten enden.

Silbentrennungsprogramm, im Satzrechner (→ Computersatz) oder Personalcomputer gespeicherte grammatikal. Regeln für die Silbentrennung oder gespeicherte Worttrennungslisten. Das S. ist meist geteilt in Speicherung nach den Regeln und »Ausnahmespeicher« (mit jedem Wort, das nicht nach den Regeln getrennt wird).

Władysław Sikorski

Silber (lat. Argentum), chem. Symbol **Ag,** Element aus der ersten Nebengruppe des → Periodensystems der chemischen Elemente; Ordnungszahl 47, relative Atommasse 107,868, Dichte 10,491 g/cm^3, Schmelzpunkt 960,8 °C, Siedepunkt 2212 °C. Reines S. ist ein weiß glänzendes, weiches, leicht verformbares und dehnbares Metall, das sich zu feinsten, blaugrün durchscheinenden Folien (»Blatt-S.«) aushämmern oder walzen und zu sehr dünnen Drähten (»Filigrandraht«) ausziehen lässt. Von allen Metallen leitet es die Wärme und die Elektrizität am besten. An der Luft ist S. beständig, erst oberhalb von 300 °C und unter Druck (15 bar) reagiert es mit Sauerstoff zu S.-Oxid, Ag_2O. Mit Schwefelwasserstoff bildet S. eine dünne schwarze Schicht von S.-Sulfid, Ag_2S, (»Anlaufen« von S. durch spurenweise in der Luft enthaltenen Schwefelwasserstoff). S. ist mit den meisten Metallen legierbar, wobei sich → intermetallische Verbindungen, im Fall von Gold und Palladium Mischkristalle bilden.

Silber in gediegenem Zustand

Vorkommen: **Gediegenes S.** ist ein silberweißes, kub., oft gelb, braun oder schwarz anlaufendes Mi-

Silber: Förderung von Silbererz (Silberinhalt in t)

Land	1985	1990	1992	1994	1995
Mexiko	2153	2170	2325	2334	2495
Peru	1895	1762	1570	1667	1908
USA	1227	2125	1804	1480	1450
Kanada	1197	1502	1215	768	1245
Chile	517	654	1043	959	1038
Australien	1086	1173	1248	1045	920
Polen	831	833	914	800	800
Bolivien	112	311	282	352	452
Kasachstan	-	-	450	408	402
Marokko	139	241	217	333	333
Welt	13495	14755	13963	12793	13755

neral, das Kristallflächen aufweisen kann, meist aber in Form von Körnern, Klumpen, Blättchen u.a. vorkommt. Gediegenes S. spielt als S.-Erz nur eine geringe Rolle; wichtiger ist das Vorkommen von S. als Begleitmetall von Gold, das häufig bis zu 20% S. enthält. Das für die S.-Gewinnung weitaus wichtigste Erz ist der →Bleiglanz, PbS, der fast immer 0,01–0,3%, z.T. fast 1% S. enthält. Auch weitere Blei-, Blei-Zink- sowie Kupfererze (v.a. Kupferglanz, Cu_2S) enthalten meist etwas S. und haben für die Gewinnung von S. große Bedeutung.

Silberblatt: Mondviole (Höhe 30–100 cm)

Gewinnung: Elementares S. kann technisch unmittelbar aus S.-Erzen durch Cyanidlaugerei gewonnen werden, wobei S. in wässriger Natriumcyanidlösung aus reinen Erzen gelöst, durch Zinkstaub ausgefällt und zu Roh-S. verschmolzen wird. Da die eigentl. S.-Erze sehr selten sind, gewinnt man heute mehr als 50% des S. aus dem bei der Bleiglanzaufbereitung anfallenden silberhaltigen Rohblei (Werkblei). Beim **Zinkentsilberungsprozess (Parkes-Verfahren, Parkesieren)** rührt man in das geschmolzene Werkblei bei 450°C metall. Zink ein. Nach dem Abkühlen auf etwa 400°C schwimmt das erstarrende und in Blei unlösl., silberhaltige Zink zus. mit dem Blei als Zinkschaum auf der Schmelze. Nach Abdestillieren des Zinks wird das verbleibende Reichblei der **Treibarbeit (Kupellation)** unterworfen, bei der das Blei im Luftstrom erhitzt und die sich bildende flüssige Bleiglätte, PbO, mechanisch abgeleitet wird. Das hierbei gewonnene Roh-S. (»Blick-S.«) enthält 98–99,5% S. Die Reindarstellung von S. erfolgt durch elektrolyt. Raffination, das gewonnene Elektrolyt-S. **(Fein-S.)** enthält bis 99,98% S. – Große Bedeutung hat heute auch die Gewinnung von S. aus Fixierbädern fotograf. Betriebe sowie durch Aufarbeitung silberhaltiger Abfälle.

S. ist das meistgebrauchte Edelmetall; außer für Schmucksachen, Tafelgerät, Münzen o.Ä. (→Goldschmiedekunst) werden reines S. und S.-Legierungen für chem. Apparate, in der Medizin und Elektrotechnik (Kontakte) verwendet. Große Mengen S. werden zur Herstellung von S.-Halogeniden für fotograf. Filme und Papiere gebraucht.

Verbindungen: S. bildet mit Sauerstoff **Silber(I)-oxid,** Ag_2O, und das schwarze **Silber(II)-oxid,** AgO. **S.-Chlorid** (»Chlor-S.«), AgCl, das als weißer, käsiger Niederschlag aus S.-Salzlösungen beim Zusatz von Chloridionen ausfällt. Diese Fällungsreaktion dient in der chem. Analyse zur Bestimmung von Silber- und Chloridionen (Argentometrie). Durch analoge Reaktionen mit Bromid- und Jodidionen entstehen das gelbl. **S.-Bromid,** »Bromsilber«, AgBr, und das gelbe **S.-Jodid,** »Jodsilber«, AgI. Alle drei S.-Halogenide sind lichtempfindlich, d.h., sie zersetzen sich bei Belichtung zu (fein verteiltem, schwarzem) S. und Halogen; sie werden v.a. zur Herstellung der lichtempfindl. Schichten von Filmen und Fotopapieren verwendet; die Löslichkeit der S.-Halogenide in Lösungen von Natriumthiosulfat wird beim fotograf. Entwickeln genutzt (→Fotografie). S.-Jodid wird auch als Kristallisationskeim zur Bildung von Eis und Auslösung künstl. Regens verwendet. **S.-Nitrat,** $AgNO_3$, ist ein farbloses, kristallines, in Wasser leicht lösl. Salz, das beim Lösen von S. in Salpetersäure entsteht. Es ist die wichtigste S.-Verbindung, die v.a. als Zwischenprodukt bei der Herstellung der S.-Halogenide benötigt wird.

📖 *The history of silver, hg. v.* C. BLAIR. *London 1987.* – LUDWIG, G. *u.* WERMUSCH, G.: *S., aus der Geschichte eines Edelmetalls. Berlin [2]1988.* – CZAYA, E.: *Der Silberbergbau. Leipzig 1990.*

Silberbisam, Fell des Russ. Desman (→Desmane) mit dichter, feiner, blaugrauer Unterwolle. Die Granne ist auf dem Rücken glänzend dunkelgraubraun, auf der Wamme silbrig weiß.

Silberblatt (Lunaria), Gattung der Kreuzblütler, verbreitet in Mittel- und Südeuropa; Kräuter mit weißen oder purpurfarbenen Blüten in Trauben; Früchte flache Schoten, von denen die beiden Fruchtklappen abfallen und nur die papierartige, silbrige, durchscheinende Scheidewand stehen bleibt. Eine als Zierpflanze kultivierte Art ist die 30–100 cm hohe **Mondviole (Judassilberling,** Lunaria annua).

Silberdistel, →Eberwurz.

Silberfischchen, →Borstenschwänze.

Silberfuchs, schwarze, silbrig überhauchte Farbspielart des Rotfuchses (→Füchse).

Silberglanz, bleigraues Silbererz, Silbersulfid, Ag_2S, dimorph; als **Akanthit** monoklin unter 176°C, darüber als **Argentit** kubisch, außerdem als pulverig-rußartige **Silberschwärze.** S. kommt derb und eingesprengt (v.a. im Bleiglanz), plattig und drahtförmig sowie in der Zementationszone als selbstständiges Erz vor.

Silberhorn|erze, Mineralgruppe der schwer lösl. Silberhalogenide, meist hornartig zäh, weich und lichtempfindlich; u.a. Bromargyrit, Chlorargyrit (Hornsilber) und Jodargyrit.

Silberkönig, Art der →Tarpune.

Silberlöwe, der →Puma.

Silbermann, Orgel- und Klavierbauerfamilie; bed. Vertreter:

1) Andreas, *Kleinbobritzsch (heute zu Frauenstein, Kr. Freiberg) 16. 5. 1678, †Straßburg 16. 3. 1734, Vater von 3), Bruder von 2); baute Orgeln u.a. in Basel, Straßburg, Ebersmünster (Elsass).

2) Gottfried, *Kleinbobritzsch (heute zu Frauenstein, Kr. Freiberg) 14. 1. 1683, †Dresden 4. 8. 1753, Bruder und Schüler von 1); gilt als zentrale Persönlichkeit der Orgelbaugeschichte. Mindestens 51 Orgeln dürfte er erbaut haben (nachweisbar 46); zu den erhaltenen zählen die in Freiberg (Dom, 1710–14; 45 Register, drei Manuale), Rötha (Georgenkirche, 1718–21; Marienkirche 1721/22), Zöblitz (1736–43), Fraureuth, Kreis Werdau (1739–42) und Dresden (Kath. Hofkirche, 1750–55; vollendet von seinem Schüler Zacharias Hildebrandt).

3) Johann Andreas, *Straßburg 24. 6. 1712, †ebd. 11. 2. 1783, Sohn und Schüler von 1); baute 54 Orgeln, u.a. in Ettenheimmünster, Riegel, Sankt Märgen, Offenburg, Lahr/Schwarzwald.

Silbermedaille [-medaljə], sportliche Auszeichnung (Münze) bei Olymp. Spielen, bei Welt- und Europameisterschaften u.a. für den zweiten Platz.

Silbernes Lorbeerblatt, *Sport:* 1950 gestiftete höchste Auszeichnung für sportl. Leistungen in der Bundesrep. Dtl., überreicht durch den Bundespräs.; offizielles Ehrenzeichen.

Silber|oxidzelle, Batterie mit einer Nennspannung von etwa 1,5 V. Die positive Elektrode besteht aus Silberoxid (Ag_2O), die negative aus Zink. Als Elektrolyt wird entweder Kalium- oder Natriumhydroxid verwendet; meist als Knopfzelle ausgeführt.

Silberschwärze, →Silberglanz.

Silberstift, ein im 15. und 16. Jh. verwendeter Zeichengriffel aus Silber- oder Metalllegierung, mit dem **S.-Zeichnungen** erstellt wurden. Das Papier wurde mit einer besonderen Grundierung versehen, auf der der anfangs feingraue Strich rasch nach Braun oxidiert.

Silberstrich, der →Kaisermantel.

Silberwährung, eine Währung, bei der die Währungseinheit an den Wert einer Silbermenge gebunden ist. I.d.R. sind Silbermünzen dann gesetzl. Zahlungsmittel, andere Münzen und Papiergeld sind in Silber einlösbar. Die S. wurden im 19. Jh. in zahlr. Ländern durch Goldwährungen ersetzt. Manchmal bestand in einer längeren Übergangszeit eine Doppelwährung.

Silberwurz (Dryas), Gattung der Rosengewächse; die bis zu 15 cm hohe **Achtblättrige S.** (Dryas octopetala) ist ein Zwergstrauch mit unterseits weißfilzigen Blättern und weißen Blüten, in der Arktis und in Hochgebirgen der nördl. gemäßigten Zone.

Silcher, Philipp Friedrich, Komponist, *Schnait (heute zu Weinstadt) 27. 6. 1789, †Tübingen 26. 8. 1860; bed. Förderer des volkstüml. Chor- und Singwesens, gab 12 Hefte vierstimmiger Volkslieder heraus (1826–60); komponierte zahlr. volkstüml. Lieder, u.a. »Ännchen von Tharau«, »Ich weiß nicht, was soll es bedeuten«.

Silen, *grch. Mythos:* Quell- und Waldhalbgott vermutl. kleinasiat. Ursprungs; Mischwesen aus Pferd und Mensch, Naturdämon der Fruchtbarkeit, oft mit Phallus (BILD) dargestellt; Sohn des Hermes oder Pan und einer Nymphe; galt als Erzieher des jungen Dionysos. Seine Söhne waren die Silenen. (→Satyr)

Siles *das* (Silesium), *Geologie:* das Oberkarbon (→Karbon).

Silge (Selinum), v.a. nordamerikan. Doldenblütlergattung; in Europa nur die **Kümmel-S.** (Selinum carvifolia) mit weißen bis rötl. Blüten in Doppeldolden.

Silhouette [zilu'ɛtə; frz., nach dem Finanzmin. Ludwigs XV., Étienne de Silhouette, *1709, †1767, der aus Sparsamkeit sein Schloss mit selbst gefertigten Scherenschnitten ausstattete] *die,* **1)** *allg.:* Umriss, der sich (dunkel) vom Hintergrund abhebt.

2) *bildende Kunst:* →Schattenriss.

Silicagel, →Kieselsäuren.

Silicate, →Silikate.

Silberwurz: Achtblättrige Silberwurz

Gottfried Silbermann: Orgel im Dom von Freiberg (1710–14)

Silicide, aus Silicium und einem Metall bestehende Verbindungen, die meist metallisch aussehen und in definierten Strukturen kristallisieren. Oft weichen sie, ähnlich den →intermetallischen Verbindungen, von den übl. Wertigkeitsverhältnissen ab (z.B. Ca_2Si, $CaSi$, Ca_5Si_3). S. der unedlen Metalle sind gegen Wasser und oxidierende Substanzen empfindlich, während die Übergangsmetall-S. sehr oxidationsbeständig sind. S. dienen u.a. als Hochtemperatur- und keramische Werkstoffe. Das bis rd. 1700 °C beständige Molybdän-S. eignet sich auch als Heizleiterwerkstoff.

Friedrich Silcher (Ausschnitt eines Stichs, um 1840)

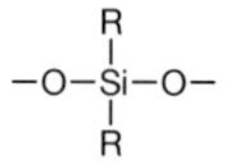

difunktionell

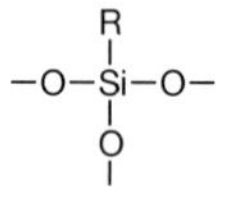

trifunktionell

Silicone: Struktureinheiten

Anja Silja

Silicium (Silizium) [von lat. silex, silicis »Kiesel(stein)«] *das,* chem. Symbol **Si,** Element aus der vierten Hauptgruppe des →Periodensystems der chemischen Elemente; Ordnungszahl 14, relative Atommasse 28,0855, Dichte 2,328 g/cm³, Schmelzpunkt 1410 °C, Siedepunkt 2477 °C. Reines S. bildet dunkelgraue, glänzende, harte und spröde Kristalle mit Diamantstruktur. Reinst-S. ist ein elektr. Halbleiter, dessen Leitfähigkeit durch geringe Zusätze von Elementen der dritten oder fünften Gruppe stark erhöht wird. Chemisch ist S. nicht sehr reaktionsfähig; kompaktes S. wird z. B. von Säuren nicht angegriffen, mit Alkalilaugen reagiert es aber unter Wasserstoffentwicklung zu Silikaten. Mit zahlreichen Elementen verbindet sich S. erst bei starkem Erhitzen, z. B. mit Sauerstoff zu S.-Dioxid, SiO_2, mit Stickstoff zu S.-Nitrid, Si_3N_4, und mit Kohlenstoff zu S.-Carbid, SiC. Mit Metallen verbindet oder legiert es sich zu den →Siliciden. – S. ist mit 25,8 % nach dem Sauerstoff das zweithäufigste Element in der Erdkruste; es kommt aber nur gebunden als S.-Dioxid (v. a. als →Quarz) oder in den →Silikaten, den Salzen der Kieselsäuren, vor. Technisch wird S. durch Reduktion von Quarz, SiO_2, mit Kohle in Lichtbogenöfen bei Temperaturen um 2000 °C erzeugt. Hochreines S. erhält man durch Reduktion von (vorgereinigten) Chlorsilanen wie Trichlorsilan, $SiHCl_3$, oder von Siliciumtetrachlorid, $SiCl_4$, mit Wasserstoff, z. B. durch therm. Zersetzung; meist wird das so gewonnene S. anschließend durch Zonenschmelzen nachgereinigt. – In der chem. Industrie dient S. u. a. als Ausgangsmaterial v. a. für die Herstellung von S.-Verbindungen, die zu →Siliconen verarbeitet werden. In der Halbleitertechnologie hat sich S. zum derzeit wichtigsten Material der gesamten Halbleitertechnik und Mikroelektronik entwickelt (über 90 % Anteil an allen Halbleiterbauelementen). Die elektr. Leitfähigkeit des hierfür benötigten Reinst-S. wird durch anschließende →Dotierung mit Fremdatomen (bes. Bor oder Phosphor) gezielt eingestellt, wobei mit den zur Verfügung stehenden Technologien der Leitfähigkeitstyp (n- oder p-Leitung) über Bereiche mit Dimensionen von etwa 1 µm kontrolliert verändert werden kann. Der wesentl. Vorzug des S. gegenüber anderen Halbleitersubstanzen ist die hohe chem. Stabilität des S.-Dioxids (SiO_2), das sich beim Erhitzen in oxidierender Atmosphäre auf den S.-Oberflächen bildet. Dieses SiO_2 schützt die →pn-Übergänge und andere empfindl. Bereiche der →integrierten Schaltungen. Außerdem ermöglicht es die einfache Herstellung der Masken für die feinen geometr. Strukturen der Schaltkreise mithilfe der →Lithographie und die selektive Dotierung von eng benachbarten Bereichen, da es leicht ätzbar ist. – Wichtige S.-Verbindungen sind u. a. Siliciumdioxid, →Kieselsäuren, →Silikate, Siliciumcarbid, →Silane, →Silanole, →Silicone.

Siliciumcarbid, SiC, Silicium-Kohlenstoff-Verbindung, die durch Erhitzen eines Gemisches aus Quarzsand und Koks im elektr. Ofen auf etwa 2500 °C hergestellt wird. S. hat nahezu Diamanthärte und dient daher als Schleif- und Poliermittel (**Karborundum**); ferner findet es Verwendung für Heizstäbe (Infrarotstrahler) und Hochtemperaturtransistoren.

Silicone (Silikone), Bez. für eine Gruppe von synthet. polymeren Verbindungen, in denen Siliciumatome über Sauerstoffatome ketten- und/oder netzartig verknüpft und die restl. Valenzen des Siliciums durch Kohlenwasserstoffreste (meist Methylgruppen) abgesättigt sind. Systematisch werden die S. als Polyorganosiloxane bezeichnet. Als Ausgangsstoffe für die Herstellung von S. dienen v. a. Silanole, die bei der Hydrolyse von Organochlorsilanen (z. B. Methylchlorsilane) entstehen und bes. bei erhöhter Temperatur und in Gegenwart von Katalysatoren polymerisiert werden. Nach ihren Anwendungen lassen sich die S. in Öle, Harze und Kautschuke einteilen. **Siliconöle,** die zu Emulsionen, Pasten, Fetten o. Ä. verarbeitet werden, sind kettenförmig aufgebaut. Sie dienen z. B. als Schmiermittel, hydraul. Flüssigkeiten, zum Imprägnieren von Textilien, zum Pflegen und Polieren. **Siliconharze** härten zu unlösl., wärme- und wetterbeständigen Produkten (z. B. für Formmassen, Lacke, Klebstoffe). **Siliconkautschuk,** →Synthesekautschuk.

Silicon Valley [ˈsɪlɪkən ˈvælɪ], Forschungs- und Industriekomplex von über 1000 Unternehmen der Elektronik und Computertechnik südöstlich von San Francisco (USA), am O-Fuß der Santa Cruz Mountains.

Silicothermie *die,* techn. Reduktion von Metalloxiden mit Silicium oder den entsprechenden Siliciden, analog der →Aluminothermie, v. a. zur Herstellung von kohlenstoffarmen Eisenlegierungen, z. B. Ferromangan.

Silifikation *die* (Silifizierung), →Verkieselung.

Silikate [lat.] (Silicate), Salze und Ester der Orthokieselsäure (→Kieselsäuren) und deren Kondensationsprodukte. Die **natürl. S. (Silikatminerale)** sind die wichtigsten Bestandteile der Erdkruste sowie der Steinmeteorite. – Die S. werden geordnet nach den Verknüpfungen der $[SiO_4]$-Tetraeder in ihren Kristallgittern: **Insel-(Neso-)S.** (Ortho-S. mit dem Anion $[SiO_4]^{2-}$; z. B. Olivin, Zirkon), **Gruppen-(Soro-)S.** (die $[SiO_4]$-Tetraeder sind zu einer endl. Gruppe verknüpft; z. B. Hemimorphit, Thortveitit), **Ring-(Cyclo-)S.** (die $[SiO_4]$-Tetraeder sind zu Ringen angeordnet; z. B. Benitoid mit Dreier-Ringen, Beryll mit Sechser-Ringen), **Ketten-(Ino-)S.** (die $[SiO_4]$-Tetraeder sind zu unendl. Ketten verknüpft; z. B. Diopsid, Tremolit mit Doppelketten), **Band-S.** (die $[SiO_4]$-Tetraeder sind zu einer unendlichen Doppelkette vereinigt; z. B. Amphibole), **Schicht-(Phyllo-)S.** (die $[SiO_4]$-Tetraeder sind jeweils in einer Ebene miteinander verbunden; z. B. Talk, Kaolinit), **Gerüst-(Tekto-)S.** (die $[SiO_4]$-Tetraeder sind dreidimensional vernetzt; z. B. Quarz, Feldspäte, Zeolithe).

📖 *Silicat-Lexikon, hg. v.* W. HINZ. *Berlin (Ost) 1985.*

Silistra: Die römische Grabkammer mit Wandmalereien aus dem 4. Jh. ist das wichtigste Kulturdenkmal der Stadt

Silikathülle (Silikatschale), nach V. M. Goldschmidt Bez. für den Gesteinsmantel der Erde.

Silikatmalerei, wetterfeste Wandmalerei auf zementhaltigem Mörtel oder Stein mit kalkechten Pigmenten. Den Farbpulvern (mit stabilisiertem Wasserglas angesetzt) sind pulverförmige Silikatbildner wie Tonerdehydrat, Magnesiumhydrat oder Kieselsäuregel zugesetzt.

Silikone, → Silicone.

Silikose [lat.] *die,* → Staubinhalationskrankheiten.

Silistra, Stadt in NO-Bulgarien, am rechten Donauufer, 55 600 Ew.; Maschinenbau, Holz-, Textilind., Aprikosenschnapsherstellung; Donauhafen. – Im 2. Jh. zur Festung **Durostorum** ausgebaut, im MA. bed. Handelszentrum. Wichtigstes Kulturdenkmal ist eine röm. Grabkammer mit Wandmalereien aus dem 4. Jahrhundert.

Silja, Anja, Sängerin (Sopran), * Berlin 17. 4. 1940; seit 1979 ⚭ mit C. von Dohnányi; trat bes. als Wagner-Interpretin sowie in Rollen aus Opern von G. Verdi, R. Strauss und A. Berg hervor; 1990 Debüt als Regisseurin an der Brüsseler Oper.

Silkeborg ['selgəbɔr], Stadt in Jütland, Dänemark, 50 600 Ew.; histor. Museum; Kunstmuseum; Papier-, Textilind.; Kurort.

Silko ['sɪlkəʊ], Leslie Marmon, amerikanische Schriftstellerin, * Albuquerque (N. Mex.) 5. 3. 1948; wuchs in der Laguna-Pueblo-Reservation in New Mexico auf; bed. Vertreterin der zeitgenöss. Indianerliteratur (»Laguna woman«, Ged., 1974; »Gestohlenes Land wird ihre Herzen fressen«, R., 1977; »Almanac of the dead«, 1991).

Silkscreen [-skri:n, engl.] *das,* ein Durchdruckverfahren, → Druckverfahren.

Sill *die,* rechter Nebenfluss des Inns, Österreich, 42 km lang, entspringt am Brenner, mündet in Innsbruck; durchfließt das Wipptal (→ Europabrücke der Brenner-Autobahn); Wasserkraftwerke.

Frans Eemil Sillanpää

Sillanpää, Frans Eemil, finn. Schriftsteller, * Hämeenkyrö (bei Tampere) 16. 9. 1888, † Helsinki 3. 6. 1964; verband in seiner Darstellung von Menschenschicksalen Realismus mit Naturmystik. Der Stoff seiner handlungsarmen Romane ist in der ländl. Heimat verwurzelt: »Silja, die Magd« (1931), »Eines Mannes Weg« (1932), »Schönheit und Elend des Lebens« (1945); Nobelpreis für Literatur 1939.

Sillein [zɪ'laɪn, 'zɪlaɪn], Stadt in der Slowakei, → Žilina.

Sillimanit *der,* rhomb. Mineral, eine der drei Modifikationen von $Al_2[O|SiO_4]$ (→ Andalusit, → Disthen), gelblich grau, graugrün; stängelig faserige, verfilzte Aggregate oder dichte, den Quarz durchwachsende Massen **(Faserkiesel). S.-Steine** sind hoch feuerfeste Kunststeine (Schmelzpunkt etwa 1800 °C).

Alan Sillitoe

Sillitoe [-təʊ], Alan, engl. Schriftsteller, * Nottingham 4. 3. 1928; schrieb realist. Romane und Erzählungen aus dem Arbeitermilieu (»Samstag nacht und Sonntag morgen«, R., 1958; »Die Einsamkeit des Langstreckenläufers«, Erz., 1959; »Der Mann, der Geschichten erzählte«, R., 1979; »Last loves«, R., 1990).

Beverly Sills

Sills, Beverly, eigtl. Belle Silverman, amerikan. Sängerin (Koloratursopran), * Brooklyn (N. Y.) 25. 5. 1929; sang an den großen Opernhäusern Amerikas und Europas; zu ihren Glanzrollen gehören Partien aus Opern von G. Donizetti, R. Strauss und J. Offenbach.

Silo [span.] *der* oder *das,* Großraumbehälter aus Stahl oder Stahlbeton zum Speichern von Schütt-

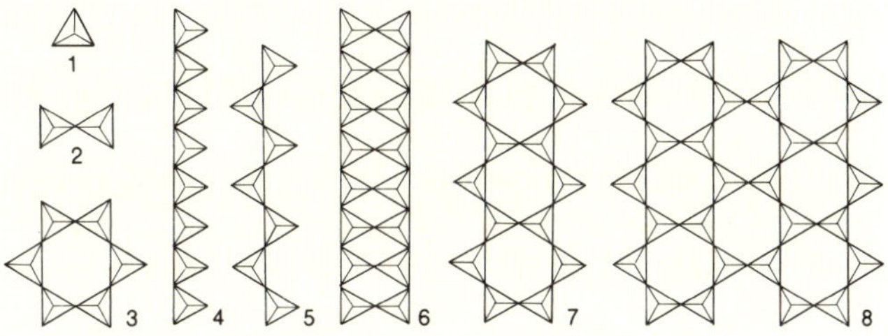

Silikate: schematische Darstellung der Tetraederanordnung verschiedener Silikate; 1 Inselsilikat, 2 Gruppensilikat, 3 Ringsilikat, 4 und 5 Kettensilikate, 6 und 7 Bändersilikate unterschiedlicher Periodizität, 8 Schichtsilikat

Silvretta: Die Gebirgsgruppe mit ihrem Gletscher speist die Ill und ihre Stauseen; im Hintergrund links der Piz Buin, mit 3 312 m dritthöchste Erhebung der Silvrettagruppe

gütern (Getreide, Erz, Steinsplitt, Zement, Sand) oder Gärfutter (gehäckseltes Grüngut).

Ignazio Silone

Silone, Ignazio, eigtl. Secondo Tranquilli, italien. Schriftsteller, *Pescina (Prov. L'Aquila) 1. 5. 1900, †Genf 22. 8. 1978; Mitbegründer der italien. KP (Austritt 1930), 1930–44 Exil in der Schweiz, danach in der Sozialist. Partei engagiert. Seine sozial- und gesellschaftskrit. Romane, die meist in den Abruzzen spielen, plädieren für Menschlichkeit ohne ideolog. Bindungen: »Fontamara« (1933), »Brot und Wein« (1936), »Eine Handvoll Brombeeren« (1952), »Das Geheimnis des Luca« (1956) u.a.; auch autobiograph. Texte »Notausgang« (1951).

Siloxane [Kw.], Bez. für Sauerstoff-Silicium-Verbindungen mit der allgemeinen Formel $H_3Si–[O–SiH_2]_n–O–SiH_3$ (n = 0, 1, 2, 3 ...). Die Wasserstoffatome können durch organ. Reste ersetzt sein; die Polymerisationsprodukte dieser Organosiloxane sind die →Silicone (Polyorganosiloxane). (→Silanole)

Simbabwe: Der aus Granitquadern bestehende ovale Mauerring der Ruinenstätte umfasste Tempel und Königsresidenz; außerhalb sind Reste der Wohnanlagen von Angehörigen der Führungsschicht erkennbar

Silphidae [grch.], die →Aaskäfer.

Sils im Engadin (bündnerroman. Segl), Luftkur- und Wintersportort, Kanton Graubünden, Schweiz, im Oberengadin, 1800 m ü.M., 490 Ew.; besteht aus **Sils-Baselgia** und **Sils-Maria** zw. Silvaplaner See und **Silser See** (4,14 km², bis 77 m tief).

Silur [nach dem kelt. Volksstamm der Silurer] *das* (früher auch Gotlandium), ein geolog. System, das auf das Ordovizium folgende System des Paläozoikums. Hauptgesteine sind Tonschiefer, Kalke, Grauwacken, Sandsteine und Quarzite, in trockenem Klima Steinsalze. Die **kaledon. Gebirgsbildung** erreichte gegen Ende des S. ihren Höhepunkt; es entstand der Nordamerika und Europa verbindende Nordatlant. Kontinent.

Silvaner *der,* mittelfrühe Rebsorte, die einen milden, fast geschmacksneutralen Weißwein liefert. Der Wein ist in der Schweiz (Kt. Wallis) als **Johannisberg** bekannt.

Silvanus, altröm. Bauern- und Hirtengott.

Silvaplana (bündnerroman. Silvaplauna), Gemeinde im Oberengadin, Kanton Graubünden, Schweiz, 740 Ew., 1815 m ü.M., am **Silvaplaner See** (2,65 km², bis 77 m tief); Fremdenverkehr; Bergbahn zum Piz Corvatsch (bis 3295 m ü.M.).

Silver ['sɪlvə], Horace, amerikan. Jazzpianist und -komponist, *Norwalk (Conn.) 2. 8. 1928; einer der stilbildenden Musiker des Hardbop und Souljazz.

Silvester *der,* auch *das,* letzter Tag des Jahres, ben. nach dem Tagesheiligen des 31. 12., Papst Silvester I.; oft feierlich begangen.

Silvester, Päpste:

1) S. I. (314–335), †Rom 31. 12. 335; taufte nach einer in die →Konstantinische Schenkung eingegangenen Legende Konstantin d. Gr. und heilte ihn vom Aussatz, worauf er zum Dank weitgehende Rechte erhalten haben soll; Heiliger, Tag: 31. 12.

2) S. II. (999–1003), eigtl. Gerbert von Aurillac, *in der Auvergne um 940/950, †Rom 12. 5. 1003. Kaiser Otto III., sein früherer Schüler, veranlasste seine Wahl zum Papst (erster frz. Papst). S. strebte eine Erneuerung des Röm. Reiches im Sinne einer christl. Theokratie an (»Renovatio Imperii Romanorum«); errichtete die Erzbistümer Gnesen und Gran (Esztergom); galt als bedeutendster abendländ. Gelehrter seiner Zeit; geriet aufgrund seines umfassenden Wissens in den Ruf eines Zauberers.

Silvia, urspr. S. Renate Sommerlath, Königin von Schweden, *Heidelberg 23. 12. 1943; Dolmetscherin, ⚭ seit 1976 mit Karl XVI. Gustav, König von Schweden.

Simbabwe

Fläche: 390 757 km²
Einwohner: (1995) 11,26 Mio.
Hauptstadt: Harare
Verwaltungsgliederung: 8 Provinzen
Amtssprache: Englisch
Nationalfeiertag: 18. 4.
Währung: 1 Simbabwe-Dollar (Z.$) = 100 Cents (c)
Zeitzone: OEZ

Silvretta *die,* vergletscherte Gebirgsgruppe der Rät. Alpen an der Grenze von Vorarlberg, Tirol (Österreich) und Graubünden (Schweiz), mit Piz Linard (3411 m ü. M.), Piz Buin (3312 m ü. M.), Fluchthorn (3399 m ü. M.), S.-Horn (3244 m ü. M.) und Dreiländerspitze (3197 m ü. M.). Die **S.-Hochalpenstraße** zw. Montafon und Paznauntal führt über die Bieler Höhe (2036 m ü. M.). Der Gletscher der zentralen S. speist die Ill und ihre Stauseen, den Vermunt- und den **S.-Stausee** (2032 m ü. M.); bed. Wintersportgebiete.

Silwestrow, Walentin Wassiljewitsch, ukrain. Komponist, *Kiew 30. 9. 1937; bed. Vertreter der musikal. Avantgarde seines Heimatlandes; Orchesterwerke (u. a. sechs Sinfonien, 1963–88), Kammer-, Vokal- und Filmmusik.

Sima [Kw. aus **Si**licium und **Ma**gnesium] *das,* (Sialsima), Bez. für die untere v. a. aus Silicium-, Aluminium- und Magnesiumverbindungen bestehende Zone der Erdkruste.

Sima [lat.] *die, antike Baukunst:* Abschlussleiste des Hauptgesimses, oft reich verziert; Traufrinne des grch. Tempels (→Säulenordnung).

Šima [frz. ʃiˈma, tschech. ˈʃima], Josef, frz. Maler, Grafiker und Illustrator tschech. Herkunft, *Jaroměř 19. 3. 1891, †Paris 24. 7. 1971; lebte ab 1920 in Paris. In Auseinandersetzung mit dem Symbolismus konzentrierte sich Š. zunächst auf die Darstellung geometrisierender Linienfigurationen; charakteristisch für sein Gesamtwerk sind v. a. Frauentorsi und Traumlandschaften, die dem Surrealismus nahestehen.

Simbabwe (engl. Great Zimbabwe), Ruinenstätte südöstlich von Masvongo (Rep. Simbabwe), fast 40 ha groß; mehr als 100 Bauten v. a. aus dem 13. bis 18. Jh. Hauptbauwerk ist ein 250 m langer, bis 10 m hoher Mauerring, der u. a. Tempel und Königsresidenz umfasste; überragt von der ummauerten »Akropolis«, auf einem 90 m hohen Hügel; Zentrum eines Shonareichs (→Monomotapa); Gold-, Kupfer-, Eisenverarbeitung, Fernhandel (asiat. Importwaren); UNESCO-Weltkulturerbe.

📖 GARLAKE, P.: *S. Bergisch Gladbach 1975.*

Simbabwe (amtlich engl. Republic of Zimbabwe), Binnenstaat in SO-Afrika, grenzt im N an Sambia, im NO und O an Moçambique, im S an die Rep. Südafrika, im SW und W an Botswana.

Staat und Recht: Nach der Verf. von 1980 (1987 und 1990 revidiert) ist S. eine präsidiale Rep. mit Mehrparteiensystem. Staatsoberhaupt, Reg.chef und Oberbefehlshaber der Streitkräfte ist der auf fünf Jahre direkt gewählte Präs. Er ernennt und entlässt die Mitgl. des Kabinetts. Die Legislative liegt beim Abgeordnetenhaus (150 Abg., davon 120 gewählt, zwölf vom Präs. ernannt, zehn Stammeshäuptlinge, acht Provinzgouverneure). Einflussreichste Partei ist die Afrikan. Nationalunion von S. – Patriot. Front (ZANU – PF).

Landesnatur: Den größten Teil von S. nimmt ein Binnenhochland ein. Zw. Bulawayo und Harare erstrecken sich die über 1200 m ü. M. gelegenen Rumpfflächen des Hochvelds (im O das Maschonaland), dessen westl. Teil (Matabeleland) sich allmählich bis auf 500 m zum Kalaharibecken senkt; im N, S und SO fällt es in markanten Stufen zum Lowveld (400–800 m) ab. Der O wird beherrscht von der über 2000 m hohen Randschwelle (Inyanga Mountains, im Inyangani 2596 m ü. M.). S. hat randtrop. Klima, im Hochveld und Randgebirge durch die Höhe gemäßigt, mit Sommerregen. Vorherrschend sind Feucht- und Trockensavannen, im östlichen Randgebirge immergrüner Bergwald und Grasfluren.

Bevölkerung: 95,6 % der Bev. gehören zu Bantuvölkern (70,8 % Shona, 15,8 % Ndebele); ferner 2 % Europäer, 0,4 % Mischlinge und Asiaten (v. a. aus Indien). Nur 14 % der schwarzen Bev. leben in Städten, von den Weißen rd. 80 % (davon in Harare 42 %, in Bulawayo 23 %). – Es besteht siebenjährige Schulpflicht; die Einschulungsquote liegt bei rd. 95 %; die Analphabetenquote bei 33 %. Es gibt eine Univ. in Harare (seit 1957) sowie weitere Hochschulen. – Etwa 58 % der Bev. sind Christen, die Übrigen meist Anhänger von traditionellen afrikan. Religionen, Minderheiten sind Muslime und Hindus.

Staatswappen

ZW

Internationales Kfz-Kennzeichen

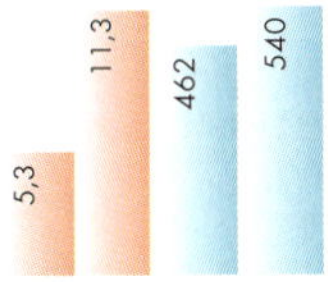

Bevölkerung (in Mio.)
Bruttosozialprodukt je Ew. (in US-$)

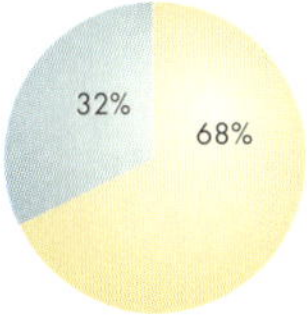

Bevölkerungsverteilung 1995

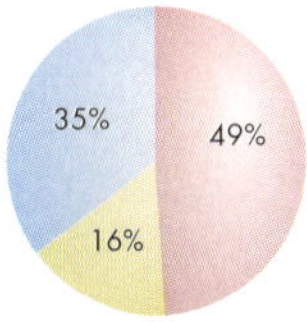

Bruttoinlandsprodukt 1995

Simbabwe - Wirtschaft

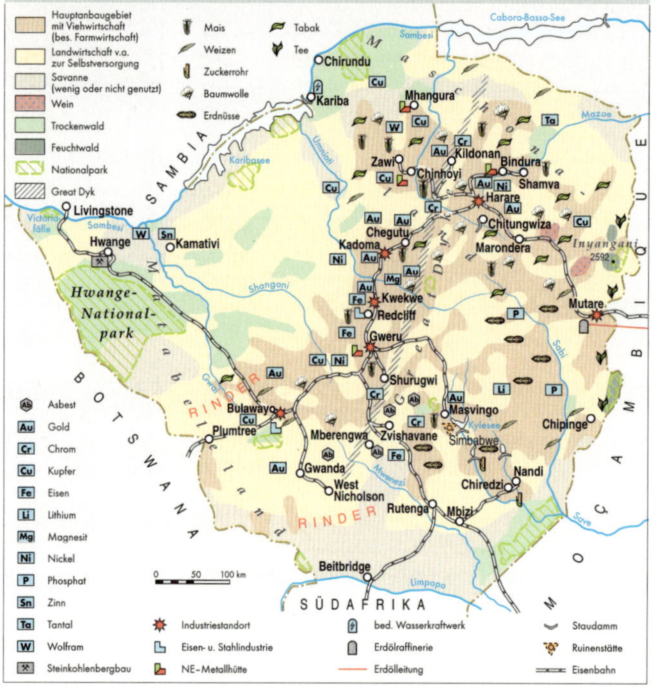

Wirtschaft, Verkehr: S. verfügt über eine leistungsfähige Wirtschaft, gestützt auf Landwirtschaft und Bergbau sowie Industrie. Auf Großfarmen (europ. Besitz) werden, v.a. für den Export, Zuckerrohr, Weizen, Zitrusfrüchte, Gemüse, Tee, Tabak, Baumwolle angebaut sowie Rinderzucht betrieben. Mittel- und Kleinbauern betreiben Anbau v.a. zur Selbstversorgung: Weizen, Hirse, Bohnen, Erdnüsse, Reis; aber wachsender Beitrag zur Marktproduktion. Umstritten bleibt die Landsiedlungspolitik (Ansiedlung von Schwarzen auf Großfarmland). Forstwirtschaft und Fischerei dienen v.a. dem Eigenbedarf. Bed. Wirtschaftsfaktor ist der Bergbau; insgesamt treten etwa 70 versch. Erzminerale auf, die meisten im Intrusivkörper des Great Dyke, v.a. Gold, Eisen-, Chrom-, Kupfer-, Nickelerze; im W (Hwange) Steinkohleabbau. Wichtigste Ind.zweige sind Erzverhüttung, Maschinenbau, Nahrungsmittel-, Tabak-, chem., Textil- und Holzind.; Ind.zentren sind Harare und Bulawayo. Besondere Anziehungspunkte für den Fremdenverkehr sind die Victoriafälle, der Karibasee, das Bergland im NO, die 26 Nationalparks und Wildreservate sowie das histor. Simbabwe. Ausgeführt werden v.a. Agrarprodukte und Bergbaugüter; Haupthandelspartner sind die Rep. Südafrika, Großbritannien, Dtl., USA. – Das Verkehrsnetz ist gut ausgebaut, die Eisenbahnstrecke umfasst 2 759 km, das Straßennetz 86 000 km, davon 12 900 km asphaltiert. Internat. Flughäfen haben Harare und Bulawayo.

Robert Mugabe

Joshua Nkomo

Geschichte: Schon vor der Jahrtausendwende wurde Erzbergbau betrieben, später die dem heutigen Staat den Namen gebenden Stadtanlagen von Simbabwe erbaut. Im 15./16. Jh. lag hier das Bantureich →Monomotapa, das Ende des 17. Jh. unter die Herrschaft der Rotse kam und zw. 1824 und 1836 mit dem Rotsereich von den Ndebele unterworfen wurde. Nachdem 1889 die von C. Rhodes geführte British South Africa Company durch eine Royal Charter Hoheitsbefugnisse erhalten hatte, begann die Ansiedlung von Europäern. 1891 erklärte die brit. Reg. das Land zum Protektorat. Aufstände der Ndebele (1893/94 und 1896) wurden niedergeschlagen. Das 1894 nach Rhodes ben. Land **(Rhodesien)** ging 1923 an die brit. Reg. über: Südrhodesien wurde brit. Kronkolonie mit innerer Selbstverw., Nordrhodesien britisches Kronprotektorat. 1953 vereinigte Großbritannien Südrhodesien mit Nordrhodesien und Njassaland zur **Zentralafrikan. Föderation,** die aber 1963 zerbrach. Nordrhodesien und Njassaland wurden 1964 als Sambia und als Malawi unabhängig. Gegen die Weigerung Großbritanniens, die seit 1964 Rhodesien genannte autonome Kolonie ohne volle Reg.beteiligung der schwarzen Bev. in die Unabhängigkeit zu entlassen, erklärte nach dem Wahlsieg der radikalen Rhodesian Front Premiermin. I. D. Smith 1965 einseitig die Unabhängigkeit Rhodesiens. Ein von Großbritannien und den UN daraufhin verhängtes Embargo und Sanktionen wirkten nur begrenzt. 1970 wurde die **Rep. Rhodesien** ausgerufen. Nachdem Gespräche über eine zukünftige Verf. zw. der rhodes. Reg. und dem die schwarzen Rhodesier vertretenden African National Council (ANC) 1975/76 gescheitert waren, nahmen die Guerillaaktionen von ZANU (geführt von R. G. Mugabe) und ZAPU (geführt von J. Nkomo), in der Patriotischen Front (PF) zusammengeschlossen und von Moçambique bzw. Sambia aus operierend (zus. mit Tansania, Botswana und Angola die sog. Frontstaaten), gegen das weiße Regime in Rhodesien ständig zu. Nach dem Fehlschlagen der Genfer Rhodesienkonferenz 1976 erreichte Smith 1978 unter Umgehung der militanten Befreiungsbewegungen mit dem Methodistenbischof und Leiter des United African National Council (UANC) A. Muzorewa und dem ZANU-Gründer Pastor N. Sithole Einvernehmen über eine neue Verf.: Sie überließ die Parlamentsmehrheit der schwarzen Bev. und garantierte dem Führer der stärksten schwarzen Fraktion das Amt des Premiermin., sicherte jedoch den Weißen eine (zeitlich befristete) parlamentar. Sperrminderheit gegen Verf.änderungen sowie wichtige Führungsämter, v.a. in Militär und Polizei. Aus den Wahlen 1979 ging der UANC als Sieger hervor. Erstes schwarzes Staatsoberhaupt des amtlich in **S.-Rhodesien** umbenannten Landes wurde 1979 J. Gumede, Premiermin. Muzorewa. Angesichts des Widerstandes von ZANU und ZAPU sowie der OAU gegen diese »interne Lösung« fand 1979 in London erneut eine Verf.konferenz statt. S.-Rhodesien, als Rhodesien vorübergehend wieder brit. Kolonie, wurde nach Wahlen 1980, die ZANU und ZAPU gewannen, 1980 als S. unabhängig. Die Spannungen zw. den Anhängern Mugabes und Nkomos, durch Stammesgegensätze zusätzlich verschärft, blieben bestehen. Nkomo wurde 1982 aus der Reg. entlassen. 1987 einigten sich ZANU und ZAPU auf einen Zusammenschluss, der 1989 unter dem Namen ZANU – PF (Parteivors. Mugabe) erfolgte. Der 1987 als erster Präs. mit exekutiven Vollmachten vereidigte Mugabe wurde durch Wahlen 1990 und 1996 bestätigt; das Amt eines der beiden Vizepräs. erhielt Nkomo. Die von Mugabe verfolgte Idee eines Einparteienstaates wurde 1990 zwar aufgegeben, doch blieb S. wegen des Fehlens durchsetzungsfähiger Oppositionsparteien ein von der ZANU – PF und ihrem Präs. dominierter Staat.

📖 BAUMHÖGGER, G.: *S. Geschichte, Politik, Wirtschaft, Gesellschaft. Hamburg 1984.* – CORNARO, A. *u.* CORNARO, M.: *Zimbabwe. Köln 1991.* – SCHMIDT, BETTINA: *Zimbabwe. Die Entstehung einer Nation. Saarbrücken 1991.* – LOERZER, S.: *Zimbabwe. Wuppertal 1993.*

Simbach a. Inn, Stadt im Kr. Rottal-Inn, Niederbayern, 10300 Ew., durch Eisenbahn- und Straßenbrücke mit dem österr. Braunau am Inn verbunden; Leichtbauplattenwerk. – Um 1165 erstmals urkundlich erwähnt, seit 1951 Stadt.

Georges Simenon (um 1970)

Simberg [-bærj], Hugo, finn. Maler, *Hamina 24. 6. 1873, †Ähtäri (Prov. Vaasa) 11. 7. 1917; malte fantast. und allegor. Kompositionen, die häufig den Tod zum Thema haben. Bekannt wurde er v.a. durch seine Aquarelle. Er schuf Glasfenster und Fresken (1904–06) in der Johanniskirche in Tampere; auch Radierungen.

Simbirsk, bis 1924 und kurze Zeit nach 1991 Name der russ. Stadt →Uljanowsk.

Simca, Abk. für **S**ociété **I**ndustrielle de **M**écanique et **C**arosserie **A**utomobile, Paris, ehem. Unternehmen der frz. Fahrzeugind.; gegr. 1934; 1960 aufgegliedert in Simca Automobiles S. A., seit 1971 Chrysler France S. A., und Simca Industries S. A., seit 1971 Fiat France S. A.

Simchat Thora [hebr.] *die,* jüd. Fest im Anschluss an das →Laubhüttenfest, an dem der jährl. Zyklus der Thoralesung endet und neu beginnt.

Simenon [simɔ'nɔ̃], Georges, belg. Schriftsteller frz. Sprache, *Lüttich 13. 2. 1903, †Lausanne 4. 9. 1989; Journalist; lebte seit 1957 in der Schweiz, wurde weltberühmt mit seinen Kriminalromanen um Kommissar Maigret (häufig verfilmt); in diesen stehen, wie auch in den anderen Romanen, psycholog. Konflikte, die meist tragisch enden, im Mittelpunkt (»Der Schnee war schmutzig«, 1948; »Die Glocken von Bicêtre«, 1963; »Der Kater«, 1967); auch autobiograph. Schriften, u.a. »Intime Memoiren« (1981).

📖 ARENS, A.: *Das Phänomen S. Einführung in das Werk. Stuttgart 1988.*

Simeon, bibl. Gestalt, frommer Jude, der Jesus bei der Darstellung im Tempel mit einem Lobgesang als den Heiland verkündete; Heiliger, Tag: 8. 10.; in den orth. Kirchen: 3. 2.

Simeon, bulgar. Herrscher:

1) S. I., der Große, Khan (seit 893) und Zar (seit 919/925), *um 864/865, †27. 5. 927; eroberte einen großen Teil der Balkanhalbinsel und zwang in mehreren Kriegen (ab 894) Byzanz zur Tributzahlung, errichtete das erste von Byzanz unabhängige bulgar. Patriarchat. S. starb bei den Vorbereitungen zum Sturm auf Konstantinopel.

2) S. II., Zar (1943–46), *Sofia 16. 6. 1937; Sohn von Boris III., ging nach Abschaffung der Monarchie 1946 ins Exil (seit 1951 in Spanien).

Simferopol, Hptst. der autonomen Teilrep. Krim innerhalb der Ukraine, auf der N-Abdachung des Krimgebirges, 356000 Ew.; Univ. u.a. Hochschulen, Kunstmuseen, Theater; Lebensmittelind., Weinkellereien, Tabak-, Maschinenbau-, elektrotechn., Textilind.; Fremdenverkehr; Flughafen. – 1784 an der Stelle der tatar. Siedlung Akmetschet gegr., 1921–45 Hptst. der ASSR der Krim.

Similaun *der,* vergletscherter Gipfel in den →Ötztaler Alpen, 3606 m ü.M.; am S. wurde der Similaunmann (»Ötzi«) gefunden.

Simili [italien.] *das* oder *der,* Imitation von Edelsteinen, v.a. Brillanten bzw. Diamanten, meist aus stark brechendem Bleiglas.

Simitis, Konstantinos, grch. Politiker, Rechts- und Wirtschaftswissenschaftler, *Piräus 23. 6. 1936; in den 1960er-Jahren Anwalt am Obersten Gerichtshof Griechenlands, in der Zeit der Militär-

Simbabwe: Ian Douglas Smith

Simbabwe: Abel Muzorewa

Konstantinos Simitis

Georg Simmel

Johannes Mario Simmel

diktatur in Dtl., 1971–75 Prof. für Handels- und bürgerl. Recht in Konstanz, seitdem für Handelsrecht in Athen; beteiligte sich nach dem Sturz des Militärregimes in Griechenland (1974) am Aufbau der PASOK. 1981–85 war S. Landwirtschafts- und 1985–87 Wirtschaftsmin. sowie 1993–95 Min. u.a. für Industrie, Energie und Handel; seit Jan. 1996 Vors. der PASOK und Ministerpräsident.

Simla, Stadt in Indien, →Shimla.

Simmel, 1) Georg, Philosoph und Soziologe, *Berlin 1. 3. 1858, †Straßburg 26. 9. 1918; seit 1914 Prof. in Straßburg. Zunächst beeinflusst von C. Darwin, F. Nietzsche, K. Marx und dem Neukantianismus, dann Anhänger der Lebensphilosophie, kritisiert S. deren radikal relativist. Ansatz und verweist auf die bleibenden Strukturen und Formen, in die der Lebensprozess eingebunden ist. S. gehört zu den Begründern der Soziologie als eigenständiger Wiss., der er die Beschäftigung mit den allen geschichtl. Wandlungen zugrunde liegenden Formen und Funktionen der Vergesellschaftung zuwies.

Werke: Die Probleme der Geschichtsphilosophie (1892); Philosophie des Geldes (1900); Kant (1904); Soziologie (1908); Goethe (1913); Grundfragen der Soziologie (1917); Der Konflikt der modernen Kultur (1918); Zur Philosophie der Kunst (hg. 1922).

📖 HELLE, H. J.: *Soziologie u. Erkenntnistheorie bei G. S. Darmstadt 1988.* – JUNG, W.: *G. S. zur Einführung. Hamburg 1990.*

2) Johannes Mario, österr. Schriftsteller, *Wien 7. 4. 1924; lebt in der Schweiz; weltweit bekannter Bestsellerautor; greift in seinen Romanen (z.T. verfilmt) zeitbezogene Themen auf, die unterhaltend und spannend umgesetzt werden: »Es muß nicht immer Kaviar sein« (1960), »Der Stoff, aus dem die Träume sind« (1971), »Bitte, laßt die Blumen leben« (1983), »Doch mit den Clowns kamen die Tränen« (1987), »Auch wenn ich lache, muß ich weinen« (1993).

Claude Simon

Simmental, Talschaft der **Simme** (53 km lang) im Berner Oberland, Schweiz; gegliedert in Ober- und Nieder-S.; Holzind., Landwirtschaft (v.a. Rinderzucht); Fremdenverkehr.

Herbert A. Simon

Simmern/Hunsrück, Krst. des Rhein-Hunsrück-Kr., Rheinl.-Pf., am Simmerbach, 7500 Ew.; Autozulieferind., Maschinenbau; Fertighausbau; Hunsrückmuseum; Fremdenverkehr. – Neues Schloss (1708–13); spätgotische Stephanskirche (1486–1509). – 1072 erstmals erwähnt; 1330 Stadtrecht; 1410–1598 sowie 1611–74 Residenz des Fürstentums Pfalz-Simmern(-Zweibrücken).

Simon, Gestalt des N.T.; einer der Brüder Jesu; wurde nach altkirchl. Überlieferung 62/63 Bischof von Jerusalem und soll 107 als Märtyrer gestorben sein; Heiliger, Tag: 18. 2.

Simon, 1) [siˈmɔ̃], Claude, frz. Schriftsteller, *Antananarivo (Madagaskar) 10. 10. 1913; schrieb zunächst Romane auf der Grundlage autobiograph. Begebenheiten. Mit »Der Wind« (1957) näherte er seine Schreibweise dem →Nouveau Roman an, jedoch behält die Handlung – oft in enger Beziehung zur jüngsten Geschichte – ihre zentrale Funktion: »Die Straße in Flandern« (1960), »Die Schlacht bei Pharsalos« (1969), »Die Leitkörper« (1971), »Anschauungs-Unterricht« (1975), »Die Akazie« (1989), »Le Jardin des Plantes« (1997) u.a. 1985 erhielt er den Nobelpreis für Literatur.

2) [ˈsaɪmən], Herbert Alexander, amerikan. Wirtschaftswissenschaftler, *Milwaukee (Wis.) 15. 6. 1916; entwickelte eine Unternehmenstheorie, nach der die pluralen Entscheidungsinstanzen aufgrund persönl., sozialer u.a. Bindungen im Ggs. zum klass. Unternehmer nicht die Möglichkeit haben, die besten Alternativen zu wählen, sondern sich mit befriedigenden Kompromissen begnügen. 1978 erhielt S. den Nobelpreis für Wirtschaftswissenschaften.

3) [ˈsaɪmən], John Allsebrook, Viscount (seit 1940), brit. Politiker, *Manchester 28. 2. 1873, †London 11. 1. 1954; 1915/16 und 1935–37 Innenmin., 1931–35 Außenmin., 1931–40 Vors. der Nationalliberalen Partei; 1937–40 Finanzmin. und 1940–45 Lordkanzler; war ein Vertreter der Politik des →Appeasement gegenüber dem nat.-soz. Deutschland.

Simone Martini: Der heilige Martin wird zum Ritter geschlagen, Fresko der Martinskapelle in der Unterkirche von San Francesco in Assisi (1322–26)

Simplicissimus: Plakat von Thomas Theodor Heine für den Simplicissimus aus dem Gründungsjahr 1896

4) ['saımən], Marvin Neil, amerikan. Schriftsteller, *New York 4. 7. 1927; Autor zahlr. witziger Boulevardstücke, Musicallibretti und Filmskripte (»Barfuß im Park«, Kom., 1963; »Sweet Charity«, Libretto, 1966; »Sonny-Boys«, Stück, 1973; »Broadway, wir kommen«, Stück, 1987; »Lost in Yonkers«, Stück, 1991).

5) [si'mɔ̃], Michel, eigtl. François S., frz. Film- und Bühnenschauspieler, *Genf 9. 4. 1895, †Paris 30. 5. 1975; Charakterdarsteller des internat. Films (»Die Hündin«, 1931; »Boudu, aus den Wassern gerettet«, 1932; »Der alte Mann und das Kind«, 1966).

Simon and Garfunkel ['saımən ənd gɑː'fʌŋkl], 1964 gegr. amerikan. Folkrock-Duo mit den Gitarristen und Sängern Paul Simon (*1942) und Art Garfunkel (*1942); wurde mit madrigalartigen Songs zu lyr. Texten (z. B. »Bridge over troubled water«) bekannt. 1970 trennte sich das Duo.

Simonds ['saıməndz], Charles, amerikanischer Künstler, *New York 14. 11. 1945; Vertreter der →Spurensicherung. Seine miniaturhaften Rekonstruktionen sind fingierte Relikte archaischer Kulturstufen und Mythen.

Simone Martini, italien. Maler, *Siena 1284, †Avignon Juli 1344; der neben Giotto bedeutendste italien. Maler des 14. Jh., schuf Fresken und Tafelbilder, in denen sich sanft schwingende Linien und zarte Farben mit eindringl. Gebärdensprache verbinden. Fresken: Thronende Madonna mit Heiligen (Maestà, 1315 ff., Siena, Rathaus); Reiterbildnis des Guidoriccio da Fogliano (ebd., 1328); Darstellungen aus dem Leben des hl. Martin (Assisi, San Francesco, 1322–26).

Simonides, grch. Lyriker, *Iulis (heute Kea) um 556 v. Chr., †Akragas (heute Agrigent) um 467 v. Chr.; schrieb in zarter, schlichter Sprache Chorlieder, Trauergesänge und Epigramme auf die Helden der Perserkriege.

Michel Simon

Simonie [nach Simon Magus] *die,* Verkauf oder Ankauf geistl. Sachen (z. B. eines Amtes). Nach kath. Kirchenrecht unter Strafe gestellt; in der Kirchengeschichte jedoch häufig anzutreffen. Die S. war einer der Ursachen des Investiturstreits.

Simonis, Heide, Politikerin (SPD), *Bonn 4. 7. 1943; Volkswirtschaftlerin, 1976–88 MdB, 1992 MdL in Schlesw.-Holst., 1988–93 dort Finanzministerin, seit April 1993 zugleich stellv. Min.Präs., wurde im Mai 1993 Ministerpräsidentin.

Heide Simonis

Simon Magus, Gestalt des N. T., trat nach Apg. 8, 9 ff. in Samaria als Zauberer auf, wollte Petrus und Johannes die Gabe der Geistverleihung abkaufen.

Simonow, Konstantin Michailowitsch, russ. Schriftsteller, *Petrograd 28. 11. 1915, †Moskau 28. 8. 1979; Kriegsberichterstatter im 2. Weltkrieg; einflussreicher Chefredakteur der »Literaturnaja Gaseta« (1938, 1950–54) und des »Nowy Mir« (1946–50, 1954–58); schrieb lyr. Dichtungen (»Wart auf mich!«, 1941) und Dramen. Hauptthema seiner Prosa ist der 2. Weltkrieg (»Tage und Nächte«, 1944; Romantrilogie: »Die Lebenden und die Toten«, 1959; »Man wird nicht als Soldat geboren«, 1964; »Der letzte Sommer«, 1971).

Konstantin Simonow

Simon Petrus, Apostel, →Petrus.

Simplex [lat. »einfach«] *das, Sprachwissenschaft:* Grundwort, einfaches, nicht zusammengesetztes und nicht abgeleitetes Wort.

Simplexmethode, grundlegendes systemat. Verfahren zur Lösung von Aufgaben der linearen →Optimierung. Die S. verbessert iterativ den Wert der Zielfunktion und erreicht nach endlich vielen Schritten das Optimum.

Simplicissimus, politisch-satir. illustrierte Wochenschrift, gegr. 1896 in München von A. Langen und T. T. Heine, stellte 1944 ihr Erscheinen ein (1954–67 erneut herausgegeben).

Simplicissimus

Zu den Bewunderern des »Simplicissimus« gehörte Thomas Mann:

»Es ist ein Literatur- und Lebens-Denkmal der seltensten Art, das in voller Frische fast drei Jahrhunderte überdauert hat ..., ein Erzählwerk von unwillkürlichster Großartigkeit, bunt, wild, roh, amüsant, verliebt und verlumpt, kochend von Leben, mit Tod und Teufel auf Du und Du, zerknirscht am Ende und gründlich müde einer in Blut, Raub, Wollust sich vergeudenden Welt, aber unsterblich in der elenden Pracht seiner Sünden«.

Karl Simrock

Eduard von Simson

Simplicissimus, Simplicius, Hauptgestalt von H. J. C. Grimmelshausens satir. Roman »Der abentheurliche Simplicissimus Teutsch« (1669). INFO S. 63

Simplon *der* (italien. Sempione), Pass in den Walliser Alpen, Schweiz (ÜBERSICHT Alpenstraßen).

simpsonsche Regel ['sɪmpsn-; nach dem brit. Mathematiker Thomas Simpson, *1710, †1761], Verfahren zur näherungsweisen Berechnung von bestimmten Integralen, bei dem die Funktion stückweise durch Parabelbögen angenähert wird.

Simrock, Karl, Germanist und Schriftsteller, *Bonn 28. 8. 1802, †ebd. 18. 7. 1876; seit 1852 Prof. ebd., übertrug ins Neuhochdeutsche: Nibelungenlied und Kudrun sowie Werke von Walther von der Vogelweide, Wolfram von Eschenbach und Gottfried von Straßburg; Herausgeber der »Dt. Volksbücher« (54 Tle., 1839–66); volkstüml. Gedichte.

Sims, das →Gesims.

Simse (Scirpus), weltweit verbreitete Gattung der Riedgräser; heimisch u. a. die **Wald-S.** (Scirpus silvaticus), bis 1 m hoch, mit grasartigen Blättern, in Nasswiesen oder Auenwäldern.

Simson (in der Vulgata Samson), Gestalt des A. T.; Held des israelit. Stammes Dan aus der Richterzeit; war nach den **S.-Erzählungen** (Ri. 13–16) mit übermenschl. phys. Kraft ausgestattet und kämpfte gegen die Philister; verriet seiner Geliebten Delila das Geheimnis seiner Stärke: sein ungeschorenes Haupthaar eines Gott Geweihten (Nasiräers). Delila verriet S. an ihre Landsleute, die ihm das Haar abschnitten, ihn blendeten und gefangen setzten. Auf einem Opferfest der Philister erlangte er noch einmal seine Kraft und brachte ihren Tempel zum Einsturz, wodurch er viele von ihnen mit sich in den Tod riss. – Thema der bildenden Kunst (Kampf des S. mit dem Löwen, S. und Delila) und der Musik: Oratorium von G. F. Händel (1741); Oper (»Samson und Dalila«) von C. Saint-Saëns (1877).

Simson: Andrea Mantegna, »Samson und Dalila« (um 1495 bis 1500; London, National Gallery)

Simson, Eduard von (seit 1888), Jurist und Politiker, *Königsberg (Pr) 10. 11. 1810, †Berlin 2. 5. 1899; 1848/49 Mitgl. der Frankfurter Nationalversammlung (seit Dez. 1848 deren Präs.; Erbkaiserl. Partei); seit 1859 Mitgl. des Preuß. Abgeordnetenhauses, 1867–76 als Nationalliberaler MdR (1867–74 Präs. des Norddt. bzw. Dt. Reichstags); 1879–91 erster Präs. des Reichsgerichts.

Simulation [lat.] *die,* **1)** *allg.:* das Vortäuschen von Zuständen, insbesondere von Krankheiten.

2) *Wissenschaft* und *Technik:* die Darstellung oder Nachbildung eines kybernet. Systems (Prozesses) oder bestimmter Aspekte desselben durch ein Modell, das v. a. physikalisch-techn. oder mathematisch-abstrakter Natur sein kann. S. erlauben Untersuchungen oder Manipulationen (insbesondere des Zeitverhaltens), deren Durchführung am eigentl. System nicht möglich ist; entsprechende Geräte werden als **Simulatoren** bezeichnet; Methode des →Operationsresearch.

Simulator [lat.] *der,* **1)** *Datenverarbeitung:* Programm, das einen Prozess oder das Verhalten eines Systems auf einer Rechenanlage modellhaft darstellt oder nachbildet (simuliert).

2) *Technik:* Gerät, mit dem techn. Prozessabläufe nachgeahmt werden, z. B. der **Flug-S.,** ein Übungsgerät zur gefahrlosen und Kosten sparenden Ausbildung von Piloten am Erdboden, bes. auch zum Simulieren von Gefahrensituationen. Der Flug-S. besteht aus einem originalgetreuen Arbeitsraum der Flugzeugbesatzung (Cockpit), einschl. der Vorrichtungen zur Steuerung, und einem Echtzeitcomputer, der die Reaktionen des Flug-S. auf die Maßnahmen des Auszubildenden berechnet und diese mithilfe von Überwachungsgeräten darstellt. Neben den herkömml. S. bietet die →virtuelle Realität vielseitige Möglichkeiten, Verfahren und Geräte zu simulieren.

Simulierer, *Datenverarbeitung:* ein Programm, das es einer Rechenanlage ermöglicht, Anweisungen auszuführen, die in maschinenorientierter Programmiersprache einer anderen Anlage geschrieben sind (interpretierende Arbeitsweise).

simultan [lat.], gleichzeitig (und gemeinsam).

Simultanbetrieb, *Datenverarbeitung:* der →Parallelbetrieb.

Simultanbühne, →Theater.

Simultan|impfung, gleichzeitige Impfung gegen mehrere Infektionskrankheiten.

Simultanschach, Schachspiel, bei dem ein starker Spieler gleichzeitig an mehreren Brettern gegen mehrere schwächere Spieler antritt.

sin, Funktionszeichen für Sinus, → Winkelfunktionen.

Sinai, 1) Halbinsel nördlich des Roten Meeres zw. dem Golf von Sues und dem Golf von Akaba, gehört zu Ägypten, als Verw.gebiet 58824 km^2; Hauptort ist El-Arisch. Der N ist ein Tafelland, das von der Küstenebene am Mittelmeer nach S bis 1626 m ü. M. ansteigt, im S das stark zerklüftete kristalline **S.-Gebirge** (Djebel Katherin 2637 m ü. M., im Djebel Musa 2285 m ü. M.). Besiedelt sind außer den Küsten nur einzelne Gebirgsoasen; fast die Hälfte der Bev. lebt als Nomaden. Reiche Steinkohlenvorräte; an der Küste des Roten Meeres werden Erdöl und Manganerz gefördert. Seit 1980 Straßentunnel unter dem Sueskanal nach dem übrigen Ägypten. – Am Fuß des Djebel Musa liegt das wohl seit dem 3./4. Jh. bestehende Katharinenkloster, zw. 548 und 564 von Kaiser Justinian I. befestigt, mit bed. Ikonen des 8.–15. Jh., Wachsmalereien des 5. und 6. Jh. sowie mehr als 3000 Handschriften, darunter bes. der 1844 von dem evang. Theologen Konstantin von Tischendorf gefundene **Codex Sinaiticus** (grch. Bibelhandschrift aus dem 4. Jh.; Brit. Museum, London, Univ.bibliothek Leipzig). – Im israelisch-arab. »Sechstagekrieg« (Juni 1967) besetzten israel. Truppen die Halbinsel. Zw. 1974 und 1982 (bes. seit Abschluss des ägyptisch-israel. Friedensvertrags 1979) zog sich Israel etappenweise vom S. zurück. (→ Nahostkonflikt)

2) (Horeb) im A. T. Berg der Gesetzgebung (Zehn Gebote) und des Bundesschlusses zw. Jahwe und dem Volk Israel in der gleichnamigen Wüste; eine genaue Lokalisierung ist nicht möglich, nach christl. Tradition der Djebel Musa auf der Halbinsel Sinai.

Sinaia, Stadt in den Südkarpaten, Rumänien, 700–970 m ü. M., 15800 Ew.; Luftkurort, Wintersportplatz. – Schloss Peleș (1875–83), ehem. königl. Sommerresidenz (heute Museum).

Sinai-Inschriften, über 30 Inschriften aus der Mitte des 2. Jt. v. Chr. in einem altsemit. kanaanäischen Dialekt, die 1905 und seit 1927 in alten ägypt. Malachitminen und Ruinen eines Hathortempels des Wadi Maghara auf der Halbinsel Sinai entdeckt wurden. Die S.-I. repräsentieren die erste reine Buchstabenschrift (viele Zeichen haben ägyptische Hieroglyphen zum Vorbild); auf sie gehen alle semit. und damit europ. Buchstabenschriften zurück.

Sinaloa, Staat im W von → Mexiko, erstreckt sich von der lagunenreichen Pazifikküste bis an die Westflanke der Sierra Madre Occidental; Bewässerungsfeldbau, Krabbenfischerei, Bergbau auf Silber und Gold.

Sinai: Das auf das 3./4. Jh. zurückgehende griechisch-orthodoxe Katharinenkloster wurde zwischen 548 und 564 von Kaiser Justinian I. befestigt

Sinan, osman. Baumeister, *Ağrınas (bei Kayseri) 1489 oder 1491, †Konstantinopel 1587 oder 1588, wurde 1538 Baumeister für das gesamte Osman. Reich. Zu seinen mehr als 300 Bauten (u. a. Moscheen, Medresen, Mausoleen, Palästen) gehören die Şehzade-Moschee und die Moschee Süleimans d. Gr. in Istanbul sowie die Moschee Selims II. in Edirne; auch bed. Ingenieurbauten.

Sinanthropus [lat.-grch.] *der,* der → Pekingmensch.

Sinatra [sɪˈnaːtrə], Frank, eigtl. Francis Albert S., amerikan. Sänger und Filmschauspieler italien. Herkunft, *Hoboken (N. J.) 12. 12. 1915, †Los Angeles (Calif.) 14. 5. 1998; sang 1939–42 in den Bigbands von H. James und T. Dorsey, erlangte durch Auftritte in Fernsehshows große Popularität; wirkte in zahlr. Filmen mit.

Frank Sinatra

Sinau *die,* die Pflanzengattung → Frauenmantel.

Sinclair, 1) [ˈzɪŋklɛːr] Isaak von, Diplomat und Schriftsteller, *Homburg (heute Bad Homburg v. d. Höhe) 3. 10. 1775, †Wien 29. 4. 1815; Diplomat in Diensten des Landgrafen von Hessen-Homburg; enger Freund Hölderlins. Seine republikan. Gesinnung hatte Einfluss auf Hölderlins polit. Ansichten. S. schrieb Dichtungen unter dem Anagramm **Crisalin** und philosoph. Abhandlungen.

2) [ˈsɪŋkleə] Upton Beall, amerikan. Schriftsteller, *Baltimore (Md.) 20. 9. 1878, †Bound Brook (N. J.) 25. 11. 1968; griff soziale und polit. Missstände an. S., der eine sozialist. Gesinnung vertrat, wurde zu einem wichtigen Chronisten seiner Zeit (Romane: »Der Sumpf«, 1905; »König Kohle«, 1917; »Petroleum«, 1927; »Alkohol«, 1931); 1940–53 erschienen elf Romane der Lanny-Budd-Serie (Bd. 1: »Welt-Ende«), in denen er seine antifaschist. Haltung und desillusionierende Sicht der Sowjetunion zum Ausdruck brachte.

Upton B. Sinclair

Sind (Sindh), Provinz in SO-Pakistan, 140913 km^2, (1986) 22,06 Mio. Ew., umfasst die fruchtbare

Schwemmlandebene des unteren Indus, im SW Hügelland, im O Wüste; Hptst. ist Karatschi.

Sindbad der Seefahrer, Held einer Sammlung von Seefahrtsgeschichten aus der 1. Hälfte des 10. Jh., die im 11. oder 12. Jh. unter Benutzung verwandter Stoffe zu einem Seefahrerroman umgestaltet und in die arab. Märchensammlung »Tausendundeine Nacht« eingefügt wurden.

Sindelfingen, Stadt (Große Kreisstadt) im Landkreis Böblingen, Bad.-Württ., nördlich vom Schönbuch, 59 400 Ew.; bildet mit der Nachbarstadt Böblingen ein bed. Ind.zentrum: Pkw-Produktion (Mercedes Benz AG), Herstellung von Datenverarbeitungsanlagen (IBM). – Stiftskirche St. Martin (1083 geweiht), Altes Rathaus (1478), Salzhaus (1592), Neues Rathaus (1970); Fachwerkhäuser. – 1133 bezeugt, erhielt 1263 Stadtrecht.

Sindermann, Horst, Politiker (SED), *Dresden 5. 9. 1915, †Berlin (Ost) 20. 4. 1990; 1976–89 Mitgl. des Politbüros der SED; 1973–76 MinPräs.; 1976–89 Präs. der Volkskammer der DDR.

Sindhi, neuind. Sprache, am unteren Indus in Pakistan und in Indien gesprochen.

Sinding, 1) Christian, norweg. Komponist, *Kongsberg 11. 1. 1856, †Oslo 3. 12. 1941, Bruder von 2); studierte in Leipzig; Hauptrepräsentant der nord. Spätromantik. S. schrieb die Oper »Der heilige Berg« (1914), vier Sinfonien, Klavierkonzert, drei Violinkonzerte, Klavierstücke (z. B. »Frühlingsrauschen«, 1896), über 200 Lieder, Chöre u. a.

2) Stephan, norweg. Bildhauer, *Trondheim 4. 8. 1846, †Paris 23. 1. 1922, Bruder von 1); schuf, ausgehend vom Klassizismus und an zeitgenöss. frz. Plastik geschult, realistische Bildwerke.

Sindjar [-dʒ-] *der* (Sindschar, Djebel S.), Bergmassiv in N-Irak, bis 1498 m ü. M.; der S. war das wichtigste Siedlungsgebiet der Jesiden.

sine ira et studio [lat. »ohne Zorn und Vorliebe«], unparteiisch (nach Tacitus, »Annalen« I, 1).

Sinekure [zu lat. sine cura »ohne Sorge«] *die,* **1)** *allg.:* einträgl., müheloses Amt.

2) *kath. Kirchenrecht:* früher Pfründe, kirchliches Benefizium (z. B. Liegenschaften) zum Unterhalt des Amtsinhabers.

Sines [ˈsinıʃ], Industrieort in S-Portugal, 8 000 Ew., nahe dem **Kap Sines** am Atlant. Ozean; Museum (Geburtshaus von Vasco da Gama); Tiefwasserhafen; Erdölraffinerie, petrochem. Ind., Waggon- und Containerfabrik.

Sinfonia concertante [-kɔntʃɛr-] *die* (Konzertante), meist dreisätzige Komposition für mehrere Soloinstrumente und Orchester, dem Solokonzert (→Konzert) verwandt; v. a. in der 2. Hälfte des 18. Jh. beliebt; im 19. Jh. meist als Doppel-, Tripel- oder Quadrupelkonzert bezeichnet.

Sinfonie [grch.] *die* (Symphonie), größere, mehrsätzige Orchesterkomposition, eine Hauptgattung der Instrumentalmusik. In ihrer klass. Gestalt hat die S. i. d. R. vier Sätze: Allegro (in →Sonatensatzform), Andante oder Adagio (in Liedform), Menuett oder Scherzo, Allegro.

S. bezeichnete zunächst, seit etwa 1600, meist ein instrumentales Vor- oder Zwischenspiel zu weltl. und geistl. Vokalwerken (z. B. Oper, Oratorium). Seit dem Ende des 17. Jh. (A. Scarlatti) blieb der Name S. den dreiteiligen italien. Opernvorspielen (→Ouvertüre) vorbehalten, die sich zu selbstständigen Instrumentalwerken entwickelten und die satztechn. Errungenschaften des Concerto grosso sowie der Triosonate übernahmen. Meister dieser frühen S. waren G. B. Sammartini, J. C. Wagenseil sowie die Komponisten der →Mannheimer Schule; ihnen folgten J. C. Bach, L. Boccherini, K. Ditters von Dittersdorf u. a. Von dieser vorklass., durch Einfügung des Menuetts (um 1740) zur Viersätzigkeit erweiterten S. ausgehend, schuf J. Haydn den Typus der klass. S., indem er ihr durch verstärkte Verarbeitung der Themen und Ausbildung der →Durchführung neue Möglichkeiten erschloss. W. A. Mozart assimilierte Haydns durchgearbeiteten Satz und fand in seinen späten S. zu einer vollendet tiefen und persönl. Ausdruckssprache. L. van Beethoven, dessen sinfon. Schaffen die gesamte Musik des 19. Jh. nachhaltig beeinflusst hat, bezog in der 9. S. die menschl. Stimme ein und ersetzte das Menuett durch das Scherzo. F. Schubert, F. Mendelssohn Bartholdy, R. Schumann, J. Brahms erfüllten die klass. Form der S. mit neuen Ausdrucksgehalten. A. Bruckner erweiterte die sinfon. Form unter Wahrung ihrer Geschlossenheit ins Monumentale. H. Berlioz wandelte die klass. S. zur **Programm-S.** (→Programmmusik). Ihm folgten einerseits F. Liszt, der die meist einsätzige →sinfonische Dichtung schuf, andererseits die am traditionellen Aufbau festhaltenden frz. Meister (C. Saint-Saëns, C. Franck) und die der nat. Schulen (A. Borodin, P. Tschaikowsky). Alle Entwicklungstendenzen der S. treffen im vielgestaltigen Werk G. Mahlers zusammen. Nach Mahler verlor die S. ihre vorrangige Stellung im Bereich der Orchesterkomposition. Neoklassizist. Tendenzen finden sich u. a. bei S. Prokofjew und I. Strawinsky, traditionell ausdrucksvolle bei D. Schostakowitsch, K. A. Hartmann, P. Hindemith u. a. In der Besetzung auf Soloinstrumente reduzierte S. heißen **Kammer-S.** (A. Schönberg, F. Schreker, H. Eisler), Werke kleineren Ausmaßes **Sinfonietten** (M. Reger, L. Janáček). In der Gegenwart wurden S. u. a. von H. W. Henze, L. Berio, K. Penderecki, G. Klebe, W. Rihm, S. Matthus, M. Trojahn, D. Schnebel komponiert.

📖 NEF, K.: *Geschichte der S. u. Suite. Leipzig 1921, Nachdr. Vaduz 1993.* – KLOIBER, R.: *Hb. der klass. u. romant. Symphonie. Wiesbaden ³1981.*

Singapur

Fläche: 626 km^2
Einwohner: (1995) 2,848 Mio.
Hauptstadt: Singapur
Amtssprachen: Englisch, Chinesisch, Malaiisch, Tamil
Nationalfeiertag: 9. 8.
Währung: 1 Singapur-Dollar (S$) = 100 Cents (c)
Zeitzone: MEZ +6 Std.

sinfonische Dichtung, um 1850 entstandene Gattung der orchestralen Programmmusik, die begrifflich fassbare Inhalte in Musik übersetzt. Die s. D. besteht meist aus einem Satz oder aus einer lockeren Folge von Einzelsätzen. Als Programm dienen Themen der Literatur, der bildenden Kunst, der Geschichte, Landschaftseindrücke u.a. Der Begriff s. D. wurde von F. Liszt geprägt, der die Bez. 1854 für seine Ouvertüre »Tasso« (1849) verwendete und in der neuen Gattung eine Erneuerung der Musik durch deren enge Verknüpfung mit der Dichtung anstrebte. Der nach Liszt bedeutendste Vertreter der Gattung war R. Strauss. Die s. D. wurde bis ins 20. Jh. von bed. Komponisten gepflegt, u.a. von B. Smetana, H. Wolf, J. Sibelius, A. Dvořák, A. Glasunow, A. Schönberg, C. Debussy, O. Respighi, A. Roussel und A. Honegger.

📖 KLOIBER, R.: *Handbuch der symphon. Dichtung.* *Wiesbaden* ^{3}*1990.*

Sing|akademie, Bez. für eine Vereinigung von Musikliebhabern zur Pflege v.a. des geistl. Chorgesangs. Die erste S. wurde 1791 in Berlin von C. F. Fasch gegründet; weitere S. entstanden u.a. in Leipzig (1802), Dresden (1807), Hamburg (1814), Frankfurt am Main (1818) und Breslau (1825).

Singapur [altind. »Löwenstadt«] (amtlich engl. Republic of Singapore, chines. Xinjiapo Gongheguo, malaiisch Republik Singapura, Tamil: Singapore Kudiyarasu), Stadtstaat in Südostasien, auf Inseln vor der S-Spitze der Malaiischen Halbinsel, besteht aus einer Hauptinsel (587 km^2) und 54 kleineren Inseln. Das eigentl. Stadtzentrum (**City of Singapore,** 97 km^2) liegt im S der Hauptinsel.

Staat und Recht: S. ist seit 1965 eine Rep. im Commonwealth; es gilt die Verf. von 1955 (mehrfach geändert). Staatsoberhaupt ist der mit exekutiven Befugnissen (z.B. Vetorecht gegenüber Budgetvorlagen, Ernennung leitender Beamter) ausgestattete Präs. (auf sechs Jahre direkt gewählt). Die Legislative liegt bei der Nationalversammlung (83 Abg., auf fünf Jahre gewählt), die Exekutive bei der Reg. unter Vorsitz des MinPräs. Einflussreichste Partei ist die Aktionspartei des Volkes (PAP).

Landesnatur: Die bis 177 m ü.M. ansteigende Hauptinsel ist durch einen Brückendamm (Straße, Bahnlinie, Fernwasserleitung) mit dem Festland verbunden. Durch Neulandgewinnung (Aufschüttung) wurde die Fläche der Insel ständig vergrößert. Das Klima ist tropisch mit hohen Niederschlägen (monsunale Regenzeit von Nov. bis Jan.).

Bevölkerung: 77,5% der Bev. sind Chinesen (meist Buddhisten und Daoisten), 14,2% Malaien (Muslime), 7,1% Inder (v.a. Hindus) u.a.; 10,3% der Bev. sind Christen. Der starke Bev.anstieg bis zur Mitte des 20. Jh. wird seit 1966 durch erfolgreiche Familienplanung eingedämmt. In einzelnen Wohnbezirken der Stadt S. werden Bev.dichten bis 200000 Ew./km^2 erreicht. Das Sozialwesen gilt als das beste in ganz Asien. – Es besteht keine Schulpflicht, jedoch besuchen i.d.R. alle Kinder die Schule. Die sechsjährige Primarschule ist kostenlos. 1980 entstand durch Zusammenschluss der chinesisch- und englischsprachigen Univ. die »National University of Singapore«.

Wirtschaft, Verkehr: Aufgrund der Lage am Schnittpunkt wichtiger Schifffahrts- und Flugrouten entwickelte sich der Stadtstaat S. zu einem bed. Verkehrs-, Handels-, Finanz- und Dienstleistungszentrum in Südostasien. Der rasche Wirtschaftsaufschwung seit den 1960er-Jahren setzt sich mit der Förderung wachstumsorientierter Ind., bes. im Elektroniksektor, auch in den 1990er-Jahren fort. Mit seinen hohen Wachstumsraten zählt S. zu den südostasiat. Schwellenländern (»Kleine Tiger«). S. ist mit fünf Erdölraffinerien das größte Raffineriezentrum Asiens. Bed. sind darüber hinaus opt. und Elektronikind., Schiff-, Maschinen- und Fahrzeugbau sowie Textil- und Bekleidungsindustrie. Die Landwirtschaft spielt nur eine untergeordnete Rolle. Haupthandelspartner sind Japan, die USA, Malaysia, Hongkong, Thailand und Taiwan. Über 30% des Erlöses gehen auf Reexporte zurück. – Die Länge des Straßennetzes beträgt 3056 km, die der Eisenbahn 26 km. Seit 1987 gibt es eine

Staatswappen

SGP

Internationales Kfz-Kennzeichen

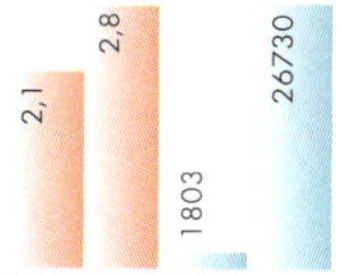

Bevölkerung (in Mio.) Bruttosozialprodukt je Ew. (in US-$)

Bevölkerungsverteilung 1995

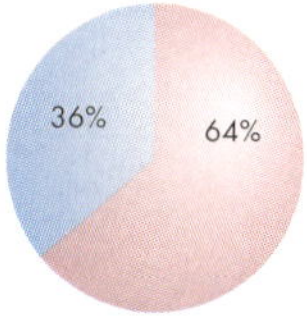

Bruttoinlandsprodukt 1995

Singapur: Die modernen Hochhäuser wurden im alten Stadtzentrum, der Chinatown, erbaut; in der Bildmitte der Singapur-Fluss mit Hausbooten

U-Bahn. S. ist weltweit wichtigster Hafen im Containerumschlag. Internat. Flughäfen: Changi und Paya Lebar.

Lee Kuan Yew

Geschichte: Bis zum 19. Jh. gab es keine größere Ansiedlung auf der Insel. 1819 errichtete der Brite Sir T. S. Raffles hier eine Handelsniederlassung der brit. Ostind. Kompanie, die 1824 die Insel erwarb. 1826 Zusammenschluss mit Malakka und Pinang zu den →Straits Settlements, die 1867 Kronkolonie wurden. 1942–45 war S. von den Japanern besetzt; 1946 erhielt es den Status einer separaten Kronkolonie und 1959 die volle innere Autonomie. 1963–65 gehörte S. zur Föderation Malaysia; nach der Trennung von dieser wurde es 1965 eine unabhängige Rep. im Rahmen des Commonwealth. Als stärkste polit. Kraft stellte die PAP seit 1959 die Reg.chefs. Einen bed. wirtsch. Aufschwung erlebte S. unter Premiermin. Lee Kuan Yew (1959–90), den Goh Chok Tong im Amt ablöste. Nachfolger von Staatspräs. Wee Kim Wee (1985–93) wurde nach der erstmaligen Direktwahl des Staatsoberhaupts (Aug. 1993) der vorherige Vizepremiermin. Ong Teng Cheong.

Singapur

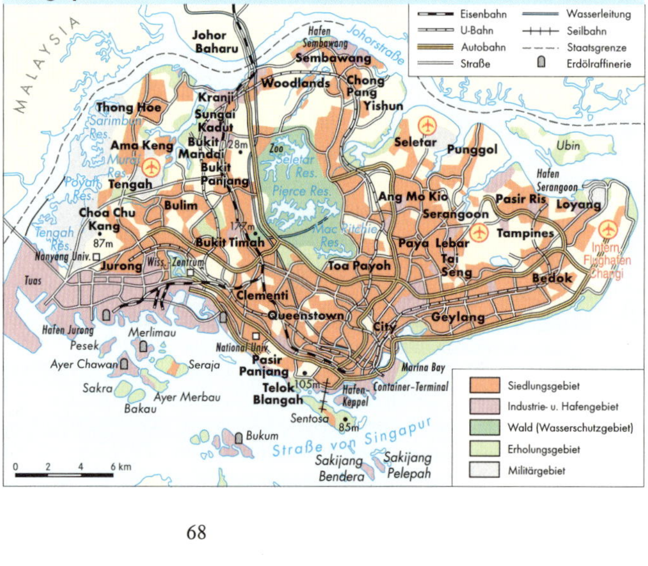

🕮 TURNBULL, C. M.: *A history of Singapore 1819–1975. Kuala Lumpur 1977.* – MARR, B. u. MARR, R.: *Malaysia, Singapore, Brunei. Kunst- u. Reiseführer mit Landeskunde. Stuttgart u. a. 1991.*

Singbewegung, →Jugendmusikbewegung.

singende Säge, als Musikinstrument verwendete Säge aus Stahl, deren Sägeblatt zw. den Knien gehalten und durch Streichen an der ungezackten Seite mit einem Violinbogen zum Klingen gebracht wird; die versch. Tonhöhen werden durch Biegen des Sägeblattes erzeugt.

Singen (Hohentwiel), Stadt (Große Kreisstadt) im Landkreis Konstanz, Bad.-Württ., im Hegau am Fuß des Hohentwiel, 44300 Ew.; Hegaumuseum für Ur- und Frühgeschichte; Metall verarbeitende, Pharma-, Nahrungsmittelind., Maschinenbau. – 787 erstmals urkundlich erwähnt, 1899 Stadtrecht.

Singer [engl. ˈsɪŋə, ˈsɪŋgə], **1)** Isaac Bashevis, amerikan. Schriftsteller jidd. Sprache, *Radzymin (bei Warschau) 14. 7. 1904, †Miami (Fla.) 24. 7. 1991, Bruder von 2); seit 1935 in den USA (seit 1943 amerikan. Staatsbürger). S.s Romane und Erzählungen in jidd. Sprache wurzeln in der poln.-jüd. Kulturtradition und lassen universale Bedingungen des Menschseins lebendig werden. 1978 erhielt S. den Nobelpreis für Literatur.

Werke: Romane: Satan in Goraj (hebr. und jidd. 1943, engl. 1955, dt. 1969); Die Familie Moschkat (2 Bde., 1950); Der Zauberer von Lublin (1960); Jakob der Knecht (1962); Feinde. Die Geschichte einer Liebe (1972). – Erzählungen: Gimpel der Narr (1957); Der Kabbalist vom East Broadway (1973); Leidenschaften. Geschichten aus der neuen und alten Welt (1975). – Autobiographien: Mein Vater, der Rabbi (1966); Verloren in Amerika (3 Bde., 1976–81).

2) Israel Joshua, amerikan. Schriftsteller jidd. Sprache, *Biłgoraj (bei Zamość) 30. 11. 1893, †New York 10. 2. 1944, Bruder von 1); histor. Familienromane, u. a. »Die Brüder Aschkenasi« (jidd. 1937, engl. 1936).

Singhalesen, größte Bevölkerungsgruppe in Sri Lanka (rd. 16,3 Mio.), auch auf den Malediven. Man unterscheidet Tiefland-S. und Hochland-S (Kandyans). Die S. wanderten im 5. Jh. v. Chr. aus N-Indien ein und brachten den Reisbau mit. Höchste Stufe des nicht streng ausgebildeten Kastensystems ist die der Landbesitzer. Im 3. Jh.

v. Chr. übernahmen die S. den (Hinajana-)Buddhismus.

Singhalesisch, Staatssprache von Sri Lanka, ein zum indoar. Zweig der indogerman. Sprachen gehörender ind. Dialekt mit Jahrhunderte alter literar. Tradition; seit dem 3. Jh. v. Chr. belegt. Das älteste literar. Werk (ein buddhist. Kommentar, 2. Jh. v. Chr. bis 2. Jh. n. Chr.) ist durch Neubearbeitungen in Pali erhalten; klassische literar. Blütezeit vom 12. bis 15. Jh. Der aus dem Mittelindischen lautlich entwickelte rein singhales. Wortschatz (Elu-Wörter) ist durch Lehnwörter aus dem Sanskrit und dem Pali ergänzt. Mitte des 19. Jh. begann die Entwicklung einer modernen Literatur, deren Hauptthema die Auseinandersetzung der nat. Kulturtradition mit dem Einfluss der westl. Zivilisation ist.

Singidunum, antiker Name von →Belgrad.

Singschulen, →Meistersang.

Sing Sing, Staatsgefängnis des Staates New York, USA, bei der Stadt Ossining, die früher S. S. hieß.

Singspiel, Bühnenstück meist volkstüml. Charakters mit gesprochenem Dialog und musikal. Einlagen, überwiegend heiteren Inhalts. Das engl. (→Ballad-Opera) und das dt. S. standen der italien. Oper im 18. Jh. als besondere Gattung gegenüber. Musikal. Vorbild für das S. war v. a. die italien. Opera buffa, die über die Ballad-Opera auf Dtl. wirkte. Das dt. S. blühte durch C. F. Weisse auf (»Der Teufel ist los«, mit der Musik von J. C. Standfuß 1752, von J. A. Hiller, 1766). Höhepunkte des dt. Singspiels sind »Die Entführung aus dem Serail« und »Die Zauberflöte« von W. A. Mozart. Danach führte das Singspiel zur dt. romantischen Oper (v. a. C. M. von Weber), zur Spieloper (A. Lortzing) und zur Operette (J. Strauß Sohn).

📖 MICHTNER, O.: *Das alte Burgtheater als Opernbühne. Wien 1970.* – SCHUSKY, R.: *Das dt. S. im 18. Jh. Quellen u. Zeugnisse zu Ästhetik u. Rezeption. Bonn 1980.*

Singular [lat.] *der,* Abk. **Sg.,** *Sprachwissenschaft:* Einzahl, Form der flektierenden Wortarten, →Numerus.

Singularetantum [lat.] *das, Sprachwissenschaft:* Wort, das nur im Singular vorkommt, z. B. Atem, Hunger.

Singularität *die* [lat.], **1)** *Mathematik:* bei algebraischen Funktionen Punkt mit besonderen Eigenschaften **(singulärer Punkt),** z. B. der Doppelpunkt. In der Funktionentheorie hat eine Funktion $f(z)$ an der Stelle z_0 ihres komplexen Arguments z eine S., wenn sie dort nicht differenzierbar ist.

2) *Meteorologie:* vom Jahresverlauf der Witterung in bestimmten Zeitabschnitten mit hoher Wahrscheinlichkeit auftretende Abweichung, z. B. Kälterückfälle wie die Eisheiligen oder die Schafkälte bzw. Trockenperioden wie der Altweibersommer.

3) *Physik:* allg. ein Punkt, in dem der analyt. Ausdruck für eine physikal. Größe unendlich wird und/oder die bekannten physikal. Gesetze ihre Gültigkeit verlieren, z. B. die punktförmigen Quellen eines physikal. Feldes, in denen die Feldgrößen unendlich werden. In der Kosmologie sind S. die entarteten Punkte im Raum-Zeit-Kontinuum, z. B. der auch als Anfangs-S. bezeichnete Urzustand des Universums (→Urknall) sowie die S. im Zentrum →Schwarzer Löcher.

Singularsukzession, →Rechtsnachfolge.

Singulett *das,* einfache Spektrallinie oder einfacher Energieterm, im Ggs. zum →Multiplett.

Singultus [lat.] *der,* der →Schluckauf.

Singvögel (Oscines), weltweit verbreitete, mit rd. 4000 Arten fast die Hälfte aller Vögel umfassende Unterordnung der Sperlingsvögel; gekennzeichnet durch mehr als drei (meist sieben bis neun) Paar Muskeln, die am Lautäußerungsorgan (Syrinx) ansetzen und durch deren wechselseitige Kontraktion die Syrinxmembranen mehr oder weniger gespannt und mithilfe der ausgestoßenen Atemluft zum Vibrieren gebracht werden. Man unterscheidet 45 Familien, u. a. Lerchen, Schwalben, Stelzen, Zaunkönige, Spottdrosseln, Grasmücken, Drosseln, Meisen, Kleiber, Finken, Rabenvögel.

Sinide [grch. Sinai »China«], zu den →Mongoliden gehörender Typus des Menschen (v. a. im mittleren China), mit mittelgroßem, schlankem Wuchs, etwas längerem Kopf und Gesicht sowie Mongolenfalte und schwarzem, straffem Haar.

Sinigrin [lat.] *das,* Glykosid, das bes. in den Samen des Schwarzen Senfs vorkommt; besteht aus dem Kaliumsalz der Myronsäure und wird durch das Enzym Myrosinase in Allyl-Senföl, Glucose und Kaliumhydrogensulfat gespalten.

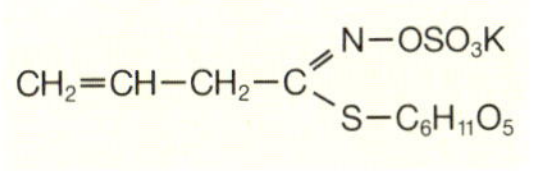

Sinigrin

Sining, chines. Stadt, →Xining.

Sinjawski, Andrei Donatowitsch, russ. Schriftsteller, *Moskau 8. 10. 1925, †Fontenay-aux-Rases (bei Paris) 25. 2. 1997; veröffentlichte unter dem Pseud. Abram **Terz** im westl. Ausland kritisch-satir. Prosa (»Was ist sozialist. Realismus?«, Essay, 1945); 1965–71 in Haft, 1973 Emigration nach Paris (»Phantast. Geschichten«, 1961; »Ljubimow«, R., 1963; »Im Schatten Gogols«, 1975; »Der Traum vom neuen Menschen oder die Sowjetzivilisation«, Kulturkritik, 1989; »Iwan der Dumme. Vom russ. Volksglauben«, 1990).

Singapur: Goh Chok Tong

Singapur: Ong Teng Cheong

Isaac B. Singer

Andrei Sinjawski

Bernhard Sinkel

Sinkel, Bernhard, Filmregisseur, *Frankfurt am Main 19. 1. 1940; Vertreter eines anspruchsvollen Unterhaltungsfilms, u.a. »Lina Braake« (1975), »Berlinger« (1975), »Bekenntnisse des Hochstaplers Felix Krull« (TV-Film, 5 Tle., 1982), »Der Kinoerzähler« (1993).

Sinkiang (Hsinchiang, amtlich Xinjiang Uygur, Uigurische Autonome Region Sinkiang), autonomes Gebiet der Uiguren in NW-China, 1666000 km^2, (1994) 16,3 Mio. Ew.; Hptst. ist Ürümqi. S. umfasst im N die Dsungarei, im S das Tarimbecken mit dem See Lop Nur sowie den Kunlun Shan, beide Senken getrennt durch den Tienschan. Die Bev. besteht aus versch. nat. Minderheiten vorwiegend türk. Ursprungs; Hauptgruppe sind die Uiguren (nur noch 41,5% der Gesamtbev.), ferner Kasachen, Kirgisen, Tadschiken, Usbeken, Mongolen, Tataren, Hui. Infolge chines. Siedlungspolitik dürfte jedoch heute die Mehrheit der Bev. aus Chinesen bestehen. Neben die traditionelle Oasenwirtschaft (Weizen, Mais, Baumwolle, Tabak, Obst, Schafzucht) tritt zunehmend Ind. (Textil-, Leder-, Metallwaren). Erdölvorkommen in der Dsungarei (Karamai); Gold, Wolfram, Uran, Jade sind wichtige Rohstoffe; gut entwickeltes Handwerk (Teppichweberei).

Geschichte: S., für China die wichtigste Landbrücke nach W- und S-Asien, war seit der Hanzeit (206 v.Chr. bis 220 n.Chr.) chines. Einflussgebiet; im 9.Jh. siedelten sich die Uiguren hier an. Die in der Mingzeit (1368–1644) eingedrungenen westmongolischen Stämme wurden 1758 von den mandschur. Qing unterworfen; 1759 Angliederung von S. an das chines. Kaiserreich. Aufständ. Muslime unter Jakub Beg nahmen ab 1864 das Tarimbecken in Besitz (islam. Staat von Kaschgar 1873), im N fast die gesamte Dsungarei, doch eroberten die Chinesen beide Gebiete zw. 1876 und 1878 zurück; 1881 wurde auch das 1871 von Russland besetzte Iligebiet wieder chinesisch; 1884 Schaffung der Prov. S. (O-Turkestan; zw. 1911 und 1941 von der Reg. unabhängig); 1944 Aufstand im Iligebiet und Bildung der prosowjet. Ostturkestan. Rep. in Kuldja; 1949 durch eine für ganz S. zuständige, Peking unterstehende kommunist. Provisor. Volksregierung abgelöst. 1955 wurde S. als Autonome Region konstituiert.

📖 ROSSABI, M.: *China and Inner Asia from 1368 to the present day. London 1975.* – WEGGEL, O.: *Xinjiang, S. Das zentralasiat. China. Eine Landeskunde. Hamburg ³1987.*

Sinking, 1933–45 Name der chinesischen Stadt →Changchun.

Sinkstoffe, absetzbare Stoffe, die mit anderen Wasserinhaltsstoffen ein Maß für organ. und anorgan. Verunreinigungen darstellen.

Sinkstück, *Wasserbau:* mattenartiges Geflecht aus Faschinen, das mit Steinen beschwert und versenkt wird; Unterlage für schwere Baukörper, um ein Absacken im Untergrund zu verhindern.

Sinn, *allg.* und *im philosoph. Sprachgebrauch:* die Bedeutung bzw. der Wert einer Sache, eines Vorgangs, eines Erlebnisses für jemanden oder etwas, daneben auch gleichbedeutend mit Zweck, Funktion. In der sprachanalyt. Philosophie unterschied G. Frege zw. S. und Bedeutung sprachl. Zeichen (»Morgenstern« und »Abendstern« bedeuten dasselbe, haben aber nicht denselben S.). Sinnvolles Handeln strebt einem Ziel zu, das selbst einen Wert darstellt. Dieser S.-Begriff wird auch auf die Geschichte und die Natur übertragen. Seit F. Nietzsche bezieht sich S. auch auf das Selbstverständnis des Menschen (S. des eigenen und des Lebens überhaupt).

📖 BENESCH, H.: *Warum Weltanschauung? Eine psycholog. Bestandsaufnahme. Neuausg. Frankfurt am Main 1990.* – FRANKL, V. E.: *Der leidende Mensch. Anthropolog. Grundlagen der Psychotherapie. Neuausg. München u.a. 1990.* – RAUH, H. D.: *Im Labyrinth der Geschichte. Die Sinnfrage von der Aufklärung zu Nietzsche. München 1990.*

Sinne, *Physiologie:* Sammelbez. für die Fähigkeiten von Mensch und Tier, Reize diffus über den gesamten Körper oder mittels spezieller, den einzelnen S. zugeordneter →Sinnesorgane zu empfinden bzw. wahrzunehmen und gegebenenfalls spezifisch darauf zu reagieren.

Sinnesorgane, 1) *Human-* und *Tierphysiologie:* bei Mensch und Tier Organe **(Rezeptionsorgane)** zur Aufnahme von Reizen aus der Umwelt oder dem Körperinneren, die durch Nerven mit dem Zentralnervensystem verbunden sind. Physikal. (Druck, Temperatur, Licht- und Schallwellen) oder chem. Reize (Geruch, Geschmack) werden von den im Sinnesepithel liegenden →Sinneszellen aufgenommen.

Sinnesorgane

Welches Organ hat den schnellsten Zugang zu unserer Gefühlswelt?

Die Nase. Während die Informationen von Ohr und Auge mehrfach umgewandelt und gefiltert werden, ist das Riechorgan nur ganze zwei Schaltstellen (Synapsen) vom Reich der Emotionen und Hormone entfernt. Die Reize, die die zehn Millionen Rezeptoren aufnehmen, werden gleich über drei Nervenstränge weitergeleitet. Einer führt über den Thalamus, den man auch das »Tor zum Bewusstsein« nennen kann, zur Hirnrinde, der zweite zum Hippocampus, einem zentralen Gefühlszentrum, und der dritte leitet zum Hypothalamus, der unter anderem die Hormonproduktion beeinflusst. Wissenschaftler gehen davon aus, dass der Geruchssinn ursprünglich die Aufgabe hatte, reflexartig und ohne Umweg über das Bewusstsein bei Gefahren Schutzreaktionen auszulösen.

2) *Pflanzenphysiologie:* bei Pflanzen auf einen bestimmten Reiz eingestellte (spezif.) Empfangsorgane **(Perzeptionsorgane),** die meist eine Bewegung auslösen. Die **Fühltüpfel** an den Ranken der Kürbisgewächse z. B. übermitteln bei Berührung mit festen Körpern einen Reiz zum Einkrümmen der Ranke. Noch empfindlicher sind die über die Oberhaut vorgewölbten **Fühlborsten, -haare** und **-papillen,** die z. B. bei den einklappungsfähigen Blatthälften der →Venusfliegenfalle sehr schnelle Bewegungen auslösen.

Sinnestäuschungen, Sinnesempfindungen, die in auffälligem Gegensatz zur Wirklichkeit stehen (Trugwahrnehmungen). Sie beruhen nicht auf einem Fehler des Sinnesorgans, sondern auf der Art der Verarbeitung der Sinnesimpulse im Zentralnervensystem, z. B. die →optischen Täuschungen, die →Illusion und die →Halluzination.

Sinneszellen, bes. differenzierte Epithelzellen der Vielzeller, deren Protoplasma durch Reize von außen eine spezif. Zustandsänderung erfährt, die die Erregung ergibt (Nervenzellen übernehmen nur diese Erregung, bewirken sie also selbst nicht). Die S. können verstreut in der Haut vorkommen oder in Sinnesepithelien oder Sinnesorganen angereichert sein.

Sinn Féin [ʃın feın; irisch »Wir selbst«], irische nationalist. Partei, 1905 von A. Griffith gegr.; setzte sich für eine unabhängige irische Republik ein. Nach der Unterzeichnung des Anglo-Irischen Vertrags vom 6. 12. 1921 (→Irland, Geschichte) spaltete sich die Bewegung in Anhänger (→Fine Gael) und Gegner (→Fianna Fáil) des Vertrags. Ein kleiner radikaler Teil organisierte sich – in enger Verbindung mit der →IRA – weiter unter dem Namen Sinn Féin.

Sinngedicht (Sinnspruch), bei den dt. Dichtern des 17. und 18. Jh. Bez. für → Epigramm. Dt. Dichter von S. waren z. B. F. von Logau, G. E. Lessing, A. G. Kästner.

Sinnkriterium, ein Kriterium, mit dessen Hilfe entschieden werden kann, ob ein Satz sinnvoll ist oder ob er, ein Scheinproblem darstellend, sinnlos ist. Das **pragmatist. S.** von C. S. Peirce misst den Sinn eines Satzes an seiner erfolgreichen prakt. Anwendung. Das **empirist. S.** L. Wittgensteins und des Wiener Kreises bezeichnet einen Satz als sinnvoll, wenn Bedingungen seiner empir. Verifikation gegeben sind.

Sinnlichkeit, 1) *allg.:* Empfänglichkeit für Eindrücke der Sinnesorgane; i. e. S. wird die sexuelle oder erot. Ansprechbarkeit sowie die Aktivität, Lebendigkeit der zugeordneten Triebe als S. bezeichnet.

2) *Erkenntnistheorie:* bes. seit Kant Bez. für das menschl. Vermögen (Rezeptivität), im Erkenntnisprozess Bilder und Eindrücke mittels der Sinne auf- und wahrzunehmen. Die Gegenstände der Erkenntnis werden durch die S. »gegeben«, andererseits durch den Verstand (Spontaneität) geformt. Im Idealismus wird S. als bloße Modifikation des Geistes bestimmt, während der Materialismus sie zum Erkenntnisprinzip (Sensualismus) erhebt.

Sinnpflanze, →Mimose.

Sinologie [grch.] *die,* Chinakunde, Chinawiss., i. e. S. die philolog. Beschäftigung mit chines. Sprache und Kultur. Anders als andere orientalist. Disziplinen konnte die westl. S. auf einer alten einheim. Philologie aufbauen und eine Kultur behandeln, die sich ohne Kontakt zu Europa entwickelt hat. Die westl. S. begann im 17. Jh. mit der Chinamission der Jesuiten, erster Lehrstuhl für S. in Paris (1814).

Sinop, Hafenstadt und Hptst. der türk. Prov. S., am Schwarzen Meer, 25 600 Ew.; Fischerei, Bootsbau; Badeort mit ausgedehnten Sandstränden. – S., das antike **Sinope,** war 183–70 v. Chr. Hptst. des Pontischen Reiches.

Sinope, ein Mond des Planeten →Jupiter.

Giuseppe Sinopoli

Sinopoli, Giuseppe, italien. Dirigent und Komponist, *Venedig 2. 11. 1946, studierte Medizin und Musik; wurde 1972 Dozent für zeitgenöss. Musik am Konservatorium in Venedig; seit 1984 Chefdirigent der Londoner Philharmoniker, daneben seit 1992 auch der Sächs. Staatskapelle Dresden. S. schrieb u. a. die Oper »Lou Salomé« (1981), Orchesterwerke, elektron. Kompositionen.

sinotibetische Sprachen, Sprachgruppe in O- und SO-Asien (China, Tibet, Teile Hinterindiens). Man unterscheidet zwei Hauptgruppen: Zur **Sino-Tai-Gruppe** rechnet man 1) das Chinesische, 2) die Taisprachen mit Laotisch, Thailändisch, Shan und Li sowie 3) die Sprachen der Miao und Yao; zur **tibetobirman. Gruppe** das 1) Tibetische, 2) das Birmanische und das (ausgestorbene) Pyu, 3) die Assamsprachen, 4) die Lolosprachen. Gemeinsame Merkmale sind: Einsilbigkeit der Wortwurzeln, isolierende Struktur und Worttöne (Tonsprachen). Ob eine Urverwandtschaft zw. dem Chinesischen und den Taisprachen besteht, ist jedoch umstritten.

Fred Sinowatz

📖 BENEDICT, P. K.: *Sino-Tibetan. Cambridge, Mass., 1972.*

Sinowatz, Fred, österr. Politiker, *Neufeld an der Leitha (Burgenland) 5. 2. 1929; seit 1971 Abg. zum Nationalrat (SPÖ); 1971–83 Bundesmin. für Unterricht und Kunst, 1981–83 Vizekanzler, war 1983–86 Bundeskanzler (einer SPÖ/FPÖ-Koalition); 1983–88 Vors. der SPÖ.

Grigori Sinowjew

Sinowjew, Grigori Jewsejewitsch (früher Radomylski, nach neueren Angaben Owsei-Gerschen Aronowitsch Radomyschelski-Apfelbaum), sowjet. Politiker, *Jelisawetgrad (heute Kirowograd, Ukraine) 11. 9. 1883, † (hingerichtet) 25. 8. 1936; enger Mitarbeiter Lenins, trat 1917 gegen dessen Kurs eines bewaffneten bolschewist. Aufstandes auf; ab 1917 Vors. des Petrograder Sowjets, 1919–26 Vors. des Exekutivkomitees der Komintern; gehörte ab 1923 der »Troika« Stalin–S.–Kamenew an, die eine kollektive Führung über die Partei ausübte; geriet als Kopf der »Neuen Opposition« 1925 in Konflikt mit Stalin und verlor 1926/27 alle Parteiämter; 1935 zu zehn Jahren Gefängnis, im 1. Moskauer Schauprozess 1936 zum Tode verurteilt; 1988 rehabilitiert.

Renée Sintenis: Porträt des Dichters Ernst Toller (1926; Mannheim, Städtische Kunsthalle)

Sinsheim, Stadt (Große Kreisstadt) im Rhein-Neckar-Kreis, Bad.-Württ., im Kraichgau, 32 800 Ew.; Auto- und Technik-Museum; Metall-, chem., Elektroind.; Weinbau. – 5 km südlich Burg Steinsberg (12. Jh.). – S., 770 erwähnt, seit 1324 Stadt, kam 1338 an Kurpfalz, 1806 an Baden. 1689 im Pfälz. Erbfolgekrieg von frz. Truppen zerstört.

Sinteng (Jaintia, Pnar), Gruppe von Bergbauern in Indien, heute zu den →Khasi gerechnet, denen sie in anthropologischer, sprachl. und kultureller Hinsicht gleichen. Vom Spät-MA. bis zur Eroberung durch Großbritannien (1835) bildeten sie das Reich Jaintia.

Sintenis, Renée, Bildhauerin, *Glatz (heute Klodzko) 20. 3. 1888, †Berlin (West) 22. 4. 1965; schuf meist Kleinplastiken junger Tiere in Bronze und Ton, deren Wesen sie in ihrer charakterist. Bewegung erfasste; auch Aktfiguren, Bildnisköpfe und Radierungen. Zahlr. Werke wurden während des Nationalsozialismus beschlagnahmt und zerstört.

Sinter, mineral. Ausscheidungen aus Quellen oder fließendem Wasser infolge Temperatur- und/oder Geschwindigkeitsänderung oder Kohlendioxid-Abgabe. Am bekanntesten sind **Kalk-** und **Kieselsinter.** In Höhlen bilden sich **Tropfsteine,** aus heißen Quellen **Sprudelsteine.**

Sintern, das Verdichten (Zusammenfritten, Stückigmachen) pulverförmiger oder feinkörniger Stoffe durch Druck und Temperaturen unterhalb des Schmelzpunktes, wobei die Oberflächen der einzelnen Körner miteinander verschweißen. In der Hüttentechnik ist das S. wichtigstes Verfahren zum Verfestigen von Erzen, Metallpulvern u. Ä. In der Keramik wird die geformte Rohmasse gesintert. S. von Kunststoffen bedeutet ihr Aufschmelzen auf Metalle u. a. zum Korrosions- oder Verschleißschutz.

Sintflut [ahd. »große Flut«], in der (mytholog.) Überlieferung vieler Völker eine von Gott bzw. den Göttern ausgelöste urzeitl. Flut, die alles Leben auf der Erde vernichtet habe, mit einem S.-Helden (z. B. →Deukalion), der auf wunderbare Weise überlebte. S.-Sagen (rd. 250) sind weltweit verbreitet. Eng verwandt mit der bibl. S.-Erzählung (→Noah) ist die babylon. Flutsage im Gilgameschepos (→Schuruppak). Eine große Flut findet sich auch im ind. Mythos um →Manu, den Urvater des Menschengeschlechts.

Sinti und Roma, im dt. Sprachraum eingebürgerter Sammelname für →Zigeuner.

Sint-Niklaas (frz. Saint-Nicolas), Stadt in Ostflandern, Belgien, westlich von Antwerpen, 68 400 Ew.; Studienzentrum für Kriminologie und Gerichtsmedizin; Museen; Maschinenbau, Textilbetriebe (bes. Strick- und Jerseybekleidung).

Sintra, Stadt in Portugal, nordwestlich von Lissabon, am NW-Hang der Sierra de S., 20 000 Ew.; Erholungsort mit bed. Ausflugsverkehr; subtropische Parkanlagen; Weltkulturerbe der UNESCO. – Palácio da Pena, ehem. Sommerresi-

Sintflut: Darstellung der Sintfluterzählung des Alten Testaments auf einem Mosaik in der Markuskirche in Venedig (13. Jh.)

denz der portugies. Könige, erbaut 1840–50 unter Einbeziehung von Teilen eines got. Hieronymiten-Bergklosters.

Sinuhe, Held einer um die Mitte des 20. Jh. v. Chr. entstandenen, in zahlr. Abschriften überlieferten altägypt. Erzählung.

Sinŭiju [-dʒu], Provinz-Hptst. in Nord-Korea, am unteren Yalu, gegenüber der chines. Stadt Dandong; 200 000 Ew.; Werft-, Textil- u. a. Industrie, Verkehrsknotenpunkt.

Sinus [lat.] *der,* **1)** *Anatomie:* Höhlung; a) Vertiefung, Ausbuchtung von Organen, b) lufthaltiger Hohlraum in Schädelknochen, c) Hirnblutleiter.

2) *Mathematik:* Funktionszeichen **sin,** eine der →Winkelfunktionen.

Sinushaare (Tasthaare, Vibrissae), bei allen Säugetieren, v. a. bei Raubtieren sowie Nagern und Robben fast stets im Kopfbereich (als **Schnurrhaare, Spürhaare;** auf Oberlippe und Wangen), z. T. auch an den Gliedmaßen und einigen anderen Körperstellen zusätzlich vorkommende steife, lange Sinneshaare als Tastsinnesorgane.

Sinusitis *die,* →Nasennebenhöhlenentzündung.

Sinusknoten (Keith-Flack-Knoten, Sinoatrialknoten, SA-Knoten), primäres Automatiezentrum des Herzens (→Herzautomatismus, →Erregungsleitungssystem).

Sinussatz, grundlegender Satz der ebenen Trigonometrie, nach dem sich die Längen der Seiten eines Dreiecks zueinander verhalten wie die Sinuswerte der jeweils gegenüberliegenden Winkel $a:b:c = \sin\alpha : \sin\beta : \sin\gamma$.

Sinzig, Stadt im Kreis Ahrweiler, Rheinl.-Pf., nahe der Mündung der Ahr in den Rhein, 16 700 Ew.; keram. u. a. Ind., Mineralwasserabfüllung; Fremdenverkehr v. a. im 1969 eingemeindeten Heilbad (erdig-alkal. Thermen) **Bad Bodendorf.** – S. war fränk. und stauf. Königspfalz.

Sion [sjɔ̃], frz. Name der schweizer. Stadt →Sitten.

Sioux ['zi:ʊks, engl. su:], nach ihrer größten Gruppe auch **Dakota,** volkreiche Sprachfamilie der Indianer Nordamerikas (Krähen-Indianer, Mandan, Omaha, Osage u. a.). Die urspr. im östl. Waldland beheimateten S. zogen nach W und stellten einen großen Teil der →Prärie- und Plains-Indianer.

Sipho [grch.] *der, Zoologie:* a) Atemröhre bei vielen Schnecken; der Einleitung des Atemwassers in die Mantelhöhle dienender, lang ausgezogener Fortsatz des Mantel- bzw. Schalenrands; b) bei primitiven Kopffüßern (z. B. Perlboote) ein das gekammerte Gehäuse durchziehender, mit Blutgefäßen ausgestatteter Fortsatz des hinteren Körperendes.

Siphon ['zi:fɔ̃; grch. »Heber«] *der, Sanitärtechnik:* ein →Geruchverschluss.

Siphonophora [grch.], die →Staatsquallen.

Sipo *das* (Utile), rotbraunes dekoratives Holz aus Westafrika; Konstruktions- und Ausstattungsholz (Furnier).

Sintra: Palácio da Pena (1840–50)

Sippe, 1) *Biologie:* Abstammungsgemeinschaft, Individuen einer Art, die in bestimmten genet. Merkmalen übereinstimmen.

2) *Petrologie:* (Gesteinssippe) magmatische Gesteine gleicher Abkunft.

3) *Völkerkunde:* eine über die Kleinfamilie hinausgehende Lebensgemeinschaft von Blutsverwandten (im Unterschied zum →Klan), die auf der Vorstellung gemeinsamer Abstammung, die auch auf einen myth. Ahnen zurückgeführt werden kann, beruht; verbunden durch ein ausgeprägtes Gruppenbewusstsein (Autorität von S.-Ältesten, Ahnenverehrung, Heiratsordnung u. Ä.), nicht notwendig an einem Ort zusammenlebend. Die Abgrenzung zur Großfamilie und zum Stamm ist oft schwierig.

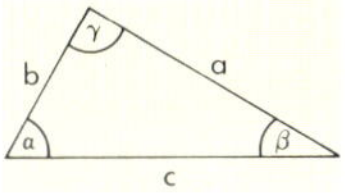

Sinussatz

📖 SCHMITZ, C. A.: *Grundformen der Verwandtschaft. Basel 1964.*

Sippenbild, die Darstellung der um Maria und Anna vereinigten Sippe Jesu. Bilder der hl. Sippe wurden in Fortbildung von Darstellungen der →Anna selbdritt und der →Heiligen Familie im Spätmittelalter bes. nördlich der Alpen gemalt, so vom Meister der hl. Sippe und L. Cranach d. Ä.

Sippenhaftung, im Rechtsstaat unzulässige straf- oder vermögensrechtl. Haftbarmachung der Angehörigen einer Person für Delikte, die dieser zur Last gelegt werden.

Sipplingen, Gemeinde im Bodenseekreis, Bad.-Württ., am Bodensee, 2 100 Ew. – In der flachen Bucht vor S. fand man Reste spätjungsteinzeitl. Siedlungen (»Pfahlbauten«).

SIPRI, Abk. für →**S**tockholm **I**nternational **P**eace **R**esearch **I**nstitute.

Siqueiros [si'kɛiros], José David Alfaro, eigtl. Alfaro S., José David, mexikan. Maler und Grafiker, *Chihuahua 29. 12. 1896, †Cuernavaca 6. 1. 1974; bereiste 1919–22 Europa. Seine Wandgemälde und Mosaiken zeigen einen politisch engagierten Realismus, der mexikan. Volkskunst und europ. Surrealismus vereinigt.

Sir [sɔ:; engl., aus frz. Sire], **1)** engl. Anrede (ohne Namen): Herr.

2) Titel des niederen engl. Adels (Baronet, Knight), vor dem Vornamen geführt (ohne Nennung des Familiennamens).

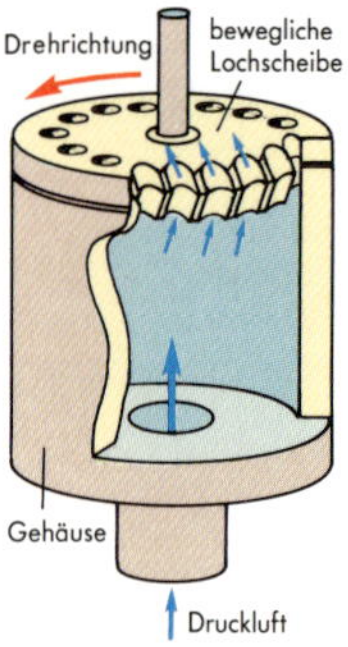

Sirene: Lochsirene mit schrägen Löchern und Druckluftzufuhr

Sirach (Buch Jesus S.), Abk. **Sir.** (in der Vulgata Ecclesiasticus), apokryphe Schrift des A. T.: Sammlung religiös begründeter eth. Handlungsanweisungen; enthält Betrachtungen über Ursprung und Wesen der Weisheit; zw. 180 und 170 v. Chr. verfasst.

Siracusa, italien. Stadt und Prov., →Syrakus.

Sire [si:r; frz., Kurzform von Seigneur], frz. Anrede an Kaiser und Könige.

Sirén, Heikki, finn. Architekt, *Helsinki 5. 10. 1918; eröffnete 1948 mit seiner Frau Kaija (*1920) ein Architekturbüro in Helsinki; bed. Vertreter des →Funktionalismus.

Sirene [nach den Sirenen des grch. Mythos] *die,* Gerät zum Erzeugen eines lauten Schallsignals, meist als Warnsignal. Bei der **Loch-S.** werden die auf einem Kreis angeordneten Öffnungen eines Gehäuses, dem Druckluft oder Dampf **(Dampf-S.)** zugeführt wird, durch eine schnell umlaufende, mit gleich vielen Löchern versehene Scheibe periodisch geöffnet und geschlossen. Der unterbrochene Luft- oder Dampfstrom (Druckschwankung) erzeugt den Ton. Bei der **Motor-S.** treibt ein Motor die Lochscheibe und gleichzeitig einen Schaufelradkompressor oder Zentrifugallüfter zur Drucklufterzeugung an. S. im Ultraschallbereich dienen u. a. zur Entnebelung von Flugplätzen und zur Gasentstaubung.

Douglas Sirk

Sirenen, 1) *grch. Mythos:* Mischwesen, Vogelkörper mit Mädchenköpfen, die von einer Klippe aus die vorüberfahrenden Seeleute durch ihre Gesänge betören und in den Tod locken. Odysseus entging ihnen, indem er die Ohren seiner Gefährten mit Wachs verstopfte und sich selbst an den Mast seines Schiffes binden ließ.

2) *Zoologie:* die Säugetierordnung →Seekühe.

Sirach

Das Buch Jesus Sirach ist das einzige alttestamentliche Buch, dessen Autor namentlich bekannt ist und dessen Entstehungszeit recht eindeutig datiert werden kann. Sirachs Enkel, der das Buch ins Griechische übersetzt hat, nennt im Vorwort seinen Großvater und liefert gleichzeitig eine Jahresangabe: das 38. Regierungsjahr des Euergetes, das Jahr 132 v. Chr.

Sirgenstein, hochragender Jurafelsen bei Blaubeuren, Bad.-Württ. Die im S. gelegene Höhle enthielt vorgeschichtliche Siedlungsschichten; die Ausgrabungen von 1906 belegten für Dtl. erstmals die altsteinzeitl. Stufen von Moustérien bis Magdalénien.

Sirenen 1): Odysseus und die Sirenen, Vasenmalerei auf einer attischen Vase (um 480–475 v. Chr.; London, Britisches Museum)

Sirius [grch.] *der* (Hundsstern), Stern erster Größe, α im Sternbild Großer Hund. S. ist mit einer scheinbaren Helligkeit von $-1^{m}{,}46$ Größenklassen der hellste Fixstern am Himmel und der Sonne, die er an Leuchtkraft um etwa das 23fache übertrifft; verhältnismäßig nahe (Entfernung 8,6 Lichtjahre). Sein Durchmesser ist 1,8-mal größer als der der Sonne, seine Masse beträgt das 2,3fache. S. ist ein Doppelstern, dessen Hauptkomponente **(S. A)** von einem um 10^{m} lichtschwächeren Begleiter **(S. B)** mit 0,94facher Sonnenmasse, einem →weißen Zwerg, in rd. 50 Jahren umkreist wird.

Sirk [sɔ:k], Douglas, eigtl. Detlef Sierck, amerikan. Filmregisseur dän. Herkunft, *Skagen 26. 4. 1900, †Lugano 15. 1. 1987; ab 1937 Regisseur bei der Ufa, seit 1942 in Hollywood; machte in »Zu neuen Ufern« (1937) und »La Habanera« (1937) Zarah Leander berühmt; später u. a. erfolgreich mit »Was der Himmel erlaubt« (1955), »Solange es Menschen gibt« (1959).

Sirmilen (Syrmien, serbokroat. Srem), Landschaft zw. Donau und Save in der Wojwodina, größtenteils in Jugoslawien, rd. 6 900 km^2, 550 000 Ew.; fruchtbares Landwirtschaftsgebiet; in den Städten vielseitige Industrie.

Sirmione, Landzunge am S-Ufer des Gardasees mit dem gleichnamigen See- und Thermalbad (Schwefelquelle), 4 500 Ew. – Mittelalterl. Scaligerburg (14. Jh., später erneuert); Ruinen einer großen röm. Villenanlage aus dem 1. Jh. v. Chr., als »Haus des Catull« (»Grotte di Catullo«) bekannt.

Sironi, Mario, italien. Maler, *Sassari 12. 5. 1885, †Mailand 15. 8. 1961; stand erst dem Futurismus nahe und fand um 1920 seinen eigenen Stil in der Wiedergabe düsterer Industrielandschaften.

Sirtaki *der,* grch. Volkstanz im $^4/_4$-Takt, beginnt langsam und wird immer schneller, wird in Ketten- oder Kreisform getanzt.

Sirup [aus arab.], mit Zucker verkochter natürl. Fruchtsaft, auch die dickflüssige, dunkle Zuckerlösung mit Nebenbestandteilen, die bei der Verarbeitung von Zuckerrohr und -rüben anfällt; pharmazeutisch verwendete S. enthalten mindestens 50% Saccharose, Pflanzenauszüge oder Arzneistoffe; Verwendung v. a. als Hustenmittel.

Sirventes [provenzal. »Dienstlied«] *das,* Gattung der Troubadourlyrik, artikuliert im Ggs. zu den Liebesliedern moral. oder polit. Kritik (Rüge-S.); in der Form zunächst frei, später der Kanzone nachgebildet. Bed. S.-Dichter waren u. a. Bertran de Born und Marcabru.

Sisal [nach der mexikan. Hafenstadt Sisal] *der* (Sisalfaser, Sisalhanf), Faser aus den Blättern der Sisalagave, die wegen ihrer Festigkeit und Geschmeidigkeit zur Herstellung von Seilerwaren, Teppichen u. a. dient; Haupterzeugerländer sind Brasilien, Madagaskar und Mexiko.

Siskind, Aaron, amerikan. Fotograf, *New York 4. 12. 1903, †Paw Tucket (R. I.) 8. 2. 1991; sozialkrit. Fotodokumentationen sowie künstler. Fotografien in einem zum Abstrakten hin tendierenden Stil.

Mario Sironi: »Gasometer« (1920–22; Mailand, Museo d'Arte Contemporanea)

Sisley [si'slɛ], Alfred, frz. Maler engl. Herkunft, *Paris 30. 10. 1839, †Moret-sur-Loing (Dép. Seine-et-Marne) 29. 1. 1899; schloss sich den Impressionisten an, v. a. C. Monet. Sein Thema ist bes. die Landschaft, deren Atmosphäre er erfasst, ohne die Konturen völlig aufzulösen. BILD S. 76

Sismondi [sismɔ̃'di], Jean Charles Léonard Simonde de, schweizer. Volkswirtschaftler und Historiker, *Genf 9. 5. 1773, †ebd. 25. 6. 1842; zunächst

Sirmione: Die inzwischen erneuerte Scaligerburg stammt aus dem 14. Jahrhundert

Anhänger, dann Kritiker des Liberalismus und der klass. Nationalökonomie; gilt mit seiner Unterkonsumtionstheorie (Versagen des Wettbewerbs und, daraus folgend, ungenügende Entlohnung der Arbeiter als Ursachen für ungleiche Einkommensverteilung) als einer der ersten Krisentheoretiker. Er forderte die Intervention des Staates zum Schutz der Arbeiter sowie zur Regelung von Produktion und Verteilung, jedoch keine Kollektivierung der Produktionsmittel.

Werke: Die zwey Systeme der polit. Oekonomie, 2 Bde. (1803); Neue Grundsätze der polit. Ökonomie, ..., 2 Bde. (1819); Histoire des Français, 31 Bde. (1821–44).

📖 *Henry Thornton (1760–1815) – Jeremy Bentham (1748–1832) – James Lauderdale (1759–1839) – Simonde de S. (1773–1842), hg. v.* M. BLAUG. *Aldershot u. a. 1991.*

Sisal: Sisalagave (Stamm bis zu 1 m hoch)

Sissach, Bezirkshauptort im Kt. Basel-Landschaft, Schweiz, 5 100 Ew.; Karosseriebau, Uhren- u. a. Ind.; Fremdenverkehr.

Sistan (Seistan, Sagastan, Sakastana), abflussloses Becken im ostiran. Hochland beiderseits der afghanisch-iran. Grenze; von der Antike bis zu den Mongoleneinfällen (13. Jh.) fruchtbar und dicht besiedelt; heute dürre Steppe, starke Bodenversalzung.

Jean Charles Léonard Simonde de Sismondi (Ausschnitt einer Lithographie, um 1830)

Sistierung [zu lat. sistere »anhalten«], die polizeil. Festnahme von Personen zur Feststellung von Personalien, im Unterschied zur vorläufigen →Festnahme. S. ist nur unter bestimmten Voraussetzungen zulässig (z. B. bei Strafverfolgung durch die Polizeibehörden nach § 163 b,c StPO) und nur, wenn die Personalien nicht an Ort und Stelle festgestellt werden können.

Alfred Sisley: »Schnee in Louvecienne« (1874; Washington, Phillips Collection)

Sistrum [grch.] *das,* antikes Rasselinstrument, bestehend aus einem an einem Handgriff befestigten Metallrahmen, in dem Metallstäbe oder -scheiben lose angebracht sind; durch Schütteln entsteht ein helles, klirrendes Geräusch.

Walter Max Ulyate Sisulu

Sisulu, Walter Max Ulyate, südafrikan. Politiker, *Engcobo (Transkei) 1912; 1949–63 Gen.-Sekr. des African National Congress (ANC), ab 1952 durch Bannverfügungen der Regierung und Haft an öffentl. Tätigkeit gehindert, ging 1963 in den Untergrund, um sich dem Aufbau der bewaffneten ANC-Formation »Speer der Nation« zu beteiligen; wurde 1964 mit N. Mandela zu lebenslanger Haft verurteilt; 1989 freigelassen. 1991–94 war S. Vizepräs. des African National Congress.

Sisyphos, *grch. Mythos:* König von Korinth; musste in der Unterwelt zur Strafe für seine Verschlagenheit (er überlistete sogar Thanatos, den Tod) einen Felsbrocken auf den Gipfel eines steilen Berges wälzen, von dem er aber immer wieder herabrollte. **Sisyphosarbeit,** übertragen für schwere, vergebl. Arbeit.

Sitting Bull (1885)

Sitar [pers.] *der,* Langhalslaute pers. Ursprungs mit birnenförmigem Korpus aus Holz oder Kürbis; die meist 3, 4 oder 7 Metallsaiten werden mit einem Plektron angezupft; wichtiges Instrument der klass. Raga-Musik in Indien; auch in der europ. Kunst- und v.a. Rockmusik populär. BILD indische Musik

SITC, Abk. für engl. **S**tandard **I**nternational **T**rade **C**lassification, das von den UN aufgestellte »Internat. Warenverzeichnis für den Außenhandel«, liegt auch den amtl. Außenhandelsstatistiken der Bundesrep. Dtl. zugrunde.

Sitcom ['sɪtkɔm; Kw. aus engl. **sit**uation **com**edy »Situationskomödie«] *die,* v.a. von Situationskomik bestimmte Serie von Fernseh- oder Radiokomödien mit einzeln abgeschlossenen Episoden und gleich bleibender Rollenbesetzung.

Sit-in [engl.] *das,* von der amerikan. Bürgerrechtsbewegung übernommene Form der (meist polit.) Demonstration (Sitzstreik); mit anderen Protestformen (Go-in, Teach-in) v.a. in den 1960er- und 70er-Jahren an Hochschulen praktiziert.

Sitte, Form der sozialen Norm, die in ihrem Geltungsanspruch und der damit verknüpften Durchsetzbarkeit über Brauch und soziale Gewohnheit hinausgeht (Mussnorm); bezeichnet sowohl die übergeordnete Kategorie des in einer Gesellschaft geforderten und erwarteten Mussverhaltens als auch die einzelnen dazu zählenden Verhaltensweisen (z.B. Tischsitten).

Sitte, Willi, Maler, *Kratzau (heute Chrastava, bei Liberec) 28. 2. 1921; seit 1947 in Halle (Saale), 1974–88 Präs. des Verbandes der bildenden Künstler der DDR; politisch engagierte, großformatige, expressive Kompositionen aus der Welt der industriellen Arbeit, auch Porträts.

Sitten (frz. Sion), Hauptort des Kt. Wallis, Schweiz, im Rhonetal, 491 m ü.M., 25 100 Ew.; kath. Bischofssitz; Museen; Uhren-, Elektroapparate-, Tabak-, ua. Ind.; Fremdenverkehr, Flugplatz. – Got. Kathedrale (15. Jh.), Theodulkirche (16. Jh.), Rathaus (1660/61). Auf dem Doppelfelsen

Willi Sitte: »Chemiearbeiter am Schaltpult« (1968; Halle/Saale, Staatliche Galerie Moritzburg)

die Ruinen des Schlosses Tourbillon (1294ff., 1447 erneuert; 1788 durch Brand zerstört) sowie die Burg Valeria (heute Museum) mit der Wallfahrtskirche Notre-Dame-de-Valère (12./13. Jh.). – Das röm. **Sedunum** wurde 585 Bischofssitz, 1179 als Stadt genannt, schloss sich 1416/17 der Eidgenossenschaft an; seit 1840 Kantonshauptort.

Sittengesetz, Norm zur Begründung und Beurteilung menschl. Handelns. Nach I. Kant findet das S. seinen Ausdruck in der Formel des → kategorischen Imperativs. – Das GG der Bundesrep. Dtl. erklärt das S. in Art. 2 Abs. 1 zu einer wesentl. Grenze der jedem in der Entfaltung seiner Persönlichkeit zugesicherten Freiheit; entscheidend sind die Wertvorstellungen, die nach allg. sittl. Urteil für die Rechtsgemeinschaft bestimmend sind.

Sittenlehre, hauptsächlich in der ersten Hälfte des 19. Jh. (Fichte, Schleiermacher) gebrauchter Begriff für → Ethik.

Sittenwidrigkeit, Verstoß gegen die → guten Sitten, also ein Verstoß »gegen das Anstandsgefühl aller billig und gerecht Denkenden«, welches nicht ein für allemal feststeht, sondern das zeitl. Wandel unterliegt. – Sittenwidrige Rechtsgeschäfte (z.B. Verträge mit wucher. Klauseln, Knebelungsverträge) sind nichtig (§ 138 BGB).

Sitter, Willem de, niederländischer Astronom, *Sneek (Prov. Friesland) 6. 5. 1872, †Leiden 19. 11. 1934; ebd. Prof. und Leiter der Sternwarte, leitete 1917 aus der Relativitätstheorie die Vorstellung eines expandierenden Weltalls ab (Einstein-de-Sitter-Modell).

Sittewald, Philander von, Satiriker, → Moscherosch.

Sittiche [zu lat. psittacus »Papagei«], Sammelbez. für mittelgroße und kleine Papageien mit langem Schwanz. **Keilschwanz-S.** heißt eine Gruppe amerikan. Papageien mit meist grüngelben oder blauen Arten; u.a. der grüngraue **Mönchs-S.** (Myopsitta monachus) mit blauen Handschwingen, der grüne **Aymara-S.** (Amaropsittaca aymara) und der grüne **Nanday-S.** (Nandayus nenday) mit rotem Schnabel. Als **Plattschweif-S.** werden drossel- bis elstergroße Papageien Neuguineas, Australiens und Neuseelands mit kurzem, dickem Schnabel und oft buntem Gefieder zusammengefasst; häufige Käfigvögel sind der **Rosella-S.** (Platycercus eximius) mit rotem Vorderkörper und gelber Brust und der → Wellensittich.

Sitting Bull ['sɪtɪŋ'bʊl; engl. »sitzender Stier«] (indian. Tatanka Yotanka), Häuptling der Hunkpapa-Sioux (Dakota) und Medizinmann, *am Grand River (S. D.) um 1831 (1834?), †(erschossen) bei Fort Yates (N. D.) 15. 12. 1890; einer der Führer des indian. Freiheitskampfes; besiegte 1876 zus. mit Crazy Horse das 7. US-Kavallerieregiment am → Little Bighorn River.

Sitten: Blick auf den die Stadt überragenden Doppelfelsen mit der ehemaligen bischöflichen Burg Valeria (rechts) und den Ruinen des ehemaligen bischöflichen Schlosses Tourbillon (links)

Sittlichkeit, dem → Sittengesetz entsprechendes Denken und Handeln aus freier Entscheidung. S. bezieht sich auf die Gesamtheit menschl. Tuns. Der Mensch handelt dann sittlich (moralisch, ethisch) gut, wenn er sich unter dem Anspruch der S. die Ziele seines Handelns selbst gibt und das Gute zu verwirklichen sucht.

Sitten Stadtwappen

Sittlichkeitsstraftaten, → Sexualstraftaten.

Sittwe, Stadt in Birma, → Akyab.

Situation [frz.] *die,* **1)** *allg.:* Gesamtheit der augenblickl. Umstände, Verhältnisse; Zustand.

2) *Kartographie:* Lageplan, Grundriss; die Darstellung aller topograph. Objekte in der Landkarte.

3) *Philosophie:* der einmalige, unwiederholbare Augenblick, in dem sich für den Einzelnen die unmittelbare konkrete Wirklichkeit darstellt und ihn zur Entscheidung zwingt (→ Situationsethik).

Sittiche: Mönchssittich (Größe 27–30 cm)

Situationsǀethik, Richtung der Ethik, welche die geschichtl. Situation jeder Person und jeder ihrer Handlungen als einmalig ansieht und die sittl. Entscheidung im Ggs. zur Prinzipienethik nur aus der jeweiligen konkreten Situation (und nicht aus allgemein gültigen Normen) hervorgehen lassen will; stark vertreten in der Existenzphilosophie.

Sixtinische Kapelle 1): »Erschaffung Adams«, Detail des Deckenfreskos von Michelangelo (1508-12; Zustand nach der Restaurierung 1980-94)

Sitwell ['sɪtwəl], **1)** Dame (seit 1954) Edith, engl. Schriftstellerin, *Scarborough 7. 9. 1887, †London 9. 12. 1964, Schwester von 2); gilt mit ihrer stark rhythmisierten, dissonanzreichen Lyrik voll spieler. Bildprägungen als Wegbereiterin des literar. Modernismus (»Façade. And other poems. 1920–35«, 1950); veröffentlichte auch biograph. (»Alexander Pope«, 1930) u. a. Prosawerke.

Edith Sitwell

2) Sir (seit 1956) Osbert, engl. Schriftsteller, *London 6. 12. 1892, †Florenz 4. 5. 1969, Bruder von 1); schrieb satir. Gedichte und gesellschaftskrit. Romane sowie Autobiographisches (»Linke Hand – rechte Hand«, 5 Bde., 1944–50).

Sitz, Hauptniederlassung einer Handelsgesellschaft; für Kapitalgesellschaften und Genossenschaften vorgeschrieben. Der S. ist Erfüllungsort und Gerichtsstand.

Sitzbad, Teilbad, bei dem nur Gesäß und Hüftgegend eintauchen. Das kalte S. wird nur als kurzes Tauchbad (z. B. bei Hämorrhoiden) angewendet, das warme S. (30–40 °C) 20 Minuten lang (z. B. bei Unterleibs- und Blasenentzündungen).

Sitzbein, Teil des Hüftbeins, → Becken.

Sitzbuckel, → Kyphose.

Sitzungspolizei, durch den vorsitzenden Richter oder das Richterkollegium ausgeübte richterl. Verfahrenstätigkeit, die der Aufrechterhaltung der äußeren Ordnung in der mündl. Verhandlung dient (§§ 176–183 GVG).

Sivas, Hptst. der Prov. S., Türkei, am oberen Kızılırmak; 219 100 Ew.; Univ.; Nahrungsmittel-, Baustoff-, Textil-, Metall- u. a. Ind.; in der Nähe Asbestgewinnung; Bahn- und Straßenknotenpunkt. – S., das antike **Sebasteia,** hatte Bedeutung als röm. und byzantin. Festung; zeitweilig Seldschukenresidenz (aus dieser Zeit bed. Beispiele seldschuk. Architektur).

Siwa, westlichste Oasengruppe Ägyptens, in der Libyschen Wüste, 50 km lang, 4–6 km breit, bis 24 m u. M., etwa 6 000 Ew.; Anbau von Dattelpalmen, Oliven, Orangen, Weizen. – Im Altertum als **Sekhetam** (grch. **Ammonion**) bed. Orakelstätte des Gottes Amun.

Siwasch (Faules Meer), flaches Haff vor der NO-Küste der Krim, 2 560 km² groß, 2–3 m tief, im O durch die Arabat-Nehrung vom Asowschen Meer getrennt; stark salzhaltig (bis 160 ‰).

Sixtinische Kapelle, 1) päpstl. Hauskapelle im Vatikan, unter Papst Sixtus IV. 1473–81 erbaut, mit Fresken zu Themen aus dem Alten und Neuen Testament von P. Perugino, Pinturicchio, S. Botticelli, D. Ghirlandaio, C. Rosselli, L. Signorelli an den Längswänden (1481/82) und den Fresken Michelangelos: Schöpfungsgeschichte, Propheten, Sibyllen u. a. an der gewölbten Decke (1508–12) und dem Jüngsten Gericht an der Altarwand (1535–41). Teile der Fresken wurden 1980–94 restauriert.

2) (Cappella Musicale Pontificia) der bei Papstmessen mitwirkende Chor, in der Nachfolge der Schola cantorum Romanorum nach der Rückkehr der Päpste aus Avignon (14. Jh.) gegr.; im 15. und 16. Jh. bed. Pflegestätte der Vokalpolyphonie.

Sixtinische Madonna, Altarbild von Raffael (1513–14), nach G. Vasari für die Klosterkirche San Sisto zu Piacenza gemalt; ben. nach deren auf dem Bild dargestellten Schutzpatron Papst Sixtus II.; seit 1754 in der Gemäldegalerie zu Dresden.

Sixtus, Prinz von Bourbon-Parma, belg. Offizier, *Schloss Wartegg (am Bodensee, Schweiz) 1. 8. 1886, †Paris 14. 3. 1934; Bruder der Kaiserin Zita von Österreich-Ungarn; suchte im Frühjahr 1917 ohne Wissen Dtl.s einen Frieden zw. Österreich-Ungarn und der Entente zu vermitteln, im Einverständnis mit seinem Schwager Kaiser Karl I. und dem österr. Außenmin. O. Czernin **(Sixtusaffäre);** Karl I. sprach sich in zwei »S.-Briefen« für die Abtretung Elsass-Lothringens an Frankreich aus. Die Vermittlung scheiterte an der Forderung Italiens nach Abtretung Südtirols.

Sixtus, Päpste:

1) S. IV. (1471–84), eigtl. Francesco della Rovere, *Celle (heute Celle Ligure, Prov. Savona) 21. 7. 1414, †Rom 12. 8. 1484; förderte als Mäzen Kunst

Sixtinische Madonna: Altarbild von Raffael (1513–14; Dresden, Gemäldegalerie)

und Wiss. (u.a. Bau der →Sixtinischen Kapelle); sein Pontifikat gilt als Beginn des eigentl. Renaissancepapsttums mit aufwendiger Hofhaltung und ausgeprägtem Nepotismus.

2) S. V. (1585–90), eigtl. Felice Peretti, *Grottamare (bei Ascoli Piceno) 13. 12. 1521, †Rom 27. 8. 1590; führte eine grundlegende Reform der röm. Kurie durch (Einrichtung von 15 Kardinalskongregationen [Kurienkongregationen]) und stärkte den päpstl. Zentralismus; war ein energ. Verfechter der kath. Reform; gilt wegen seiner ausgedehnten Bautätigkeit (u.a. Vollendung der Kuppel der Peterskirche) als Schöpfer des barocken Rom.

Siziliane *die,* →Stanze.

Sizilianische Dichterschule (italien. Scuola siciliana), Gruppe von Dichtern am Hof Kaiser Friedrichs II. in Palermo, die sich mit der Lyrik der provenzal. Troubadours beschäftigte und deren Formen und Inhalte in die Landessprache umsetzte. Zu den Autoren gehörten außer dem Kaiser selbst und seinen Söhnen Manfred und Enzo u.a. Petrus de Vinea und Giacomo da Lentini.

Sizilianische Vesper, Aufstand der Bürger Palermos gegen Karl I. von Anjou, der am Ostermontag 1282 zur Vesper ausbrach und auf ganz Sizilien übergriff (→Sizilien, Geschichte).

Sizilien (italien. Sicilia), größte Insel Italiens und des Mittelmeers, 25 426 km², mit Nebeninseln als autonome Region 25 707 km², (1995) 5,091 Mio. Ew.; Hptst. ist Palermo. – S. ist durch die Straße von Messina vom Festland getrennt, vorwiegend gebirgig mit schmalen Küstenebenen. Der höchste Berg ist mit 3263 m ü.M. der noch tätige Vulkan Ätna. S. hat heiße, trockene Sommer und milde Winter mit Regen. Die Flüsse trocknen im Sommer vielfach aus. Wald und immergrünes Gebüsch (Macchia) sind im weiten Umfang durch Kulturland verdrängt. Im wasserarmen inneren Hügelland wird extensive Landwirtschaft betrieben (Weizen- und Bohnenanbau, Weidewirtschaft). Die Küstenlandschaften werden intensiv (mit Bewässerung) bebaut (Zitrusfrüchte, Oliven, Wein, Mandeln, Baumwolle u.a.). Außer der Küstenfischerei (Sardellen, Thunfische) wird Hochseefischerei betrieben. Gewinnung von Asphalt und Marmor, Stein- und Kalisalz; Erdöl- und Erdgasförderung, petrochem. Industrie. Bed. Fremdenverkehr. Der trotz aller Reformversuche weiterhin vorherrschende Großgrundbesitz mit seiner Auswirkung auf die soziale Lage der Kleinpächter lässt die wirtsch. Entwicklung weit hinter den naturgegebenen Möglichkeiten zurückbleiben. Auch der Aufbau der Ind. konnte der Bev.abwanderung nach Oberitalien und in andere europ. Länder nur begrenzt entgegenwirken. BILD Italien

Geschichte: Die ältesten Bewohner S.s waren Sikaner, die von einwandernden Sikulern nach W gedrängt wurden. Seit der Mitte des 8. Jh. v. Chr. wanderten Griechen ein (grch. Gründungen u.a. Naxos, Messina, Catania, Syrakus, Gela, Agrigent). S. wurde zum westl. Mittelpunkt der grch. Kultur. Der W der Insel mit Palermo war im Besitz der Karthager, ein Grund ständiger Auseinandersetzungen. Nach dem 1. →Punischen Krieg wurde S. röm. Provinz; es galt als Kornkammer Italiens. 440 wurde die Insel von den Wandalen, 493 von den Ostgoten in Besitz genommen, 535 von den Byzantinern und 827 von den Arabern erobert. 1061–91 kam S. durch Roger I. unter normann. Herrschaft als Teil des Königreichs →Neapel, mit dem die Insel 1194 an die Staufer kam. Diese schufen hier, v.a. durch Friedrich II., einen modernen

Papst Sixtus IV. (zeitgenössischer Stich)

Papst Sixtus V. (zeitgenössischer Stich)

Sixtus V.

Ein Papst als Banditenschreck!

Als Papst Sixtus V. 1585 sein Pontifikat antrat, lebten die braven Einwohner des Kirchenstaates in Angst und Schrecken vor den schwer bewaffneten Banden und Straßenräubern. Statt Amnestie gabs zur Krönung erst einmal die Hinrichtung von vier bösen Buben an der Engelsbrücke.

Die anschließenden Maßnahmen waren raffiniert und von durchschlagendem Erfolg begleitet: Kopfgelder waren von nun an von den Verwandten der Banditen oder ihrer Heimatgemeinde aufzubringen. Bandenmitglieder, die einen Kumpan auslieferten, erhielten für sich und einige von ihnen zu benennende Personen Begnadigung und eine Belohnung.

In kürzester Zeit war das Bandenwesen verschwunden. Auf dem Grabmal des Papstes sind eingedenk dieser Leistung Männer zu sehen, die abgeschlagene Räuberköpfe einhertragen.

Verwaltungsstaat. 1268 unterlagen sie Karl I. von Anjou, der 1282 nach der **Sizilian. Vesper** S. an König Peter III. von Aragonien verlor. König Alfons V. von Aragonien stellte 1442 die Vereinigung

Sizilien in der Antike

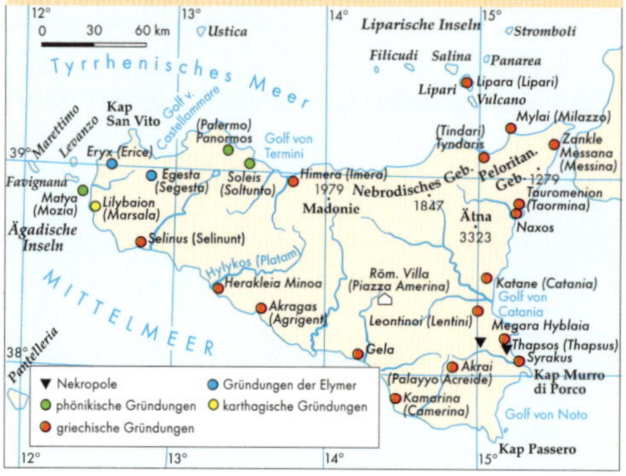

S.s mit dem Königreich Neapel wieder her. 1713 kam S. an Savoyen, 1720 an die österr. Habsburger. Als Unteritalien 1806–15 in frz. Hand war, konnte sich Ferdinand IV. unter brit. Schutz auf S. behaupten. 1815 wurden Neapel und S. erneut vereinigt, seit 1816 unter dem Namen **Königreich beider Sizilien.** Bei den liberalen Revolutionen von 1820/21 und 1848/49 erstrebten die Sizilianer vergeblich eine staatsrechtliche Sonderstellung. 1860 stürzte Garibaldi durch seinen Freischarenzug nach S. die Bourbonenherrschaft auf der Insel, die 1861 ein Teil des Königreichs Italien wurde. Seitdem besteht die Aufgabe, die wirtsch., kulturelle und polit. Rückständigkeit der Insel gegenüber dem N Italiens auszugleichen.

Maj Sjöwall

Die →Mafia als Gegenmacht zur staatl. Ordnung konnte durch Mussolini nur vorübergehend unterdrückt werden. Nach der Landung der Alliierten 1943 kam es auf der Insel zu schweren Kämpfen. Um separatist. Bestrebungen entgegenzuwirken, erhielt S. 1946 kulturelle und wirtsch. Autonomie. Die Erfolge der versch. Entwicklungsprogramme wurden trotz beträchtl. investierter Mittel durch die Verquickung von Mafia und Bürokratie und durch Korruption behindert.

📖 NORWICH, J. J.: *Die Normannen in S. 1130–94. A. d. Engl. Wiesbaden ²1973.* – FINLEY, M. I.: *Das antike S. A. d. Engl. München 1979.* – FINLEY, M. I. *u. a.: Geschichte S.s u. der Sizilianer. A. d. Engl. München 1989.* – PICHLER, H.: *Italien. Vulkangebiete, Bd. 4: Ätna, S. Berlin u. a. 1984.* – REIMANN, H. *u.* REIMANN, H.: *S. Studien zur Gesellschaft u. Kultur einer Entwicklungsregion. Augsburg 1985.* – GRAUBNER, W.: *Kleine Geschichte S.s. München 1988.* – *S. – Insel zw. Orient u. Okzident, Beiträge v.* B. CARNABUCI *u. a. Köln 1992.*

Sizilische Expedition, Expedition der Athener auf Betreiben des Alkibiades 415–413 v. Chr. gegen Syrakus. Ziel war die Einbeziehung Siziliens in den athen. Machtbereich. Die S. E. endete mit einer völligen Niederlage der athen. Streitmacht und brachte eine Wende des Peloponnes. Krieges zugunsten Spartas.

SJ, Abk. für lat. **S**ocietas **J**esu, →Jesuiten.

Sjewerodonezk, Stadt in der Ukraine, →Sewerodonezk.

Sjöwall ['ʃø:val], Maj, schwed. Schriftstellerin, *Stockholm 25. 9. 1935; verfasste zus. mit ihrem Mann P. Wahlöö den zehnbändigen R.-Zyklus »Roman über ein Verbrechen« (1965–75), der unter Ausnutzung des Genres des Kriminalromans eine krit. Analyse der schwed. Gesellschaft bietet.

Skabiles [lat.] *die,* →Krätze.

Skabiose [lat.] *die* (Scabiosa), Gattung der Kardengewächse in Eurasien und Afrika, Kräuter oder Halbsträucher; heimisch u. a. die **Tauben-S.** (Skabiosa columbaria), bis zu 50 cm hoch mit blauvioletten Blütenköpfchen, und die in über 1000 m Höhe wachsende **Glänzende S.** (Scabiosa lucida), 30 cm hoch mit rotlilafarbenen Blüten.

Skagen ['sga:ɣən], nördlichste Stadt Dänemarks, Amt Nordjütland, Hafen an der O-Küste der Halbinsel Skagens Odde, 13 900 Ew.; Kunst-, Freilichtmuseum; Fischerei, Fischkonserven- und Fischmehlind.; Fremdenverkehr.

Skagerrak ['sga:ɣərag], Teil der Nordsee, zw. Dänemark (Jütland), Norwegen und Schweden, in seinem nördl. Teil 725 m tief (Norweg. Rinne). – Die **Seeschlacht vor dem S.** (31. 5./1. 6. 1916) zw. der dt. und der brit. Flotte war die einzige große Seeschlacht im 1. Weltkrieg. Trotz takt. Erfolge der dt. Flotte musste sie angesichts der brit. Übermacht die Schlacht abbrechen, die damit unentschieden blieb.

Skala [italien.] *die,* **1)** *Messwesen:* die →Skale.

2) *Musik:* die →Tonleiter.

3) *Sozialwissenschaften:* →Skalierung.

Sizilische Expedition

Thukydides beschreibt die euphorische Stimmung der Athener vor der Expedition nach Sizilien:

»Als nun die Schiffe bemannt und alles endlich eingeladen war, womit sie auslaufen wollten, ward durch eine Trompete Schweigen geboten, und die Gebete, die vorm Ankerlichten bräuchlich sind, sprachen sie nicht für jedes Schiff einzeln, sondern ein Herold für alle zusammen, wozu sie in den Mischern Wein mischten der ganzen Flotte entlang und aus goldnen und silbernen Bechern die Krieger auf den Schiffen und die Befehlshaber die Spende opferten. Und in den Ruf stimmte der ganze übrige Haufe vom Lande mit ein, die Bürger und wer sonst dabei war und ihnen Gutes wünschte. Nach dem Hymnus und der Darbringung der Opfer lichteten sie die Anker und liefen zunächst in Linie aus, dann gabs eine Wettfahrt bis Ägina.«

Skalar [lat.] *der,* **1)** *Mathematik, Physik:* (skalare Größe) Größe, die im Unterschied zu Vektoren und Tensoren höherer Stufe durch eine einzige (von Ort zu Ort veränderl.) Zahl und ihre Einheit beschrieben wird, deren Wert also nicht von der Wahl der Koordinaten abhängt. Physikal. S. sind z.B. Temperatur, Masse, Ladung, Energie.

2) *Zoologie:* →Segelflosser.

Skalarprodukt (inneres Produkt), das Produkt zweier Vektoren $\boldsymbol{a} = (a_1, \ldots, a_n)$ und $\boldsymbol{b} = (b_1, \ldots, b_n)$ eines reellen Vektorraumes $\mathbb{R}^n$, das durch

$$a \cdot b = (\mathrm{a}, \mathrm{b}) = \sum_{i=1}^{n} a_i b_i = |a| \cdot |b| \cdot \cos \gamma$$

definiert ist, wobei $|\boldsymbol{a}|$ und $|\boldsymbol{b}|$ die Beträge (Längen) der Vektoren und γ der von ihnen eingeschlossene Winkel ist.

Skaldendichtung, in der altnord. Literatur die nichtepische stroph. Dichtung der Skalden. Sie umfasst Preis-, Schmäh- und Liebesdichtung; ihre Blütezeit erlebte sie in den Fürstenpreisliedern der Wikingerzeit (9.–11. Jh.). Metrik und Stil sind charakterisiert durch kunstvolle Versmaße und poet. Umschreibungen (→Kenning). Hauptmetrum ist das →Dróttkvætt, die skald. Großform das Fürstenpreislied (→Drápa). Die älteste überlieferte S. ist die »Ragnarsdrápa« von Bragi. Auch nach der Christianisierung Ende 10./Anfang 11. Jh. bewahrte die S. die heidnisch-mytholog. Stoffe und Figuren (→Snorri Sturluson). Neben der edd. Dichtung und der Saga gehört sie zu den genuinen literar. Schöpfungen des norweg.-isländ. Kulturkreises; Elemente des skald. Stils haben sich bis heute in der isländ. Volksdichtung (Rímur) erhalten.

📖 Kreutzer, G.: *Die Dichtungslehre der Skalden. Meisenheim* [2]*1977.* – See, K. von: *S. Eine Einführung. München 1980.*

Skale [italien. scala »Leiter«] (Skala), *Messwesen:* an Messinstrumenten angebrachte Maßeinteilung, bestehend aus einer geraden (z.B. bei Maßstäben) oder kreisförmigen (z.B. bei Zeigergeräten) Stricheinteilung **(Strich-S.)** und Angabe der Einheit der zu messenden Größe, z.B. Zeit-S., Temperatur-S.; man unterscheidet **lineare S.** (gleiche Teilstrichabstände) und **nichtlineare S.** (z.B. logarithm. S.); bei Digitalanzeigen treten aufeinander folgende Ziffern an die Stelle der Teilungsstriche **(Ziffernskale).**

Skalierung, Verfahren zur Herstellung einer Skala. In den *Sozialwiss.* ist eine **Skala** die Menge der Ausprägungen eines Merkmals oder einer Variablen und deren strukturierte Darstellung. Man unterscheidet 1) **Nominalskala,** für Merkmale, deren Merkmalsausprägungen nicht in einer Größer-Kleiner-Beziehung stehen (z.B. die Haarfarben blond, braun, schwarz) und denen be-

Skanden: Jotunheim mit dem Massiv des 2460 m hohen Galdhøpig

stimmte Zahlenwerte zugeordnet werden müssen; 2) **Ordinal-** oder **Rangskala** für Merkmale, für die eine Größer-Kleiner-Beziehung besteht, ohne dass der Abstand zw. den Rängen ein bestimmtes Ausmaß hätte (z.B. die Platzierung von Sportwettkämpfern); 3) **Intervallskala,** die eine Rangskala mit gleichen Abständen und frei festzulegendem Nullpunkt ist (z.B. die Temperaturskala); 4) **Verhältnisskala**, eine Intervall-S. mit einem absoluten Nullpunkt (z.B. Umsatz, Gewinn).

Skabiose: Glänzende Skabiose (Höhe 10–30 cm)

Skalp [engl. »Kopfhaut«] *der,* Stück behaarter Kopfhaut, das dem besiegten lebenden oder toten Feind als Trophäe abgenommen wurde. Das **Skalpieren** war urspr. bei Indianern im SO Nordamerikas verbreitet, wurde, v.a. nachdem die Weißen S.-Prämien ausgesetzt hatten, bes. von den Prärie- und Plains-Indianern übernommen.

Skalpell [lat.] *das,* chirurg. Messer mit unbewegl. oder auswechselbarer Klinge.

Skanden, Gesamtname für das die Skandinav. Halbinsel durchziehende Gebirgssystem, bis über 2400 m hoch (Jotunheim, Kebnekaise), jedoch im N meist mit Mittelgebirgscharakter.

Skanderbeg (türk. Iskander-Beg, alban. Skënderbeu, eigtl. Gjergj Kastriota), alban. Feldherr und Nationalheld, *1405, †Alassio (heute Lezhë) 17. 1. 1468; seit 1423 als Geisel am Hof des Sultans in Adrianopel, trat zum Islam über; floh 1443, einigte Albanien (1444 Alban. Liga) und wurde zum Organisator des Widerstands gegen die Osmanen, der bis 1478/79 anhielt. Held vieler Dichtungen (u.a. bei C. Marlowe und Lope de Vega).

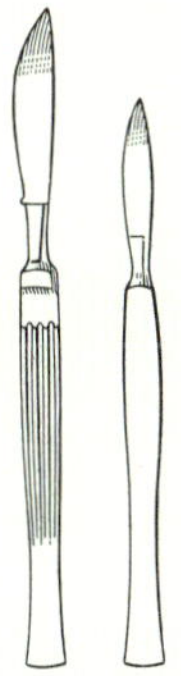

Skalpell

skandieren [lat.], 1) einen Vers nach seiner rhythm. Gliederung sprechen; 2) rhythmisch und abgehackt, in einzelnen Silben sprechen.

Skandinavien, Halbinsel N-Europas mit →Norwegen und →Schweden (i.w.S. auch Dänemark und Finnland). S. umfasst rd. 750000 km² und erstreckt sich etwa 1800 km weit in nordsüdl. Richtung bei einer Breite von 300–700 km.

skandinavische Kunst, die Kunst Dänemarks, Norwegens und Schwedens (→dänische Kunst, →norwegische Kunst, →schwedische Kunst); über die Kunst in den skandinav. Ländern vor Einführung des Christentums →germanische Kunst.

skandinavische Sprachen (nordgerman. Sprachen), die dänische, färöische, norwegische, isländische und schwedische Sprache sowie das bis ins 18. Jh. auf den Shetland- und Orkneyinseln gesprochene Norn.

Skarabäus

In Ägypten benutzte man Nachbildungen der bekanntesten Art dieser Käfer, des »Heiligen Pillendrehers«, als Amulett, Schmuck oder Siegel. Der »Scarabäus sacer« ist ein Kotkäfer, der als Larvennahrung eine große Kotkugel formt, die mithilfe der Hinterextremitäten fortgerollt wird. Dieses Verhalten wurde religiös ausgedeutet: das Rollen der Mistkugel als Hervorbringen des Sonnenballs und das scheinbare Entstehen des Käfers aus dem Erdboden als ungeschlechtliche Zeugung. Der Skarabäus galt daher als Gestalt des Schöpfergottes Chepre, »der von selbst entstand« und zugleich der Sonnengott am Morgen ist.

Seit Beginn des Mittleren Reiches erhielten Siegel die Gestalt des Skarabäus: Auf ihre Unterseite sind Namen von Königen oder Beamten, auch religiöse Maximen in Hieroglyphen sowie Ornamente und Symbole graviert. Die großen Herzskarabäen wurden den Toten über dem Herzen in die Mumienbinde gewickelt. Auf den größeren Gedenkskarabäen verewigten Könige des Neuen Reiches Ereignisse wie Heiraten und Jagden.

Skarabäus: Detail eines Schmucks aus dem Grab des Tutanchamun

Skandinavismus *der,* im 19. Jh. die v. a. von Dänemark und Schweden ausgehenden Bestrebungen zur Herstellung der kulturellen, wirtsch. und polit. Einheit der skandinav. Länder. Die urspr. von der Romantik geprägte, akadem. und literar. Bewegung gewann in den Deutsch-Dän. Kriegen 1848–50 und 1864 um Schleswig-Holstein vorübergehend polit. Charakter. Nach der dän. Niederlage 1864 trat die kulturelle und wirtsch. Orientierung in den Vordergrund (1873/75 bis zum 1. Weltkrieg Skandinav. Münzunion), die im 20. Jh. zur Kooperation der drei skandinav. Staaten im Nord. Interparlamentar. Verband (seit 1907) und im →Nordischen Rat führte.

Skansen, volks- und landeskundl. Freilichtmuseum in Stockholm, Schweden, auf der parkartig bewaldeten Insel Djurgården, 30 ha; ältestes Freilichtmuseum Europas (eröffnet 1891).

Skapolithe [lat.-grch.], Mineralgruppe, eine Reihe isomorpher, tetragonaler Mischkristalle mit den kaum vorkommenden reinen Endgliedern **Marialith,** $Na_3[Al_3Si_9O_{24}] \cdot NaCl$, und **Mejonit,** $Ca_3[Al_6Si_6O_{24}] \cdot CaCO_3$. Die S. sind farblos oder weiß, die Kristalle meist säulenförmig; im Bereich der Kontaktmetamorphose entstanden. Farbige Varietäten werden als Schmucksteine verwendet. BILD S. 84

Skapulier [lat.] *das,* Teil der Tracht mancher kath. Orden (z. B. Benediktiner, Dominikaner), zwei lange Tuchbahnen über dem Hauptgewand, die Brust und Rücken bedecken.

Skarabäus [grch. »Pillendreher«] *der* (Scarabaeus), Blatthornkäfergattung, bes. die Art **Heiliger Pillendreher** (→Pillendreher) der Mittelmeerländer. Weil der junge S. einer Dungkugel entschlüpft, wurde er im alten Ägypten als Urwesen und als eine Gestalt des Sonnengotts angesehen. Nachbildungen des S. wurden im alten Ägypten als Schmuck, Amulett oder auch als Siegel benutzt.

Skaraborg ['ska:rabɔrj], VerwBez. (Län) in S-Schweden, 7938 km², zw. Väner- und Vättersee; (1995) 279900 Ew., Hptst. ist Mariestad.

Skaramuz (italien. Scaramuccia, frz. Scaramouche) *der,* Gestalt der Commedia dell'Arte (→Capitano) und des frz. Lustspiels.

Skármeta, Antonio, chilen. Schriftsteller, * Antofagasta 7. 11. 1940; lebte 1973–89 im Exil in Berlin (West). Seine Visionen und Realität mischenden Romane (»Ich träumte, der Schnee brennt«, 1975; »Mit brennender Geduld«, 1984, verfilmt), Erzählungen (»Der Radfahrer vom San Cristóbal«, 1973, verfilmt), Essays, Hörspiele und Drehbücher (»Es herrscht Ruhe im Land«, 1976) sind der Gegenwart Chiles und der Exilsituation gewidmet.

Skarn [schwed. »Schmutz«] *der,* metamorphes Kalksilikatgestein, meist grobkörnig; S. können wertvolle Erzlagerstätten bilden **(Skarnerze).**

Skat [aus italien.] *der,* Kartenspiel für drei Personen mit 32 dt. oder frz. Spielkarten. Jeder Teilnehmer bekommt zehn Karten, zwei werden verdeckt als »S.« beiseite gelegt. Die Spiele werden nach Art und Trumpffarbe versch. bewertet. Eichel (Kreuz oder Treff) zählt von den Farben am höchsten, dann folgen Grün (Pik, Schippen), Rot (Herz, Cœur), Schellen (Karo, Eckstein). Das Spiel wird von dem gespielt, der am höchsten gereizt hat. Er darf den S. aufnehmen und gegen zwei seiner Karten austauschen. Er gewinnt, wenn er von den im Spiel vorhandenen 120 Punkten (Augen) mindestens 61 erreicht. Gewinnt der Gegner keinen Stich oder bleibt im Schneider (unter 30 Punkte), wird höher berechnet, ebenso bei Handspielen, bei denen der S. nicht aufgenommen wird, und Großspielen (Grand), bei denen nur die vier Wenzel (Unter, Buben) Trümpfe sind. Bei negativem Spiel »Null« gewinnt, wer keine Punkte hat. Alle Spiele können auch offen (frz. ouvert) gespielt werden, dann muss der Spieler nach dem ersten Ausspielen seine Karten aufdecken.

Skateboard ['skeɪtbɔ:d, engl.] *das,* ein 75–100 cm langes, 25–30 cm breites, konkav geformtes

Brett, zumeist aus Fiberglas, mit vier an zwei Achsen federnd befestigten, kugelgelagerten Kunststoffrollen. Der auf dem S. stehende Läufer steuert es durch Verlagern des Körpergewichts, Schwung holt er durch Abstoß vom Boden mit einem Fuß. Bei sportl. Wettbewerben werden Slalom, Hochsprung, Freestyle mit Trickvorführungen und Steilwandfahren (Halfpipe) ausgetragen. – Abwandlungen sind das S. mit einem Segel, das zum **Windskating** benutzt wird, sowie das **Snowboard** zum Gleiten auf Schnee.

Skating|effekt ['skeɪtɪŋ-, engl.], bei herkömml. Plattenspielern eine Kraft, die das Abtastsystem des Tonabnehmers gegen die innere Seite der Rille drückt, sodass an der äußeren Seite der Kontakt verschlechtert wird; führt bes. bei Stereophonie wegen unterschiedl. Auflagekraft für beide Kanäle zu Verzerrungen. Deshalb wird eine kompensierende Gegenkraft erzeugt **(Antiskating).**

Skatingtechnik ['skeɪtɪŋ-, engl.] (Freie Technik), *nord. Skisport:* Langlauftechnik mit Schlittschuhschritten nach beiden Seiten. Bei einigen Wettbewerben Vorschrift.

SKE, Abk. für → **S**tein**k**ohlen**e**inheit.

Skeetschießen ['ski:t-, engl.], *Schießsport:* Form des Wurfscheibenschießens mit Schrotflinten. Dabei nehmen die Schützen auf einer halbkreisförmigen Anlage bei jedem Schuss einen anderen Standplatz ein. Die Wurfscheiben (»Tauben«) werden aus zwei »Häusern« rechts und links der Schießbahn geschleudert (phasenweise auch gleichzeitig). Auf jede Scheibe kann der Schütze nur einen Schuss abgeben (125 Tauben), Endkampf der sechs besten Schützen mit 25 Schuss.

Skeleton ['skelɪtn, engl.] *der,* niedriger Rennschlitten mit einem Gewicht von 33–37 kg (Frauen) oder 47 kg (Männer), Spurweite 38 cm, Länge 100 cm. Der Fahrer liegt bäuchlings auf dem Schlitten und steuert durch Gewichtsverlagerung.

Skelett [grch.] *das,* im weitesten Sinne der innere **(Endo-S.)** und/oder äußere Stützapparat **(Ekto-S.)** beim Menschen und tier. Organismen, wobei die zur Abstützung nötige Versteifung durch den Wasserinhalt des Körpers bzw. die Zölomflüssigkeit (z.B. bei den Ringelwürmern) bewirkt werden kann **(hydrostat. S.),** meist jedoch durch besondere Stützstrukturen zustande kommt, die durch die Einlagerung von Kieselsäure oder, häufiger, von Kalk verfestigt bis extrem verhärtet sind. Im Unterschied zum v.a. bei den Wirbellosen häufig vorkommenden, den Körper umhüllenden Ekto-S. liegt das knorpelige bzw. knö-

Antonio Skármeta

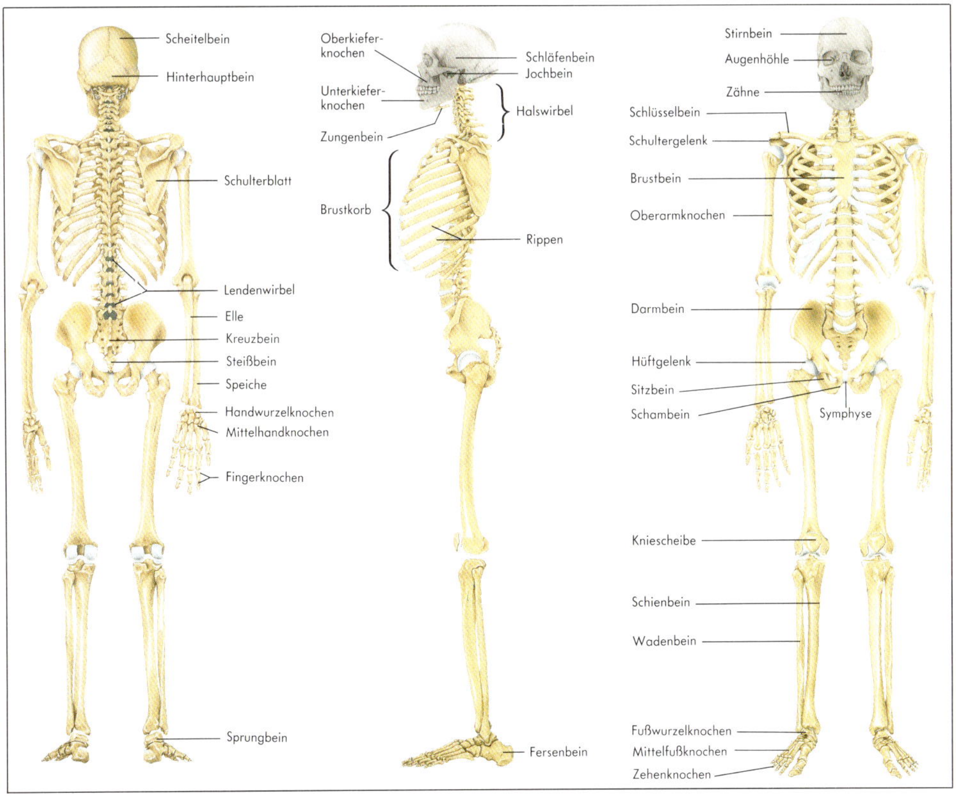

Skelett: menschliches Skelett in Rücken-, Seiten- und Vorderansicht (von links)

Skapolithe: säulenförmige Aggregate

cherne Endo-S. im Körper, der von ihm durchsetzt bzw. durchzogen wird. Es findet sich v.a. bei den Schwämmen, Blumentieren und Wirbeltieren, wobei das Knorpel- oder Knochengerüst **(Gerippe)** der Wirbeltiere (einschl. des Menschen) das S. i.e.S. ist und als Stütz-, Befestigungs- und Schutzapparat dient; es stellt die Gesamtheit der miteinander verbundenen Knochen dar.

Skelettbauweise, eine Bauweise, bei der Gerippe aus Holz, Stahl, Stahlbeton das Bauwerk-Traggerüst bilden, das durch Mauerwerk u.Ä. oder nicht tragende Bautafeln ausgefüllt wird; u.a. im Fachwerkbau, heute bes. bei Hochhäusern.

Skelettböden, stark mit Gesteinsteilen (meist über 2 mm Durchmesser) durchsetzte Böden, z.B. an Steilhängen.

Skelettküste, die bes. verkehrsfeindl. Küste der Wüste Namib, Namibia, v.a. der Teil nördlich von Swakopmund.

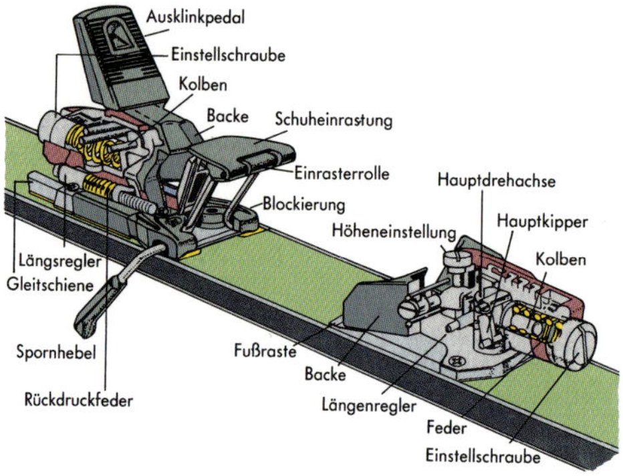

Ski: Teilschnittdarstellung einer modernen Skibindung

Skellefteå [ʃɛˈlɛftəoː], Großgemeinde im VerwBez. Västerbotten, N-Schweden, am Skellefteälv, 10 km oberhalb seiner Mündung in den Bottn. Meerbusen, 75 700 Ew.; Hafen in **Skelleftehamn.** Hütte (Arsenverarbeitung und Schwefelsäurewerk). Im Hinterland das **Skelleftefeld,** ein Erzbergbaugebiet (Pyrit, sulfid. Nichteisenerze mit Kupfer-, Blei-, Kobalt-, Zink-, Nickel-, Quecksilber-, Selen- und Edelmetallgehalt, bedeutendes Arsenvorkommen), mit dem zu S. gehörenden Bergbauort →Boliden.

Skelton [ˈskeltn], John, engl. Schriftsteller, *Diss (Cty. Norfolk) um 1460, †Westminster (heute zu London) 21. 6. 1529; Geistlicher, Erzieher des späteren Königs Heinrich VIII.; schrieb moral. und polit. Satiren (gegen das Hofleben und Kardinal T. Wolsey).

Skene [grch.] *die,* im altgrch. Theater niedrige Aufbauten (mit den Ankleideräumen) am Abschluss des Bühnenpodiums, vor denen die Schauspieler auftraten; im röm. Theater der Kaiserzeit hohe Bühnenwand (scenae frons).

Skepsis [grch.] *die,* Zweifel, krit., zurückhaltende, misstrauische Betrachtungsweise. Die erkenntnistheoretische S. prüft Wahrheitsansprüche durch Infragestellen (Kritizismus).

Skeptizismus [grch.] *der,* philosoph. Richtung, die die Skepsis zum allgemeinen Prinzip des Denkens erhebt. Sie ist als Standpunkt unbefangener Nachprüfung bes. in der Wiss., als Standpunkt grundsätzl. Zweifels (an der Möglichkeit, zu einer absolut sicheren Erkenntnis der Wahrheit zu gelangen) in der Philosophie bedeutsam geworden. In der Antike vertraten die Sophisten, Pyrrhon von Elis und seine Schule (Skeptiker) sowie die Philosophen der späteren Akademie, später Änesidemus und Sextus Empiricus einen radikalen, in der Neuzeit M. de Montaigne, P. Bayle, D. Hume u.a. einen vorwiegend auf das moral., religiöse und metaphys. Gebiet eingeschränkten Skeptizismus.

📖 WATKINS, J.: *Wissenschaft u. S. Aus dem Engl. Tübingen 1992.*

Sketch [skɛtʃ; engl. »Skizze«, »Studie«] *der,* kleine dramatisch-kabarettist. Form, oft ironisch-witzig, meist bezogen auf aktuelle Ereignisse.

Ski [ʃiː; norweg. »Scheit«] (Schi) *der,* aus versch. Materialien gefertigter, brettförmiger sportlicher Schnee(gleit)schuh. Er hat am vorderen Ende eine aufgebogene Schaufel, die Lauffläche hat in Längsrichtung eine oder mehrere Führungsrillen. Der S. wird mit einer S.-Bindung am S.-Stiefel befestigt, im alpinen Bereich werden Sicherheitsbindungen verwendet, die so einstellbar sind, dass sie sich lösen, bevor es zu Beinverletzungen kommt. Im Freizeitsport kann man heute für das Alpinfahren zw. stärker (»Carving-S.«) und weniger tailliertem S. (»Normal-S.«) wählen, beim Carving-S. werden Schwünge eher auf den Kanten geschnitten gefahren als gerutscht. Im S.-Langlauf wird im Wettbewerbssport in der ›freien Technik‹ der Skating-S. verwendet, für die ›klass. Technik‹ der traditionelle längere Lauf-S., der auch im Freizeitbereich überwiegt. (→Skisport)

Skiathos, Insel der Nördl. Sporaden, Griechenland, 48 km^2, 4100 Ew.; z.T. bewaldet; Oliven-, Weinbau, Fremdenverkehr.

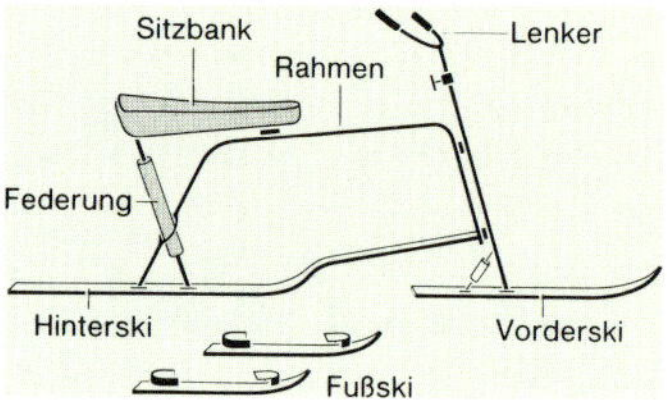

Skibob

Skibob [ʃiː-], Wintersportgerät und Sportart, in der alpine Wettbewerbe ausgetragen werden. Der S. ist einspurig und besteht aus einem fahrradähnl. Rahmen auf einer Gleitkufe (Hinterski), außerdem besitzt er eine Lenk- oder Leitkufe (Vorderski). Der sitzende Fahrer trägt an jedem Fuß einen kurzen Ski.

Skidmore, Owings & Merrill ['skɪdmɔ:, 'əʊɪŋz ənd 'merɪl], Abk. **SOM** [esəʊ'em], amerikan. Architekturbüro, baute seit 1952 für Großfirmen, Banken und Verwaltung (Konsulatsgebäude der USA u.a. in Bremen, Düsseldorf, Stuttgart, Frankfurt am Main). – *Werke:* Sears Tower in Chicago (1969–74); National Commercial Bank (1982) und Flughafen in Djidda (1982; BILD Djidda).

Skien ['ʃe:ən], Hptst. der Prov. Telemark, Norwegen, 48 300 Ew.; Museum; Holz-, Papier- , Nahrungsmittel-, elektrotechn. Industrie.

Skierniewice [skjɛrnjɛ'vitsɛ], Hauptstadt der Wwschaft S., Zentralpolen, 47 600 Ew.; Forschungsinst. für Obstbau und Blumenzucht; Klimaanlagen-, Maschinenbau, Glashütte. – S. erhielt 1457 Stadtrecht.

Skiff [engl.] *das, Rudern:* der Einer (Ruderboot für eine Person).

Skiffle [skɪfl, engl.] *der,* auch *das,* aus der afroamerikan. Musik abgeleitete volkstüml. Musik mit stark akzentuiertem, pulsierendem Rhythmus und Blueselementen; typisch sind neben dem Banjo einfache Instrumente wie Waschbrett, Kistenbass, geblasener Kamm. Die S.-Gruppen entstanden im Chicago der 1920er-Jahre. In den 1950er-Jahren ging der S. in den Amateurjazz über.

Skifliegen ['ʃi:-], Disziplin des nord. Skisports, bei der die erzielte Weite und Haltung des Springers gewertet werden. (→Skispringen)

Skijöring ['ʃi:jø:riŋ, norweg.] *das,* Skifahren hinter einem Vorspann (Motorrad, Auto, Pferd, Ren). Als Wettkampfdisziplin Geschwindigkeitswettbewerb über 4 bis 5 km im Einzelstart.

Skikda (bis 1963 Philippeville), Hafenstadt in NO-Algerien, 141 200 Ew.; Erdölraffinerie, Erdgasverflüssigungsanlage, petrochem. u.a. Ind.; Pipelines von Hassi Rmel und Hassi Messaoud; Erdöl- und Erdgasexporthafen.

Skilift ['ʃi:-], Seilbahn oder Aufzug, der Skiläufer befördert. Beim **Schlepplift** wird der Skifahrer, mit den Skiern auf der Schneedecke, von einem Seil den Hang hinaufgezogen, beim **Sessellift** benutzt er Sitze, die am Zugseil angeklemmt sind.

Skineffekt (Hauteffekt), die Erscheinung, dass hochfrequente Wechselströme aufgrund der Selbstinduktion vorwiegend in einer dünnen Oberflächenschicht des Leiters fließen. Zur Abschwächung des S. verwendet man Hohlrohre mit großer Oberfläche oder Leiter aus dünnen, miteinander verdrillten Drähten (Hochfrequenzlitze).

Skinheads ['skɪnhedz; engl. »Hautköpfe«], meist jugendl. Angehörige einer Subkultur, die durch kurz geschorene Haare oder Glatze, Kleidung (Stiefel) und militantes Auftreten auffallen. Die Gewaltbereitschaft und Fremdenfeindlichkeit vieler S. wird v.a. als Reaktion auf Chancenlosigkeit und Statusängste gesehen. Viele S. neigen zu rechtsextremen und neofaschist. Vorstellungen.

Skinke [grch.] (Glattechsen, Walzenechsen, Wühlechsen, Scincidae), fast ausschließlich die Tropen und Subtropen bewohnende Familie meist 20–30 cm (maximal 65 cm) langer Echsen mit walzenförmigem, gestrecktem Körper und glatten, glänzenden, mit Knochenplättchen unterlegten Schuppen; meist Bodenwühler; ernähren sich v.a. von Insekten und Pflanzenteilen. Die **Sand-S.** (Gattung Scincus) verschwinden bei Gefahr blitzschnell im lockeren Sand, z.B. der **Apotheker-S.** (Scincus officinalis).

Skinke: Apothekerskink (Länge bis zu 21 cm)

Skinner ['skɪnə], Burrhus Frederic, amerikan. Psychologe, *Susquehanna (Pa.) 20. 3. 1904, †Cambridge (Mass.) 18. 8. 1990; seit 1948 Prof. an der Harvard University; einer der Hauptvertreter der (neo-)behaviorist. Verhaltens- und Lernforschung (→Behaviorismus). Durch seine tierexperimentelle Forschung v.a. mit Ratten und Tauben mit der von ihm entwickelten S.-Box oder dem Problemkäfig schuf er eine systemat. Begründung der behaviorist. Lerntheorie; schrieb »Futurum zwei« (1948); »Erziehung als Verhaltensforschung« (1968); »Was ist Behaviorismus?« (1974).

Burrhus F. Skinner

Skipetaren, Eigenbez. der →Albaner.

Skiren, ostgerman. Volk, urspr. wohl an der Weichsel ansässig; im 4. Jh. n. Chr. in Verbindung mit Herulern und Rugiern am nördl. Karpatenrand erwähnt, bevor sie an die Donau vorstießen; gerieten später in Abhängigkeit von den Hunnen. Nach Kämpfen mit den Ostgoten (um 470) traten viele S. (unter ihnen →Odoaker) in röm. Heeresdienst.

Skis *der,* Spielkarte, →Sküs.

Skisport ['ʃi:-], Sammelbez. für die Anwendung des Skis im Freizeit- oder Breitensport (Abfahrtslauf, Skiwandern, Marathonläufe), im alpinen und nord. Leistungssport sowie im Biathlon u.a. Sonderformen, z.B. beim Freestyle- oder Trickskifahren. Der alpine S. gliedert sich in Abfahrtslauf, Slalom, Riesenslalom, Super-Riesenslalom (Super-G) und alpine Kombination, der nord. in →Langlauf, Skispringen und nordische Kombination. Sitz des Dt. Ski-Verbandes ist München.

Geschichte: In Norwegen wurden bereits im MA. Langlaufwettbewerbe ausgetragen; ab etwa 1850 wurden in ganz Norwegen die unterschiedlichsten skisportl. Wettbewerbe durchgeführt, aus denen sich die nord. Kombination mit Skispringen und -langlauf herausschälte, zuerst ab 1879 als Huseby-Rennen, ab 1892 die bis heute noch traditionellen Holmenkollenrennen bei Oslo. In den Alpen entwickelte sich unter Verwendung kürzerer Ski in den 1890er-Jahren aus dem nord. Skilauf das alpine Skifahren.

Sklaverei: Liegeplan für das Zwischendeck eines Sklaventransportschiffes zur größtmöglichen Ausnutzung des Schiffsraumes (18. Jh.)

Skispringen [ˈʃiː-] (Sprunglauf), Disziplin des nord. Skisports (als Wettkampf v. a. für Herren), das Springen in zwei oder drei Durchgängen von einer Sprungschanze, bei dem die nach Haltung und Weite errungenen Punkte über den Sieg entscheiden. S. wird als Wettkampf von der Normal- (meist 70 m) und von der Großschanze (90 m) ausgetragen. Skifliegen über 120 m Weite wird von Flugschanzen durchgeführt. S. ist ein Teil der nord. Kombination. Die Sprungtechnik gliedert sich in Anlauf, Absprung vom Schanzentisch, Flug und Landung (Aufsprung). Während des Fluges soll der Körper bei weiter Vorlage und ruhiger Haltung der Arme möglichst ruhig in der Luft liegen. Dabei können die Skier entweder geschlossen oder seitlich ausgestellt (V-Sprung) sein. Bei der Landung muss die Skiführung geschlossen sein (Telemark-Aufsprung). Ein Sprung gilt als gestanden, wenn der Springer in vollem Gleichgewicht von der Aufsprungbahn in den Auslauf gelangt. Die Weite eines Sprunges wird von der oberen Kante des Schanzentisches (Absprungfläche) bis zur Mitte der Aufsprungstelle gemessen. Für das Sommertraining gibt es Mattenschanzen, die einen Keramikbelag besitzen.

Skizze [italien.] *die,* **1)** *bildende Kunst:* die rasche Fixierung eines Natureindrucks oder einer künstler. Idee, ohne Einzelheiten auszuarbeiten (als Vorstufe für ein Gemälde, Bild- oder Bauwerk).

2) *Literaturwissenschaft:* a) erster Entwurf, Handlungsgerüst, vorläufige Fassung eines literar. Werks; b) nicht eindeutig definierbare Bez. für einen kurzen, formal und oft auch stilistisch bewusst nicht ausgeformten Prosatext.

Skladanowsky [-ki], Max, Filmpionier, *Berlin 30. 4. 1863, †ebd. 30. 11. 1939; Schausteller, führte im Berliner »Wintergarten« 1895 mit einem von ihm entwickelten Bildwerfer (»Bioskop«) die ersten Filmaufnahmen in Dtl. öffentlich vor.

Sklavenkriege, mehrere große Aufstände der Sklaven gegen die Römer, so in Sizilien 136–132 v. Chr. und 104–101 v. Chr., in Kleinasien 133–130/129 v. Chr. und der Aufstand des →Spartacus in Italien 73–71 v. Chr.

Sklavenküste, früher Bez. für die Oberguineaküste zw. Voltamündung und Nigerdelta; im 18. Jh. Hauptgebiet des atlant. Sklavenhandels.

Sklavensee, Name von Seen in Kanada: →Großer Sklavensee, →Kleiner Sklavensee.

Sklaverei, die völlige rechtliche und wirtsch. Abhängigkeit eines Menschen **(Sklave)** als Eigentum eines anderen **(Sklavenhalter).** Die S. bildete v. a. im Altertum eine entscheidende Wirtschaftsgrundlage, behielt aber auch später außerhalb Europas, wo die →Leibeigenschaft grundsätzlich von S. zu unterscheiden ist, Bedeutung. Sklaven wurden als Arbeitskräfte in den verschiedensten Bereichen (Landwirtschaft, Gewerbe, Bergbau, Hausdienst, im Röm. Reich auch als Gladiatoren) eingesetzt; ein Teil von ihnen erlangte Vertrauensstellungen (Ärzte, Lehrer) und vereinzelt sogar hohe Ämter. Das i. d. R. gesetzlich geregelte Eigentumsrecht der Sklavenhalter ließ auch den Verkauf und die Bestrafung (sogar die Tötung) des Sklaven zu. Urspr. gerieten hauptsächlich Kriegsgefangene in die S., die sich später aber auch auf Menschenraub, Schuldknechtschaft, Bestrafung und unfreie Geburt gründete. – S. gab es schon in den altoriental. Kulturen Vorderasiens. Im antiken Griechenland nahm erst seit dem 6. Jh. v. Chr. der Sklavenhandel größeres Ausmaß an; im Röm. Reich erlebte die S. ihren eigentl. Aufschwung seit dem 2. Jh. v. Chr. als Folge der röm. Eroberungszüge im O (Hunderttausende von versklavten Kriegsgefangenen); es

Sklaverei

Aus dem ersten Sklavengesetz der Plantagenkolonie South Carolina von 1740:

»Sklaven ist es verboten, etwas Feineres zu tragen als Negertuch, ... blaues oder kariertes Leinen oder karierten Baumwollstoff.
Es ist verboten, dass mehr als sieben männliche Sklaven ohne weiße Begleitperson eine öffentliche Straße benutzen; sollte dies geschehen, ist jeder Weiße berechtigt, sie aufzugreifen und mit bis zu 20 Peitschenhieben zu bestrafen.
... Besitzern oder anderen Personen, die Sklaven in ihrer Obhut haben, ist es unter Androhung von 20 Pfund Strafe verboten, Sklaven in der Zeit vom 25. März bis 25. September länger als 15 Stunden und in der Zeit vom 25. September bis 25. März länger als 14 Stunden arbeiten zu lassen.«

kam wiederholt zu Sklavenaufständen (→Sklavenkriege, →Spartacus). In den Ländern Nordafrikas und Vorderasiens hielt sich die S. bis in die Neuzeit hinein (in Saudi-Arabien erst 1963 abgeschafft). Einen neuen Höhepunkt erreichte die S. vom 16. bis 18. Jh. durch den transatlant. Sklavenhandel der europ. Kolonialmächte nach Amerika. 1542 hatte die span. Krone für Spanisch-Amerika und 1570 (endgültig 1758) die portugies. Krone für Brasilien unter dem Einfluss der kath. Kirche die Versklavung der Indianer verboten; an ihre Stelle traten aus Afrika verschleppte Sklaven. In den brit. Kolonien Nordamerikas trat die S. erst spät auf. 1619 waren die ersten afrikan. Sklaven nach Virginia gebracht worden. 1860 lebten in den USA rd. 4 Mio. schwarze Sklaven; ihr Einsatz in der Landwirtschaft (v. a. auf den Baumwollplantagen) wurde zur Grundlage des sozialen und ökonom. Systems des amerikan. Südens.

Erst mit der Aufklärung entstand im 18. Jh. eine Antisklavereibewegung (Abolitionismus, →Abolition). 1807 wurde Sklavenhandel auf brit. Schiffen verboten. 1815 fasste der Wiener Kongress einen gemeinsamen europ. Beschluss gegen die S. Im brit. Kolonialreich wurde die S. 1833, in den frz. Kolonien 1848, in den niederländ. Kolonien seit 1863 und in Brasilien 1888 aufgehoben. In den USA, wo die S. in den Nordstaaten 1804 abgeschafft worden war, war die Sklavenfrage ein Hauptmotiv für den Sezessionskrieg, der zur Emanzipation der Sklaven führte: Ein Verbot der S. fand 1865 als 13. Zusatz Eingang in die Verfassung. Die internat. Zusammenarbeit zur Bekämpfung der S. wurde 1926 vom Völkerbund durch die Antisklavereiakte verstärkt. Trotz Ächtung der S. durch die Menschenrechtskonvention der UN (1948) gibt es bis heute v. a. in der Dritten Welt sklavereiähnl. Formen der Abhängigkeit.

📖 BROCKMEYER, N.: *Antike S.* Darmstadt ²1987. – HÖFLING, H.: *Römer – Sklaven – Gladiatoren. Der Spartakusaufstand. Sonderausg. Darmstadt 1987.* – PARISH, P. J.: *Slavery: history and historians. New York 1989.* – *S. in Afrika, hg. v.* H. BLEY *u. a. Pfaffenweiler 1991.*

skler... (sklero...) [grch.], hart..., starr...

Sklerenchym [grch.] *das,* Festigungsgewebe in nicht mehr wachsenden Pflanzenteilen, meist aus lang gestreckt-spindelförmigen, toten Zellen, die zu Strängen, Bändern oder Scheiden vereinigt sind.

Skleroproteine, Gruppe von Proteinen, die Faserstruktur besitzen und die Gerüstproteine des Organismus sind. Im Unterschied zu den →Sphäroproteinen sind sie unlöslich.

Sklerose [grch.] *die,* krankhafte Verhärtung eines Organs oder Organteils infolge Verdickung und Neubildung von Bindegewebsfasern (z. B. Arteriosklerose).

Sklerotium [grch.] *das,* Entwicklungsform (Ruhe- und Dauerstadium, z. B. →Mutterkorn) einiger Pilze, besteht aus dichtem Geflecht dickwandiger Pilzfäden (Hyphen).

Skobelew, 1907–24 Name der usbek. Stadt →Fergana.

Škocjan ['ʃko:tsjan] (dt. Sankt Kanzian), Ort in Slowenien, östlich von Triest, berühmt durch sein Höhlensystem (Škocjanske jame) im Karst: Die bis zu 28 m hohen Einzelhöhlen werden von der Reka durchflossen, die dabei Seen und Wasserfälle bildet. Ein Teil der Höhlen wurde von vorgeschichtl. Menschen bewohnt. Von der UNESCO zum Weltkulturerbe erklärt.

Škoda-Werke ['ʃkɔda-], ehemaliges tschechisches Maschinenbauunternehmen v. a. in Pilsen; Verw.sitz: Prag; gegr. 1859 von J. N. Graf Waldstein als Maschinenfabrik, 1866 von Emil von Škoda (*1839, †1900) übernommen, 1939 den Reichswerken Hermann Göring angegliedert, 1946 verstaatlicht. Bei der Umwandlung in eine AG übernahm die Volkswagen AG 1991 einen Teil (inzwischen 70 %) der Škoda-Autowerke in Mladá Boleslav (Jungbunzlau), heute Škoda automobilová a.s.

Skoliose [zu grch. skoliós »krumm«] *die,* dauerhafte seitl. Verbiegung und Drehung der Wirbelsäule mit Verformung der Wirbel und des Brustkorbes **(Rippenbuckel).** S. kommt angeboren vor oder entwickelt sich im Wachstumsalter aus Haltungsschäden, ungleicher Beinlänge, Lähmungen u. a. Die *Behandlung* besteht je nach Schweregrad in krankengymnast. Übungen, Anpassung eines orthopäd. Korsetts oder operativer Korrektur.

Skolopender: Gürtelskolopender (Länge bis zu 15 cm)

Skolopender [grch.] *der,* Ordnung 2–26 cm langer trop. und subtrop. Hundertfüßer (Teilgruppe der →Tausendfüßer), einige Arten auch im Mittelmeergebiet, z. B. der bis zu 15 cm lange **Gürtel-S.** (Scolopendra cingulata; der Biss großer Arten ist sehr schmerzhaft.

Skonto [italien. »Abzug«] *der* oder *das,* prozentualer Abschlag vom Preis einer Ware oder Dienstleistung (Preisnachlass) bei sofortiger oder kurz-

Max Skladanowsky

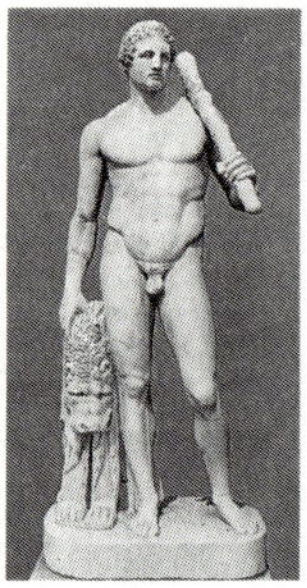

Skopas von Paros: »Herakles Lansdowne«, römische Marmorkopie nach dem Bronzeoriginal (360/350 v. Chr.; Malibu, Calif., Jean Paul Getty Museum)

Skopje Stadtwappen

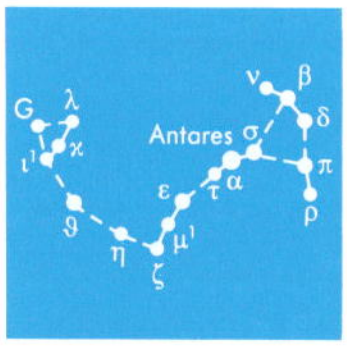

Skorpion: die markantesten Sterne im Sternbild

fristiger Zahlung; auch als Barzahlungsrabatt bezeichnet.

Skontration [italien.] *die,* **1)** *Bankwesen:* Ausgleich von gegenseitigen Forderungen und Schulden durch Auf- bzw. Abrechnung.

2) *Buchführung:* Bestandsermittlung durch Mengenfortschreibung aufgrund der einzelnen Zu- und Abgänge, im Unterschied zur Inventur.

Skontro [italien.] *das, Buchführung:* Neben- und Hilfsbuch zur Erfassung von Bestandsmengen durch Aufzeichnung der Ein- und Ausgänge nach Art, Menge und Wert.

Skopas von Paros, grch. Bildhauer und Architekt des 4. Jh. v. Chr., neben Praxiteles der bekannteste spätklass. Marmorbildner, wirkte vermutlich am Relieffries der Amazonenschlacht des Mausoleums in Halikarnassos mit. Die ihm zugeschriebenen Werke sind kraftvoll und von bewegtem seel. Ausdruck. Einige, in kaiserzeitl. Kopien erhaltene Skulpturen werden auf ihn zurückgeführt (u. a. Mänade in Dresden, Meleager u. a. in den Vatikan. Sammlungen, »Herakles Lansdowne« u. a. in Malibu, Calif.).

Skopelos, Insel der Nördl. Sporaden, Griechenland, stark bewaldet, bis 680 m ü. M., 95,5 km², 4 500 Ew.; Anbau von Pflaumen; Fremdenverkehr.

Skopje (türk. Üsküp), Hauptstadt der Rep. Makedonien, am Vardar, im fruchtbaren Becken von S., 440 600 Ew.; Sitz eines orth. Metropoliten und eines kath. Bischofs; Univ. (gegr. 1949), Makedon. Akademie der Wiss. und Künste, Forschungsinstitute, Museen, Kunstgalerie, Theater; Eisen- und Stahlwerk, Maschinenbau, chem., Nahrungsmittel- u. a. Ind.; Verkehrsknotenpunkt, internat. Flughafen. – 1963 durch ein Erdbeben größtenteils zerstört; seither wieder aufgebaut, von mehreren Satellitenstädten umgeben. Von der Altstadt sind die Erlöserkirche (17./18. Jh., im 19. Jh. umgebaut), mehrere Moscheen, das türk. Bad und die Karawanserei (um 1550) erhalten. – Urspr. illyr. Siedlung; seit dem 3. Jh. **(Scupi)** röm. Garnison und Hptst. eines Distrikts; 695 als S. erstmals erwähnt; 6.–12. Jh. byzantinisch; ab 1189 zu Serbien (zeitweise Residenz der serb. Könige); 1383–1913 zum Osman. Reich, 1913 zu Serbien, 1918 zu Jugoslawien; seit 1945 Hptst. von Makedonien.

Skopzen [russ. skopec »Kastrat«], um 1775 gegr. russ. religiöse Sondergemeinschaft, die von ihren Mitgl. unter Berufung auf versch. Bibelstellen (z. B. Mt. 19,12; Mk. 9,43) die Kastration forderte; Mittelpunkt ihrer (Geheim-)Lehre ist die völlige geschlechtl. Enthaltsamkeit als Bedingung für den Eingang ins Himmelreich. Trotz beständiger staatl. Verfolgung (Verbannung von S. nach Sibirien) breitete sich das Skopzentum in ganz Russland aus, bes. unter reichen Kaufleuten. Im 19. Jh. spalteten sich die bis heute bestehenden **»geistlichen S.«** ab, die ebenfalls strenge geschlechtl. Enthaltsamkeit, aber keine Kastration verlangen.

Skorbut [mlat.] *der* (Scharbock), Vitaminmangelkrankheit, die bei völligem Fehlen von Vitamin C (Ascorbinsäure) in der Nahrung nach vier bis sechs Wochen entsteht; gekennzeichnet durch Hautblässe, Mattigkeit, Apathie, ausgedehnte Haut-, Schleimhaut- und Muskelblutungen, Lockerung und Ausfallen der Zähne, Verzögerung der Wundheilung und Störungen der Herztätigkeit; bei Kleinkindern kommt es zusätzlich zu Störungen des Knochenwachstums (→Moeller-Barlow-Krankheit). Zur Behandlung des S. dienen Vitamin-C-Gaben in hohen Dosen und Vitamin-C-reiche Ernährung.

Skorpion [grch.] *der* (Scorpius), *Astronomie:* Sternbild am südl. Sternhimmel mit dem Stern 1. Größe Antares, das 8. Zeichen des Tierkreises, Zeichen ♏.

Skorpione: Der Italienische Skorpion (Euscorpius italicus) wird bis zu 4 cm lang

Skorpione (Scorpiones), v. a. in den Tropen und Subtropen verbreitete Ordnung bis zu 18 cm langer Spinnentiere mit krebsscherenartigen Kiefertastern und einem Giftstachel am schmalen, bewegl. Hinterleibsende. S. sind nachtaktive Tiere, die versteckt vorwiegend in trockenen, wasserarmen Gebieten leben. Sie ernähren sich v. a. von Insekten u. a. Gliederfüßern. S. stechen den Menschen nur, wenn sie in Bedrängnis geraten; ihr Stich ist schmerzhaft, bei einigen Arten auch gefährlich; sie sind z. T. lebend gebärend (die Jungen halten sich dann eine Zeit lang auf dem Rücken der Mutter auf); nördlichste Vorkommen der S. in Europa: bis zu 4 cm lange Arten aus der Gattung Euscorpius in Südtirol und S-Schweiz.

Skorpionsfliege, →Schnabelhafte.

Skoten (lat. Scoti), von den Römern gebrauchte Bez. für die Iren, die seit dem 3. Jh. wiederholt in das römisch beherrschte Britannien einfielen und sich im 5./6. Jh. in (dem erst seit dem 11. Jh. nach ihm benannten) Schottland festsetzten (Königreich Dalriada). Die S. unterwarfen unter ihrem König Kenneth I. MacAlpin in der Mitte des 9. Jh. das Reich der → Pikten.

Skunks: Streifenskunk (Kopf-Rumpf-Länge 58 - 80 cm, Schwanzlänge 18 - 40 cm)

Skotom [grch.] *das,* Ausfall eines umschriebenen Bezirks im → Gesichtsfeld; normal am »blinden Fleck« des Auges, krankhaft z. B. bei Erkrankungen der Netzhaut, der Aderhaut oder des Sehnervs. (→ Flimmerskotom)

Skou [sgɔu̯], Jens Christian, dän. Physiologe und Biophysiker, *Lemvig (Amtsbezirk Ringkøbing) 8. 10. 1918; Prof. für Physiologie und Biophysik, erhielt 1997 für die Entdeckung des ersten Ionen transportierenden Enzyms (Natrium, Kalium stimulierte Adenosintriphosphatase; Na^+, K^+-ATPase) den Nobelpreis für Chemie. Dieses Enzym hält das Gleichgewicht von Natrium- und Kaliumionen in der lebenden Zelle aufrecht.

Skövde [ˈʃœvdə], Gemeinde im Verw.gebiet (Län) Skaraborg, Schweden, zw. Väner- und Vättersee, 48 500 Ew.; Kfz-Motorenbau, Zement-, Textilind.; nahebei Abbau von Kalken und uranhaltigen Alaunschiefern.

Skript [engl., von lat. scriptum »Geschriebenes«] *das,* schriftl. Ausarbeitung, bes. Nachschrift einer (jurist.) Hochschulvorlesung, Drehbuch (Film), schriftl. Aufzeichnung (Grundlage einer Fernseh- oder Hörfunksendung) sowie kurz für Manuskript.

Skrjabin, Alexandr Nikolajewitsch, russ. Komponist, *Moskau 6. 1. 1872, †ebd. 27. 4. 1915; komponierte zunächst Klavierwerke in der Tradition von F. Chopin und F. Liszt; für sein späteres Schaffen ist ein in Quarten geschichteter »myst.« Akkord (c-fis-b-e^1-a^1-d^2) bestimmend. Mit seinen harmon. Experimenten und dem Streben nach einer Verbindung von Musik und Farblichtspiel wirkte er anregend auf die Entwicklung der Musik des 20. Jahrhunderts.

Werke: Klaviermusik, drei Sinfonien (1900, 1901, 1904), sinfonische Dichtungen Poème de l'extase (1905–08), Prométhée. Le poème du feu (1908–10).

📖 *A. S., hg. v.* O. Kolleritsch. *Graz 1980.* – Schibli, S.: *A. S. u. seine Musik. München 1983.*

Skrupel [lat.] *der,* Bedenken, Gewissensbisse.

Skrupel [lat.] *das* (Scrupel), altes Apothekergewicht, ca. 1,2 g.

Skubiszewski [-ˈʃef-], Krzysztof, poln. Politiker und Völkerrechtler, *Posen 8. 10. 1926; war 1989–93 Außenmin.; seit 1994 nichtständiges Mitgl. des Internat. Gerichtshofes in Den Haag.

Skuld, eine der drei → Nornen.

Skullboot, Ruderboot, bei dem jeder Sportler zwei, jeweils steuerbord und backbord einzusetzende relativ kurze und leichte Holme mit Ruderblättern (Skulls, fälschlich als Ruder bezeichnet) zum Antrieb des Bootes führt.

Skulptur [lat.] *die,* Bildwerk, Werk der → Bildhauerkunst.

Skunk *der,* Pelz der Skunks. Der Pelzhandel unterscheidet kurz- und langstreifige sowie schwarze und weiße Skunks.

Skunks [engl., aus Algonkin] (Stinktiere, Mephitinae), amerikan. Unterfamilie der Marder; plumpe, spitzschnäuzige Tiere mit buschigem Schwanz; mit großen, bei Bedrohung eine übel riechende Flüssigkeit absondernden Stinkdrüsen. Das ölige Sekret kann mehrere Meter weit gezielt gespritzt werden. Die Grundfärbung des Oberhaars ist schwarz mit weißer Zeichnung. Der **Streifen-S.** (Mephitis mephitis), bis zu 80 cm lang, hat einen breiten weißen Nackenstreifen, der sich zur Schwanzwurzel hin gabelt.

Jens Christian Skou

Alexandr Skrjabin

Skunks

Wie lange hält sich der Gestank nach einer unglücklichen Begegnung mit einem Stinktier?

Exakte Angaben sind nicht zu machen, aber seien Sie versichert, er scheint ewig anzuhalten. Handschuhe, die von einem Skunk besprüht wurden, stanken auch nach einem Jahr noch bestialisch. Die bernsteinfarbene Flüssigkeit, die die Stinktiere (es gibt in Nord-, Mittel- und Südamerika neun verschiedene Arten) aus ihren Afterdrüsen versprühen, stinkt nicht nur, sondern enthält auch einen sehr gefährlichen Giftstoff. Er kann die Nasenschleimhäute zerstören, führt über den Mund zu starkem Brechreiz und erzeugt im Auge unerträgliche Schmerzen und vorübergehende Blindheit. Aber bevor der Skunk losspritzt, führt er zunächst einmal allerlei Drohgebärden vor. Der Fleckenskunk macht sogar noch einen Handstand.

skurril [lat.], absonderlich, eigenwillig, verschroben.

Sküs [aus frz. excuse »Entschuldigung«] *der* (Skus, Skis), dem Joker entsprechende Karte beim Tarock, sticht nicht und kann nicht gestochen werden.

Skutari, 1) Stadt in Albanien, → Shkodër.

2) Stadtteil von Istanbul, → Üsküdar.

Skutarisee (alban. Liqeni i Shkodrës, serbokroat. Skadarsko jezero), größter See der Balkanhalbinsel, zw. Albanien und Montenegro, 4,5 m ü.M., rd. 390 km² (davon 148 km² alban. Hoheitsgebiet); stark schwankender Wasserstand.

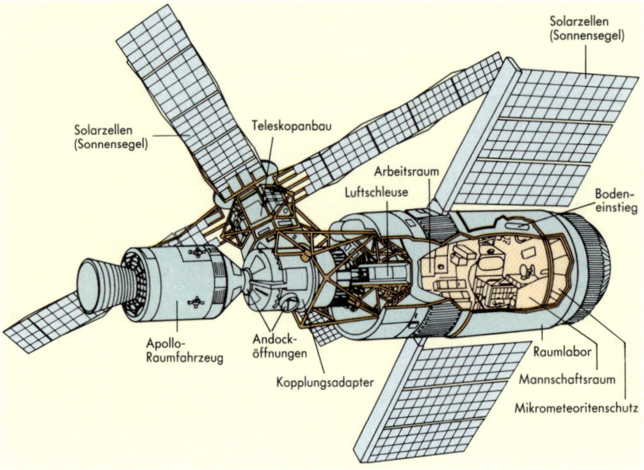

Skylab: Teilschnittdarstellung der Raumstation mit angedocktem Apollo-Raumfahrzeug

Skutterudit *der* (Speiskobalt, Smaltin), ein kub. Mineral der chem. Zusammensetzung $(Co,Ni)As_3$, in regulären Kristallen, auch knollig und derb, zinnweiß bis lichtstahlgrau. S. bildet mit Chloanthit eine lückenlose Mischkristallreihe und ist ein wichtiges Kobalt- und Nickelerz. Entstehung hydrothermal.

Skye [skaɪ], größte Insel der Inneren Hebriden, Schottland, 77 km lang, 1735 km², 8100 Ew.; Hauptort ist Portree; größtenteils von Naturweiden mit Mooren bedeckt; Schaf-, auch Rinderhaltung; Fremdenverkehr.

Skylab ['skaɪlæb; engl., aus sky »Himmel« und lab(oratory) »Laboratorium«], die aus einer umgebauten Drittstufe der Trägerrakete Saturn 5 entstandene erste experimentelle bemannte Raumstation der NASA; Start im Mai 1973 durch Saturn 5 auf eine 435 km hohe Umlaufbahn. S. war 1973/74 dreimal von Astronauten-Dreiermannschaften besetzt, die ein vielseitiges Versuchs- und Forschungsprogramm durchführten. Nach Rückkehr der letzten Astronauten am 8. 2. 1974 war das Programm beendet. Früher als erwartet verglühte S. am 11. 7. 1979 in der Erdatmosphäre. Mehrere kompakte Bruchstücke (insgesamt etwa 23 t) erreichten dabei an der SW-Küste Australiens die Erdoberfläche.

Skylightfilter ['skaɪlaɪt-, engl.], *Fotografie:* leicht rötlich gefärbtes Lichtfilter zur Absorption des ultravioletten und Abschwächung des blauen Lichtes. S. verhindern einen Blaustich bei Farbaufnahmen im Hochgebirge, an der See oder bei klarem, blauem Mittagshimmel.

Skyline ['skaɪlaɪn, engl.] *die,* Silhouette einer aus der Ferne gesehenen Stadt.

Skylla [grch. »Hündin«] *die* (lat. Scylla), *grch. Mythos:* ein in der Höhle einer Felsenklippe gegenüber der Charybdis hausendes sechsköpfiges Ungeheuer, das die Vorüberfahrenden verschlang.

Skyphos *der,* altgrch. Tongefäß in Form einer Tasse mit meist waagerechten Henkeln am oberen Rand.

Skyphozoen (Scyphozoa), →Scheibenquallen.

Skyros, die größte Insel der Nördl. Sporaden, Griechenland, 209 km², bis 792 m ü.M., 2800 Ew.; Kunsthandwerk; Fremdenverkehr.

Skythen (Scythen), Sammelbez. für die Nomadenstämme der euras. Steppe im 1. Jt. v. Chr.; i.e.S. die ab dem 7. Jh. v. Chr. nachweisbaren S. des nördl. Schwarzmeergebiets zw. Donau und Don, die sich selbst **Skoloten** nannten; nach Herodot versch. Völkerschaften, die durch eine auf das Reiterkriegertum gestützte Dynastie beherrscht wurden. Die S. unterhielten rege Handelsbeziehungen zu den grch. Küstenstädten am Schwarzen Meer; ein Teil von ihnen wurde als Ackerbauern sesshaft (z.B. am Dnjepr und am Bug). 513/512 v. Chr. unternahm der Perserkönig Dareios I. einen erfolglosen Feldzug gegen die S., die im 4./3. Jh. v. Chr. von den Sarmaten verdrängt wurden. Die Reste skyth. Herrschaft (v.a. auf der Krim) beseitigten die Goten im 3. Jh. n. Chr.

📖 POTRATZ, J. A.: *Die S. in Südrußland. Ein untergegangenes Volk in Südosteuropa.* Basel *1963.* – SMIRNOW, A. P.: *Die S. Aus dem Russ.* Dresden *1979.* – GRAKOW, B. N.: *Die S. Aus dem Russ.* Berlin (Ost) ²*1980.*

skythische Kunst, die Kunst der skyth. Völkerschaften, eine an Gebrauchsgeräte gebundene Zierkunst, die von der grch. Kunst bestimmt wurde, daneben auch iran. und chines. Einflüsse aufweist. Die s. K. bildet den wesentl. Teil der →Steppenkunst der Nomadenvölker Eurasiens. Ihre Stilformen entwickelten sich aus Schnitzereien in Holz und Knochen. Erhalten sind bes. Guss- und Treibarbeiten aus Metall (v.a. Gold). Dargestellt sind meist einzelne Tiere, die wohl mytholog. Bedeutung besitzen. Die s. K. entstand in der 1. Hälfte des 1. Jt. v. Chr. im Schwarzmeergebiet. Ihre Blüte erlebte sie um 600–300 v. Chr. Sie ist bes. aus Hügelgräbern bekannt. Die s. K. vermittelte starke Impulse an benachbarte Kulturen. Weiteres BILD Schmuck

📖 ROLLE, R.: *Die Welt der Skythen. Luzern 1980. – Gold der Steppe, Archäologie der Ukraine, hg. v.* R. ROLLE, *Ausst.-Kat. Archäolog. Landesmuseum Schleswig. Neumünster 1991.*

Slaby [-bi], Adolf, Elektrotechniker, *Berlin 18. 4. 1849, †ebd. 6. 4. 1913; nahm an den Versuchen G. Marconis teil, entwickelte mit G. von Arco ab 1897 ein System drahtloser Telegrafie.

SLAC [Abk. von engl. **S**tanford **L**inear **A**ccelerator **C**enter], 1961 gegründete Hochenergiephysik-Forschungseinrichtung der Stanford University in Palo Alto, Calif., USA, mit dem 1964 in Betrieb gegangenen, weltweit größten Elektronenbeschleuniger, der 1987 zum linearen Collider (**SLC, S**tanford **L**inear **C**ollider) umgerüstet wurde. (→Teilchenbeschleuniger)

Slagelse ['sla:ɣəlsə], Stadt im W der dän. Insel Seeland, 35 200 Ew.; Nahrungsmittel-, Maschinen-, Möbel- u.a. Industrie. – Peterskirche (12. Jh.), Michaelskirche (14. Jh.). – Im MA. wichtiger Handelsplatz.

Slalom [norweg. »geneigte Spur«] *der, alpiner Skisport:* Disziplin, bei der in kürzester Zeit eine abgesteckte Bahn mit Toren im Abstand von nicht weniger als 0,75 m durchfahren werden muss; zwei Läufe (bei Weltmeisterschaften und den Olymp. Spielen auf zwei verschiedenen Pisten); Höhenunterschiede der Pisten für Damen 120–180 m mit 45–60 Toren, für Herren 180–220 m mit 55–75 Toren. Ein Viertel der Strecke führt über Hänge mit einer Neigung von mehr als 30°. Weltmeisterschaften seit 1931, olymp. Disziplin seit 1948. (→Riesenslalom, →Superriesenslalom) – Außerdem gibt es Wasserski-S. und Kanuslalom.

Slang [slæŋ, engl.] *der,* saloppe Umgangssprache, i.e.S. Sondersprache bestimmter sozialer Gruppen, gekennzeichnet durch neue Wortprägungen und neuartige Verwendung gebräuchl. Wörter.

Slánský ['sla:nski:], Rudolf, tschechoslowak. Politiker, *Nezvěstice (bei Pilsen) 31. 7. 1901, †(hingerichtet) Prag 3. 12. 1952; 1945–51 Gen.-Sekr. der KP; am 6. 9. 1951 auf Betreiben stalinist. Kräfte (bes. K. Gottwald) abgesetzt, im Nov. 1951 verhaftet und in einem Schauprozess (**S.-Prozess,** 20.–27. 11. 1952) wegen »titoist. und zionist. Umtriebe« zum Tode verurteilt; 1968 rehabilitiert.

Slapstick-Comedy ['slæpstɪk 'kɔmədɪ; engl. slapstick »Narrenpritsche« und comedy »Komödie«] *die,* Bez. für kurze Grotesken im frühen amerikan. Stummfilm.

slargando [italien.] (allargando), musikal. Vortragsbezeichnung: breiter, langsamer werdend.

Slatoust, Stadt im Gebiet Tscheljabinsk, Russland, im Südl. Ural, 210 700 Ew.; Stahlwerk, Maschinen-, Uhrenbau. Östlich von S. liegt das Ilmener Naturschutzgebiet (303,8 km^2) zur Erforschung der Minerale (über 200 Arten) und zum Schutz der Tier- und Pflanzenwelt.

Slavkov u Brna ['slafkɔf 'ubrna], Stadt in der Tschech. Rep., →Austerlitz.

Slaweikow, Pentscho Petkow, bulgar. Schriftsteller, *Trjawna (bei Gabrowo) 27. 4. 1866, †Brunate (bei Como) 28. 5. 1912; Wegbereiter des bulgar. Symbolismus. Sein Hauptwerk, das Epos »Kărvava pesen« (3 Bde., 1911–13, Fragment), ist eine symbol. Gestaltung des bulgar. Freiheitskampfes gegen die Türken; ferner Gedichte und Essays.

Slawen, Angehörige einer der drei großen Sprachfamilien Europas. Heute leben in O-, SO- und Mitteleuropa rd. 290 Mio. Slawen. Die Gemeinsamkeit der S. basiert stärker als bei Germanen und Romanen auf der Verwandtschaft der Sprachen, weniger auf einem gemeinsamen Kulturerbe (Romanen) oder auf früh entwickelten und lange festgehaltenen Rechtsvorstellungen (Germanen). – Die Herkunft des Namens der S. wie auch die zeitl. Folge und der geograph. Raum ihrer Ethnogenese sind bis heute umstritten. In röm. Quellen erscheint der Name Venedi, der der dt. Bez. Wenden oder Windische entspricht.

Geschichte: Die Ausbreitung der S. begann nicht vor dem 1. Jh. n. Chr.; Bedeutung für ihre im Wesentlichen heute noch gültige Teilung in **Ost-S.** (v.a. Russen, Ukrainer, Weißrussen), **West-S.** (v.a. Polen, Masuren, Tschechen, Slowaken, Obotriten)

skythische Kunst: goldenes Pektorale aus einem Fürstengrab in der Nähe von Jenakijewo in der Ukraine (4. Jh. v. Chr.; Kiew, Historisches Museum), darunter goldener Kamm (5.–4. Jh. v. Chr.; Sankt Petersburg, Eremitage)

Rudolf Slánský

Slawen

Die Slawenmission fand ihren Anfang in einer Bitte der mährischen Fürsten Rastislaw und Swatopluk I. an den byzantinischen Kaiser im Jahre 863.

»Es sind viele christliche Lehrer aus Italien, Griechenland und aus Germanien zu uns gekommen, die uns verschieden gelehrt haben. Aber wir Slawen sind ein einfaches Volk und haben niemanden, der uns in der Wahrheit unterweisen und den ›Sinn der Schrift‹ erklären konnte. Darum, Gebieter, schicke uns einen solchen Mann, der uns die ganze Wahrheit aufrichtet.«

und **Süd-S.** (v.a. Serben, Kroaten, Slowenen, Bulgaren, Makedonier) hatten die Züge der Gepiden und Goten durch ihr Gebiet. Im 5./6. Jh. wanderten die S. nach SO-Europa und in den Balkan sowie über die Elbe nach Westen. Im 9./10. Jh. begann die Christianisierung (in Polen 966, in Russland 988). Da diese sowohl von Rom als auch von Byzanz ausging, entstanden Einflussbereiche der römisch-kath. (Tschechen, Polen, Slowenen, Kroaten) und der orth. Kirche (Russen, Weißrussen, Ukrainer, Bulgaren, Serben, Makedonier). Im 16. Jh. schlossen sich Teile der Sorben, Tschechen und Slowaken der Reformation an; zahlr. Bulgaren und Makedonier traten unter osman. Herrschaft zum Islam über.

Mythologie und *vorchristl. Religion:* Über beides ist wenig bekannt, schriftl. Quellen gibt es nur aus späterer, christl. Sicht (z.B. die Nestorchronik), archäolog. Spuren sind selten. Götternamen aus dem westslaw. Gebiet sind auch bei Thietmar von Merseburg und Saxo Grammaticus erwähnt. An der Spitze der slaw. Götter standen der Donnergott Perun und der Gott des Viehs und des Reichtums Weles (auch Wolos), weiterhin sind der Feuergott Swarog und der Sonnengott Dashbog bekannt; auch der Glaube an eine Vielzahl von Naturgöttern und -geistern ist bezeugt. In den kosm. Vorstellungen spielte der Weltenbaum eine bed. Rolle. Die genauesten Nachrichten über die Religion der S. sind von den Ostsee-S. überliefert: Sie verehrten die Götter Swantewit und Triglaw (mehrgesichtige Abbilder erhalten); in Arkona (Insel Rügen) befand sich bis zur Zerstörung durch die Dänen 1168 ein großes Heiligtum.

Gesellschaftl. Organisation: In der frühen Sozialordnung werden Familie und Sippe (rod) als Grundlage gesehen. Mehrere Sippen konnten sich zu einem Stamm (pleme̜) vereinigen. Die Entwicklung der südslaw. Großfamilie (Zadruga) und der russ. Dorfgemeinschaft (Mir) fällt erst in die spätere Zeit der Türkenherrschaft bzw. in die Endphase der Moskauer Periode. – Erste Aufzeichnungen eines Rechtssystems aus dem 11. Jh. lassen Einflüsse des grch. Kirchenrechts und des german. Rechts erkennen, aber auch Relikte älterer eigenständiger Rechtsnormen. – Die staatl. Entwicklung war sehr unterschiedlich: nur Russen, Polen, Tschechen, Bulgaren, Serben und Kroaten bildeten eigene Staaten mit eigenen Dynastien und allein die Russen behielten diesen Staat kontinuierlich, während alle anderen in Personalunion zu nichtslaw. Staaten traten oder lange Perioden der Unfreiheit erlebten. Trotzdem war aufgrund der Ähnlichkeit der Sprachen ein Zusammengehörigkeitsgefühl vorhanden. Es erreichte im 19. Jh. mit der Begründung der Slawistik sowie dem Slawophilentum in Russland seinen Höhepunkt.

📖 Zagiba, F.: *Das Geistesleben der Slaven im frühen MA. Wien 1971. – Die S. in Dtl. Gesch. u. Kultur der slaw. Stämme westl. von Oder u. Neiße vom 6. bis 12. Jh., hg. v.* J. Herrmann. *Berlin (Ost) 1985. – Die Welt der S. Gesch., Gesellschaft, Kultur, hg. v.* J. Herrmann. *München 1986.*

Slawische Völker im frühen Mittelalter

sla̱wische Sprachen, zur Satemgruppe innerhalb der indogerman. Sprachen gehörende Sprachen der slaw. Völker: 1) **Ostslawisch** mit Russisch, Ukrainisch und Weißrussisch; 2) **Westslawisch** mit dem Tschechischen, Slowakischen, dem Ober- und Niedersorbischen (→sorbische Sprache) und dem Polnischen; diese Gruppe wird weiter unterteilt in eine nördl. oder lechische Gruppe mit Polnisch sowie Elb- und Ostseeslawisch, von dem nur noch das Kaschubische gesprochen wird, während Slowinzisch und Polabisch ausgestorben sind, eine mittlere, sorb. Gruppe und eine südl., tschech. und slowak. Gruppe; 3) **Südslawisch** mit dem Slowenischen, Serbischen, Kroatischen, Bosnischen, Bulgarischen und Makedonischen. Zu diesen kommt noch das →Kirchenslawische. – Kennzeichnend für die meisten s. S. sind das stark ausgebaute System der Verbalaspekte sowie das stark abgebaute indogerman. System der Tempora, Modi und Genera. In vielen s. S. spielt Palatalisierung (Erweichung) der Konsonanten eine wichtige Rolle.

📖 *Einf. in die slav. Sprachen, hg. v.* P. REHDER. *Darmstadt* [2]*1991.* – PANZER, B.: *Die slav. Sprachen in Gegenwart u. Gesch. Frankfurt am Main u. a. 1991.*

Slawistik *die,* die philolog. Forschung im Bereich der slaw. Sprachen und Literaturen. Ihre Anfänge gehen bis ins 18. Jh. zurück; J. Dobrovský und B. Kopitar gelten als ihre Begründer. Mit der Gründung eines Lehrstuhls für slaw. Sprachen in Wien (1849) erhielt die S. einen wiss. Mittelpunkt. Sie hat in der Herausgabe alter Sprachdenkmäler und der Erforschung der histor. Entwicklung der slaw. Sprachen bed. wiss. Arbeit geleistet. Seit dem 1. Weltkrieg begann eine neue allgemein-literaturwiss. und sprachwiss. Methodendiskussion (russ. Formalismus, Prager Schule). Bed. Vertreter dieser strukturalistisch fundierten S. sind u. a. N. S. Trubezkoi, R. Jakobson, J. Mukařovský.

📖 FRANZ, N.: *Einführung in das Studium der slav. Philologie. Geschichte, Inhalte, Methoden. Darmstadt 1994.* – ZEIL, W.: *S. in Deutschland. Forschungen u. Informationen über die Sprachen, Literaturen u. Volkskulturen slaw. Völker bis 1945. Köln u. a. 1994.*

Slawjansk (ukrain. Slowjansk), Stadt in der Ukraine, im Donez-Kohlenbecken, 137 000 Ew.; Salzbergbau und -chemie, Maschinenbau, elektrotechn., keram. Ind.; Großkraftwerk (2 400 MW); nahebei Moor- und Solbad.

Slawonien (kroat. Slavonija), Gebiet im NO Kroatiens, zw. Save und Drau, mit fruchtbaren Ebenen und bewaldeten Höhenzügen; Hauptort ist Osijek.

Geschichte: S. stand nach Zugehörigkeit zum Röm. Reich (Pannonien) seit der Völkerwanderungszeit unter wechselnder Oberhoheit; gehörte seit dem 10. Jh. zum Königreich →Kroatien, mit dem es 1091/1102 an Ungarn fiel (Banschaft S.); seit 1526 als Teil des Sandschaks Ungarn und Kroatien osmanisch, seit 1699 österreichisch (seit 1702 als Königreich S. zu Kroatien); teilweise in die →Militärgrenze einbezogen. Im 18. Jh. Ansiedlung von Deutschen (Donauschwaben) und Serben. Kam 1867/68 mit Kroatien zum ungar. Teil Österreich-Ungarns (Transleithanien) und 1918 zum späteren Jugoslawien. 1945/46 Vertreibung der Donauschwaben und Ansiedlung von Serben und Montenegrinern. Sommer 1991 Proklamation eines serb. »autonomen Gebiets S., Baranja und W-Srem« (Sirmien); im serbisch-kroat. Krieg 1991 hart umkämpft und z. T. von →Serbien besetzt. Ost-S. kam im Jan. 1998 wieder an Kroatien.

Slawophile, russ. Geschichtsphilosophen des 19. Jh. (bes. A. S. Chomjakow, I. W. Kirejewski, K. S. Axakow), die im Ggs. zu den →Westlern die Eigenständigkeit der orth. russ. Kultur und der altslaw. bäuerlich-sozialen Tradition (Mir) betonten und an diese programmatisch anzuknüpfen suchten. Die S. wandten sich gegen die Europäisierung Russlands seit Peter d. Gr. und vertraten eine »konservative Utopie«.

Max Slevogt: »Der weiße d'Andrade in der Rolle Don Giovannis« (1902; Stuttgart, Staatsgalerie)

SLCM [Abk. für engl. **s**ea-**l**aunched **c**ruise **m**issile], von Schiffen und U-Booten aus eingesetzter Marschflugkörper (→Cruisemissile).

Sleipnir [altnord. »der Gleitende«], im german. Mythos das achtbeinige, graue Pferd Odins.

Slevogt ['sle:fo:kt], Max, Maler und Grafiker, *Landshut 8. 10. 1868, †Hof Neukastel (heute zu Leinsweiler, Kr. Südl. Weinstraße) 20. 9. 1932; lebte seit 1901 in Berlin, seit 1917 Prof. an der Akademie. Ausgehend von der realist. Malweise W. Leibls und W. Trübners, wurde S. neben M. Liebermann und L. Corinth der wichtigste Vertreter des dt. Impressionismus. In Chiemseelandschaften und Studien aus dem Frankfurter Zoo (1901) fand S. zu einem eigenen Stil. Neben Bildnissen, Landschaften und Stillleben schuf er figürl. Bilder vorwiegend aus der Welt des Theaters und der Geschichte; auch reichhaltige Grafiken und Buchillustrationen (u. a. zum »Lederstrumpf«, 1909; zur »Zauberflöte«, 1920; »Die Inseln Wak Wak«, 1922; »Faust II«, 1927).

📖 *M. S. Gemälde, Aquarelle, Zeichnungen, hg. v.* E.-G. GÜSE *u. a., Ausst.-Kat. Saarland-Museum Saarbrücken 1992.* – *Schloß »Villa Ludwigshöhe« mit der M.-S.-Galerie, hg. v.* B. ROLAND. *Mainz 1994.*

slowakische Kunst (von links): Hauptaltar (1517) der Kirche Sankt Jakob in Leutschau, Ausschnitt aus der Darstellung des Abendmahls; die Westfassade der 1715–25 gebauten Dreifaltigkeitskirche in Preßburg

Slezak ['slɛzak], Leo, österr. Sänger (Tenor), *Mährisch-Schönberg (heute Šumperk, Nordmähr. Gebiet) 18. 8. 1873, †Rottach-Egern 1. 6. 1946; wurde v.a. als Opern- und Liedsänger, nach 1930 auch als Filmschauspieler bekannt; schrieb: »Der Wortbruch« (1928), »Rückfall« (1940), »Mein Lebensmärchen« (hg. 1948).

Leo Slezak

Slibowitz (Sliwowitz) [slaw.] *der,* aus Zwetschgen gebrannter Obstbranntwein.

Slice [slaɪs, engl.] *der,* beim Golf ein Ball, der nach rechts abbiegt, beim Tennis ein mit Unterschnitt geschlagener Ball.

Slick [engl.] *der,* profilloser Reifen aus spezieller Gummimischung für den Motorrennsport; nur bei trockenem Wetter nutzbar.

Sligo ['slaɪgəʊ] (irisch Sligeach), Cty. im NW der Rep. Irland, 1796 km^2, (1991) 54700 Ew.; Verw.sitz ist Sligo (17300 Einwohner).

Slink [engl.] *der,* das fein gekräuselte weiße Fell 5–6 Monate alter Lämmer des nordchines. Fettsteißschafs.

Slip [engl.] *der,* **1)** *Antriebstechnik:* Vortriebsverlust eines Schraubenpropellers in Wasser oder Luft, d.h. der Unterschied zw. dem theoretisch aus Drehzahl und Ganghöhe des Schraubenpropellers pro Zeiteinheit errechneten und dem wirklich zurückgelegten Weg des angetriebenen Fahrzeugs.

2) *Bankwesen:* Abrechnungszettel, bes. bei Börsenaufträgen.

3) *Flugtechnik:* (Seitengleitflug, Side-slip) absichtlich herbeigeführte Seitenbewegung eines Flugzeugs zur Verkürzung der Landestrecke durch Vergrößerung des Gleitwinkels.

4) *Schiffsbau:* die →Aufschleppe.

Juliusz Słowacki

Sliwen (Sliven), Stadt in Bulgarien, am S-Fuß des östl. Balkan, 107000 Ew.; Sitz eines bulgarisch-orth. Metropoliten; Textil-, Nahrungsmittelind., Glashütte, Glühlampenwerk; Weinkellereien. Südlich von S. liegen mehrere Mineralbäder mit Thermenquellen.

Slogan ['sləʊgən; engl., aus gäl. sluagh-ghairm »Kriegsgeschrei«] *der,* einprägsame Wendung, Werbespruch, Wahlspruch, Parole.

Slonimski, Sergei Michailowitsch, russ. Komponist, *Leningrad (heute Sankt Petersburg) 12. 8. 1932; seit 1974 Prof. am dortigen Konservatorium, komponierte Opern (»Der Meister und Margarita«, 1973; »Maria Stuart«, 1979), das Ballett »Ikarus« (1971), Orchesterwerke, Kammer-, Filmmusik, Vokalwerke.

Slough [slaʊ], Stadt in der engl. Cty. Berkshire, 97000 Ew.; Leichtindustrie; Wohnstadt für London.

Slovenija, slowen. Name von →Slowenien.

Slovensko, slowak. und tschech. Name der Slowakei, →Slowakische Republik.

Słowacki [suɔ'vatski], Juliusz, poln. Schriftsteller, *Krzemieniec (Wolhynien) 4. 9. 1809, †Paris 3. 4. 1849; lebte seit 1831 im Ausland, meist in Paris. Sein Jugendwerk, v.a. histor. und oriental. Poeme und histor. Dramen (»Maria Stuart«, 1832), ist noch stark von romant. Vorbildern beeinflusst. Höhepunkt seines Schaffens sind die Dramen, die in der Tradition Shakespeares und V. Hugos stehen. Sie verwenden daneben barock-myst. (Calderón de la Barca) und symbolist. Elemente und behandeln das Problem von Individuum und Geschichte sowie Fragen des nat. Freiheitskampfes (»Kordian«, 1834; »Balladina«, 1834; »Lilla Weneda«, 1840). S. gilt neben A. Mieckiewicz und Z. Krasiński als einer der drei großen poln. Romantiker.

📖 TREUGUTT, S.: *J. S. Dichter der Romantik. A. d. Poln. Warschau 1959.*

Slowakei *die,* Kurzform für die →Slowakische Republik.

Slowaken (slowak. Slováci), westslaw. Volk in der Slowak. Rep., etwa 4,8 Mio. Menschen; Minderheiten auch in SO-Mähren und Ungarn.

slowakische Kunst. Architekton. Zeugnisse der Zeit bis zum 12. Jh. sind kaum erhalten. In der Folgezeit entstanden roman. Kirchen mit Westemporen, Rotunden und Klöster. Im 13. Jh. wurden zunehmend got. Stilelemente übernommen, sowohl bei Sakral- (u.a. St. Jakob in Leutschau, 1332–42, später erweitert) als auch bei Profanbauten. Bed. gotische Bauwerke sind auch der Dom St. Martin in Preßburg (1302–1452), die St.-Johannes-Kapelle (1380) des Franziskanerklosters in Preßburg und der Dom St. Elisabeth in Kaschau (1390ff.). Die got. Wandmalerei weist sowohl westeurop. als auch italien. Einflüsse auf; die Tafelmalerei steht in Zusammenhang v.a. mit der ungar., böhm., poln. und österr. Malerei. Im Bereich der Bildhauerkunst sind v. a. bed. Werke aus Holz erhalten, z. B. der Altar der hl. Barbara in der Marienkirche in Neusohl (1509) und der Hauptaltar der Kirche St. Jakob in Leutschau (1517 vollendet). Die Renaissance beeinflusste ab etwa 1510 die Architektur. Sie wurde zunächst von Ungarn, dann auch von Österreich her vermittelt und prägte ganze Städte sowie die nun zu Schlössern umgebauten Burgen (u. a. Altsohl). Mit der Jesuitenkirche der Univ. in Tyrnau (1629–37) entstand der erste große Barockbau. Ihm folgten u. a. die Dreifaltigkeitskirche in Preßburg (1715–25) und die Piaristenkirche in Neutra (1750–70). Beispielhaft für die zahlr. Holzkirchen, die seit dem 15./16. Jh. entstanden, ist die evang. Kirche in Käsmark (1717). In Bildhauerkunst und Malerei des Barock dominieren Werke von Künstlern aus Österreich, Böhmen und Ungarn. Die Plastik stand unter dem starken Einfluss G. R. Donners. Nach einer Phase des Historismus im 19. Jh. öffnete sich die Architektur zu Beginn des 20. Jh. unter der Führung von J. Krejcar und B. Fuchs modernen Tendenzen. Die Bildhauer und Maler des 19. Jh. nahmen Anregungen der zeitgenöss. europ. Strömungen auf. Bezeichnend ist ihre Vorliebe für Motive und Szenen aus dem Volksleben (D. Skutecký, J. Hanula). Als Bildnismaler trat Jozef B. Klemens hervor, als Landschaftsmaler ragt u. a. L. Medňanský heraus. 1921 wurde in Preßburg die Künstlervereinigung »Umelecká beseda Slovenska« gegründet. In der Folgezeit profilierten sich auf dem Gebiet der Plastik v. a. J. Koniarek, L. Majerský, F. Štefunko, J. Kostka, R. Pribiš und A. Trizuljak, in der Malerei M. Benka, M. A. Bazovský, L. Fulla, J. Bauernfreund, Š. Bednár, C. Majerník, E. Nemeš, B. Hoffstädter, auf dem Gebiet der Grafik K. Sokol, V. Hložník und A. Brunovský. – Für die s. K. gegen Ende des 20. Jh., deren wichtigste Vertreter ihre Wurzeln im intellektuellen Klima der Tschechoslowakei haben, gilt eine grundsätzl. Offenheit und Experimentierfreude. Maler, Grafiker, Plastiker, Foto- und Videokünstler entwickeln in ihren Werken eine Kombinationslust, die alle Gattungsgrenzen überschreitet und jegl. Material als Teil eines Kunstwerks integrieren kann.

📖 *Alte s. K., hg. v.* K. Vaculík. *A. d. Tschech. Bratislava 1978.* – Foltyn, L.: *Slowak. Architektur u. die tschech. Avantgarde 1918–39. A. d. Slowak. Dresden 1991.* – *Zweiter Ausgang. Tschech. u. slowak. Künstler. Redaktion:* J. Ševčíková *u.* J. Sevčík. *Ausst.-Kat. Ludwig-Forum für Internat. Kunst, Aachen 1993.* – *Fragmente. S. K. der Neunziger Jahre, Ausst.-Kat. Hochschule für Angewandte Kunst, Wien 1994.*

slowakische Literatur, die Literatur in slowak. Sprache. Da – neben der lat. Sprache – seit dem 15. Jh. die tschechische Schriftsprache verwendet wurde, gab es zunächst nur eine mündlich überlieferte Volksliteratur. Erst in den 40er-Jahren des 19. Jh. kam es zur Schaffung einer slowak. Schriftsprache (L. Štúr), die in der slowak. Romantik, bes. bei dem Erzähler J. Kalinčiak mustergültige Ausformung fand. Bed. Vertreter des Realismus nach 1870 waren u. a. der Dichter und Versepiker Hviezdoslav und die Schriftsteller S. Hurban-Vajanský, M. Kukučín, Timrava (eigtl. Božena Slančíková). Elemente des Impressionismus zeigen sich im Werk des politisch-nationalistischen Schriftstellers M. Rázus. In der Lyrik setzte sich der Surrealismus bis in die neueste Zeit fort (R. Fabry, V. Reisel, P. Bunčák, Š. Žáry u. a.). Nach 1948 wurde der sozialist. Realismus (F. Hečko und F. Kráľ), v. a. mit der Thematik des Partisanenkampfes und des slowak. Volksaufstandes 1944, vorherrschend. Die seit den 60er-Jahren entwickelten modernist. und zeitkrit. Strömungen (J. Blažková, D. Tatarka, L. Mňačko, M. Rúfus, H. Ponická) wurden 1968 durch Publikationsverbote unterdrückt (Mňačko emigrierte 1968). Die neuere s. L. vertreten u. a. V. Šikula, L. Balek, I. Habaj, M. Válek, V. Mihálik, L. Vadkerti-Gavorníková, J. Solovič, M. Kočan und J. Štrasser. Seit 1989 gehören u. a. die Repression in der ČSSR, die innere und äußere Emigration sowie der Zusammenbruch des kommunist. Systems mit seinen Folgen zu den bevorzugten Themen der s. L. Dem entspricht v. a. die Veröffentlichung zahlreicher dokumentar. Texte wie Tagebücher und autobiograph. Reflexionen (D. Tatarka, M. Šimečka u. a.). Daneben sind Erzählprosa und Roman weiterhin die expansivsten Genres mit Werken von Šikula L. Ballek, P. Vilikovsky, Jana Bodnarová und J. Puškaš.

📖 Noge, J.: *An outline of Slovakian literature. Bratislava 1968.* – Richter, L.: *S. L. Entwicklungstrends vom Vormärz bis zur Gegenwart. Berlin (Ost) 1979.* – Zajac, P.: *Auf den Taubenfüßchen der Lit. Ein Buch über s. L. u. Kultur. Blieskastel 1996.*

slowakische Musik. Die Musik der Slowakei weist eine vielfältige Folklore auf, die bis in die Gegenwart die Basis der slowak. Kunstmusik bildet. Zahlr. Sammlungen vokaler und instrumentaler Musik des 16.–18. Jh. sind erhalten. Im 19. Jh. begann eine eigenständige nat. Musikpflege; Volkslieder wurden gesammelt und herausgegeben. J. L. Bella gilt als erster Nationalkomponist. Der eigentl. Aufschwung der s. M. begann jedoch erst nach 1918. A. Moyzes, E. Suchoň und J. Cikker verhalfen ihr zu internat. Ansehen. Eine Synthese zw. der Neuen Musik der 1. Hälfte des 20. Jh. und nationalslowak. Traditionen erstrebten u. a. A. Očenáš, L. Holoubek, D. Kardoš, O. Ferenczy und J. Zimmer. Eine Reihe weiterer Komponisten suchen neben der Fortführung romant. und neoklassizist. Tendenzen den Anschluss an die avantgar-

Slowakische Republik

Fläche: 49 036 km²
Einwohner: (1995) 5,35 Mio.
Hauptstadt: Preßburg (Bratislava)
Verwaltungsgliederung: 8 Gebiete
Amtssprache: Slowakisch
Nationalfeiertag: 1. 1.
Währung: 1 Slowakische Krone (Sk) = 100 Hellers (h)
Zeitzone: MEZ

dist. Entwicklungen, u.a. L. Burlas, I. Hrušovský, R. Berger, M. Bázlik, I. Zeljenka, J. Malovec, D. Martinček, I. Parík, P. Kolman, J. Hatrík.

Staatswappen

SK

Internationales Kfz-Kennzeichen

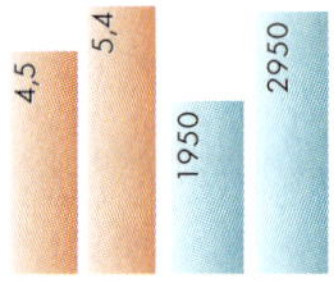

Bevölkerung (in Mio.)
Bruttosozialprodukt je Ew. (in US-$)

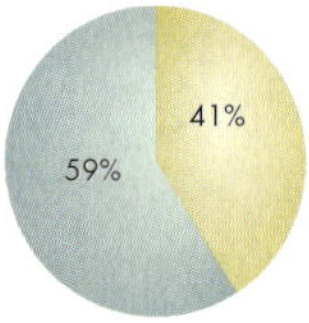

Stadt
Land

Bevölkerungsverteilung 1995

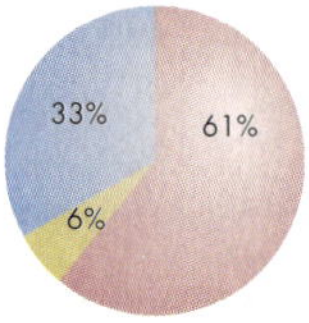

Industrie
Landwirtschaft
Dienstleistung

Bruttoinlandsprodukt 1995

Slowakische Republik (amtlich slowak. Slovenská Republika, Kurzform Slowakei, slowak. Slovensko), Staat in Mitteleuropa, grenzt im W an die Tschech. Rep. (im südlichsten Abschnitt bildet die March die Grenze), im N an Polen, im O an die Ukraine, im S an Ungarn und im SW an Österreich (Niederösterreich).

Staat und Recht: Die S. R. ist seit 1. 1. 1993 eine unabhängige Rep. mit Mehrparteiensystem; Verf. vom 3. 9. 1992. Staatsoberhaupt und Oberbefehlshaber der Streitkräfte ist der vom Parlament auf fünf Jahre gewählte Präs; ein für Mai 1997 angesetztes Referendum über die Direktwahl des Präs. scheiterte an scharfen innenpolit. Gegensätzen. Der Präs. vertritt das Land nach außen und hat das Recht, Gesetze zu suspendieren. Die Legislative liegt beim Nationalrat (150 Abg., auf fünf Jahre gewählt), die Exekutive bei der Reg. unter Vorsitz des vom Präs. ernannten MinPräs. Einflussreichste Parteien: Bewegung für eine Demokrat. Slowakei (HZDS), Partei der Demokrat. Linken (SDL; Nachfolgeorganisation der KP), Slowak. Nationalpartei (SNS), Christlich-Demokrat. Bewegung (KDH), Demokrat. Union (DU).

Landesnatur: Den überwiegenden Teil der S. R. bilden die waldreichen Westkarpaten, die durch zwischengelagerte Becken und breite Täler in einzelne Gebirgszüge und Bergmassive aufgelöst werden: Kleine Karpaten und Weiße Karpaten, Westbeskiden mit Dukla- und Jablunkapass, das alpin geformte Hochgebirge der Hohen Tatra mit der höchsten Erhebung der Slowakei (Gerlsdorfer Spitze, 2655 m ü. M.), die Niedere Tatra (2043 m ü. M.) und das Slowak. Erzgebirge (1592 m ü. M.). Größere Tieflandgebiete breiten sich nur in der Donautiefebene im SW am Unterlauf von Waag und Hron sowie am Mittel- und Unterlauf von Ondava und Laborec im SO aus. Das Klima ist gemäßigt kontinental.

Bevölkerung: Sie besteht zu fast 86% aus Slowaken, ferner aus Ungarn (Magyaren, über 10%, bes. an der S-Grenze der S. R.), Sinti und Roma, Tschechen, Ukrainern, Russen u.a. Die Bev.dichte ist sehr unterschiedlich; Täler und Beckenlandschaften sind z.T. stark besiedelt. – Allg. Schulpflicht besteht vom 7. bis 16. Lebensjahr; es gibt Univ. in Preßburg und Kaschau, zwei TH und sieben weitere Hochschulen. – Mehr als die Hälfte der Bev. (über 60%) ist kath.; von Bedeutung sind außerdem die orth. Kirche, die mit Rom unierte slowakisch-kath. Kirche des byzantin. Ritus sowie prot. (v.a. luther.) Kirchen.

Wirtschaft, Verkehr: Seit 1990 ist das bisher zentralistisch geleitete Wirtschaftssystem durch die schrittweise Einführung marktwirtsch. Prinzipien einem umfassenden Strukturwandel unterworfen. Nach 1945 stark entwickelte, v.a. energieintensive Bereiche wie die chem. Ind. und der Maschinenbau (v.a. Rüstungsind.) sind bes. von Strukturmaßnahmen und Umstellungsproblemen betroffen. Weitere Ind.zweige sind Holzverarbeitung und Papierind. auf der Basis der Forstwirtschaft; ferner Textil-, Glas- und Keramikind. Bedeutendster Ind.standort ist Preßburg als bisheriges Zentrum der petrochem. Ind., überregionale Bedeutung hat auch Kaschau, das industrielle Zentrum der Ostslowakei (Eisenhüttenwerk). Stromerzeugung erfolgt v.a. auf der Basis von Braunkohle und Wasserkraft (Waagkaskade) sowie Kernenergie (Kraftwerke Jaslovské Bohunice, 880 MW, und Mochovce, 440 MW). Bei Gabčikovo wurde 1992 ein aus ökolog. Gründen stark umstrittenes Wasserkraftwerk im Betrieb genommen (bis 1989 ein ungarisch-tschechoslowak. Gemeinschaftsprojekt, seit 1994 zw. den Reg. der S. R. und Ungarns rechtl. umstritten, 1997 durch den Internat. Gerichtshof für rechtens erklärt). Der Bergbau mit Zentrum im Slowak. Erzgebirge fördert bes. Buntmetall- und Eisenerze, Abbau von Braunkohle bei Nováky und Handlová. In der Landwirtschaft wird Ackerbau nur in den Tieflandgebieten im SW und SO betrieben, wo v.a. Mais, Weizen,

Zuckerrüben, Gemüse und Obst, in klimatisch begünstigten Gebieten auch Wein und Tabak angebaut werden. In den Gebirgsbereichen dominieren Rinder- und Schafzucht. Touristenverkehr mit zunehmender wirtsch. Bedeutung; zahlr. Erholungsgebiete mit Kurorten und Heilbädern (u.a. Piešt'any). Das Verkehrsnetz umfasst 3510 km Eisenbahnstrecken (ein Viertel elektrifiziert) und rd. 18 000 km Straßen, darunter 198 km Autobahn (Teilstück der Strecke Prag–Brünn–Preßburg). Schifffahrt auf der Donau (Häfen in Komárno und Preßburg); internat. Flughafen bei Preßburg.

Geschichte: Im 6. und 7. Jh. wanderten die Slowaken in das Gebiet der heutigen S. R. ein. Um 800 entstand in der Mittel- und W-Slowakei ein selbstständiges (christl.) Fürstentum um Neutra, das um 830 dem Großmähr. Reich eingegliedert wurde. Seit dem Untergang des Großmähr. Reiches (906) stand die Slowakei unter ungar. Herrschaft (bis 1918; »Oberungarn«). Die um 1200 beginnende dt. Einwanderung (bes. in die →Zips) beflügelte die Städtegründung und den Bergbau. Im 19. Jh. entwickelte sich in Verbindung mit den Tschechen eine slowak. Nationalbewegung. Am 30. 5. 1918 schloss T. G. Masaryk mit slowak. Organisationen in den USA das **Pittsburgher Abkommen.** In ihm erklärten die Slowaken ihre Bereitschaft, sich einem gemeinsamen Staat der Tschechen und Slowaken anzuschließen (verwirklicht am 28. 10. 1918). Als der Slowakei aber die zugesicherte Autonomie nicht gewährt wurde, entwickelte sich eine Opposition gegen die bestehende Staatsverf. Sie organisierte sich in der »Slowak. Volkspartei« (Vors.: A. Hlinka, 1918–38; J. Tiso, 1938–45) und erzwang im Gefolge der Sudetenkrise 1938 die Föderalisierung des tschechoslowak. Staats. Unter starkem Druck des nat.-soz. Dtl. erklärte die Slowakei 1939 ihre Unabhängigkeit (Slowak. Rep.) und wurde ein mit Dtl. (in einem Satellitenverhältnis) eng verbundener »Schutzstaat« mit autoritärem Reg.system (Staatspräs.: J. Tiso, 1939–45). Im August 1944 lösten die seit 1943 im »Slowak. Nationalrat« verbundenen Gegner des von Tiso geführten Reg.systems einen Aufstand im Gebiet von Neusohl aus (Slowak. Nationalaufstand, von dt. Truppen niedergeschlagen). Nach der Besetzung durch sowjet. Truppen wurde die Slowakei 1945 wieder Teil der (ab 1948) kommunistisch regierten Tschechoslowakei. 1945/46 Vertreibung der (Karpaten-)Deutschen und Zipser Sachsen. Als Nachwirkung der reformkommunist. Bestrebungen von 1968, die unter A. Dubček (seit 1963 Chef der slowak. KP) in der Slowakei z.T. schon früher eingesetzt hatten, erhielt die Slowakei zum 1. 1. 1969 als Slowak. Sozialist. Rep. formal Autonomie. Nach dem Zusammenbruch des kommunist. Systems 1989/90 erfolgte im Frühjahr 1990 die Umwandlung in eine föderative Rep. innerhalb der ČSFR. Die ersten freien Wahlen am 8./9. 6. 1990 gewann das »Slowak. Bürgerforum«,

Slowakische Republik - Wirtschaft

die Bewegung »Öffentlichkeit gegen Gewalt« (VPN), die daraufhin eine Koalitionsreg. mit der KDH bildete, zunächst unter MinPräs. V. Mečiar (VPN), ab April 1991 unter MinPräs. J. Čarnogurský (KDH). Im April 1991 spaltete sich die VPN in die starke HZDS (Vors.: Mečiar) und eine rechtsliberale »Demokrat. Bürgerunion«. Bei den Wahlen am 5./6. 6. 1992 siegte die HZDS, Mečiar wurde MinPräs. Die von ihm forcierten Unabhängigkeitsbestrebungen der Slowakei führten zum Auseinanderbrechen der ČSFR. Verhandlungen mit dem tschech. MinPräs. V. Klaus zur Bildung einer Konföderation beider Staaten scheiterten. Am 17. 7. 1992 proklamierte das Parlament der S. R. die Unabhängigkeit, die mit der Auflösung der ČSFR in Kraft trat. Am 15. 2. 1993 wurde M. Kováč (HZDS) zum Staatspräs. gewählt. MinPräs. Mečiar wurde im März 1994 gestürzt, setzte sich aber bei den Parlamentswahlen im Oktober 1994 mit der HZDS erneut durch. Seine Reg. setzte sich die Bekämpfung der hohen Arbeitslosigkeit sowie die Wiederbelebung der zurückgehenden Wirtschaftstätigkeit als innenpolit. Ziele. 1993 wurde ein Assoziierungsabkommen mit der EU abgeschlossen (in Kraft seit 1. 2. 1995), 1993 erfolgte die Aufnahme in den Europarat. Die restriktive Politik der Reg. Mečiar gegen ethn. Minderheiten (v.a. gegen die slowak. Magyaren) stieß 1995/96 auf internat. Kritik. Nach dem Ausscheiden von M. Kováč aus seinem Amt 1998 gingen seine Kompetenzen auf V. Mečiar über.

Michal Kováč

Vladimír Mečiar

Slowenien

Fläche: 20 251 km²
Einwohner: (1995) 1,95 Mio.
Hauptstadt: Ljubljana
Amtssprache: Slowenisch
Nationalfeiertage: 25. 6. und 26. 12.
Währung: 1 Tolar (SIT) = 100 Stotin
Zeitzone: MEZ

Staatswappen

SLO

Internationales Kfz-Kennzeichen

Bevölkerung (in Mio.) Bruttosozialprodukt je Ew. (in US-$)

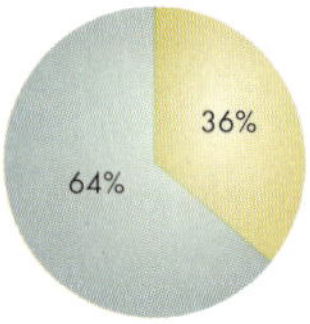

■ Stadt
■ Land
Bevölkerungsverteilung 1995

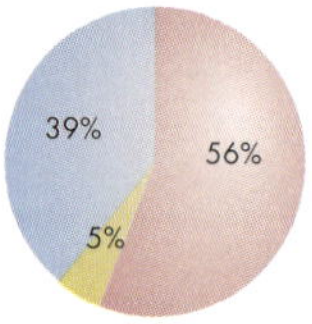

■ Industrie
■ Landwirtschaft
■ Dienstleistung
Bruttoinlandsprodukt 1995

🕮 KÀLLAY, K. VON *u.* SPETKO, J.: *Slowakei. Würzburg 1993.* – JUCHLER, J.: *Osteuropa im Umbruch. Polit., wirtschaftl. u. gesellschaftl. Entwicklungen 1989–93. Zürich 1994. – The transformation of Slovakia. The dynamics of her economy, environment, and demography, hg. v.* P. FLEISSNER *u. a. Hamburg 1994.* – KEILHOFER, F. X.: *Wirtschaftl. Transformation in der Tschech. Republik u. in der S. R. Stuttgart 1995. – Tschechien, S., Text v.* M. FRANK *u. a., Fotos v.* A. M. MOSLER. *München 1996.*

Slowakisches Erzgebirge (slowak. Slovenské rudohorie), waldreicher Gebirgszug der Westkarpaten, südlich der Niederen Tatra in der Slowakei (Stolica 1476 m ü. M.); 140 km lang und 40 km breit. Die einst reichen Erzvorkommen (Eisen, Mangan, Kupfer, Blei, Zinn, Antimon), die seit dem 14. Jh. abgebaut wurden, sind heute erschöpft.

slowakische Sprache, zu den westslaw. Sprachen gehörende Sprache der Slowaken mit rd. 4,8 Mio. Sprechern in der Slowakei (Amtssprache) und Sprachinseln, v. a. in Ungarn; geschrieben in lat. Schrift mit diakrit. Zeichen; der feste Akzent liegt auf der ersten Silbe; lange Silben sind durch Akut bezeichnet. Dialekte: Ost-, Mittel- und Westslowakisch. – Seit dem 15. Jh. verwendete man das Tschechische als Schriftsprache. Um 1790 schuf der kath. Priester und Schriftsteller A. Bernolák (*1762, †1813) eine künstl. Schriftsprache auf der Grundlage des westslowak. Dialekts. Die moderne slowak. Schriftsprache auf der Grundlage des mittelslowak. Dialekts (um 1845) geht auf L. Štúr zurück.

🕮 STANISLAV, J.: *Slowak. Grammatik. Preßburg 1977.* – BRINKEL, L.: *Taschenlehrbuch Slowakisch. Leipzig 1985.*

Slowenen (slowen. Slovenci), südslaw. Volk, etwa 2,1 Mio. Menschen, v. a. in Slowenien, ferner in Österreich (S-Kärnten, S-Steiermark; rd. 16 000), Kroatien, NO-Italien und SW-Ungarn. – Die S. zogen um die Mitte des 6. Jh. vom oberen Dnjepr an die untere Donau und breiteten sich seit 568 in Pannonien und um 590 in Noricum mediterraneum aus. Ihr Zug in den Ostalpenraum wurde durch die von N her vorstoßenden Baiern aufgehalten, durch die sie kulturell stark beeinflusst wurden.

Slowenien (slowen. Slovenija, amtlich Republika Slovenija), Staat im S Mitteleuropas, grenzt im N an Österreich, im NO an Ungarn, im O und S an Kroatien, im W an Italien und das Adriat. Meer mit 42 km langem Küstenstreifen.

Staat und Recht: Nach der Verf. vom 23. 12. 1991 ist S. eine demokrat. Rep. mit Mehrparteiensystem. Staatsoberhaupt ist der auf fünf Jahre direkt gewählte Präs. (auf repräsentative Funktionen beschränkt). Die Legislative liegt beim Zweikammerparlament (Legislaturperiode vier Jahre), bestehend aus der Staatsversammlung (90 Abg., auf vier Jahre gewählt) und dem Staatsrat (40 auf fünf Jahre gewählte Mitgl., davon 22 Vertreter der Regionen und 18 Abgesandte der Interessenverbände und gesellschaftl. Organisationen). Der Staatsrat, eine Art Senat, kann Beschlüsse der 1. Kammer aufschieben und Volksabstimmungen ansetzen. Als Exekutivorgan fungiert die Reg. unter Vorsitz des MinPräs. Einflussreichste Parteien im breit gefächerten Parteienspektrum sind: Liberaldemokrat. Partei (LDS), Christlich-Demokrat. Partei (SKD), Vereinigte Liste der Sozialdemokraten (ZLSD, in Nachfolge der ehem. Reformkommunisten), Sozialdemokrat. Partei (SDSS), Slowen. Nat. Partei (SNS).

Landesnatur: S. ist überwiegend ein Gebirgsland; es hat Anteil an den Südl. Kalkalpen mit den Karawanken im N und den Jul. Alpen im NW (im Triglav 2863 m ü. M.), nach S. übergehend in das Karstgebiet von Innerkrain. Der SO (Unterkrain) ist ein fruchtbares Hügelland beiderseits der Krka. Das Tal der Save ist Hauptleitlinie für Siedlung und Verkehr. Das Klima ist schwach kontinental bis mediterran geprägt.

Bevölkerung: Rd. 88 % der Bev. sind Slowenen, daneben gibt es Kroaten, Serben, Ungarn und Italiener. Etwa die Hälfte der Bev. lebt in Städten. Es besteht eine achtjährige Grundschulpflicht; Univ.

gibt es in Ljubljana (gegr. 1595) und Maribor (gegr. 1975). – Die Bev. ist mehrheitlich katholisch.

Wirtschaft, Verkehr: Grundlage der Wirtschaft ist die Ind., einschl. Bergbau (Eisen-, Blei-, Zink-, Kupfer-, Quecksilbererze, Braunkohle, Erdöl), Energie- und Bauwirtschaft. Wichtigste Ind.zweige sind Maschinenbau, Metallerzeugung und -verarbeitung, Textil-, Holz-, elektrotechn. und chem. Industrie. In der Landwirtschaft überwiegen Wiesen und Weiden (Rinderzucht); Anbau von Weizen, Mais, Hopfen, Kartoffeln, Zuckerrüben; bed. sind Obst- und Weinbau sowie Forstwirtschaft (45% des Landes bewaldet). Wichtig ist auch der Tourismus. Ausfuhrgüter sind v.a. Maschinen, Pharmazeutika, Kosmetika, Nahrungsmittel, Bekleidung, Elektromotoren; die Haupthandelspartner sind Dtl., Italien, Frankreich und Österreich. – S. ist als Durchgangsland verkehrsmäßig gut erschlossen. Das Eisenbahnnetz (1201 km) hat Anschluss an das österr. und italien. Eisenbahnnetz; das Straßennetz ist 14794 km lang, davon sind 11130 km befestigt. Seehafen ist Koper; internat. Flughäfen bei Ljubljana und Maribor.

Geschichte: Die →Slowenen wanderten Ende des 6. Jh. in ihr Siedlungsgebiet ein, dessen Kern das ehem. Herzogtum →Krain ist. 1282 fiel das Gebiet an Habsburg. Ende 1918 schlossen sich die Slowenen mit den Serben und Kroaten zum Königreich der Serben, Kroaten und Slowenen (seit 1929 Jugoslawien) zusammen; ihre Ansprüche auf ganz S-Kärnten konnten sie nicht durchsetzen, es verblieb bei Österreich; Istrien und Görz (westl. Innerkrain) wurden italienisch. 1941–45 gehörten Oberkrain sowie die ehem. kärntner. und steir. Gebiete zum Dt. Reich, Unterkrain und Ljubljana zu Italien. 1945/46 wurde S. eine Teilrepublik Jugoslawiens, vergrößert um überwiegend slowen. Gebiete, die seit 1920 zu Italien gehört hatten. 1989/90 verfolgte S. zus. mit Kroatien einen Reformkurs zur Abkehr vom kommunist. System und zur Umwandlung des von Serbien dominierten jugoslaw. Bundesstaates in eine Konföderation unabhängiger Republiken. Bei den ersten freien Parlamentswahlen im April 1990 erreichte das bürgerl. Sieben-Parteien-Bündnis »Demos« die absolute Mehrheit und bildete die Reg.; der ehem. Reformkommunist M. Kučan wurde Präs. (1992 und 1997 bestätigt). Nach dem erfolgreichen Unabhängigkeitsreferendum vom Dez. 1990 erklärte sich S. (gleichzeitig mit Kroatien) am 25./26. 6. 1991 zum souveränen Staat (später ausgesetzt bis 7. 10. 1991, seit 15. 1. 1992 internat., am 13. 8. 1992 auch von der neuen Bundesrep. Jugoslawien anerkannt); die am 27. 6. 1991 erfolgte Intervention der Bundesarmee konnte – auch durch EU-Vermittlung und im Ggs. zu Kroatien – schnell beendet werden. Mit dem vollständigen Abzug der jugoslaw. Bundesarmee

Slowenien: Ansicht der Julischen Alpen mit dem 2863 m hohen Triglav (rechts)

erkannte das Bundespräsidium am 18. 7. 1991 faktisch die Unabhängigkeit S.s und damit den Beginn der Auflösung Jugoslawiens in seiner bisherigen Form an. Mit der Verf. vom 23. 12. 1991 wurden volle Menschen- und Minderheitenrechte garantiert. Im Dez. 1991 scheiterte das Reg.bündnis »Demos«, eine im Mai 1992 gebildete Reg. wurde nach den Parlaments- und Präsidentschaftswahlen vom 6. 12. 1992 durch eine Koalitionsreg. der bedeutendsten Parteien abgelöst (»histor. Kompromiss« vom Jan. 1993). Aufgrund des 1994 einsetzenden Wirtschaftswachstums konnte sich S. wirtschaftlich deutlich stärker konsolidieren als die übrigen Nachfolgestaaten Jugoslawiens. Am 14. 5. 1993 wurde S. Mitgl. des Europarats, im März 1994 trat S. dem NATO-Programm »Partnerschaft für den Frieden« bei. Ein Assoziierungsabkommen mit der EU wurde 1996 unterzeichnet. Die Wahlen vom Nov. 1996 schufen eine polit. Pattsituation, die nach langwierigen Koalitionsverhandlungen zur Bildung einer gemäßigt liberaldemokrat. Regierung unter MinPräs. J. Drnovšek im Febr. 1997 führten.

Milan Kučan

Janez Drnovšek

🕮 SOTRIFFER, K.: *S. Gesch., Kultur u. Landschaft. Linz 1973.* – JANSA, J.: *Die Entstehung des slowen. Staates 1988–92. Der Zerfall Jugoslawiens, bearb. v.* A. ZORN. *A. d. Slowen. Klagenfurt u. a. 1994.* – *S., hg. v.* U. GERIG. *Königstein im Taunus. 1994.* – *Unternehmen im Übergangsprozeß zur Marktwirtschaft mit Fallbeispielen aus S., hg. v.* J. BELAK *u.* S. KAJZER. *Wien 1994.*

slowenische Kunst. Der roman. Stil wurde in Slowenien durch die Benediktiner verbreitet. Die Sakral- und Profanbauten folgten mitteleurop. Vorbildern wie die Zisterzienserkirche in Stična bei Ljubljana (1156 geweiht) und St. Georg in Ptuj

(1125 ff.). Die Gotik setzte sich erst gegen Ende des 13. Jh. durch. Höhepunkte der got. Architektur sind das Langhaus von St. Crantianus in Kranj (um 1450), St. Primož in Kamnik (1459 ff.), St. Jakob in

slowenische Kunst: Schutzmantelmadonna des Hauptaltars der Marienkirche in Ptujska Gora (um 1410)

Škofja Loka bei Kranj (1471 ff.) und der Chor der Marienkirche in Crngrob bei Škofja Loka (1521–30). Die venezian. Architektur war u. a. richtungweisend beim Bau von Dom (begonnen in der 2. Hälfte des 15. Jh.) und Prätorenpalast (1386–1452) in Koper, die neben got. Stilelementen auch solche der Renaissance aufweisen. Zu den Meisterwerken got. Bildhauerkunst gehören der vom Einfluss der Parlerwerkstatt geprägte »Altar von Celje« (um 1400) und die Schutzmantelmadonna (um 1410) des Hauptaltars der Marienkirche in Ptujska Gora. Die Wandmalerei gewann an Bedeutung mit Malern wie J. Aquila aus Radkersburg und J. Ljubljanski. Hervorragende Beispiele der Barockarchitektur v. a. in Ljubljana: Dom (1700–01), Dreifaltigkeitskirche (1716–27), Seminar (Bibliothek, 1708–14), Rathaus (1717–18). In der Malerei waren V. J. Metzinger, F. Jelovšek, F. Bergant und A. Cebej führend, in der Bildhauerkunst F. Robba und L. Mislej. Im 19. Jh. orientierten sich in der Architektur die Vertreter von Klassizismus und Historismus an Wiener Vorbildern. Das Gleiche gilt zunächst auch für die Malerei, die dann jedoch auch Anregungen des frz. Realismus und Impressionismus aufnahm. A. Ažbè hatte mit seiner Privatschule in München großen Einfluss auf die slowen. Impressionisten (I. Grohar, R. Jakopič, M. Jama). In der Architektur deutete sich im Zusammenhang mit der Wiener Sezession durch J. Plečnik und seine Mitarbeiter eine neue Entwicklung an. Für die internat. Strömungen aufgeschlossene moderne Architektur wurden u. a. V. Subić, E. Ravnikar, M. Mušić, J. Kobe bedeutend. Die moderne bildende Kunst knüpft an nat. Traditionen an, zeigt sich aber auch für westeurop. Kunstrichtungen offen. Nachhaltigen Einfluss auf das graf. Schaffen hat die Grafikbiennale von Ljubljana. Aufgrund des engen Kontaktes zur österr. Kunstszene entfaltet die s. K. eine ungewöhnl. Breite. Wichtige Impulse gingen von der Ende der 60er-Jahre gegründeten Künstlergruppe OHO aus, deren Programm die experimentelle Erweiterung des avantgardist. Kunstbegriffs war.

📖 ANDERLIČ, J. *u.* ZADNIKAR, M.: *Kunst in Slowenien. A. d. Slowen. Wien 1985.* – SUMI, N.: *Slowenien. Kunstführer. A. d. Slowen. Ljubljana 1992.*

slowenische Kunst: Rihard Jakopič, »Save« (1922; Ljubljana, Moderna Galerija)

slowenische Literatur. Die »Freisinger Denkmäler« (10./11. Jh.), eine Übersetzung von zwei Beichtformeln und einer Beichthomilie, sind die ältesten slowen. Schriftdenkmäler und gehören zu den frühesten Zeugnissen slaw. Schrifttums überhaupt. Während vieler Jh. bestand eine reiche Volksdichtung (lyr. und ep. Lieder). Im 16. Jh. legte der Vorkämpfer der Reformation P. Trubar mit seinem Katechismus (1550/51) und Abecedarium (um 1557) die Grundlage für eine s. L. Seit Mitte des 18. Jh. führte die Aufklärung die s. L. aus dem rein kirchl. Bereich hinaus (erster slowen. Dichter V. Vodnik). Erste große künstler. Leistungen gelangen der slowen. Romantik (Gedichte von F. Prešeren). Sie wurde in der 2. Hälfte des 19. Jh. durch Realismus und Naturalismus abgelöst. Einen neuen Aufschwung erlebte die s. L. mit Dichtern wie D. Kette, O. Župančič und dem Prosaisten I. Cankar, die psycholog. und formale Verfeinerung mit Anregungen aus der Volksdichtung verbinden. Zw. den Weltkriegen gab es expressionist. und sozial gefärbte realist. Dichtung (Erzähler P. Voranc, Lyriker M. Kranjec). Mit dem 2. Weltkrieg und dem Entstehen des jugoslaw. Staates trat eine neue Generation in den Vordergrund, die sich um formale Neuerungen bemüht (M. Bor, C. Zlobec, B. Kreft u.a.). Die anfängl. Kriegs- und Partisanenthematik wurde allmählich durch aktuelle Probleme abgelöst (M. Krleža, M. Hanžek, I. Volarič, J. Detela, I. Zagorčnik). An jüngeren Autoren sind u.a. R. Šeligo, G. Januš, F. Lipuš, F. Zagorčik, P. Zidar und D. Jančar zu erwähnen.

SLODNJAK, A.: *Geschichte der s. L. Berlin 1958.* – POGAČNIK, J.: *Von der Demokratie zur Narration. Zur Entstehungsgeschichte der sloven. Lit. München 1977.*

Claus Sluter: Trauernder Mönch vom Grabmal Philipps des Kühnen (1404–05; Dijon, Musée des Beaux-Arts)

slowenische Sprache, südslaw. Sprache, mit lat. Schrift und diakrit. Zeichen. Das älteste Zeugnis sind die »Freisinger Denkmäler« (→slowenische Literatur). Unter dem Einfluss der Reformation begann im 16. Jh. die Ausbildung einer Schriftsprache (P. Trubar, A. Bohorič), die durch den Romantiker F. Prešeren ihre endgültige Gestalt erhielt.

SVANE, G. O.: *Grammatik der slowen. Schriftsprache. Kopenhagen 1958.*

Slowfox ['sləʊfɔks, engl.] *der,* langsamer Foxtrott, in England entwickelt.

slowinzische Sprache, Dialekt des Kaschubischen, wurde bis etwa 1900 von der slaw. Bev. am Labasee nordöstlich von Stolp gesprochen.

Slowjansk, Stadt in der Ukraine, →Slawjansk.

Slum [slʌm, engl.] *der,* Elendsviertel, v.a. Bez. für die an den Rändern von Großstädten oder in heruntergekommenen Stadtvierteln gelegenen Elendsquartiere, in denen die untersten Bev.-schichten in Notunterkünften mit mangelhaften sanitären Einrichtungen in größter Enge leben. Räuml. und soziale Isolation sind kennzeichnend. S. gibt es sowohl in Ind.staaten als auch v.a. in der Dritten Welt. Sie entstehen durch die Vernachlässigung von vormals besser organisierten Wohnstrukturen, wodurch die besser gestellte Wohnbev. zur Abwanderung bewogen wird, oder durch planlose Ansiedlung (z.T. auf hochgradig verseuchten Böden, ehemaligen Müllkippen usw.) von Zuwanderern (Landflucht).

Słupsk [swupsk] (dt. Stolp), Hptst. der Wwschaft Słupsk, Polen, an der Stolpe, in Pommern, 102400 Ew.; zwei Theater; Holzind., Transportmittel-, Maschinenbau, Schuh-, Bekleidungs-, Nahrungsmittelindustrie. – Stadtbefestigung mit Toren, Marienkirche (14. Jh.), Dominikanerkirche (15. Jh.), Renaissanceschloss (16. Jh.; Museum). – S. erhielt 1310 Lüb. Stadtrecht. Die Hansestadt wurde mehrfach von den pommerschen Herzögen an den Dt. Orden verpfändet; fiel 1648/53 an Brandenburg und war im 19./20. Jh. zweitgrößte Stadt Pommerns; 1945 zu Polen.

Sluter ['sly:tər], Claus, niederländ. Bildhauer, *Haarlem wohl um 1355, †Dijon 31. 1. 1406; wurde 1385 von Philipp dem Kühnen an den Hof nach Dijon berufen; schuf für die Kartause Champmol bei Dijon die Figuren des Kirchenportals (am Mittelpfeiler die Mutter Gottes, am Gewände Philipp der Kühne von Burgund, seine Gemahlin, Johannes der Täufer und die hl. Katharina, 1391–97) und den »Mosesbrunnen« im ehem. Kreuzgang, urspr. eine überlebensgroße Kreuzigung. Zu den erhaltenen Figuren zählen sechs Propheten sowie der Torso des Gekreuzigten (1395–1406) von S. Für das Grabmal Philipps des Kühnen (1384–1411) schuf S. die Tumba mit der Gestalt des Toten, umgeben von den Nischenfiguren der Klagenden. In den Werken verbinden sich niederländ. und frz. Elemente zu einem eigenen Stil. Mit seinem Realismus und dem Ausdruck von Bewegung und Mimik der Figuren führte S. die got. Plastik des schönen Stils zu einer weit über ihre Zeit hinaus ohne Nachfolge bleibenden Monumentalität.

QUARRÉ, P.: *Les pleurants des tombeaux des Ducs de Bourgogne. Paris 1952.*

sm, Einheitenzeichen für die internat. →Seemeile.

Sm, chem. Symbol für →Samarium.

SMAD, Abk. für →**S**owjetische **M**ilitär-**A**dministration in **D**eutschland.

Småland ['smo:-], histor. Provinz in S-Schweden, umfasst die heutigen VerwBez. Jönköping, Kronoberg und Kalmar; wald-, fluss- und seenreich, hügelig, bis 377 m ü.M.

Smalley ['smɔlı], Richard Errett, amerikan. Chemiker, *Akron (Oh.) 6. 6. 1943; entdeckte bei der Laserverdampfung von Graphit die →Fullerene (C_{60}, C_{70} u.a.); dafür erhielt er 1996 zus. mit H. W. Kroto und R. F. Curl den Nobelpreis für Chemie.

Gustaaf de Smet: »Jeune fille verte« (1927; Basel, Kunstmuseum, Depositum der Emanuel Hoffmann-Stiftung)

Smalltalk ['smɔ:ltɔ:k; engl. »kleines Gespräch«] *der,* auch *das,* unverbindliche, leichte Unterhaltung.

SMALLTALK ['smɔ:ltɔ:k], *Informatik:* als Dialogsprache einsetzbare objektorientierte, benutzerfreundl. Programmiersprache einschließlich der zugehörigen Programmierumgebung (z.B. Editor, Übersetzer). Das gesamte Rechensystem (Hard- und Software) wird in einheitl. Weise zusammengefasst und der Benutzer wird über Menüs geführt; Ende der 1970er-Jahre entwickelt.

Smaragd: langstängelige prismatische Kristalle

Smaltin *der,* der →Skutterudit.

Smaragd [grch.] *der,* Edelstein, eine durch Chrom(III)-oxid grün gefärbte Abart des Berylls.

Smederevo (dt. Semendria), Stadt in Serbien, Jugoslawien, an der Donau, 64300 Ew.; Eisen- und Stahlwerk, Maschinen- und Waggonbau u. a. Ind.; in der Umgebung Weinbau. – Die 24-türmige Festung mit fünf Meter dicken Mauern (um 1430) ist eine der größten mittelalterl. Festungen Europas.

Smegma [grch. das »Schmieren«] *das,* talgartige Absonderung im Vorhautsack und zw. den Schamlippen.

Smekal, Adolf Gustav Stephan, österr. Physiker, *Wien 12. 9. 1895, †Graz 7. 3. 1959; Prof. in Halle, Darmstadt und Graz; veröffentlichte 1920/21 das erste Termschema der Röntgenspektren und sagte 1923 den →Raman-Effekt voraus.

smektische Phase, Zustand →flüssiger Kristalle.

Smet, Gustaaf de, auch Gustave de S., belg. Maler und Grafiker, *Gent 21. 1. 1877, †Deurle (bei Gent) 8. 10. 1943; malte zunächst impressionist. Porträts, Landschaftsbilder und Stillleben; entwickelte sich zu einem der bedeutendsten fläm. Expressionisten.

Smetana, Bedřich (Friedrich), tschech. Komponist, *Litomyšl (Ostböhm. Gebiet) 2. 3. 1824, †Prag 12. 5. 1884; Begründer der tschech. National- und Kunstmusik; begann in Prag als Pianist und war Leiter (1848–56) einer von ihm gegr. Musikschule. 1856–61 wirkte er als Musikdirektor in Göteborg, kehrte dann nach Prag zurück und war 1866–74 Kapellmeister am Nationaltheater. In seinen Werken verband er Elemente der heim. Folklore mit neuen kompositor. Techniken der europ. Musikkultur. Neuerungen R. Wagners verwandelte er im Sinne eines nat. gefärbten Idioms; er erhielt auch Anregungen durch F. Liszt, von dessen sinfon. Dichtungen sich seine volkstüml., bildkräftigen musikal. Darstellungen jedoch wesentlich unterscheiden.

Werke: Opern: Die verkaufte Braut (1866, revidiert 1870); Dalibor (1868); Zwei Witwen (1874, revidiert 1878); Der Kuß (1876); Das Geheimnis (1878); Libuše (1881); Die Teufelswand (1882). – Sinfon. Dichtungen: Richard III. (1858); Wallensteins Lager (1859); Zyklus »Mein Vaterland« (1874–79): Vyšehrad, Die Moldau, Šárka, Aus Böhmens Hain und Flur, Tábor, Blaník; ferner Kammermusik (Streichquartett e-moll »Aus meinem Leben«, 1876), Klaviermusik, Chöre, Lieder.

📖 HONOLKA, K.: *B. S. Reinbek 1990.*

SMH (Schweizerische Gesellschaft für Mikroelektronik und Uhrenindustrie AG), weltgrößter schweizer. Uhrenkonzern (Marken: Blancpain, Omega, Longines, Tissot, Swatch), Sitz: Neuenburg; entstand 1983 durch Fusion von SSIH (Société Suisse pour l'Industrie Horlogère, gegr. 1930) und ASUAG (gegr. 1931). SMH baut zus. mit Daimler-Benz den Kleinwagen »Smart«.

Bedřich Smetana (um 1880)

Smidt, Johann, hanseat. Politiker, *Bremen 5. 11. 1773, †ebd. 7. 5. 1857. Seit 1800 im Bremer Senat, erreichte S. 1813 die Anerkennung der Unabhängigkeit der Hansestädte Bremen, Hamburg und Lübeck durch die Großmächte. Als Bürgermeister von Bremen (1821–49 und seit 1852) gründete er 1827 Bremerhaven.

Smiley ['smaılı, engl.] (Emoticon), *Computersprache:* ein aus Zeichen bestehendes Symbol, das eine Stimmung ausdrückt. S. werden u. a. in elektron. Post verwendet. Gelesen werden S. mit leicht nach links gedrehtem Kopf. Der Standardsmiley ist :-); er gibt ein freundliches Lachen an.

Leon P. Smith: »Red – Black – White« (1948; Privatbesitz)

Smith [smıθ], **1)** Adam, brit. Moralphilosoph und Volkswirtschaftler, getauft Kirkcaldy 5. 6. 1723, †Edinburgh 17. 7. 1790; seit 1751 Prof. in Glasgow. In seiner Moralphilosophie (»Theorie der eth. Gefühle«, 2 Bde., 1759), in der er eine Theorie des sozialen Handelns entwarf, erhob S. die mitmenschl. Sympathie zur Grundlage der sittl. Beurteilung; elementare Tugenden seien Klugheit (das wohlverstandene Eigeninteresse), Gerechtigkeit, Güte.

S. entwickelte ein einheitl. System der liberalen Wirtschaftslehre und gilt v. a. durch seine Arbeitswerttheorie als Begründer der klass. Nationalökonomie. Im Unterschied zum Merkantilismus und Physiokratismus betrachtete er menschl. Arbeit und Arbeitsteilung als Quellen des Wohlstands. Voraussetzung für die Arbeitsteilung ist für S. ein funktionierender Marktmechanismus, der über den Marktpreis Angebot und Nachfrage ausgleicht. Im freien Wettbewerb stelle sich durch das wohlverstandene Selbstinteresse der Menschen als Ordnungsprinzip der wirtsch. Entwicklung das Gleichgewicht zw. Erzeugung, Verbrauch, Lohn und Preis und damit ein Zustand der natürl. Harmonie des wirtsch. und sozialen Lebens ein. Ausgehend von seiner Theorie, erhob S. die Forderung nach Freihandel, voller Handels- und Gewerbefreiheit sowie weitgehender Zurückhaltung des Staates. Wesentl. Elemente seiner Lehre sind von der sozialen Marktwirtschaft aufgenommen worden. – *Weiteres Werk:* Untersuchung der Natur und Ursachen von Nationalreichthümern (3 Bde., 1776; auch als: Der Wohlstand der Nationen).

📖 STREMINGER, G.: *A. S. Reinbek 1989. – A. S. (1723–1790). Ein Werk u. seine Wirkungsgeschichte, hg. v.* H. D. KURZ. *Marburg ²1991.*

2) Bessie (Elizabeth), amerikan. Bluessängerin, *Chattanooga (Tenn.) 15. 4. 1894, †Clarksdale (Miss.) 26. 9. 1937; gilt als eine der bedeutendsten Sängerinnen des klass. Blues.

3) David, amerikan. Bildhauer, *Decatur (Ind.) 9. 3. 1906, †Bennington (Vt.) 23. 5. 1965; schuf dreidimensionale, abstrakte Eisenskulpturen mit kub. Formen und schimmernder Oberfläche.

4) Hamilton Othanel, amerikan. Mikrobiologe, *New York 23. 8. 1931; erhielt für die Entdeckung der Restriktionsenzyme und deren Anwendung in der Molekulargenetik mit W. Arber und D. Nathans 1978 den Nobelpreis für Physiologie oder Medizin.

5) Ian Douglas, Politiker in Rhodesien (heute Simbabwe), *Shurugwi 8. 4. 1919; 1961 Mitbegründer der Rhodesian Front (1964–87 deren Präs.); 1962–64 Finanzmin.; suchte als Premiermin. (1964–79) die Herrschaft der weißen Minderheit durch Unterdrückung der Schwarzen und einseitige Erklärung der Unabhängigkeit von Großbritannien (1965) zu sichern. 1979/80 war er Min. ohne Geschäftsbereich in der schwarzen Mehrheitsregierung von Simbabwe-Rhodesien; bis 1990 Mitgl. des Parlaments. BILD Simbabwe

6) Leon Polk, amerikan. Maler, *Chickasha (Okla.) 20. 5. 1906, † New York 4. 12. 1996; in den 60er-Jahren einer der Initiatoren der Minimalart, entwickelte sich zu einem bed. Vertreter der konkreten Malerei.

7) Sir (seit 1954) Matthew, brit. Maler, *Halifax 22. 10. 1879, †London 29. 9. 1959; von den Fauves beeinflusst, bed. Vertreter des engl. Expressionismus; schuf Akte, Landschaften und Stillleben.

8) Michael, kanad. Biochemiker, *Blackpool 26. 4. 1932; seit 1970 Prof. in Vancouver; entwickelte 1978 die gezielte Veränderung von Erbgut (Mutagenese) und erhielt dafür zus. mit K. B. Mullis 1993 den Nobelpreis für Chemie.

9) Tony, amerikan. Bildhauer, Maler und Architekt, *South Orange (N. J.) 1912, †New York 26. 12. 1980; mit architektonisch geprägten stereometr. Stahlskulpturen Hauptvertreter der Minimalart.

Adam Smith (Gipsabdruck eines Medaillons aus dem Jahr 1787; London, National Portrait Gallery)

Bessie Smith

Hamilton O. Smith

Smiley

Diese Smileys werden immer gerne gesehen. Mit ihnen können Sie Pointen akzentuieren oder witzige Aussagen kommentieren.

:-)	*Der lächelnde Smiley (mit Nase)*
:-D	*Etwas mit einem Lächeln sagen*
:D	*Der herzhaft lachende Smiley*
;-)	*Der augenzwinkernde Smiley*
:*)	*Herumblödeln*
%-}	*Blödsinn!*
:-x	*Smiley Kuss*
:-X	*Dicker Smiley Kuss*
II*(	*Versöhnliche Geste*
II*)	*Versöhnung akzeptiert*
II	*Umarmung*
@>--->---	*Rose*

10) William Eugene, amerikan. Fotojournalist, * Wichita (Kans.) 30. 12. 1918, † Tucson (Ariz.) 15. 10. 1978; im 2. Weltkrieg Bildberichterstatter; nach 1945 Sozialdokumentationen und Bildreportagen v. a. für die Zeitschrift »Life«; seit 1955 Mitgl. der Fotoagentur Magnum.

Peter Smithson: Economist Building in London (1962–64)

Smithson ['smɪθsn], **1)** Peter, brit. Architekt, * Stockton-on-Tees 18. 9. 1923; ⚭ mit der Architektin Alison S. (* 1928). Beide gehören zu den Schlüsselfiguren des →Brutalismus. Ihr wohl bedeutendster Bau ist das Economist Building in London (1962–64).

2) Robert, amerikan. Künstler, * Passaic (N. J.) 2. 1. 1938, † (Flugzeugabsturz) Amarillo (Tex.) 20. 7. 1973. Seine spiralförmigen Erdaufschüttungen gehören zu den bedeutendsten Werken der Land-Art.

Smithsonian Institution [smɪθ'səʊnjən ɪnstɪ'tju:ʃn], wiss. Einrichtung in Washington, 1846 gegr. durch einen Kongressbeschluss mithilfe einer Stiftung des brit. Chemikers James Smithson (* 1765, † 1829); unterstützt Expeditionen und Forschungen sowie die Popularisierung aller Wissensgebiete, v. a. in den Bereichen Ethnologie, Astronomie und Astrophysik; unterhält bed. Nationalmuseen, Forschungsinstitute, ein Observatorium und eine Bibliothek.

Smithsund ['smɪθ-], Meeresstraße zw. NW-Grönland und Ellesmereland (Kanada), Eingang ins Nordpolarmeer.

Smolensk
Stadtwappen

Smog [smɔg; engl., zusammengezogen aus **sm**oke »Rauch« und f**og** »Nebel«] *der,* die Anreicherung v. a. von Verbrennungsprodukten (Kohlenwasserstoff, Kohlen-, Schwefeldioxid, Stickoxide u. a.) in der Luft, die bei austauscharmer Witterung (→Inversion), bes. über Ballungsgebieten, nicht aufsteigen können. Man unterscheidet den (urspr. v. a. über London auftretenden) **Winter-S. (London-Typ),** der bei feucht-kühler Luft bes. als Folge von Hausbrand- und Ind.abgasen einen v. a. mit Schwefeldioxid und Ruß beladenen Nebel bildet, sowie den heute fast überall feststellbaren **Sommer-S. (photochem. S., Los-Angeles-Typ),** der durch atmosphär. Schadstoffe bei intensiver Sonneneinstrahlung entsteht; es bilden sich v. a. Photooxidantien wie Ozon und Peroxiacetylnitrat. – S. reizt v. a. die Atemwege, er kann bei starker Konzentration toxisch (giftig) wirken, bes. bei Menschen mit Herz-, Kreislauf-, Asthma-, Bronchialleiden, bei kleinen Kindern und alten Menschen. Nach dem Bundesimmissionsschutz-Ges. sind die Landesreg. ermächtigt, Gebiete besonderer Gefährdung festzulegen und S.-Verordnungen zu erlassen. Diese enthalten in Stufen wirksam werdende S.-Warn- und S.-Alarmpläne, die u. a. die Drosselung der Emission industrieller Betriebe und Benutzungseinschränkungen oder -verbote für private Kraftfahrzeuge auslösen.

📖 FABIAN, P.: *Atmosphäre u. Umwelt. Chem. Prozesse, menschl. Eingriffe. Ozon-Schicht, Luftverschmutzung, S., saurer Regen. Berlin u. a.* [4]*1992.* – *S., Redaktion:* B. KOENGETER. *Stuttgart* [3]*1993.* – SIEBERT, J.: *Ozonalarm. Autoverkehr u. Sommersmog. Göttingen 1995.*

Smokarbeit [von engl. to smock »fälteln«], Stickereitechnik, die durch Bündeln und Übernähen des in schmale Falten gelegten Stickgrundes Formgebung und Schmuckwirkung verbindet.

Smoking [engl.] *der,* ein meist dunkler Gesellschaftsanzug: Herrenjackett mit seidenbesetztem Kragen und Revers, Hose ohne Aufschläge mit Borten auf den Seitennähten sowie tief ausgeschnittene Weste oder Kummerbund, dazu weißes Hemd und eine schwarzseidene Schleife.

Smolensk, Hauptstadt des Gebiets S. in Russland, am Dnjepr, 341 000 Ew.; Hochschulen, Theater, Museen; Maschinenbau, Textil-, elektrotechn., Nahrungsmittelindustrie; südöstlich von S. Kernkraftwerk (2 000 MW); Flughafen. – Uspenski-Kathedrale (1677–79; Ikonostase), Johann-Bogoslow-Kirche (1173–76; 18. Jh.), Erzengel-Michael-Kirche (1191–94; mit Apsis). – Das 863 erstmals erwähnte S. war ein wichtiger Stützpunkt auf dem Handelsweg zw. Ostsee und Schwarzem Meer; ab dem 12. Jh. Hauptort eines Teilfürstentums, gehörte 1404–1514 und 1611–67 zu Polen-Litauen. Als bed. militär. Stützpunkt häufig umkämpft, z. B. im

Russ. Feldzug Napoleons I. (1812) und im 2. Weltkrieg (Kesselschlacht von Smolensk, 1941).

Smoler ['smɔlɛr], Jan Arnošt (dt. Johann Ernst Schmaler), sorb. Philologe, Ethnograph und Kulturpolitiker, *Merzdorf 3. 3. 1816, †Bautzen 13. 6. 1884; in der sorbischen nat. Bewegung engagiert; sammelte Volkslieder, Hg. sprachwiss. Arbeiten; 1845 Mitbegründer der wiss.-kulturellen Organisation der Sorben »Maćica Serbska«.

Smollett ['smɔlɪt], Tobias George, schottischer Schriftsteller, getauft Dalquhurn (bei Dumbarton) 19. 3. 1721, †bei Livorno 17. 9. 1771; Arzt; verfasste eine Gesch. Englands, übersetzte A. Lesage und M. de Cervantes und schrieb Schelmenromane voller origineller Charaktere, u. a.: »Die Abenteuer Roderick Randoms« (2 Bde., 1748), »Peregrine Pickle« (4 Bde., 1751).

Smoluchowski, Marian von, poln. Physiker, *Vorderbrühl (heute zu Erlach, Bez. Wiener Neustadt) 28. 5. 1872, †Krakau 5. 9. 1917; Prof. in Lemberg und Krakau, erklärte 1906 unabhängig von A. Einstein die brownsche Molekularbewegung.

smorzando [italien.] (smorzato), Abk. **smorz.,** musikal. Vortragsbez.: verklingend, verlöschend.

Smuts [smœts], Jan Christiaan, südafrikan. Offizier und Politiker, *Bovenplaats (Kapland) 24. 5. 1870, †Irene (bei Pretoria) 11. 9. 1950; kämpfte im Burenkrieg gegen die Engländer, trat aber dann für eine Versöhnung mit Großbritannien ein. 1910 Mitbegründer sowie erster Innen- und Verteidigungsmin. der Südafrikan. Union. 1916/17 befehligte er die südafrikan. Truppen gegen Dt.-Südwest- und Dt.-Ostafrika. 1919 vertrat er die Südafrikan. Union auf der Versailler Konferenz; maßgeblich am Aufbau des Völkerbunds beteiligt, regte die Schaffung des Mandatssystems an. 1919–24 MinPräs., 1933–39 Justizmin. in der Reg. J. Hertzog, zu dessen Sturz er wesentlich beitrug; 1939–48 erneut MinPräs. 1945 Mitbegründer der UN. Als Biologe Mitbegründer des →Holismus.

📖 INGHAM, K.: *J. C. S. London 1986.*

Smyrna, früherer Name von →İzmir.

Sn, chem. Symbol für →Zinn.

Snake River ['sneɪk 'rɪvə] (Schlangenfluss), größter (linker) Nebenfluss des Columbia in den USA, 1670 km lang, entspringt in den Rocky Mountains in Wyoming, durchströmt in einem 1200–1700 m tiefen Cañon das Columbiaplateau und mündet bei Pasco in S-Washington.

SNCF [ɛsɛnse'ɛf], Abk. für **S**ociété **N**ationale des **C**hemins de Fer **F**rançais, die staatl. Eisenbahngesellschaft Frankreichs, 1938 durch Zusammenschluss versch. Bahngesellschaften entstanden.

Snell, 1) Bruno, klass. Philologe, *Hildesheim 18. 6. 1896, †Hamburg 31. 10. 1986; schrieb u. a. »Die Entdeckung des Geistes« (1946), »Der Aufbau der Sprache« (1952).

2) George Davis, amerikan. Genetiker, *Haverhill (Mass.) 19. 12. 1903, †Bar Harbor (Me.) 6. 8. 1996; entdeckte die erbl. Antigene (Histokompatibilitätsantigene), die für die Verträglichkeit bzw. Abstoßung bei Transplantationen zw. übertragenem Gewebe und Empfängergewebe verantwortlich sind. S. erhielt 1980 mit B. Benacerraf und J. Dausset den Nobelpreis für Physiologie oder Medizin.

Snellius ['snɛli:ys], eigtl. Snel van Rojen, Willebrord, niederländ. Mathematiker und Physiker, *Leiden 1580, †ebd. 30. 10. 1626; entdeckte das nach ihm benannte Gesetz der Lichtbrechung (→Brechung) und begründete eine bestimmte Art der →Gradmessung.

Sněžka ['snjeʃka], tschech. Name der →Schneekoppe.

Snežnik [-ʒ-], Berg in Slowenien, →Schneeberg.

Śnieżka ['ɕnjɛʃka], poln. Name der →Schneekoppe.

Snob [engl.] *der,* Person, die sich durch Lebensstil, Erscheinungsbild, Verhalten und Ansprüche anderen überlegen glaubt.

SNOBOL [Abk. für engl. **str**ing-**o**riented sym**bo**lic **l**anguage], *Informatik:* imperative Programmiersprache zur Textverarbeitung und maschinellen Sprachübersetzung, die in den 1960er-Jahren entwickelt wurde; wichtigster Datentyp ist die Zeichenkette.

Snøhetta ['snø:hɛta, norweg.] *der,* Berg im →Dovrefjell.

Snorri Sturluson, isländ. Dichter, Geschichtsschreiber und Staatsmann, *Hvamm (W-Island) 1178/79, †(ermordet) auf seinem Gut Reykjaholt

Smolensk: Die aus dem 17. Jh. stammende Uspenski-Kathedrale wurde 1732–40 barock umgestaltet

Jan Christiaan Smuts

George D. Snell

Frans Snyders: »Fischmarkt« (undatiert; Sankt Petersburg, Eremitage)

22. 9. 1241; war als einer der mächtigsten Häuptlinge Islands an den zahlr. Familienfehden beteiligt; hatte wiederholt das Gesetzessprecheramt inne. Er beherrschte die Skaldendichtung und ihre Überlieferung souverän, als Historiker nutzte er ihren Quellenwert und sammelte die zu ihrem Verständnis notwendigen mytholog. Zeugnisse. So entstanden die →Edda (Snorra-Edda), die sein einziges erhaltenes Preislied »Háttatal« enthält, und die →Heimskringla.

📖 BAGGE, S.: *Society and politics in S. S.'s Heimskringla. Berkeley, Calif., 1991.*

Snow [snəʊ], Sir (seit 1957) C. P. (Charles Percy), engl. Schriftsteller, *Leicester 15. 10. 1905, †London 1. 7. 1980; sein Hauptwerk ist eine Romanfolge aus dem Universitätsmilieu (»Fremde und Brüder«, 11 Bde., 1940–70; Bd. 1–9 dt.). Sein 1959 gedruckter Vortrag »Die zwei Kulturen« setzt sich mit den Folgen der Beziehungslosigkeit zw. Natur- und Geisteswissenschaften auseinander.

Sobek

Snowboard ['snəʊbɔ:d, engl.] *das,* scharfkantiges Gleitbrett, auf dem der Fahrer frei stehend Abfahrtspisten hinabfährt, wobei Kurven geschnitten und hohe Geschwindigkeiten (bis 100 km/h) erreicht werden. Auf flachem Gelände werden Segel eingesetzt. Für **Sandboarden** (z.B. an Dünenhängen) wird ein ähnl. Brett ohne Kanten eingesetzt.

Snowdon ['snəʊdn; »Schneeberg«] *der,* mit 1085 m ü.M. die höchste Erhebung von Wales, in den Cambrian Mountains; im **Snowdonia National Park** (2171 km²).

Joshua Sobol

Snowy Mountains ['snəʊɪ 'maʊntɪnz], der südl. Teil der Great Dividing Range, SO-Australien, im Mount Kosciusko 2230 m ü.M. In den S. M. liegt das größte Hydroverbundsystem der Südhalbkugel (17 Staudämme und 9 Kraftwerke mit über 4 Mio. kW Leistung).

SNR, Abk. für **s**chneller **n**atriumgekühlter **R**eaktor, Bauart eines schnellen Brüters (→Kernreaktor).

Snyders ['snɛjdərs] (Snijders), Frans, fläm. Maler, getauft Antwerpen 11. 11. 1579, †ebd. 19. 8. 1657; Schüler von P. Bruegel d.J., malte Stillleben (bes. von Wildbret und Geflügel), Tierstücke und Jagden, oft in Zusammenarbeit mit Rubens oder dessen Schülern.

Soane [səʊn], Sir (seit 1831) John, engl. Baumeister, *Goring (Cty. Oxfordshire) 10. 9. 1753, †London 20. 1. 1837; Vertreter des klassizist. Stils.

Werke (in London): Umbau und Erweiterung der Bank von England (1788–1833, 1925–39 größtenteils abgerissen), Gemäldegalerie von Dulwich College (1811–14) sowie sein Wohnhaus (1812/13, heute S.-Museum mit Kunstsammlung).

Soares [sʊ'arɪʃ], Mario, portugies. Politiker, *Lissabon 7. 12. 1924; als Gegner des Salazar-Regimes wiederholt inhaftiert, 1970–74 im Exil, gründete in der Bundesrep. Dtl. 1973 die Sozialist. Partei Portugals und war 1973–86 deren Gen.-Sekr. Er drängte in Portugal den kommunist. Einfluss zurück. Als Premiermin. (1976–78 und 1983–85) förderte er den Beitritt seines Landes zur EG (später EU). 1986–96 war er Staatspräs. (Wiederwahl 1991).

Sobat *der* (im Oberlauf Baro), rechter Nebenfluss des Weißen Nil, 740 km lang, entspringt im Äthiop. Hochland, mündet oberhalb von Malakal, SW-Sudan.

Sobek (grch. Suchos), ägypt. Gott, wurde als Herr der Gewässer auf Nilinseln, an Stromschnellen und in der Seenlandschaft des Faijum verehrt; dargestellt als Krokodil oder Mensch mit Krokodilskopf.

Sobernheim, Bad, →Bad Sobernheim.

Sobieski, Jan, König von Polen, →Johann (Herrscher, Polen).

Sobol, Joshua, israel. Dramatiker und Journalist, *Tel Aviv 24. 8. 1939; wurde bekannt mit den Dramen »Weiningers Nacht« (Uraufführung 1982), »Ghetto« (1984) und »Die Palästinenserin« (1985).

Sobótka [sɔ'butka], **1)** Gebirgsstock in Polen, →Zobten.

2) (dt. Zobten, auch Zobten am Berge) Stadt und Erholungsort in der Wwschaft Wrocław (Breslau), Polen, am NO-Fuß des Zobten, 180 m ü. M., 6400 Ew.; Natursteinbrüche; Holz-, Textilind., Brauerei. – Ältester belegter Marktort Schlesiens (1148 erstmals erwähnt).

Soccer ['sɔkə, engl.] *der,* amerikan. Bez. für das Fußballspiel europ. Art, im Unterschied zum American →Football.

Social Gospel ['səʊʃl 'gɔspəl, engl.], im letzten Drittel des 19. Jh. in den USA entstandene Bewegung amerikan. Protestanten, die gegenüber dem amerikan. Kapitalismus die soziale Bedeutung des Evangeliums hervorhebt.

Societas Jesu [nlat. »Gesellschaft Jesu«], Abk. **S. J.**, die →Jesuiten.

Societas Meteorologica Palatina [lat.], die 1780 von Kurfürst Karl Theodor in Mannheim gegründete Pfälz. Meteorolog. Gesellschaft; richtete ein Netz meteorolog. Stationen in Europa, Grönland und Nordamerika ein, deren einheitl. Instrumente und Beobachtungszeiten die erste Sammlung vergleichbarer Werte lieferte.

Société Anonyme [sɔsjeˈte anɔˈnim], Abk. **S. A., SA,** frz. Bez. für Aktiengesellschaft.

Société Générale [sɔsjeˈte ʒeneˈral], frz. Universalbank, gegr. 1864, seit 1983 jetziger Name; Sitz: Paris; wurde 1945 verstaatlicht, 1987 reprivatisiert.

SOCist, Abk. für **S**acer **O**rdo **Cist**erciensis, →Zisterzienser.

Sockel, 1) *Bauwesen:* der etwas vorspringende Unterbau eines Gebäudes, gegen die oberen Teile oft durch ein Sockelgesims abgesetzt; auch das Postament, auf dem ein Standbild, ein Pilaster, eine Säule u. a. steht.

2) *Elektrotechnik:* bei elektr. Lampen und Elektronenröhren der metall. Teil, mit dem sowohl der elektr. Anschluss hergestellt wird als auch die Befestigung in der Fassung erfolgt.

Soda [span.] *die* und *das* (systematische Bez. Natriumcarbonat), Na_2CO_3, weißes, in Wasser leicht lösl. Salz. S. bildet mit Wasser drei Hydrate: Dekahydrat, $Na_2CO_3 \cdot 10\,H_2O$ **(Kristall-S.),** Heptahydrat ($Na_2CO_3 \cdot 7\,H_2O$) und Monohydrat ($Na_2CO_3 \cdot H_2O$). Die wasserfreie Verbindung **(calcinierte S.)** bildet ein weißes, auf Haut und

Reaktionen in Lösung:

$NH_3 + H_2O \rightleftharpoons NH_4^+ + OH^-$

$OH^- + CO_2 \rightleftharpoons HCO_3^-$

$Na^+ + Cl^- + HCO_3^- \rightleftharpoons NaHCO_3 + Cl^-$

Calcinieren des Natriumhydrogencarbonats:

$2\,NaHCO_3 \rightarrow Na_2CO_3 + H_2O + CO_2$

Soda: Sodaherstellung nach dem Ammoniak-Soda-Verfahren

Schleimhäuten reizend wirkendes Pulver. Die wässrige Lösung von S. reagiert infolge Hydrolyse stark alkalisch. Mit Säuren entsteht unter Aufschäumen Kohlendioxid (CO_2). S. wird heute fast ausschließlich nach dem **Solvay-Verfahren (Ammoniak-S.-Verfahren)** hergestellt; dabei werden in eine Kochsalzlösung Ammoniak und Kohlendioxid eingeleitet. Unter geeigneten Reaktionsbedingungen fällt dabei bevorzugt das relativ schwer lösl. Natriumhydrogencarbonat ($NaHCO_3$, »Natriumbicarbonat«) aus, das durch →Calcinieren bei etwa 180 °C in S. umgewandelt wird. S. ist ein wichtiges Grundprodukt der chem. Industrie (z. B. für die Neutralisation von Säuren) und hat große Bedeutung als Flussmittel in der Glas- und Emailindustrie.

Sodalith

Sodalith *der,* kubisches Mineral der chem. Zusammensetzung $Na_8\,[Cl_2|(AlSiO_4)_6]$, bildet mit **Nosean** und **Haüyn** eine isotype Reihe von →Feldspatvertretern. Die Minerale der S.-Reihe sind weiß, grau bis schwarz, oft auch blau (v. a. Haüyn); Vorkommen in Ergussgesteinen und vulkan. Auswürflingen, auch in Tiefengesteinen (Syeniten); zuweilen als Schmuckstein verwendet.

Sodankylä, Gemeinde und Marktzentrum in der Prov. Lappi, Finnland, an der Eismeerstraße, 10 600 Ew.; bed. Fremdenverkehr; Parabolantenne eines Forschungsprojekts zur Untersuchung der Einflüsse der Sonne auf die Entstehung des Polarlichts.

Mario Soares

Sodar [ˈsoːdar, soˈdaːr; Abk. für engl. **so**und **d**etecting **a**nd **r**anging], Verfahren zur Untersuchung der unteren Luftschichten (Turbulenzmessung) und zur Ortung von »Abgasfahnen«. Eine **S.-Anlage** besteht aus Schalltrichtern, aus denen kurze, scharf gebündelte Schallsignale abgestrahlt werden. Die reflektierten Anteile ermöglichen aufgrund der Laufzeit der Signale, ihrer Intensität und Frequenzverschiebung die Auswertung.

Sodawasser, Bez. für Tafelwasser, das mindestens 570 mg/l Natriumhydrogencarbonat ($NaHCO_3$) sowie Kohlensäure enthält.

Sodbrennen (Pyrosis), brennendes Gefühl im Bereich der unteren Speiseröhre, das (v. a. bei zu reichl. Mahlzeiten, Übersäuerung, aber auch verminderten Säuregehalt des Magensaftes) durch Rückführung von Magen- und/oder Dünndarminhalt in die Speiseröhre zustande kommt.

Frederick Soddy

Soddy [ˈsɔdɪ], Frederick, brit. Chemiker, *Eastbourne 2. 9. 1877, †Brighton 22. 9. 1956; war als Mitarbeiter von E. Rutherford (1901–03) an der Erforschung des radioaktiven Zerfalls beteiligt. 1910–13 führte S. den Begriff der Isotopie ein und formulierte 1912–13 mit Kasimir Fajans (*1887, †1975) die Verschiebungssätze der Radioaktivität. Für seine Beiträge zur Chemie der radioaktiven Substanzen und seine Untersuchungen über Isotope erhielt er 1921 den Nobelpreis für Chemie.

Soden am Taunus, →Bad Soden am Taunus.

Soden-Salmünster, →Bad Soden-Salmünster.

Nathan Söderblom

Söderblom [-blum], Nathan, eigtl. Lars Olof Jonathan S., schwed. evang. Theologe und Religionshistoriker, *Trönö (VerwBez. Gävleborg) 15. 1. 1866, †Uppsala 12. 7. 1931; seit 1914 Erzbischof von Uppsala; gehörte zu den Initiatoren der ökumen. Bewegung; begründete die moderne Religionswiss. in Schweden; erhielt 1930 den Friedensnobelpreis. – *Werk:* Die Religionen der Erde (1905).

Södergran, Edith, finn. Lyrikerin schwed. Sprache, *Sankt Petersburg 4. 4. 1892, †Raivola

Sodoma: Der Ausschnitt aus einem 1512 geschaffenen Fresko in der Villa Farnesina in Rom zeigt die Hochzeit Alexanders des Großen mit Roxane, Tochter des Oxyartes aus Baktrien

(heute Roschtschino, bei Sankt Petersburg) 24. 6. 1923; wirkte mit metrisch freien, reimlosen Gedichten von großer visionärer Bildkraft bahnbrechend für den skandinav. Expressionismus.

Edith Södergran

Södermanland, VerwBez. (Län) in Mittelschweden, 6060 km², (1995) 259800 Ew., südlich vom Mälarsee, ein seen- und waldreiches, landwirtschaftlich genutztes Gebiet; Hptst.: Nyköping.

Södertälje, Industrie- und Hafenstadt im schwed. VerwBez. (Län) Stockholm, am S-Ende des Mälarsees und am S.-Kanal, 81800 Ew.; Freilichtmuseum; Maschinen- und Fahrzeugbau, pharmazeut. Industrie.

Sodoku [japan.] *das,* die →Rattenbisskrankheit.

Sodoma, eigtl. Giovanni Antonio Bazzi, italien. Maler, *Vercelli 1477, †Siena 15. 2. 1549. Weiches Helldunkel und schwärmer. Gefühlsausdruck der Figuren kennzeichnen seine zur Hoch- und Spätrenaissancemalerei zählenden Werke, u.a. Fresken in Monte Oliveto Maggiore (seit 1505), in der Villa Farnesina in Rom (1512, v.a. Fresko mit der Hochzeit Alexanders des Großen mit Roxane), in San Domenico in Siena (1525–28); Hl. Sebastian (1525–27; Florenz, Palazzo Pitti).

Sodomie [nach der bibl. Stadt Sodom] *die,* sexuelle Handlungen von Menschen mit Tieren; in Dtl., Österreich und der Schweiz nicht strafbar.

Sodomsapfel
(Höhe bis zu 1 m)

Sodoms|apfel (Solanum sodomaeum), in Afrika beheimatete, giftige Art der Gattung Nachtschatten; heute auch an den Küsten des Mittelmeergebiets, z.B. an Straßenrändern, verbreitet; bestachelter, bis zu 1 m hoher Strauch mit violetten Blüten und 2 cm dicken, gelben Beeren.

Sodom und Gomorrha, bibl. Städte, wohl am S-Ende des Toten Meeres gelegen, die nach 1. Mos. 19 wegen der Frevelhaftigkeit ihrer Bewohner (Völlerei, Rechtsbeugung, Selbstgerechtigkeit, homosexuelle Gewalt, nicht aber →Sodomie) von Gott (Jahwe) zerstört wurden. S.u. G. galten bereits im A.T. als ein Sinnbild für Laster und Sündhaftigkeit schlechthin.

Soest [zo:st], **1)** Kreis im RegBez. Arnsberg, NRW, 1327 km², (1996) 301400 Einwohner.

2) Kreisstadt von 1), in der fruchtbaren **Soester Börde,** 48400 Ew.; Fachbereiche der Gesamthochschule Paderborn, Fachschulen, Burghofmuseum, Kunstsammlungen, Stadtarchiv; Elektrotechnik, Akkumulatorenbau, Eisen- und Aluminiumverarbeitung, Maschinenbau, Nahrungsmittel- u.a. Industrie. – In dem von einer Mauer (12. Jh.) und einem Wall umschlossenen Stadtkern liegen die Patroklikirche (10.–12. Jh.; Westbau mit Turm, zw. 1190 und 1230; Fresken, 12. Jh.; im Museum roman. Glasfragmente), die Petrikirche (12./13. Jh., mit frühgot. Chor und Fresken des 12. Jh. sowie des 13.–16. Jh.), die Kirche St. Maria zur Wiese (Wiesenkirche, 1317 ff., vollendet 1846–82, Glasmalereien des 14./15. Jh.), die Kirche St. Maria zur Höhe (Hohnekirche, 1220–30, Fresken des 13. Jh.), die roman. Nikolaikapelle (um 1200) mit dem Nikolausaltar von Konrad von Soest (um 1390) und das Rathaus (1713–18). – 836 erstmals erwähnt, um 1100 Marktrecht. Das **Soester Stadtrecht** (um 1120 aufgezeichnet) erhielten etwa 60 westfäl. Städte sowie Lübeck (1159; Grundlage des Lüb. Rechts).

Soest 2): Das Rathaus mit seinen Arkaden wurde zu Beginn des 18. Jh. erbaut; im Hintergrund der Westbau der Stiftskirche Sankt Patrokli mit dem zwischen 1190 und 1230 erbauten monumentalen Turm

Bis 1622 bed. Mitgl. der Hanse; errang in der **Soester Fehde** (1444–49) die Unabhängigkeit von Kurköln und schloss sich an die Herzöge von Kleve an; kam 1645 (endgültig 1669) an Brandenburg(-Preußen).

📖 JOEST, J.-J.: *Wirtschaftl. u. soziale Entwicklung des Soester Raumes ... Soest 1978.*

Ardengo Soffici: »Flasche und Glas« (1915; Mailand, Museo d'Arte Contemporanea)

Soffici ['sɔffitʃi], Ardengo, italien. Schriftsteller und Maler, *Rignano sull'Arno (Prov. Florenz) 7. 4. 1879, †Forte dei Marmi (Prov. Lucca) 19. 8. 1964; lebte 1900–07 in Paris, wo er u. a. P. Picasso, G. Appollinaire, J. Moréas und L. Bloy begegnete; wichtiger Vermittler der zeitgenöss. Malerei und Literatur Frankreichs in Italien, bes. über die Zeitschriften »La Voce« und »Lacerba«. Hauptwerk ist der Schelmenroman »Lemmonio Boreo« (1912).

Soffịtte [frz., aus italien.] *die, Theater:* vom Schnürboden herabhängendes Dekorationsteil, das die Kulissenbühne nach oben abschließt.

Sofia ['zɔfia, 'zoːfia] (bulgar. Sofija), Hauptstadt von Bulgarien, am Fuß der Witoscha, an der Isker, 1,114 Mio. Ew.; Sitz des bulgarisch-orth. Patriarchen, des kath. Exarchen sowie der Bulgar. Akademie der Wissenschaften, Univ. (gegr. 1888 als Hochschule, seit 1909 Univ.), mehrere wiss. Institute und Hochschulen, Nationalbibliothek, Museen, Staatsoper, mehrere Theater, Philharmonie. Wichtigster Ind.standort des Landes mit Maschinen-, Fahrzeug-, Waggonbau, Nahrungsmittel-, elektrotechn., elektron., chem., graf., Textil-, Lederwaren-, Tabak- u. a. Industrie; im Stadtteil Kremikowzi größtes Hüttenwerk Bulgariens. Thermalquellen, Fremdenverkehr; internat. Flughafen. – Bed. Bauten: Kirche von Bojana (1259, UNESCO-Weltkulturerbe), Sophienkirche (5. Jh., im 9. Jh. erneuert), Georgsrotunde (4. und 6. Jh.), Große (1474) und Schwarze (1527) Moschee sowie Bädermoschee (1617), Alexander-Newski-Kathedrale (1904–12). – Seit dem 4. Jt. v. Chr. ständig besiedelt; gehörte im 8./7. Jh. v. Chr. zum Thrakerreich, fiel 29 v. Chr. als **Serdica** (nach den thrak. Serden) an Rom und wurde nach 271 n. Chr. Hptst. der Prov. Dacia mediterranea; im 4./5. Jh. von Ostgoten und Hunnen zerstört, unter Kaiser Justinian I. wieder aufgebaut; 809 von dem Bulgarenkhan Krum erobert, slawisiert und in **Sredez** umbenannt. 1018–1185 unter byzantin. Herrschaft; gehörte ab 1194 zum 2. Bulgar. Reich; erhielt Ende des 14. Jh. nach der Sophienkirche den Namen S.; gehörte 1382–1878 zum Osman. Reich; seit 1879 Hptst. Bulgariens.

Sofortbildfotografie, fotograf. Verfahren, bei dem unmittelbar nach der Aufnahme durch in den lichtempfindl. Schichten ablaufende chem. Vorgänge ein positives Bild als Unikat entsteht. Nach langwierigen Patentauseinandersetzungen sind seit 1986 nur noch die auf Edwin Land (*1909, †1991) und Mitarbeiter zurückgehenden Polaroidverfahren (Polaroid Corp., Cambridge, Mass.) auf dem Markt. – Die **Schwarzweiß-S.** (erstmals 1947) beruht auf dem Silbersalzdiffusionsverfahren. Das belichtete Bild wird mit einer dickflüssigen Masse in der Kamera entwickelt und fixiert, das unbelichtete Silberhalogenid diffundiert in das Übertragungspapier zur Schwärzung des Positivs. Der Vorgang dauert nur einige Sekunden. Bei der **Farb-S.** (seit 1963) wird ein Farbdiffusionsverfahren angewendet: Neben drei sensibilisierten Silberhalogenidschichten für die Grundfarben Blau, Grün und Rot sind weitere Schichten mit Farbentwicklermolekülen enthalten, die nach Einwirkung

Sofia: Die aus dem 5. Jh. stammende und im 9. Jh. erneuerte Sophienkirche ist die Hauptkirche der Stadt; im Hintergrund die 1904–12 erbaute Alexander-Newski-Kathedrale

Soest 2) Stadtwappen

Sofia Stadtwappen

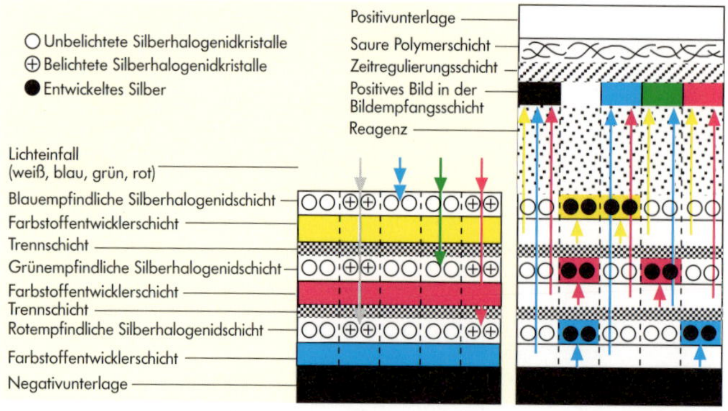

Sofortbildfotografie: schematische Darstellung des Trennbildverfahrens; Belichtung der für das jeweilige Licht sensibilisierten Silberhalogenidschichten im Negativ (links) und Entwicklung nach Aufpressen der Positiv-Bildempfangsschicht; die Farbstoffübertragung erfolgt durch die unbelichteten Silberhalogenidschichten, anschließend wird das Positiv vom Negativ getrennt

einer Entwickleraktivierungspaste die Entstehung des Positivs bei Anfall eines Negativs bewirken (Trennbildverfahren). Beim Integralverfahren (seit 1972) bleibt das Negativ Bestandteil des Positivs. Hierbei ist im Unterschied zum Trennbildverfahren eine Kamera mit Umkehrspiegel für ein seitenrichtiges Bild notwendig.

Sofortbildfotografie

Während seines Physikstudiums in Harvard beschäftigte sich Edwin H. Land mit einem damals ungelösten Problem: einem Polarisator, der nur Lichtwellen einer bestimmten Schwingungsebene durchlassen sollte. Als er das Gerät erfunden hatte, betrachtete er sein Studium als beendet und gründete 1937 die Firma Polaroid.
Mit blendfreien Sonnenbrillen und Autoscheinwerfern, Kamerafiltern usw. wurde er schnell ein reicher Mann. Als seine kleine Tochter 1943 ein paar soeben geknipste Fotos sofort sehen wollte, hatte er innerhalb von wenigen Stunden die Lösung gefunden. Vier Jahre später kam die erste Polaroid-Sofortbildkamera auf den Markt und wurde prompt der Weihnachtsgeschenkrenner des Jahres. Als Land starb, war er Inhaber von 500 Patenten. Nur Edison hatte mehr.

Softcopy ['sɔftkɔpɪ, engl.], *Datenverarbeitung:* Bild oder Text auf einem graf. Ausgabegerät (z.B. Bildschirm), im Ggs. zur ausgedruckten →Hardcopy.

Softsculpture [sɔft'skʌlptʃə, engl.] *die,* Tendenz der zeitgenöss. Bildhauerei, statt der traditionellen harten Werkstoffe (Stein, Metall, Holz) weiche Materialien (Tuch, Filz, Gummi, Federn, Kunststoff) zu verwenden. Die Anfänge liegen bei M. Duchamp, M. Ray, Meret Oppenheim, in den 1960er-Jahren folgten P. Manzoni, J. Beuys, F. Spindel und v.a. C. Oldenburg; Künstlerinnen betonen den Fetischcharakter der S. (Magdalena Abakanowicz, Nancy Graves).

Rudolf Sohm

Software ['sɔftweə, engl.] *die,* Sammelbegriff für alle Programme für den Betrieb einer Datenverarbeitungsanlage und die dafür notwendigen Unterlagen (z.B. Bedienungsanleitung). Die **Anwender-S.** umfasst alle Programme, die der Benutzer eines Computers benötigt, um spezielle Aufgaben zu lösen. Zur **System-S.** (→Betriebssystem) gehören alle Programme, die von der zu bearbeitenden Einzelaufgabe unabhängig und für den Betrieb einer Rechenanlage erforderlich sind, z.B. Organisations-, Übersetzungs- und Dienstprogramme. Die S. ist neben der →Hardware maßgeblich für die Leistungsfähigkeit eines Rechners.

Sog, Unterdruck mit saugender Wirkung in Gas- und Flüssigkeitsströmungen.

Sogdiana (Sogdien, grch. Sogdiane), histor. Landschaft und altpers. Provinz in Mittelasien, zw. dem Mittellauf des Oxus (heute Amudarja) und des Jaxartes (heute Syrdarja); umfasste das Gebiet des heutigen Usbekistan, ferner Teile von Tadschikistan, Kirgistan und Turkmenistan; Hptst. war Marakanda (das spätere Samarkand). – Die von den iran. **Sogdiern** besiedelte Oasenlandschaft (später **Transoxanien** gen.) gehörte seit Dareios I. zum Achaimenidenreich; 329–327 von Alexander d. Gr. unterworfen, der die 1975 in Tadschikistan entdeckte Stadt Alexandreia gründete. Nach seinem Tod kam S. zum seleukid., später zum gräkobaktr. Reich; erlag im 2. Jh. v. Chr. mit Baktrien dem Ansturm von Steppenvölkern; wurde 260 n. Chr. Prov. des Sassanidenreiches; geriet zu Beginn des 8. Jh. unter die Herrschaft der Araber und entwickelte sich zu einem Zentrum islam. Kultur; im 13. Jh. Eroberung durch die Mongolen. Um 1500 begann die Türkisierung des Gebiets.

Sognefjord ['sɔŋnəfju:r], längster Fjord Norwegens, greift 204 km weit in die Hochfläche ein, bis 1308 m tief, mit zahlr. Seitenarmen.

Sohar [hebr. »Lichtglanz«] *der* (Zohar), Hauptwerk der →Kabbala. Es wurde in den Hauptteilen gegen 1300 stückweise in aramäischer Sprache anonym von Mose de Leon (†1305) als Midrasch verbreitet; enthält neben den kabbalist. Lehrgrundlagen Erläuterungen zur Zahlenmystik, myst. Ausdeutungen der Worte der Thora und anderer bibl. Bücher und Wundererzählungen.

Sohle, 1) *Anatomie:* Unterseite des Fußes.

2) *Bergbau:* untere Begrenzungsfläche eines Grubenraumes, auch Bez. für die einzelnen, untereinander liegenden Stockwerke von Grubenbauen.

3) *Geologie/Wasserbau:* Boden eines Tales, Flusses oder Kanals.

Sohlengänger (Plantigrada), Säugetiere, die (im Ggs. zu den Zehengängern) mit der ganzen Fußsohle auftreten, z.B. Bär, Dachs, Affe, Mensch.

Sohm, Rudolf, Jurist, *Rostock 29. 10. 1841, †Leipzig 16. 5. 1917; Prof. in Freiburg im Breisgau,

Straßburg, Leipzig; Mitschöpfer des BGB, schrieb »Institutionen des röm. Rechts« (1883); ein weiterer Schwerpunkt seiner Arbeiten waren die Grundlagen des (evang.) Kirchenrechts (»Kirchenrecht«, 2 Bde., 1892–1923). S.s Kirchen- und Rechtsverständnis, das auf z.T. irrigen histor. Ableitungen, auf einem säkular-positivist. Rechts- und einem spiritualistisch verengten Kirchenbegriff beruhte, wurde zu einem der Ansatzpunkte der nat.-soz. Kirchenpolitik im Kirchenkampf.

Sohn Gottes, aus hellenist. Vorstellungsbereichen in das N.T. übernommener Würde- und Hoheitstitel für Jesus Christus; wird v.a. in der Logos-Christologie des Johannesevangeliums theologisch entfaltet.

Sö̱hnker, Hans, Schauspieler, *Kiel 11. 10. 1903, †Berlin (West) 20. 4. 1981; Theaterengagements an zahlr. dt. Bühnen, bekannt v.a. durch Filme und viele Fernsehrollen (u.a. »Der Mustergatte«, 1937).

Sọhn-Rẹthel, Alfred, Sozialwissenschaftler und Philosoph, *Paris 4. 1. 1899, †Bremen 6. 4. 1990; Prof. ebd. seit 1978. In seinem Versuch, Denk- und Bewusstseinsformen aus dem gesellschaftl. Sein abzuleiten, brachte S.-R. erkenntnistheoret. und physikal. Grundbegriffe mit Tauschhandlung und geldvermitteltem Warentausch (orientiert an Marx' Analyse der Ware) in Verbindung. In seinen sozialwiss. Untersuchungen gab er eine empirisch fundierte Analyse der Entstehung des dt. Nationalsozialismus.

Soiree [soa're, swa're:, frz.] *die,* Abendgesellschaft, -empfang; Abendveranstaltung.

Soissons [swa'sɔ̃], Stadt im Dép. Aisne, Frankreich, in der Picardie, an der Aisne, 32 100 Ew.; Gießereien und Kesselschmieden, Elektro-, Gummi-, chem., Nahrungsmittelindustrie. – Kathedrale (12./13. Jh.) mit hochgot. Langhaus, bed. Glasmalereien. – Gegr. als röm. Garnison **Augusta Suessionum,** seit 486/487 fränkisch. Die Grafschaft S. war seit Ende des 14. Jh. bis 1734 im Besitz königl. Seitenlinien.

Sọjabohne (Rauhaarige Soja, Glycine max), Hülsenfrüchtler, Art der Gattung Glycine; alte Kulturpflanze (Wildform: Glycine soja), die v.a. in O-Asien, aber auch in allen gemäßigt-warmen Gebieten in vielen Kulturformen angebaut wird; 30–100 cm hoher, bräunlich behaarter Schmetterlingsblütler mit kleinen, kurzgestielten, weißl. oder violetten Blüten und etwa 8 cm langen Hülsen mit etwa 8 mm langen Samen **(Sojabohnen).** Die Samen enthalten bis zu 40% Proteine, bis zu 20% Fette sowie bis zu 20% Kohlenhydrate und 2% Lecithin. Aus dem Samen wird durch Extraktion das **Sojaöl** gewonnen (für Speiseöle und -fette sowie zur Herstellung von Seifen, Glycerin und Firnis). Die proteinreichen Rückstände **(S.-Kuchen** und **Sojaextraktionsschrot)** werden als Viehfutter verwendet; ferner wird daraus das **S.-Lecithin** gewonnen. Das Sojaprotein enthält alle essenziellen Aminosäuren und ist zu 97% verdaulich. Als Proteinaustauschstoff ist es heute für die menschl. Ernährung bes. wichtig.

Sojabohne: Pflanze mit Blüten und Hülsen und geöffnete Hülse mit Samen

Sojourner [səʊ'dʒə:nə; engl. »Gast«, »Verweiler«], bei der Pathfindermission (→Pathfinder) 1997 das 11 kg schwere, 61 cm lange und 30 cm hohe eingesetzte Marsfahrzeug (Marsrover), das für die Oberflächenerkundung des Mars entwickelt wurde. S. ist das erste Fahrzeug, das zur Erkundung eines anderen Planeten eingesetzt wurde. Die Steuerung wurde von der Erde aus vorgenommen. Der Antrieb erfolgte über sechs Räder, von denen jedes mit einem Elektromotor versehen war. Die Energie lieferten die auf seiner Oberseite montierten Solarzellen. S. war u.a. mit einem Röntgenspektrometer (APX-Spektrometer), das vom Max-Planck-Institut für Chemie in Mainz entwickelt wurde, und einer Kamera ausgerüstet.

Sojụs [russ. »Bündnis«, »Union«], Serie von Raumfahrzeugen der UdSSR bzw. ab 1992 der GUS für bemannte Flüge in Erdumlaufbahnen zur Erprobung von raumfahrttechn. Verfahren (Rendezvoustechnik, Raumflugnavigation), für den Aufbau von Raumstationen und als Zubringer. Sie bestehen aus Rückkehrkabine, Orbitalsektion und Antriebs- und Versorgungsteil; verbesserte Versionen: **Sojus T** (1979–1986), **Sojus TM** (seit 1986). Mit der Sojus TM sollen bis 1998 Besatzungen der russ. Raumstation Mir transportiert werden; danach soll sie für die internat. Raumstation Space Station als Rettungsraumschiff zur Verfügung stehen. BILD S. 112

Sōka-gakkai [japan. »Gesellschaft zur Schaffung von Werten«], eine der neuen Religionen Japans; hat ihre Wurzeln im japan. Buddhismus, versteht sich als künftige Weltreligion mit dem Zentrum Japan und beeinflusst über die aus ihr hervorgegangene Partei Kōmeitō das polit. Leben Japans.

Sọkolov (dt. Falkenau an der Eger), Stadt im Westböhm. Gebiet, Tschech. Rep., 28 600 Ew.; Hauptort des westböhm. Braunkohlengebietes; Bergbaumuseum; chem., Glasind., Elektrizi-

Sojabohne: Anbaufläche und Erzeugung der Hauptproduzentenländer

Land	Fläche in 1000 ha			Ernte in Mio. t		
	1990	1994	1995	1990	1994	1995
USA	22 869	24 629	24 952	52,4	68,5	58,6
Brasilien	11 481	11 514	11 651	19,9	24,9	25,6
China	7 564	9 227	8 132	11,0	16,0	13,5
Argentinien	4 985	5 748	5 914	10,7	11,7	12,1
Indien	2 365	3 992	5 000	2,4	3,7	4,6
Kanada	491	820	819	1,3	2,3	2,3
Paraguay	900	694	830	1,8	1,8	2,3
Indonesien	1 334	1 407	1 503	1,5	1,6	1,7
Welt	56 505	61 685	62 285	108,1	136,2	125,9

Sojus: Die Aufnahme vom 9. August 1990 zeigt das Raumfahrzeug Sojus TM-10 (rechts oben) am Heck der Raumstation Mir, in der Konstellation (von rechts) Modullabor Kvant 1, Basisblock Mir, Modullabor Kvant 2 (unten) und Modullabor Kristall (links oben)

tätswerk. – Barockes Schloss. – Erhielt 1339 Stadtrecht.

Sokolow ['zɔkɔlɔf, engl. 'səʊkələʊv], Nahum, jüd. Schriftsteller und Politiker, *Wyszogród (bei Płock) 10. 1. 1861, †London 17. 5. 1937; bereitete mit C. Weizmann die Gründung eines jüd. Staates in Palästina vor und war an den Verhandlungen mit Großbritannien beteiligt, die zur Balfour-Deklaration 1917 (→Balfour) führten; 1921–31 Präs. der »Jewish Agency for Palestine«, 1931–35 Präs. der zionist. Weltorganisation.

Javier Solana Madariaga

Sokolowski, Wassili Danilowitsch, Marschall der Sowjetunion (seit 1946), *Koźliki (Wwschaft Białystok) 21. 7. 1897, †Moskau 10. 5. 1968; als Oberbefehlshaber der sowjet. Truppen in Dtl. 1946–49 Militärgouverneur in der sowjet. Besatzungszone, 1952–60 Generalstabschef der sowjet. Streitkräfte.

Sokoto, Hauptstadt des Bundesstaates S., NW-Nigeria, 190 100 Ew.; Zentrum der nigerian. Muslime; Univ. (1975 gegr.); Handels- und Verkehrszentrum; Zementfabrik, Gerbereien; Flughafen. – S., seit dem 14. Jh. ein Zentrum islam. Kultur, war im 19. Jh. Hptst. des von Osman dan Fodio geschaffenen Fulbereiches.

Sokotra (engl. Socotra), Inselgruppe im Ind. Ozean, südlich des Golfs von Aden, zur Rep. Jemen gehörend, 3626 km², (1990) 80 000 Ew.; hat endem. Flora und Fauna; Fischerei und Weidewirtschaft; Hauptort und -hafen ist Tamrida (Hadibu).

Sokrates, grch. Philosoph, *Athen um 470 v. Chr., †ebd. 399 v. Chr.; Sohn des Steinmetzen Sophroniskos und der Hebamme Phainarete, ⚭ mit Xanthippe. Wegen angebl. Einführung neuer Götter und Verführung der Jugend wurde S. zum Tod durch den Schierlingsbecher verurteilt. Da S. nur mündlich lehrte, geben nur die sekundären Quellen seiner Schüler (Anthistenes, Xenophon, Platon u. a.) Auskunft über seine Philosophie. – S. kritisiert die kosmolog. Spekulationen der Naturphilosophen, v. a. aber die Sophisten, deren Lehre mehr auf rhetor. Überredung als auf begründetes Wissen und Handeln gerichtet sei. Die Übereinstimmung zw. Wissen und Handeln ist das Hauptziel der Lehre des S., das er mit seiner Methode der →Mäeutik zu erreichen versucht. Das begründete Wissen des Guten ziehe dabei das rechte Handeln notwendig nach sich: Wissen ist Tugend.

📖 *Der histor. S., hg. v.* A. PATZER. *Darmstadt 1987.* – GIGON, O.: *S. Sein Bild in Dichtung u. Geschichte. Tübingen ³1994.* – MARTIN, G.: *S. Reinbek 1994.* – FIGAL, G.: *S. München 1995.*

Sokratiker, die Schüler des Sokrates, die seine Lehre selbstständig fortbildeten und meist eigene Schulen gründeten, bes. Platon (Akademie), Antisthenes (Kyniker), Aristippos (Kyrenaiker), Euklid von Megara (megar. Schule) und Phaidon (elisch-eretr. Schule).

sol [italien.], die fünfte Tonsilbe (→Solmisation), in den roman. Sprachen Name des Tones G.

Sol [lat. »Sonne«], röm. Sonnengott, entspricht dem grch. →Helios.

Sol [von lat. solutio »Lösung«] *das,* →Kolloide.

Sol [span. »Sonne«] *der,* 1863 in Peru eingeführte Währungseinheit, 1 S. = 100 Centavos; zwischenzeitlich vom Inti abgelöst, wurde der S. 1991 als **Nuevo S.** (Abk. S/.) wieder eingeführt; 1 S/. = 100 Céntimos.

sola fide [lat. »allein aus dem Glauben«], Kurzformel der prot. Theologie (→Protestantismus).

sola gratia [lat. »allein durch die Gnade«], Kurzformel der prot. Theologie (→Protestantismus).

Solana Madariaga [- maðaˈrjaɣa], Javier, span. Politiker, *Madrid 14. 7. 1942; Prof. für Physik, Mitgl. der Sozialist. Arbeiterpartei Spaniens, 1988–92 Erziehungs- und Wissenschafts- sowie

Sola fide

Biblische Kernstelle für Luthers Lehre von der Rechtfertigung »allein aus dem Glauben« war Röm. 3, 28. Dort heißt es in der lateinischen Fassung: »Arbitremur hominem iustificari ex fide absque operibus.« Luther übersetzt: »So halten wyrs nu das der mensch gerechtfertiget werde on zu thun der werck des gesetzes alleyn durch den glawben.«

Luther fügt also das »alleyn« hinzu und rechtfertigt diesen für ihn entscheidenden Zusatz ausführlich im »Sendbrief vom Dolmetschen«.

1992–95 Außenmin., seit 1995 Gen.-Sekr. der NATO.

Solanas, Fernando Ezequiel, argentin. Filmregisseur, *Onivos (Prov. Buenos Aires ?) 16. 2. 1936; förderte mit Filmen, die sich gegen Imperialismus und Neokolonialismus richten, wesentlich die Politisierung der lateinamerikan. Filmproduktion (»Die Stunde der Hochöfen«, 3 Tle., 1968; »Tangos«, 1985; »Süden«, 1987; »Die Reise«, 1992).

Solanin [lat.] *das,* in zahlr. Arten der Gattung Nachtschatten (v.a. vergrünten Kartoffelknollen und -keimen) vorkommendes, stark giftiges Alkaloid, das zu Vergiftungserscheinungen (»Solanismus«), u.a. mit Brennen im Hals, Mattigkeit, Übelkeit, Erbrechen und Durchfällen führen kann.

Solanum [lat.], → Nachtschatten.

Solapur ['səʊlɑːpʊə] (früher Sholapur), Stadt im Gliedstaat Maharashtra, Indien, auf dem Dekhan, 603 900 Ew.; Baumwollverarbeitungszentrum; Verkehrsknotenpunkt.

solar [lat., zu sol »Sonne«], die Sonne betreffend.

Solar|architektur, den klimat. Bedingungen angepasste Planung und Ausführung von Wohngebäuden, bei denen der gesamte Energiebedarf aus der Sonneneinstrahlung gewonnen wird; bezieht sich v.a. auf die Lage des Gebäudes (Himmelsrichtung), Materialien, Gestaltung von Fenstern und Fensterverkleidungen, Einsatz von Solarkollektoren, Solarzellen, Verwendung entsprechender Speicheranlagen u.a. Man unterscheidet 1) passive Systeme mit direktem Gewinn, bei denen durch hinreichend große »Südfenster« u.a. im Winter verstärkt Sonnen- in Wärmeenergie umgewandelt wird; 2) passive Systeme mit indirektem Gewinn, bei denen hinter den Südfenstern eine geschwärzte massive Speicherwand (Trombewand) angebracht wird, die nachts die gespeicherte Wärme an den Raum abgibt, und 3) spezielle Maßnahmen, wobei die tagsüber in einem Luftkollektor erwärmte Luft besonderen Wärmespeichern im Boden zugeführt und nachts zur Erwärmung der Räume genutzt wird. BILDER S. 114

📖 *Sonnenenergie für eine umweltschonende Baupraxis, Beiträge v.* H. WEIK *u. a. Renningen-Malmsheim ²1995. – Energie- u. umweltbewußtes Bauen mit der Sonne, bearb. v.* A. LOHR *u. a. Köln ³1996.*

Solargenerator, die → Sonnenbatterie.

Solarheizung (Sonnenheizung), Nutzung der Sonnenenergie zur Raumheizung und Warmwasserbereitung. Dabei wird die von der Sonne zugestrahlte Wärmeenergie mithilfe von auf dem Gebäudedach angeordneten → Solarkollektoren aufgefangen und über einen Wärmeträger (meist Wasser oder Sole) einem Speicher zugeführt. Aus dem Speicher wird die Wärmeenergie bei Bedarf abgerufen und zum Verbraucher geleitet. Die Problematik der S. in gemäßigten bis kalten Klimazonen liegt darin, dass das solare Energieangebot zu Zeiten mit großem Heizwärmebedarf relativ gering ist. Die Nutzungsmöglichkeit der Solarenergie zur Raumheizung erfordert großen anlagetechn. Aufwand. Für die Brauchwassererwärmung in den Sommermonaten ist die Solarenergie jedoch auch in diesen Zonen geeignet.

Sokrates: römische Marmorkopie eines griechischen Bronzeoriginals, Höhe 37 cm (nach 380 v. Chr.; Neapel, Museo Archeologico Nazionale)

Sokrates

Xenophon schreibt in den »Erinnerungen an Sokrates« (1, 1, 10 f.):

»Er (Sokrates) lebte immer in der Öffentlichkeit. Er ging früh in die Wandelhallen und Gymnasien. Wenn sich der Markt füllte, war er dort zu sehen, und die übrige Zeit des Tages war er immer da, wo er voraussichtlich die meisten Leute antraf. Er lehrte auch meistenteils, und wer Lust hatte, konnte (ihm) zuhören ... Er selbst aber unterhielt sich immer nur über die menschlichen Dinge und forschte, was fromm, was göttlich, was schön, was hässlich, was gerecht, was ungerecht, was Besonnenheit, was Verzückung, was Tapferkeit, was Feigheit, was Staat, was Staatsmann, was Herrschaft über Menschen, was ein Herrscher über Menschen sei. Dazu kamen die anderen Fragen, von denen er annahm, dass derjenige, der sie kenne, ein vollkommener Mensch sei. Wer sie aber nicht kenne, der müsse mit Recht als Knecht bezeichnet werden.«

Solarisation [lat.] *die,* fotograf. Effekt: Bei sehr starker Überbelichtung tritt eine Umkehrung der Lichteinwirkung auf, d.h., die erzielte Schwärzung wird geringer als bei niedrigeren Intensitäten.

Durch diffuse Zweitbelichtung eines fotograf. Bildes auf der bereits teilweise entwickelten Schicht, die anschließend weiterentwickelt wird, entsteht eine ähnl. Erscheinung **(Pseudo-S., Sabattier-Effekt),** die in der Fotografie als gestalter. Mittel genutzt wird.

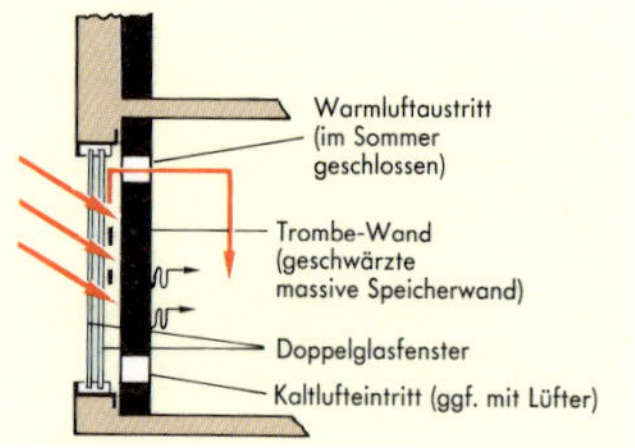

Solar-architektur: schematische Darstellung einer Trombewand

Solarium *das,* Einrichtung zur Ganzkörperbestrahlung, v.a. zur Bräunung der Haut durch künstl. Lichtquellen mit sonnenstrahlähnl. Spektrum.

Solarkollektor (Sonnenkollektor), Anlage, die Sonnenstrahlung absorbiert, diese in Wärme umwandelt und an einen strömenden Wärmeträger (Wasser, Natrium, Isobutan) abgibt. Der **Flachkollektor** nimmt nicht nur einen Teil der direkten (gerichteten) Sonnenstrahlung, sondern auch einen Teil der ungerichteten (diffusen) Himmelsstrahlung auf. Flachkollektoren brauchen deshalb dem Sonnenstand nicht nachgeführt zu werden, die erreichbare Arbeitstemperatur des Wärmeträgers ist entsprechend niedrig. Der **konzentrierende Kollektor** besitzt eine Einrichtung zur opt. Konzentration der einfallenden Sonnenstrahlung (Reflektor) auf das Absorbersystem, in dem der Wärmeträger zirkuliert. Konzentrierende Kollektoren müssen sonnensynchron nachgeführt werden. Die Arbeitstemperatur kann weit über 100 °C liegen und der Erzeugung von Prozesswärme oder elektr. Energie dienen. (→Solarheizung)

Solararchitektur: Das »Solarhaus Freiburg« des Fraunhofer-Instituts für Solare Energiesysteme (ISE) deckt seinen gesamten Energiebedarf durch die Sonnenstrahlung auf die Gebäudehülle; auf dem Dach befinden sich Solarzellen und Solarkollektoren

Solarkonstante, Energiemenge (1,36 kW/m^2), die bei mittlerer Entfernung Erde/Sonne von der Sonne je Zeiteinheit auf einer senkrecht zu den Sonnenstrahlen orientierten, an der Grenze der Erdatmosphäre liegenden Fläche auftrifft.

Solartechnik (Heliotechnik), moderner Teilbereich der Energietechnik, der mit der energet., insbesondere elektro- und wärmetechn. Ausnutzung der Sonnenenergie befasst ist. Die **therm. S.** umfasst die durch Absorption von Sonnenstrahlung v.a. in Solarkollektoren erfolgende aktive Umwandlung von Sonnenenergie in Wärme und deren anschließende Nutzung zur Raumheizung, Brauchwassererwärmung u.a. mithilfe eines geeigneten Wärmeträgers (z.T. auch in Kombination mit Wärmepumpen), weiter die Erzeugung von Prozesswärme, außerdem die Techniken der passiven Sonnenenergienutzung. Die **elektr. S.** umfasst die auch großtechnisch mögl. Verfahren der Umwandlung von Sonnenenergie in elektr. Energie, entweder indirekt durch die Umwandlung in Wärme und Erzeugung von Turbinen antreibendem Dampf zur Stromerzeugung oder direkt durch photovoltaische Umwandlung in Solarzellen bzw. Sonnenbatterien.

solarterrestrische Erscheinungen, →Sonne.

Solarzelle (Sonnenzelle), großflächige Ausführungsform des →Photoelements, bei der die einfallende Strahlungsleistung des Sonnenlichts direkt in elektr. Leistung umgewandelt wird. Die Energieerzeugung mit S. sowie deren Entwicklung, Fertigung und Einsatz werden zusammenfassend **Photovoltaik** genannt. Die Umwandlung der Strahlungs- in elektr. Energie in den S. beruht auf dem inneren Photoeffekt im Halbleitermaterial. S. werden aus Einkristallscheiben geschnitten oder in Form von Dünnschichtzellen als Bänder oder Folien gegossen, die elektr. Kontakte werden aufgedruckt oder aufgedampft. Die prakt. Anwendung ist bisher auf spezielle Bereiche (Raumfahrt, Medizin, Uhren, Taschenrechner) beschränkt. (→Sonnenbatterie, →Sonnenkraftwerk)

sola scriptura [lat. »allein durch die Schrift«], Kurzformel der prot. Theologie (→Protestantismus).

Solbad, Ort mit kochsalzhaltigen Quellen; Kuren bes. bei Infektanfälligkeit sowie bei rheumat. Erkrankungen.

Sold [zu Solidus], Löhnung, Lohn, bes. der Soldaten **(Wehrsold).**

Soldat [italien.], Angehöriger des militär. Personals von Streitkräften. In der Bundeswehr wird unterschieden zw. Wehrpflichtigem, S. auf Zeit (Dienstzeit höchstens 15 Jahre) und Berufssoldat.

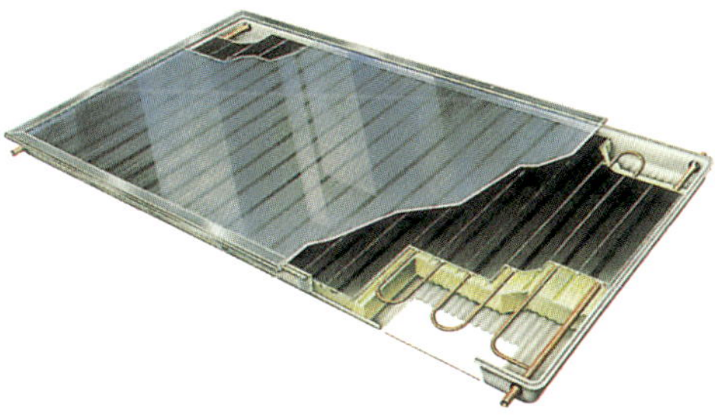

Solarkollektor: Schnittzeichnung eines Flachkollektors, der neben der direkten Solarstrahlung auch diffuse Himmelsstrahlung aufnimmt

Soldatengesetz, → Wehrrecht.

Soldatenverbände, Vereine ehem. Soldaten zur Pflege militär. Tradition und zur Unterstützung bedürftiger Mitglieder. Der 1872 gegr. Dt. Kriegerbund und der 1898 gebildete Kyffhäuserbund der dt. Landeskriegerverbände schlossen sich 1922 zum Dt. Reichskriegerbund Kyffhäuser zusammen. Nach dem 2. Weltkrieg wurden alle dt. S. aufgelöst. – In der Folgezeit entstanden wieder S., u. a. der Kyffhäuserbund (KB; 1952), der Verband dt. Soldaten (VdS; gegr. 1950), der Dt. Bundeswehrverband (DBwV; gegr. 1956) und der Verband der Reservisten der Dt. Bundeswehr e. V. (VdRBw; gegr. 1960).

Soldateska [italien.] *die,* disziplinloses und gewalttätig vorgehendes Militär.

Soldbuch, in der dt. Wehrmacht 1939–45 der Personalausweis des Soldaten; eingetragen wurden Beförderungen, Versetzungen, Auszeichnungen, Empfang von Ausrüstung und Sold.

Soldin, Stadt in Polen, → Myślibórz.

Söldner, für Sold angeworbener, zeitlich befristet dienender und meist durch Vertrag gebundener Soldat. Nachdem das S.-Wesen bereits in der Antike aufgetreten war, prägte es vom MA. bis zur Frz. Revolution das europ. Militärwesen; verschwand mit der Einführung stehender Heere und der allg. Wehrpflicht; hielt sich in Restformen bis in die Gegenwart (z. B. Fremdenlegion).

Sole *die,* i. e. S. Bez. für eine aus Kochsalzquellen gewonnene Natriumchloridlösung, i. w. S. Bez. für jede Salzlösung. Als **S.-Salz** bezeichnet man aus S. gewonnenes Kochsalz.

Sol|lei, hart gekochtes, in Salzwasser eingelegtes Ei.

Solenoid [grch.] *das,* koaxial gestreckte Zylinderspule mit sehr vielen dicht beieinander liegenden Windungen. Stromdurchflossen wirkt das S. wie ein Stabmagnet.

Soler Puig [- puix], José, kuban. Schriftsteller, *Santiago de Cuba 10. 11. 1916, †Havanna 31. 8. 1996; am Widerstand gegen G. Machado und F. Batista y Zaldívar beteiligt; wurde mit dem Roman »Bertillón 166« (1960) über das Batista-Regime bekannt; die Geschichte Kubas ist auch themat. Hintergrund weiterer Werke, u. a. »Un mundo de cosas« (R., 1982).

Solf, Wilhelm, Politiker und Diplomat, *Berlin 5. 10. 1862, †ebd. 6. 2. 1936; 1900–11 Gouv. von Westsamoa, 1911–18 Leiter des Reichskolonialamts; Okt. bis Dez. 1918 Staatssekr. des Äußeren; ab 1919 Mitgl. der DDP, 1920–28 Botschafter in Tokio. Um ihn und seine Frau Johanna S. (*1887, †1954) sammelte sich eine Gruppe von Gegnern des Nationalsozialismus **(Solf-Kreis).**

Wilhelm Solf

Solfatara [italien., von solfo »Schwefel«] *die,* ehem. Vulkankrater in den → Phlegräischen Feldern, der nur Wasserdampf und Schwefelwasserstoff ausstößt.

Solfatare [zu Solfatara] *die,* postvulkan., Schwefelwasserstoff führende Wasserdampfausströmung.

Solfeggio [sɔlˈfeddʒo, italien.] *das,* Gesangsübung auf Vokale oder auf die Tonsilben do, re, mi, fa, sol, la, si (→ Solmisation), zur Schulung der Stimme und des Gehörs.

Solferino, Gemeinde in der Prov. Mantua, Italien, südlich des Gardasees. Am 24. 6. 1859 siegten hier die Franzosen und Piemontesen unter Napoleon III. über die Österreicher unter Franz Joseph I.

Solfatare liegt in der Nähe des Mývatn (Mückensee) im Norden Islands

Solicitor [səˈlɪsɪtə; engl., zu lat. sollicitare »veranlassen«] *der,* in Großbritannien, Irland und Teilen Australiens der Anwalt, der nur vor niederen Gerichten auftreten darf. Hauptaufgabe ist die Beratung in allen Rechtsangelegenheiten einschließlich der Vorbereitung von Prozessen für den Barrister sowie all jene Beurkundungen, die in Dtl. Aufgabe des Notars sind. Ein Mandant kann sich nur über einen S. an einen Barrister wenden.

Solidarność

Solidus: Vorder- und Rückseite eines Solidus aus Trier (zwischen 313 und 315 n. Chr.)

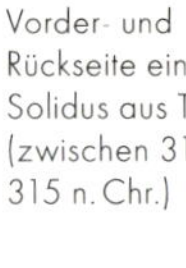

Solingen Stadtwappen

Solidarismus [lat.] *der,* sozialphilosoph. Lehre, die im Ggs. zum Individualismus ein ursprüngl. Verbundensein der Menschen zum Zweck des Gemeinwohls annimmt und, im Ggs. zum Universalismus, die Freiheit des Einzelnen und Privateigentum in den durch die Rücksicht auf das Gemeinwohl bedingten Grenzen anerkennt. Dieses **Solidaritätsprinzip** wurde innerhalb der kath. Sozialphilosophie grundlegend. (→Soziallehren der christlichen Kirchen)

Solidarität [lat.-frz.], Zusammengehörigkeitsgefühl von Individuen oder Gruppen in einem Sozialgefüge (i.w.S. auch von Staaten in internat. Bündnissen), das sich in gegenseitiger Hilfe und Unterstützung äußert. Neben den Formen der S. der Gesinnung (Einheitsbewusstsein) und S. des Handelns (gegenseitige Hilfsbereitschaft) gibt es die Interessen-S., die lediglich durch sachlich begründete Interessengleichheit in einer bestimmten Situation wirksam ist und nach dem Erreichen des gemeinsamen Zieles endet. S. hat sich v.a. seit dem 19. Jh. in der Arbeiterschaft entwickelt und war eine Grundvoraussetzung für die Kämpfe der Arbeiterbewegung. Da die Arbeits- und Lebensverhältnisse der Arbeiter heute uneinheitlicher sind, müssen die Bedingungen für S.-Erfahrungen immer stärker erarbeitet und organisiert werden. Angesichts der Verelendung großer Teile der Dritten Welt, des ökonom. Zusammenbruchs in Osteuropa, der Massenarbeitslosigkeit und des Abbaus von Leistungen des Sozialstaates sowie andauernder Benachteiligung und Unterdrückung von Frauen, Alten, nat. Minderheiten u.a. ist S. als Bereitschaft zur Unterstützung im Widerstand gegen Unrecht auch heute von zentraler Bedeutung.

📖 Christoph, K.: *S. Baden-Baden 1979.* – Hondrich, K. O. *u.* Koch-Arzberger, C.: *S. in der modernen Gesellschaft. Frankfurt am Main 1994.*

Solidaritätszuschlag, eine vom 1. 7. 1991 bis 30. 6. 1992 und seit dem 1. 1. 1995 in Dtl. zur Finanzierung der dt. Einheit erhobene →Ergänzungsabgabe. Der S. betrug 3,75% der für 1991 und 1992 festgesetzten Einkommen- und Körperschaftsteuer. Für die Lohn- und Kapitalertragsteuer belief er sich auf 7,5% des zw. 1. 7. 1991 und 30. 6. 1992 bzw. vom 1. 1. 1995 bis 31. 12. 1997 einbehaltenen Steuerbetrags. Zum 1. 1. 1998 wurde der S. auf 5,5% gesenkt. Der Erhebungszeitraum ist nicht befristet, die -notwendigkeit soll aber in unbestimmten Abständen überprüft werden.

Solidarność [-nɔɕtɕ; poln. »Solidarität«] *die,* 1980 gegründeter unabhängiger poln. Gewerkschaftsverband, der schon kurz nach seiner Entstehung rd. 10 Mio. Mitgl. hatte. Vorsitzender war 1980–90 L. Wałęsa. Mit der Verhängung des Kriegsrechts (13. 12. 1981) wurde die Tätigkeit der S. untersagt und ein Teil ihrer führenden Mitgl. interniert; dennoch arbeitete sie illegal weiter. 1989 maßgeblich an Gesprächen zw. Regierung und Opposition beteiligt und im April 1989 wieder legalisiert, konnte das Bürgerkomitee S. die Parlamentswahlen im Juni 1989 gewinnen und mit T. Mazowiecki den MinPräs. stellen. Ihre Doppelfunktion als Gewerkschaft und polit. Bewegung (Parlaments- und Reg.arbeit) führte zu Spannungen innerhalb der S., aus der seit 1990 versch. eigenständige Parteien hervorgingen.

📖 Holzer, J.: *»Solidarität«. Die Geschichte einer freien Gewerkschaft in Polen. München 1985.* – Tatur, M.: *S. als Modernisierungsbewegung. Frankfurt am Main 1989.*

Solidarpakt (Föderales Konsolidierungsprogramm), Bez. für 1993 getroffene Vereinbarungen des Bundeskanzlers mit den MinPräs. der Länder und den Partei- und Fraktionsvors. über die langfristige Finanzierung der dt. Einheit sowie über die Begrenzung der Staatsverschuldung. Eckpunkte des S. sind u.a.: Festlegung des Transfervolumens für die Finanzausstattung der neuen Bundesländer ab 1995 (dazu Schaffung eines gesamtdt. Finanzausgleichs sowie Neuregelung der Finanzverteilung zw. Bund und Ländern); zur Stärkung des Wohnungsbaus in den neuen Bundesländern Kappung der Altschulden auf 150 DM je Quadratmeter und Aufstockung des Programms der Kreditanstalt für Wiederaufbau; nachdrückl. Bekämpfung des Missbrauchs sozialer Regelleistungen; Abbau von Subventionen; Wiedereinführung des Solidaritätszuschlags ab 1995; Aufstockung des Fonds Dt. Einheit (1993 zusätzlich um 3,7 Mrd. DM).

Solidus [lat. »gediegen«, »fest«] *der,* 309 von Kaiser Konstantin I. eingeführte Goldmünze (4,54 g), bis zum Ende des Byzantin. Reichs als Handelsmünze weit verbreitet; in den Urkunden des MA. Rechnungsmünze, 1 S. = 12 Denare (Pfennige); als Geldstück in Dtl. Schilling genannt.

Solifluktion [zu lat. solum »Boden« und fluere »fließen«] (Bodenfließen, Erdfließen, Fließerde), kriechende oder fließende Bewegung wasserdurchtränkter Lockergesteine auf geneigter Unterlage, v.a. auf Dauerfrostboden. Sie bestimmt im Periglazialbereich die Abtragungs- und Transportvorgänge mit Bildung z.B. von Blocksteinen, Streifen- und Strukturböden.

Solihull [səʊlɪˈhʌl], Stadt in der Metrop. Cty. West Midlands, England, südöstlich von Birmingham, 205 000 Ew.; Kraftfahrzeug-, Leichtindustrie.

Soliman, osman. Sultane, →Süleiman.

Solingen, kreisfreie Stadt im RegBez. Düsseldorf, NRW, im Berg. Land, 165 100 Ew.; Landesinst. für internat. Berufsbildung NRW, Zentralfachschule der Dt. Süßwarenwirtschaft, Fachschule für Metallgestaltung; Museen, Theater; Zentrum der dt. Schneidwarenind., Maschinen- und Fahrzeugbau, Elektroind., Gießereien. – Im Stadtteil Gräfrath kath. Pfarrkirche (1690), ehem. Stiftskirche (beherbergt nach Umbau seit 1991 das Dt. Klingenmuseum). – 965 erstmals urkundlich erwähnt, seit 1374 Stadt. Die Schneidwarenindustrie hat sich aus der schon im MA. bed. Schwertschmiedekunst entwickelt.

📖 ELSNER, P.: *Solinger Bibliographie. Solingen 1986.* – TIBORSKI, K.: *S. – baul. Innovation u. lokale Persistenz. Paderborn 1987.*

Solipsismus [lat.] *der,* als **erkenntnistheoret. S.** die Lehre, dass allein das Ich mit seinen Erlebnissen wirklich, die Gesamtheit der wahrgenommenen Außenwelt dagegen bloße Vorstellung sei (subjektiver Idealismus). Ein entsprechender **method. S.** (Rückgang auf das Ich als sicheren Ausgangspunkt des Wissens) findet sich bei R. Descartes und im 20. Jh. bei H. Driesch. Als praktisch-eth. Egoismus wurde ein **ethischer S.** in radikaler Form von M. Stirner vertreten: Es habe nur Wert, was dem eigenen Selbst zugute komme.

Solis, Virgil, d. Ä., Kupferstecher und Holzschnittzeichner, *Nürnberg 1514, †ebd. 1. 8. 1562; schuf zahlr. Holzschnitte, Kupferstiche, Radierungen und Zeichnungen in der Art der Kleinmeister.

Solist [zu Solo] *der,* Sänger einer Einzelstimme, Spieler eines Einzelinstruments.

solitär [frz., aus lat. solitarius »einzeln«], *Biologie:* einzeln lebend, wachsend (Tier, Pflanze).

Solitär *der,* einzeln gefasster, bes. schöner und großer Edelstein, vorzugsweise Brillant.

Solitonen (solitäre Wellen), stationäre Wellen, die einen bestimmten Lösungstyp spezieller nichtlinearer Differenzialgleichungen darstellen und im Unterschied zu gewöhnl. Wellen bei der Ausbreitung nicht auseinander laufen oder sich auflösen, sondern ihre Größe und Form beibehalten. Stoßen zwei S. zusammen, so ändern sie ihre Form nicht; trifft aber eine solche Welle auf ihre Antiwelle **(Antisoliton),** so können sie sich gegenseitig vernichten. Diese Eigenschaften verleihen S. den Charakter von Teilchen. Erstmalig wurden sie 1834 von J. S. Russell in Form einer Wasserwelle beobachtet, die sich als einzelner Wasserbuckel vom Bug eines in einem engen Kanal fahrenden Kahns ablöste, als dieser plötzlich abgestoppt wurde. S. ergeben sich auch als Lösungen von Differenzialgleichungen, die sehr schwere Elementarteilchen beschreiben. Sie dienen zur Beschreibung von Selbstwechselwirkungseffekten und werden u. a. in der Festkörperphysik zur Deutung magnet. Phänomene herangezogen.

Solitude [-'ty:d, frz.] *die,* Lustschloss westlich von Stuttgart, 1763–67 im Rokokostil erbaut. Seit 1991 ist hier eine Akademie mit Ateliers und Wohnungen für junge Künstler untergebracht.

Soll, 1) *Buchführung:* linke Seite des Kontos (Debet) zur Erfassung von Aktivmehrungen; bei Aktivkonten Eintragung der Vermögenszunahme, bei Passivkonten der Schuldenabnahme; Ggs.: Haben. Bei Erfolgskonten werden auf der S.-Seite die Aufwendungen ausgewiesen.

2) *Rechnungswesen:* Summe der in einem Rechnungsabschnitt erwarteten Einnahmen und Ausgaben (S.-Einnahmen, S.-Ausgaben).

Virgil Solis: »Justitia«, Kupferstich (undatiert)

Sölle, *Geomorphologie:* kleine, oft fast kreisrunde, meist gehäuft auftretende, trichterartige Hohlformen in ehem. Vereisungsgebieten, durch Abschmelzen von Eis entstanden.

Sölle, Dorothee, evang. Theologin, Literaturwissenschaftlerin und Schriftstellerin, *Köln 30. 9. 1929; seit 1975 Prof. in New York; vertritt, zunächst von der Gott-ist-tot-Theologie, dann von der Theologie der Befreiung und der feminist. Theologie beeinflusst, kirchenkritische theolog. Positionen; engagiert sich in der Frauen- und Friedensbewegung.

Dorothee Sölle

Söller [zu lat. solarium »der Sonne ausgesetzter Ort«], der →Altan.

Sollers [sɔ'lɛ:rs], Philippe, eigtl. P. Joyaux, frz. Schriftsteller und Literaturtheoretiker, *Talence (Dép. Gironde) 28. 11. 1936; Mitbegründer der Zeitschrift »Tel Quel«. Beeinflusst vom →Nouveau Roman (»Der Park«, 1961), entwickelte er eine neuartige experimentierende Schreibweise, die allein am Zeichensystem der Sprache orientiert

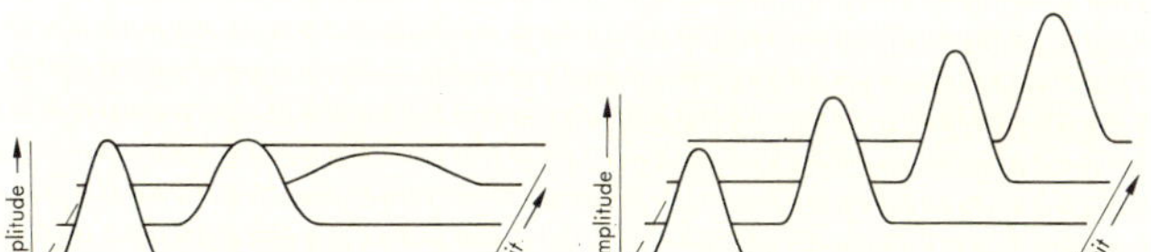

Solitonen: schematische Darstellung einer gewöhnlichen zerfließenden Welle (links) und einer solitären Welle, die bei der Ausbreitung Größe und Form beibehält

ist (»Drama«, R., 1965). Nach dem polemischen, antifeminist. Roman »Femmes« (1983) zeigt er in dem autobiograph. »Portrait des Spielers« (1984) den überlegen-geistreichen Umgang mit seiner Kunst. – *Weitere Werke:* Paradis (R., 2 Bde., 1981–86); Le secret (R., 1992); Studio (R., 1997).

Solling *der,* Höhenzug im Weserbergland, Ndsachs., zw. Leine und Weser, in der Großen Blöße 528 m ü. M., aus Buntsandstein aufgebaut; z. T. Naturpark.

Sollzinsen, Zinsen, die ein Kreditnehmer für einen aufgenommenen Kredit an den Kreditgeber zu zahlen hat; Ggs.: →Habenzinsen.

Solon:
(römische Kopie einer griechischen Marmorbüste; Florenz, Uffizien)

Solmisation [italien.] *die, Musik:* Methode, durch Tonsilben die Stufen der sechsstufigen Tonleiter (Hexachord) und damit v. a. den Unterschied von Ganz- und Halbtönen sinnfällig zu bezeichnen (erstmals von Guido von Arezzo um 1025 beschrieben). Diese Tonsilben, die den Halbzeilenanfängen des Johanneshymnus entsprechen, sind: ut (später do), re, mi, fa, sol, la; sie bezeichneten die Stufen der mit G, g und g^1, c und c^1, f und f^1 beginnenden Sechstonreihen. In der Musikerziehung waren die Tonsilben für die Gehörschulung und die Tonbildung der Stimme (→Solfeggio) bedeutsam. – Als die Kirchentonarten von Dur und Moll abgelöst wurden, verwendete man die Tonsilben als Tonnamen des C-Hexachords der C-Dur-Tonleiter; für die 7. Stufe wurde die Tonsilbe si gebildet. Um 1800 war der Gebrauch der S.-Silben in Dtl. erloschen. Neu belebt wurde die S. im 20. Jh. in der dt. Schulmusik durch das →Tonika-Do.

Solms, Stadt im Lahn-Dill-Kreis, Hessen, im Lahntal, 13 900 Ew.; die 1983 geschlossene Eisenerzgrube »Fortuna« ist heute Besucherbergwerk; Volkssternwarte. – Kloster Altenberg (Kirche, 13. Jahrhundert).

Hermann Otto Solms

Solms, edelfreies Geschlecht des Lahngaus mit Stammsitz Burgsolms (Solms, Lahn-Dill-Kr.); 1129 bezeugt (seit 1223 Grafen). Die Stammbesitzungen waren bis 1806 reichsunmittelbar. Im 15. Jh. teilten sich die S. in die Linien **S.-Braunfels** (seit 1742 reichsfürstlich) und **S.-Lich** (seit 1792 reichsfürstlich).

Solms, Hermann Otto, eigtl. Prinz zu S.-Hohensolms-Lich, Politiker, *Lich 21. 11. 1940; seit 1980 MdB, 1985–90 stellv., seit 1991 Fraktionsvors. der FDP im Dt. Bundestag.

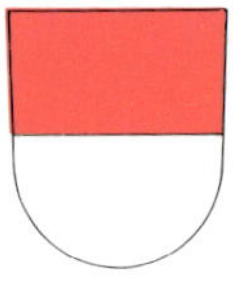

Solothurn 1)
Kantonswappen

Solna, Stadt in Schweden, 51 800 Ew.; Wohnstadt im Vorortbereich von Stockholm.

Solnhofen, Gemeinde im Landkreis Weißenburg-Gunzenhausen, Bayern, im Altmühltal, 1 900 Ew.; Gewinnung von Plattenkalken des obersten Weißjura **(Solnhofener Plattenkalk, Solnhofener Schiefer),** die durch zahlr. gut erhaltene Fossilien (→Archaeopteryx) bekannt sind.

Solo [italien. »allein«] *das,* Einzelstimme mit oder ohne Begleitung; auch ein für ein Einzelinstrument ohne Begleitung geschriebenes Stück.

Sologub, Fjodor, eigtl. F. Kusmitsch Teternikow, russ. Schriftsteller, *Sankt Petersburg 1. 3. 1863, †ebd. 5. 12. 1927; bed. Vertreter des Symbolismus; schrieb Romane (»Der kleine Dämon«, 1907; »Süßer als Gift«, 1912), in denen er exakte Milieustudien mit der Darstellung einer fantast. Welt verband.

Solomos, Dionysios, neugrch. Dichter, *auf Zakynthos zw. 15. 3. und 15. 4. 1798, †auf Korfu 9. 2. 1857; schrieb für die neugrch. Literatur vorbildl. Verse in der Volkssprache; gilt als Nationaldichter Griechenlands (»Hymne an die Freiheit«, 1823; »Gedicht auf den Tod von Lord Byron«, 1824; »Die freien Belagerten«, entstanden 1826–44; »Der Kreter«, 1833; »Porphyras«, 1849).

Solon, athen. Gesetzgeber, *Athen etwa 640 v. Chr., †ebd. nach 561 v. Chr.; einer der Sieben Weisen; schlichtete als Archon 594 die Kämpfe zw. Adel und Bauern, milderte das Schuldrecht, hob die Schuldverpflichtungen auf, gliederte die Bürgerschaft politisch und militärisch in vier nach dem Einkommen gestufte Klassen und führte einen Rat (Bule) mit 400 Mitgl. ein, der die Rechte des Areopags einschränkte. Er galt später als Begründer der athen. Demokratie. – Biographie von Plutarch.

📖 OLIVA, P.: *S. – Legende u. Wirklichkeit. Konstanz 1988.*

Solothurn, 1) Kanton der NW-Schweiz, 791 km^2, (1996) 239 300 Ew.; umfasst die Bezirke Gäu (Balsthal-Gäu), Thal (Balsthal-Tal), Bucheggberg, Dorneck, Gösgen, Wasseramt (Kriegstetten), Lebern, Olten, S. und Thierstein. S. hat Anteil am Mittelland und am Jura (Weißensteinkette, 1 396 m ü. M.). Haupterwerbszweige sind das Baugewerbe, Maschinen- und Fahrzeugbau, elektrotechn., elektron., Uhren-, Papier- und die Textilindustrie. Rd. 45 % der Fläche werden landwirtschaftlich genutzt, 39 % sind bewaldet; Obstbau (Kirschen) im Schwarzbubenland.

2) (frz. Soleure) Hauptstadt von 1), beiderseits der mittleren Aare, 15 400 Ew.; Sitz des Bischofs von Basel; Zentralbibliothek, Stadttheater, Museen, Solothurner Film- und Literaturtage; elektron., Uhren-, feinmechan., Maschinen- u. a. Industrie. – Teilweise noch ummauerte Altstadt mit St.-Ursen-Kathedrale (1773 geweiht), Jesuitenkirche (17. Jh.), Rathaus und Zeughaus (17. Jh.). – Das urspr. keltisch-röm. **Salodurum** kam 1032 mit Burgund an das Hl. Röm. Reich und unterstand seit 1127 den Zähringern. Nach deren Aussterben wurde S. 1218 Reichsstadt, verbündete sich von 1295 an mit Bern und erweiterte im 14./15. Jh. sein Gebiet erheblich; 1481 Aufnahme in die schweizer.

Eidgenossenschaft, seit 1803 Hptst. des gleichnamigen Kantons.

🕮 *S. Beiträge zur Entwicklung der Stadt im Mittelalter, bearb. v.* B. SCHUBIGER. *Zürich ^{2}1992.*

Solothurn 2): Die frühklassizistische Sankt-Ursen-Kathedrale inmitten der Altstadt wurde 1773 geweiht

Solow ['səʊləʊ], Robert Merton, amerikan. Volkswirtschaftler, * New York 23. 8. 1924; Begründer der neoklass. Wachstumstheorie, die den techn. Fortschritt neben Arbeit und Kapital zum entscheidenden Faktor des wirtsch. Wachstums erklärte; 1987 Nobelpreis für Wirtschaftswissenschaften.

Solowjọw, Wladimir Sergejewitsch, russ. Religionsphilosoph, * Moskau 16. 1. 1853, † Uskoje (bei Moskau) 31. 7. 1900; lehrte ab 1875 in Moskau, ab 1880 in Sankt Petersburg (1881 Lehrverbot); danach freier Schriftsteller und Publizist. S. entwickelte unter dem Einfluss v. a. des Neuplatonismus, der Philosophie Schellings und der christl. Mystik (F. v. Baader) die Lehre von der vorherbestimmten »All-Einheit« durch die Wiedervereinigung von Gott und Welt. Dabei schrieb er dem Menschen eine Mittlerrolle zu. S. gilt als einer der bedeutendsten Systematiker der russ. Philosophie des 18. Jh. – *Werk:* Vorlesungen über Gottmenschheit (1878–81).

Solschenịzyn, Alexandr Issajewitsch, russ. Schriftsteller, * Kislowodsk 11. 12. 1918; Mathematiklehrer, nach dt. Gefangenschaft 1945–53 im Arbeitslager, bis 1956 nach Mittelasien verbannt, 1957 rehabilitiert. 1962 erschien die Erzählung »Ein Tag im Leben des Iwan Denissowitsch«, die erste Darstellung eines Zwangsarbeitslagers in der sowjet. Literatur. Seine (autobiograph.) Romane »Der erste Kreis der Hölle« (1968) und »Krebsstation« (2 Bde., 1968) konnten in der Sowjetunion nur im →Samisdat verbreitet werden; 1969 Ausschluss aus dem Schriftstellerverband. S. erhielt 1970 den Nobelpreis für Literatur, den er jedoch nicht persönlich entgegennehmen durfte. Sein in Paris erschienener Roman »August vierzehn« (1971; erweitert 1983), erster Band des auf 20 Bände (»Knoten«) angelegten histor. Zyklus »Das rote Rad« über die Russ. Revolution mit ihrer Vor- und Nachgeschichte (Bd. 2 »November sechzehn«, 1984; Bd. 3 »März siebzehn«, 1. und 2. Teil, 1989 und 1990; 1991 brach S. die Arbeit daran zunächst ab), und der dokumentar. Bericht über die sowjet. Straflager »Der Archipel GULAG« (7 Tle. in 3 Bden., Paris 1973–75) führten 1974 zur Ausbürgerung und Ausweisung aus der Sowjetunion. S. lebte seit 1976 in den USA; 1991 wurde er rehabilitiert und erhielt die russ. Staatsbürgerschaft zurück; seit 1994 lebt S. wieder in Moskau. – 1990 veröffentlichte er in Paris sein Manifest »Russlands Weg aus der Krise«.

Alexandr Solschenizyn (1974)

🕮 SCAMMELL, M.: *Solzhenitsyn. Neuausg. London 1985. – Akte S. 1965–77, hg. v.* A. KOROTOV *u. a. Berlin 1994.*

Solstịtium [lat.] *das,* die →Sonnenwende.

Sọltau, Stadt im Landkreis S.-Fallingbostel, Ndsachs., in der Lüneburger Heide, 21 300 Ew.; Spielzeugmuseum; Zinngießerei; Solekurbetrieb (seit 1987). – 937 erstmals erwähnt, seit 1388 Stadt.

Sọltau-Fallingbọstel, Landkreis im RegBez. Lüneburg, Ndsachs., 1 873 km^2, (1996) 136 100 Ew.; Krst. ist Fallingbostel.

Solti ['ʃolti], Sir (seit 1971) Georg (György), brit. Dirigent ungar. Herkunft, * Budapest 21. 10. 1912, † Antibes 5. 9. 1997; wirkte in Budapest, München und Frankfurt am Main, 1961–71 Leiter der Covent Garden Opera in London, 1969–91 Chefdirigent des Chicago Symphony Orchestra, 1979–83 Chefdirigent des London Philharmonic Orchestra, 1992–94 Leiter der Salzburger Osterfestspiele; war seit 1995 künstler. Berater des Schleswig-Holstein Musik-Festivals.

Robert M. Solow

Georg Solti

Somalia

Fläche: 637 657 km²
Einwohner: (1995) 9,25 Mio.
Hauptstadt: Mogadischu
Verwaltungsgliederung: 18 Regionen
Amtssprachen: Somali (und Arabisch)
Nationalfeiertage: 26. 6. und 1. 7.
Währung: 1 Somalia-Schilling (So.Sh.) = 100 Centesimi (Cnt.)
Zeitzone: MEZ +2 Std.

Staatswappen

SP

Internationales Kfz-Kennzeichen

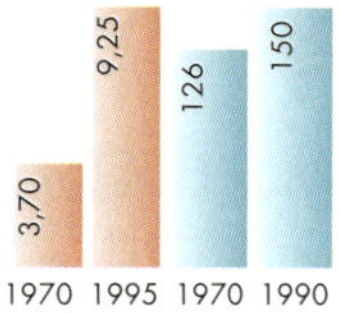

Bevölkerung (in Mio.)

Bruttosozialprodukt je Ew. (in US-$)

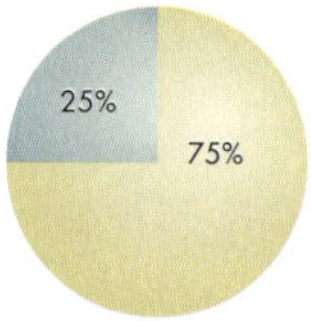

Stadt
Land

Bevölkerungsverteilung 1992

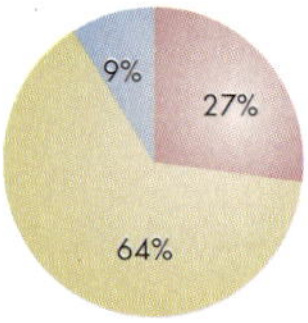

Industrie
Landwirtschaft
Dienstleistung

Bruttoinlandsprodukt 1995

Solubilisation [lat.] *die,* Löslichmachen eines in einem reinen Lösungsmittel schwer lösl. Stoffes durch Zusatz von grenzflächenaktiven Stoffen (Tensiden); ein Spezialfall der → Hydrotropie.

Solutréen [sɔlytreˈɛ̃] *das,* Kulturstufe der → Altsteinzeit.

Solvatation [zu lat. solvere »(auf)lösen«] *die,* Anlagerung von Lösungsmittelmolekülen an gelöste Teilchen (Ionen, Moleküle, Elektronen u. a.), wobei mehr oder weniger stabile **Solvate** gebildet werden. Handelt es sich um das Lösungsmittel Wasser, spricht man von → Hydratation. Die ein gelöstes Teilchen umschließenden Lösungsmittelmoleküle werden als **Solvathülle** bezeichnet.

Solvatationsenergie, → Dissoziation.

Solvens [lat. »lösend«] *das,* das Lösungsmittel einer Lösung.

Solvenz [lat.] *die,* Zahlungsfähigkeit; Ggs.: Insolvenz.

Solvolyse [lat.-grch.] *die,* Reaktion gelöster kovalenter Verbindungen mit dem Lösungsmittel, z. B. die Hydrolyse (mit Wasser).

Soma [Sanskrit] *der,* in Indien Saft der (bisher nicht identifizierten) S.-Pflanze, der übernatürl. Kräfte verleihen soll; im ved. Opferritual den Göttern, v. a. Indra, dargebracht.

Soma [grch.] *das, Medizin, Psychologie:* der Körper (im Unterschied zum Geist).

Somal, ostäthiopides Volk auf der Somalihalbinsel in Somalia, Äthiopien, NO-Kenia; 5,46 Mio. Angehörige; Muslime; Hirtennomaden. Ihre Sprache, Somali, gehört zu den kuschit. Sprachen und ist Amtssprache in Somalia.

Somalia (amtlich Somali: Jamhuuriyadda Dimuqraadiga Soomaaliya), Staat in NO-Afrika, grenzt im N an den Golf von Aden, im O und SO an den Ind. Ozean, im SW an Kenia, im W an Äthiopien, im NW an Djibouti.

Staat und Recht: Die Verf. von 1979, nach der S. eine präsidiale Rep. mit Einparteiensystem war, wurde im Jan. 1991 außer Kraft gesetzt. Die Macht üben seitdem rivalisierende Rebellenbewegungen aus, die auf einer Versöhnungskonferenz am 22. 7. 1991 einen Übergangspräs. für 2 Jahre als Staatsoberhaupt bestätigten. Im März 1993 beschlossen die Bürgerkriegsparteien die Bildung einer Interimsreg. unter Vorsitz eines MinPräs. sowie eines Präsidialrats, der bis zur Durchführung von Wahlen amtieren soll. Wichtigste der stark von Volksgruppen und Klanen beeinflussten Rebellenbewegungen sind der Vereinigte Somal. Kongress (USC), die Somal. Nat. Bewegung (SNM) und die Somal. Patriot. Bewegung (SPM).

Landesnatur: Der nördl. Landesteil, die Somalihalbinsel, ist eine steil gestellte Scholle (im Surud Ad 2408 m ü. M.), die nach N steil abfällt, nach SO allmählich abdacht und in ein Küstentiefland übergeht. Süd-S. ist eine Rumpfebene in etwa 500 m Höhe, an die sich südlich die weite Aufschüttungsebene der beiden einzigen Dauerflüsse Juba und Webe Shebele, die aus dem Äthiop. Hochland kommen, anschließt. Der südl. Küste ist eine Kette von Korallenriffen vorgelagert. – S. hat monsunales Klima mit Sommerniederschlägen im S und Winterniederschlägen im N. S. ist im S weitgehend Trockensavanne, im N Halbwüste.

Bevölkerung: 90 % der Bev. sind Somal, daneben gibt es negride, arab., asiat. und europ. Minderheiten. Im Land befinden sich immer noch zahlr. Flüchtlinge aus Äthiopien, bes. aus Ogaden. Die Mehrzahl der Bev. lebt als Nomaden oder Halbnomaden. Allg. Schulpflicht besteht zwar vom 6. bis 14. Lebensjahr, wird aber kaum eingehalten; die Analphabetenquote liegt bei 76 %; es gibt eine Univ. (gegr. 1959) in Mogadischu. – Der Islam ist Staatsreligion; die rd. 4000 Christen sind überwiegend römisch-katholisch.

Wirtschaft, Verkehr: S. ist eines der ärmsten Länder der Erde. Durch Dürreperioden und Bürgerkrieg verschlechterte sich die wirtsch. Situation drastisch. Die Mehrzahl der Bev. lebt von der Landwirtschaft, deren wichtigster Zweig die nomad. Viehhaltung ist (Ziegen, Schafe, Kamele, Rinder); in den Flusstälern, z. T. mit Bewässerung, Anbau von Bananen, Zuckerrohr, Baumwolle,

Mais, Hirse, Maniok, Gemüse. Fischerei wird nur für den Eigenbedarf betrieben. Die Ind. ist nur wenig entwickelt, v.a. Verarbeitung landwirtsch. Produkte, ferner Metallind., Erdölraffinerie und Zementfabrik. Ausgeführt werden Vieh, Bananen, Häute und Felle; Haupthandelspartner sind Italien, die USA und Deutschland. – Das Verkehrswesen ist nur unzureichend entwickelt; es gibt keine Eisenbahn; das Straßennetz ist 22281 km lang, davon sind 3010 km asphaltiert. Haupthäfen sind Mogadischu, Berbera, Kismaayo und Marka; internat. Flughafen bei Mogadischu.

Geschichte: Die Küste der Somalihalbinsel, im Altertum wohl »Punt« genannt, war seit dem 3. Jahrtausend Ziel ägypt. Handelsfahrten. Seit dem 9. Jh. stand das Land unter islamisch-arab. Einfluss. 1881 eroberte Kaiser Menelik II. von Äthiopien das Innere der Somalihalbinsel (Ogaden). Ende des 19. Jh. teilten europ. Kolonialmächte die Halbinsel auf. Die westl. und zentrale N-Küste wurde 1887 zum Protektorat **Britisch-Somaliland** erklärt. 1889 wurde an der Küste des Ind. Ozeans das Protektorat **Italienisch-Somaliland** (1920 nach S erweitert) und 1896 am Ausgang des Roten Meeres **Französisch-Somaliland** gebildet. Italien.-Somaliland war 1936–41 Teil der Kolonie **Italienisch-Ostafrika.** Am 26. 6. 1960 entließ Großbritannien, am 1. 7. 1960 Italien die Gebiete in die Unabhängigkeit, die sich zur Rep. S. zusammenschlossen; Frz.-Somaliland (1967–77 Afar-und-Issa-Territorium) wurde 1977 als Djibouti unabhängig. 1969 übernahm das Militär die Macht, das unter Mohammed Siad Barre (gleichzeitig Staatsoberhaupt) die radikale Umgestaltung zu einer sozialist. Gesellschaftsordnung anstrebte (1976 Propagierung von S. als sozialist. Einparteienstaat). Die Kooperation mit der Sowjetunion und deren Verbündeten wurde infolge der sowjet. Hilfe für Äthiopien im somalisch-äthiop. Konflikt (u.a. 1977 Besetzung der äthiop. Provinz Ogaden durch somal. Truppen) im Nov. 1977 abgebrochen; Friedensvertrag mit Äthiopien 1988. Angesichts kriegsbedingter Flüchtlingsströme, Dürrekatastrophen und Grenzkonflikte geriet S. in eine schwere Wirtschaftskrise; 1987 wurde der nat. Notstand ausgerufen. In enger Verbindung damit formierten sich seit 1988/89 von Klanen und Stämmen getragene Aufstandsbewegungen: im N die SNM, im S der USC und die SPM. Die SNM konnte sich im N gegen die Reg.truppen durchsetzen, der USC eroberte Mogadischu, die SPM besetzte große Teile des S. Nach der Flucht Mohammed Siad Barres (Jan. 1991) brachen Kämpfe zw. rivalisierenden Aufstandsbewegungen v.a. im S aus. Auf einer Versöhnungskonferenz im Juli 1991 wurde Ali Mahdi Mohammed (USC) als neuer Staatspräs. bestätigt. Im N rief die SNM am 18. 5. 1991 die unabhängige Rep. Somaliland aus (von der Regierung nicht anerkannt). Im Sept. 1991 brachen in Mogadischu unter Führung von Präs. Ali Mahdi Mohammed und des USC-Parteichefs General Mohammed Aidid schwere Kämpfe zw. Stammesgruppen innerhalb der USC aus. Aufgrund der bes. seit 1992 das ganze Land ergreifenden Hungerkatastrophe begann nach einem Beschluss des UN-Sicherheitsra-

Somalia: Die Sanddünen liegen in der Trockensavanne des südlichen Küstengebiets

Mohammed Siad Barre

Werner Sombart

Arnold Sommerfeld

Samuel Thomas von Sömmerring (zeitgenössische Darstellung)

tes im Dez. 1992 eine multinat. Militäraktion unter dem Kommando der USA, seit Mai 1993 unter UN-Kommando, um die Verteilung von Hilfsgütern und die Entwaffnung der rivalisierenden Parteien durchzusetzen sowie beim Wiederaufbau polit. Institutionen und der Wirtschaft zu helfen. Dt. Soldaten beteiligten sich seit Juni 1993 an humanitärer Hilfe. Friedenskonferenzen unter UN-Vermittlung sowie eine nat. Versöhnungskonferenz, die im März 1993 die Bildung einer provisor. Regierung beschloss, scheiterten letztlich im Dez. 1993. Daraufhin begannen die USA mit dem Rückzug ihrer Truppen; ihnen folgten bis März 1994 die Truppen aller beteiligten westl. Staaten und im März 1995 die letzten UN-Truppen aus afrikan. und asiat. Staaten. Nach dem Rückzug der UN-Truppen gingen die Kämpfe zw. den rivalisierenden polit. Gruppierungen in S. weiter. Als General Mohammed Aidit 1996 bei Kämpfen zu Tode kam, ernannten seine Anhänger seinen Sohn Husain Mohammed Aidit – in Rivalität zu Präs. Mahdi Mohammed – zum Übergangspräsidenten. Seitdem scheiterten mehrere Versöhnungskonferenzen.

🕮 LEWIS, I. M.: *Understanding S. Guide to culture, history and social institutions. London ²1995.* – KRECH, H.: *Der Bürgerkrieg in S. (1988–96). Ein Handbuch. Berlin 1996.* – MUBARAK, J. A.: *From bad policy to chaos in S. How an economy fell apart. Westport, Conn., u. a. 1996.* – MATTHIES, V.: *Äthiopien, Eritrea, S., Djibouti. Das Horn von Afrika. München ³1997.* – PRENDERGAST, J.: *Crisis response. Humanitarian band-aids in Sudan and S. London u. a. 1997.*

Somalihalbinsel, Landvorsprung im O Afrikas (das sog. Horn von Afrika) zw. dem Ind. Ozean und Golf von Aden, mit dem Kap Hafun, dem östlichsten Punkt des Kontinents (51° 23' ö. L.), gehört größtenteils zu Somalia.

Soman [Kw.] *das,* ein zu den Nervengasen zählender Kampfstoff (chemisch der Methylfluorophosphonsäure-1,2,2-trimethylpropylester). S. wurde im 2. Weltkrieg entwickelt, jedoch nicht angewandt; es ist ein bes. gefährl. Kampfstoff, giftiger als Sarin, aber weniger stabil.

somatisch [grch. sōma »Leib«, »Körper«], *Medizin:* den Körper betreffend, auf den Körper bezogen, körperlich.

Somatostatin [grch.-lat.] *das,* Peptidhormon, das im Gehirn und oft auch in der Bauchspeicheldrüse vieler Wirbeltiere einschließlich des Menschen vorkommt. S. hat u. a. eine hemmende Wirkung auf die Sekretion einer Reihe von Hormonen der Hirnanhangdrüse (Somatotropin, Prolaktin, Thyreotropin, FSH), der Bauchspeicheldrüse (Insulin, Glucagon) sowie von im Magen-Darm-Trakt gebildeten Hormonen (Gastrin, Sekretin, Cholezystokinin).

Somatotropin [grch.] *das* (somatotropes Hormon, Abk. STH, Wachstumshormon), bei Wirbeltieren (einschließlich Mensch) vorkommendes, artspezif. Polypeptidhormon, das im Zusammenwirken mit anderen Hormonen Wachstum, Differenzierung und Erneuerung der lebenden Substanz steuert. Es wirkt direkt stimulierend auf den Stoffwechsel.

Somazellen, die (meist diploiden) Körperzellen, die im Unterschied zu den Keimzellen (→Gameten) nicht potenziell unsterblich und bei den Säugetieren nur noch begrenzt teilungsfähig sind.

Sombart, Werner, Volkswirtschaftler und Soziologe, *Ermsleben (Kr. Aschersleben-Staßfurt) 19. 1. 1863, †Berlin 18. 5. 1941; vertrat sozialreformer. Positionen; suchte eine Synthese zwischen histor. Schule und Grenznutzentheorie; begründete in seinem Hauptwerk »Der moderne Kapitalismus« (3 Bde., 1902–27) die Einteilung des Kapitalismus in Früh-, Hoch- und Spätkapitalismus; erstrebte aus methodolog. Sicht eine »verstehende Nationalökonomie«, die auf historisch-soziolog. Grundlagen aufbaute. S., der ursprünglich zu den Kathedersozialisten gehörte, wandelte sich zum sozialkonservativen Wegbereiter des Nationalsozialismus, von dem er sich jedoch in späteren Schriften (»Vom Menschen«, 1938) wieder distanzierte.

Sombor, Stadt in der Batschka, Jugoslawien, Region Wojwodina, 48 800 Ew.; Textil-, Nahrungsmittel-, Leder-, Elektroind., Landmaschinenbau; Marktzentrum. – Die seit dem 13. Jh. bestehende Siedlung wurde 1749 von den Habsburgern zur freien Königsstadt erhoben.

Sombrero [span.] *der,* breitkrempiger, hoher, kegelförmiger Strohhut in Mittel- und Südamerika.

Somerset ['sʌməsɪt], Cty. in SW-England, 3 451 km², (1995) 481 000 Ew.; Verw.sitz ist Taunton.

Somme [sɔm], **1)** *die,* Fluss in Nordfrankreich, 245 km lang, entspringt bei Saint-Quentin, mündet in den Ärmelkanal; durch Kanäle mit Schelde und Oise verbunden. – Im 1. Weltkrieg war das Gebiet v. a. zw. Saint-Quentin und Amiens oftmals heftig umkämpft, bes. Juni bis Nov. 1916 (die eigentl. **Somme-Schlacht**).

2) Dép. in N-Frankreich, in der Picardie, 6 170 km², (1995) 550 000 Ew.; Hptst. ist Amiens.

Sommer, eine der vier →Jahreszeiten.

Sommerblumen, allg. gärtnerische Bez. für nur einmal (meist im Sommer) blühende und vor dem Winter absterbende Pflanzen.

Sömmerda, 1) Landkreis in Thür., 804 km², (1996) 82 500 Einwohner.

2) Kreisstadt von 1), an der Unstrut, 23 900 Ew.; Dachziegelwerk; das Büromaschinenwerk (früher größter Computerherstellerbetrieb der DDR) wurde 1997 stillgelegt. – Pfarrkirche Sankt Bonifatius (15./16. Jh.), Rathaus (16. Jh.), z. T. erhaltene Stadtbefestigung. – 876 erstmals erwähnt, 1523 als Stadt genannt.

Sommerdreieck, aus den drei hellen Sternen Wega (im Sternbild Leier), Atair (im Adler) und Deneb (im Schwan) gebildetes, fast gleichseitiges Dreieck am Sommerhimmel; hilfreich für das Auffinden der Sternbilder Leier, Adler und Schwan.

Sommerfeld, Arnold, Physiker, *Königsberg (Pr) 5. 12. 1868, †München 26. 4. 1951; Prof. in Clausthal, Aachen und ab 1906 in München; gehörte zu den frühen Anhängern der Relativitätstheorie und der bohrschen Atomtheorie, die er zum Bohr-S.-Atommodell (→Atom) ausbaute. 1915 formulierte er die relativist. Theorie der Feinstruktur des Wasserstoffspektrums, 1916 die Quantentheorie des normalen Zeeman-Effekts. Weitere Arbeiten betrafen die Kreiseltheorie, Röntgenspektren, die Elektronentheorie der Metalle und die Wellenmechanik.

sommerfeldsche Feinstrukturkonstante [nach A. Sommerfeld] (Feinstrukturkonstante), bei der Berechnung der Feinstruktur des Wasserstoffspektrums von A. Sommerfeld eingeführte dimensionslose Konstante $\alpha = \mu_0 c e^2/2h \approx 1/137$, gebildet aus der magnet. Feldkonstante μ_0, der Vakuumlichtgeschwindigkeit c, der Elementarladung e und dem planckschen Wirkungsquantum h. Sie kennzeichnet die Stärke der elektromagnet. Wechselwirkung.

Sommerflieder, →Buddleia.

Sommergetreide (Sommerfrucht, Sommerung), Getreide, das im Frühjahr gesät und im selben Jahr geerntet wird.

Sömmerring, Samuel Thomas von (seit 1808), Anatom und Naturforscher, *Thorn 25. 1. 1755, †Frankfurt am Main 2. 3. 1830; gilt als einer der universellsten Naturforscher seiner Zeit; befasste sich u. a. mit Bau und Funktion der Sinnesorgane und entdeckte den gelben Fleck des Auges. 1809 erfand er einen elektr. Telegrafenapparat, der jedoch keine prakt. Bedeutung erlangte.

Sommerschlaf (Sommerruhe), schlafähnl. Ruhestadium bei manchen in den Tropen und Subtropen lebenden Tieren (z. B. manche Frösche) während der Hitzeperiode im Sommer bzw. der Trockenzeit (auch **Trockenschlaf** oder **Trockenruhe** genannt).

Sommerschlussverkauf, →Saisonschlussverkauf.

Sommersprossen (Epheliden), anlagebedingte kleine, bräunl. Hautflecke (jahreszeitlich schwankende Pigmentanreicherung in der untersten Schicht der Oberhaut) an Körperstellen, die bes. dem Sonnenlicht ausgesetzt sind; bevorzugt bei Rotblonden.

Sommerwurz (Orobanche), Gattung der S.-Gewächse in den gemäßigten und subtrop. Gebieten bes. der Nordhalbkugel; Vollparasiten, bevorzugt an den Wurzeln von Schmetterlings-, Lippen- und Korbblütlern; blattgrünlose, nur schuppig beblätterte Pflanzen mit endständigen Blütentrauben oder -ähren; u. a. der meist auf Klee und Luzerne schmarotzende, bis 50 cm hohe **Kleeteufel (Kleewürger, Kleine S.,** Orobanche minor), Stängel blassgelb, rötlich überlaufen; Blüten gelblich oder rötlich weiß.

Sommerwurz: Kleeteufel (Höhe bis zu 50 cm)

Sommerzeit, gegenüber der Zonenzeit um meist eine Stunde vorverlegte Uhrzeit zur besseren Nutzung des Tageslichts während der Sommermonate.

Somnambulismus [frz.-lat.] *der* (Schlafwandeln, Nachtwandeln, Mondsüchtigkeit, Lunatismus, Noktambulismus), Zustand von unvollständigem Erwachen, in dem mehr oder weniger komplizierte Bewegungen oder Handlungen im Halbschlaf ausgeführt werden, mit nachfolgender, zeitlich oder inhaltlich begrenzter Erinnerungslücke.

Somnolenz [lat.] *die,* schläfriger Zustand mit leichter Bewusstseinstrübung, aus dem der Patient durch äußere Reize erweckbar ist.

Somoza Debayle [soˈmosa deˈβajle], **1)** Anastasio, nicaraguan. Politiker, *León 5. 12. 1925, †(ermordet) Asunción (Paraguay) 17. 9. 1980, Bruder von 2); seit 1956 Oberbefehlshaber der Nationalgarde, führte als Staatspräs. (1967–72, 1974–79) ein zunehmend diktator. Regiment. 1979 durch Bürgerkrieg gestürzt, floh er in die USA; im Exil in Paraguay durch ein Attentat getötet.

Anastasio Somoza Debayle

2) Luis, nicaraguan. Politiker, *León 18. 11. 1922, †Managua 13. 4. 1967, Bruder von 1); war 1956–63 Präs. von Nicaragua.

Somoza García [soˈmosa garˈθia], Anastasio, nicaraguan. Politiker, *San Marcos (Dep. Carazo) 1. 2. 1896, †(an den Folgen eines Attentats) Balboa (Panama) 29. 9. 1956; gelangte durch Staatsstreich an die Macht und war 1937–47 und 1950–56 Staatspräs. Er regierte diktatorisch und versuchte, seiner Familie die polit. und wirtsch. Macht auf Dauer zu sichern (→Nicaragua, Geschichte).

Sonant [lat.] *der,* Silben bildender Laut.

Sonar [Kw. für engl. **so**und **n**avigation **a**nd **r**anging], *das, Schifffahrt:* ein mit Schall oder Ultraschall arbeitendes Navigations- und Entfernungsmessgerät, das u. a. zur Ortung (z. B. von U-Booten, Untiefen, Eisbergen) und zur Bestimmung der Geschwindigkeit über Grund dient. INFO S. 124

Sonate [italien.] *die,* seit dem 17. Jh. Bez. für eine meist mehrsätzige, zyklisch angelegte Instrumentalkomposition in kleiner oder solist. Besetzung. Als **Solo-S.** für eine Melodiestimme (meist Violine) mit Generalbassbegleitung und als **Trio-S.** für zwei Melodieinstrumente und Generalbass bildet sie bis ins 18. Jh. die wichtigste kammermusikal. Gattung. Nach ihrer Bestimmung wurden die **Kirchen-S.** (Sonata da Chiesa) und die höf. **Kammer-S.** (Sonata da Camera) unterschieden. Seit A. Corelli (12 Triosonaten für zwei Violinen und Bass op. 1, 1681) hatte die Kirchen-S. vorwiegend vier motivisch und modulatorisch einheitlich gestaltete, tonartlich verwandte Sätze in der Folge langsam – schnell – langsam – schnell. Die Kammer-S. war meist dreisätzig (schnell – langsam – schnell) und bestand aus einem präludienartigen Eingangssatz und nachfolgenden Tanzsätzen. Ende des 17. Jh. vermischten sich beide Typen, doch blieb das Vorbild der Kirchen-S. bestimmend für die Komponisten des frühen 18. Jh. Die meist dreisätzigen Klavier- und die Violin-S. der Wiener Klassik (J. Haydn, W. A. Mozart, L. van Beethoven) sind gekennzeichnet durch themat. Arbeit, einen klaren period. und modulator. Aufbau, Gliederung des Zentralsatzes in Exposition, Durchführung und Reprise (→Sonatensatzform) und i. d. R. Dreisätzigkeit. Die Formprinzipien der klass. S. behielten für die Komponisten des 19. Jh. ihre Gültigkeit. Im 20. Jh. verlor der Begriff S. durch die Anwendung neuer kompositor. Prinzipien an Bedeutung; die Bez. S. bei reinen Solo- oder klavierbegleiteten Werken des 20. Jh. beruht entweder auf einem Rückgriff auf die historisch gewordene Form oder auf einer Gleichsetzung der S. mit einem instrumentalen Spielstück.

📖 Newman, W. S.: *The sonata in the Baroque era.* New York [4]1983. – Newman, W. S.: *The sonata in the Classic era.* New York [3]1983. – Newman, W. S.: *The sonata since Beethoven.* New York [3]1983.

Sonar

Mit dem Echolot können die Seefahrer Schiffswracks orten und ganz allgemein die aktuelle Wassertiefe bestimmen. In der Hochseefischerei wird das Sonar aber auch dazu eingesetzt, Fischschwärme aufzuspüren. Das Verfahren ist immer gleich: Kurze Ultraschallimpulse werden ausgesandt, von Hindernissen zurückgeworfen und als Echos wieder aufgefangen. Da man die Geschwindigkeit der Impulse kennt, lässt sich aus deren Laufzeit zwischen Aussenden und Empfangen leicht der Abstand zum Hindernis berechnen.
Übrigens führte eine Katastrophe zu dieser Erfindung: Der Untergang der Titanic im Jahr 1912 regte den französischen Physiker Paul Langevin zur Entwicklung des Sonars an, das dann 1915 das Licht der Technikwelt erblickte.

Sonatensatzform (Sonatensatz, Sonatenform, Sonatenhauptsatzform), Bez. für das Formmodell v. a. des ersten Satzes von Sonaten, Sinfonien und Kammermusikwerken seit der 2. Hälfte des 18. Jh. I. d. R. gliedert sich der Sonatensatz in Exposition, Durchführung und Reprise, der sich eine Koda anschließen kann. Am Beginn kann eine langsame Einleitung stehen. Die Exposition ist in Hauptsatz mit dem 1. Thema in der Grundtonart, Überleitung und Seitensatz mit dem 2. Thema in einer anderen Tonart (meistens Dominante oder Paralleltonart) unterteilt und wird oft durch einen Epilog abgeschlossen. Die Durchführung bringt eine Verarbeitung des themat. Materials der Exposition mit Modulationen in entferntere Tonarten. Ihr folgt die Reprise mit der Wiederaufnahme der Elemente der Exposition.

Sonatine [italien.] *die,* kleinere, leicht spielbare Sonate.

Sonde [frz.] *die,* **1)** *Medizin:* stab- oder röhrenförmiges, starres oder elast. Instrument aus Stahl, Kunststoff oder Gummi zum Einführen in Hohlräume (z. B. Fisteln, Wunden) oder Körperkanäle (z. B. Harn-, Speiseröhre); dient zur Austastung, Flüssigkeitszufuhr (S.-Ernährung) oder Sekretentnahme.

2) *Raumfahrt:* →Raumsonde.

Sonden|ernährung, →künstliche Ernährung.

Sonder|abschreibung, Abschreibung, die aus finanz- oder wirtschaftspolit. Gründen entweder zusätzlich zur normalen Absetzung für Wertminderungen des Anlagevermögens (Bewertungsfreiheit, S. i. e. S.) oder als erhöhte Absetzung anstelle der normalen Abschreibung (S. i. w. S.) zugelassen wird. S. zählen zu den Steuervergünstigungen und werden u. a. zur Förderung des Mittelstandes oder bestimmter Regionen angewendet (z. B. in den neuen Bundesländern zur Förderung von Investitionen und Baumaßnahmen).

Sonder|ausgaben, im Lohn- und Einkommensteuerrecht Bez. für versch. Aufwendungen (§§ 10 ff. EStG), die weder Betriebsausgaben noch Werbungskosten sind, gleichwohl aber aus verschiedenen polit. Motiven zum Abzug bei der Ermittlung der Steuerbemessungsgrundlage zugelassen werden. Zu den **unbeschränkt abzugsfähigen S.** gehören die gezahlte Kirchensteuer, Steuerberatungskosten, gezahlte Renten und dauernde Lasten sowie bestimmte Zinsen auf Steuerschulden. Nur **beschränkt abzugsfähige S.** sind u. a. Unterhaltsleistungen an den geschiedenen Ehegatten bis zu jährlich 27 000 DM (»Realsplitting«); Ausgaben für Berufsausbildung und Weiterbildung in einem nicht ausgeübten Beruf bis zu jährlich 1 800 DM (2 400 DM bei auswärtiger Unterbringung); unter bestimmten Voraussetzungen Aufwendungen für hauswirtschaftl. Beschäftigungsverhältnisse bis zu 18 000 DM; Vorsorgeaufwendungen; Spenden. Sofern keine höheren Aufwendungen nachgewiesen werden, werden für bestimmte S. Pauschalbeträge angerechnet. Von dem Gesamtbetrag der Einkünfte sind »wie S.« abzuziehen der Verlustabzug gemäß § 10 d sowie die Steuerbegünstigungen für Eigenheime (§§ 10 e, f).

Sonderborg, K. R. H., eigtl. Kurt Rudolf Hoffmann, Maler, *Sonderburg (Dänemark) 5. 4. 1923; einer der wichtigsten Vertreter der dt. informellen Kunst. S. zielt bei seinen oft monochromen Kompositionen auf die Suggestion von Dynamik.

Sonderbund, 1845 gegründetes Bündnis von sieben kath.-konservativen schweizer. Kantonen (Luzern, Uri, Schwyz, Unterwalden, Zug, Freiburg, Wallis) gegen die freisinnig-radikalen bzw. liberalen Kantone. Als Verstoß gegen den Bundesvertrag von 1815 wurde der S. im Nov. 1847 im **S.-Krieg** besiegt und aufgelöst.

Sonderburg (dän. Sønderborg), Stadt auf Alsen, Dänemark, 29 400 Ew.; Handels- und Sporthochschule, Technikum; Möbel-, Textilind., Landmaschinenbau; Fischerei- und Jachthafen; durch eine Brücke mit Jütland verbunden. – Der bei einer Burg entstandene Ort (1257 erstmals erwähnt) erhielt 1461 Stadtrecht. Seit 1564 war das Schloss (1557–74) Sitz der Sonderburger Linie des Hauses → Oldenburg.

Sonderfrieden (Separatfrieden), → Friedensvertrag.

Sondergerichte, auf Gesetz beruhende Gerichte, die eine auf besondere Sachgebiete beschränkte Zuständigkeit haben (Art. 101 Abs. 2 GG). Von den verfassungsrechtlich verbotenen Ausnahmegerichten unterscheiden sie sich v. a.

K. R. H. Sonderborg: »Fliegender Gedanke, 12. 11. 58, 16.53–23.09« (1958; Düsseldorf, Kunstsammlung Nordrhein-Westfalen)

Sonderburg: Stadtansicht mit dem 1557–74 erbauten Renaissanceschloss; dahinter die Brücke, die die Insel Alsen mit Jütland verbindet

durch die abstrakt und generell durch Gesetze geregelte Zuständigkeit. S. sind nur noch für Sonderbereiche zuständig, z. B. für Schifffahrtssachen.

Rechtsgeschichtlich sind S. Gerichte, die im Dt. Reich für die politisch unruhige Zeit zw. 1918 und 1922 vorübergehend geschaffen wurden. I. e. S. wird der Begriff für die im nat.-soz. Dtl. durch VO vom 21. 3. 1933 eingerichteten besonderen Gerichtsorgane verwendet, die für die Aburteilung u. a. der im → Heimtückegesetz geschaffenen Straftatbestände zuständig waren, im 2. Weltkrieg darüber hinaus für alle mit dem Kriegszustand zusammenhängenden Delikte. Die nat.-soz. Regierung missbrauchte mit den S. die Justizgewalt als Mittel des polit. Terrors.

Sondergotik, von K. Gerstenberg 1913 eingeführte, umstrittene Bez. für die dt. spätgotische Architektur nach 1350.

Sondergut, → eheliches Güterrecht.

Sønderjylland ['sønərjylan], dän. Name für → Nordschleswig.

Sondermüll (Sonderabfälle), umgangssprachliche Bez. für (meist industrielle) Abfälle, die sich aufgrund ihrer Gefährlichkeit für Mensch und/oder Umwelt nicht zus. mit dem Hausmüll behandeln und beseitigen lassen. Nach der Abfallbestimmungs-VO von 1990 werden Sonderabfälle als »bes. überwachungsbedürftige Abfälle« definiert. Zum S. zählen insbesondere Giftstoffe (Ölschlämme, Säuren, Laugen u. a.), Krankenhausabfälle, Klärschlämme, Altreifen. S. wird v. a. in S.-Deponien (z. B. Untertagedeponien) abgelagert oder in S.-Verbrennungsanlagen verbrannt. S. darf mit Sondergenehmigung ins Ausland exportiert werden; ab 1998 ist die Ausfuhr aus den OECD-Staaten verboten.

Sondernutzung, der über den → Gemeingebrauch hinausgehende Gebrauch öffentl. Sachen (z.B. Verlegen von Kabeln an einer Straße); die S. ist erlaubnispflichtig, Gebühren können erhoben werden.

Sonderpädagogik (früher Heilpädagogik), allg. der Bereich der Erziehung, der sich mit der Betreuung von Kindern, Jugendlichen und Erwachsenen befasst, die in ihrer psychosozialen Entwicklung infolge körperl. oder geistiger Schäden beeinträchtigt sind. Diagnost. Maßnahmen und pädagogisch-psycholog. Therapien zielen auf einen möglichst weitgehenden Ausgleich der Benachteiligung und eine optimale Eingliederung der zu betreuenden Menschen in Gesellschaft und Beruf. Die S. umfasst den Bereich der vorschul. Erziehung (Früherkennung, Sonderschul- und Schulkindergarten), Sonderschulen, die Berufseingliederung (beschützende Werkstätten) und weitere außer- und nachschul. pädagog. Betreuung.

Sondershausen
Stadtwappen

📖 Grissemann, H.: *Lernbehinderung heute. Psychologisch-anthropolog. Grundlagen einer innovativen Lernbehindertenpädagogik. Bern u. a. 1988.*

Sonderschulen, eigenständige Unterrichts- und Erziehungseinrichtungen für schulpflichtige Kinder und Jugendliche, die wegen unterschiedl., auch mehrfacher Behinderung in den allg. Schulen nicht die notwendige Hilfestellung erhalten. **S.-Lehrer** absolvieren entweder nach der allg. Ausbildung für ein Lehramt und Tätigkeit an einer S. ein Zusatzstudium an einer Universität oder pädagog. Hochschule oder können in einem speziellen Studiengang ihr Berufsziel direkt erreichen.

Die **S. für Lernbehinderte** (Förderschulen) nehmen Kinder auf, die i.d.R. zwei Jahre erfolglos die Grundschule besucht haben; Eingangsklasse ist daher das dritte Schuljahr. Eine Vorstufe nimmt Kinder auf, deren Lernbehinderung schon vor oder bei der Einschulung erkannt wird. Der Besuch eines Sonderschulkindergartens kann auch zur Einschulung in eine allgemeine Grundschule führen. Die **S. für geistig Behinderte** sind für praktisch bildbare Kinder bestimmt; in einer Werkstufe innerhalb der Schule werden den Kindern Fertigkeiten vermittelt, oft schließt eine lebenslange Betreuung in Werkstätten für Behinderte an. Die **S. für Körper- und Sinnesgeschädigte** umfassen Spezialschulen für Sehbehinderte, Hörgeschädigte und Körperbehinderte; an einigen dieser Schulen bestehen auch Realschulzüge mit anschließenden gymnasialen Aufbauzügen. **S. für Erziehungshilfe** (verhaltensauffällige Schüler) und **S. für Sprachbehinderte** streben die Rückgliederung in die allg. Schulen an. Anstelle von S. bestehen auch **Sonderklassen** mit den gleichen Aufgaben innerhalb von Regelschulen oder **Integrationsklassen,** in denen behinderte und nicht geschädigte Kinder gemeinsam unterrichtet werden und so versucht wird, die Ausgrenzung von behinderten Kindern abzubauen und einen ungezwungenen natürl. Umgang mit Behinderten zu erlernen. S. oder Sonderschulklassen sind auch in großen Kinderkrankenhäusern eingerichtet; sie sollen behinderten Kindern in längerer stationärer Behandlung eine schul. Betreuung vermitteln. Außerdem gibt es **Sonderberufs-** und **Sonderberufsfachschulen.**

Sondershausen, Kreisstadt des Kyffhäuserkreises, Thür., im Tal der Wipper, 21 200 Ew.; elektrotechn., Baustoffind.; Kalibergbau. – Schloss (16.–18. Jh., z.T. Bibliothek und Museum). In fränk. Zeit als Siedlung entstanden, 1125 erstmals erwähnt; kam 1356 an die Grafen von Schwarzburg; 1571–1918 Residenz des Fürstentums (seit 1697) Schwarzburg-Sondershausen.

Sondersprachen, in Abhebung von den Berufssprachen v.a. der sozialen Abgrenzung dienende und bes. für Außenstehende absichtlich unverständliche Sprachen (Geheimsprachen); i.w.S. auch für →Standessprachen.

Sondervermögen, ein Vermögen, das an besondere Zwecke gebunden ist und für das daher eine besondere gesetzl. Regelung für seine Verwaltung, der Verfügungsmacht des Inhabers oder der Schuldenhaftung gilt, das aber keine eigene Rechtspersönlichkeit hat, z.B. der nicht auseinander gesetzte Nachlass, die Konkursmasse oder die versch. Vermögensmassen bei der ehel. Gütergemeinschaft. S. existieren auch im öffentl. Recht.

Sonderzeichen, *Datenverarbeitung:* Zeichen wie +, :, (,) u.a., die keine Buchstaben oder Ziffern sind.

Sonderziehungsrechte, Abk. **SZR** (engl. Special Drawing Rights, Abk. SDR), von den Mitgliedstaaten des →Internationalen Währungsfonds (IWF) am 28. 7. 1969 geschaffene, der Kontrolle des IWF unterliegende Währungsreserve (Buchgeld) zur Sicherung der internat. Liquidität. Die S. stellen den Anspruch eines Mitgl.landes gegenüber allen IWF-Mitgl. auf Überlassung konvertierbarer Währungen dar. Sie werden allen Teilnehmerländern entsprechend der nat. Quote des jeweiligen Landes am IWF zugeteilt und können dazu genutzt werden, über die normalen Ziehungsrechte hinaus fremde Währungen zu erwerben oder Verbindlichkeiten bei anderen Zentralbanken zu begleichen. Der Wert der S. war urspr. in Gold definiert, wobei die Goldparität dem Goldwert eines US-Dollars entsprach. Vom 1. 7. 1974 bis 31. 12. 1980 wurde der Wert durch einen Standardkorb von 16 wichtigen Währungen bestimmt, seit dem 1. 1. 1981 nur noch von fünf Währungen (US-Dollar, Dt. Mark, Pfund Sterling, Frz. Franc und Yen).

Søndre Strømfjord ['sønrə 'sdrœmfjo:r, dän.] (eskimoisch Kangerlussuaq), wichtigster Zivilflughafen von Grönland, am Ende des gleichnamigen Fjords an der Westküste.

Sondrio, 1) Provinz in der Lombardei, Italien, 3212 km², (1995) 177000 Einwohner.

2) (früher dt. Sonders) Hauptstadt von 1), 22800 Ew.; Lehrerbildungsinst., Textilind., Fremdenverkehr; Weinbau. Hauptort des →Veltlin.

Sone [lat. sonus »Schall«] *die,* Einheit der Lautheit (→Lautstärke).

Sonett [italien.] *das,* Gedichtform, die in der Grundform aus 14 meist fünfhebigen jamb. Versen besteht, die in zwei vier- (Quartette) und zwei dreizeilige (Terzette) Strophen gegliedert sind; vorwiegend mit dem Reimschema abba, abba, cde und cde. Der äußeren Form des S. entsprechen der syntakt. Bau und die innere Struktur: Die Quartette stellen in These und Antithese die Themen des Gedichts auf; die Terzette führen diese Themen in konzentrierter Form durch und bringen die Gegensätze anschließend zur Synthese. Häufig werden mehrere S. zum **Sonettenkranz** (Sonettenzyklus) verknüpft; er besteht meist aus 15 S., wobei sich das letzte (Meister-S.) aus den Anfangszeilen der 14 vorangegangenen S. zusammensetzt. – Das S. wurde in der 2. Hälftedes 13. Jh. im Umkreis Kaiser Friedrichs II. am Hof von Palermo durch die Vertreter der Sizilian. Dichterschule entwickelt; Meister des S. waren u.a. Dante Alighieri und F. Petrarca, später Shakespeare; in der dt. Literatur ist das S. seit dem 16. Jh. heimisch.

📖 *Das Deutsche S. Dichtungen, Gattungspoetik, Dokumente, hg. v.* J.-U. FECHNER. *München 1969.* – SCHLÜTTER, H.-J. *u.a.: S. Stuttgart 1979.*

Song [sɔŋ, engl.] *der,* im engl. und amerikan. Sprachgebrauch svw. Lied (Folk-S., Gospel-S.), in Dtl. seit B. Brechts und K. Weills »Dreigroschenoper« (1928) bes. das balladeske, mit Jazzelementen vermischte sozialkrit. und/oder satir. Lied, häufig im Sprechgesang. (→Protestsong)

Song (Sung), chines. Dynastien, v.a. 960–1279 (→China, Geschichte).

Songhai (Sonrhai), Volk in Westafrika am mittleren Niger. Die rd. 1,5 Mio. S. leben von Feldbau in der Savanne, Viehhaltung, Fischerei und Jagd. Ihre Sprache, das S., gehört zu den nilosaharan. Sprachen. Die im 11. Jh. islamisierten S. waren mit anderen Völkern Träger des Reiches S. (10.–16. Jh.) mit der Hptst. Gao. Die Vorherrschaft der S. wurde durch die Marokkaner 1591 beendet.

Songhua Jiang [- dʒjaŋ] (Sunghwakiang, russ. Sungari), größter rechter Nebenfluss des Amur, in NO-China, 1927 km lang; entspringt im chinesisch-nordkoreanischen Grenzgebirge Changbai Shan, durchfließt das ostmandschur. Bergland, durchquert unterhalb von Jilin die Nordostchines. Ebene und mündet (seenartig erweitert) oberhalb von Chabarowsk; 1300 km befahrbar.

Song Koi, vietnames. Name des →Roten Flusses.

Songuldak, Stadt und Provinz in der Türkei, →Zonguldak.

Soninke, Volk in Westafrika, v.a. im Sahel nördlich von Senegal und Niger. Die rd. 1,5 Mio. S. sind mehrheitlich sunnit. Muslime und leben von Feldbau, Viehhaltung und Handel. Ihre Sprache, das S. oder Sarakole, ist eine Mandesprache.

Sonnabend [ahd. sunnunaband »Vorabend des Sonntags«] (Samstag), der 6. Tag der Woche.

Sonnblickgruppe (Goldberggruppe), Berggruppe der Hohen Tauern, Österreich, auf dem Hohen Sonnenblick (3105 m ü.M.) meteorolog. Station.

Sonne, astronom. Zeichen ⊙, der Zentralkörper des →Sonnensystems, der durch seine große Masse die Planeten, Monde und zahlr. Kleinkörper auf ihren ellipt. Bahnen hält. Die S. ist ein Stern der Spektralklasse G2 und der Leuchtkraftklasse V und liegt im Hertzsprung-Russell-Diagramm auf der Hauptreihe. Sie erscheint aus der Entfernung von im Mittel 149,6 Mio. km als kreisrunde, scharf begrenzte Scheibe unter einem Gesichtswinkel von 31' 59".

Die S. ist etwa 8500 Parsec vom Mittelpunkt des Milchstraßensystems entfernt und befindet sich rd. 14 Parsec nördlich der galakt. Ebene. Sie bewegt sich mit einer Geschwindigkeit von rd. 20 km/s relativ zu ihrer Umgebung auf das Sternbild Herkules zu **(Pekuliarbewegung)** und nimmt mit einer Geschwindigkeit von rd. 220 km/s an der Rotation des Milchstraßensystems teil. Die Rotationsgeschwindigkeit der S. hängt von der heliograph. Breite ab (differenzielle Rotation). Ihre scheinbare tägl. Bewegung am Himmel von O nach W wird durch die Rotation der Erde verursacht (→Tag), die scheinbare jährl. Bewegung von W nach O gegenüber den Fixsternen durch deren Umlauf auf der Erdbahn (→Jahreszeiten), beide beeinflusst durch die Neigung der Erdachse gegen die Ebene der Ekliptik. Wie alle Sterne ist auch die S. eine Gas-

Physikalische und astronomische Daten der Sonne
(gerundete Vielfache der entsprechenden Erdgrößen in Klammern)

Radius	696350 km (109)
Masse	$1{,}993 \cdot 10^{30}$ kg (332946)
Oberfläche	$6{,}0936 \cdot 10^{12}$ km² (11880)
Volumen	$1{,}412 \cdot 10^{18}$ km³ (1303000)
mittlere Dichte	1,409 g/cm³ (0,26)
Schwerebeschleunigung an der Oberfläche	273,9 m/s² (27,9)
siderische Rotationsperiode	25,380 Tage
synodische Rotationsperiode	27,275 Tage
Rotationsgeschwindigkeit (Äquator)	2 km/s
Äquatorneigung gegen die Ekliptik	7° 15′
effektive Temperatur	5780 K
Energieproduktion	$3{,}85 \cdot 10^{23}$ kW
absolute visuelle Helligkeit	$4^{m}{,}73$
scheinbare visuelle Helligkeit	$-26^{m}{,}86$

kugel, die durch die Gravitation zusammengehalten wird, ihre Dichte nimmt stetig von außen nach innen zu; chemisch besteht sie aus 75% Wasserstoff, 23% Helium und 2% schweren Elementen. Im Zentrum sind Temperatur (rd. $15 \cdot 10^6$ K),

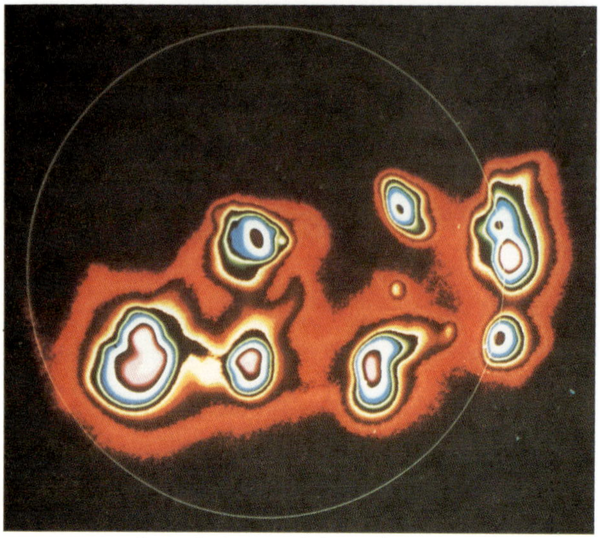

Sonne: Die Röntgenaufnahme macht Regionen mit Temperaturen über 1 Mio. Kelvin als helle Flecken sichtbar

Druck ($>2 \cdot 10^{16}$ Pa) und Dichte (>100 g/cm^3) so hoch, dass versch. Kernreaktionen spontan ablaufen können, unter denen die Umwandlung von Wasserstoff in Helium (→Kernfusion) die für den Energiehaushalt der S. entscheidende Rolle spielt; dabei gewinnt die S. ihre Energie hauptsächlich aus der →Proton-Proton-Reaktion. Die bei diesen Prozessen frei werdende →Sonnenenergie wird neben einer Teilchenstrahlung, dem →Sonnenwind, als →elektromagnetische Wellen ausgestrahlt; diesem von der Röntgenstrahlung über die UV- und IR- bis zur Radiofrequenzstrahlung reichenden kontinuierl. **S.-Spektrum** sind über 220000 Absorptionslinien (Fraunhofer-Linien) überlagert. Die ebenfalls entstehenden →Neutrinos sind Untersuchungsobjekt der Neutrinoastronomie. Mit der Ausstrahlung ist (nach der einsteinschen Äquivalenz von Masse und Energie) ein Masseverlust von $4{,}3 \cdot 10^9$ kg/s verknüpft. Bis heute hat die S. etwa die Hälfte des verfügbaren Wasserstoffvorrats verbraucht. Das Alter der S. schätzt man auf etwa 4,6 Mrd. Jahre, ihre Lebensdauer auf insgesamt rd. 10 Mrd. Jahre.

Die in der S. erzeugte Energie wird außerhalb des Kerns zunächst durch Strahlung (Strahlungszone, bis rd. 70% des S.-Radius) und erst nahe der S.-Oberfläche durch Konvektion nach außen transportiert. Von dort wird sie hauptsächlich durch die unterste Schicht der **S.-Atmosphäre,** die rd. 400 km dicke, sichtbare **Photosphäre** (Temperatur rd. 5800 K), abgestrahlt. Diese zeigt eine körnige Struktur, die **Granulation,** sowie größere fleckige Gebilde, die →Sonnenflecken. Über der Photosphäre schließen sich die **Chromosphäre** (Dicke rd. 10000 km) und die **S.-Korona** (→Korona) an, ein rd. 1 Mio. K heißer Strahlenkranz. Die in der S.-Atmosphäre auftretenden kurzzeitigen veränderl. Erscheinungen wie S.-Flecken, Flares, Fackeln, Filamente und Protuberanzen werden als **S.-Aktivität** bezeichnet. Die S. besitzt ein polares Magnetfeld von etwa 10^{-4} Tesla, dem in Aktivitätszentren zeitlich veränderl. lokale Felder bis zu 0,34 Tesla überlagert sein können.

Vorgänge auf der S. üben z. T. direkte oder indirekte Wirkungen auf die Erde aus **(solarterrestr. Erscheinungen).** Dazu gehören die Gravitation und der dadurch bewirkte nahezu gleichmäßige Abstand der Erde von der S. sowie die Licht- und Wärmestrahlung der S., die Grundlage des Klimas und der Lebensprozesse auf der Erde sind. Auf den von der S. emittierten geladenen Teilchen beruhen die →Polarlichter und →magnetischen Stürme sowie Schwunderscheinungen beim Funkverkehr (Mögel-Dellinger-Effekt).

Zu den Instrumenten für die S.-Beobachtungen, die vielfach in S.-Observatorien installiert sind, gehören u. a. das →Heliometer, der →Koronograph, der S.-Turm (→Turmteleskop) mit Heliostat (→Siderostat) oder →Zölostat und der →Spektroheliograph, in jüngerer Zeit auch weltraumgestützte, wie z. B. in der Raumstation Skylab und in den Raumsonden Helios, Pioneer und Ulysses, die streulichtfreie Beobachtungen und Messungen des Magnetfelds der S. ermöglichen.

Geschichte: Von den Babyloniern ist die älteste datierte Beobachtung einer S.-Finsternis überliefert (15. Juni 763 v. Chr.). Um 265 v. Chr. unternahm Aristarchos von Samos den Versuch, die Entfernung der S. zu bestimmen. Außerdem stellte er (um 275) die Hypothese auf, dass die S. ruhendes Zentrum unseres Planetensystems sei; N. Kopernikus knüpfte bei der Erarbeitung des heliozentr. Systems hier an. 1843 entdeckte H. Schwabe die Periodizität der S.-Fleckenhäufigkeit und 1868 J. N. Lockyer im S.-Spektrum das Helium. 1908 wies G. Hale das Vorhandensein von Magnetfeldern in den S.-Flecken nach.

Kulturgeschichte und *Religion:* Die S. galt lange als Quelle des Lichts, des Lebens, der Fruchtbarkeit, Teilerin der Zeit, Weiserin der Wege. Man stellte sich die S. als Ball, Rad oder Scheibe vor, von Tieren getragen oder gefahren. In vielen Religionen gilt die S. als der Held, der siegreich gegen die Finsternis und ihre Dämonen kämpft. Die tägl. und die jahreszeitl. Wiederkehr der S. wird ängstlich erwartet und mit kultisch-mag. Mitteln geför-

Die Kulturform der Gemeinen **Sonnenblume** *entwickelte sich in vorkolumbischer Zeit im südlichen Teil Nordamerikas. Aus Peru kam sie ab 1569 über Spanien nach Europa. Der spanische Arzt und Botaniker Nicolás Monardes beschrieb sie 1582. Um 1830 wurde sie erstmals in Russland zur Ölgewinnung angebaut.*

Sonnenblume: Die Gemeine Sonnenblume wird bis über 4 m hoch

dert. Bekannte S.-Gottheiten sind der ind. Surja, der sumer. Utu und der babylon. Schamasch. Im alten Ägypten wurde Re als S.-Gott verehrt, unter König Echnaton der Gott Aton. Dem grch. Helios entsprach der röm. Sol, dessen Kult in der Kaiserzeit als Sol invictus weit verbreitet war. Im alten Mexiko wurde Tonatiuh von den Azteken als S.-Gott verehrt; auch Itzamná, der Hauptgott der Maya, trug solare Züge. Im Pantheon der Inka nahm der S.-Gott Inti den ersten Platz ein. – Bekannte S.-Göttinnen sind die balt. Saule, die japan. Amaterasu, die churrit. Chebat und die südarab. Schams. – Als *politisches Symbol* kennzeichnete die S. im Absolutismus die allgewaltige, zentrale Stellung des Monarchen (z. B. →Sonnenkönig).

📖 Ekrutt, J. W.: *Die Sonne. Hamburg 1981.* – Stix, M.: *The sun. Berlin 1989.* – Scheffler, H. *u.* Elsässer, H.: *Physik der Sterne u. der S. Mannheim u. a.* ^{2}*1990.*

Sonneberg, 1) Landkreis in Thür., 433 km^2 und (1996) 70 200 Einwohner.

2) Krst. von 1) am S-Rand des Thüringer Schiefergebirges; 360–640 m ü. M., 25 300 Ew.; Spielzeugmuseum, Sternwarte, Zentrum der thüring. Spielwarenind., Herstellung von elektrokeram. Erzeugnissen, Porzellan und Bekleidung. – Seit 1349 Stadt.

Sonnenbad (Sonnenlichtbestrahlung, Heliotherapie), das Einwirkenlassen des natürl. Sonnenlichts auf den unbedeckten Körper. Der Ultraviolettanteil des Sonnenlichts, der im Gebirge und an der See am höchsten ist, ist für die Entstehung biologisch wirksamer Stoffe (Histamin) verantwortlich. Das S. muss in langsam steigender Dosierung genommen werden. Eine ausgesprochene Hautrötung (Sonnenbrand; →Lichtschäden) und Wärmestauung sind zu vermeiden. Das S. steigert u. a. Wohlbefinden und Durchblutung.

Sonnenbarsche (Centrarchidae), Familie der Barschartigen Fische in Süßgewässern Nordamerikas. S. legen ihre Eier in Sandgruben, die vom Männchen bewacht werden; z. T. beliebte Aquarienfische wie Diamantbarsch (Bild) und Forellenbarsch.

Sonnenbatterie (Solargenerator), eine aus Solarzellen in Parallel- und Reihenschaltung zusammengesetzte Energiequelle zur Stromversorgung v. a. von Satelliten im Weltraum. Durch direkte Umwandlung (Direktumwandler) von Sonnenlicht in elektr. Energie aufgrund des inneren Photoeffekts kann eine elektr. Leistung bis zu einigen Kilowatt erzeugt werden. (→Solarzelle)

Sonnenblende, tubusförmiger Vorsatz für Kameras, mit dem direkte Sonneneinstrahlung in das Objektiv verhindert wird.

Sonnenblume (Helianthus), Gattung der Korbblütler, urspr. in Amerika heimisch; oft hohe, meist behaarte Kräuter mit ganzrandigen oder gezähnten Blättern; Blüten gelb oder (die Scheibenblüten) purpurfarben bis violett, in mittelgroßen bis sehr großen, einzeln oder in lockerer Doldentraube stehenden Köpfen mit Spreublättern. Die bekannteste Art ist die **Gemeine S. (Einjährige S.,** Helianthus annuus), bis über 4 m hoch, mit großen, gestielten, rau behaarten Blättern. Ihre Blütenköpfe haben einen Durchmesser von 20–50 cm. Die Samen **(S.-Kerne)** enthalten den Embryo, der in seinen Speicherkeimblättern etwa 25 % Eiweiß, etwa 50 % fettes Öl und 8 % Kohlenhydrate enthält (→Sonnenblumenöl). Als Nutzpflanze wird die Gemeine S. v. a. in SO-Europa, Argentinien, Frankreich, China und den USA kultiviert. Einige einjährige Arten und ihre Sorten sind beliebte Gartenzierpflanzen. – Eine weitere bekannte Art der S. ist der →Topinambur.

Sonnenblumenöl, ein aus den Samen der Sonnenblumen gewonnenes hellgelbes, angenehm riechendes fettes Öl, das chemisch v. a. aus Glyceriden der Ölsäure, der Linolsäure, der Palmitin- und Stearinsäure besteht; Speiseöl, Rohstoff für Margarine.

Sonnenbrand, 1) *Botanik:* Schädigung durch zu starke Sonneneinstrahlung, z. B. entstehen an Baumstämmen **Sonnenrisse,** die Rinde löst sich vom Stamm.

2) *Medizin:* →Lichtschäden, →Ultraviolett.

Sonnen|energie, die durch Kernfusion im Inneren der →Sonne freigesetzte Energie, die durch Strahlungstransport an die Sonnenoberfläche gelangt und in den Weltraum abgestrahlt wird. Die gesamte Strahlungsleistung (Leuchtkraft) der Sonne beträgt rd. $3{,}85 \cdot 10^{23}$ kW bzw. $6{,}3 \cdot 10^4$ kW/m^2; davon erreichen die äußere Erdatmosphäre 1,36 kW/m^2 (entsprechend der sog. →Solarkonstanten). Außerhalb der Erdatmosphäre (bzw. am Erdboden) entfallen 9 % (bzw. 1,5 %) dieser Strahlungsenergie auf den ultravioletten Bereich, 49 % (bzw. 45 %) auf den des sichtbaren Lichts und 42 % (bzw. 53,5 %) auf den infraroten. Die jährlich auf die Erdoberfläche eingestrahlte S. von rd. $7{,}1 \cdot 10^{17}$ kWh entspricht etwa dem 7 000fachen des jährl. Weltprimärenergieverbrauchs. Diese Energiequelle hat bis heute fast den gesamten Energiebedarf der Menschheit gedeckt; die in traditioneller Weise genutzten Energiequellen (z. B. fossile Brennstoffe) stellen umgewandelte S. dar. Da die fossilen Brennstoffvorräte beschränkt sind, ist es eine der Aufgaben der Energieforschung, neue Verfahren zur Nutzung, Speicherung und Übertragung der S. zu erschließen, wobei das Hauptproblem die geringe Leistungsdichte darstellt, die je nach geograph. Lage, Jahreszeit und Witterung zw. 100 W/m^2 und 1 kW/m^2 schwanken kann. (→Solartechnik, →Sonnenkraftwerk)

📖 HOFFMANN, V.: *Energie aus Sonne, Wind u. Meer. Leipzig 1990.* – GOETZBERGER, A. *u.* WITTWER, V.: *S. Physikal. Grundlagen u. therm. Anwendungen. Stuttgart ³1993.* – LEWERENZ, H.-J. *u.* JUNGBLUT, H.: *Photovoltaik. Grundlagen u. Anwendungen. Berlin u. a. 1995.*

Sonnenenergie

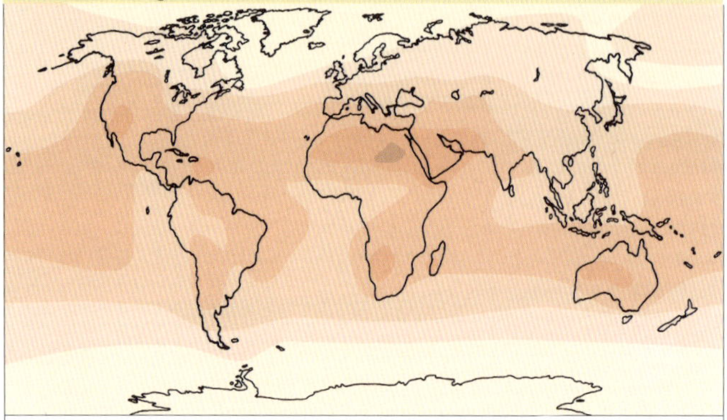

Sonnenenergie: Globalstrahlung; durchschnittliche solare Strahlungsleistung auf der Erdoberfläche in Watt pro Quadratmeter

weniger als 100 | 100 | 150 | 200 | 250 | 300 Watt pro Quadratmeter

Sonnen|eruption, das →Flare.

Sọnnenfels, Joseph Reichsfreiherr von (seit 1797), österr. Jurist und Nationalökonom, *Nikolsburg (heute Mikulov) 1733 (1732?), †Wien 25. 4. 1817; seit 1763 Prof. in Wien; Vertreter des Kameralismus, setzte sich für die Humanisierung des Strafrechts ein, gab die Wochenschrift »Der Mann ohne Vorurtheil« heraus (1765–67).

Sonnenfinsternis: Serienaufnahme des Verlaufs einer totalen Sonnenfinsternis

Sonnenferne, das Aphel, →Apsiden.

Sonnenfinsternis, die unvollständige (partielle) oder vollständige (totale) Bedeckung der Sonne durch den Mond, die eintritt, wenn Sonne, Mond und Erde auf einer Geraden liegen. Da die Mondbahn etwa um 5° geneigt ist, können S. nur auftreten, wenn der Mond (Neumond) nahe den →Knoten seiner Bahn steht. Die Gebiete auf der Erde, die in den Halbschatten des Mondes gelangen, sind Gebiete **partieller S.** Von den in den Kernschatten des Mondes kommenden Orten kann eine **totale S.** beobachtet werden; der Kernschatten des Mondes hat dann einen Durchmesser von 264 km, er bewegt sich mit etwa 35 km je Minute in östl. Richtung über die Erde. Die Totalitätsdauer an einer festen Stelle beträgt bis zu etwa 7,5 min. Erreicht die Spitze des Kernschattens die Erdoberfläche gerade nicht mehr, tritt ringförmige S. ein, bei der ein ringförmiger Teil der Sonnenscheibe unbedeckt bleibt. Bei einer totalen S. werden die Protuberanzen und die Korona der Sonne sichtbar, auf der Erdoberfläche die »fliegenden Schatten«, lang gestreckte Schattenstreifen, die kurz vor und nach der Totalität durch Ungleichmäßigkeiten in der opt. Dichte der Luft entstehen. Im Mittel werden 2,3 S. pro Jahr registriert, nach etwa 18 Jahren wiederholen sie sich mit veränderter Totalitätsdauer und -zone und abweichendem Bedeckungsgrad. Die nächsten in Dtl. sichtbaren totalen S. treten am 11. 8. 1999 (Süd-Dtl.) und am 7. 10. 2135 (NW- und Mittel-Dtl.) ein.

Sonnenfinsternis

Die nächste totale Sonnenfinsternis in Europa wird am 11. August 1999 stattfinden. Kurz vor der Jahrtausendwende werden dann Sonne, Erde und Mond genau auf einer Geraden liegen. Der Mond tritt zwischen Erde und Sonne, und da er scheinbar so groß wie die Sonne ist, verdunkelt er den Tag. In 1000 Jahren tritt das Phänomen einer totalen Sonnenfinsternis durchschnittlich 659-mal ein. An einem bestimmten Ort entsteht sie durchschnittlich nur alle 200 Jahre.

Sonnenfisch (Meermond, Mondfisch, Mola mola), eine Art der Knochenfische mit plumpem, eiförmigem, seitlich stark zusammengedrücktem Körper, bis über 3 m lang, bis 900 kg schwer; v. a. in warmen Meeren.

Sonnenflecken, meist in Gruppen auftretende veränderl. Stellen auf der Oberfläche der →Sonne, die in ihrem Kern **(Umbra)** völlig dunkel erscheinen, unregelmäßig begrenzt sind und von einem helleren, radial strukturierten Hof **(Penumbra)** umgeben sind. S. haben einen Durchmesser von einigen 1000 bis etwa 50000 km, ihre Lebensdauer liegt zw. (meist) wenigen und etwa 100 Tagen. Das schwarze Aussehen des Kerns ist ein Kontrastphänomen, die Temperatur ist dort mit rd. 4000 K um etwa 2000 K niedriger und die Strahlungsenergie um rd. 80 % geringer als in der hellen Photosphäre. S. sind Pole kräftiger Magnetfelder (0,2–0,4 Tesla), die häufig in magnetisch bipolarer Anordnung auftreten. Die Entstehung der S. ist bislang noch nicht geklärt. Die **S.-Häufigkeit** schwankt mit einer Periode von 11,07 Jahren **(S.-Zyklus).** Zu Beginn eines Zyklus erscheinen die S. bei etwa ±35° heliograph. Breite; im Verlauf des Zyklus wandern sie stetig zum Äquator hin und verschieben sich bis etwa ±5°. – In neueren Untersuchungen wurden statistisch signifikante Korrelationen zw. der Länge der S.-Zyklen und den Schwankungen der Jahresdurchschnittstemperaturen über der nördl. Erdhalbkugel seit 1860 nachgewiesen.

Sonnengeflecht (Solarplexus, lat. Plexus coeliacus), an der Aorta unterhalb des Zwerchfells im Bauchraum liegendes Geflecht des vegetativen Nervensystems.

Sonnenheizung, →Solarheizung.

Sonnenhut (Rudbeckie, Rudbeckia), Gattung der Korbblütler in Nordamerika; oft rau behaarte, hohe Kräuter mit meist wechselständigen Blättern und Blütenköpfchen aus gelben Randblüten und

Sonnenkraftwerk: Das Solarturmkraftwerk »Solar One« in Barstow (Calif.) erzeugt eine Leistung von bis zu 10 MV

meist purpurfarbenen Scheibenblüten. Eine beliebte Gartenpflanze ist u.a. die **Kleinblütige Sonnenblume** (Rudbeckia laciniata), bis zu 2,5 m hoch, mit großen, halbkugelförmigen Köpfchen; Scheibenblüten schwarzbraun, Zungenblüten gelb.

Sonnenjahr, →Jahr, →Kalender.

Sonnenkollektor, →Solarkollektor.

Sonnenkönig (frz. Roi Soleil), Beiname Ludwigs XIV. von Frankreich.

Sonnenkraftflugzeug (Solarflugzeug), großflächig mit Solarzellen bestücktes Flugzeug, bei dem die Vortriebskraft durch Ausnutzung der Strahlungsenergie der Sonne gewonnen wird und die aus ihr erzeugte elektr. Energie einen Elektromotor zum Antrieb der Luftschraube speist. Bemannte S. sind erstmals 1980 geflogen (1981: 261 km von Frankreich nach England, dabei größte Höhe 3566 m). Wegen der sehr geringen Energiedichte der Sonnenstrahlung ist die Konstruktion eines S. nur durch extremen Leichtbau und Flugfähigkeit bei sehr geringer Geschwindigkeit möglich.

Sonnenkraftwerk (Solarkraftwerk), Anlage zur Erzeugung elektr. Energie aus Sonnenstrahlung. Bei solartherm. S. wird die Strahlung zunächst in Wärme umgewandelt, während in photovoltaischen S. unmittelbar elektr. Energie erzeugt wird. – Bei den solartherm. S. unterscheidet man **Rinnenkollektoranlagen,** die parabolförmigen Rinnen können einachsig der Sonne nachgeführt werden; in der »Brennlinie« befindet sich ein Rohr mit Wärmeträgermedium; **Parabolspiegelanlagen,** die zweiachsig der Sonne nachgeführt werden können, mit Energiewandler im Brennpunkt; **Solarturmkraftwerke,** bei denen viele bewegl. Spiegel auf einen gemeinsamen Strahlungsempfänger auf der Spitze eines Turms gerichtet sind und den Wärmeträger erhitzen. Diese S. gehören zu den sog. Farmanlagen. Bei **Aufwindkraftwerken** wird die Luft unter einem riesigen Glasdach (einige 100 m Durchmesser) durch die Sonne erwärmt, steigt in einem Rohr auf und treibt Windturbinen an. Photovoltaische S. sind zurzeit nur in speziellen Anwendungsfällen im Einsatz.

Sonnenkult, die religiöse Verehrung der →Sonne als Leben spendender Macht; seit der Bronzezeit nachweisbar, spielt v.a. in polytheist. Religionen eine zentrale Rolle. Oft ist der **Sonnengott** der Hauptgott des Pantheons und die **Sonnenscheibe** (Sonnenrad) das beherrschende Kultsymbol (Indien, Japan). – Im Volksbrauch →Sonnenwende.

Sonnennähe, das Perihel, →Apsiden.

Sonnenofen, fokussierende Spiegelanordnungen zur Erzeugung hoher Temperaturen, die die von der Sonne abgestrahlte Energie für die Hochtemperaturforschung, metallurg. u.a. Zwecke nutzen. Planspiegelaggregate, die dem Sonnenstand automatisch folgen, werfen die Sonnenstrahlung auf einen großen Parabolspiegel, der Brennpunkttemperaturen bis zu 3800 °C erzeugt. Die Leistung des frz. S. in Odeillo (Gem. Font-Romeu, Pyrénées-Orientales) beträgt maximal 1100 kW.

Sonnenröschen (Helianthemum), Gattung der Zistrosengewächse, vom Mittelmeergebiet bis Zentralasien und in Amerika verbreitet; mit weißen, gelben oder roten Blüten und dreiklappiger Kapselfrucht. Das bis zu 10 cm hohe **Gemeine S.** (Helianthemum nummularium) ist ein wintergrüner Halbstrauch mit meist gelben Blüten, der auf trockenem Boden wächst.

Sonnensegel, *Raumflug:* in der Entwicklung befindliches Projekt eines Vortriebsprinzips für Raumflugkörper. Der Photonendruck des Sonnenlichts wird mithilfe einer flächenhaften Vorrichtung in eine Vortriebskraft umgesetzt; es kön-

Sonnenhut: Kleinblütige Sonnenblume (Höhe bis zu 2,5 m)

Sonnenröschen: Gemeines Sonnenröschen (Höhe bis zu 10 cm)

Sonnenfinsternis

Totalitätszonen der totalen Finsternisse in den Jahren 1981 und 2001

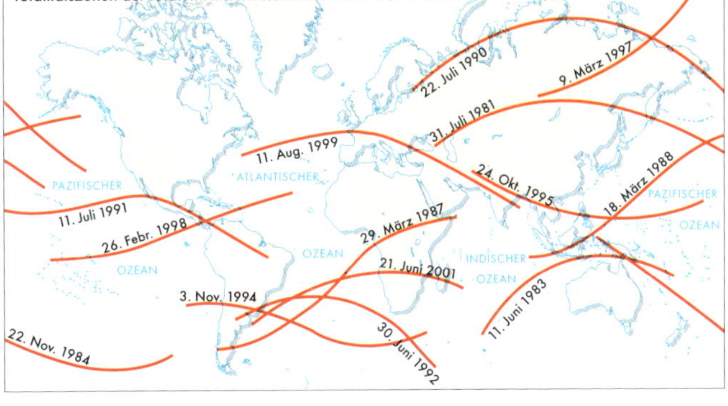

Sonnentau: Rundblättriger Sonnentau (Höhe 5-20 cm)

nen dabei nur begrenzte Entfernungen erreicht werden.

Sonnenstaat (italien. Città del Sole), das Gemeinwesen in dem gleichnamigen utop. Roman von T. → Campanella.

Sonnenstein, ein Mineral → Aventurinfeldspat.

Sonnenstich (Insolation, Heliosis), durch lang dauernde starke Sonneneinstrahlung auf den unbedeckten Kopf und Nacken entstandene vermehrte Blutansammlung und Hirnhautreizung in Form einer serösen Entzündung. Kennzeichen sind starke Kopfschmerzen, Ohrensausen, Übelkeit, in schweren Fällen auch Kreislaufkollaps und Tod. – Sofortmaßnahmen → erste Hilfe (ÜBERSICHT).

Sonnensystem, die Sonne und die Gesamtheit der durch Gravitation an sie gebundenen Himmelskörper, wie Planeten, Planetoiden, Kometen, Meteoriten und interplanetare Materie (i. w. S. auch Planetensystem gen.). Die Sonne als Schwerpunkt (Zentralkörper), um den sich alle anderen Körper bewegen, besitzt nahezu 99,9% der Gesamtmasse dieses Systems; über 70% der übrigen Masse entfällt auf den Planeten Jupiter. Der Gesamtdrehimpuls des S. liegt fast ganz bei den Planeten, bes. bei Jupiter, die Sonne besitzt nur etwa 2%. Die Entfernungen der Planeten von der Sonne folgen (Ausnahme: Neptun und Pluto) der → Titius-Bode-Reihe. Sowohl der Umlaufssinn der Planeten um die Sonne sowie der meisten Monde um die Planeten als auch der Rotationssinn der Planeten (Ausnahmen: Venus und Uranus) sind gleich dem Rotationssinn der Sonne. Außer bei Merkur und Pluto sind die Planetenbahnen fast kreisförmig, ihre Bahnebenen weichen nur wenig von der Erdbahnebene ab; die Bewegungen der großen Planeten gehorchen den → keplerschen Gesetzen. (→ Kosmogonie, → Milchstraßensystem)

📖 *Meyers Handbuch Weltall. Mannheim [7]1984.*

Sonnentau (Drosera), Gattung der S.-Gewächse, v. a. auf der Südhalbkugel; → Fleisch fressende Pflanzen, deren Blätter mit Verdauungsdrüsen und zahlr. reizbaren, rötl., klebrige Sekrettropfen ausscheidenden Tentakeln zum Festhalten der Beutetiere (kleine Insekten) besetzt sind; Blüten weiß oder rot. In Dtl. kommen in Mooren drei geschützte Arten vor: **Rundblättriger S.** (Drosera rotundifolia), Blätter kreisrund, lang gestielt (5–20 cm hoch), **Langblättriger S.** (Drosera anglica), Blätter vier- bis achtmal so lang wie breit, und **Mittlerer S.** (Drosera intermedia), Blätter zwei- bis viermal so lang wie breit.

Sonnentierchen (Heliozoen, Heliozoa), Ordnung kugelförmiger Wurzelfüßer (Einzeller), v. a. in Süßgewässern; meist frei schwebende Protozoen, die nach allen Seiten Scheinfüßchen aussenden, an deren fließendem Außenplasma Kleinstorganismen kleben bleiben und in das Zellinnere gebracht werden.

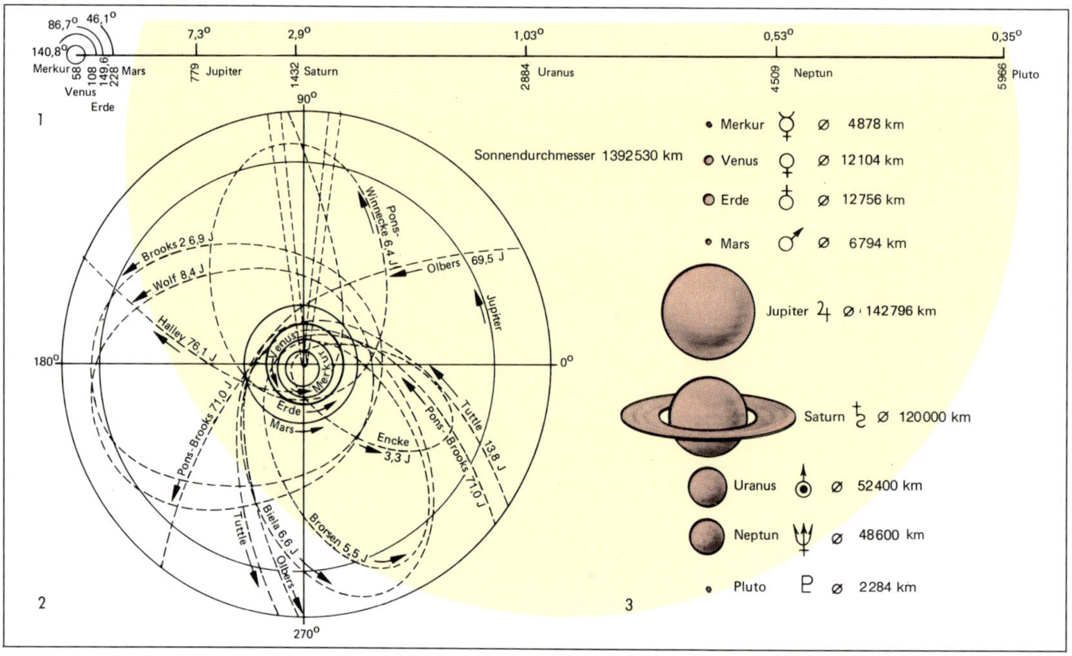

Sonnensystem: 1 Entfernung der Planeten von der Sonne (in Mio. km) und zurückgelegter Bogen in einem Merkurjahr (88 Tage); **2** das Sonnensystem mit den Bahnen einiger Planeten und Kometen (mit Umlaufzeit; die Darstellung wird von dem äußeren Kreis begrenzt); **3** Größenverhältnisse der Planeten (rotbraun) im Vergleich zum Sonnendurchmesser (gelb)

Sonnenuhr, seit der Antike Vorrichtung zur Bestimmung der wahren Ortszeit; Zeitmesser, der entweder die Richtung der Sonne oder ihre Höhe über dem Horizont zur Anzeige nutzt: Der mit dem Lauf der Sonne wandernde Schatten eines Stabes (Gnomon) zeigt auf einer Skala die Stunden an.

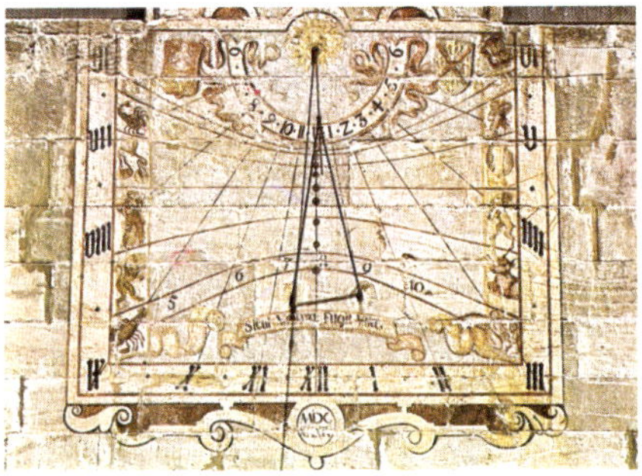

Sonnenuhr: Die Sonnenuhr aus dem Jahr 1634 befindet sich an der Pfarrkirche Sankt Veit in Ellwangen (Jagst)

Sonnenvögel (Leiothrix), Gattung farbenprächtiger Singvögel in den Wäldern des Himalaja und SO-Asiens, wegen ihres melod. Gesangs beliebte Käfigvögel, z. B. der etwa 15 cm große **Chines. S.** (Leiothrix lutea).

Sonnenwende, 1) die Umkehr in der Deklinationsbewegung der Sonne, die am 21./22. 6. (Sommeranfang) bei der größten nördl. Deklination (+23,5°) und am 21./22. 12. (Winteranfang) bei der größten südl. Deklination (–23,5°) der Sonne eintritt. Da sich die Deklination in den beiden Umkehrpunkten fast nicht ändert, nennt man sie **Sonnenstillstände** oder **Solstitien** und die entsprechenden Punkte der Ekliptik die **Solstitialpunkte.** Zur Zeit der Sommer-S. sind die Tage auf der Nordhalbkugel am längsten, zur Zeit der Winter-S. am kürzesten (auf der Südhalbkugel umgekehrt).

Brauchtum: Sonnwendfeuer zur Zeit der Sommer-S. haben sich bis heute erhalten (bes. im Alpenraum). Zu organisierten **Sonnwendfeiern** kam es in der Biedermeierzeit durch bürgerl. Geselligkeitsverbände, später durch die Jugendbewegung und dann durch die Nationalsozialisten, die sie als »authent. Zeugnis german. Tradition« in der Propaganda benutzten. – Eine Verchristlichung des Brauchs führte zu den Johannisfeuern am →Johannisfest.

2) *Botanik:* Pflanzengattung, →Heliotrop.

Sonnenwind (solarer Wind), von der Korona der Sonne radial nach außen gehender Strom hochenerget. Teilchen (v. a. Elektronen, Protonen, Heliumkerne, Neutrinos und schwere Ionen). Dieses Plasma bewegt sich mit Überschallgeschwindigkeit (in Erdnähe rd. 400 km/s) und führt einen Teil des solaren Magnetfeldes mit. Wirkungen des erstmals 1962 durch die Raumsonde Mariner 2 direkt nachgewiesenen S. sind die Verformung der ird. Magnetosphäre und die Schweifbildung der Kometen.

Sonnenvögel: Chinesischer Sonnenvogel (Größe etwa 15 cm)

Sonnenzeit, die durch zwei Meridiandurchgänge (untere Kulmination) der Sonne bestimmte Zeit mit der Einheit **Sonnentag.** Legt man der S. die wahre, sich in der Ekliptik mit ungleichförmiger Geschwindigkeit bewegende Sonne zugrunde, so erhält man die **wahre S.;** die **mittlere S.** erhält man durch eine im Äquator mit konstanter Geschwindigkeit laufend gedachte Sonne. Der mit der Jahreszeit sich ändernde Unterschied zw. wahrer und mittlerer S. ist die Zeitgleichung.

Sonnenzelle, die →Solarzelle.

Sonnenzyklus (Sonnenzirkel), der Zeitraum von 28 Jahren, nach dessen Ablauf im julian. Kalender die Wochentage wieder auf die gleichen Monatsdaten fallen.

Sonnier ['sɔnɪə], Keith, amerikan. Künstler, *Mamou (La.) 31. 7. 1941; realisiert reliefartige Arbeiten an der Wand mit Materialien wie Spiegeln, Glas, Kunststoff, Metall, oft in Verbindung mit Neonlicht.

Sonnino, Giorgio Sidney Baron, italien. Politiker, *Pisa 11. 3. 1847, †Rom 24. 11. 1922; war 1906 und 1909/10 MinPräs. und führte als Außenmin. (1914–19) Italien in den Krieg gegen die Entente; Vertreter Italiens auf der Pariser Friedenskonferenz.

Sonntag, der 7. (bis 1976 der 1.) Tag der Woche; 1. Werktag der jüd. Woche (nach dem Sabbat); im christl. Verständnis war der S. der 1. Tag der Woche, an dem der Tag der Auferstehung Jesu Christi gefeiert wird; seit Kaiser Konstantin I. (321) Tag der Arbeitsruhe.

Rechtliches: In Dtl. darf an Sonn- und Feiertagen in Handel, Industrie und Handwerk grundsätzlich nicht gearbeitet werden (§55e GewO; §3 Ladenschlussgesetz). Hiervon gibt es zahlr. Ausnahmen;

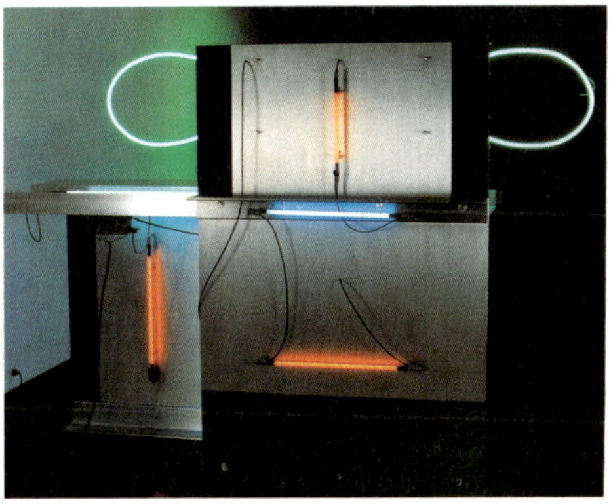

Keith Sonnier: »Liegende Sphinx« (1988; Privatbesitz)

sie gelten z.B. für Gaststätten, Verkehrs- und Saisonbetriebe, Landwirtschaft und für Arbeiten in Notfällen (→Ladenschluss). – Fristen (z.B. für das Bewirken einer Leistung) laufen nach §193 BGB, wenn der letzte Tag auf einen S. fällt, erst am nächstfolgenden Werktag ab. Das grundsätzl. **S.-Fahrverbot** für Lastwagen über 7,5 t Gesamtgewicht auf öffentl. Straßen gilt an Sonn- und Feiertagen von 0 bis 22 Uhr (§30 StVO). – In *Österreich* und der *Schweiz* bestehen ähnl. Regelungen.

Sonntagberg, Gemeinde in Niederösterreich, im Ybbstal, 4600 Ew.; Edelstahlwerk, Baustoffindustrie. – Wallfahrtskirche (1706–32).

Sonnwendgebirge (Rofangruppe), Gebirgszug der Nordtiroler Kalkalpen, Österreich, östlich vom Achensee, im Hochiß 2299 m, in der Rofanspitze 2260 m ü.M.

Susan Sontag

Sonochemie (Sonolyse), →Ultraschallchemie.

Sonographie [lat.-grch.] *die,* →Ultraschalldiagnostik.

sonor [lat.], klangvoll, wohltönend (Stimme); stimmhaft (Laute, im Dt. [m] [n] [l] [r]).

Sonora, Staat im NW von →Mexiko, am Golf von Kalifornien und an der Grenze zu Arizona; bed. Viehhaltung; Bergbau v.a. auf Kupfer.

Sontag ['sɔntəg], Susan, amerikan. Schriftstellerin und Kritikerin, *New York 16. 1. 1933; wurde bekannt mit kunsttheoret. Beiträgen zu experimenteller Literatur und zum avantgardist. Film (»Kunst und Antikunst«, 1966). Ihre Erzählwerke stehen in der Tradition des Nouveau Roman (»Todesstation«, 1967); Themen weiterer Werke sind polit. Engagement, Krankheiten wie Krebs, Aids (»Ich, etc.«, Erz., 1978; »Krankheit als Metapher«, 1978; »Im Zeichen des Saturn«, Essays, 1981; »Aids und seine Metaphern«, 1989; »Alice im Bett«, Stück, 1991; »Der Liebhaber des Vulkans«, R., 1992).

Kurt Sontheimer

Sontheimer, Kurt, Politikwissenschaftler, *Gernsbach 31. 7. 1928; seit 1960 Prof. (seit 1969 in München); schrieb »Antidemokrat. Denken in der Weimarer Republik« (1962); »Grundzüge des polit. Systems der Bundesrep. Dtl.« (1971); »Die verunsicherte Republik« (1979); »Dtl.s polit. Kultur« (1990); »Von Dtl.s Republik« (1991).

Sonthofen, Krst. des Landkreises Oberallgäu, Bayern, 741 m ü.M., im Illertal (Allgäuer Alpen), 21500 Ew.; Feinstrumpfwerke, Metallverarbeitung; Kurort und Wintersportplatz. – Pfarrkirche Sankt Michael (1738–41 völlig erneuert).

Sontra, Stadt im Werra-Meißner-Kreis, Hessen, 9400 Ew.; Textil-, Holz-, Metall-, Kunststoff- u.a. Industrie; Luftkurort.

Sony Corporation ['səʊnɪ kɔ:pə'reɪʃn], japan. Unternehmen der elektrotechn. und elektron. Ind. (bes. Unterhaltungselektronik); gegr. 1946; Sitz: Tokio.

Sooden-Allendorf, Bad, →Bad Sooden-Allendorf.

Soonwald, Teil des →Hunsrück.

Soor *der* (Candidamykose, Candidiasis, Candidose, Schwämmchen, früher auch Moniliasis, Soormykose), durch Hefepilze der Gattung Candida hervorgerufene, durch Kontakt übertragbare Pilzerkrankung beim Menschen (und bei Tieren), deren Auftreten durch verminderte Widerstandsfähigkeit des Organismus, z.B. Krankheiten (Diabetes, Krebs, chron. Infektionen) oder Schwangerschaft gefördert wird; bes. gefährdet sind Säuglinge. S. äußert sich als weißl. bis grauer, erhabener, samtartiger, leicht blutender Belag, v.a. auf Schleimhäuten des Mundes (bzw. Mauls) und Rachens, der Geschlechtsorgane, bes. der Scheide. Die *Behandlung* erfolgt mit Antimykotika (Amphotericin B, 5-Fluorcytosin).

Sophie, Herrscherinnen und Fürstinnen:

Anhalt-Zerbst: **1) S. Friederike Auguste,** →Katharina (Herrscherinnen, Russland).

Sophie von der Pfalz, Kurfürstin von Hannover: Ausschnitt eines Kupferstichs (um 1710)

Hannover: **2) S. von der Pfalz,** Kurfürstin, *Den Haag 14. 10. 1630, †Herrenhausen (heute zu Hannover) 8. 6. 1714; Tochter Friedrichs V. von der Pfalz, Enkelin Jakobs I. von England, seit 1658 ⚭ mit dem späteren Kurfürsten Ernst August von Hannover, wurde 1701 vom engl. Parlament zur Thronerbin erklärt, wodurch die Anwartschaft des Hauses Hannover auf den engl. Thron begründet wurde.

3) S. Dorothea, Prinzessin, *Celle 15. 9. 1666, †Ahlden/Aller (Kr. Soltau-Fallingbostel) 13. 11. 1726; ⚭ mit Georg Ludwig von Hannover; wegen ihrer Beziehung zu P. C. von →Königsmarck 1694 geschieden, 1695 auf Schloss Ahlden verbannt (»Prinzessin von Ahlden«).

Preußen: **4) S. Charlotte,** Königin, *Iburg (heute Bad Iburg) 30. 10. 1668, †Hannover 1. 2. 1705; seit 1684 ⚭ mit dem späteren preuß. König Friedrich I.; förderte Wissenschaften und Künste und betrieb mit G. W. Leibniz die Gründung der Berliner Akademie der Wissenschaften (1700).

Sophie Charlotte, Königin von Preußen: Ausschnitt eines Kupferstichs (1689)

Russland: **5) Sofja Aleksejewna,** Regentin (1682–89), *Moskau 27. 9. 1657, †ebd. 14. 7. 1704; Tochter des Zaren Alexei Michailowitsch, setzte die Erhebung ihres geistesschwachen Bruders Iwan V. (*1666, †1696) zum Zaren neben ihrem Halbbruder Peter I., dem Großen, und ihre eigene Ernennung zur Regentin durch. Peter erzwang erst 1689 das Ende ihrer Regentschaft. S. schloss 1689 in Nertschinsk den ersten Vertrag mit China und holte Hugenotten ins Land.

Spanien: **6) S.,** Königin, *Psychiko (heute zu Athen) 2. 11. 1938; geb. Prinzessin von Griechenland und Dänemark; ⚭ seit 1962 mit Juan Carlos I., König von Spanien.

Sophisma [grch.] *das* (Sophismus), bewusst herbeigeführter Trugschluss, Scheinbeweis.

Sophisten [grch. »Weisheitslehrer«], grch. Gelehrte und Rhetoren des 5./4. Jh. v. Chr., die eine höhere, zum polit. Handeln befähigende Bildung vermitteln wollten. Sie leiteten eine aufklärer., auf den Menschen, seine Ethik und sein Erkenntnisvermögen ausgerichtete Epoche der grch. Philosophie ein. Ihre Lehren bezogen sich v. a. auf Sprachtheorie (z. B. Rhetorik, Poetik, Grammatik) und Ethik (Theorien über Staat, Gesetz, Moral, Recht) und waren von einem gegen Tradition und Religion gerichteten erkenntnistheoret. Skeptizismus geprägt. Zu den S. zählten u. a. Protagoras, Gorgias, Hippias von Elis, Prodikos, Thrasymachos, Kritias, Antiphon und Xeniades.

Sophistik *die,* **1)** *allg.:* die Kunst der Scheinbeweise, Wortverdrehung, Spitzfindigkeit.

2) *Philosophie:* die Lehre der Sophisten.

Sophokles, grch. Tragiker, *Athen um 497/496 v. Chr., †ebd. 406/405 v. Chr.; bekleidete hohe polit. und kult. Ämter (443/442 Schatzmeister des Attischen Seebundes, befehligte 441/440 zus. mit Perikles die Flotte gegen Samos, seit 411 Mitgl. der Oligarchenregierung). Als Tragödiendichter steht S. zw. Aischylos und Euripides; gegenüber seinen Vorläufern erhöhte er die Zahl der Choreuten von 12 auf 15, ließ durch Einführung des dritten Schauspielers die dramat. Handlung stärker hervortreten und ermöglichte die Darstellung komplexen Geschehens. Die Konzeption der Tragödientrilogie ist fast ganz zugunsten in sich geschlossener Einzeltragödien aufgegeben. Von seinen 123 Dramen sind nur sieben erhalten: »Aias«, »Antigone«, »Die Trachinierinnen« (alle 442), »König Ödipus«, »Elektra«, »Philoktet« (409), »Ödipus auf Kolonos« (401); von den Satyrspielen: »Ichneutai« (»Spürhunde«).

📖 Hösle, V.: *Die Vollendung der Tragödie im Spätwerk des S. Stuttgart 1984.* – *S., hg. v.* H. Diller. *Darmstadt* ²*1986.*

Sophora, Schmetterlingsblütlergattung mit gefiederten Blättern und Blütenrispen. Der **Japan. Schnurbaum** (Sophora japonica) aus Ostasien, mit gelbl., duftenden Blüten und mit perlschnurförmigen Hülsen ist in Mitteleuropa Zierbaum.

Sophrosyne [grch.] *die,* antike Tugend der klugen Überlegung und Mäßigung; nach Platon eine der vier Haupttugenden.

Sopor [lat.] *der,* schwere Benommenheit, Bewusstseinsstörung stärkeren Grades.

Sopot (dt. Zoppot), Stadt in der Wwschaft Gdańsk (Danzig), Polen, Teil der »Dreistadt« mit Danzig und Gdynia, an der W-Seite der Danziger Bucht, 50 000 Ew.; Inst. der Univ. Danzig, Theater, jährl. Jazzfestival; Seebad. – S. kam 1283 in den Besitz des Klosters Oliva; im 19. Jh. Anlage eines Seebads, seit 1902 Stadt; gehörte 1920–39 zum Gebiet der Freien Stadt Danzig.

Sophokles: römische Kopie einer griechischen Herme aus Marmor (Rom, Konservatorenpalast)

Sopran [italien. »der Obere«] *der* (lat. Diskant), die höchste Tonlage der menschl. Singstimmen (Umfang c^1–a^2, bei Berufssängern a–c^3, f^3). Die Bühnenpraxis unterscheidet den hochdramat. S., den jugendlich-dramat. S., den lyr. S., den Koloratur-S., den Mezzo-S. und die Soubrette. – Bei Musikinstrumenten Bez. für die höchsten Vertreter von Instrumentenfamilien, z. B. Sopransaxophon.

Sophie, Königin von Spanien

Sorbinsäure: Mikroaufnahme (etwa 100fach vergrößert)

Sopraporte [italien. »über der Tür«] *die* (Supraporte), Wandfeld über der Tür, auch das dort angebrachte Gemälde oder Relief, bes. in Wohnräumen des Barock und Rokoko.

Sopron ['ʃo-] (dt. Ödenburg), Stadt in W-Ungarn, 57000 Ew.; Hochschule für Forst- und Holzwirtschaft, Forschungsinstitute; Maschinenbau, Textil-, Holzindustrie. - Got. Stadtturm (61 m hoch), got. Franziskaner-, Heilig-Geist-Kirche, Pfarrkirche St. Michael (v.a. 13.–15. Jh.), spätgot., barockisierte Georgskirche, Synagoge (13. Jh.), Dreifaltigkeitssäule (1701). - In der Römerzeit **Julia Scarbantia;** im 9. Jh. unter dem Namen Ödenburg bezeugt; im 10. Jh. Stadtrecht; fiel 1526 mit Ungarn an Habsburg (Österreich); 1921 vom →Burgenland getrennt.

Sorau, Stadt in Polen, →Żary.

Sorben (früher auch Wenden), westslaw. Volk in der Ober- und Niederlausitz (Sachsen und Brandenburg); Nachkommen der die dt. Ostsiedlung überdauernden slaw. Bevölkerung, etwa 60000, vielfach Katholiken; mit eigenständiger Sprache, Kultur sowie Volkskultur und -kunst, seit 1991 gefördert durch die staatl. Stiftung für das sorb. Volk. - Die westslaw. Stammesgruppe der S. ist seit 631/632 im Gebiet zw. Saale und Bóbr/Kwisa nachweisbar. Sie setzte sich aus zahlr. Einzelstämmen zusammen. Die westl. S. waren zeitweise bereits dem fränk. Großreich tributpflichtig; auch das Großmähr. Reich umfasste um 890 Teile der S., die 897 von Arnulf von Kärnten zur Huldigung gezwungen wurden. Die eigentl. Unterwerfung der S. erfolgte während der ersten Etappe der dt. Ostsiedlung (10. Jh.) durch Heinrich I. und Markgraf Gero im Auftrag Ottos I. Die Bistümer Meißen, Merseburg und Zeitz/Naumburg dienten der Verbreitung und Festigung des Christentums bei den Sorben. Seit Beginn des 12. Jh. wurden die westelb. Gebiete der S. immer mehr mit dt. Bauern und Bürgern besiedelt, die mit den S. verschmolzen. Das sorbische Sprachgebiet beschränkte sich ab etwa 1500 auf die damals böhm. Markgrafschaften Ober- und Niederlausitz sowie einige nördlich und westlich angrenzende Gebiete.

📖 *Geschichte der S., bearb. v.* J. ŠOLTA *u. a., 4 Bde. Bautzen 1974–79.* - OSCHLIES, W.: *Die S., slaw. Volk im Osten Deutschlands. Bonn u. a.* [2]*1991.*

Sorbett [auch sɔr'be; türk.] *der* oder *das* (Sorbet, Scherbett), eisgekühltes Erfrischungsgetränk, Halbgefrorenes.

Sorbinsäure [zu lat. sorbum »Vogelbeere«], eine zweifach ungesättigte Monocarbonsäure, chemisch die trans-trans-2,4-Hexadiensäure. S. kommt v.a. in Vogelbeeren (Ebereschen) in Form von **Para-S.** (5-Hydroxy-2-hexensäurelacton) vor, aus der sie durch Umlagerung entsteht. S. sowie ihre Salze und Ester **(Sorbate)** werden zur Konservierung von Lebensmitteln, Futtermitteln, Kosmetika u.a. verwendet (in Dtl. gesetzlich zugelassen); im Körper wie die Fettsäuren abgebaut.

sorbische Kunst. Bis in das 13. Jh. entwickelte sich die s. K. innerhalb der mit dem Brauchtum eng verbundenen Volkskunst. Trotz der schwierigen ökonom. und sozialen Situation der Sorben entstanden im 14. Jh. erste Kunstwerkstätten für klerikale Auftraggeber, später selbstständige Werkstattunternehmen, die i.d.R. ländl. Kirchen ausstatteten (Ausmalung der Kirche zu Briesen bei Cottbus, 1486). Die kath. Gegenden der Oberlausitz waren eng an das Kunstzentrum Prag gebunden; aus der Holzschnitzerwerkstatt in Wittichenau kam z.B. der Bernini-Schüler M. W. Jäckel (Skulpturen für die Prager Karlsbrücke). Zu den wenigen sorb. Künstlern, deren ethnisch-soziale Zugehörigkeit klar bestimmt ist, zählt J. Delenka (*1695, †1763); er war an der Ausstattung der Kirche in Schirgiswalde beteiligt. Die meisten Künstler sorb. Herkunft mussten ihr Tätigkeitsfeld jedoch außerhalb der Lausitz suchen, wie der Landschaftsmaler H. B. Wjela (*1778, †1805). Im 19. Jh. waren es v.a. Künstler nichtsorb. Herkunft, die sich Themen des sorb. Lebens zuwandten (u.a. K. Krüger, gen. »Spreewaldkrüger«). Erst die Gründung der »Vereinigung sorb. bildender Künstler« 1923 (Gründungsmitglieder: M. Nowak-Njechorński, H. Krawcec, J. Hajna, F. Latk) brachte einen Aufschwung. Nach Diffamierungen bereits in der Weimarer Republik wurde die s. K. während des Nationalsozialismus verfolgt und verboten. 1948 bildete die Gründung des »Arbeitskreises sorb. bildender Künstler«, dessen erster Vors.

sorbische Kunst: Das Glasfenster im Haus der Sorben in Bautzen stellt das Schleifer Bescherkind dar (Lausitzer Weihnachtsbrauch)

C. Felixmüller war, eine neue Grundlage für die Entwicklung s. K., die später als integrierter Bestandteil der DDR-Kunst auch dem sozialist. Realismus verpflichtet war. Mit Ausnahme bestimmter themat. Besonderheiten wurde in der bildenden Kunst kein spezifisch »sorb. Stil« ausgeprägt. Vertreter: u.a. M. Nowak-Njechorński, H. Krawcec, H. Šlosar, F. Latk, F. Kitlar, J. Hempel, J. Buk, J. Hansky, U. und S. Lange.

📖 *Sorb. Volkskunst, Text v.* R. LANGEMATZ, *Fotos v.* P. NEDO. *A. d. Sorb. Bautzen 1968.* – KRAUTZ, A.: *Sorb. bildende Künstler. Bautzen 1974.*

sorbische Literatur, die Literatur der Sorben in nieder- und obersorb. Sprache. Der erste überlieferte Text ist der »Bautzener Bürgereid« (1532), ein obersorb. Huldigungseid. In der Reformation entstand ein religiöses Übersetzungsschrifttum, im Barock entstanden grammatisch-lexikal. Werke, weitere Bibelübersetzungen und ein obersorb. Gesangbuch. Daneben verfügt das Sorbische über eine reiche mündl. Erzählliteratur (Lieder, Märchen, Sagen), die auch in die dt. Literatur eingingen. Unter dem Einfluss der Romantik kam es Anfang des 19. Jh. zur nat. Selbstbesinnung. L. Haupt und J. A. Smoleŕ, der eine zentrale Persönlichkeit der patriotischen Gesellschaft »Maćica Serbska« (1845/47) war, sammelten ober- und niedersorb. Volkslieder. Der erste bed. Dichter war der Obersorbe H. Zejleŕ mit Naturlyrik sowie patriot. und religiösen Gedichten, daneben J. Wjela-Radyserb. Die 2. Hälfte des 19. Jh. wurde durch rege wiss. und kulturpolit. Arbeiten und Aktivitäten geprägt. Nach 1870 formierte sich die Bewegung der »Jungsorben«; ihr hervorragendster Repräsentant war der Obersorbe J. Bart-Ćišinski, der den Anschluss an die zeitgenöss. europ. Literatur suchte. In der Folge entstanden moralisierende Dorfgeschichten, historisch-romant. Erzählungen und Romane sowie Lyrik (M. Kubašec, K. Šwjela, Mariana Domaškojc). Über die Zeit des Nationalsozialismus hinweg (seit 1937 war jegl. sorb. Wort verboten) wirkten mit ihrer (illegalen) Lyrik J. Chěžka, J. Hejduška und F. Mětšk; B. Šwjela, J. Wjela, M. Nowak-Njechorński u.a. wahrten die Kontinuität der demokrat. s. L. Es gelang den Sorben, im Übergang zur DDR in Bezug auf ihre Sprache, kulturelle Betätigung und Entwicklung gesetzl. Schutz und staatl. Förderung durchzusetzen (Ges. vom 23. 3. 1948). Vertreter der sorb. Gegenwartsliteratur sind u.a. J. Brězan, Marja Kubašek, H. Bjeńšowa, J. Młynk, Marja Młynkowa, P. Malink, J. Koch, K. Lorenc, B. Dyrlich, A. Stachowa, die zumeist auch in dt. Sprache wirksam werden.

📖 MALINK, P.: *Die s. L., 2 Bde. Bautzen 1958–59.* – MŁYŃK, J.: *400 Jahre sorb. Schrifttum. A. d. Sorb. Bautzen 1960.* – *Perspektiven s. L., hg. v.* W. KOSCHMAL. *Köln u. a. 1993.*

sorbische Musik. Die sorb. Volksmusik ist mit der westslaw. Musikkultur verwandt. Als traditionelle Volksmusikinstrumente gelten Dudelsack, ein schalmeienähnl. Holzblasinstrument sowie kleine und große dreisaitige Fiedeln. Die ältesten Sammlungen s. M. sind das Kralsche Geigenspielbuch (etwa 1750) und die von J. A. Smoler 1841/43 herausgegebenen »Volkslieder der Wenden in der Ober- und Niederlausitz«. – Die sorb. Kunstmusik konnte sich erst nach der Aufhebung der Erbuntertänigkeit in Preußen (1819/21) und Sachsen (1832) allmählich herausbilden. Ihr Begründer ist K. A. Kocor, der als Initiator, Komponist und Dirigent der 1845 eröffneten Tradition sorb. Gesangsfeste mit volkstüml. Liedern und mit Oratorien die s. M. bis in die Gegenwart mitbestimmt hat. Bedeutung erlangte auch der Komponist B. Krawc (dt. Schneider), der zahlr. Vokalwerke schrieb. Nach 1945 erwarb sich J. Winar große Verdienste um die Wiederbelebung der sorb. Musikkultur. In der Gegenwart wird das sorb. Musikleben v.a. durch die Komponisten J. Raupp, J. Bulank, A. Janca, J. P. Nagel, E. Jenka, J. Thiemann, D. Kobjela und J. Mětšk repräsentiert.

📖 RAUPP, J.: *S. M. Bautzen* [2]*1978.*

sorbische Sprache (früher auch wendische oder Lausitzer Sprache), die Sprache der →Sorben. Sie gehört zu den westslaw. Sprachen, wird noch von einigen Zehntausend Sorben gesprochen. Es entwickelten sich zwei Schriftsprachen: das dem Tschechischen nahe stehende **Obersorbisch** (sächs. Oberlausitz um Bautzen) und das dem Polnischen näher stehende **Niedersorbisch** (brandenburg. Niederlausitz um Cottbus); außer lexikal. gibt es phonet. und grammat. Unterschiede; nach 1945 als Amts- und Schulsprache anerkannt.

📖 FASSKE, H.: *Grammatik der obersorb. Schriftsprache der Gegenwart. Morphologie. Bautzen 1981.* – NOWAK, H.: *Powědamy dolnoserbski – Gutes Niedersorbisch. Bautzen 1988.*

Sorbit [lat.] *der,* sechswertiger, süß schmeckender, kristallisierter Alkohol, der bei der Reduktion von Glucose entsteht. S. ist im Saft der Vogelbeeren enthalten und wird u.a. als Zuckerersatz für Diabetiker und als Ausgangsmaterial zur Herstellung von Vitamin C verwendet.

Sorbonne [sɔrˈbɔn] *die,* die älteste und bis zur Umstrukturierung 1968 einzige Univ. in Paris, der Mittelpunkt des Quartier Latin. Die Anfänge der S. liegen im 12. Jh.; Privilegien Anfang des 13. Jh., bestätigt 1231. Der Name S. geht auf das von dem Domherrn Robert de Sorbon 1257 gegründete Kolleg für mittellose Theologiestudenten zurück. Die S. war lange geistiger Mittelpunkt Frankreichs; 1469 erste Druckerei des Landes. Unter Richelieu entstand ein Neubau, von dem nur die Kapelle (1653) erhalten blieb. 1895–1901 Aus- und

Umbau. Heute ist die S. Sitz der Univ. Paris I, Paris III und Paris IV.

Sọrbus, die Pflanzengattung →Eberesche.

Agnès Sorel

Sorel [sɔ'rɛl], **1)** Agnès, *Fromenteau (Touraine) um 1422, †Anneville (Normandie) 9. 2. 1450; Geliebte Karls VII. von Frankreich, auf den sie großen Einfluss ausübte. Nach dem ihr geschenkten Gut Beauté-sur-Marne wurde sie **Dame de Beauté** genannt.

2) Charles, Sieur de Souvigny [suvi'ɲi], frz. Schriftsteller, *Paris 1602, †ebd. 7. 3. 1674; Hofhistoriograph; gab in seinem pikaresken Sittenroman »Wahrhaftige und lustige Historie vom Leben des Francion« (7 Bücher, 1623, 1693 auf 12 Bücher erweitert) ein episodenreiches Bild der Gesellschaft unter Ludwig XIII.

Charles Sorel, Sieur de Souvigny (Ausschnitt eines zeitgenössischen Kupferstichs)

3) Georges, frz. Publizist und Sozialphilosoph, *Cherbourg 2. 11. 1847, †Boulogne (heute zu Boulogne-Billancourt) 30. 8. 1922; Ingenieur, seit 1892 freier Philosoph. S. war zunächst Anhänger der marxist. Arbeiterbewegung, dann der anarchosyndikalist. Bewegung und näherte sich zuletzt einem autoritären und faschist. Standpunkt. Seine Lehre von der Gewalt als polit. Triebkraft hatte starke Wirkung, u. a. auf Mussolini. – *Werke:* Die Auflösung des Marxismus (1908), Über die Gewalt (1908).

Soret [sɔ'rɛ], Frédérik, schweizer. Naturwissenschaftler und Numismatiker russ. Herkunft, *Sankt Petersburg 13. 5. 1795, †Genf 18. 12. 1865; 1822–36 Prinzenerzieher in Weimar. Seine Tagebuchaufzeichnungen und Erinnerungen bilden die Grundlage für den 3. Teil von J. P. Eckermanns »Gesprächen mit Goethe ...« (1848).

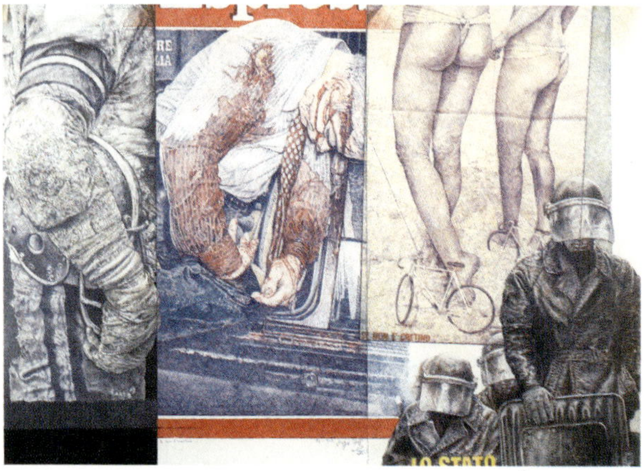

Peter Sorge: »Se non è cretino ...« (1978; Privatbesitz)

Sọrge, 1) Peter, Maler, Zeichner und Grafiker, *Berlin 14. 4. 1937; Vertreter des krit. Realismus; verwendet oft collagenartige Elemente.

2) Reinhard Johannes, Schriftsteller, *Rixdorf (heute zu Berlin) 29. 1. 1892, ⚔ bei Ablaincourt (Dép. Somme) 20. 7. 1916. Sein Drama »Der Bettler« (1912) gilt als das erste weltanschaul. revolutionäre Drama des Expressionismus; verfasste auch Mysterienspiele und religiöse Epen.

3) Richard, Journalist, *Acıbänd (bei Baku) 4. 10. 1895, †(hingerichtet) Tokio 7. 11. 1944; Mitarbeiter der Komintern. Getarnt als dt. Zeitungskorrespondent war S. sowjet. Spion u. a. in China (1929–33), danach in Japan. Seine frühzeitige Meldung über den Termin des dt. Angriffs auf die Sowjetunion wurde von Stalin nicht beachtet. S. informierte auch über den geplanten japan. Überfall auf Pearl Harbor; 1941 verhaftet.

Sorgerecht, →elterliche Sorge.

Sọrghumhirse [-gum-, italien.] (Sorghum, Sorgum), Gattung der Süßgräser in den Tropen und Subtropen; 1–5 m hohe Pflanzen mit großen rispigen Blütenständen. Einige Arten sind wichtige Nutzpflanzen der wärmeren Länder, v. a. **Kaffernhirse** (**Dari, Zuckerhirse,** Sorgum saccaratum, bis 3 m hoch), **Kaffernkorn** (**Kafir,** Sorgum caffrorum), **Kauliang** (**Kaoliang,** Sorgum nervosum, v. a. in China angebaut), deren Früchte wie Reis gegessen, verfüttert oder gemahlen zu Brei, Fladen und zur Bierbereitung verwendet werden.

Sọria, 1) Provinz in der Region Kastilien und León, Spanien, 10 306 km², (1995) 94 400 Einwohner.

2) Hauptstadt von 1), am Duero, 32 600 Ew.; Nahrungsmittel-, Holz-, Baustoff-, Textilind., Metallverarbeitung. – Kollegiatskirche San Pedro (12./13. und 16. Jh.) u. a. Kirchen; Gómarapalast (2. Hälfte 16. Jh.); Museum mit Ausgrabungsstücken aus dem 8 km entfernten →Numantia.

Sorptiọn *die, Chemie:* Sammelbez. für alle Vorgänge, bei denen ein Stoff durch einen mit ihm in Berührung stehenden anderen selektiv aufgenommen wird (z. B. →Absorption, →Adsorption, →Resorption). Man spricht immer dann von S., wenn die Art des individuellen Prozesses unbekannt ist. Der aufnehmende (sorbierende) Stoff heißt **Sorbens** oder **S.-Mittel,** der aufgenommene (sorbierte) Stoff **Sorbat** oder **Sorptiv.** Die Umkehrung der S. heißt **Desorption.**

Sorptiọnspumpe, Vakuumpumpe für Hoch- und Ultrahochvakuum, die Gasmoleküle auf aktiven oder porösen Flächen (z. B. Aktivkohle, Zeolith, Barium, Titan u. a.) bindet.

Sorrẹnt (italien. Sorrento), Stadt in der Prov. Neapel, Italien, an der NW-Küste der maler. Halbinsel von S., 16 500 Ew.; Erzbischofssitz; Kunstgewerbe (Intarsien); bed. Fremdenverkehr; Zitronen- und Orangengärten. – Dom (15. Jh.). – S., das antike **Surrentum,** war in der röm. Kaiserzeit ein beliebter Villenort.

Sorte, *Pflanzenbau:* durch Züchtung oder Auslese entstandener Formenkreis innerhalb einer

Kulturpflanzenart, der sich durch bestimmte Eigenschaften von anderen Formen derselben Art unterscheidet. S. im Sinne des Gesetzes (→Sortenschutz) sind Zucht-S., Klone, Linien, Stämme (Populationen) und Hybriden.

Sorten, *Bankwesen:* Banknoten und Münzen ausländ. Zentralbanken. (→Devisen)

Sortenschutz, dem Patent ähnliches gewerbl. Schutzrecht für neu gezüchtete oder entdeckte Pflanzensorten (S.-Gesetz vom 11. 12. 1985). Der S. wird dem Ursprungszüchter oder Entdecker einer Sorte nach Anmeldung und Prüfung durch das Bundessortenamt erteilt; Schutzdauer: i.d.R. 25, bei bestimmten Pflanzen 30 Jahre.

Sortiment [italien.] *das,* Zusammensetzung des Angebotsprogramms eines Handelsbetriebs; das Angebot eines Ind.betriebs wird i.d.R. als **Produktionsprogramm** bezeichnet.

Sortimentsbuchhandel, Buchhandelszweig mit einem Sortiment von Büchern versch. Verlage.

SOS, internat. festgelegtes auffallendes →Notsignal, das durch die Morsezeichen · · · – – – · · · mit opt. oder akust. Mitteln oder über Funk ausgesandt wird, im Funksprechverkehr möglichst mit dem Namen des Betroffenen und seinem Standort. Hilfeleistung und Weitergabe der Nachricht sind Pflicht, Missbrauch wird bestraft. Die wegen des eindringl. Rhythmus gewählte Buchstabenfolge wurde erst nachträglich als Abk. für engl. »**s**ave **o**ur **s**ouls« (»rettet unsere Seelen«) gedeutet.

Soschtschenko, Michail Michailowitsch, russ. Schriftsteller, *Sankt Petersburg 10. 8. 1895, †ebd. 22. 7. 1958; schilderte in humoristisch-satir., oft ins Groteske sich steigernden Skizzen und Feuilletons Menschen im sowjet. Alltag. Seine stilist. Prägnanz und sein Spott auf das im Sowjetsystem fortlebende Spießbürgertum machten ihn zu einem der beliebtesten Satiriker der Sowjetliteratur (»Der redl. Zeitgenosse«, 1927; »Was die Nachtigall sang«, 1927; »Das Himmelblaubuch«, 1935); 1946 Ausschluss aus dem Schriftstellerverband, 1953 rehabilitiert.

Sösetalsperre, Talsperre in der Söse, einem Nebenfluss der Rhume im Harz; See mit 25,5 Mio. m^3 Inhalt und 1,2 km^2 Fläche; Trinkwasserleitung nach Bremen und Göttingen.

SOS-Kinderdorf, →Kinderdörfer.

Sosnowiec [-vjɛts] (dt. Sosnowitz), Stadt in der Wwschaft Katowice (Kattowitz), Polen, im O des Oberschlesischen Industriegebiets, 250 400 Ew.; Bergbaumuseum; Steinkohlenbergbau, Schwerindustrie, Glashütten.

sospirando [italien.] (sospirante), musikal. Vortragsbezeichnung: seufzend.

sostenuto [italien. »gehalten«, »zurückhaltend«], Abk. **sost., sosten.,** musikal. Vortragsbez. als Zusatz zu einer Tempobez. (bzw. Satzüberschrift) für ein langsameres Zeitmaß, z.B. Andante sostenuto.

Sōtatsu, Tawaraya, japan. Maler, †1643(?); einer der Hauptmeister der dekorativen Malerei in Japan; erfand den später von der Rimpa-Schule formulierten Stil, der die Themen des Yamato-e ins Ornamentale umformte.

Sorrent: Blick vom Meer auf den Hafen und die Stadt

Soter [grch.], im Herrscherkult v.a. der hellenist. Staaten Titel der Herrscher zur Bez. ihrer sakralen Würde und Legitimität; im Christentum Hoheitstitel Jesu Christi.

Sotheby & Co. [ˈsʌðəbɪ ænd ˈkʌmpənɪ], Kunstauktionshaus in London, gegr. 1744, seit etwa 1920 bedeutendstes europ. und nach dem 2. Weltkrieg richtungweisendes Versteigerungshaus für Kunstobjekte; übernahm 1965 auch das New Yorker Auktionshaus Parke Bernet; Niederlassungen u.a. in Amsterdam, Florenz, Madrid, Mailand, München, New York, Paris, Stockholm, Zürich.

Michail Soschtschenko

Sotho (Basuto), zwei kulturell nahe verwandte Bantuvölker im südl. Afrika. Von den rd. 3,2 Mio. **Süd-S.** leben 1,9 Mio. in der Rep. Südafrika, 1,3 Mio. stellen des Staatsvolk von Lesotho. Die **Nord-S.,** zu denen v.a. die Pedi gehören, haben ihren Schwerpunkt im N der Rep. Südafrika (rd. 2,6 Mio.). Die S. betreiben Ackerbau und Viehhaltung, viele arbeiten auch als Wanderarbeiter. Ein großer Teil der S. bekennt sich zum Christentum.

Soto, Jesús Rafael (Jesus Raphaël), venezolan. Künstler, *Ciudad Bolívar 5. 6. 1923; lebt seit 1950 in Paris; Vertreter der Op-Art, der Verbindungen zur kinet. Kunst herstellt. Durch Verschränkung von linearen Systemen in zwei Ebenen erzeugt S. in seinen reliefartigen Objekten opt. Bewegungsillusionen (»Vibrationen«).

Sotschi, Stadt in der Region Krasnodar, am Schwarzen Meer und SW-Fuß des Großen Kaukasus, größtes russ. Heilbad (jod- und bromhaltige Quellen) und heilklimat. Kurort, 341 500 Ew. Das

SOTTIE,
A DIX PERSONNAGES
Jouée à Genève, en la place
du Molard, le Dimanche
des Bordes, l'an 1523.

A LYON,
Par Pierre Riguaud.

Sottie: Titelblatt einer 1523 gedruckten Ausgabe der Sottien von Pierre Gringoire

Stadtgebiet von S. erstreckt sich über 150 km längs der parkartigen, hügeligen, subtrop. Küste bis an die Grenze zu Abchasien (Georgien) und schließt mehrere Kurorte, bes. Adler (internat. Flughafen), Mazesta (Schwefelheilbad) und Dagomys, ein; medizin. Hochschule und Forschungsinstitute; Hafen.

Sottie [frz.] *die* (Sotie), Narrenspiel, Gattung des weltl. Theaters mit sozialer und polit. Satire, seit Mitte des 15. Jh. in N-Frankreich nachweisbar. Bed. polit. Stoßkraft hatten die S. von P. Gringoire.

Sottoceneri [-'tʃɛ:nɔri], der südlich des Monte Ceneri gelegene Teil des Kt. Tessin, Schweiz.

sotto voce [- 'vo:tʃə; italien. »unter (der) Stimme«], Abk. **s. v.**, musikal. Vortragsanweisung: mit gedämpfter Stimme, halblaut (svw. →mezza voce).

Sottsass, Ettore, italien. Architekt und Designer, *Innsbruck 14. 9. 1917; trat hervor mit Entwürfen für Möbel, Glas, Keramik und Schmuck; 1981–86 Mitgl. der Designergruppe »Memphis«.

Sou [su, frz.] *der,* volkstüml. frz. Bez. für die 5-Centimes-Münze; auch für nicht erwähnenswerten Geldbetrag.

Soubrette [su:-, frz. aus provenzal.] *die,* weibl. Rollenfach für Sopran in Oper, Operette und Singspiel, meist muntere, oft kom. Mädchenrolle.

Soufflé [su'fle:, frz.] *das,* auflaufartige, leichte Mehlspeise, größtenteils aus Eiweißschnee.

Souffleur [su'flø:r, frz.] *der,* **Souffleuse** *die, Theater:* die Person, die aus einem in der Mitte der Bühnenrampe eingelassenen und verdeckten S.-Kasten textunsicheren Schauspielern bzw. Sängern den Part zuflüstert.

Soufflot [su'flo], Jacques-Germain, frz. Baumeister, *Irancy (bei Auxerre) 22. 7. 1713, †Paris 29. 8. 1780; baute, an Bramante und Palladio geschult, in den Formen des Klassizismus, zu dessen frühesten Werken die von ihm in Paris errichtete Abteikirche Sainte-Geneviève gehört (1764–90; seit 1791 →Panthéon genannt).

Soul [sɔʊl; engl. »Seele«] *der,* afroamerikan. vokaler Musikstil, der in den 1960er-Jahren aus Elementen des Gospelsong und Rhythm and Blues entstanden ist. Charakteristisch ist eine starke Expressivität des Vortrags. Der S. hatte großen Einfluss auf die Entwicklung der amerikan. Popmusik.

Sŏul [sʌul], Hauptstadt von Süd-Korea, →Seoul.

Soulages [su'la:ʒ], Pierre, frz. Maler und Grafiker, *Rodez 24. 12. 1919; Vertreter der École de Paris, gestaltet abstrakte Bilder mit dunklen, balkenartigen Zeichen vor hellem Grund; auch Illustrationen sowie Entwürfe für Bühnendekorationen.

Soult [sult], Nicolas Jean, Herzog von Dalmatien (seit 1807), frz. Marschall (seit 1804), *Saint-Amans-la-Bastide (heute Saint-Amans-Soult, Dép. Tarn) 29. 3. 1769, †ebd. 26. 11. 1851; einer der fähigsten Generäle Napoleons I., 1808–13 Oberbefehlshaber in Spanien, schloss sich 1815 Napoleon an, bis 1819 verbannt, 1831–47 unter Louis Philippe mehrfach Min. und Ministerpräsident.

Sound [saʊnd; engl. »Klang«] *der,* im Jazz und in der Rockmusik der einem Solisten oder einer Band eigene, typ. Klang.

Soundtrack ['saʊndtræk, engl.] *der,* im eigentl. Sinn die Lichtton- oder Magnettonspur auf Tonfilmen; im übertragenen Sinn die Musik zu einem Film.

Pierre Soulages: »26. Dezember 55« (1955; Hamburg, Kunsthalle)

Soupault [su'po], Philippe, frz. Schriftsteller, *Chaville (Dép. Hauts-de-Seine) 2. 8. 1897, †Paris 12. 3. 1990; Mitgründer des Pariser literar. Dada und der Surrealistengruppe A. Bretons; schrieb Gedichte (u. a. zus. mit Breton »Die magnet. Felder«, 1920), Romane, die Erzählung »Der Neger« (1927), Kunst- und Literaturkritiken, Erinnerungen.

Philippe Soupault

Sousse: Die frühislamische Ribat (Klosterburg) wurde um 787 aus älterem Großquaderwerk erbaut; der 30 m hohe Wachturm »Nador« wurde im Jahr 821 hinzugefügt

Sousa ['su:zə], John Philip, amerikan. Komponist, *Washington (D.C.) 6. 11. 1854, †Reading (Pa.) 6. 3. 1932; komponierte Operetten sowie zahlr. populäre Märsche (u. a. »The Stars and Stripes Forever«). Auf seine Anregung hin wurde seit den 1890er-Jahren das **Sousaphon** (eine Basstuba mit kreisförmig gewundenem Rohr und großer Stürze) gebaut, das v. a. in der amerikan. Militärmusik verwendet wird.

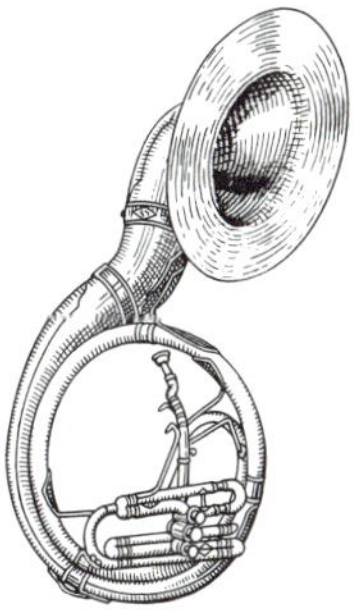

John P. Sousa: Sousaphon

Sousse [sus] (arab. Susah), Stadt am Golf von Hammamet, Tunesien, 83 500 Ew.; Metall-, Konserven (Fisch)-, Textil- u. a. Ind.; Handels-, Fischerei-, Jachthafen; internat. Flughafen. Nach N erstreckt sich über 10 km das Seebad Hammam S. bis zum modernen Touristenkomplex Port el-Kantaoui. – Mauerumgebene Medina (UNESCO-Weltkulturerbe), frühislam. Ribat (Klosterburg; um 787 aus älterem Großquaderwerk erbaut) mit halbrunden Mauertürmen und 30 m hohem Wachturm (»Nador«; 821 erbaut auf quadratischem byzant. Sockel), Große Moschee (851). – S. ist das antike →Hadrumetum.

Soustelle [sus'tɛl], Jacques, frz. Ethnologe und Politiker, *Montpellier 3. 2. 1912, †Neuilly-sur-Seine 6./7. 8. 1990; unternahm 1932–39 Reisen zur Erforschung der präkolumb. Kulturen Mittel- und Südamerikas. Politisch schloss er sich 1940 de Gaulle an, war 1945 (und 1958–59) Informations-, 1945–46 Kolonialminister; 1958 maßgeblich beteiligt an der Berufung de Gaulles, mit dem er sich wegen dessen Algerienpolitik überwarf; als Mitglied der →OAS 1962–68 im Exil; schrieb: »So lebten die Azteken am Vorabend der span. Eroberung« (1955), »Die Kunst des alten Mexiko« (1966), »Der Traum von Frankreichs Größe« (1968).

Jacques Soustelle

Soutane [su-, frz.] *die* (Sutane), bis zu den Knöcheln reichendes Obergewand der kath. Geistlichen. Die nur knielange S. heißt **Soutanelle.**

Souterliedekens ['sɔu̯tərli:dəkəns], 1540 in Antwerpen erschienene Samml. der 150 Psalmen (mittelniederländ. souter »Psalter«), die erste vollständige gereimte Psalmenübersetzung überhaupt. Die den Texten beigegebenen Melodien gelten als wichtige Quelle für das altdt. Volkslied.

South African Airways [saʊθ 'æfrɪkən'eəweɪz], Abk. **SAA,** südafrikan. Luftverkehrsgesellschaft; gegr. 1929.

Southampton [saʊθ'æmptən], Stadt in der Cty. Hampshire, S-England, an einer Bucht (S. Water) des Ärmelkanals, 204 400 Ew.; Univ.; Schifffahrtsmuseum, Luftfahrthalle; Schiffbau und -reparatur, Kabelherstellung, Maschinenbau, feinmechan., elektron., chem. u. a. Ind., Erdölraffinerie; bed. Hafen für Passagier- und Frachtverkehr. – Trotz Zerstörungen im 2. Weltkrieg sind Teile der Stadtmauer sowie einige mittelalterl. Bauten erhalten. – Entstand 43 n. Chr. als röm. Siedlung **Clausentum;** zur Zeit der Sachsen **Hamtune** gen., ältestes erhaltenes Stadtrecht von 1154/55. S. entwickelte sich im MA. zur bed. Hafen- und Handelsstadt. BILD S. 142

Southampton Stadtwappen

Southampton Island [saʊθ'æmptən 'aɪlənd], kanad. Insel am Eingang der Hudsonbai, 41 214 km².

South Australia ['saʊθ ɔ:s'treɪljə] (Südaustralien), Staat des Austral. Bundes, 984 000 km², (1995) 1,47 Mio. Ew.; Hptst. ist Adelaide. S. A. reicht von der Südküste Australiens (Große Austral. Bucht) in den Kontinent bis ins Große Artesische Becken und zur Musgrave Range (1 440 m ü. M.), ist zum größten Teil Trockengebiet (Große Victoriawüste und Nullarborebene) mit spärlicher Vegetation. Hauptsiedlungs- und Wirtschaftsgebiet ist der fruchtbare SO des Staates; Anbau von Weizen, Obst, Gemüse, Wein (vorwiegend von dt. Siedlern); v. a. Schafhaltung zur Wollgewinnung. Eisenerz (bei Whyalla), Kohle- (Leigh Creek) und Erdgasvorkommen (Gidjealpa, Moomba). Industrie um Adelaide konzentriert. Haupthäfen: Port Adelaide und Whyalla. – 1798–1802 erkundete der brit. Kapitän M. Flinders die Küste, 1839–41 erforschte E. J. Eyre das Landesinnere. 1836 wurde S. A. brit. Kolonie. Die europ. Besiedlung organisierte eine Siedlungsgesellschaft der engl. Staatskirche; seit 1901 Mitgl. des Austral. Bundes.

South Ayrshire ['saʊθ 'eəʃɪə], Local Authority im SW von Schottland, 1202 km², (1993) 114000 Ew., Verw.sitz ist Ayr.

South Carolina [saʊθ kærə'laɪnə] (dt. Südkarolina), Abk. **S. C.,** Staat im SO der USA, 80582 km², (1995) 3,673 Mio. Ew. (davon 30% Schwarze); Hptst. ist Columbia (mit Staatsuniv.), Haupthafen Charleston. S. C. hat Anteil an der atlant. Küstenebene, am Piedmontplateau und an den Appalachen; das Klima ist subtropisch. Hauptflüsse sind Savannah und die Quellflüsse des Santee; ausgedehnte Wälder; Holzverarbeitung, Textil-, elektron., chem. Ind.; Anbau von Baumwolle, Tabak, Obst; Viehzucht; Fremdenverkehr an der Atlantikküste. – 1521 von Spaniern erreicht, 1670 erste engl. Dauersiedlung (Charleston). 1729 Teilung der Kronkolonie in North Carolina und S. C., das 1788 als 8. Gründungsstaat die Verf. der USA ratifizierte.

South Dakota ['saʊθ də'kəʊtə] (dt. Süddakota), Abk. **S. D.,** Staat im mittleren Westen der USA, 199730 km², (1995) 729000 Ew.; Hptst. ist Pierre, größte Städte sind Sioux Falls und Rapid City; die Staatsuniv. ist in Brookings. Der größte Teil von S. D. entfällt auf das vom Missouri zerschnittene Missouriplateau der Great Plains; im W die Black Hills (Harney Peak 2207 m ü. M.). Dort befindet sich auch das Mount Rushmore National Memorial. Die öden »Badlands« sind weit verbreitet. Das Klima ist winterkalt und kontinental geprägt. Hauptwirtschaftszweig ist die Landwirtschaft (Getreidebau, Rinderhaltung); Bergbau auf Gold in den Black Hills. – 1742/43 von Franzosen erkundet; kam 1803 an die USA. Nach Teilung des 1861 gegr. Territoriums Dakota wurde S. D. 1889 40. Staat der USA.

Southampton: Hafenanlagen

South Downs ['saʊθ 'daʊnz], Höhenzug der →Downs.

Southend-on-Sea ['saʊθend ɔn 'si:], Stadt und Seebad in der Cty. Essex, SO-England, nördlich der Themsemündung, 156700 Ew.; Kunstgalerie, Museen; elektrotechn. Industrie.

Robert Southey: Darstellung nach einem zeitgenössischen Stich

Southey ['saʊðɪ, 'sʌðɪ], Robert, engl. Schriftsteller, *Bristol 12. 8. 1774, †Greta Hall (bei Keswick, Cty. Cumbria) 21. 3. 1843; umfangreiches Werk mit histor. Abhandlungen, polit. und religiösen Schriften, Biographien (»Admiral Nelson's Leben, Kämpfe und Siege«, 2 Bde., 1813), Dramen (»The fall of Robespierre«, 1794, mit S. T. Coleridge), Verserzählungen und Gedichten, unter denen bes. die zum Grotesken neigenden Balladen hervorragen. 1813 wurde er »Poet laureate«.

South Lanarkshire ['saʊθ 'lænəkʃɪə], Local Authority in Schottland, südöstlich von Glasgow, 1771 km², (1993) 307100 Ew.; Verw.sitz ist Hamilton.

Southport ['saʊθpɔ:t], Stadt und Seebad in der Metrop. Cty. Merseyside, England, an der Irischen See, nördlich von Liverpool, 89700 Ew.; Kunstgalerie, botan. Garten; Golfsportzentrum; Leichtindustrie.

South Shields ['saʊθ 'ʃi:ldz], Hafenstadt in der Metrop. Cty. Tyne and Wear, NO-England, an der Mündung des Tyne in die Nordsee; 87200 Ew.; Schiffswerften, Maschinenbau, Bekleidungs- u. a. Industrie.

South West African People's Organization ['saʊθ 'west 'æfrɪkən 'pi:plz ɔ:gənaɪ'zeɪʃn], →SWAPO.

South Yorkshire ['saʊθ 'jɔ:kʃɪə], Metrop. Cty. in England, 1560 km², (1995) 1,304 Mio. Ew.; Verw.sitz ist Barnsley.

Soutine [su'tin], Chaim, eigtl. C. Soutin, frz. Maler litauischer Herkunft, *Smilowitschi (bei Minsk) 1893, †Paris 9. 8. 1943; lebte ab 1913 v. a. in Paris (1919–22 in Céret, Pyrenäen); malte mit kräftigen, oft aggressiv wirkenden Farben Landschaften, Stillleben und Figurenbilder in einer expressionistisch gesteigerten Ausdrucksweise.

Souvanna Phouma [su'vana 'fuma], Prinz, laot. Politiker, *Luang Prabang 7. 10. 1901, †Vientiane 10. 1. 1984; verfolgte als MinPräs. (1951–54, 1956–58, 1960, 1962–75) einen neutralist. Kurs (→Laos, Geschichte).

souverän [su-, frz.], die staatl. Hoheitsrechte ausübend, Souveränität besitzend.

Souverän [frz.] *der,* **1)** Herrscher, Fürst eines Landes.

2) bes. schweizer. für: Gesamtheit der Stimmberechtigten (als Inhaber der Souveränität).

Souveränität [frz.] *die,* die dem modernen Staat eigentüml., höchste, nicht abgeleitete, allumfassende, nach innen und außen unbeschränkte Hoheitsgewalt. Die S. schließt die Unabhängigkeit von anderen Staaten ein. Der Begriff wurde von J. →Bodin entwickelt. Träger der S. ist in Monarchien das Staatsoberhaupt **(monarch. S.),** in demokrat. Republiken und in parlamentarisch-demokrat. Monarchien das Volk **(Volks-S.).** Im Staatenbund sind die Einzelstaaten, im Bundesstaat ist der Gesamtstaat souverän. Die modernen Staatengemeinschaften, z.B. die UNO, führen zu einer gewissen Einschränkung der staatl. S. In Dtl. können nach Art. 24 GG Hoheitsrechte durch Gesetz auf zwischenstaatl. Einrichtungen (z.B. Organe der EG) übertragen werden; außerdem kann Dtl. in Beschränkungen seiner Hoheitsrechte im Rahmen eines Systems der kollektiven Sicherheit einwilligen. (→Suzeränität)

📖 *Rechtspositivismus, Menschenrechte u. Souveränitätslehre in versch. Rechtskreisen, hg. v.* E. KROKER *u.* T. VEITER. *Wien u. a. 1978. – Souveränitätsverständnis in den Europ. Gemeinschaften, hg. v.* G. RESS. *Baden-Baden 1980.*

Souza ['soza], Márcio, brasilian. Schriftsteller, Film- und Theaterregisseur, *Manaus 4. 3. 1946; Begründer und Hauptvertreter einer neuen Amazonas-Literatur; schreibt Romane (»Galvez, Kaiser von Amazonien«, 1976; »Mad Maria oder das Klavier im Fluss«, 1980), Theaterstücke und Essays.

Sovereign ['sɔvrɪn, engl.] *der,* englisch-brit. Goldmünze, geprägt ab 1489 als 20-Shilling-Stück, seit 1816 als Standardmünze der neuen Goldwährung (1-Pfund-Stück).

Sowchos [Kw. für russ. **Sow**jetskoje **chos**jaistwo »Sowjetwirtschaft«] *der,* auch *das* (Sowchose), staatl. landwirtsch. Großbetrieb in der Sowjetunion; seit 1919 entstanden, nachdem das gesamte private Bodeneigentum nationalisiert worden war. Im Ggs. zu den genossenschaftlich organisierten →Kolchosen waren Boden und Inventar Staatseigentum und die Beschäftigten Arbeitnehmer. In den 30er- und 50er-Jahren kam den S. eine besondere Rolle bei der Neulandgewinnung zu, später entwickelten sie sich zu spezialisierten Produktionsbetrieben, v. a. für Saat- und Tierzucht sowie Getreideanbau, die rd. zwei Drittel der landwirtsch. Nutzfläche der Sowjetunion bewirtschafteten. – Seit 1991 wird in Russland u. a. Nachfolgestaaten der Sowjetunion eine Privatisierung der Landwirtschaft (insbesondere durch Verpachtung) vorgenommen.

Chaim Soutine: Landschaft (um 1921; Bern, Kunstmuseum)

Soweto, Abk. für engl. **So**uth **We**stern **To**wnship, Wohnstadt für Schwarze im SW von Johannesburg, Rep. Südafrika, mit mehr als 2 Mio. Ew. (starker illegaler Zuzug). Seit 1976 kam es in S. zu Protestdemonstrationen gegen die südafrikan. Apartheidpolitik.

Sowjet [russ. »Rat«] *der,* →Sowjetunion (Geschichte).

Sowjetische Aktiengesellschaften, Abk. **SAG,** Ind.unternehmen in der SBZ, die die in sowjet. Eigentum übergegangenen dt. Betriebe (urspr. etwa 200) zugunsten der UdSSR verwalteten und für Reparationszahlungen nutzten (z.B. die Wismut AG).

Sowjetische Besatzungszone Deutschlands, Abk. **SBZ** (Sowjetzone, auch Ostzone, Zone), der Teil Dtl.s, der 1945 nach alliierten Vereinbarungen von sowjet. Truppen besetzt wurde und in dem 1949 die DDR errichtet wurde.

Sovereign: Vorder- und Rückseite der zwischen 1585 und 1587 geprägten Goldmünze

Sowjetische Militäradministration in Deutschland, Abk. **SMAD,** die höchste sowjet. Besatzungsbehörde (ab 9. 6. 1945) in der SBZ, Sitz: Berlin-Karlshorst; übte die Hoheitsgewalt aus (Sowjetisierung der besetzten Zone) und vertrat die sowjet. Dtl.politik im Alliierten Kontrollrat; am 10. 10. 1949 durch die »Sowjet. Kontrollkommission in Dtl.« (SKKD; bis 1953) abgelöst.

Sowjetsk, russ. Name für →Tilsit.

Sowjetunion (Union der Sozialistischen Sowjetrepubliken, Abk. UdSSR, russ. Sojus Sowjetskich Sozialistitscheskich Respublik, Abk. SSSR), ehem. Bundesstaat in O-Europa und N-Asien, bestand aus 15 Unionsrepubliken, 22,4 Mio. km² (da-

Sowjetunion: Unionsrepubliken

Republik	Fläche in km^2	Ew. 1990 in Mio.	Ew. je km^2	Hauptstadt
Armenische SSR	29 800	3,29	110	Jerewan
Aserbaidschanische SSR[1]	86 600	7,13	82	Baku
Estnische SSR	45 100	1,58	35	Reval
Georgische SSR[2]	69 700	5,46	78	Tiflis
Kasachische SSR	2 717 300	16,69	6	Alma-Ata
Kirgisische SSR	198 500	4,37	22	Bischkek
Lettische SSR	64 600	2,69	42	Riga
Litauische SSR	65 200	3,72	57	Wilna
Moldauische SSR	33 700	4,36	129	Kischinjow (Chișinău)
Russische SFSR[3]	17 075 400	148,04	9	Moskau
Tadschikische SSR[4]	143 100	5,25	37	Duschanbe
Turkmenische SSR	488 100	3,62	7	Aschchabad
Ukrainische SSR	603 700	51,84	86	Kiew
Usbekische SSR[5]	447 400	20,32	45	Taschkent
Weißrussische SSR	207 600	10,26	49	Minsk
Sowjetunion	22 403 100[6]	288,62	13	Moskau

[1] darin Nachitschewaner ASSR (Autonome Sozialist. Sowjetrepublik) und AG (Autonomes Gebiet) Bergkarabach. – [2] darin Abchas. ASSR, Adschar. ASSR, Südosset. AG. – [3] darin 16 ASSR (Baschkir., Burjat., Dagestan., Jakut., Kalmück., Karel., Mordwin., Nordosset., Tatar., Tschuwasch., Tuwin., Udmurt., der Kabardiner und Balkaren, der Komi, der Mari, der Tschetschenen und Inguschen), fünf AG (Adygeisches, Chakass., Jüdisches, Gorno-Altaisk, der Karatschaier und Tscherkessen), zehn Autonome Kreise (der Chanten und Mansen, der Ewenken, der Jamal-Nenzen, der Komi-Permjaken, der Korjaken, der Nenzen, der Tschuktschen; Aginskoje, Taimyr, Ust-Ordynski). – [4] darin AG Bergbadachschan. – [5] darin Karakalpak. ASSR. – [6] einschließlich der Flächen des Weißen und Asowschen Meeres

von 5,57 Mio. km^2 in Europa), 288,62 Mio. Ew. (1990); Hptst. Moskau. Die S. grenzte im W an das Schwarze Meer, an Rumänien, Ungarn, die Slowak. Rep. und Polen; im NW an die Ostsee, an Finnland und Norwegen; im N an das Nordpolarmeer, im O an den Pazifik, im SO an das Japan. Meer, an Nord-Korea und China; im S an China, die Mongolei und Afghanistan sowie im SW an Iran und die Türkei.

Politisches System

Die S. war ein multinat. kommunist. Unionsstaat, der sich als Diktatur des Proletariats verstand und von Anfang an totalitäre Züge aufwies. 1936 war die führende Rolle der Kommunist. Partei der S. (KPdSU) in allen staatl. und gesellschaftl. Bereichen und damit ein Einparteiensystem in der Verf. verankert worden. Die Monopolstellung der KPdSU mit einer engen Verquickung von Partei und Staat führte zum Ausbau eines zentralistisch geführten, bürokrat. Wirtschafts- und Verwaltungssystems, das auf Staatseigentum in allen Wirtschaftsbereichen basierte. Ihre Führungs- und Kontrollfunktion auf allen Ebenen der Gesellschaft übte die Partei über weitgehende Weisungsrechte, Vorschlagsrecht für die Zusammensetzung staatl. Organe sowie eine von ihr dominierte Personalpolitik aus. Die Ausübung der Staatsmacht erfolgte durch ein auf dem leninschen Prinzip des »demokrat. Zentralismus« basierendes System der Sowjets der Volksdeputierten. Nach der Verf. von 1977 fungierte das von seinem Vors. geleitete Präsidium des Obersten Sowjets als kollektives Staatsoberhaupt. De facto galt jedoch der Gen.-Sekr. der Partei mit seiner Machtfülle als oberster Repräsentant des Staates. 1990 übernahm ein mit weitgehenden Vollmachten ausgestatteter Präs. das Amt des Staatsoberhauptes. Höchstes Staats- und Legislativorgan war seit 1989 der Kongress der Volksdeputierten (2250 Mitgl., auf fünf Jahre gewählt). In seine Kompetenz fielen u.a. Verf.änderungen, Grundfragen der Innen- und Außenpolitik, Wahl des Obersten Sowjets der UdSSR. Als ständig tätiges Gesetzgebungs- und Kontrollorgan fungierte der Oberste Sowjet (bis 1989 war er höchstes Machtorgan), bestehend aus zwei gleichberechtigten Kammern mit je 271, für fünf Jahre gewählten Deputierten (Unions- und Nationalitätensowjet). Ihm oblag u.a. die Ernennung des Kabinetts unter Leitung des MinPräs. und des Generalstaatsanwalts der Union sowie die Gesetzesauslegung. Exekutivorgan der Union war der Min.rat (bis 1946 Rat der Volkskommissare); seine Dekrete waren in der gesamten S. bindend. Mit der Streichung des Führungsanspruchs der KPdSU aus der Verf. am 13. 3. 1990 wurden Voraussetzungen für einen Parteienpluralismus geschaffen. Im Gefolge entstanden zahlr. neue Parteien. Zu den gesellschaftl. Organisationen gehörten u.a. der der Staatspartei unterstehende Gewerkschaftsverband mit 31 Fachgewerkschaften, Berufsverbände, die Jugend- und Kinderorganisationen »Komsomol« und »Verband der Pioniere«. Im Dez. 1990 wurde die Bildung unabhängiger Gewerkschaften gesetzlich geregelt.

Die *föderative Struktur* der S.: Das sowjetische Verf.recht betrachtete die 15 Unionsrepubliken (sozialist. Sowjetrepubliken, SSR) formal als souveräne Staaten (einschl. des Rechts auf Austritt aus der Union). Tatsächlich verfügte die Union jedoch über weit reichende Kompetenzen in fast allen staatlich bedeutsamen Belangen. Die Gesetzge-

Sowjetunion: historisches Wappen

Sowjetunion: historische Flagge

Sowjetunion: Staatsoberhäupter

Vorsitzender des Zentralen Exekutivkomitees der UdSSR	
Michail Iwanowitsch Kalinin	1922–1938
Vorsitzender des Präsidiums des Obersten Sowjets	
Michail Iwanowitsch Kalinin	1938–1946
Nikolai Michailowitsch Schwernik	1946–1953
Kliment Jefremowitsch Woroschilow	1953–1960
Leonid Iljitsch Breschnew	1960–1964
Anastas Iwanowitsch Mikojan	1964–1965
Nikolai Wiktorowitsch Podgorny	1965–1977
Leonid Iljitsch Breschnew	1977–1982
Juri Wladimirowitsch Andropow	1983–1984
Konstantin Ustinowitsch Tschernenko	1984–1985
Andrei Andrejewitsch Gromyko	1985–1988
Michail Sergejewitsch Gorbatschow	1988–1990
Staatspräsident	
Michail Sergejewitsch Gorbatschow	1990–1991

bung in den nicht der Union vorbehaltenen Bereichen übte die Legislative der Unionsrepubliken aus, die im Wesentlichen analog der auf Unionsebene organisiert war. Die Exekutive lag beim jeweiligen Min.rat. Bestimmte Ministerien waren den entsprechenden Unionsministerien untergeordnet, andere Ressorts dagegen nur dem Min.rat der Unionsrepublik (z.B. Sozialfürsorge, öffentl. Ordnung, Verkehr, regionaler Handel, kommunale Einrichtungen). Nat. heterogene Unionsrepubliken waren weiter untergliedert. Je nach der zahlenmäßigen Stärke einer Nationalität gab es »Autonome Sozialist. Sowjetrepubliken« (ASSR), »Autonome Gebiete« und »Autonome Kreise«. Die legislativen und administrativen Aufgaben in den versch. regionalen Verwaltungsebenen wurden von den Sowjets der Volksdeputierten wahrgenommen.

Das *Gerichtswesen* war zwar in ein bundeseigenes und ein Gerichtswesen der Unionsrepubliken getrennt, der vom Obersten Sowjet für fünf Jahre gewählte Oberste Gerichtshof der S. übte jedoch die Oberaufsicht über alle Gerichte der S. aus. Neben der letztinstanzl. Entscheidung im System der Sowjetgerichtsbarkeit und der Behandlung von bes. wichtigen und schweren Fällen in 1. Instanz fällte er Grundsatzentscheidungen und nahm Gesetzeserläuterungen vor. Oberste Gerichtshöfe hatten auch die Unionsrepubliken und die ASSR. Im Allg. wurden Richter von den entsprechenden Sowjets (auf lokaler Ebene von den Bürgern direkt) auf fünf Jahre, die Beisitzer für 2½ Jahre gewählt und waren jederzeit abberufbar. Militärtribunale waren Sondergerichte mit Rechtszug zum Obersten Gerichtshof der S. Außerhalb der staatl. Gerichtsbarkeit standen die Kameradschaftsgerichte in Kollektiven und gesellschaftl. Organisationen. Die Staatsanwaltschaft war zentralistisch organisiert und nur dem Obersten Sowjet verantwortlich; an ihrer Spitze stand der Generalstaatsanwalt der Sowjetunion.

Geschichte

Zur Entwicklung des Russ. Reiches bis 1917 →Russland (Geschichte).

Vom Sturz der Zarenherrschaft bis zur Gründung der UdSSR: Nach der Februarrevolution 1917 (Abdankung des Kaisers Nikolaus II. am 2.[15.] 3.) kam es zur Herausbildung einer Doppelherrschaft der bürgerlich-liberalen Reg. (zunächst unter Fürst G. J. Lwow, später unter A. F. Kerenski), die den Krieg fortsetzte, und den in vielen Städten entstandenen Arbeiter- und Soldatenräten (Sowjets). Der im April 1917 mit dt. Hilfe aus dem Exil nach Russland zurückgekehrte W. I. Lenin entwickelte in seinen »Aprilthesen« das polit. Aktionsprogramm der Bolschewiki. Nach dem Scheitern eines Put-

Sowjetunion: Bürgerkrieg und Intervention der Entente in Russland 1918–21

sches von General L. G. Kornilow, der im Sept. 1917 eine Militärdiktatur zu errichten suchte, errangen die Bolschewiki die Mehrheit im Petrograder und Moskauer Sowjet; daraufhin entschlossen sie sich unter Führung Lenins und L. D. Trotzkis zum bewaffneten Aufstand gegen die Provisor. Reg. (→Oktoberrevolution): Am 25. 10. (7. 11.) 1917 übernahmen sie die Macht in Petrograd. Unter dem Vorsitz Lenins konstituierte sich als erste Sowjetreg. ein »Rat der Volkskommissare«, dem u. a. Trotzki (Außenbeziehungen) und J. W. Stalin (Nationalitätenfragen) angehörten. Der 2. Allruss. Sowjetkongress verabschiedete am 26./27. 10. (8./9. 11.) 1917 bed. Dekrete. Das Dekret über den Frieden bot allen Krieg führenden Staaten einen Frieden ohne Annexionen und Kontributionen an, doch führte es schließlich nur zum Bruch mit den bisherigen Verbündeten und zum verlustreichen Frieden von Brest-Litowsk (→Brest) mit den Mittelmächten am 3. 3. 1918. Das Dekret über das Land enteignete die Grundbesitzer entschädigungslos (Nationalisierung von über 150 Mio. ha Land). Bei den Wahlen zur Konstituierenden Versammlung,

Alexander Kerenski

Sowjetunion: sowjetisches Plakat aus dem Jahr 1921 mit dem Text »Proletarier aller Länder, vereinigt Euch! Es lebe die Sonne! Es schwinde die Finsternis!«

die am 5. (18.) 1. 1918 zusammentrat, erhielten die Bolschewiki nur 25% der Stimmen und lösten deshalb die Versammlung gewaltsam auf. Lenins Innenpolitik konzentrierte sich nun auf die Ausschaltung aller nichtbolschewist. Kräfte. Zur Durchsetzung des von Lenin selbst so genannten »roten Terrors« wurde die von F. E. Dserschinski geleitete Staatssicherheitspolizei (Tscheka) ins Leben gerufen (1918 entstanden erste Zwangsarbeitslager); die Aufhebung der Pressefreiheit, die rigorose Trennung von Staat und Kirche sowie die Verstaatlichung von Banken, Privathandel und Ind. (bzw. deren Unterstellung unter eine Arbeiterkontrolle) waren weitere Maßnahmen zur Sicherung der bolschewist. Macht. Am 10. 7. 1918 nahm der 3. Allruss. Sowjetkongress die erste Verf. der Russ. Sozialist. Föderativen Sowjetrepublik (RSFSR) an. Die militär. Intervention der ehem. Verbündeten Russlands (1918–20) erfolgte v.a. wegen der Verletzung der materiellen Interessen der Ententemächte (Nichtanerkennung der russ. Staatsschulden und Enteignung von Ind.-betrieben seitens der Sowjetreg.); ausgelöst wurde sie durch den Versuch der Bolschewiki, die Tschechische Legion aufzuhalten und zu entwaffnen.

Den fast dreijährigen Bürgerkrieg gegen die sich aus Monarchisten, bürgerl. Kräften, Sozialrevolutionären und Menschewiki rekrutierenden »weißen« Armeen unter den Generalen A. W. Koltschak, N. N. Judenitsch, A. I. Denikin und P. N. Wrangel konnte die von Trotzki 1918 formierte Rote Armee erst nach harten Kämpfen für sich entscheiden (endgültig um die Jahreswende 1921/22). Die ins Ausland geflüchteten Reste der »weißen« Streitkräfte verstärkten die russ. Emigration in W-Europa und den USA (1925 rd. 2,5 Mio. Menschen). Nach einem Krieg mit Polen (1920/21) musste Sowjetrussland im Frieden von Riga einen Teil Weißrusslands und Wolhyniens abtreten.

Bürgerkrieg und überstürzte Sozialisierung ließen die Ind.produktion auf ein Siebentel der Vorkriegsleistung absinken. Streiks in Petrograd und ein von Truppen blutig niedergeschlagener Aufstand der Kronstädter Matrosen (1921) hatten einen weiteren Ausbau der Doktrin von der Diktatur des Proletariats im Sinne der unumschränkten Herrschaft der bolschewist. Partei zur Folge. Der radikale Kurswechsel vom Kriegskommunismus (vollständige Zentralisierung von Produktion und Verteilung, Abgabezwang von Nahrungsmitteln, Verbot jeden Privathandels) zur sog. Neuen Ökonom. Politik (NEP) im März 1921 führte zu einer Erhöhung der Agrarproduktion etwa auf den Vorkriegsstand und hatte auch eine beachtliche wirtsch. Erholung im industriellen Bereich zum Ergebnis; so wurde die willkürl. Zwangseintreibung von Agrarprodukten durch eine feste Naturalsteuer ersetzt sowie teilweise die Privatwirtschaft wieder eingeführt. Die erste Verfassung (1924) der am 30. 12. 1922 gegründeten UdSSR organisierte den Staat als Bundesstaat nach dem Nationalitätenprinzip.

Die Errichtung der Alleinherrschaft Stalins: In den letzten beiden Lebensjahren Lenins († 1924) und in den Jahren nach seinem Tode bestimmte der Machtkampf zw. den führenden Männern der bolschewist. Partei die innere Geschichte des Landes. Stalin, 1922 in das neu geschaffene Amt des Gen.-Sekr. der KP berufen, konnte schon in den Jahren 1924–29 durch die Besetzung der entscheidenden Partei- und Staatspositionen mit seinen Anhängern Gegner aus dem polit. Leben ausschalten. Höhepunkt waren die polit. »Säuberungen« (Große → Tschistka) 1935–39 mit Schauprozessen (1936–38)

Sowjetunion: Wladimir Iljitsch Lenin (links) und Jossif Wissarionowitsch Stalin

und Todesurteilen gegen Stalins Opponenten (L. B. Kamenew, G. S. Sinowjew, N. I. Bucharin, A. I. Rykow u. a.), die zur Auslöschung der revolutionären Elite von 1917 führten. Stalins mächtigster Gegenspieler Trotzki, 1925/27 aller Partei- und Staatsämter enthoben, musste 1929 ins Exil (Mexiko) gehen (1940 im Auftrag Stalins ermordet).

Stalins Diktatur war verbunden mit einem zunehmenden Kult um seine Person und insbesondere der Errichtung eines zentralistisch geführten, bürokrat. Verwaltungsapparats. Stalin setzte die staatl. Geheimpolizei (seit 1922 GPU, seit 1934 NKWD) ein, um die Bev. zu überwachen und auch mit terrorist. Maßnahmen wie Deportationen, Zwangsarbeit, Erschießungen) jegl. Opposition niederzuhalten. Parallel dazu erfolgte eine allmähl. polit. Gleichschaltung und Indoktrinierung der Bev.: Erziehung zum »Sowjetpatriotismus« als Staatsgesinnung, dogmat. Auslegung des Marxismus-Leninismus in der parteioffiziellen Version, Ideologisierung und Reglementierung von Kunst und Kultur (»sozialist. Realismus«). Das radikale Vorgehen gegen die polit. Opposition weitete sich in der 2. Hälfte der 30er-Jahre zu Repressalien gegen große Bev.teile aus (Offiziere, Wissenschaftler, Künstler, Funktionäre der unteren Ebenen, religiöse Gruppen) und v. a. auch gegen nichtruss. Völkerschaften (z. B. Auflösung der Rep. der Wolgadeutschen und deren Deportation nach Sibirien bzw. Mittelasien 1941); auch Ausländer waren davon betroffen (z. B. aus dem nat.-soz. Dtl. emigrierte Kommunisten). Stalin benutzte die Kommunist. Internationale (Abk. →Komintern) zur Durchsetzung der Vorherrschaft der KPdSU(B) über die anderen nat. kommunist. Parteien.

Industrialisierung und Kollektivierung: Nach dem Ausbleiben der urspr. von den Bolschewiki erwarteten »Weltrevolution« stellte sich die sowjet. Innen- und Wirtschaftspolitik zunehmend auf die Bedingungen der »kapitalist. Umkreisung« ein. Die zunächst fortgeführte NÖP, die eine wirtsch. Normalisierung, das Entstehen kleinerer Privatbetriebe und einer starken Mittelbauernschicht (Kulaken) bewirkt hatte, wurde in der 2. Hälfte der 20er-Jahre abgebrochen. 1927 leitete Stalin eine forcierte Industrialisierung mit Konzentration auf die Schwerindustrie ein, die mit der Aufstellung erster Fünfjahrpläne (1928/29–32/33 und 1933/37) und dem Aufkommen einer staatlich initiierten Wettbewerbsbewegung (Stachanowbewegung seit 1935) einherging. Die Ende der 20er-Jahre begonnene Zwangskollektivierung in der Landwirtschaft zielte auf eine »Liquidierung« der Kulaken als Klasse (nach ihrer Enteignung zumeist deportiert); sie führte zu sozialen Auseinandersetzungen auf dem Lande (bewaffnete Zusammenstöße, Viehabschlachtungen durch die Bauern) und verursachte eine Hungersnot mit Mio. Toten. Im Ergebnis der Kollektivierungspolitik (Höhepunkt 1930/32) waren 1932 61,5% und 1937 rund 93% der Bauernwirtschaften in Kolchosen zusammengeschlossen. Die Führungsrolle der KPdSU wurde erstmals in der Verf. von 1936 festgeschrieben.

Sowjetunion (von links): Nikolai Bucharin (um 1932) und Leo Trotzki (1918)

Die Außenpolitik bis zum Ende des 2. Weltkrieges: Seit Beginn der 30er-Jahre vertrat die sowjet. Diplomatie das Konzept der »kollektiven Sicherheit«. Verstärkt wurde v. a. die 1922 mit dem Vertrag von Rapallo eingeleitete sowjetisch-dt. Zusammenarbeit auf wirtsch. und militär. Gebiet. 1932 schloss die S. Nichtangriffsverträge mit Finnland, Lettland, Estland, Polen und Frankreich. Nach der De-jure-Anerkennung durch die USA (1933) und andere westl. Staaten erfolgte 1934 die Aufnahme der S. in den Völkerbund (Ausschluss 1939 wegen ihres Angriffs auf Finnland). 1935 ging die S. militär. Beistandsverträge mit Frankreich und der ČSR ein. Angesichts der außenpolit. Isolierung der S. (Wirkungslosigkeit ihrer Politik der kollektiven Sicherheit in Europa 1938/39) und des rapiden Ausbaus der dt. Machtstellung entschied sich Stalin für ein Bündnis mit dem nat.-soz. Dtl., das die Beteiligung an einer Aufteilung Osteuropas sicherte (→Deutsch-Sowjetischer Nichtangriffspakt vom 23. 8. 1939). Nach der Unterwerfung Polens durch das Dt. Reich zu Beginn des 2. Weltkriegs begann am 17. 9. 1939 der Einmarsch der Roten Armee in Ostpolen. Tausende poln. Offiziere, die sich in sowjet. Kriegsgefangenschaft begeben hatten, wurden 1940 durch Truppen des →NKWD ermordet (→Katyn). Der am 28. 9. 1939 geschlossene dt.-sowjet. Freundschafts- und Grenzvertrag legte die beiderseitige Grenze entlang der Flüsse Narew, Bug und San fest, was der S. in Polen einen Landgewinn von rd. 200 000 km² mit fast 13 Mio. Ew. brachte. Die balt. Staaten wurden durch die S. gezwungen, militär. Beistandspakte abzuschließen; im Juni 1940 folgte ihre vollständige militär. Besetzung, im Aug. 1940 die staatl. Integration als Sowjetrepubliken. Nur Finnland widersetzte sich im

Grigori Sinowjew

Finnisch-Sowjet. Winterkrieg (1939/40) der Erpressungspolitik. 1940 zwang die S. Rumänien, Bessarabien und die N-Bukowina an sie abzutreten.

Nach dem dt. Vordringen auf dem Balkan 1941 sicherte sich die S. durch einen Nichtangriffs- und Neutralitätsvertrag mit Japan (13. 4. 1941) vor der Gefahr eines Zweifrontenkrieges im Falle eines dt. Angriffs. Am 22. 6. 1941 überfiel die dt. Wehrmacht die S. und stieß schnell bis vor Leningrad, Moskau und an den Zugang zum Kaukasus vor. Neben dem Überraschungsmoment (die sowjet. Führung hatte wiederholte ausländ. Warnungen vor dem bevorstehenden Angriff ignoriert) resultierte der dt. Anfangserfolg auch aus den Folgen der stalinschen Repressalien gegen das sowjet. Offizierskorps 1937/38 (Liquidierung der Mehrheit der militär. Führungskader). Stalin stützte sich bei der Organisation der Verteidigung des Landes auf den nat. Widerstandswillen der Bev. (sog. Großer Vaterländ. Krieg). Der sowjet. Sieg in der Schlacht vor Moskau (Nov./Dez. 1941) führte zum Scheitern der dt. »Blitzkriegsstrategie« und leitete eine Wende im Kriegsverlauf ein. In kürzester Zeit wurden über 1000 Ind.betriebe aus den bedrohten Gebieten nach O verlegt, in den besetzten Gebieten führten Teile der sowjet. Bev. den Partisanenkampf. Die S. traf mit den westl. Alliierten militär. und wirtsch. Vereinbarungen (v.a. Pacht- und Leihvertrag mit den USA). Entscheidende Niederlagen erlitt die dt. Wehrmacht in der Schlacht um Stalingrad (Nov. 1942/Febr. 1943) und der Schlacht am Kursker Bogen (Juli/Aug. 1943); bis 1944 wurde das sowjet. Territorium vollständig befreit. Im Anschluss daran zwang die Rote Armee die dt. Streitkräfte in ganz Osteuropa zum Rückzug und führte ihren Feldzug im Bündnis mit den westl. Alliierten, die im Juni 1944 eine zweite Front in Westeuropa errichtet hatten, bis zur Einnahme Berlins (2. 5. 1945) und der bedingungslosen dt. Kapitulation (8./9. 5. 1945) fort. Auf den Konferenzen von Teheran (1943), Jalta und Potsdam (beide 1945) konnte Stalin die weitgehende Billigung seiner Pläne durch die Westmächte erreichen. Die sowjet. Einflusssphäre reichte nunmehr von Dtl., dem östl. Mitteleuropa, Finnland und dem Adriat. Meer bis zur Mandschurei, die die S. nach der Kriegserklärung an Japan (8. 8. 1945) besetzte (ebenso den S der Insel Sachalin sowie die Kurilen).

Lawrenti Berija

Spätstalinismus und Kalter Krieg: Das Scheitern einer gemeinsamen Dtl.politik der Alliierten und die Sowjetisierung O-Mitteleuropas lösten vor dem Hintergrund ideolog. und interessenpolit. Gegensätze 1946/47 den Ost-West-Konflikt und den ihn begleitenden Kalten Krieg aus, der die internat. Politik unter wechselnden Problemstellungen im Einzelnen für mehr als 40 Jahre bestimmte. Höhepunkte des Ost-West-Konflikts in der Zeit des Spätstalinismus waren die Berliner Blockade (1948/49) sowie die Spaltung Dtl.s (1949). Im Koreakrieg (1950–53) spitzte sich der Kalte Krieg zu einem militär. Konflikt zu. 1949 gelang es der S., das Kernwaffenmonopol der USA zu brechen, wodurch der Ost-West-Konflikt eine neue Dimension erhielt. – 1949 wurde der Rat für gegenseitige Wirtschaftshilfe (RGW) gegründet. Jugoslawien wurde 1948 wegen seiner eigenständigen nationalkommunist. Linie aus dem Sowjetblock ausgestoßen. Mit der Entstehung der VR China 1949 erwuchs der S. ein ranggleicher kommunist. Partner.

Sowjetunion: Der Sieg der Roten Armee über die 6. Armee der deutschen Wehrmacht in Stalingrad (rechts) im Februar 1943 leitete die Wende im Zweiten Weltkrieg ein und führte bis zur Einnahme Berlins am 2. Mai 1945 (links), auf dem Reichstag in Berlin hisst ein Soldat der Roten Armee die sowjetische Flagge

Entstalinisierung und friedliche Koexistenz: Nach dem Tod Stalins (5. 3. 1953) und der Entmachtung des unter ihm zum Chef des NKWD und stellv. MinPräs. aufgestiegenen L. P. Berija trat an die Stelle der totalitären Diktatur eines Einzelnen wieder das Prinzip der kollektiven Führung; dieses wurde allerdings 1958, als N. S. Chruschtschow nach Ausschaltung von G. M. Malenkow, W. M. Molotow, L. M. Kaganowitsch und N. A. Bulganin die höchsten Staats- und Parteiämter auf sich vereinigte, erneut infrage gestellt. Chruschtschow bemühte sich wenig erfolgreich um Ertragssteigerungen in der Landwirtschaft (u. a. umfangreiche Neulandaktionen in Kasachstan). Mit dem Start des ersten künstl. Erdsatelliten (4. 10. 1957) begann in der S. die Entwicklung der Weltraumfahrt. Parallel zur Auflockerung im Innern (»Tauwetter«) wurde eine Politik der Entspannung und begrenzten Kooperation eingeleitet (Waffenstillstandsabkommen mit Korea 1953, Österr. Staatsvertrag 1955). Das Verhältnis zu Jugoslawien wurde 1955/56 normalisiert. Die Einbeziehung der Bundesrep. Dtl. in die NATO beantwortete die S. 1955 mit dem Abschluss des →Warschauer Pakts. Chruschtschows Abrechnung mit dem stalinistischen Personenkult (→Entstalinisierung) auf dem XX. Parteitag der KPdSU (sog. »Geheimrede«) führte 1956 auch zu den Aufständen in Polen und Ungarn; Letzterer wurde durch sowjet. Truppen niedergeschlagen. In Ggs. zur VR China geriet Chruschtschow 1956 mit der Theorie der friedl. Koexistenz, die den Beginn der sowjetisch-amerikan. Annäherung markierte. Diese wurde selbst durch die Phase aggressiver sowjet. Außenpolitik (Berlin-Ultimatum 1958, Kubakrise 1962) nicht nachhaltig beeinträchtigt (Atomteststoppabkommen 1963 und Atomwaffensperrvertrag 1968). Der Bruch mit China konnte auch durch das chinesisch-sowjet. Parteitreffen 1963 nicht verhindert werden.

Stagnation unter Breschnew: Nach dem v.a. innenpolitisch bedingten Sturz Chruschtschows 1964 wurde die kollektive Führung mit L. I. Breschnew als Erstem Sekr. der KPdSU (seit 1966 Gen.-Sekr., seit 1977 auch Vors. des Präsidiums des Obersten Sowjets) und A. N. Kossygin als MinPräs. an der Spitze wiederhergestellt. Unter ihr war die S. mit zahlr. wirtsch. Problemen konfrontiert und außerdem gezwungen, den Rüstungsgleichstand mit den USA zu erzielen, weit gestreute kostspielige Militärhilfe zu leisten und schließlich den in ihrem unmittelbaren Vorfeld infrage gestellten Hegemonieanspruch erneut durchzusetzen.

Während die S. die eigenständige rumän. Außenpolitik tolerierte, schritt sie gegen die reformkommunist. Bestrebungen der KP der ČSSR (»Prager Frühling«) im Aug. 1968 militärisch ein (→Breschnew-Doktrin). Ihr Ziel der Festschrei-

Sowjetunion: Leonid Breschnew, Alexei Kossygin und der amerikanische Präsident Richard Nixon (von links) nach der Unterzeichnung des SALT-I-Abkommens am 26. Mai 1972 in Moskau

bung der Nachkriegsgrenzen verfolgte die S. mit dem Dt.-Sowjet. Vertrag von 1970, dem →Berlinabkommen und mit der Konferenz über Sicherheit und Zusammenarbeit in Europa (→KSZE). Die seit 1969 geführten Gespräche zw. den USA und der S. über die Begrenzung strateg. Rüstungen führten im Mai 1972 zu einem ersten Abkommen (→SALT), im Juni 1979 folgte ein 2. SALT-Abkommen, dessen Ratifizierung durch den amerikan. Senat allerdings wegen des sowjet. Einmarsches in Afghanistan im Dez. 1979 nicht erfolgte. Seit den 70er-Jahren, verstärkt seit Anfang der 80er-Jahre, kam es in der S. zu einem Rückgang des Wirtschaftswachstums, der Zunahme von ökonom. Disproportionen. Die auf Eindämmung der inneren Konflikte gerichtete Politik Breschnews, die die Entstalinisierung beendete, führte zu gesellschaftl. Stagnation. Die Folgen waren wachsende Bürokratisierung, Verflachung des Kulturlebens und das Anwachsen nat. Probleme. Diese Krisenerscheinungen führten in den 70er-Jahren (insbesondere nach Veröffentlichung der KSZE-Akte) u. a. zur Entstehung einer von den staatl. Organen verfolgten Dissidentenbewegung. Nach dem Tod Breschnews (1982) folgten J. W. Andropow (1982–84) und K. U. Tschernenko (1984/85) als Gen.-Sekr. des ZK der KPdSU und Vors. des Präsidiums des Obersten Sowjets.

Perestroika und neues polit. Denken: Mit der Wahl M. S. Gorbatschows zum Parteichef 1985 begann ein Generationswechsel in der sowjet. Führung, in die zahlr. Reformpolitiker aufstiegen; E. Schewardnadse löste den seit 1957 amtierenden Außenmin. A. A. Gromyko ab, der das Amt des Vors. des Präsidiums des Obersten Sowjets übernahm (bis 1988). Die von Gorbatschow eingeleitete →Perestroika zielte auf eine Modernisierung der sowjet. Gesellschaft bei Aufrechterhaltung der kommu-

Nikita Chruschtschow

Andrei Gromyko

Eduard Schewardnadse

Sowjetunion in der Breschnew-Ära: Massenaufmarsch in Moskau zum Ersten Mai 1970

nist. Orientierung und Beibehaltung der Führungsrolle der KPdSU; sie wurde von einer breit angelegten öffentl. Diskussion (→ Glasnost) begleitet und schloss auch die Wiederaufnahme des unter Breschnew abgebrochenen Entstalinisierungsprozesses ein (1990 Regierungsbeschluss über eine Generalrehabilitation aller Opfer des Stalinismus der 20er- bis 50er-Jahre). Wirtsch. Reformen (Selbstverwaltung der Betriebe, Zulassung des privaten Einzelhandels, Genossenschaftsgesetz u.a.) verknüpften sich eng mit polit. Veränderungen (Mehrkandidatenwahl, Bildung des Kongresses der Volksdeputierten als oberstes Machtorgan 1989, Erweiterung des Spielraumes der Medien, Entflechtung der Kompetenzen von Partei- und Staatsorganen). Die mit der Politik der Perestroika verbundene Abkehr der UdSSR von ihrem Hegemonieanspruch im Ostblock lockerte die starre Unterordnung dieser Länder unter die sowjet. Interessen und ermöglichte den polit. Umbruch in Mittel- und Osteuropa 1989–91. Im Zuge des proklamierten »neuen polit. Denkens« gingen Gorbatschow und Schewardnadse zu einer wirksamen Entspannungsdiplomatie über, die zu einer schrittweisen Verbesserung der sowjetisch-amerikan. Beziehungen, Fortschritten bei der internat. Abrüstung und schließlich zur Beendigung des Kalten Krieges in Europa führte. Mit einem einseitigen Atomteststopp (1985–87) und weiteren Initiativen signalisierte die S. ihre Bereitschaft zu umfassenden Abrüstungsverhandlungen auf dem Gebiet der Kernwaffen, wo nach mehreren sowjetisch-amerikan. Gipfeltreffen mit dem INF-Vertrag zur Beseitigung der Mittelstreckenraketen beider Länder im Dez. 1987 ein Erfolg zu verzeichnen war. Internat. Auswirkungen hatte eine Kernreaktorkatastrophe in Tschernobyl (Ukraine) im April 1986. Von Mai 1988 bis zum Febr. 1989 zog die S. ihre Truppen aus Afghanistan ab, deren Einsatz seit 1979 rd. 14 500 sowjet. Soldaten das Leben gekostet hatte. Auf dem ersten Gipfeltreffen zw. der S. und China seit 1959 wurden die beiderseitigen Beziehungen im Mai 1989 wieder normalisiert.

Der Zerfall der Sowjetunion: Ende der 80er-Jahre geriet die Politik der Perestroika in eine tiefe Krise. Die häufig nur im Ansatz verwirklichten Reformen zogen wachsende wirtsch. Schwierigkeiten, Versorgungsprobleme und soziale Konflikte (u.a. steigende Arbeitslosigkeit, zunehmende Verarmung) nach sich, die immer wieder zu Massenprotesten führten. Die seit Jahrzehnten unterdrückten Nationalitätenprobleme entluden sich in einer Reihe ethnisch geprägter Bev.konflikte mit z.T. bürgerkriegsähnl. Charakter (z.B. seit 1988 zw. Armeniern und Aserbaidschanern um das Autonome Gebiet Bergkarabach, seit 1989 zw. Georgiern und den Abchasiern sowie den Südosseten) und führten, beginnend mit dem Baltikum, zum Unabhängigkeitsstreben einer steigenden Zahl von Unionsrepubliken.

Angesichts dieser Lage setzte Gorbatschow im Febr. 1990 im ZK der KPdSU den Verzicht auf das Machtmonopol der Partei durch (Streichung des Führungsanspruchs aus der Verf.). Dem Zerfall der Union versuchte Gorbatschow (seit 1988 auch Vors. des Obersten Sowjets) im Frühjahr 1990 durch die Errichtung des Präsidialsystems zu begegnen (im März Wahl Gorbatschows zum Staatspräs.). Ausdruck für eine fortschreitende innenpolit. Differenzierung war die Gründung versch. polit. Parteien; 1990 entstand die sich als strikte Oppositionskraft zur KPdSU verstehende Bewegung »Demokrat. Russland«. Die einseitigen Unabhängigkeitserklärungen der balt. Republiken (von März bis Mai 1990) führten zu einem schweren Konflikt mit der Unionsreg. (u.a. Wirtschaftsblockade gegen Litauen, im Jan. 1991 gewaltsame Militäreinsätze in Litauen und Lettland).

Im Mai 1990 wurde der Reformer B. N. Jelzin zum Vors. des Obersten Sowjets (im Juni 1991 zum

Präs.) der RSFSR (Russland), der größten Unionsrepublik, gewählt, die im Juni 1990 ihre Souveränität im Rahmen der S. erklärte. Gorbatschows Politik des Ausgleichs zw. Radikalreformern und konservativen Kräften brachte ihn zunehmend in Konflikt mit beiden Gruppen, die sich auf dem 28. Parteitag der KPdSU im Juli 1990 harte Auseinandersetzungen lieferten, ihn jedoch als Gen.-Sekr. der Partei bestätigten. Der Macht- und Prestigeverlust der KPdSU führte zu Massenaustritten aus der Partei (1990 nach offiziellen Angaben 2,7 Mio., darunter Jelzin, 1991 auch Schewardnadse). Im Zeichen der angespannten innenpolit. Lage baute Gorbatschow im Dez. 1990 seine Präsidialmacht aus (Verf.änderung zur Neuordnung der Exekutivgewalt) und nahm unter dem Druck orth. Parteikreise verstärkt konservative Kräfte in die Reg.mannschaft auf (Vizepräs. G. Janajew, Innenmin. B. Pugo). Der am 20. 12. 1990 aus »Protest gegen das Herannahen einer Diktatur« zurückgetretene Außenmin. Schewardnadse wurde im Jan. 1991 durch A. Bessmertnych ersetzt. Nachfolger des an den wirtsch. Reformen gescheiterten Min.-Präs. N. Ryschkow (1985–91) wurde der vorherige Finanzmin. W. Pawlow. Bis zum Dez. 1990 hatten sich alle 15 Unionsrepubliken als souverän erklärt. Um ein völliges Auseinanderbrechen der Union zu verhindern, stellte Gorbatschow einen neuen Unionsvertrag in Aussicht und veranlasste ein Referendum am 17. 3. 1991 über den Fortbestand der S. als eine »Föderation gleichberechtigter souveräner Republiken«, für die sich (Estland, Lettland, Litauen, Moldawien, Georgien und Armenien nahmen nicht teil) 76% der Beteiligten aussprachen. Im Gegenzug hatten Volksabstimmungen in den drei balt. Republiken (Febr. und März 1991) klare Mehrheiten für deren Unabhängigkeit erzielt. Am 1. 7. 1991 verabschiedete das sowjet. Parlament ein Gesetz zur Privatisierung von Staatsunternehmen. Zur Reformierung der KPdSU unterbreitete Gorbatschow im gleichen Monat dem ZK den Entwurf eines neuen Parteiprogramms mit sozialdemokrat. Zügen.

Mit der völligen Auflösung des RGW und des Warschauer Paktes 1991 büßte die S. die früher von ihr dominierten Bündnissysteme ein. Nach anfängl. Zögern stimmte die S. als ehem. Besatzungsmacht 1990 bei den Zwei-plus-vier-Gesprächen der Wiederherstellung der Einheit Dtl. zu, mit dem sie im Nov. 1990 einen neuen Grundlagenvertrag schloss. Das sowjetisch-amerikan. Gipfeltreffen vom Juli 1991 in Moskau führte zur Unterzeichnung des START-Vertrages.

Ein Putsch konservativer kommunist. Politiker und Militärs, die am 19. 8. 1991 ein »Notstandskomitee« unter dem Vorsitz von Vizepräs. Janajew bildeten, den Ausnahmezustand verhängten und Gorbatschow auf der Krim festhielten, scheiterte bereits am 21. 8. v.a. am Widerstand demokrat. Kräfte in Russland, an deren Spitze sich der russ. Präs. Jelzin stellte und an der Uneinigkeit der Armee. Die balt. Republiken, in denen während des Staatsstreiches Truppen aufmarschiert waren, setzten nach dessen Scheitern unverzüglich ihre völlige Unabhängigkeit durch. Die führenden Putschisten (neben Janajew u.a. KGB-Chef W. Krjutschkow, Verteidigungsmin. D. Jasow, MinPräs. Pawlow) wurden ihrer Ämter enthoben

Michail Gorbatschow

Boris Jelzin

Sowjetunion: Am 7. November 1989 finden erstmals in der Geschichte des Staates Gegenkundgebungen zu den Feierlichkeiten anlässlich des Jubiläums der Oktoberrevolution statt, hier eine Demonstration armenischer Nationalisten in Moskau (links); daneben Demonstration während des Besuchs von Staats- und Parteichef Michail Gorbatschow in Vilnius im Januar 1990 für die Unabhängigkeit Litauens

Sowjetunion: Das Ende des Kommunismus war in vielen Städten - hier in Vilnius - mit dem Sturz der Lenin-Denkmäler verbunden

und verhaftet. Der nach seiner Rückkehr (22. 8. 1991) formell als Staatspräs. wieder eingesetzte, aber nunmehr vom russ. Präs. Jelzin politisch bevormundete Gorbatschow trat am 24. 8. 1991 vom Amt des Gen.-Sekr. der KPdSU zurück; dieser wurde wegen ihrer Verwicklung in den Staatsstreich jegl. weitere Tätigkeit in Russland untersagt. Die grundlegende Umbildung der Staatsorgane im Sept. 1991 (Konstituierung eines aus zwei selbstständigen Kammern, dem Rat der Republiken und dem Rat der Union, bestehenden Parlamentes, eines vom Präs. geführten Staatsrates und eines interrepublikan. Wirtschaftskomitees) beseitigte die bisherigen zentralen Machtstrukturen und übertrug den Republiken, von denen die meisten nach dem Putsch ihre Unabhängigkeit proklamiert hatten, weit reichende Kompetenzen.

Alle nachfolgenden Versuche Gorbatschows, die Union zu erhalten, blieben erfolglos, da Russland zus. mit Weißrussland und Ukraine am 8. 12. 1991 eine »Gemeinschaft Unabhängiger Staaten« (→GUS) als lockeren Staatenbund gründete. Der Beitritt acht weiterer Republiken (Armenien, Aserbaidschan, Moldawien, Kasachstan, Kirgistan, Tadschikistan, Turkmenistan und Usbekistan) am 21. 12. 1991 in Almaty beendete faktisch die Existenz der S. (Rücktritt von Staatspräs. Gorbatschow am 25. 12. 1991).

📖 WAGNER, G.: *Das Wirtschaftssystem der S. Gernsbach 1981.* – ZIMM, A. u. MARKUSE, G.: *Geographie der S. Gotha* ^{2}*1984.* – KARGER, A.: *Die S. als Wirtschaftsmacht. Frankfurt am Main u. a.* ^{4}*1987.* – AGANBEGJAN, A. G.: *Ökonomie u. Perestroika. Gorbatschows Wirtschaftsstrategien. A. d. Russ. Hamburg 1989.* – MEISSNER, B.: *Die S. im Umbruch. Stuttgart* ^{2}*1989.* – STÖKL, G.: *Russ. Geschichte. Von den Anfängen bis zur Gegenwart. Stuttgart* ^{5}*1990.* – GROTZKY, J.: *Herausforderung S. Eine Weltmacht sucht ihren Weg. München u. a. 1991.* – KAGARLITZKI, B.: *Der gespaltene Monolith. Die russ. Gesellschaft an der Schwelle zu den neunziger Jahren. A. d. Russ. Berlin 1991.* – METZGER, W.: *Bibliographie deutschsprachiger S.-Reiseberichte, -Reportagen u. -Bildbände 1917–90. Wiesbaden 1991.* – *Der Putsch, bearb. v.* G. RUGE. *Frankfurt am Main 1991.* – *Die Umwertung der sowjet. Geschichte, hg. v.* D. GEYER. *Göttingen 1991.* – HALBACH, U.: *Das sowjet. Vielvölkerimperium. Nationalitätenpolitik u. nationale Frage. Mannheim u. a. 1992.* – MARK, R. A.: *Die Völker der ehem. S. Die Nationalitäten der GUS, Georgiens u. der balt. Staaten. Ein Lexikon. Opladen* ^{2}*1992.* – *Rußland-Ploetz. Russ. u. sowjet. Geschichte zum Nachschlagen, hg. v.* W. KESSLER. *Freiburg im Breisgau u. a.* ^{3}*1992.*

Sowjetzonenflüchtling, im Sinne des Bundesvertriebenen-Ges. ein dt. Staatsangehöriger oder dt. Volkszugehöriger, der seinen Wohnsitz in der DDR oder Berlin (Ost) hatte und von dort vor dem 1. 7. 1990 geflüchtet ist, um sich einer von ihm nicht zu vertretenden und durch die polit. Verhältnisse bedingten besonderen Zwangslage zu entziehen; insgesamt 3,9 Mio. Menschen. Die Eingliederung und Entschädigung der S. erfolgte nach dem Bundesvertriebenen- und Flüchtlingshilfe-Ges. sowie im Rahmen des Lastenausgleichs.

Soyinka [sɔʊ'jiŋkɑ:], Wole, eigtl. Akinwande Oluwole S., nigerian. Schriftsteller, *Abeokuta 13. 7. 1934; 1967–69 aus polit. Gründen in Haft; 1972–76 und 1984–87 in Paris im Exil, danach in den USA (Atlanta). In seinem umfangreichen, Theaterstücke, Lyrik und Romane sowie literaturtheoret. Studien umfassenden, in engl. Sprache geschriebenen Werk gelingt S. eine überraschende Synthese moderner Stilmittel und traditionell-afrikan. Mythologie, die jedoch stets in Bezug zu den existenziellen Problemen der Gegenwart nicht nur Afrikas gestellt wird. Gegen die nostalg. Verklä-

Wole Soyinka

rung des vorkolonialen Afrika setzt S. eine politisch engagierte Fortschreibung kultureller Traditionen in die Gegenwart, wobei er die Satire bevorzugt. 1986 erhielt er den Nobelpreis für Literatur. – *Werke:* Lyrik: A shuttle in the crypt (1972); Mandela's earth and other poems (1988). – Romane: Die Ausleger (1965); Zeit der Gesetzlosigkeit (1973). – Dramen: Tanz der Wälder (1963); Der Löwe u. die Perle (1963); Die Straße (1965). – Autobiographisches: Aké. Eine Kindheit (1981).

Soziabilität [lat.] *die, Psychologie:* die individuell unterschiedlich stark ausgeprägte Begabung, sich in eine Gemeinschaft einzufügen und wirkungsvoll mit anderen zusammenzuarbeiten.

sozial [lat.], **1)** *allg.:* gesellschaftlich, die menschl. Gesellschaft und ihr (geregeltes) Zusammenleben betreffend; die gesellschaftl. Stellung betreffend; dem Gemeinwohl, der Allgemeinheit dienend; hilfsbereit.

2) *Zoologie:* gesellig lebend, Staaten bildend.

Sozialabgaben (Sozialbeiträge), die von Arbeitgebern und Arbeitnehmern getragenen Aufwendungen zur Finanzierung der versch. Zweige der Sozialversicherung.

Sozialakademi|en, Weiterbildungseinrichtungen, in denen Kenntnisse über soziale und wirtsch. Fragen vermittelt werden, z.B. als gewerkschaftl. Einrichtung die Akademie der Arbeit in der Univ. Frankfurt am Main (gegr. 1921), die vom Land NRW getragene S. Dortmund (gegr. 1947), die hamburg. Hochschule für Wirtschaft und Politik, die Akademie der Polit. Bildung der Friedrich-Ebert-Stiftung und versch. ev. und kath. Akademien.

Sozialanthropologie (Ethnobiologie), interdisziplinärer Wiss.zweig, der sich mit den Wechselbeziehungen zw. der biolog. (bes. genet.) Beschaffenheit des Menschen und den sozialen Vorgängen befasst.

Sozialarbeit, die persönl. Betreuung von Personen oder Gruppen aufgrund besonderer Lebenslagen (z.B. Kinder, Jugendliche, alte Menschen, Obdachlose, Behinderte, Suchtkranke, Straffällige) als Bereich der Sozialhilfe. S. schließt Beratung, Erziehung, Pflege und versch. andere Hilfeleistungen ein und hat das Ziel, Hilfe Suchende zu befähigen, unabhängig von öffentl. Hilfe zu leben (Hilfe zur Selbsthilfe). S. wird nach prakt. Arbeitsfeldern unterschieden, z.B. Familien-, Gesundheitsfürsorge, Heimerziehung, Bewährungshilfe. Ihre wichtigsten Methoden sind Einzelfallhilfe (»Casework«, Auswahl besonderer Hilfsmaßnahmen für den Einzelfall), Gruppenarbeit und Gemeinwesenarbeit (Hilfestellung für sozial unterprivilegierte Gruppen oder die ganze Bevölkerung in überschaubaren Wohngebieten). (→Sozialpädagogik)

📖 BAAL, J.: *S. Lernprozeß zw. Anpassung u. Widerstand. Münster [2]1986.* – *Geschichte der S., hg. v.* R. LANDWEHR *u.a. Weinheim [2]1991.* – *Neues Denken in der sozialen Arbeit, hg. v.* M. LEWKOWICZ. *Freiburg im Breisgau 1991.* – *Wörterbuch soziale Arbeit, hg. v.* D. KREFT *u.a. Weinheim u.a. [4]1996.*

Sozialarbeiter, i.e.S. Absolvent(in) einer FH für Sozialarbeit; i.w.S. jeder, der eine berufl. Tätigkeit im sozialen Bereich ausführt.

Sozialbeirat, unabhängiges Gremium aus Vertretern der Versicherten, der Arbeitgeber, der Sozial- und Wirtschaftswiss. und der Dt. Bundesbank, das sich jährlich gutachtlich zur Rentenanpassung und zum Rentenversicherungsbericht der Bundesreg. äußert.

Sozialbericht, 1) *Betriebswirtschaft:* der Teil des Geschäftsberichts größerer Unternehmen, der über Entwicklung und Struktur der Belegschaft (u.a. Geschlecht, Alter, Krankheitstage, Qualifikation), Personalkosten und über die gesetzl. und freiwilligen Sozialleistungen informiert.

2) *Sozialpolitik:* Bericht der Bundesreg. über Maßnahmen und Vorhaben im Bereich der Sozialpolitik. Er enthält das **Sozialbudget,** die zahlenmäßige Zusammenstellung von Struktur und Entwicklung der →Sozialleistungen sowie deren Finanzierung.

Sozialbilanz, der Versuch, die traditionelle Rechnungslegung der Unternehmen durch eine Gegenüberstellung der gesellschaftl. Kosten (soziale Kosten) und des gesellschaftl. Nutzens (sozialer Nutzen) zu einer gesellschaftsbezogenen Rechnungslegung (Berichterstattung) zu erweitern, da in der Rechnungslegung nach Handels- und Steuerrecht (Jahresabschluss und Lagebericht) nicht alle Leistungen, die ein Unternehmen von der Volkswirtschaft in Anspruch nimmt oder für diese erbringt, als Aufwand oder Ertrag ausgewiesen werden.

Sozialbrache, ehem. Acker- oder Grünland, dessen Bewirtschaftung aus ökonom. Gründen (z.B. mangelnder Ertrag, bessere anderweitige Verdienstmöglichkeiten) aufgegeben wurde.

Sozialbudget [-bydʒe], zahlenmäßige Übersicht über Entwicklung und Struktur der →Sozialleistungen und deren Finanzierung in kurz- und mittelfristiger Sicht; Teil des Sozialberichtes.

Sozialdarwinismus, Sammelbegriff für alle sozialwiss. Theorien, die C. Darwins Lehre von der natürl. Auslese (Selektionstheorie) auf die Entwicklung von menschl. Gesellschaften übertragen. So wurde die wirtsch. und soziale Entwicklung als vom Kampf der Individuen und Gruppen ums Dasein verursacht gedacht und als Grundgesetz der Geschichte aufgefasst (L. F. Ward, W. G. Sumner). Der S. diente zeitweise als Rechtfertigung für bestehende gesellschaftl. Ungleichheiten und Ungerechtigkeiten sowie rassist. Theorien.

📖 *Der Darwinismus. Die Geschichte einer Theorie, hg. v.* G. ALTNER. *Darmstadt 1981.*

Sozialdemokratie, polit. Bewegung der Arbeiter bzw. Arbeitnehmer (→Arbeiterbewegung), die in einer gerechten und solidar. Gesellschaft umfassende Freiheitsrechte verwirklichen will (→Sozialismus). Das Wort S. taucht in Dtl. erstmals 1848 auf. Viele im letzten Drittel des 19. Jh. gegründeten sozialist. Parteien in Europa folgten überwiegend dem im frühen Begriff der S. angelegten Konzept polit. und sozialer Reformen. In Dtl. bereitete J. B. von Schweitzer, Nachfolger F. Lassalles in der Führung des 1863 gegr. Allg. dt. Arbeitervereins (ADAV), die Gründung einer »Social-Demokrat. Partei« vor; seit dem Eisenacher Kongress (1869) nannte sich die von A. Bebel und W. Liebknecht geführte und von der 1. →Internationale beeinflusste Organisation Sozialdemokrat. Arbeiterpartei (SDAP). Beide vereinigten sich 1875 zur Sozialist. Arbeiterpartei Dtl. (SAP), die sich das **Gothaer Programm** gab. Unter dem Druck des Sozialistengesetzes (1878–90) begannen sich in größerer Breite marxist. Vorstellungen in der S. durchzusetzen, festgeschrieben v. a. im 1. Teil des **Erfurter Programms** (1891) der →Sozialdemokratischen Partei Deutschlands (SPD; seit 1890) durch K. Kautsky. 1899 forderte E. Bernstein die S. auf, überlebte Phraseologien und Doktrinen zu revidieren (→Revisionismus). Doch erst das **Görlitzer Programm** von 1921 (Entwurf von Bernstein) formulierte die demokratisch-sozialist. Reformpolitik in der SPD. Nach der Wiedervereinigung der seit 1916/17 in Mehrheits-S. (MSPD) und Unabhängige Sozialdemokrat. Partei Dtl. (USPD) gespaltenen Partei wurde unter der Führung Kautskys das **Heidelberger Programm** von 1925 erarbeitet, das auf Positionen des Erfurter Programms zurückgriff und das im Görlitzer Programm formulierte Eintreten für den parlamentarisch-demokrat. Staat erheblich abschwächte. In der Zeit der nat-soz. Diktatur verfolgt, griff die S. im Exil wieder sozialrevolutionäre Gehalte auf: Im »Prager Manifest« (1934) forderte sie u. a. den »Kampf der geeinten Arbeiterklasse« für die »totale moral., geistige, polit. und soziale Revolution« in Dtl.

Sozialdemokratie: Willy Brandt (links) auf dem Godesberger Parteitag im November 1959 im Gespräch mit dem Parteivorsitzenden Erich Ollenhauer, rechts daneben sitzt Herbert Wehner

Nach dem Zusammenbruch des nat.-soz. Dtl. nahm in den westl. Besatzungszonen Dtl.s einerseits und in der Sowjet. Besatzungszone andererseits die programmat. Entwicklung der im Juni 1945 wieder gegründeten SPD einen gegensätzl. Verlauf. Unter dem Druck der sowjet. Besatzungsmacht sah sich die SPD in der Sowjet. Besatzungszone unter Berufung auf die »Einheit der Arbeiterklasse« zum Zusammenschluss mit der KPD zur →Sozialistischen Einheitspartei Deutschlands 1946 gezwungen. Wegweisend für die Programmdiskussion der Nachkriegs-S. in den westl. Besatzungszonen Dtl.s waren K. Schumachers »polit. Richtlinien« von 1945/46: enge Verbindung von Sozialismus und Demokratie, Anlehnung an das Görlitzer Programm, Aufbau eines pluralist. Parteiensystems, Gewinnung der alten und neuen Mittelschichten für die soziale Demokratie, Absage an eine Einheitspartei mit den Kommunisten, wie in der SBZ. – Das **Godesberger Programm** von 1959 bekennt sich unter Aufgabe marxist. Positionen zu einem demokrat. Sozialismus, der sich an Wertvorstellungen christl. Ethik, an klass. Philosophie und Humanismus orientiert; mit ihm machte sich die SPD für weite bürgerl. Schichten wählbar. Das **Berliner Programm** vom Dez. 1989 nennt als Schwerpunkte sozialdemokrat. Politik u. a. den ökolog. Umbau der Ind.gesellschaft und die weltweite Lösung zivilisator. Probleme.

📖 Osterroth, F. *u.* Schuster, D.: *Chronik der dt. S., 3 Bde. Berlin u. a.* $^{2-3}$*1975–80.* – Hofmann, W.: *Ideengeschichte der sozialen Bewegung des 19. u. 20. Jh. Berlin u. a.* ^{6}*1979.* – Winkler, H. A.: *Die S. u. die Revolution von 1918/19. Berlin u. a.* ^{2}*1980.* – Grebing, H.: *Geschichte der dt. Arbeiterbewegung. München* ^{11}*1981.* – Carsten, F. L.: *August Bebel u. die Organisation der Massen. Berlin 1991.* – Klotzbach, K.: *Der Weg zur Staatspartei. Programmatik, prakt. Politik u. Organisation der dt. S. 1945–65. Neuausg. Bonn 1996.* – *Das sozialdemokrat. Modell im internat. Vergleich. Strukturen u. Politikinhalte im Wandel, hg. v.* J. Borchert *u. a. Opladen 1997.*

Sozialdemokratische Arbeiterpartei Österreichs, an der Jahreswende 1888/89 auf dem Hainfelder Parteitag unter maßgebl. Beteiligung V. Adlers gegr. polit. Organisation, die sich als »internat. Partei« für alle Länder der österr. Reichsteile von Österreich-Ungarn verstand. Seit 1896 im Reichsrat vertreten, seit 1907 zweitstärkste Fraktion; zerfiel im 1. Weltkrieg in ihre nat. Bestandteile. 1918 stärkste Partei, stellte die dt.-österr. Sozialdemokratie mit K. Renner den ersten Reg.chef der Republik und konnte wichtige sozialpolit. Reformen durchsetzen. Seit 1920 in der Opposition, betrieb sie – geprägt durch Austromarxismus, Antikommunismus und Anschlussbestrebungen – bis zum Ende der parlamentar. Demokratie (1934) gegen die bürgerlich-konservative Staatsführung eine kämpfer. Opposition (Wehrverband »Republikan. Schutzbund«); nach den bürgerkriegsähnl. Februarunruhen 1934 Verbot durch die autoritäre Reg. Dollfuß; 1945 wieder gegründet (→Sozialdemokratische Partei Österreichs).

Sozialdemokratische Arbeiterpartei Russlands, Abk. **SDAPR,** →Kommunistische Partei der Sowjetunion.

Sozialdemokratische Partei der Schweiz, Abk. **SPS,** schweizer. polit. Partei, gegr. 1888; entwickelte sich nach Abspaltung des linken Flügels als KP der Schweiz (1921) zur Volkspartei und gewann ein positives Verhältnis zur bürgerl. Demokratie; verfolgt weit reichende Reformziele in der Wirtschafts-, Sozial- und Innenpolitik; 1943–53 an der Reg. beteiligt, stellt sie seit 1959 zwei von sieben Bundesräten.

Sozialdemokratische Partei Deutschlands, Abk. **SPD,** älteste bestehende polit. Partei in Dtl.; Nachwuchsorganisationen: Die Falken (Nachfolger der 1919 gegr. Sozialist. Arbeiterjugend, Abk. SAJ), die →Jungsozialisten sind Mitgl. der SPD bis zu 35 Jahren. – Seit 1890 die Organisation der dt. →Sozialdemokratie und seit 1890 stärkste Wählerpartei, seit 1912 stärkste Reichstagsfraktion, blieb die SPD (Vors.: 1890–1913 A. Bebel, ab 1913 F. Ebert) zunächst jedoch gesellschaftlich isoliert. 1917 spaltete sich wegen der Bewilligung der Kriegskredite durch die Partei im Reichstag die →Unabhängige Sozialdemokratische Partei Deutschlands (USPD) ab. Im Herbst 1918 entschied sich die SPD mehrheitlich für die parlamentar. Demokratie: im Okt. 1918 trat sie in die Reichsreg. unter Max Prinz von Baden ein, im Zuge der →Novemberrevolution errang sie mit der USPD de facto die Reg.gewalt in Dtl. Als wählerstärkste Partei (1919–30) stellte die SPD 1919/20 (P. Scheidemann, G. Bauer, H. Müller) den Reichskanzler und 1919–25 (F. Ebert) den Reichspräs. Die 1928 gebildete große Koalition unter H. Müller scheiterte in der Weltwirtschaftskrise. Von der KPD als »Sozialfaschisten« bekämpft, erlitten die Sozialdemokraten in der doppelten Frontstellung gegen rechts und links große Stimmeneinbußen; 1931 kam es zur Abspaltung der (linkssozialist.) Sozialist. Arbeiterpartei Dtl. (SAP). Zur wirkungsvollen Abwehr der nat.-soz. Machtergreifung war die SPD nicht mehr fähig. Der Vorstand der Exil-SPD (»SoPaDe«) amtierte 1933–37 in Prag, 1938–40 in Paris und 1941–45 in London. Die in Dtl. illegal tätigen SPD-Gruppen wurden größtenteils 1938/39 zerschlagen. Führende Sozialdemokraten waren an der Widerstandsbewegung beteiligt. Nach 1945 reorganisierte sich die SPD; in den drei Westzonen und in Berlin unter Ablehnung der Vereinigung von SPD und KPD, wie sie in der SBZ – unter starkem sowjet. Druck – erfolgte (→Sozialistische Einheitspartei Deutschlands). 1949–66 in der Opposition, vollzog die SPD im Godesberger Programm von 1959 den Schritt zur Volkspartei. 1966–69 bildete sie eine große Koalition mit der CDU/CSU, 1969 bis Sept. 1982 eine Koalition mit der FDP, die eine Neuorientierung der Dtl.- und Ostpolitik vornahm und innere Reformen einleitete (bis 1974 unter Bundeskanzler W. Brandt, ab 1974 unter H. Schmidt); 1982 ging sie in die Opposition. Im Berliner Programm von 1990 (Federführung: O. Lafontaine) fordert die S. u. a. den ökolog. Umbau der Ind.gesellschaft und stärkere plebiszitäre Elemente im Verf.leben. – Im Sept. 1990 erfolgte die Vereinigung mit der am 7. 10. 1989 gegr. SPD der DDR (bis Febr. 1990 Sozialdemokrat. Partei in der DDR, Abk. SDP), die bis Aug. 1990 die Koalitionsreg. von L. de Maizière in der DDR mitgetragen hatte. – An der Spitze der Partei steht der vom Parteitag gewählte Bundesvors.: 1946–52 K. Schumacher, 1952–63 E. Ollenhauer, 1963–87 W. Brandt, 1987–91 H. J. Vogel, 1991–93 B. Engholm, Mai bis Juni 1993 (amtierend) J. Rau, Juni 1993 bis Nov. 1995 R. Scharping, seither O. Lafontaine. – Über die Zahl der Abg.sitze der SPD im Dt. Bundestag ÜBERSICHT deutsche Geschichte.

🕮 ROVAN, J.: *Gesch. der dt. Sozialdemokratie. A. d. Frz. Neuausg. Frankfurt am Main 1980.* – ENGELMANN, B.: *Vorwärts u. nicht vergessen. München 1988.* – *Kleine Gesch. der SPD. Darstellung u. Dokumentation 1848–1990, bearb. v.* S. MILLER *u.* H. POTTHOFF. *Bonn* [7]*1991.* – GROH, D. *u.* BRANDT, P.: *»Vaterlandslose Gesellen«. Sozialdemokratie u. Nation 1860–1990. München 1992.* – LÖSCHE, P. *u.* WALTER, F.: *Die SPD. Klassenpartei – Volkspartei – Quotenpartei. Zur Entwicklung der Sozialdemokratie von Weimar bis zur dt. Vereinigung. Darmstadt 1992.* – KLOTZBACH, K.: *Der Weg zur Staatspartei. Programmatik, prakt. Politik u. Organisation der dt. Sozialdemokratie 1945–65. Neuausg. Bonn 1996.*

Sozialdemokratische Partei Europas, gegr. 1992, hervorgegangen aus dem »Bund der Sozialdemokrat. und Sozialist. Parteien der EG« (gegr. 1974).

Sozialdemokratische Partei Österreichs, Abk. **SPÖ,** österr. polit. Partei; gegr. 1945 als Nachfolgerin der 1934 verbotenen →Sozialdemo-

Sozialdemokratische Partei der Schweiz

Sozialdemokratische Partei Deutschlands

Sozialdemokratische Partei Österreichs

kratischen Arbeiterpartei Österreichs unter dem bis Juni 1991 beibehaltenen Namen **Sozialist. Partei Österreichs** (Abk. SPÖ); entwickelte sich neben der ÖVP zur staatstragenden Partei. Parteivors. ist der Bundesobmann. 1945–66 beteiligte sich die SPÖ an der großen Koalition. Die Parteivors. A. Schärf (1945–57) und B. Pittermann (1957–67) waren jeweils auch Vizekanzler. Bei Bundespräsidentenwahlen konnten sich bis 1986 die Kandidaten der SPÖ (K. Renner, T. Körner, A. Schärf, F. Jonas, R. Kirchschläger) durchsetzen. Ab 1966 in der Opposition, wurde die SPÖ unter dem Vorsitz B. Kreiskys (1967–83) 1970 stärkste Partei und stellt seitdem den Bundeskanzler: 1970–83 B. Kreisky, 1983–86 F. Sinowatz (1983–88 auch Bundesobmann), 1986–97 F. Vranitzky (seit Jan. 1987 in großer Koalition mit der ÖVP; seit 1988 auch Bundesobmann), seit Jan. 1997 V. Klima (gleichzeitig Bundesobmann).

📖 *Der Aufstieg zur Massenpartei. Ein Lesebuch zur österreich. Sozialdemokratie 1889–1918, hg. v.* B. KEPPLINGER. *Wien 1990. – Die Organisation der Österreich. Sozialdemokratie 1889–1995, hg. v.* W. MADERTHANER *u. a. Wien 1996. – Politik über den Tag hinaus. Ein Lesebuch zu den Programmdiskussionen der österreich. Sozialdemokratie von 1966–96, hg. v.* E. FRÖSCHL. *Wien 1996.*

Sozialdemokratischer Hochschulbund, Abk. **SHB,** → studentische Vereinigungen.

soziale Erträge (Social Benefits, sozialer Nutzen), durch einzelwirtsch. Aktivitäten entstehende volkswirtsch. Erträge, die nicht in der Wirtschaftsrechnung des jeweiligen Akteurs erscheinen, sondern Dritten unentgeltlich zufallen (z. B. landschaftspfleger. Nutzen der Bewirtschaftung von Bauernhöfen); Ggs.: soziale Kosten.

soziale Frage, schlagwortartige, im 19. Jh. geprägte Bez. für die Gesamtheit der sozialpolit. Probleme, unter denen die Arbeiterfamilien im Gefolge der industriellen Revolution litten (Kinderarbeit, lange Arbeitszeit, elende Wohnverhältnisse u. a.). Der s. F. galt, zumal nach dem Entstehen einer Arbeiterbewegung, in der 2. Hälfte des 19. Jh. auch das Interesse versch. bürgerlicher Kreise. Die Sozialpolitik Bismarcks steht, trotz zunächst anderer Motive, für den Versuch, die s. F. durch polit. und gesetzl. Initiativen zu lösen.

📖 BRAKELMANN, G.: *Die s. F. des 19. Jh. Bielefeld* [7]*1981.*

soziale Indikatoren (Sozialindikatoren), Bez. für statist. Messgrößen, die geeignet sind, soziale Tatbestände sinnvoll abzubilden. Die s. I. sollen eine kurze, umfassende und ausgewogene Beurteilung zentraler gesellschaftl. Lebensbedingungen sowie des sozialen Wandels erlauben und dienen der Messung und Bewertung sowie ggf. der Verbesserung von Wohlstand und Lebensqualität.

soziale Kompetenz, eine fachübergreifende Qualifikation (Schlüsselqualifikation), die insbesondere gekennzeichnet ist durch die Fähigkeit zu mitmenschl. Sensibilität, Teamarbeit, konstruktiver Konflikthandhabung und fairer Konfliktlösung; wird in zunehmendem Maße von Führungspersonen gefordert.

soziale Kosten (Social Costs), volkswirtsch. Kosten, die nicht in der Wirtschaftsrechnung der sie verursachenden Wirtschaftssubjekte erscheinen, sondern auf Dritte bzw. die gesamte Volkswirtschaft abgewälzt werden (z. B. Kosten aus Umweltbelastungen durch die Ind.). Mit den → sozialen Erträgen werden die s. K. begrifflich als externe Effekte zusammengefasst und von der Umweltökonomie analysiert.

soziale Marktwirtschaft, von den Vertretern des Neoliberalismus (A. Müller-Armack, L. Erhard) entwickeltes Modell der Marktwirtschaft, in welchem dem Staat die Aufgabe zukommt, die sozial unerwünschten Auswirkungen der Marktwirtschaft zu korrigieren. Insbesondere soll er die Rahmenbedingungen für einen funktionierenden Wettbewerb schaffen, die Einkommens- und Vermögensverteilung im Interesse der nicht am Wirtschaftsprozess beteiligten Gruppen korrigieren, die Beschäftigten und finanziell Schwachen durch ein soziales Netz (z. B. durch Arbeitslosenversicherung, Kinder- und Erziehungsgeld, Wohngeld, Sozialhilfe) absichern, Aufgaben übernehmen, die über den Markt nicht oder nur zu sehr eingeschränkten Bedingungen angeboten werden würden (z. B. Struktur- sowie Bildungspolitik) sowie Konjunkturschwankungen durch seine Konjunkturpolitik dämpfen.

📖 ZINN, K. G.: *S. M. Idee, Entwicklung u. Politik der bundesdeutschen Wirtschaftsordnung. Mannheim u. a. 1992.* – THIEME, H. J.: *S. M. Ordnungskonzeption u. wirtschaftspolit. Gestaltung. München* [2]*1994. – S. M. Elemente einer erfolgreichen Wirtschaftsordnung, hg. vom Inst. der Dt. Wirtschaft Köln 1997.*

sozialer Friedensdienst, Bez. für eine Reihe von Tätigkeiten und internat. Organisationen, die dazu beitragen wollen, durch soziale Hilfeleistungen und Aufbauarbeiten im In- und Ausland Völkerverständigung und Frieden zu fördern, u. a. »Aktionsgemeinschaft Dienst für den Frieden« (AGDF), Bonn; »Christl. Friedensdienst«, Frankfurt am Main; »Aktion Sühnezeichen/Friedensdienste e. V.«, Berlin; »Service Civil International« (SCI), Bonn und »Eirene. Internat. Christl. Friedensdienst e. V.«, Neuwied.

sozialer Rechtsstaat, svw. Sozialstaat.

sozialer Wandel, Bez. für qualitative und quantitative Veränderungen der Struktur einer Gesellschaft. Als s. W. gelten sowohl grundlegende Veränderungen der gesamten Sozialstruktur (z. B.

Übergang von der Stände- zur Klassengesellschaft) als auch Veränderungen innerhalb einer bestehenden Struktur (z.B. Veränderungen der sozialen und räuml. Mobilität, Verrechtlichung sozialer Beziehungen, Rollenerwartungen, Identität) oder in Teilbereichen (z.B. Wirtschaft [industrielle Revolution], Herrschaftsverhältnisse, gesellschaftl. Institutionen und Ideologien). Als Ursachen von s.W. werden innere (endogene) Faktoren (z.B. innergesellschaftl. Konflikte, Modernisierung) und äußere (exogene) Faktoren (z.B. Umweltveränderungen, Erfindungen und Entdeckungen) unterschieden. S.W. kann langsam (z.B. bei grundlegender Änderung von Normen und Wertvorstellungen) oder rasch (Modeerscheinungen), kontinuierlich (Evolution) oder abrupt (Revolution), kontrolliert (Entwicklungsplanung) oder unkontrolliert (z.B. bei Krisen) erfolgen und sich systemerhaltend (funktional) oder systemstörend (dysfunktional) auswirken. Neben W.F. Ogburn, der den Begriff prägte, haben sich mit dem s.W. Vertreter des Strukturfunktionalismus (T. Parsons), des konflikttheoret. Ansatzes (R. Dahrendorf) sowie der evolutionist., der systemtheoret. und der individualist. Perspektive befasst.

sozialer Wohnungsbau

Jahr	Baugenehmigungen insgesamt in 1000	Bewilligungen im sozialen Wohnungsbau in 1000
altes Bundesgebiet		
1970	609,4	165,1
1973	658,9	126,8
1980	380,6	97,2
1988	214,3	38,9
1990	391,4	90,7
1991	400,6	90,2
1992	458,8	87,2
1993	524,1	111,4
1994	586,5	106,4
1995	458,6	91,8
1996	390,1	79,3
neue Bundesländer		
1994	126,1	55,6
1995	180,0	51,5
1996	186,2	41,7

sozialer Wohnungsbau, durch öffentl. (»erster Förderungsweg«) und nichtöffentl. Mittel (»zweiter« und »dritter Förderungsweg«) unterstützter Bau von Miet- und Eigentümerwohnungen, die nach Größe, Ausstattung und Miete oder Belastung für Bev.schichten mit niedrigem Einkommen bestimmt und geeignet sind. Rechtsgrundlagen sind nunmehr das 2. Wohnungsbau-Ges. vom 27. 6. 1956 und die Wohnungsbauförderungsbestimmungen der Länder. Träger des s.W. können sämtl. Bauherren sein. Bundesmittel für den s.W. werden aufgrund eines Schlüssels auf die Länder verteilt und v.a. von den Landeswohnungs- und Siedlungsbehörden weitergeleitet. Die Gewährung öffentl. Mittel (z.B. zinsbegünstigte Darlehen, Steuervergünstigungen) im s.W. ist insbesondere an die Einhaltung von Wohnflächengrenzen, landesrechtl. Wohnungsbauvorschriften und Preisbindungen (Kostenmiete) sowie an bestimmte Einkommensgrenzen gebunden (auch für den Bezug einer →Sozialwohnung gültig).

soziale Sicherheit, eine aus den vier Freiheiten der Atlantikcharta (»Freiheit von Not«) in die »Erklärung der Menschenrechte« der UN vom 12. 12. 1948 übernommene Forderung. Der Begriff ist seit etwa 1920 international üblich. Er fasst die Forderungen der →Sozialpolitik zu einem System von Schutzrechten des Einzelnen zusammen.

Sozialethik, im Verständnis der kath. Soziallehre ein Teilgebiet der →Ethik, das die sittl. Normen und Prinzipien menschl. Handelns im gesellschaftl. Leben untersucht. Die evang. Soziallehre versteht alle Ethik als S. mit der Begründung, dass eth. Probleme erst im Zusammenleben der Menschen entstehen.

soziale Verteidigung, Bez. für Strategien eines gewaltlosen Widerstandes, der mit Techniken wie Gehorsamsverweigerung und Boykott einem Gegner die Risiken von Besetzung und Macht- und Landgewinn unkalkulierbar machen soll.

Sozialforschung, Sammelbez. für alle Methoden und Techniken zur Erforschung der sozialen Wirklichkeit. Neben einer empirisch-analytisch ausgerichteten →empirischen Sozialforschung gibt es die qualitative S. Letztere umfasst Interviewtechniken, teilnehmende Beobachtung, qualitative Inhaltsanalyse, Gruppendiskussionen und biograph. Verfahren (z.B. Einzelfallanalyse).

Sozialgeographie (Soziogeographie), Teil der Anthropogeographie, befasst sich mit den räuml. Organisationsformen, Raumansprüchen und Raum bildenden Prozessen menschl. Gruppen und Gesellschaften, die u.a. von den Daseinsgrundfunktionen (»Wohnen«, »Arbeiten«, »Sicherholen«, »Sichbilden«, »Am-Verkehr-Teilnehmen«, »In-Gemeinschaft-Leben«) bestimmt werden.

📖 Fliedner, D.: *S. Berlin u.a. 1993.*

Sozialgerichtsbarkeit, von den fünf gleichgeordneten Gerichtsbarkeiten in Dtl. der Zweig der Rechtsprechung, der zur Entscheidung öffentlich-rechtl. Streitigkeiten im Bereich des Sozialrechts berufen ist. Gesetzl. Grundlage ist das Sozialgerichts-Ges. (SGG) i.d.F.v. 23. 9. 1975. Die Gerichte der S. entscheiden in Angelegenheiten der Sozialversicherung (Kranken-, Unfall-, Rentenversicherung), der Arbeitslosenversicherung und der übrigen Aufgaben der Bundesanstalt für Arbeit sowie der Kriegsopferversorgung, der Soldatenversorgung, ferner in Angelegenheiten des Kassenarztrechts sowie bei öffentlich-rechtl. Streitigkeiten, die durch besondere gesetzl. Regelung der S. zugewiesen sind (§51 SGG).

Grundsätzlich geht der Klage ein Vorverfahren voraus, das durch Erhebung des Widerspruchs gegen den erlassenen Verw.akt eingeleitet wird. Im Sozialgerichtsverfahren sind in erster Instanz die Sozialgerichte, als Berufungsinstanz die Landessozialgerichte zuständig; Revisionsinstanz ist das →Bundessozialgericht. – In *Österreich* entscheiden über sozialrechtl. Fragen zunächst die Organe der Sozialversicherungsträger. Wird eine Leistung abgelehnt, kann das Sozialgericht, das Teil der ordentl. Gerichtsbarkeit ist, angerufen werden (Arbeits- und Sozialgerichts-Ges. 1985). In der Arbeitslosenversicherung führt der Rechtsweg zum Verwaltungsgerichtshof. – In der *Schweiz* ist die S. als Zweig innerhalb der Verwaltungsgerichtsbarkeit ausgebildet. Letztinstanzlich ist für Streitigkeiten über Leistungen der Versicherungskassen das eidgenöss. Versicherungsgericht in Luzern zuständig.

📖 MEYER-LADEWIG, J.: *Sozialgerichtsgesetz. München [4]1991.* – NIESEL, K.: *Der Sozialgerichtsprozeß. München [2]1991.*

Sozialgeschichte, method. Prinzip v.a. der Geschichtswiss., mit dem Gegenstände der Verfassungs-, Wirtschafts-, Ideen- und Politikgeschichte auf ihre gesellschaftl. Trägergruppen, Ursachen und Bedingungen hin untersucht werden.

Sozialgesetzbuch, Abk. **SGB,** im Entstehen begriffenes Gesetzeswerk, das die wesentlichsten Sozialgesetze zu einer einheitl. Kodifikation des Sozialrechts zusammenfassen soll. Urspr. auf zehn Bücher angelegt, sind bis jetzt in Kraft: I. Allg. Teil, IV. Sozialversicherung – Gemeinsame Vorschriften, V. Gesetzl. Krankenversicherung, VI. Gesetzl. Rentenversicherung, VII. Gesetzl. Unfallversicherung, VIII. Kinder- und Jugendhilfe, X. Verwaltungsverfahren, Schutz der Sozialdaten, Zusammenarbeit der Leistungsträger und ihre Beziehungen zu Dritten, XI. Soziale Pflegeversicherung. Daneben bleiben wichtige Sozialgesetze vorerst außerhalb des SGB in Kraft, z.B. das Bundessozialhilfe-Gesetz.

Sozialhilfe, Gesamtheit der im Bundessozialhilfegesetz (BSHG) geregelten und früher als öffentl. Fürsorge bezeichneten Hilfen, die einem Menschen in einer Notlage von öffentl. Seite gewährt werden. Die S. soll dem Empfänger die Führung eines Lebens erlauben, das der Würde des Menschen entspricht. Die S. ist neben Sozialversicherung und der Versorgung ein wichtiges Element der sozialen Sicherung. Die S. ist das letzte vom Staat eingesetzte Mittel, individuelle Notlagen zu beheben und greift nur, wenn der Bedürftige sich nicht selbst helfen kann und auch keine Hilfe durch andere (Verwandte) erhält (Nachrang der staatl. S.). Wie in die Sozialversicherung sind Ausländer auch in die S. einbezogen. Die um 20% geringere S. an Asylbewerber und Bürgerkriegsflüchtlinge ist im Asylbewerberleistungsgesetz geregelt. S. wird allen hilfsbedürftigen Personen sowohl in Form von Geld und Sachleistungen als auch in Form individueller Betreuung gewährt (**persönl. Hilfe;** →Sozialarbeit). Das BSHG unterscheidet 1. die **Hilfe zum Lebensunterhalt (HzL),** die ein Existenzminimum ohne Rücksicht auf die Ursache der Bedürftigkeit garantieren soll. Die Leistungen umfassen laufende Unterstützungszahlungen in Höhe der Regelsätze, die 1997 für den Haushaltsvorstand monatlich 530 DM und 434 DM (Durchschnittswert für die alten Bundes-

Sozialhilfe: Regelsätze (in DM) **für die Hilfe zum Lebensunterhalt nach dem Bundessozialhilfegesetz** (Stand: 1.7.1997)

	Haushaltsvorstand	Haushaltsangehörige				
	Alleinstehender (Eckregelsatz)	bis zur Vollendung des 7. Lebensjahres	bei Alleinerziehenden	vom 8.–14. Lebensjahr	vom 15.–18. Lebensjahr	vom 19. Lebensjahr an
alte Bundesländer:						
Baden-Württemberg	540	270	297	351	486	432
Bayern (Landesregelsatz)[1]	522	261	287	339	470	418
Berlin (West)	539	270	296	350	485	431
Bremen	539	270	296	350	485	431
Hamburg	539	270	296	350	485	431
Hessen	540	270	297	351	486	432
Niedersachsen[2]	539	270	296	350	485	431
Durchschnitt	538	269	296	350	484	430
neue Bundesländer:						
Berlin (Ost)	539	270	296	350	485	431
Brandenburg	516	258	284	335	464	413
Mecklenburg-Vorpommern[3]	514	257	283	334	463	411
Sachsen-Anhalt	519	260	285	337	467	415
Durchschnitt	519	260	285	337	467	415

[1] hierbei handelt es sich um den Mindestregelsatz. – [2] die selben Sätze gelten in NRW, Rheinl.-Pf., Saarland und Schlesw.-Holst. – [3] die selben Sätze gelten in Sachsen und Thüringen

länder) für weitere Erwachsene betragen. Für Kinder bis 18 Jahren gibt es nach Alter gestaffelte Beträge. 2. Die **Hilfe in besonderen Lebenslagen (HbL),** umfassend die Hilfen zum Ausbau oder zur Sicherung der Lebensgrundlage, vorbeugende Gesundheitshilfe, Krankenhilfe, Hilfe zur Familienplanung, Mutterschaftshilfe, Eingliederungshilfe für Behinderte, Blindenhilfe, Hilfe zur Pflege, Hilfe zur Weiterführung des Haushalts, Hilfe zur Überwindung besonderer sozialer Schwierigkeiten sowie die Altenhilfe. – Träger der S. sind städt. und Kreissozialämter (örtl. Träger) und von den Bundesländern bestimmte überörtl. Träger (Landeswohlfahrtsverbände, Reg.bezirke, Landschaftsverbände oder die Bundesländer selbst). Die Träger der S. sollen bei der Durchführung des Gesetzes mit den Kirchen und Religionsgemeinschaften sowie den freien Wohlfahrtsverbänden zusammenarbeiten. Die oft als Indikator für Armut verwendete Zahl der S.-Empfänger ist in den letzten Jahren stark gestiegen, wobei die Arbeitslosigkeit eine große Rolle spielt. Im Zusammenhang mit der Diskussion über einen »Umbau des Sozialstaats« kam es auch zu Einschnitten bei der S., indem die Regelsätze in geringerem Maße angepasst wurden und die Möglichkeit ausgedehnt wurde, S.-Empfänger zu Gemeinschaftsarbeiten oder zur Arbeitsaufnahme zu verpflichten. Während u.a. von den Wohlfahrtsverbänden die S. als materiell unzureichend angesehen wird, wird von anderer Seite kritisiert, dass das sog. Lohnabstandsgebot (Differenz zw. S. und den niedrigsten Löhnen) nicht eingehalten werde, um die S.-Empfänger zur Aufnahme einer geregelten Arbeit anzureizen. – In *Österreich* ist die S. landesgesetzlich, in der *Schweiz* durch kantonales Recht geregelt.

📖 *Das Bundessozialhilfegesetz. Ein Kommentar, begr. v.* W. SCHELLHORN *u. a. Neuwied u. a.* [14]*1993.* – *Bundessozialhilfegesetz, bearb. v.* O. MERGLER. *Köln* [37]*1997.*

Sozialisation [lat.] *die* (Sozialisierung), Prozess sowie Ergebnis des Hineinwachsens des Menschen in den gesellschaftl. Struktur- und Interaktionszusammenhang (Familie, Gruppen, Schichten). Durch die S. formt das Individuum seine Persönlichkeitsmerkmale aus und erlernt soziales Verhalten und gesellschaftlich verbindl. Normen, die seine Handlungsfähigkeit begründen. S. ist ein lebenslanger Prozess. In den frühen S.-Phasen werden die Grundstrukturen der Persönlichkeit (Sprache, Denken und Empfinden) herausgebildet und die fundamentalen Muster für soziales Verhalten entwickelt. Das elementare Erlernen von sozialen Regeln und Umgangsformen in der frühen Kindheit wird aus diesem Grund auch oft als **primäre S.** bezeichnet. Die danach (ab etwa dem vollendeten dritten Lebensjahr) erfolgende Weiterentwicklung und Variation von Verhaltensmustern wird **sekundäre S.** genannt.

Sozialisierung [lat.], Überführung des Eigentums oder sonstiger vermögenswerter Güter aus Privathand in die Hand des Staates mit dem Ziel einer am Allgemeinwohl orientierten Nutzung. Der Begriff ist inhaltsgleich mit dem in Art. 15 GG verwendeten Begriff der **Vergesellschaftung.** Die S. führt zur Entstehung von →Gemeineigentum.

Sozialismus [lat.] *der,* eine als Gegenmodell zum Kapitalismus entwickelte polit. Lehre, die bestehende gesellschaftl. Verhältnisse mit dem Ziel sozialer Gleichheit und Gerechtigkeit verändern will, eine nach diesen Prinzipien organisierte Gesellschaftsordnung sowie eine polit. Bewegung, die diese Gesellschaftsordnung anstrebt; im Marxismus das Übergangsstadium von der kapitalist. zur kommunist. Gesellschaftsformation. – Die Kritik des S. bezieht sich auf die (auf dem Privateigentum an Produktionsmitteln beruhende) Gesellschaftsform des Kapitalismus, die (wenn nötig mit Gewalt) beseitigt werden soll, um die gesellschaftl. Vorstellungen des S. zu verwirklichen.

Früh-S., Vor-S., utop. S.: Die Lehre des S. verbreitete sich v.a. seit Beginn des 19. Jh. im Zusammenhang mit dem sich entfaltenden kapitalist. Wirtschaftssystem. Vergleichbare oder den S. vorbereitende Lehren gab es v.a. im Frankreich des 18. Jh., wo u.a. Morelly Kritik am Privateigentum übte und F. N. Babeuf und É. Cabet Gesellschaftsutopien entwickelten. Erst C. H. de Rouvroy, Graf von Saint-Simon, erkannte den Zusammenhang von wirtsch. und gesellschaftl. Verhältnissen. Mithilfe genossenschaftl. Organisationsformen **(genossenschaftl. S.)** wollten u.a. C. Fourier, P. J. B. Bouchez und L. Blanc sozialist. Gesellschaftsformen erreichen. F. Lassalle reklamierte für die Arbeiter das Recht auf den vollen Arbeitsertrag und forderte, mithilfe des allgemeinen Wahlrechts den Staat im Interesse der Arbeiterschaft umzuwandeln, da der Staat als Träger gesellschaftl. Entwicklung angesehen wurde. Diese Auffassung eines **Staats-S.** teilte Lassalle v.a. mit J. K. Rodbertus und L. von Stein.

Marxistisch-leninist. S.: Von diesen Vorläufern wird der von K. Marx entwickelte wiss. S. (→Marxismus) unterschieden, der v.a. als Instrument der Analyse bestehender Gesellschaftsformen dient und nur wenig über die Gestaltung einer neuen Gesellschaftsordnung aussagt. Der **real existierende** bzw. **reale S.** v.a. nach 1917 (Sowjetunion) sowie nach 1945 (O-, SO- und Mitteleuropa) war gekennzeichnet durch gesellschaftl. Eigentum an Produktionsmitteln (i.d.R. Staatseigentum) sowie das Prinzip gesamtgesellschaftl. Planung durch den Staat (→Zentralverwaltungswirtschaft). Durch die

Partei der Arbeiterklasse als einzige oder dominierende Partei sollte der Staat im Interesse der Arbeiterklasse handeln. Jedoch bestimmte die tatsächl. Herrschaft der Partei die Wirklichkeit in den existierenden sog. sozialist. Gesellschaften und führte, nicht zuletzt wegen der Entfremdung zw. Partei und Bev., seit Ende der 1980er-Jahre zu ihrem zunehmenden Verfall (→Kommunismus).

Freiheitl. oder **demokrat. S.:** Bes. die Auseinandersetzungen mit dem sog. realen S. haben zu Modellen geführt, die davon ausgehen, dass die Vergesellschaftung von Produktionsmitteln nicht ausreiche, um menschl. und sozial gerechte Verhältnisse zu schaffen; sie streben deshalb eine Gesellschaft an, die v.a. die freie Entfaltung der Individuen, die Gültigkeit aller Grundrechte und die demokrat. Mitwirkung aller Gesellschaftsmitgl. in allen sozialen Bereichen zulässt. – Die Hoffnung auf die Möglichkeit einer friedl., schrittweisen Gesellschaftsänderung auf dem Wege über demokrat. Reformen, gewerkschaftl. Arbeit und wachsende Einsicht (auch der Besitzenden) v.a. während der langen Periode wirtsch. Aufschwungs nach dem 2. Weltkrieg hat jedoch eine Anzahl ehemals ausgesprochen sozialist. Politik betreibender Parteien bewogen, ihr Ziel der Überwindung des Kapitalismus aufzugeben und lediglich bestimmte Nachteile der ungleichen Eigentums- und Einkommensverteilung, aufzuheben (→Sozialdemokratie). – Weitere nichtmarxist. S.-Vorstellungen finden sich im Anarchismus, Gilden-S., Syndikalismus sowie im Reformismus mit seinen Ausformungen Revisionismus in Dtl. und Austromarxismus in Österreich.

📖 *Lexikon des S., hg. v.* THOMAS MEYER *u.a. Köln 1986.* – ENGELS, F.: *Die Entwicklung des S. von der Utopie zur Wiss. Berlin (Ost)* [24]*1988.* – ROSENBERG, A.: *Demokratie u. S. Neuausg. Frankfurt am Main 1988.* – THEIMER, W.: *Geschichte des S. Tübingen 1988.* – *Klassiker des S., hg. v.* W. EUCHNER, *2 Bde. München 1991.* – MEYER, THOMAS: *Was bleibt vom S.? Reinbek 1991.*

Sozialistengesetz, von O. von Bismarck nach den Attentaten auf Kaiser Wilhelm I. durchgesetztes Ausnahmegesetz vom 21. 10. 1878 gegen die »gemeingefährl. Bestrebungen« der Sozialdemokratie, auf 2½ Jahre befristet, bis 1890 mehrmals verlängert. Es ermächtigte die Polizei zur Auflösung aller sozialdemokrat., sozialist. und kommunist. Vereine, zur Ausweisung von Propagandisten und zur Beschlagnahmung ihrer Schriften.

Sozialistische Einheitspartei Deutschlands, Abk. **SED,** Staat und Gesellschaft beherrschende Partei der DDR, entstanden im April 1946 durch den (z.T. unter starkem Druck der sowjet. Besatzungsmacht und unter der Vorherrschaft der KPD erreichten) Zusammenschluss von KPD und SPD in der SBZ; ihre Führungsorgane waren zunächst paritätisch mit Sozialdemokraten und Kommunisten besetzt (Parteivors.: W. Pieck und O. Grotewohl), bis 1955 nach dem Vorbild der KPdSU umgewandelt: Als formell oberstes Organ fungierte der Parteitag, zw. den Parteitagen das von ihm gewählte Zentralkomitee (ZK), dessen ständige Organe Politbüro und Sekretariat unter dem Generalsekretär (1953–76 Erster Sekretär gen.; 1950–71 W. Ulbricht, 1971–89 E. Honecker, Okt.–Dez. 1989 E. Krenz) die eigentl. Machtzentrale bildeten. Nachdem die SED-Führung die Notwendigkeit von Reformen seit 1985/86 strikt geleugnet hatte, kam es nach Massenfluchten und Demonstrationen (Spätsommer und Herbst 1989) im Nov./Dez. 1989 zum Sturz des SED-Herrschaftssystems. Ein außerordentl. Parteitag (8./9. und 16./17. 12. 1989) beschloss Veränderungen in der Parteistruktur, wählte am 8. 12. G. Gysi zum Vors. und änderte den Namen zunächst in SED – Partei des Demokrat. Sozialismus (SED-PDS); im Febr. 1990 umbenannt in →Partei des Demokratischen Sozialismus.

Sozialistische Internationale, →Internationale.

sozialistische Marktwirtschaft, Konzeption einer Wirtschaftsordnung (insbesondere von O. Lange entwickelt) mit dominierendem Staatseigentum an den Produktionsmitteln, in der die zentrale staatl. Planung der gesamtwirtsch. Entwicklung mit der Koordination der einzelwirtsch. Aktivitäten der Unternehmen und privaten Haushalte über Märkte verbunden werden soll. In Ungarn wurde z.B. 1968 mit dem »neuen Wirtschaftsmechanismus« ein entsprechendes Konzept

Sozialistische Einheitspartei Deutschlands: Auf dem 1. Parteitag der SED im April 1946 übernahmen der Kommunist Wilhelm Pieck (links) und der Sozialdemokrat Otto Grotewohl gemeinsam den Vorsitz

eingeführt und eine Synthese von Markt und Plan angestrebt.

Sozialistischer Deutscher Studentenbund, Abk. **SDS,** →studentische Vereinigungen.

sozialistischer Realismus, Bez. für eine Methode bzw. ein Programm der künstler. Gestaltung und der Kritik in Literatur, bildender Kunst, Architektur, Musik und Film. Der Begriff tauchte erstmals 1932 im Zusammenhang der sowjet. Literaturdiskussion über die dem Sozialismus angemessene »schöpfer. Methode« auf. Auf dem 1. Allunionskongress (1934) des Verbandes der sowjet. Schriftsteller wurde in dessen Statut festgelegt: »Der s. R., der die Hauptmethode der sowjet. schönen Literatur und Literaturkritik darstellt, fordert vom Künstler wahrheitsgetreue, historisch konkrete Darstellung der Wirklichkeit in ihrer revolutionären Entwicklung. Hierbei müssen Wahrheit und histor. Konkretheit der künstler. Darstellung der Wirklichkeit in Abstimmung mit der Aufgabe der ideellen Umformung und Erziehung der Werktätigen im Geiste des Sozialismus gebracht werden«. Diese Definition begreift Kunst jenseits ästhet. und künstler. Freiheit als polit.-ideologisch bestimmten Gebrauchsgegenstand; Forderungen waren: Parteilichkeit, Volksverbundenheit und Volkstümlichkeit als Hauptprinzipien künstler. Gestaltung sowie die Darstellung des positiven Helden, der den sozialist. Fortschritt repräsentiert und als Identifikationsfigur diente. Witz, Satire, Humor und Ironie, Absurdes und Groteskes wurden qua definitionem ausgeschlossen. Durch den Stalinismus, der seinen Führungsanspruch rigoros auch in der Kunst durchsetzte, wurde die Abweichung vom s. R. mit Ausschlüssen, Prozessen und Lagerhaft verfolgt. – Die Resonanz in der internat. sozialist. Literaturentwicklung war seit den 1930er-Jahren von Land zu Land verschieden. – Nach dem 2. Weltkrieg wurde nach kontroversen Diskussionen um die geistige Erneuerung mit Beginn des sozialist. Aufbaus in einer Reihe von europ. Staaten der s. R. als verpflichtende Schaffensmethode deklariert. So erfuhren als formalistisch erachtete Standpunkte (→Formalismus) polit. Verurteilung und administrative Verdrängung. Zeitprobleme wurden verschwiegen, die Weltliteratur und die kunstgeschichtl. Entwicklung z. T. ausgeklammert; wichtige Genres verkümmerten, die Produkte wurden austauschbar. Nach Stalins Tod (1953), in der Zeit des »Tauwetters« (1956 bis etwa 1965), begann eine öffentl. Auseinandersetzung mit den Prinzipien des s. R., die jedoch mit erneuten Repressalien gegen Künstler und Kunstwerke endete und anders Denkende ins Exil oder den Untergrund zwang. Die Auseinandersetzungen um eine freiere Interpretation des s. R. seit Mitte der 1970er-Jahre verliefen in den sozialist. Ländern unterschiedlich und diskontinuierlich.

sozialistischer Realismus: Wolfgang Mattheuer, »Hinter den sieben Bergen« (1973; Leipzig, Museum der bildenden Künste)

📖 *Realismustheorien in Literatur, Malerei, Musik u. Politik, hg. v.* R. Grimm. *Stuttgart 1975.* – Możejko, E.: *Der s. R. Theorie, Entwicklung u. Versagen einer Literaturmethode. Bonn 1977.* – *Internationale Literatur des s. R. 1917–45. Aufsätze, hg. v.* G. Dimow. *Berlin 1978.* – *Das Ende der Abstraktionen. Provokationen zur »Sowjetliteratur«, hg. v.* D. Kassek *u. a. Aus dem Russ. Leipzig 1991.* – Bown, M. C.: *Kunst unter Stalin. 1924–1956. München 1991.*

sozialistisches Eigentum, in sozialist. Staaten Bez. für das Eigentum in den Händen des Staates (Volkseigentum), der Genossenschaften (z. B. bei landwirtschaftl. Produktionsgenossenschaften) und gesellschaftl. Organisationen.

Sozialkapital, betriebl. Rückstellungen, die für zusätzl. Sozialleistungen bestimmt sind, z. B. betriebl. Pensionskassen. Eigentumsrechtlich zw. Eigen- und Fremdkapital stehend, kann das S. – bes. bei Steuerbegünstigung – der Selbstfinanzierung dienen. Verschiedene Vorschläge sehen die Zusammenfassung des betriebl. S. zu überbetriebl. **Sozialfonds** mit Arbeitnehmerbeteiligung vor.

Sozialkunde, ehem. Schulfach, mit dem ein auf Information über gesellschaft. Zusammenhänge ausgerichtetes Konzept der →politischen Bildung verbunden war.

Soziallehren der christlichen Kirchen, Sammelbez. für die aus der Bibel und kirchlicher

Sozialleistungen: Finanzierung nach Quellen (in %)

	1960	1970	1980	1990[1]	1992	1994	1996[2]
Unternehmen	32,6	30,7	31,9	32,6	30,7	28,7	28,1
Bund	24,7	24,8	22,7	19,2	19,5	20,3	19,5
Länder	13,7	14,6	12,0	10,4	10,2	10,2	10,8
Gemeinden	6,4	6,2	7,2	7,8	8,7	8,8	8,8
Sozialversicherung	0,2	0,3	0,3	0,3	0,3	0,3	0,3
private Organisationen	1,0	0,7	0,7	0,7	1,3	1,4	1,4
private Haushalte	21,4	22,7	25,4	28,9	29,3	30,4	31,0

[1] ab 2. Halbjahr 1990 einschließlich neue Länder. – [2] vorläufige Ergebnisse

Sozialleistungen (in Mrd. DM)

	1960	1970	1980	1990[1]	1992	1994	1996[2]
Sozialausgaben insgesamt	65,7	179,9	480,1	737,4	1005,9	1108,3	1236,2
darunter:							
Rentenversicherung	19,5	51,7	141,5	227,5	287,6	334,9	375,6
Krankenversicherung	9,5	25,3	89,0	150,6	208,9	227,6	247,3
Unfallversicherung	1,7	4,0	9,3	12,8	17,1	19,3	20,2
Arbeitsförderung und Arbeitslosenversicherung	1,2	3,6	22,9	51,4	111,2	126,7	138,6
Beamtenpensionen	6,8	15,8	32,9	44,0	49,9	53,8	59,8
Alterssicherung der Landwirte	0,2	0,9	2,8	4,4	5,3	5,8	6,2
Entgeltfortzahlung	3,0	12,7	28,9	39,3	51,2	49,4	52,3
Kindergeld	0,9	2,9	17,2	14,5	21,9	21,0	0,8
Erziehungsgeld	–	–	–	4,6	7,2	6,7	7,0
Kriegsopferversorgung	3,9	7,3	13,3	12,8	14,1	14,5	13,1
Wohngeld	–	0,7	2,0	3,9	7,3	6,2	6,6
Jugendhilfe	0,5	1,9	8,4	13,4	25,0	28,5	29,3
Sozialhilfe	1,1	3,3	13,3	29,1	39,9	52,2	53,1
Sozialquote[3]	21,7	26,6	32,6	29,3	32,7	33,3	34,0

[1] ab 2. Halbjahr 1990 einschließlich neue Länder. – [2] vorläufige Ergebnisse. – [3] Sozialausgaben in Prozent des Bruttoinlandsproduktes

(Lehr-)Tradition abgeleiteten (Lehr-)Auffassungen der einzelnen Kirchen über die Grundlagen und Normen des Zusammenlebens der Menschen innerhalb der gesellschaftl. Ordnungen. Die Prinzipien der Personalität, der Solidarität und der Subsidiarität bilden die Grundlagen der **kath. Soziallehre.** Das Personalitätsprinzip sieht den Menschen, begründet in seiner →Gottebenbildlichkeit, als Träger einer von Gott verliehenen Individualität (»Person«), dessen Würde unantastbar ist. Er ist Mitte und Ziel gesellschaftl. Ordnungen und daraufhin angelegt, sich in freiem, vor Gott verantwortetem Handeln zu seinem und zum Wohl der Gemeinschaft zu entfalten. Die beiden daraus abgeleiteten Grundsätze beschreiben seine Pflicht zum umfassenden Füreinandereinstehen (Solidaritätsprinzip) und zur Eigenverantwortlichkeit für sich und die ihm im Rahmen gesellschaftl. Strukturen Zugeordneten, soweit sie in seinem Vermögen liegt (Subsidiaritätsprinzip). Ihre aktuellen Auslegungen erfährt die kath. Soziallehre in den päpstl. Sozialenzykliken (z. B. →Mater et Magistra, →Quadragesimo anno, →Rerum novarum). Die **evang. Soziallehre** versteht sich v. a. als Ethik christl. Handelns auf der Grundlage eines im Glauben gebundenen Gewissens, in deren Mittelpunkt die »Heiligung des Alltags« steht (→Protestantismus). – Die orth. Kirchen betonen die Pflicht zur Barmherzigkeit mit den Bedürftigen »um Christi willen« und sehen in byzantinisch-theolog. Tradition in einer »christl. Obrigkeit« (dem christl. Kaiser) den von Gott gesetzten Garanten der »christl. Weltordnung«. Ansätze zu einer orth. Soziallehre gibt es erst in jüngster Zeit.

Sozialleistungen, alle den privaten Haushalten oder Personen vom Staat bzw. öffentlichrechtl. Körperschaften oder von Unternehmen zur Deckung bestimmter sozialer Risiken und Bedürfnisse gewährten Geld- und Sachleistungen. Sie dienen v. a. 1) der sozialen Sicherung einschl. der Sozialhilfe, 2) dem Familienlastenausgleich mit Kindergeld und Kinderfreibeträgen sowie der Ausbildungsförderung, 3) anderen sozialpolit. Aufgaben, z. B. Wohnungsbauförderung, Förderung Behinderter. S. werden v. a. durch Sozialversicherungsbeiträge, Arbeitgeber und den Staat finanziert. Die S. werden im Sozialbudget des Sozialberichts der Bundesreg. ausgewiesen.

Soziallohn (Familienlohn), Arbeitsentgelt, bei dem neben der Arbeitsleistung auch die Familiengröße berücksichtigt wird (z. B. Zulagen zum Ortszuschlag bei der Beamtenbesoldung).

Sozialmedizin, medizin. Fachrichtung, die sich mit den Wechselwirkungen zw. der Gesundheit und Krankheit des Einzelnen oder von Gruppen und den sozialen Bedingungen und der Gesellschaft befasst.

Sozialökologie, Teilgebiet der sozialwiss. Forschung, das die Wechselbeziehungen zw. sozialen Gruppen und der von ihnen beanspruchten bzw. ihnen verfügbaren Umwelt untersucht.

Sozialpädagogik, Theorie und Praxis der familien- und schulergänzenden Erziehung und Bildung, die mittels vorbeugender und beratender Angebote und konkreter Hilfestellungen eine stützende und integrative Funktion wahrnimmt. Ziele der S., die viele Berührungspunkte mit der →Sozialarbeit aufweist, sind die Förderung eigenverantwortl. Handelns (Fähigkeit zur Problemlösung und Lebensbewältigung) und die Integration benachteiligter bzw. beeinträchtigter Menschen. Die S. entstand als pädagog. Beitrag zur Lösung der sozialen Frage in der industriellen Gesellschaft, bes. als Jugendhilfe.

📖 Winkler, M.: *Eine Theorie der S. Über Erziehung als Rekonstruktion der Subjektivität. Stuttgart 1988.* – Thiesen, P.: *S. lehren. Weinheim u. a. 1991.*

Sozialpartner, →Tarifvertrag.

Sozialphilosophie, im Einzelnen unterschiedlich bestimmter Bereich praktisch-philosoph. Grundlagenforschung, die den Menschen als gesellschaftlich bestimmtes Wesen und die Gesellschaft als Bedingung und Ziel seines sozialen Handelns zum Gegenstand hat. Seit dem 19. Jh. eigenständige Wiss., steht die S. in enger Verbindung zur Rechts-, Staats- und Geschichtsphilosophie.

Sozialplan, *Arbeitsrecht:* schriftl. Einigung zw. Arbeitgeber und Betriebsrat über den Ausgleich oder die Milderung wirtsch. Nachteile, die Arbeitnehmern infolge einer (geplanten) Betriebsänderung einschl. einer Betriebsstilllegung entstehen (§ 112 Betriebsverfassungs-Ges.). Der S., in dem üblicherweise v. a. Abfindungen wegen Entlassung, vorzeitige Ruhegeldleistungen oder Umschulungsmaßnahmen geregelt werden, hat die Wirkung einer Betriebsvereinbarung (→ Interessenausgleich). In Betrieben mit i. d. R. mehr als 20 Arbeitnehmern sind S. bei Betriebsänderungen grundsätzlich erzwingbar.

Sozialpolitik, i. w. S. Gesamtheit der staatl. und privaten Maßnahmen zur Wahrung und Mehrung von materieller Sicherheit und Chancengleichheit bei Einkommen, Gesundheit, Wohnung, Bildung und im berufl. Bereich. Die S. i. e. S. wird verstanden als die Politik der sozialen Sicherung gegen das Risiko des Einkommensausfalls bzw. unplanmäßiger finanzieller Belastung z. B. im Alter, bei Arbeitslosigkeit, Berufs- oder Erwerbsunfähigkeit, Unfall, Krankheit oder Mutterschaft; sozialpolit. Wirkungen können auch von finanz-, wirtschafts-, bildungs- und gesundheitspolit. Maßnahmen ausgehen. Vom Staat wird die Durchführung einzelner sozialpolit. Aufgaben auch auf nichtstaatl. Institutionen übertragen. Zu den Mitteln staatl. S. gehören v. a.: 1) gesetzl. (nichtfinanzielle) Maßnahmen, die die gesellschaftl. Stellung sozial schwächerer Gruppen absichern sollen (z. B. Arbeitsrecht, Kündigungsschutz); 2) die Bereitstellung öffentl. Güter, die sonst aufgrund ihrer Anschaffungs- und/oder Unterhaltungskosten ein Privileg von wenigen wären (z. B. Bäder, Verkehrsmittel); 3) Steuererleichterungen oder direkte finanzielle Zuwendungen an nach sozialen Kriterien abgrenzbare Personengruppen, z. B. in Form von Sozialhilfe, Kinder-, Wohngeld; 4) Maßnahmen der Sozialversicherung und der Versorgung. – S. im heutigen Sinn entstand als Folge der Industrialisierung und der mit ihr einhergehenden sozialen Frage. Erste Maßnahmen der staatl. S. waren gegen Kinderarbeit gerichtet, v. a. über die Bildungspolitik mit der Einführung der Schulpflicht. Es folgten Einschränkungen für die Arbeitszeit von Frauen und Jugendlichen, dann auch generelle Beschränkungen der Arbeitszeit. Durch den Erlass von Arbeitsschutzbestimmungen und Unfallverhütungsvorschriften sollten die Arbeitsbedingungen verbessert werden. Im Bereich der Unterstützung von Alten und Kranken traten zunehmend private, kirchl. und genossenschaftl. Einrichtungen in Erscheinung; erst in den 1880er-Jahren griff der Staat unter dem Druck der Arbeiterbewegung mit Einführung gesetzl. Sozialversicherungen ein. In der Weimarer Rep. wurden gesetzl. Regelungen für den Abschluss von Tarifverträgen erlassen, und die Gewerkschaften erreichten die Einführung des Achtstundentages und von Betriebsräten. In der Bundesrep. Dtl. wurde der S. durch die Verankerung des Sozialstaatsprinzips im GG ein besonderer Rang zugewiesen. Die Gewerkschaften, Arbeitgeberverbände und Betriebsräte wurden neu aufgebaut und ein wirtschaftspolit. Mitbestimmungsrecht verwirklicht. Der Neuregelung der Rentenversicherung folgte eine Rentenreform, die deren Rahmen erweiterte und schließlich die Anerkennung von Erziehungsleistungen brachte. Eine wichtige Neuerung der S. erfolgte mit Einführung der Pflegeversicherung. Die dt. Vereinigung, anhaltende Arbeitslosigkeit, die Globalisierung des Wettbewerbs und der demograph. Umbruch haben die ökonom., finanziellen und polit. Rahmenbedingungen der S. verschlechtert, eine kontroverse Diskussion über einen »Umbau des Sozialstaats« ausgelöst und zur Kürzung von Sozialleistungen geführt. Teilweise wird befürchtet, dass eine Reduzierung sozialpolit. Leistungen wirtschaftlich untauglich sei und die polit. Stabilität beeinträchtige. – In der letzten Zeit werden substanzielle Ergebnisse einer internat. S. zunehmend angemahnt (v. a. von der Internat. Arbeitsorganisation), da die Fixierung rechtl. Grundsätze (z. B. Europ. Sozialcharta) und Konferenzen (»Weltsozialgipfel« 1995) nicht ausreichend sind.

📖 *Handbuch S., hg. v.* B. VON MAYDELL *u. a. Pfullingen 1988.* – SCHMIDT, MANFRED G.: *S. Histor. Entwicklung u. internationaler Vergleich. Opladen 1988. – Der wirtsch. Wert der S., hg. v.* G. VOBRUBA. *Berlin 1989.* – ESPING-ANDERSON, G.: *The three worlds of welfare capitalism. Cambridge 1990. – Strukturwandel der S., hg. v.* G. VOBRUBA. *Frankfurt am Main 1990. – Übersicht über die soziale Sicherheit, hg. vom Bundesminister für Arbeit u. Sozialordnung. Bonn ²1991.*

Sozialprodukt, zusammengefasste Wertsumme der Produktion einer Volkswirtschaft in einer bestimmten Periode, die über die Konten der → volkswirtschaftlichen Gesamtrechnung ermittelt wird. – Die versch. S.-Begriffe ergeben sich als Kombination der folgenden Begriffspaare: 1) **Brutto-** meint stets die Gesamtwertschöpfung, d. h., alle Investitionen werden mit eingerechnet, **Netto-** bezeichnet die um die Abschreibung verminderte Wertschöpfung, berücksichtigt werden also nur die Nettoinvestitionen; 2) das S. wird entweder in jeweiligen Marktpreisen ausgedrückt oder vermindert um indirekte Steuern, vermehrt um staatl. Subventionen zu Faktorkosten; 3) beim **Brutto-** bzw. **Nettoinländerprodukt** wird der gesamte, allen Inländern (auch im Ausland tätigen) zuzurechnende Produktionswert berücksichtigt, beim **Brutto-** bzw. **Nettoinlandsprodukt** der in den geograph. Grenzen der nat. Volkswirtschaft (auch von Ausländern) geschaffene Produktionswert. Von besonderer Bedeutung ist das **Netto-S.** zu Faktorkosten, das sowohl die Wertschöpfung der gegebenen Periode als auch das Volkseinkommen bezeichnet und deshalb häufig selbst **Volkseinkommen** genannt wird. Das S. gilt als Indikator der wirtsch. Entwicklung eines Landes und spielt eine zentrale Rolle in der Konjunkturforschung und Wachstumstheorie sowie in der Wirtschaftspolitik. Es kann berechnet werden von der Entstehung (als das gesamte Aufkommen an Waren und Dienstleistungen), von der Verteilung (als die Summe der gezahlten Einkommen) und von der Verwendung her (Verbrauch, Investition, Außenbeitrag). Die Entstehungsseite zeigt die Beiträge der einzelnen Wirtschaftsbereiche (Unternehmungen, Staat, private Organisationen ohne Erwerbscharakter, private Haushalte) zum S. (genau: zum Inlandsprodukt). Die Verteilung des Volkseinkommens zeigt zunächst die Ströme der primären Einkommen (Löhne, Gehälter, Gewinne u. a.) an die, die Produktionsfaktoren zur Verfügung gestellt haben. Bei der sekundären Verteilung (Umverteilung) werden den ursprüngl. Empfängern Teile des Einkommens als Steuern, Sozialversicherungsbeiträge u. Ä. entzogen und – bes. über den Staat – in Form von Renten, Pensionen u. a. gezahlt. Die Verwendung des S. weist nur die letzte Verwendung der produzierten Güter und Dienstleistungen nach. Die nicht verbrauchten Güter werden als Anlagen investiert oder sie erscheinen als Vorratsveränderungen. Der Saldo zw. Exporten und Importen von Waren und Dienstleistungen wird als Außenbeitrag nachgewiesen.

Dividiert durch die Bev.-Zahl eines Landes, wird das S. pro Kopf als Maßstab für dessen wirtschaftl. Leistungsfähigkeit und auch als Wohlstandsindikator gebraucht. Aufgrund von Erfassungs-, Abgrenzungs- und Bewertungsproblemen ist das S. für die genannten Zwecke allerdings nur bedingt tauglich. Bei langfristiger Betrachtung von S.-Daten sind ferner die method. Probleme zu beachten, die mit dem jeweils zur Deflationierung verwendeten Preisindex zusammenhängen. Bei S.-Analysen ist zu beachten, dass die im Bereich der →Schattenwirtschaft erzeugten Güter und Dienstleistungen nicht erfasst sind. Das S. ist ein quantitatives Maß, aus dem nicht hervorgeht, ob dessen Zunahme auf eine zusätzl. Erzeugung von Gütern zurückgeht, die den Wohlstand erhöhen, oder auf eine Produktion, die Wohlstandsrückgänge kompensiert, weil auch z. B. Reparaturen, Krankenhausaufenthalte oder Wiedergutmachung von Umweltschäden eingerechnet werden. Ein Ansatz, der die bislang nicht bezifferten Umweltbelastungen berücksichtigt, ist die umweltökonom. Gesamtrechnung, die dazu dienen soll ein **Öko-S.** zu berechnen, das Abschreibungen auf die als Kapitalstock verstandene Natur verbucht. Um die Unzulänglichkeit des S. als Indikator für qualitatives Wachstum zu überwinden, wurden versch. Sozialindikatorenmodelle entwickelt.

Sozialprodukt: Entstehung, Verteilung und Verwendung in der Bundesrepublik Deutschland[1] 1970–1996 in jeweiligen Preisen (in Mrd. DM)

	1970	1980	1990	1996
Entstehung				
Land- und Forstwirtschaft, Fischerei	21,8	30,5	36,7	37,5
produzierendes Gewerbe	333,7	624,8	939,4	1 143,3
Handel und Verkehr	103,5	218,7	346,7	491,7
Dienstleistungsunternehmen	114,4	338,3	707,9	1 254,8
Unternehmen insgesamt	573,4	1 212,3	2 030,7	2 927,3
Staat, private Haushalte, private Organisationen ohne Erwerbscharakter	72,6	203,7	311,5	486,5
Bruttowertschöpfung, unbereinigt[2]	646,0	1 416,0	2 342,3	3 413,8
Bruttowertschöpfung, bereinigt[2]	628,0	1 362,0	2 246,1	3,273,8
nicht abziehbare Umsatzsteuer	39,9	96,6	155,0	237,2
Einfuhrabgaben	7,4	13,5	25,0	30,5
Bruttoinlandsprodukt	675,3	1 472,0	2 426,0	3 541,5
Einkommen aus der übrigen Welt (Saldo)	0,4	5,4	22,6	–28,0
Bruttosozialprodukt	675,7	1 477,4	2 448,6	3 513,5
– Abschreibungen	68,0	175,0	303,0	461,6
Nettosozialprodukt zu Marktpreisen	607,7	1 302,4	2 145,6	3 052,0
– indirekte Steuern (abzüglich Subventionen)	77,3	162,8	253,4	383,1
Nettosozialprodukt zu Faktorkosten (Volkseinkommen)	530,4	1 139,6	1 892,2	2 668,9
Verteilung				
Einkommen aus unselbstständiger Arbeit	360,6	863,9	1 317,1	1 900,4
Einkommen aus Unternehmertätigkeit und Vermögen	169,8	275,7	575,1	768,5
Volkseinkommen (Nettosozialprodukt zu Faktorkosten)	530,4	1 139,6	1 892,2	2 668,9
± Saldo beider Einkommensarten mit dem Ausland	0,4	5,4	22,6	–28,0
Nettoinlandsprodukt zu Faktorkosten (Nettowertschöpfung)	530,0	1 134,2	1 869,6	2 696,9
Verwendung				
privater Verbrauch	368,8	837,0	1 320,7	2 045,4
Staatsverbrauch	106,5	298,0	444,1	702,7
Anlageninvestitionen	172,1	332,1	507,8	730,3
Vorratsveränderungen	14,2	11,8	11,5	20,1
± Außenbeitrag (Ausfuhr – Einfuhr)	14,1	–1,5	164,5	15,0
Bruttosozialprodukt	675,7	1 477,4	2 448,6	3 513,5

[1] 1996 einschließlich neue Bundesländer. – [2] die bereinigten Ergebnisse unterscheiden sich von den unbereinigten durch Abzug der unterstellten Entgelte für Bankdienstleistungen

Sozialpsychiatrie, eine Forschungsrichtung der Psychiatrie, die den Einfluss sozialer Faktoren (Familienkonstellation, Beruf, soziale Schicht, Gesellschaftssystem) auf Entstehung und Verlauf seel. Krankheiten untersucht.

Sozialpsychologie, Teildisziplin der Psychologie, die sich mit den sozialen Bedingungen und Konsequenzen des menschl. Verhaltens befasst.

Wichtige Themen und Bereiche sozialpsycholog. Untersuchungen sind neben Beziehungen in und zw. Gruppen (Gruppendynamik): Sozialisation, soziale Einstellungen, Einstellungsänderungen, Vorurteile, Einfluss der sozialen Umwelt auf die Wahrnehmung von Dingen und Personen, Konformität, Rollenverhalten bzw. Rollenkonflikte. – Die neuere Entwicklung der S. begann 1908 in den USA mit W. McDougall und E. A. Ross.

📖 *S. Eine Einführung, hg. v.* W. STROEBE *u. a. A. d. Engl. Berlin u. a. 1990.*

Sozialrecht, das Recht der öffentlich-rechtl. Leistungen und Hilfen, die durch ihre unmittelbar sozialpolit. Zielsetzung bestimmt sind. Zum S. gehören: Ausbildungs- und Arbeitsförderung, Sozialversicherung, Familienlastenausgleich, Entschädigung bei Gesundheitsschäden, für deren Folgen der Staat zur Abgeltung besonderer Opfer (Kriegsopferversorgung) oder aus anderen Gründen (Entschädigung an Verbrechensopfern) einzustehen hat, ferner Kindergeld, Wohngeld, Kinder- und Jugendhilfe und Sozialhilfe. Ein Großteil des S. ist im Sozialgesetzbuch (SGB) geregelt.

Sozialrevolutionäre, russ. Partei, hervorgegangen aus den terrorist. Gruppen der Narodniki, 1902 als geheime Organisation gegründet. Die S. suchten auf revolutionärem Weg einen bäuerl. Sozialismus zu erreichen; Mittel des Kampfs war der individuelle Terror (u. a. Ermordung des Min.-Präs. P. A. Stolypin 1911). Im 1. Weltkrieg spalteten sie sich in eine Rechte, die mehrere Min. der Provisor. Reg. stellte (u. a. A. F. Kerenski als MinPräs.) und gegen die Bolschewiki kämpfte, und eine Linke, die nach der Oktoberrevolution kurzzeitig mit den Bolschewiki zusammenarbeitete, jedoch von diesen nach Auseinandersetzungen bis 1922 ausgeschaltet wurde.

Sozialstaat, ein Staat, der (gemäß seiner Verf.) soziale Gerechtigkeit in den gesellschaftl. Verhältnissen anstrebt. In der dt. Geschichte wurde ein solches **S.-Prinzip** erstmals im GG (Art. 20, 28) verankert. Es wird als Erweiterung des dem Rechtsstaat immanenten Strebens nach Gerechtigkeit um eine soziale Komponente interpretiert, d. h., Inhalt und Auslegung der Gesetze, Verwaltungstätigkeit und Rechtsprechung sind im Rahmen der rechtsstaatl. Ordnung auch am sozialstaatl. Auftrag (Abbau größerer sozialer Unterschiede in der Gesellschaft, Sicherung eines angemessenen Lebensstandards für jede Bev.gruppe) zu orientieren. Konkrete Ausformung erfährt der S. insbesondere in der →Sozialpolitik.

Sozialstruktur, dauerhafte Wirkungszusammenhänge, die den Aufbau einer Gesellschaft bestimmen. Wichtigste Aspekte sind die soziale Schichtung der Bev. (nach Merkmalen wie Stellung im Beruf, Einkommenshöhe, Konsumgewohnheiten), die Vernetzung des sozialen Handelns (Familie), Institutionen (Schulen, Betriebe, Parteien, Medien, Verw.) und Subsysteme (Bildungssystem, Wirtschaftssystem, Rechtssystem).

Sozialtarife, nicht kostendeckende Preise für Verkehrsleistungen, die von den Verkehrsunternehmen aus gemeinwirtsch. (insbesondere sozialen) Rücksichten erbracht werden; staatlich subventioniert.

Sozialversicherung, Bez. für die Gesamtheit gesetzl. Pflichtversicherungen für breite Bev.-Schichten gegen Schäden, welche die soziale Existenzgrundlage der Versicherungsmitgl. beeinträchtigen (Solidargemeinschaft auf der Basis eines gesellschaftsweiten Solidaritätsprinzips im Ggs. zur freiwilligen Individualversicherung). Schutz gewähren S. v. a. gegen massenhaft anfallende Standardrisiken hochgradig arbeitsteiliger Industrie- und Dienstleistungsgesellschaften, insbesondere Einkommensrisiken wegen verminderter Erwerbsfähigkeit durch Krankheit oder Unfall, aufgrund von Arbeitslosigkeit, Alter, Pflegebedürftigkeit und Invalidität sowie zum Ausgleich von Risiken infolge von Entbindung oder Tod. Schutz durch S. wird vorrangig denjenigen gewährt, die in einem Arbeits-, Dienst- oder Lehrverhältnis stehen, oftmals auch für deren Familienangehörige, sowie für wirtschaftlich gefährdete Selbstständigengruppen, wie z. B. Landwirte. Nicht der S. unterliegen Beamte (→Versorgung), ein Teil der Selbstständigen und geringfügig Beschäftigte. Im Ggs. zum Fürsorgeprinzip (Prüfung der individuellen Bedürftigkeit z. B. bei der Sozialhilfe), wie auch zum Versorgungsprinzip (Vergabe einer standardisierten Sozialleistung nach gesetzlich fixiertem Versorgungsfall), gründet der Anspruch aus der S. auf Zahlung von Arbeitnehmer- und Arbeitgeber-Versicherungsbeiträgen. In reichen Industrieländern werden S.-Leistungen i. d. R. zusätzlich aus dem Staatsbudget bezuschusst. Zweige der S. in Dtl. sind die gesetzl. Krankenversicherung, die gesetzl. Unfallversicherung, die gesetzl. Rentenversicherung, die Pflegeversicherung sowie – je nach Systematik – die auch der Arbeitsmarktpolitik zuzurechnende Arbeitslosenversicherung.

Geschichte: Ideengeschichtlich wurzelt die S. in Traditionen der genossenschaftl. Selbsthilfe und des fürsorgl. Staates. Als Vorläufer gelten die Selbsthilfeeinrichtungen für in Not geratene Knappen im Bergbau (die späteren Knappschaftskassen) und Versicherungsgemeinschaften von Gilden und Zünften, ebenso wie die auf Schutz- und Wohlfahrtsmehrung der Untertanen gerichtete Politik eines paternalistisch orientierten Staates. Die S. sind zentrales Anliegen von Sozialpolitik und Sozialstaat und zugleich deren Keimzelle. In Dtl. wurden früher als anderswo die ersten

Netze der Krankenversicherung (1883), der Unfallversicherung (1884) und der Invaliden- und Altersversicherung (1889) aufgebaut. Charakteristisch hierfür war eine von den Eliten getragene Sozialpolitik »von oben«, die einige der sozialen Forderungen der Arbeiterbewegung aufgriff, primär aber darauf abzielte, deren weiter reichende polit. Forderungen abzuwehren. Ausbau, Vertiefung und Erweiterung der S. erfolgten noch im wilhelmin. Kaiserreich, dann insbesondere in der Weimarer Rep. und in raschem Tempo und mit weit reichendem sozialem Schutz in der Bundesrep. Dtl. Den bisherigen Abschluss dieses Prozesses stellt die 1995 eingeführte Pflegeversicherung dar.

📖 SCHOELE, W.: *Die S. Stuttgart u. a.* [2]*1996.*

Versicherungszweig	Träger	Finanzierung
Krankenversicherung	Orts-, Betriebs-, Innungskrankenkassen, Bundesknappschaft, Ersatzkassen, Seekrankenkassen	Beiträge: $1/2$ Arbeitgeber $1/2$ Arbeitnehmer
Krankenversicherung der Landwirte	Landwirtschaftliche Krankenkassen	Beiträge der Unternehmer und Bundeszuschüsse
Unfallversicherung	Berufsgenossenschaften, staatliche und gemeindliche Ausführungsbehörden, Gemeindeunfallversicherungsverbände	Umlagen der Unternehmer, in der Unfallversicherung des Bergbaus und der Landwirtschaft auch Bundeszuschüsse
Rentenversicherung der Arbeiter **Angestelltenversicherung**	Landesversicherungsanstalten, Bundesbahnversicherungsanstalten, Seekasse Bundesversicherungsanstalt für Angestellte	Beiträge: $1/2$ Arbeitgeber $1/2$ Arbeitnehmer und Bundeszuschüsse
Knappschaftliche Rentenversicherung	Bundesknappschaft	Beiträge: Arbeitnehmer in gleicher Höhe wie in der Rentenversicherung der Arbeiter, im Übrigen Arbeitgeber und Bundeszuschüsse
Alterssicherung für Landwirte	Landwirtschaftliche Alterskassen	Beiträge der Unternehmer und Bundeszuschüsse
Pflegeversicherung	Pflegekassen, See-Pflegekasse Bundesknappschaft	Beiträge:*) $1/2$ Arbeitgeber $1/2$ Arbeitnehmer
Arbeitslosenversicherung	Bundesanstalt für Arbeit	Beiträge: $1/2$ Arbeitgeber $1/2$ Arbeitnehmer
		*) In Sachsen: nur Arbeitnehmer

Sozialversicherung in Deutschland

Sozialversicherungsausweis, gemäß § 95 SGB IV von den Rentenversicherungsträgern auszugebender Ausweis, der für jeden Beschäftigten den Familiennamen (ggf. Geburtsnamen), den Vornamen und die Versicherungsnummer enthält. Er löste 1996 das Sozialversicherungsheft ab. Jeder Beschäftigte hat den S. bei Beginn des Arbeitsverhältnisses dem Arbeitgeber vorzulegen. Die Einführung des S. dient der Aufdeckung von illegalen Beschäftigungsverhältnissen und der Verhinderung des Missbrauchs von Sozialleistungen.

Sozialwahlen, die alle sechs Jahre stattfindenden Wahlen zu den Selbstverwaltungsorganen der Sozialversicherung. Die S. ermöglichen den Versicherten die Mitbestimmung über die Arbeit der Sozialversicherung. Gewählt wird nach den Grundsätzen der Verhältniswahl; die Wahlen sind frei und geheim.

Sozialwissenschaften (Gesellschaftswissenschaften), die Gesamtheit der Wiss., die das Verhältnis von Mensch und Gesellschaft zum Gegenstand ihrer theoret. und prakt. Untersuchung haben. Sie stehen im Ggs. zu den Naturwiss., denen sie sich allerdings in ihren positivistisch und empirisch orientierten Richtungen annähern; die Abgrenzung gegenüber den sog. Geisteswiss. sowie die Gliederung der S. ist bislang verschwommen, sodass sich unter dem Begriff S. ganz oder teilweise folgende Wiss. einordnen lassen: Soziologie, polit. Wiss., (Sozial- und Kultur-)Anthropologie, Ethnologie, Pädagogik, (Sozial-)Geschichte, (Sozial-)Psychologie, (Sozial-)Philosophie, Sprach- und Kunstwiss., Wirtschafts- und Rechtswissenschaft.

📖 KOSCHNICK, W. J.: *Kompaktwörterbuch der S. = Compact dictionary of the social sciences, 2 Bde. München u. a. 1995.*

Sozialwohnung, nach dem 20. 6. 1948 bezugsfertig gewordene Wohnung des sozialen Wohnungsbaus, für deren Bau öffentl. Mittel verwendet wurden. Alle S. werden behördlich erfasst und dürfen nur an Personen vermietet werden, die einen Wohnberechtigungsschein vorweisen, der einkommensabhängig vergeben wird. Die Miete darf die →Kostenmiete nicht übersteigen. (→Fehlbelegungsabgabe)

Sozietät [lat.] *die,* **1)** *Recht:* Gesellschaft bürgerl. Rechts, früher bes. im Versicherungswesen (Societät), heute z. B. Anwaltsgemeinschaft.

2) *Soziologie:* eine abgrenzbare Menge von Menschen, die durch gemeinsame soziale Normen, Wert- und Zusammengehörigkeitsvorstellungen bestimmt sind, ohne räuml. Beziehungen untereinander zu haben.

Sozinianer [nach den italien. Humanisten Lelio Sozini, †1562, und Fausto Sozini, †1604], Mitte des 16. Jh. in Polen entstandene, den →Antitrinitariern zuzurechnende Religionsgemeinschaft

(»Poln. Brüder«), die nach ihrer Ausweisung aus Polen (1658) in Westeuropa (Niederlande, England) und später in den USA (→Unitarier) wirkte. Die S. lebten ein an der Bibel orientiertes »freies« (humanist.) Christentum auf der Grundlage der reformator. Rechtfertigungslehre.

Soziobiologie, Richtung der Verhaltensforschung, die sich auf der Grundlage der neodarwinist. Evolutionstheorie mit der Erforschung der genet. Bedingungen des Sozialverhaltens befasst.

Soziogeographie, die →Sozialgeographie.

Soziogramm [lat.-grch.] *das,* Darstellungsverfahren in der →Soziometrie.

Soziolekt [lat.-grch.] *der,* Sprachgebrauch einer bestimmten sozialen Gruppe, z.B. Jugendsprachen, Berufssprachen. (→Standessprachen)

Soziolinguistik, Teilgebiet der Sprachwiss., das die soziale Bedingtheit der Sprache unter linguist. Gesichtspunkten untersucht, bes. den Einfluss sozialer, sozioökonom., kultureller und histor. Rahmenbedingungen und Faktoren auf den Sprachgebrauch und die Entwicklung des Sprachsystems. Hauptforschungsgebiet ist die Entwicklung sozialer Varianten innerhalb einer Sprache sowie die Wirksamkeit dieser Varianten in der Sprechsituation. Dazu gehört z.B. die Beschreibung und Erklärung von sprachl. Veränderungen einschl. deren sozialen Hintergrundes sowie die Funktionalität des Sprachgebrauchs und sprachl. Normen.

🕮 SINGH, RAJENDRA: *Lectures against sociolinguistics. New York u.a. 1996.*

Soziologie [lat.-grch.] *die,* Wiss., die die Bedingungen und Formen menschl. Zusammenlebens, die komplexen Struktur- und Funktionszusammenhänge der Gesellschaft und ihrer Institutionen in der geschichtl. Entwicklung und in der Gegenwart systematisch untersucht und beschreibt, um den Menschen bei Verständnis, Planung und Steuerung ihrer Gesellschaft zu helfen. Ihr Gegenstandsbereich umfasst das gesamte soziale Handeln des Menschen, darin eingeschlossen die Beschäftigung mit sozialen Normen, Rollen und Handlungsmustern, Einstellungen, Wertorientierungen, mit regelgemäßem und abweichendem Verhalten, die Analyse sozialer Prozesse (→sozialer Wandel, Mobilität, Konflikte), die Erforschung sozialer Lebensbereiche (Familie, Schule, Betrieb; Stadt, Land) und Lebensalter sowie die Untersuchung sozialer Klassen und Schichten, sozialer Gebilde (Gruppen, Organisationen) und Institutionen, z.B. in Wirtschaft, Politik, Kultur und Recht. Neben mehr problemorientierter Einzelforschung im Rahmen vielfältiger Teildisziplinen (z.B. Familien-, Alters-, Erziehungs-, Industrie-, Betriebs-, Medizin-, Religions-S.) stehen u.a. die Betrachtung übergreifender Zusammenhänge des sozialen Lebens als Ganzes (z.B. Sozialpsychologie) und der soziokulturelle, politisch-ökonom. Vergleich versch. Gesellschaften.

Als Begründer der S. gilt A. Comte, nach dessen Auffassung sich die S. den Naturwiss. entsprechend nicht an Sinngehalten, sondern nur an »positiven« Tatsachen zu orientieren hatte. K. Marx entwickelte mit dem histor. Materialismus (→Marxismus) eine Gesellschaftstheorie, die davon ausgeht, dass die historisch-soziale Entwicklung durch gesellschaftl. Konflikte, v.a. durch Klassengegensätze zw. Besitzenden und Besitzlosen, vorangetrieben wird. Eigene Methoden und Forschungstechniken entwickelte die S. erst seit É. Durkheim, der sie als empir., exakte Wiss. betrieb und der als Begründer der experimentellen, erfahrungswiss. S. (empir. Sozialforschung) gilt. F. Tönnies und G. Simmel entwickelten eine begriffl. (formale) S., die Formen des gesellschaftl. Lebens, die sie als überzeitlich und gleich bleibend verstand – etwa Streit, Freundschaft (Simmel) oder Gemeinschaft und Gesellschaft (Tönnies) –, zu erfassen suchte. Für M. Weber sollte die S. soziales Handeln in seinem Ablauf und seinen Wirkungen erklären; gesellschaftl. Institutionen wie Staat, Recht, Wirtschaft wurden als Idealtypen (→Idealtypus) herausgearbeitet und wertfrei dargestellt, da Wiss. nur unabhängig von Werten und Normen rational und objektiv sein könne. Beeinflusst von Weber u.a. europ. Soziologen, entwickelte T. Parsons in den USA die strukturell-funktionale Theorie. Markante Entwicklungen der S. nach 1945 waren eine verstärkte Hinwendung zu gesamtgesellschaftl. Analysen und eine Wiederbelebung der Theoriediskussion wie sie im Positivismusstreit zw. Vertretern der krit. Theorie (T. W. →Adorno) und des krit. Rationalismus (K. R. Popper, H. Albert) zum Ausdruck kam. Die 1970er-Jahre sind geprägt durch die »Habermas-Luhmann-Debatte« über Bedeutung und Reichweite einer soziologisch ausgerichteten Systemtheorie. Die folgenden Jahre wurden u.a. beeinflusst durch die Kultursoziologie, die Erforschung der Lebens- und Alltagswelten der Individuen, die Aufnahme phänomenologisch und konstruktivistisch orientierter Ansätze, die Aufarbeitung des Modells langfristiger Vergesellschaftungsprozesse (N. Elias), die Behandlung der sozialen Bedeutung ökolog. Gefahren (U. Beck). Die Erörterung der Aufgaben einer S. unter »postmodernen« Bedingungen und angesichts der Emanzipationsbestrebungen von Frauen schloss sich ebenso an wie Fragestellungen, die mit dem Transformationsprozess in O-Europa zusammenhängen (»Ost-West-Soziologie«).

🕮 PRISCHING, M.: *S. Themen – Theorien – Perspektiven. Köln u.a. ²1992.* – ADORNO, T. W.: *Einleitung in die S. Neuausg. Frankfurt am Main 1993.* – *Einf. in Hauptbegriffe der S., hg. v.* H. KORTE *u.a.*

Opladen ^{3}1995. – AMANN, A.: *S. Ein Leitfaden zu Theorien, Gesch. u. Denkweisen. Wien u. a. ^{4}1996.*

Paul-Henri Spaak

Soziometrie [lat.-grch.] *die,* Verwendung quantitativer (messender) Verfahren in den Sozialwissenschaften, insbesondere das von dem amerikan. Psychiater J. L. Moreno entwickelte Verfahren, die Struktur von Gruppen (Integration, Kohäsion, Kohärenz) durch Analyse der in ihnen bestehenden zwischenmenschl. Bezüge (Anziehung, Abstoßung, Gleichgültigkeit) grafisch **(Soziogramm)** oder tabellarisch **(Soziomatrix)** darzustellen. Anwendungsgebiete sind die individuelle Psychotherapie und die Gruppentherapie; eine wesentl. Rolle spielt die S. bei der Analyse kooperierender Gruppen (Arbeits-, Lern-, Spielgruppen).

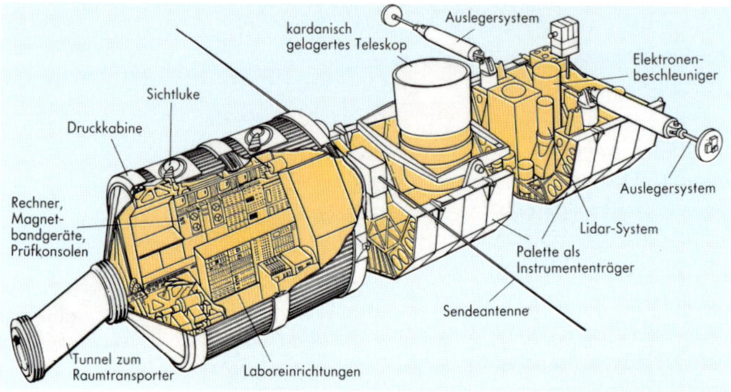

Spacelab: Schnittzeichnung einer möglichen Anordnung des Raumlabors mit zwei Paletten für Forschungsgeräte und Labormodul

Sozius [lat.] *der,* **1)** Teilhaber, Gesellschafter.
2) Beifahrer auf einem Motorrad.

Spa, Kurort in Belgien, Prov. Lüttich, am N-Abhang des Hohen Venns, 10 100 Ew.; Museen; Mineralquellen; Mineralwasserexport; Kongresszentrum, Spielcasino. Nahebei die Automobilrennstrecke Francorchamps. – S. war bes. im 18. und 19. Jh. europ. Modebad; im 1. Weltkrieg von März bis Nov. 1918 Sitz des dt. Großen Hauptquartiers.

Spaak, Paul-Henri, belg. Politiker (Sozialist), *Schaerbeek (Region Brüssel) 25. 1. 1899, †Brüssel 31. 7. 1972; Rechtsanwalt, mehrfach Außenmin. (zuletzt 1961–66) und 1938/39, 1946 sowie 1947–49 MinPräs.; hatte innenpolitisch entscheidenden Anteil am Thronverzicht König Leopolds III. und förderte außenpolitisch das Zusammenwirken der →Benelux-Länder sowie die europ. Einigung. 1957–61 Gen.-Sekr. der NATO.

Spacelab ['speɪslæb; engl. »Raumlabor«] *das,* wieder verwendbares Weltraumlaboratorium für Beobachtungen und Experimente. S. wird in der Ladebucht amerikan. Raumtransporter (Spaceshuttle) auf eine Erdumlaufbahn gebracht und bleibt während der gesamten Missionsdauer fest mit dem Trägerfahrzeug verbunden. S. wurde ab Mitte 1974 von der westeurop. Raumfahrtorganisation ESA als europ. Beitrag zum Spaceshuttle-Raumtransportsystem entwickelt. Die Druckkabine (Durchmesser 4,06 m) für die Besatzung besteht aus einem Kern- und einem Experimentiersegment von je 2,7 m Länge und insgesamt 22 m^3 freiem Volumen. In der Druckkabine arbeiten zwei bis fünf Nutzlast- und Missionsspezialisten der Besatzung. Shuttlekabine und Druckmodul sind durch einen Tunnel miteinander verbunden. Die Paletten für die Forschungsgeräte sind wie die Druckkabine Leichtbaukonstruktionen (2,9 m lang, 4 m breit) und können mit bis zu 3 t Nutzlast ausgerüstet werden. Internat. Missionen mit dt. Beteiligung waren u. a. 1983 S.-1 (U. Merbold), 1985 S. D-1 (R. Furrer und E. Messerschmid) und 1993 S. D-2 (H. W. Schlegel und U. Walter). Mitte 1995 diente das S. während der ersten Ankopplung eines Spaceshuttle an die russ. Raumstation Mir zur medizin. Kontrolle der russisch-amerikan. Mir-Besatzung. Weiteres BILD Raumfahrt

Spaceshuttle ['speɪsʃʌtl; engl. »Raumfähre«] *der,* bemannter amerikan. Raumtransporter, urspr. für den Pendelverkehr zw. der Erde und einer langlebigen Raumstation vorgesehen, dann als Transportmittel (Space Transportation System, Abk. STS) für größere Nutzlasten (Spacelab, Erdsatelliten) eingesetzt; erster Start (Raumtransporter »Columbia«) 12. 4. 1981. – Der S. besteht aus drei Hauptteilen: a) Treibstoff-Außenbehälter (Länge 47,0 m, Durchmesser 8,4 m, Volumen rund 2 000 m^3); b) Feststoff-Starttriebwerke (je 45,5 m lang, Durchmesser 3,7 m, Startschub je 12 000 kN); c) Orbiter (flugzeugähnliches Rückkehrgerät; Flügelspannweite 23,8 m, Rumpflänge 37,0 m, Nutzmasse $\leqq$ 25–29 t, Startmasse $\leqq$ 100 t). – Beim Start (Startmasse 2 040 t) werden die beiden Feststoff-Starttriebwerke zus. mit dem Haupttriebwerk des Orbiters gezündet; nach Brennschluss der Fest-

Spaceshuttle

Vor zehn Jahren explodierte die amerikanische Raumfähre Challenger mit sieben Astronauten an Bord (darunter zwei Frauen) 73 Sekunden nach dem Abheben von Kap Canaveral (Florida) in 17 km Höhe. Es war der 10. Start von Challenger und zugleich der 25. eines Raumtransporters überhaupt.
Die Ursache dieses schwersten Unfalls in der Geschichte der Weltraumfahrt war eine durch die niedrigen Außentemperaturen vor dem Start undicht gewordene Abdichtung zwischen zwei Segmenten der rechten Feststoffrakete. Durch das Leck trat heißes Abgas aus, das eine Halterung beschädigte, sodass die Feststoffrakete in den Tank mit flüssigem Brennstoff einbrach. Durch die Hitze entzündete sich das hochexplosive Gemisch. Alle Besatzungsmitglieder wurden dabei getötet, der Raumtransporter und die gesamte Nutzlast zerstört.

stofftriebwerke werden diese abgeworfen und kehren an Fallschirmen zur Erde zurück, wo sie aus dem Ozean geborgen und für einen neuen Einsatz ausgerüstet werden. Nach Verbrauch des Treibstoffs des Außenbehälters wird dieser ebenfalls abgetrennt, kann jedoch nicht geborgen werden. Der Orbiter erreicht nun seine Umlaufbahn in etwa 200 km Höhe. Nach Abschluss des Flugprogramms kehrt der Orbiter zur Erde zurück und wird für neue Einsätze flugklar gemacht. Das S.-Programm erlitt am 28. 1. 1986 beim Start zum 25. S.-Flug einen Rückschlag, als der Raumtransporter »Challenger« in 16 km Höhe explodierte; die sieben an Bord befindl. Astronaut(inn)en fanden dabei den Tod. S.-Unternehmen wurden erst 1988 wieder aufgenommen. BILDER NASA, Raumfahrt

Spacestation ['speɪssteɪʃn], →Raumstation.

Spachtel, Handwerkszeug zum Auftragen, Glattstreichen oder Abkratzen von Anstrichen, Pasten, Kitt, Gips, Mörtel; in kleiner Ausführung **Spatel** mit flachem Ende zum Rühren, Entnehmen und Zugeben von festen Substanzen; auch ärztl. Instrument zum Entnehmen von Abstrichen.

Spadolini, Giovanni, italien. Politiker und Historiker, *Florenz 21. 6. 1925, †Rom 4. 8. 1994; war 1972–94 Senator, ab 1979 Sekretär der Republikan. Partei, 1981–82 MinPräs., 1983–87 Verteidigungsmin. und 1987–94 Senatspräsident. – Als Historiker befasste er sich v. a. mit dem Risorgimento.

Giovanni Spadolini

Spagat [italien.] *der* oder *das, Sport:* Seit- oder Quergrätschen der Beine (Grätschsitz am Boden oder Schwebebalken), auch Element der Akrobatik.

Spagnulo [spaɲ-], Giuseppe, italien. Bildhauer, *Grottaglie (bei Tarent) 28. 12. 1936; gestaltet der Arte povera verbundene, von einem sehr persönl. Mythos zeugende Skulpturen.

Spahis [pers.], **1)** im Osman. Reich türk. Reitertruppe.

2) die aus Nordafrikanern gebildeten Reiterregimenter im frz. Heer im 19. und 20. Jahrhundert.

Spähtrupp, kleinere militär. Einheit zur Gefechtsaufklärung, Verbindungsaufnahme oder für Sicherungsaufgaben.

Spaichingen, Stadt im Landkreis Tuttlingen, Bad.-Württ., vor der südwestl. Schwäb. Alb, 11 900 Ew.; Maschinenbau, Herstellung von Metallwaren und Möbeln, Klavierbau. – Barocke Wallfahrtskirche auf dem Dreifaltigkeitsberg (17./18. Jh.). – 791 erstmals erwähnt; seit Mitte des 13. Jh. Stadt.

Spalier [italien.] *das,* **1)** *allg.:* Ehrenaufstellung zu beiden Seiten eines Weges.

2) *Garten-* und *Obstbau:* Gerüstwand aus Eisen, Holz oder Draht zum Befestigen von Formobst **(S.-Bäumen),** Reben und Ziergehölzen.

Spallation [engl. to spall »spalten«] *die, Kernphysik:* →Kernexplosion.

Spallationsneutronenquelle, Gerät zur Erzeugung intensiver Neutronenströme durch Beschuss eines Schwermetalltargets (z. B. Blei) mit einem hochenerget. Protonenstrahl (Energien von etwa 10^9 eV) aus einem Linearbeschleuniger oder Synchrotron hoher Stromstärke. S. liefern einen bis zwei Größenordnungen höheren Neutronenfluss als Kernreaktoren; außerdem enthalten sie kein spaltbares Material, die Radioaktivität ist erheblich niedriger. Sie sind in der physikal. Grundlagenforschung sowie Werkstoffforschung, Metallurgie, Chemie und Biologie einsetzbar.

Spalt, *Optik:* schmale, i. Allg. rechteckige Blende in einem opt. Gerät; dient (z. B. bei Spektralapparaten) zur Begrenzung des Strahlenbündels sowie zur Demonstration der →Beugung.

Spalt: Das Hopfenbauernhaus Mühlreisig mit fünfgeschossigem Giebel wurde 1746 erbaut; im Vordergrund ein Hopfenspalier

Spalt, Stadt im Landkreis Roth, Bayern, an der Fränk. Rezat, 5 100 Ew.; Mittelpunkt eines Hopfenanbaugebietes; Elektronik- und Spielwarenindustrie, Brauerei. – Rathaus im Rokokostil, Reste der Stadtbefestigung, zahlr. Fachwerkhäuser, u. a. Hopfenbauernhaus Mühlreisig (1746) mit fünfgeschossigem Giebel.

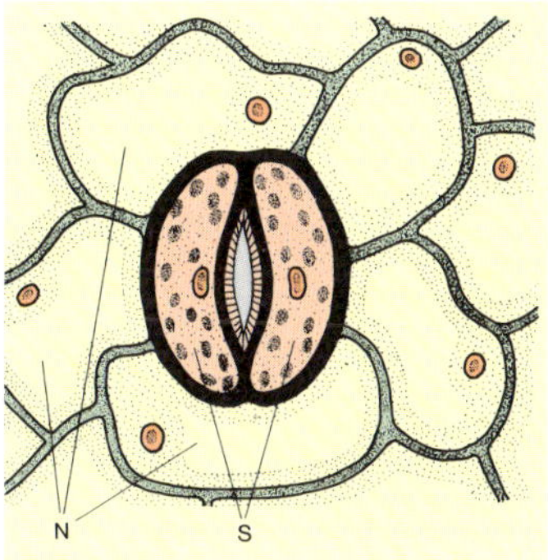

Spaltöffnungen: schematische Darstellung eines Spaltöffnungsapparates; S Schließzellen, N Nebenzellen

Spaltbarkeit, 1) *Kernphysik:* die Eigenschaft bestimmter Atomkerne, sich durch Einfang von Neutronen spalten zu lassen (→Kernspaltung).

Spanien

Fläche: 504 782 km²
Einwohner: (1995) 39,62 Mio.
Hauptstadt: Madrid
Verwaltungsgliederung: 17 autonome Regionen
Amtssprache: Spanisch
Nationalfeiertag: 12. 10.
Währung: Peseta (Pta)
Zeitzone: MEZ

Staatswappen

(E)

Internationales Kfz-Kennzeichen

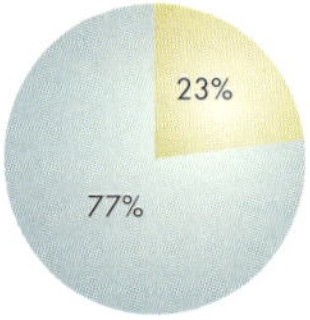

Bevölkerungsverteilung 1995

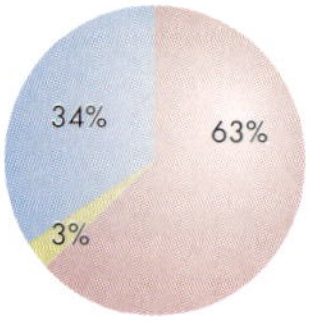

Bruttoinlandsprodukt 1995

2) *Kristallographie:* Teilbarkeit vieler Kristalle parallel zu einer oder mehreren Netzebenen des Gitters **(Spaltflächen).**

Spaltbildung, das Offenbleiben embryonaler Spalten infolge gestörter Verschmelzung von Knochenfortsätzen und Gewebeanteilen. Im Kiefer-Gesichts-Bereich tritt nicht selten die **Lippenspalte (Hasenscharte, -lippe)** auf, die ein- oder doppelseitig, vollständig oder unvollständig sein kann. Eine **Gaumenspalte** entsteht, wenn die Verbindung der Gaumenfortsätze des Oberkiefers unter sich und mit der Nasenscheidewand ausbleibt. Beim **Wolfsrachen** sind weicher und harter Gaumen einfach gespalten, während der zahntragende Teil des Oberkiefers eine doppelte Spalte hat. Hauptursachen sind exogene Keimschädigungen, z.B. Infektionskrankheiten, die in der 6. bis 8. Schwangerschaftswoche auf die Frucht übertragen werden. Auch Vererbung ist möglich.

Spalte, 1) *Drucktechnik:* vertikale Aufteilung von Druckseiten, z.B. bei Zeitungen und Lexika.

2) *Geologie:* klaffende Gesteinsfuge.

Spaltenfrost (Frostverwitterung, Frostsprengung), lockernde und sprengende Wirkung des in Gesteinsfugen und -spalten eingedrungenen Wassers, dessen Volumen sich beim Gefrieren vergrößert. Der durch S. entstandene eckige Gesteinsschutt heißt **Frostschutt,** er kann sich zu Blockmeeren ansammeln.

Spaltflügel, *Flugzeugbau:* der →Schlitzflügel.

Spaltfrucht, Schließfrucht, die in einsamige Teilfrüchte zerfällt, bei Doldenblütlern, z.B. Kümmel.

Spaltfußgans (Anseranas semipalmata), hochbeinige, schwarzbraunweiße, etwa 85 cm große Gans in NO-Australien und Neuguinea, mit nur schwach ausgebildeten Schwimmhäuten; wird stammesgeschichtlich zw. die Gänsevögel und Wehrvögel gestellt.

Spaltkammer, eine meist mit Argon gefüllte →Ionisationskammer, deren Elektroden mit spaltbarem Material umgeben sind, als →Neutronenzähler bes. an Kernreaktoren benutzt. Die durch einfallende Neutronen erzeugten Spaltprodukte ionisieren das Gas und ermöglichen die Registrierung von Neutronen.

Spaltlampe, Gerät mit regulierbarem Spalt zur mikroskop. Untersuchung von Hornhaut, Kammerwasser und Linse sowie (mit Zusatzgeräten) von Kammerwinkel, Glaskörper und Netzhaut des Auges; wurde von A. Gullstrand eingeführt.

Spalt|öffnungen (Stomata), von je zwei Chlorophyll enthaltenden Schließzellen umgebene, durch Assimilationsprodukte osmotisch regulierbare Spalte in der Oberhaut der Pflanze, deren Öffnungsweite zus. mit den Nebenzellen die Stärke des Gasaustausches und der Wasserdampfabgabe bestimmt; bes. zahlr. auf der Unterseite der Blätter, an Wurzeln fehlend. BILD S. 169

Spaltprodukte, *Kernphysik:* die bei der →Kernspaltung entstehenden Nuklide und deren radioaktive Zerfallsprodukte.

Spaltstoff (Spaltmaterial), spaltbarer Anteil eines →Kernbrennstoffs.

Spandau, Bezirk von Berlin.

Spanen (spanende Formung), Fertigungsverfahren der Hauptgruppe Trennen, bei dem die Form eines Werkstückes durch mechan. Abtrennen kleiner Späne erreicht wird. Die Werkzeugschneide kann nach Form und Abmessung geometrisch bestimmt (z.B. am Drehmeißel, Bohrer) oder unbestimmt sein (z.B. an Schleifkörpern). Zum S. gehören z.B. Drehen, Bohren, Hobeln, Fräsen, Schleifen, Sägen, Räumen und Honen.

Spanferkel, ein noch saugendes Ferkel.

Span|iels [engl.], v.a. in England gezüchtete Rassengruppe etwa 40–60 cm schulterhoher Stöberhunde mit gewelltem oder auch seidig-schlichtem Fell. Wegen ihres ruhigen Wesens werden S. auch häufig als Haus- und Familienhunde gehalten, z.B. der →Cockerspaniel.

Spani|en (span. España, amtlich Reino de España, dt. Königreich Spanien), Staat in SW-Europa, auf der Iber. Halbinsel, grenzt im NO an Frankreich und Andorra, im W an Portugal. Zu S.

gehören die →Balearen, die →Kanarischen Inseln und die nordafrikan. Besitzungen (Ceuta, Melilla u. a.).

Staat und Recht: Nach der Verf. von 1978 (1992 revidiert) ist S. eine Erbmonarchie mit parlamentarisch-demokrat. Reg.system. Staatsoberhaupt und Oberbefehlshaber der Streitkräfte ist der König, dessen Person unverletzlich ist und der nicht zur Verantwortung gezogen werden kann. Er hat das Recht, das Parlament einzuberufen und aufzulösen sowie Wahlen anzusetzen. Er schlägt den Kandidaten für das Amt des MinPräs. vor, der vom Abg.haus gewählt wird, und ernennt auf Vorschlag des MinPräs. die Mitgl. des Kabinetts, das dem Abg.haus verantwortlich ist. Die Legislative liegt beim Zweikammerparlament (Cortes), bestehend aus dem Abg.haus (350 Abg., auf vier Jahre gewählt) und dem Senat als Kammer der territorialen Vertretung (208 in den Provinzen auf vier Jahre gewählte und 46 von den Autonomen Gemeinschaften ernannte Mitgl.). Die Verf. betont die Einheit der Nation, gestattet jedoch die Bildung Autonomer Gemeinschaften mit innerer Selbstverwaltung (eigene Parlamente und Reg.). Einflussreichste Parteien: Sozialist. Arbeiterpartei (PSOE), Volkspartei (PP), Vereinigte Linke (IU), Demokrat. und Soziales Zentrum (CDS), katalan. Konvergenz und Union (CiU) sowie Baskische Nationalist. Partei (PNV).

Landesnatur: Das Gebiet des festländischen S. nimmt über vier Fünftel der Iber. Halbinsel ein. Den Kernraum bildet die Hochfläche der Meseta. Sie wird unterteilt vom Kastil. Scheidegebirge (in der Sierra de Gredos 2592 m ü. M.) in die N-Meseta (durchschnittlich 800 m hoch), die sich nach Portugal hinein fortsetzt, und in die S-Meseta (durchschnittlich 650 m hoch), die sich nach W entlang dem Tajo und Guadiana abdacht. Fast allseits ist die Meseta von Randgebirgen umgeben, die meerwärts nur schmalen Küstentiefländern Raum geben. Die Gebirgsumrahmung bildet im N das Kantabr. Gebirge, das nach W in das Bergland N-Galiciens übergeht. Im O liegt das Iber. Randgebirge und im S die Sierra Morena bzw. die Bet. Kordillere (im Mulhacén 3478 m ü. M.). Zwischen Sierra Morena und Bet. Kordillere liegt das breite, zum Atlantik offene Guadalquivirbecken. Im NO des Landes erstreckt sich zw. Iber. Randgebirge und Pyrenäen, deren Hauptkamm die Grenze gegen Frankreich bildet, das durch das Katalon. Bergland gegen das Mittelmeer abgeschlossene Ebrobecken. Die Küstenlänge (ohne Inseln) beträgt 3144 km, davon 1663 km am Mittelmeer. – Ein immerfeuchter Klimabereich ist der N-Saum der Iber. Halbinsel; W-Winde bringen ganzjährige Niederschläge; die Temperaturen sind durch die Meeresnähe sehr ausgeglichen. Die Meseta (Sommer bis 40 °C, Winter bis –8 °C) wird vom mediterranen Niederschlagsrhythmus geprägt. Die Sommer sind trocken, die Winter feucht; Jahressumme der Niederschläge zw. 250 mm (Almería) und bis über 2000 mm in Küstenbergländern oder zentralen Gebirgen. Die Niederschlagsmaxima liegen im Spätherbst und Frühjahr. – Infolge der großen Höhenunterschiede zw. Küstenebenen und Hochgebirgen ist die Vegetation entsprechend abgestuft: Über der für die Tiefländer typ. Ölbaum- und Macchie-Garrigue-Stufe mit immergrünen Eichen folgt stellenweise ein Nadel-(Kiefern) oder Laubwald (Buchen). Die Hochzonen haben karge Grasfluren und Zwergwacholderbestände. Ein küstenparalleler Streifen im SO (zw. Almería und Alicante) hat Halbwüstencharakter.

Spanien, Verwaltungsgliederung (1995)

autonome Regionen	Fläche in km²	Ew. in 1000	Ew. je km²	Hauptstadt
Andalusien	87598	7315	84	Sevilla
Aragonien	47720	1205	25	Saragossa
Asturien	10604	1117	105	Oviedo
Balearen	5014	788	157	Palma de Mallorca
Baskenland	7261	2131	293	Vitoria
Kanarische Inseln	7273	1631	224	Las Palmas de Gran Canaria
Kantabrien	5321	542	102	Santander
Kastilien-La Mancha	79461	1731	22	Toledo
Kastilien-León	94222	2584	27	Valladolid
Katalonien	32114	6227	194	Barcelona
Extremadura	41634	1101	26	Mérida
Galicien	29574	2825	96	Santiago de Compostela
Madrid	8028	5182	645	Madrid
Murcia	11317	1110	98	Murcia
Navarra	10391	536	52	Pamplona
La Rioja	5045	268	53	Logroño
Valencia	23255	4029	173	Valencia
Spanien	504782*)	40460	80	Madrid

*) einschließlich der zu Spanien gehörenden afrikan. Territorien

Bevölkerung: Die ethn. Herkunft der Bev. ist vielfältig. Über 72 % machen den kastilisch sprechenden Bev.anteil aus; es sind vorwiegend Kastilier, Asturier, Aragonier und Andalusier (mit stärkerem afrikanisch-oriental. Einschlag). Basken (2,3 %; mit eigener vorindogerman. Sprache), Katalanen (16 %; mit eigener roman. Schrift- und Literatursprache) und in geringerem Maß auch die den Portugiesen nahe stehenden Galicier (8 %; mit eigenem roman. Idiom) nehmen in Volkskultur und Sprache eine Sonderstellung ein. Die Staatssprache Spanisch beruht auf der kastil. Mundart (castellano); Katalanisch, Baskisch und Galicisch sind seit der Nach-Franco-Zeit als regionale »Nationalsprachen« anerkannt. Am dichtesten besiedelt sind die Hauptstadtregion, die Prov. Barcelona und die bask. Prov. Vizcaya und Guipúzcoa; die geringste

Spanien

1

2

3

4

1 Die maurische Burg in Almansa in der südostspanischen Provinz Albacete stammt aus dem 15. Jahrhundert | 2 Das Trockental im Iberischen Randgebirge bei der Provinzhauptstadt Teruel in Nordspanien zeigt starke Erosionserscheinungen | 3 Das Kap Formentor liegt im Norden von Mallorca, der größten Insel der Balearen | 4 Das Kloster Nuestra Señora de Guadalupe in der Region Extremadura wurde 1340 gegründet; Guadalupe ist Marien-Wallfahrtsort und religiöses Zentrum der spanischsprechenden Welt

Siedlungsdichte haben die Regionen Kastilien-La Mancha, Aragonien und Extremadura. – Es besteht allg. Schulpflicht vom 7. bis 16. Lebensjahr. Wesentl. Anteil am Schulwesen besitzen private und kirchl. Einrichtungen. S. hat (1996) 37 staatl. Univ., vier TH, zwei autonome Univ., vier kath. Univ., sechs private Univ. und eine Fernuniversität. – 95% der Bev. gehören der röm.-kath. Kirche an, die nach der neuen Verf. nicht mehr Staatskirche ist.

Wirtschaft, Verkehr: Bis 1960 war S. vorwiegend ein Agrarland. Seitdem befindet sich der Agrarsektor in einem Strukturwandel, der durch S.s Beitritt zur EG noch beschleunigt wurde. Die landwirtsch. Nutzfläche macht rd. 60% der Gesamtfläche aus; davon sind 15,6 Mio. ha Ackerland, 4,8 Mio. ha Dauerkulturen (darunter 1,5 Mio. ha Rebland), 10,2 Mio. ha Wiesen und Weiden. Von der landwirtsch. Fläche liegt ein erhebl. Teil brach. Die Hochflächen sind das Hauptgebiet des Getreide- und Weinbaus, im S auch der Olivenkulturen (S. steht in der Olivenölerzeugung an erster Stelle der Welt). Im NW werden auch Kartoffeln, Mais u. a. angebaut, in den östl. und südöstl. Randzonen Obst, Gemüse, Reis, Baumwolle, Tabak, Zitronen, Mandeln, Nüsse u. a. Auf dem Hochland ist die Schafzucht bedeutend. Die Fischerei (Sardinen, Thunfisch) spielt immer noch eine große Rolle; die wichtigsten Fischerhäfen liegen an der galic. Küste; hier werden auch Muscheln und Austern gezüchtet. Durch Raubbau ist der Waldbestand zu einem großen Teil vernichtet worden; geschlossene Waldgebiete gibt es nur noch im N und NW. Heute wird jedoch planmäßig Aufforstung betrieben. Der Bergbau fördert Stein-, Braunkohle, Eisenerz, Schwefelkies, Kupfer, Blei, Quecksilber (eine der höchsten Produktionsraten der Welt), Uran, Erdöl, Erdgas, Stein- und Meersalz. Die wichtigsten Ind.zweige sind Eisen- und Stahlerzeugung und -verarbeitung, Bergbau, Maschinen-, Fahrzeug-, Schiffbau, Aluminium-, Elektro-, Nahrungsmittel- (Fisch-, Obstkonserven, Wein, Olivenöl), Textil- und Schuhindustrie. Ausgeführt werden v.a. Maschinen, elektrotechn. Erzeugnisse, Fahrzeuge, Eisen und Stahl, Aluminium, Chemikalien und landwirtsch. Produkte. Haupthandelspartner sind die EU-Länder und die USA. Das Handelsbilanzdefizit kann durch die wachsenden Einnahmen aus dem Fremdenverkehr (1995 über 63 Mio. ausländ. Touristen) und die Geldüberweisungen der im Ausland Beschäftigten z.T. ausgeglichen werden. – Der Eisenbahnverkehr wird von der staatl. Ges. »Red Nacional de los Ferrocarriles Españoles« (Abk. RENFE) und versch. Privatgesellschaften betrieben. Von den 13060 km der RENFE-Strecke sind 6736 elektrifiziert. Drei Viertel des Straßennetzes von 326616 km sind befestigte Straßen (7736 km Autobahnen und vierspurige Straßen, 22536 km Haupt- und Nationalstraßen). Die Küsten- und Hochseeschifffahrt spielen eine wichtige Rolle; Haupthäfen sind Barcelona, Bilbao, Valencia, Gijón, Sevilla, Avilés und Las Palmas. Die wichtigsten internat. Flughäfen sind Madrid (»Barajas«), Barcelona und Palma de Mallorca.

Geschichte

Vorgeschichte: →Mittelmeerraum.

Antike, Völkerwanderung und arab. Herrschaft: Wahrscheinlich seit dem Neolithikum wurde die Halbinsel von Iberern, seit dem 6. Jh. v.Chr. auch von Kelten besiedelt, an der SW-Küste entstanden seit etwa 1100 v.Chr. phönik. Kolonien. Seit dem 7. Jh. v.Chr. siedelten auch Griechen in S., sie konnten aber ihre Selbstständigkeit nur im NO bewahren, da die Karthager von der S-Küste vordrangen. Erst nach dem 2. Pun. Krieg mussten sie sich zurückziehen; bis zur Herrschaft des Augustus war die gesamte Halbinsel dem Röm. Reich eingegliedert (Prov. Hispania citerior und Hispania ulterior), was zur vollständigen Romanisierung führte. Die Provinzen hatten für das Reich große ökonom. Bedeutung (Wein, Öl, Gold, Silber). Zu Beginn des 5. Jh. n.Chr. drangen Sweben, Alanen und Wandalen über die Pyrenäen ein, kurz danach die Westgoten. Diese gingen, bes. nach ihrem Übertritt vom arian. zum kath. Christentum (587), in der roman. Bevölkerung auf. Ihr Reich, durch innere Wirren geschwächt, erlag 711

Spanien - Wirtschaft

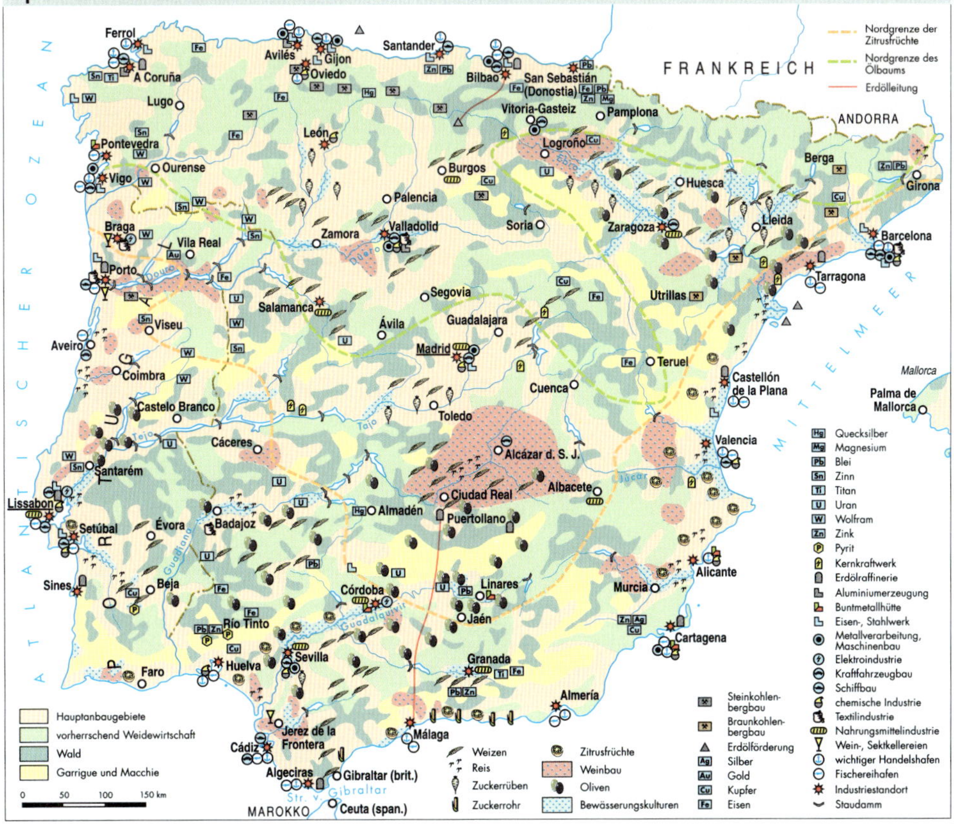

dem Angriff der muslim. Araber (Mauren), deren Feldherr Tarik bei Jerez de la Frontera die Westgoten besiegte. Das Herrschergeschlecht der Omaijaden gründete 756 in Spanien das selbstständige Emirat von Córdoba, dessen Emire 929 den Titel Kalif annahmen (bis 1031). Unter der arab. Herrschaft erreichten Landwirtschaft, Handwerk und geistiges Leben eine hohe Blüte. Die arab. Kultur, an der auch Christen (→Mozaraber) und Juden teilhatten, strahlte auf das abendländ. MA. aus; sie brachte bed. Gelehrte hervor: Ibn Sina (Avicenna), Ibn Ruschd (Averroes), Maimonides. Nach 1031 zerfiel das Reich von Córdoba in Teilfürstentümer (Taifas), während von N her die christl. Rückeroberung der Iber. Halbinsel, die Reconquista, immer weiter vorschritt.

Die Reconquista: Im Kantabr. Gebirge im N des Landes hatte sich westgot. Widerstand unter

Spanien: Herrscher und Präsidenten

Königreich Asturien	
Pelayo (Pelagius)	718/722-737
Favila	737-739
Alfons I.	739-757
Fruela I.	757-768
Aurelio	768-774
Silo	774-783
Mauregato	783-788
Bermudo I.	788-791
Alfons II., der Keusche	791-842
Ramiro I.	842-850
Ordoño I.	850-866
Alfons III., der Große (910 Entstehung des Königreichs León aus der Erbmasse Asturiens, dessen gesamtes Gebiet es ab 924 umfasst)	866-910
Königreich León	
García	910-914
Ordoño II.	914-924
Fruela II.	924-925
Alfons IV.	926-932
Ramiro II.	932-950
Ordoño III.	950-956
Sancho I.	957-966
Ramiro III.	966-985
Bermudo II. (Gegenkönig seit 982)	985-999
Alfons V.	999-1028
Bermudo III.	1028-1037
Ferdinand I., der Große (seit 1035 König von Kastilien)	1037-1065
Alfons VI., der Tapfere (seit 1072 auch König von Kastilien)	1065-1109
Urraca (zugleich Königin von Kastilien)	1109-1126
Alfons VII., der Kaiser (zugleich König von Kastilien)	1126-1157
Ferdinand II.	1157-1188
Alfons IX. (1230 endgültige Vereinigung Leóns mit Kastilien)	1188-1230
Königreich Navarra	
Sancho I. Garcés	905-925
García I. Sánchez	925-970
Sancho II. Garcés Abarca	970-994
García II. Sánchez	994-1000
Sancho III., d. Ä. oder der Große (beherrschte auch Aragonien, Kastilien [seit 1029] und Teile Leóns)	um 1000-1035
García III. de Nájera	1035-1054
Sancho IV. de Peñalén	1054-1076
Sancho V. Ramírez (seit 1063 als Sancho I. König von Aragonien)	1076-1094
Peter I. (zugleich König von Aragonien)	1094-1104
Alfons I., der Schlachtenkämpfer (zugleich König von Aragonien)	1104-1134
García IV. Ramírez	1134-1150
Sancho VI.	1150-1194
Sancho VII.	1194-1234
Thibaut I.	1234-1253
Thibaut II.	1253-1270
Heinrich I.	1270-1274
Johanna I.	1274-1305
Ludwig I.	1305/07-1316
Johann I., das Kind	1316
Philipp II.	1316-1322
Karl I.	1322-1328
Johanna II.	1328-1349
Karl II.	1349-1387
Karl III.	1387-1425
Blanka	1425-1441
Johann II. (seit 1458 auch König von Aragonien)	1425-1441
Leonore	1479
Francisco Febo	1479-1483
Katharina von Foix (seit 1484 zus. mit ihrem Gemahl Johann von Albret; 1512 Vereinigung Navarras südlich der Pyrenäen mit Aragonien und Kastilien)	1483-1512
Grafschaft Barcelona (Katalonien)	
Wilfredo I.	878-897
Wilfredo II.	898-911
Suniario	912/914-950
Borrell II.	950-992
Ramón Borrell II.	992-1018
Berenguer Ramón I. (Berengar Raimund I.)	1017-1035
Ramón Berenguer I.	1035-1076
Berenguer Ramón II.	1076-1096
Ramón Berenguer III., der Große	1096-1131
Ramón Berenguer IV. (ab 1137 Vereinigung von Barcelona/Katalonien mit Aragonien)	1131-1162
Königreich Aragonien	
Ramiro I.	1035-1063
Sancho I. Ramírez (seit 1076 auch König von Navarra)	1063-1094
Peter I.	1094-1104
Alfons I., der Schlachtenkämpfer	1104-1134
Ramiro II.	1134-1137
Petronilla	1137-1162
Ramón Berenguer IV.	1137-1162
Alfons II., der Keusche	1162-1196
Peter II.	1196-1213
Jakob I., der Eroberer	1213-1276
Peter III., der Große	1276-1285
Alfons III., der Freigebige	1285-1291
Jakob II., der Gerechte	1291-1327
Alfons IV., der Gütige	1327-1336
Peter IV., der Zeremoniöse	1336-1387
Johann I.	1387-1395
Martin I.	1395-1410
Ferdinand I. (von Antequera)	1412-1416
Alfons V., der Großmütige	1416-1458
Johann II.	1458-1479
Ferdinand II., der Katholische (1479 Vereinigung der Kronen Aragonien und Kastilien)	1479-1516

Spanien: Herrscher und Präsidenten (Fortsetzung)

Grafschaft bzw. (ab 1035) Königreich Kastilien

Ferdinand Gonzáles	923–970
García (Garcí) Fernández	970–995
Sancho García	995–1017
García Sánchez	1017–1028
Sancho I., der Große (seit etwa 1000 König von Navarra)	1029–1035
Ferdinand I., der Große	1035–1065
Sancho II.	1065–1072
Alfons VI., der Tapfere	1072–1109
Urraca	1109–1126
Alfons VII., der Kaiser	1126–1157
Sancho III.	1157–1158
Alfons VIII.	1158–1214
Heinrich I.	1214–1217
Berenguela	1217
Ferdinand III., der Heilige (seit 1230 endgültige Vereinigung mit León)	1217–1252
Alfons X., der Weise	1252–1284
Sancho IV.	1284–1295
Ferdinand IV.	1295–1312
Alfons XI.	1312–1350
Peter I., der Grausame	1350–1369
Heinrich II. (von Trastámara)	1369–1379
Johann I.	1379–1390
Heinrich III.	1390–1406
Johann II.	1406–1454
Heinrich IV.	1454–1474
Isabella I., die Katholische	1474–1504

Spanien von der Vereinigung der Kronen Kastilien und Aragonien bis zur Ersten Republik

die »Katholischen Könige«	1479–1504/16
Isabella I. von Kastilien († 1504) und Ferdinand II. von Aragonien († 1516); in den kastil. Reichen: 1504–06/16 Johanna die Wahnsinnige († 1555) und (1504/06) ihr Gemahl Philipp I., der Schöne († 1506); 1506–16 Regentschaft Ferdinands II.	
Karl I. (Habsburg)	1516–1556
Philipp II.	1556–1598
Philipp III.	1598–1621
Philipp IV.	1621–1665
Karl II.	1665–1700
Philipp V. von Anjou (Bourbon)	1700–1724
Ludwig	1724
Philipp V. von Anjou	1724–1746
Ferdinand VI.	1746–1759
Karl III.	1759–1788
Karl IV.	1788–1808
Ferdinand VII.	März–Mai 1808
Joseph (Bonaparte)	1808–1813
Ferdinand VII. (Bourbon)	1814–1833
Isabella II.	1833–1868/70
Francisco Serrano y Domínguez, Herzog de la Torre (Regent)	1869–1870
Amadeus, Herzog von Aosta (Savoyen)	1870–1873

Erste Republik (Präsidenten)

Estanislao Figueras	Februar–Juni 1873
Francisco Pi Margall	Juni–Juli 1873
Nicolás Salmerón y Alonso	Juli–September 1873
Emilio Castelar y Ripoll	September 1873–Januar 1874
Francisco Serrano y Domínguez, Herzog de la Torre	Januar–Dezember 1874

Restauration

Alfons XII. (Bourbon)	1874–1885
Maria Christina von Österreich (Regentin bis 1902)	1885–1886
Alfons XIII.	1886–1931

Zweite Republik (Staatspräsidenten)

Niceto Alcalá Zamora y Torres	1931–1936
Manuel Azaña y Díaz	1936–1939

Franco-Regime

Francisco Franco Bahamonde	1939–1975

Königreich

Juan Carlos I. (Bourbon)	seit 1975

Pelayo behauptet. Er gründete das Königreich Asturien. Der Pyrenäenraum stand unter fränk. Einfluss. 1035, nach dem Tod Sanchos III. von Navarra, der auch die Grafschaften Aragonien, Asturien, Teile Leóns sowie Kastilien beherrscht hatte, wurden die Reiche wieder selbstständig; Portugal löste sich 1095 von Kastilien, 1137 wurden Katalonien und Aragonien vereint, Kastilien und León endgültig 1230. Die entscheidende Phase der Reconquista begann nach 1031: 1085 wurde Toledo, 1118 Saragossa, 1236 Córdoba, 1248 Sevilla erobert. Nur das maur. Königreich Granada konnte sich als kastil. Lehen halten. Aragonien-Katalonien erlangte durch die Herrschaft über die Balearen (1229–35), Sizilien (1282), Sardinien (1326) und das Königreich Neapel (1443) bis zur Mitte des 15. Jh. die Vormacht im westl. Mittelmeer. 1469 wurde durch die Heirat der Erben der beiden Hauptreiche, Isabella I. von Kastilien (1474–1504) und Ferdinand II. von Aragonien (1479–1516), der Grundstein zum span. Gesamtstaat gelegt; 1474/75 wurden sie als Könige Kastiliens, 1479 als Könige Aragoniens anerkannt. Die »Kath. Könige« (so der ihnen vom Papst 1496 verliehene Titel) stärkten die Macht der Krone gegenüber dem Adel und den Bischöfen, u.a. durch die Einführung der Inquisition (1483). Gemeinsam eroberten Isabella und Ferdinand 1492 Granada; Ferdinand unterwarf 1478–96 die Kanar. Inseln, holte 1504 das einer Nebenlinie zugefallene Königreich Neapel zurück und eroberte 1512 Obernavarra; Isabella unterstützte seit 1492 Kolumbus, dessen Entdeckungen die Gründung des span. Kolonialreichs einleiteten. Eine Reihe von Verträgen (u.a. Tordesillas, 1494) grenzte die span. von der portugies. Interessensphäre ab. Im Geist des unduldsamen Katholizismus wurden 1492 die meisten Juden und 1609 die rd. 270 000 in Spanien verbliebenen Mauren (»Morisken«) vertrieben, was Landwirtschaft, Handel und Gewerbe schwer schädigte. KARTE S. 176

Die Weltmacht im 16. Jh.: Die Erbtochter Ferdinands und Isabellas, Johanna die Wahnsinnige, wurde mit dem Habsburger Philipp dem Schönen († 1506) vermählt. Ihr ältester Sohn Karl (I.) wurde 1516 König von S. und 1519 als Karl V. zum Röm.

Isabella I., die Katholische (zeitgenössische Darstellung)

Ferdinand II., der Katholische (Bronzebüste)

König gewählt; außer dem span. fiel ihm das habsburgisch-burgund. Erbe zu (Abtretung der österr. Erblande 1521 an seinen Bruder Ferdinand). Nach

Spanien (Geschichte): Karl III., Ausschnitt eines Kupferstichs nach einem Gemälde des italienischen Künstlers Camillo Paderni (um 1765)

der Niederschlagung eines Aufstands (1520–22) setzte er die zentrale Macht der Krone endgültig durch. In mehreren Kriegen gegen Frankreich gewann er die span. Vorherrschaft in Italien und damit die europ. Hegemonie. Gleichzeitig stieg S. zur führenden Kolonialmacht auf. Die Konquistadoren H. Cortez und F. Pizarro eroberten den größten Teil Süd- und Mittelamerikas; die Philippinen wurden in Besitz genommen. Unter Karls V. Sohn Philipp II. (1556–98), der die Kaiserwürde nicht erbte, war S., die Heimat des Jesuitenordens, die Vormacht des europ. Katholizismus und der Gegenreformation. Die Härte, mit der Philipp II. und sein Feldherr F. Alba gegen die protestantisch-

Fernando Alba

Spanien - Reconquista

ständ. Unruhen in den Niederlanden vorgingen, führte 1581 zum offenen Abfall der nördl. Provinzen (→Niederlande, Geschichte). Die Verteidigung des verstreuten Besitzes verwickelte Spanien in viele kostspielige Kriege: Im Kampf mit England, das die Niederlande unterstützte, wurde 1588 die →Armada, die große span. Flotte, vernichtet; trotz des Sieges über die türk. Flotte bei Lepanto 1571 konnte S. die Seeherrschaft im westl. Mittelmeer nicht behaupten. Durch die Vereinigung mit Portugal erreichte S. 1580 die größte Ausdehnung seines Territoriums. Die Kriege erschöpften S. wirtsch. und finanziell; nach dem Tod Philipps II. setzte ein unaufhaltsamer Niedergang der span. Macht ein. Die Blüte von Kunst und Literatur (Siglo de oro) hielt bis ins 17. Jh. an.

Der Niedergang im 17. und 18. Jh.: Unter Philipp III. (1598 bis 1621) und seinem Min. Lerma wurde bis 1611 die Vertreibung der Morisken aus Süd- und Ost-S. weitgehend abgeschlossen. Philipp IV. (1621–65) und sein Min. Olivares nahmen 1621 den Krieg gegen die nördl. Niederlande wieder auf und griffen aufseiten der österr. Habsburger in den Dreißigjährigen Krieg ein; dabei geriet S. in den Entscheidungskampf gegen das aufstrebende Frankreich Richelieus und Mazarins. 1640 erklärte Portugal seine Unabhängigkeit, die S. 1668 anerkannte. Im Westfäl. Frieden von 1648 musste S. die Unabhängigkeit der nördl. Niederlande anerkennen, im Pyrenäenfrieden von 1659 das Roussillon, die Cerdagne und das Artois an Frankreich abtreten. Durch die Raubkriege Ludwigs XIV. verlor es noch die Freigrafschaft Burgund (1678) und das südl. Flandern (1668 und 1678) an Frankreich. Die Engländer und Holländer brachten im Lauf des 17. Jh. Teile des span. Kolonialreichs in ihren Besitz. Mit Karl II. (1665–1700) starben die span. Habsburger aus; er hatte als Erben Philipp von Anjou eingesetzt. Habsburg. Ansprüche führten zum →Spanischen Erbfolgekrieg, in dem sich Philipp (V.) mit frz. Unterstützung durchsetzte, aber Gebietsverluste hinnehmen musste. Das Königreich Neapel-Sizilien fiel später, 1735, an eine Nebenlinie der span. Bourbonen zurück, ebenso 1748 das norditalien. Herzogtum Parma-Piacenza. Nach Ferdinand VI. (1746–59) bemühte sich Karl III. (1759–88) im Geist der Aufklärung um innere Reformen und wies 1767 die Jesuiten aus. In den europ. Kriegen des 18. Jh. kämpften die span. Bourbonenkönige an der Seite Frankreichs gegen Großbritannien. M. de Godoy, Günstling und leitender Min. Karls IV. (1788–1808), führte das Land schließlich in völlige Abhängigkeit von Napoleon I.

Das 19. Jahrhundert: Als es 1808 zu einem Volksaufstand gegen die Willkürherrschaft Godoys kam, zwang Napoleon Karl IV. und seinen Sohn Ferdinand zum Verzicht auf die Krone und ernannte seinen Bruder Joseph Bonaparte zum span. König. Aber die Spanier erhoben sich gegen die Fremdherrschaft, unterstützt von einem brit. Heer unter Wellington (→ Napoleonische Kriege). Gegen die Überlegenheit des frz. Heeres setzen die Spanier die Taktik des Kleinkrieges (»guerilla«) ein. 1813 wurden die Franzosen vertrieben. Schon 1810 waren die alten Stände, die Cortes, in Cádiz zusammengetreten, um eine liberale Verf. zu beschließen (1812). Als Ferdinand VII. zurückkehrte, hob er diese Verf. wieder auf und regierte mit absolutist. Methoden (u.a. Wiedereinführung der Inquisition). Die liberale Revolution, die 1820 unter Führung von R. de Riego y Nuñez den König zwang, die Verf. von 1812 anzuerkennen, wurde durch Eingreifen der Hl. Allianz unter Führung Ludwigs XVIII. von Frankreich niedergeschlagen. Inzwischen hatten sich die span. Kolonien des amerikan. Festlandes in langen Kämpfen von der Herrschaft des Mutterlandes befreit (1810–24); S. behielt, da es 1819 Florida an die USA verkauft hatte, nur die Inseln Kuba und Puerto Rico. Gegen die Thronfolge der noch unmündigen Tochter Ferdinands VII., Isabella II. (1833–68), erhob sich 1834 ihr Onkel Don Carlos; ihm fielen v.a. die streng kath. baskische Provinz zu, die sich neben Navarra ihre alten Sonderrechte bewahrt hatte, ferner Aragonien und Katalonien, die dem Vorrang Kastiliens und Madrids widerstrebten. Die Reg.jahre Isabellas waren gekennzeichnet durch ständige Unruhen, Parteienkämpfe, Aufstände und die Kriege der Anhänger des Don Carlos, der → Karlisten. 1868 wurde die Königin durch eine Erhebung der liberalen Generale gestürzt, die eine konstitutionelle Monarchie anstrebten. Die Cortes wählten 1870 Amadeus von Savoyen zum König, doch zwangen ihn republikan. Bewegungen und der 3. Karlistenkrieg schon 1873 zur Abdankung. Die Cortes riefen die Republik aus, jedoch konnten auch die Republikaner weder eine starke Reg. noch geordnete Verhältnisse schaffen. 1874 wurde der Sohn Isabellas II., Alfons XII., zum König ausgerufen. Die Restauration lenkte die polit. Kräfte durch die Schaffung zweier Parteien, der Liberalen und der Konservativen, in feste Bahnen (Verf. von 1876). Nach dem frühen Tod Alfons' XII. fiel die Krone an seinen nachgeborenen Sohn Alfons XIII. (1886–1931). Ein Aufstand der Kubaner gegen die span. Herrschaft führte 1898 zu einem Krieg S.s mit den USA, dem Spanisch-Amerikan. Krieg, beendet mit dem Frieden von Paris (1898/99): S. musste nach der Vernichtung seiner Flotte die Philippinen, Kuba und Puerto Rico abtreten und verkaufte 1899 die Karolinen, Marianen und die Palauinseln an das Dt. Reich.

Das 20. Jahrhundert: Die Verluste der Kolonien suchte S. durch Besetzung Marokkos auszugleichen. Die Feldzüge stießen auf Proteste aus der Bev., die 1909 in Barcelona in einen blutig unterdrückten Generalstreik mündeten. Im 1. Weltkrieg blieb S. neutral, doch führten soziale Gegensätze, Ausrufung des Generalstreiks, Aktionen unzufriedener Offiziere 1917 zu einer Staatskrise. In Katalonien war eine starke regionalist. Bewegung entstanden, die nach der Selbstständigkeit des Landes strebte, sie verfügte u.a. die Trennung von Staat und Kirche. 1923 errichtete J. Primo de Rivera im Einverständnis mit Alfons XIII. eine Militärdiktatur. Den Aufstand der Rifkabylen in Marokko warf er 1925/26 mithilfe Frankreichs nieder, aber die wachsende Gegnerschaft im Volk konnte er nicht überwinden; Anfang 1930 musste er zurücktreten. Nach einem Wahlsieg der republikan. Parteien dankte Alfons XIII. am 14. 4. 1931 ab und ging ins Ausland.

Die neue Republik gab sich (nach Wahlen am 28. 6. 1931, die eine große sozialistisch-republikan. Mehrheit brachten) die demokrat. Verf. vom 9. 12. 1931. Die Regierung M. Azaña y Díaz (1931–33) verabschiedete 1932 eine Agrarreform und ein Autonomiestatut für Katalonien. 1933 machten rechtsorientierte Reg. die Reformen z.T. wieder rückgängig und lösten damit 1934 einen Bergarbeiteraufstand in Asturien und die Proklamation der Unabhängigkeit in Katalonien aus. Nach dem Wahlsieg der Volksfront (Republikaner, Sozialisten und Kommunisten) im Febr. 1936 verschärften sich die Gegensätze, ein Militärputsch nationalistisch-autoritärer Kräfte führte im Juli 1936 zum → Spanischen Bürgerkrieg. Am 1. 10. 1936 trat Ge-

Philipp II. (Porträt auf einer Medaille, 1555)

Isabella II. (Ausschnitt einer Lithographie, um 1850)

Spanien (Geschichte): Spaniens Diktator Franco gibt im Juli 1969 vor der Cortes bekannt, dass Juan Carlos von Bourbon als König von Spanien sein Nachfolger sein wird

Juan Carlos I.

Adolfo Suárez González

Felipe González Márquez

José María Aznar Lopéz

neral Franco Bahamonde an die Spitze einer Militärjunta. Die Reg. der Rep. konnte die Ausbreitung seines Herrschaftsgebiets nicht verhindern. Nach der Eroberung Barcelonas durch Francotruppen am 26. 1. 1939 löste sich das republikan. Reg.system auf. Gestützt auf die →Falange, hatte Franco schon im Bürgerkrieg mit dem Aufbau einer faschist. Diktatur begonnen. Im Rahmen einer staatl. Zwangsgewerkschaft waren Arbeiter und Unternehmer zusammengeschlossen. Alle demokrat. Strukturen wurden unterdrückt. Der kompromisslose Zentralismus verfolgte alle regionalist. Bestrebungen, auch die Pflege nichtkastil. Sprachen, Folklore usw. war verboten.

Die polit. Sympathien Francos für die Achsenmächte (1939 Austritt aus dem Völkerbund) ließen S. nach dem 2. Weltkrieg zunächst in polit. und wirtsch. Isolierung geraten (Ausschluss aus der Marshallplanhilfe), bis ab 1950 die USA in S. Militärstützpunkte errichteten. Ebenfalls seit den 50er-Jahren gab S. nach und nach seine afrikan. Kolonien auf. Eine durchgreifende wirtsch. Besserung trat Ende der 50er-Jahre ein, als mit internat. Hilfe umfangreiche Entwicklungsprogramme realisiert wurden. Parallel dazu gab es gewisse Liberalisierungen in der Wirtschaft, jedoch keinen grundsätzl. Kurswechsel. Seit 1951 erschütterten große Streiks v.a. Katalonien und das Baskenland; der Widerstand radikaler Untergrundorganisationen konnte nicht gebrochen werden. Auch in der kath. Kirche, die urspr. eng mit dem Francoregime zusammengearbeitet hatte, regte sich zunehmend Kritik. Seit 1947 plante Franco für seine Nachfolge die Wiedereinführung der Monarchie. Unter den Thronprätendenten entschied er sich für Juan Carlos, den Enkel Alfons' XIII. Seit 1971 war dieser Stellv. des Staatschefs; zwei Tage nach dem Tod Francos wurde er am 22. 11. 1975 als Juan Carlos I. zum span. König proklamiert.

Noch im Nov. 1975 wurden Baskisch, Katalanisch und Galicisch als Staatssprachen anerkannt. A. Suárez González, MinPräs. seit Juli 1976, leitete die Demokratisierung ein. Der Plan zur Reform der polit. Institutionen wurde in einer Volksabstimmung im Dez. 1976 mit großer Mehrheit gebilligt. Aus den ersten demokrat. Wahlen seit dem Bürgerkrieg (Juni 1977) ging die Union des Demokrat. Zentrums (UCD) unter Suárez González als stärkste Gruppierung hervor. Am 6. 12. 1978 wurde die demokrat. Verf. vom Volk angenommen, die u.a. den span. Regionen das Recht auf Autonomie zugesteht (bis 1986 wurden 17 autonome Regionen gebildet). Neuwahlen im März 1979 brachten eine relative Mehrheit für die UCD, gefolgt von den Sozialisten und Kommunisten. Suárez González trat Ende Jan. 1981 zurück, sein Nachfolger wurde L. Calvo Sotelo. Noch vor dessen Bestätigung durch die Cortes kam es am 23./24. 2. 1981 zu einem rechtsgerichteten Putschversuch, der jedoch fehlschlug, nachdem sich König Juan Carlos I. öffentlich zur Demokratie bekannt hatte. Seit Okt. 1982 regiert die Sozialist. Arbeiterpartei (PSOE), bis 1989 mit absoluter Mehrheit. MinPräs. ist seit 1982 F. González Márquez. Bei den vorgezogenen Wahlen im Juni 1993 ging der Stimmenanteil der PSOE zwar weiter zurück, doch blieb sie stärkste Partei. Wirtschaftl. Schwierigkeiten sowie aufkommende Korruptions- und Betrugsvorwürfe gegen führende PSOE-Politiker zogen bei den Wahlen vom März 1996 Stimmenverluste der PSOE nach sich. Stärkste Partei wurde mit 156 Sitzen in den Cortes der Partido Popular (PP), der mit J. M. Aznar López den MinPräs. einer Minderheitenreg. stellte. Das öffentl. Leben in S. wird bis in die Gegenwart durch Terroranschläge der →ETA belastet, die einen eigenen bask. Staat anstrebt. Regionale Parteien gewannen, v.a. nach Zugeständnissen der Reg. Aznar, auch in anderen Landesteilen stark an Einfluss. – Nach heftigen innenpolit. Auseinandersetzungen trat S. im Mai 1982 der NATO bei (in einem Referendum 1986 bestätigt). Die 1977 aufgenommenen Verhandlungen führten am 1. 1. 1986 zur Mitgliedschaft S.s in der EG.

📖 KRESS, H.-J.: *Die islam. Kulturepoche auf der iber. Halbinsel. Marburg 1968.* – MADARIAGA, S. DE: *S. Land, Volk u. Geschichte. A. d. Span. Neuausg. München 1983.* – HEINE, H.: *Geschichte S.s in der frühen Neuzeit. 1400–1800. München 1984.* – BREUER, T.: *S. Stuttgart ²1987.* – LEROY, B.: *Die Sephardim. Geschichte des iber. Judentums. A. d. Frz. Tb.-Ausg. Frankfurt am Main u. a. 1991.* – OPLL, F. *u.* RUDOLF, K.: *S. u. Österreich. Wien 1991.* – NOHLEN, D. *u.* HILDENBRAND, A.: *S. Wirtschaft – Gesellschaft – Politik. Opladen 1992.* – KÖHLER, H.-D.: *S.s Gewerkschaftsbewegung. Münster 1993.* – *S. nach Franco. Der Übergang von der Diktatur zur Demokratie 1975–82, hg. v.* W. L. BERNECKER *u.* C. COLLADO SEIDEL. *München 1993.* – VONES, L.: *Geschichte der Iber. Halbinsel im Mittelalter (711–1480). Sigmaringen 1993.* – ROTH, N.: *Jews, Visigoths and Muslims in medieval Spain. Cooperation and conflict. Leiden u. a. 1994.* – GOYTISOLO, J.: *S. u. die Spanier. A. d. Span. Tb.-Ausg. Frankfurt am Main ⁶1995.* – HAUBRICH, W.: *S.s schwieriger Weg in die Freiheit. Von der Diktatur zur Demokratie, 2 Bde. Berlin 1995–97.* – HOTTINGER, A.: *Die Mauren. Arab. Kultur in S. München 1995.* – HAENSCH, G. *u.* HABERKAMP DE ANTÓN, G.: *Kleines S.-Lexikon. Wissenswertes über Land u. Leute. München ²1996.* – LEMM, R.: *Die span. Inquisition. Geschichte u. Legende. A. d. Niederländ. München 1996.* – *Geschichte S.s. Von der frühen Neuzeit bis zur Gegenwart, bearb. v.* W. L. BERNECKER *u.* H. PIETSCH-

MANN. *Stuttgart u.a.* ^{2}*1997.* – *S. heute. Politik – Wirtschaft – Kultur, hg. v.* W. L. BERNECKER *u.* K. DIRSCHERL. *Frankfurt am Main* ^{3}*1997.*

Spanier, zu den Romanen gehörendes Volk, das Staatsvolk Spaniens. Die S. gingen aus der iber. Urbev. durch vielfältige Überschichtung mit Kelten, Karthagern, Griechen, Römern, Germanen, Berbern und Arabern hervor. Deutliche Unterschiede – v.a. in Mundart und Volksbrauchtum – sind noch bemerkbar zw. Kastiliern, Andalusiern, Asturiern und Aragoniern. Katalanen und Gallegos (Galicier) nehmen nach Art und Sprache eine Sonderstellung ein. Bes. nachhaltig ist das Erbe der röm. und der maur. Zeit in Bauwerken, der Sprache, der geistigen und materiellen Kultur.

Spanisch-Amerikanischer Krieg, Krieg (1898) zw. Spanien als kuban. Kolonialmacht und den USA, die ihren polit. und wirtsch. Interessen entsprechend die kuban. Unabhängigkeitsbewegung unterstützten. Die veraltete span. Flotte wurde in zwei Seeschlachten vernichtet. Im Pariser Frieden (10. 12. 1898) wurde die Unabhängigkeit Kubas festgelegt; die USA erhielten die Philippinen, die span. Besitzungen Guam und Puerto Rico sowie die Inseln Wake und Hawaii. Während Spanien seine Rolle als Kolonialmacht einbüßte, erwarben die USA erstmals Kolonialbesitz, gewannen die Vormacht in der Karibik und legten den Grund für ihre Rolle als Weltmacht.

Spanische Fliege (Kantharide, Lytta vesicatoria), 12–21 mm lange, metallisch grüne Art der Blasenkäfer; zeitweilig auf Eschen. Die S. F. enthält den Giftstoff Cantharidin, der zu Nierenschädigungen führen kann (früher als Heilmittel und Aphrodisiakum benutzt).

Spanische Fliege
(Länge 12–21 mm)

spanische Kunst. Bestimmend für Wesen und Entwicklung der s. K. wurde die Vielfalt ihrer Überlieferungen. Vom 5. bis 1. Jh. v. Chr. von den Iberern geprägt (Dame von →Elche), verschmolz die s. K. seit dem 1. Jh. v. Chr. durch radikale Romanisierung völlig mit der röm. Kunst; von der reichen Sakral- und Profanarchitektur blieb manches erhalten (Aquädukte in Segovia, Tarragona, Theater in Mérida). Aus westgot. Zeit (409–711 n. Chr.) sind die ältesten in Spanien erhaltenen Kirchenbauten (San Juan in Baños de Cerrato bei Palencia, San Pedro de la Nave bei Zamora) und die Königshalle in Naranco (Oviedo). Entscheidend wurde die Eroberung Spaniens durch die Araber (711). Über weite Teile Spaniens verbreitete sich die westislam. Kunstform (→islamische Kunst) des maur. Stils (Moschee von Córdoba, Palaststadt Medina Azahara, Alhambra von Granada). Die maurisch geprägte christl. Kunst Spaniens (→Mozaraber) nahm islam. Einflüsse auf, bes. in der Ornamentik, während der Kirchenbau auf den christl. Kult abgestimmt war (San Miguel de Escalada, 913; Santiago de Peñalba bei Ponferrada, 935–937).

Architektur: Zentren der roman. Baukunst liegen in Kastilien, León, Aragonien und Katalonien, v.a. entlang der Pilgerstraße nach Santiago de Compostela; sie standen mit den übrigen europ. Kunstlandschaften (bes. Roussillon, Languedoc, Lombardei, Burgund) durch wandernde Bauhütten in Verbindung. Das bedeutendste Bauwerk dieser Zeit ist die Kathedrale von Santiago de Compostela (1060 ff.), ein Wallfahrtsziel des gesamten Abendlandes, in ihren wichtigsten Teilen Werk frz. Baumeister.

Gleichzeitig mit der christl. Kunst im N entstanden in S-Spanien die maur. Bauten der Almohaden (Giralda und Patio de los Naranjos, Ende 12. Jh., in Sevilla) und die üppige Kunst der letzten spanisch-arab. Dynastie der Nasriden vom 13. bis 15. Jh. im Königreich Granada (→Alhambra).

Die Gotik erschien in Spanien zuerst in der burgund. Form der Zisterzienser (Klöster Santa Maria de Poblet und Santas Creus bei Valls in Katalonien). Die ersten in nordfrz. Gotik erbauten Kirchen waren die Kathedralen von León (1209 ff.) und Burgos (seit 1221; im 15. Jh. vollendet). Die Kathedrale von Toledo wurde, der in Burgos nacheifernd, fünfschiffig gebaut (seit 1227). An der Stelle von Moscheen und durch deren Grundriss bestimmt, entstanden die Kathedrale von Saragossa (seit 1188) und die fünfschiffige Kathedrale von Sevilla, durch ihre gewaltigen Ausmaße (142 m lang, 75 m breit) eines der imposantesten Bauwerke der Gotik (seit 1402). Aus der Verschmelzung mit maur. Kunst entwickelte sich der →Mudéjarstil. Aus diesem ging, bereichert durch spätgot. und antike Formen, der auf überreiche Schmuckwirkungen ausgehende →Platereskenstil hervor, der in seiner ersten Stilstufe den Übergang zw. Spätgotik und Renaissance bildet, mit dem Zentrum in Salamanca. Seit der Mitte des 16. Jh. nimmt die plateréske Ornamentik Formen der italien. Renaissance auf, die Dekoration wird sparsamer, die Strukturen klarer (Univ. in Alcalá de Henares; Palast Monterrey in Salamanca). In reinen Renaissanceformen wurden der Sommerpalast Karls V. innerhalb der Alhambra erbaut und v.a. der →Escorial, 1582 vollendet von Juan de Herrera, der auch die Börse von Sevilla baute und die Kathedrale von Valladolid begann.

Die Baukunst des Barock verbreitete sich in der von F. Borromini geprägten Form (Barockkirchen in Sevilla), setzte sich in einer Wiedererweckung des Platereskenstils fort (Neubauten an der Kathedrale zu Santiago de Compostela) und endete im Churriguerismus (→Churriguera), in dem sich die Neigung der span. Baukunst zu wuchernd dekorativen Formen am ungehemmtesten entfaltete

spanische Kunst

| 1

| 2

| 3

| 4

| **1** Der elfschiffige Betsaal der Omaijadenmoschee in Córdoba erweckt den Eindruck eines unendlichen Säulenwaldes | **2** Die romanische Kirche San Martin im kastilischen Frómista, Provinz Palencia, wurde von 1066 bis um 1085 erbaut | **3** Bartolomé Esteban Murillo, »Die kleine Obstverkäuferin« (um 1670/75; München, Alte Pinakothek) | **4** Das Kapitell eines romanischen Kreuzganges im Kloster San Juan de la Peña in der aragonischen Provinz Huesca, stammt aus dem 12. Jahrhundert

und der sich über ganz Spanien verbreitete. Nachdem sich der Klassizismus durchgesetzt hatte (San Marcos 1749–53, Prado 1785–87, beide Madrid), brachte die Baukunst Leistungen von nat. Eigenart erst wieder zur Zeit des Jugendstils hervor. Die Architektur A. Gaudís, der Zeit weit vorauseilend, gab Impulse, die sich nicht nur auf die Architektur beschränkten, sondern sich auf Plastik und Malerei ausgeweitet haben. Nach dem 2. Weltkrieg nahm die Architektur einen neuen Aufschwung. Neben Francisco J. Saénz de Oiza und José Maria García de Paredes traten nach Mitte der 70er-Jahre zahlr. Architekten mit klassisch orientierter, individueller moderner Architektur hervor. Ricardo Bofill und die Planungsgruppe Taller de Arquitectura fanden mit postmodernen Großbauten internat. Aufmerksamkeit. Aufsehen erregten auch die Bauten des Studios PER, die Gruppe Josep-Maria Martorell, Oriol Bohigas Guardiola sowie die Architekten José Rafael Moneo und Santiago Calatrava.

Plastik: Die Bildhauerkunst der Romanik war bereits gegen Ende des 11. Jh. hoch entwickelt (Reliefs im Kreuzgang von Santo Domingo de Silos, Portal von Santa María in Ripoll). In der 2. Hälfte des 12. Jh. entstanden die Portalskulpturen von San Vincente in Ávila und des Pórtico de la Gloria in

5

6

7

8

| **5** Francisco José de Goya y Lucientes, »Das Begräbnis der Sardine« (1793; Madrid, Museo de la Real) | **6** Der Sinfoniesaal des Auditorio Nacional de Música in Madrid des Architekten José Maria García de Paredes wurde 1988 eröffnet | **7** Eduardo Chillida, »Windkämme«, Eisenplastik an der Atlantikküste bei San Sebastián (1972–77) | **8** Joan Miró, »Der Tisch«, genannt Stillleben mit Kaninchen (1920; Privatbesitz)

Santiago de Compostela (1168 von Meister Mateo begonnen), deren Qualität frz. Arbeiten aus dieser Zeit entspricht. Expressiv und farbenprächtig ist die Holzplastik der Zeit. Elfenbeinschnitzereien zeigen häufig maur. Einflüsse.

Eine Fülle von Aufgaben bot den Bildhauern der Gotik außer den Portalen die bildner. Ausgestaltung der Altäre und der Umfassungswände des Chors; sowohl frz. als auch vereinzelt fläm. und dt. Anregungen wurden aufgegriffen. Italien. Künstler, die in Spanien arbeiteten, beeinflussten die span. Bildhauer (B. Ordóñez, D. de Siloé) der Renaissance. A. Berruguetes Kunst leitete schon zum Frühmanierismus über, er machte Valladolid zum Zentrum der Bildhauerkunst.

In der Plastik des Barock verband sich leidenschaftlich religiöser Ausdruck mit Realismus, oft zu äußerstem Naturalismus gesteigert. Die bedeutendsten Meister waren G. Hernández, J. Martínez Montañés, das Haupt der Sevillaner Bildhauerschule, der von ihm ausgehende, auch als Maler tätige A. Cano und dessen Schüler P. de Mena y Medrano. Meister des 18. Jh. sind P. Roldán und F. Salcillo.

Die Entwicklung der modernen Plastik, stark durch Gaudí beeinflusst, wurde durch den Bürgerkrieg und seine Folgen beeinträchtigt. Die auch als Bildhauer tätigen Maler P. Picasso, J. Gris, S. Dalí und J. Miró arbeiteten vorwiegend im Ausland, ebenso J. González, der bahnbrechend auf dem Gebiet der Eisenskulptur war und zusammen mit P. Gargallo den folgenden Bildhauergenerationen wichtige Impulse gab, u. a. Jorge Oteiza, Pablo Serrano, Andreu Alfaro, Martin Chirino, Eduardo Chillida, Miguel Berrocal, Agustí Roqué, Elisa Arimany, Susana Solano, Juan Muñoz, Txomin Badiola, Pello Irazu. Realistisch arbeiten Julio L. Hernández, Francisco López und Antonio López-García.

Malerei: Die Hauptwerke der Romanik gehören dem 12. Jh. an. Führend war die katalan. Malerei (bes. in der Provinz Lleida: Fresken von Santa Maria und Sant Clemente in Taüll; heute Barcelona, Museu d'Art de Catalunya), die sich sehr selbstständig mit der byzantin. Kunst auseinander setzte, aber auch Anregungen aus der mozarab. Buchmalerei und frz. Wandmalerei verarbeitete. Einen Höhepunkt bilden die Fresken im Pantheon der Könige in San Isidoro in León. Antependien sind wegen ihrer sorgfältigen Maltechnik gut erhalten. Bed. Werke der Buchmalerei des 11. Jh. sind die Bibel von Ripoll (Rom, Vatikan. Sammlungen) und die Bibel von Roda (Paris, Bibliothèque Nationale).

Für die Malerei der Gotik waren zunächst italien. Vorbilder maßgebend, die auf F. Bassa, J. Serra, P. Nicoláu u. a. wirkten. Im 15. Jh. setzte sich niederländ. Einfluss durch. Zw. Gotik und Renaissance vermittelnd, steht das Werk P. Berruguetes, der mit italien. Meistern zusammengearbeitet hatte. Seit der Hochrenaissance orientierte sich die span. Malerei vorwiegend an italien. Vorbildern (F. Yáñez, V. Masip, J. de Juanes, P. de Campaña). Als Porträtisten wirkten am Hofe Philipps II. A. Mor, A. S. Coello und dessen Schüler J. P. de la Cruz. Der bedeutendste Maler des Manierismus, El →Greco, war vorwiegend in Toledo tätig.

In der Zeit des Barock führte J. de Ribera, der früh nach Neapel ging, die realist. Helldunkelmalerei Caravaggios fort, von dem auch F. de Zurbaráns Bilder – hauptsächlich religiöse Motive – ausgingen. Velázquez wurde nach seiner Ausbildung in Sevilla, wo er in genrehaften Bildern Volkstypen realistisch darstellte, Hofmaler in Madrid. Seine Bildnisse der königl. Familie prägten einen Porträtstil, in dem Repräsentation und individuelle Charakterisierung eine neuartige Verbindung eingehen, und wirkten in ihrer lichten Farbigkeit, der fast skizzenhaften Pinselschrift auf die frz. Impressionisten. Der gefeiertste Maler Sevillas war B. E. Murillo, dessen Madonnen ebenso volkstümlich wurden wie seine Gassenbubenbilder.

Im 18. Jh. suchte A. R. Mengs, 1761–69 Hofmaler in Madrid, das Kunstleben im klassizist. Sinn zu lenken. Seinen Einfluss überwand an der Wende zum 19. Jh. F. de Goya, der nicht nur als Maler zu den überragenden Persönlichkeiten der europ. Kunst gehört, sondern mit seinen graf. Zyklen neue, zukunftweisende Maßstäbe setzte. Im späteren 19. Jh. wurde außerhalb Spaniens v. a. I. Zuloaga y Zabaleta bekannt. Im 20. Jh. haben span. Künstler entscheidende Stilprägungen der modernen Kunst entwickelt bzw. erhielten von ihnen wichtige Impulse. P. Picasso und J. Gris entwickelten in Paris den Kubismus. S. Dalí und J. Miró gehörten in den 20er-Jahren dem Kreis der Surrealisten in Paris an. Das universelle und bis ins hohe Alter erfindungsreiche Schaffen von Picasso zeigt in der Emigration nach Frankreich starke Anteilnahme am Schicksal Spaniens. Die unter Franco im Land verbliebenen Künstler, v. a. in Barcelona um die Zeitschrift »Dau al Set« (gegr. 1948; zu ihr gehörte A. Tàpies), in Madrid in der Künstlergruppe »El Paso« (1957–60) aktiv, darunter Antonio Saura und Rafael Canogar, sie hatten antiakadem., politisch revolutionäre Ziele. Bed. Beiträge zur informellen Kunst leisteten R. Canogar, Luis Feito, Manolo Millares (eigtl. Manuel Millares Soll); A. Saura sowie Eduardo Arroyo und die Gruppe »Equipo Crónica« mit Manuel Valdés und Rafael Solbes setzten sich für eine politisch engagierte Kunst ein. Mit großformatigen, subtilen Zeichnungen von menschenleeren Interieurs und Landschaften traten María Moreno und Isabel Quintanilla hervor. Joan Hernàndez i Pijuan, Gerardo Delgado, Soledad Sevilla, José Manuel Broto und José María Sicilia knüpfen an die Tradition der informellen Malerei an. Seit den 1980er-Jahren finden sich auch in Spanien Parallelen zu der expressiven Malweise der Neuen Wilden, u. a. Juan Navarro Baldeweg, Ferran García Sevilla, Miquel Barceló.

📖 *Spanien. Kunst des frühen Mittelalters vom Westgotenreich bis zum Ende der Romanik, bearb. v.* P. de Palol *u. a. Neuausg. München 1991. – Vision oder Wirklichkeit. Die span. Malerei der Neuzeit, hg. v.* H. Karge. *München 1991. – Kunst in Spanien, hg. v.* U. M. Reindl *u.* G. Rivet. *Köln 1992. – Die neue span. Architektur, bearb. v.* A. Zabalbeascoa. *A. d. Amerikan. Stuttgart u. a. 1992. – Span. Kunstgeschichte. Eine Einführung, hg. v.* S. Hänsel *u.* H. Karge, *2 Bde. Berlin 1992. – Iberische Halbinsel, Beiträge v.* H. Schomann *u.* V. Rödel, *auf 3 Bde. ber. Darmstadt 1996 ff.*

spanische Literatur, Literatur in span. Sprache, soweit sie in Spanien verfasst wurde. Über die spanisch geschriebene Literatur Lateinamerikas →lateinamerikanische Literaturen.

Mittelalter (12.–15. Jh.): Die s. L. des MA. erwuchs aus dem Miteinander von lateinisch-klerikaler, volkssprachlich-laizist., arab. und jüd. Kultur. Mit dieser einmaligen Synthese wurde sie zur wichti-

Luis de Góngora y Argote: zeitgenössische Darstellung

gen Vermittlerin oriental. Erzählstoffe (»Disciplina clericalis« des Petrus Alfonsi, entstanden nach 1106). Unmittelbares Zeugnis dieser Mischkultur sind die Jarchas, Schlussstrophen arab. Gedichte, die in roman. Volkssprache abgefasst sind; sie gelten als älteste Belege vorhöfischer roman. Liebeslyrik. Der span. Minnesang des 13. und 14. Jh. bediente sich der galic. und der provenzalisch-katalan. Sprache. Relativ spät belegt ist das Epos, dessen einziges (fast) vollständig erhaltenes Beispiel der »Cantar de mío Cid« (entstanden um 1140) ist. Er entstand in zeitl. Nähe zu den Taten des →Cid; weitere Epen lassen sich aus den Prosaauflösungen der Chroniken des 13. und 14. Jh., v.a. aus der »Primera crónica general« (entstanden 1289) rekonstruieren. Bruchstücke dieser Epen sind auch durch die Romanzen überliefert, jener spezifisch spanischen lyr. Gattung, die bis in die Gegenwart auch mündlich tradiert wird. Neben dieser anonymen Spielmannsdichtung steht eine gelehrte Dichtung, deren erster Vertreter G. de Berceo ist, der älteste namentlich bekannte span. Dichter.

Das kulturelle Zentrum der Zeit bildete der Hof Alfons' X., des Weisen (1252–82), an dem arab. und hebr. naturwissenschaftliches Denken durch systemat. Übersetzungen der span. Prosa und damit der gesamten europ. Kultur vermittelt wurde. Die überragenden Werke des 14. Jh. sind die Sammlungen von Novellen und Exempeln »Der Graf von Lucanor« des Infanten Don Juan Manuel (entstanden 1335) und das Religiöses und Profanes mischende »Libro de buen amor« (zwei Fassungen, 1330 und 1343, dt. Ausw. 1960 u.d.T. »Aus dem Buch der guten Liebe«) von J. Ruiz (gen. Arcipreste de Hita). Die Lyrik des 15. Jh. repräsentieren der Marqués de Santillana, der das Sonett in Spanien einführte, und J. Manrique. In dieser Zeit begann auch die Sammlung mittelalterl. Kunstdichtung in den →Cancioneros (»Cancionero de Baena«, entstanden um 1445). Das um 1200 mit dem anonymen »Auto de los Reyes Magos« einsetzende Drama des MA. findet seinen ersten Höhepunkt in der →Celestina von F. de Rojas.

Siglo de oro (»goldenes Zeitalter«, 16. und 17. Jh.): Die früh einsetzende Blütezeit der s. L. umfasst Renaissance (Regierungszeit Karls V.) und Barock. Trotz starker italien. und klassisch-lat. Einflüsse brach die span. Renaissance weder mit dem christl. Denken noch mit der heim. Dichtungstradition. Durch Spaniens führende Rolle in der →katholischen Reform beeinflusste auch seine Lit. das übrige Europa einschl. der prot. Länder bis mindestens 1650. In der Lyrik übernahmen J. Boscán Almogáver und Garcilaso de la Vega Formen und Themen des italien. Petrarkismus, der von der »Schule von Sevilla«, bes. F. de Herrera, fortgeführt wurde. Eine von der Alltagssprache völlig abgehobene poet. Sprache schuf L. de Góngora y Argote. Der schwierige Stil (Culteranismo) seiner »Soledades« (1613/14, gedruckt 1636), bei den Zeitgenossen umstritten (→Konzeptismus des F. Gómez de Quevedo y Villegas), wirkte durch seine ungewöhnl. Metaphern seit S. Mallarmé auf die Lit. der Moderne. Von den Lyrikern

Miguel de Cervantes Saavedra: Gemälde des spanischen Malers Juan de Jaurigui y Aguilar (1600; Madrid, Königliche Akademie der Sprachen)

dieser Zeit sind noch San Juan de la Cruz, Fray Luis de León und v.a. Lope F. de Vega Carpio zu nennen.

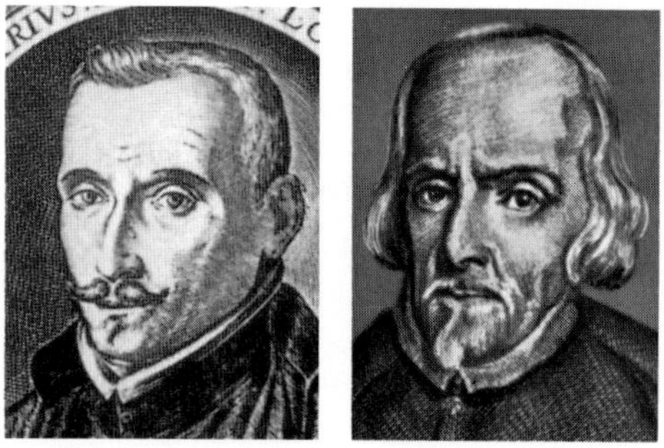

spanische Literatur (von links): Lope Félix de Vega Carpio, Ausschnitt eines Kupferstichs von Jean de Courbes (1630) und Pedro Calderón de la Barca (Ausschnitt eines zeitgenössischen Stichs)

Das Siglo de oro war auch die erste Blütezeit des span. Romans. Auf frz. höfischen Vorbildern basierte die Flut der Ritterromane (v.a. um →Amadis von Gaula); von Italien beeinflusst war der idealisierende Schäferroman (J. de Montemor, Lope de Vega Carpio). Eine eigene span. Schöpfung ist der pikareske Roman (der anonyme »Lazarillo de Tormes«, 1554; »Das Leben des Guzmán von Alfarache« von M. Alemán, 1599–1604, u.a.). M. de Cervantes Saavedras »Don Quijote« (1605–15) steht in dieser Tradition; das Meisterwerk der s. L., das ritterl. Leben sowie die Romane darüber parodiert, wurde zum Vorbild des europ. Romans. Mit den »Exemplar. Novellen« (1613) begründete Cervantes die eigenständige span. Novellistik.

Einzigartig ist die asketisch-myst. Lit., mit der in zahllosen Abhandlungen, Heiligenviten und Predigten ein Ideal verinnerlichter Frömmigkeit propagiert wurde (Theresia von Ávila, Luis de Granada, Johannes vom Kreuz). Ebenso weit verbreitet waren die Chroniken, bes. die über die Eroberung Amerikas (B. de Las Casas). Satir. und moralist. Prosawerke schufen A. de Guevara, Quevedo y Villegas und B. Gracián y Morales (»Hand-Orakel«, 1647). Außerordentlich reich war die Bühnendichtung des Siglo de oro. Aus volkstüml. Traditionen entwickelte sich ein eigenständiges, sehr erfolgreiches Theater. Die Hauptgattungen sind die profane, auf Unterhaltung breiter Schichten zielende Comedia, das →Auto sacramental und das derb-kom. Zwischenspiel (Entremés). Lope de Vega Carpio und P. Calderón de la Barca sowie ihre jeweiligen Schüler (Tirso de Molina, G. de Castro y Bellvís, F. de Rojas Zorrilla, A. Moreto y Cavana) haben dieses Theater mit Tausenden von Stücken versorgt.

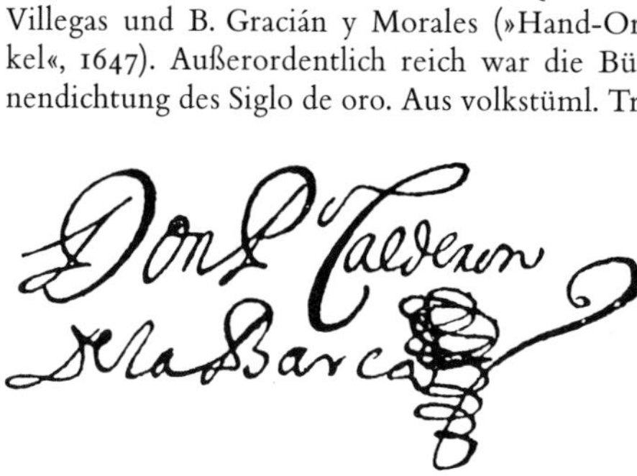

spanische Literatur: Autogramm von Pedro Calderón de la Barca

Das 18. Jahrhundert: Nur zögernd fand Spanien Anschluss an das säkularisierte Denken der europ. Aufklärung. Einen entscheidenden Schritt in Richtung auf ein kritisches naturwiss. Denken vollzog der Benediktiner B. J. Feijoo y Montenegro mit seinem von traditionalist. Seite heftig bekämpften Werk. Satir. Kritik am traditionalist. Spanien übten die Prosawerke von J. F. de Isla y Rojo und J. Cadalso y Vázquez. Lyrik und Theater des 18. Jh. blieben lange dem Spätbarock verhaftet. 1765 wurden die Autos sacramentales verboten. Gegen Ende des Jh. erneuerte L. Fernández de Moratín durch seine klassizist. Komödien nach dem Vorbild Molières das span. Drama. Während der frz. Besetzung entstand patriot. Lyrik (M. J. Quintana).

Das 19. Jahrhundert: Die span. Romantik setzte erst in den Jahren 1825–35 ein, als gegen Ende der Herrschaft Ferdinands VII. viele Emigranten zurückkehrten (u.a. der Dramatiker F. Martínez de la Rosa, der vielseitige Essayist M. J. de Larra, der Lyriker J. Espronceda y Delgado). Einen eigenen Stil fand J. Zorrilla y Moral mit seinen Verslegenden und Dramen. Seit den 1830er-Jahren entstanden auch wieder Romane. Schöpferin des realistischen span. Romans ist Fernán Caballero (eigtl. Cecilia Böhl de Faber). Wie ihr Werk ist auch das von B. Pérez Galdós eng mit der span. Landschaft und Geschichte verbunden, dessen Romane ein umfassendes Bild der span. Gesellschaft zeichnen. Die geistigen Leitlinien dieser Zeit bot der Krausismus (nach Karl Christian Friedrich Krause; *1781, †1832). Naturalist. Tendenzen waren in der s. L. nur abgeschwächt ausgeprägt, so in den Romanen und Erzählungen von Clarín (eigtl. L. E. Alas y Ureña), V. Blasco Ibáñez und Emilia Pardo Bazán, die sich auch theoretisch damit befasste. Die Lyrik wurde von G. A. Bécquer erneuert. Seine »Rimas« (1871) sind von H. Heine inspiriert, weisen aber bereits auf den Symbolismus. Rosalia de Castro bereitete mit ihren (meist galicisch geschriebenen) intimen Gedichten formal den Modernismo vor. Auf dem Theater waren in der 2. Hälfte des 19. Jh. Gesellschaftsstücke erfolgreich (naturalistisch beeinflusst bei J. Echegaray y Eizaguirre [Nobelpreis 1904], satirisch bei J. Benavente [Nobelpreis 1922]). Das 19. Jh. brachte auch das Wiedererstehen einer eigenen Lit. in katalan. und galic. Sprache.

Das 20. Jahrhundert: Der Verlust der meisten Kolonien im Jahre 1898 führte zu einer tief greifenden polit., wirtsch. und kulturellen Krise. Die Schriftsteller versuchten, ihr durch Besinnung auf die kulturellen Leistungen Spaniens, durch Kampf gegen geistigen Konformismus und Streben nach geistiger Erneuerung zu begegnen (»Generation von 98«, bed. Vertreter: M. de Unamuno y Jugo, J. Martínez Ruiz [Pseud. Azorín], P. Baroja y Nessi, A. Machado y Ruiz). Hauptmedium war neben dem weniger an die breiten Massen als an eine intellektuelle Minderheit gerichteten Roman v.a. der Essay. Parallel dazu entwickelte sich in der Lyrik die span. Variante des Symbolismus, der Modernismo (→Modernismus; S. Rueda, R. Darío), R. M. del Valle-Inclán übertrug diesen Stil virtuos in Prosaformen. Die 20er- und 30er-Jahre zeichneten sich durch undogmat. Denken und künstler. Experimente aus, wobei häufig die Grenzen zw. Lit., Malerei und dem neuen Medium Film aufgehoben wurden (S. Dalí, L. Buñuel, R. Alberti, F. García Lorca). Das Bindeglied zw. den Modernisten und der folgenden Dichtergruppe bildet das Werk von J. R. Jiménez (Nobelpreis 1956). Fast alle Autoren der überwiegend auf die Lyrik konzentrierten »Generation von 1927« verstanden sich als seine Schüler. Im Sinne von Góngora (nach dessen 300. Todesjahr die Gruppe benannt wird) und im Ggs. zur »engagierten Literatur« der Generation von 98 bekannten sie sich zur »reinen Kunst« (bed. Vertreter: J. Guillén, P. Salinas, G. Diego Cendoya, V. Aleixandre, L. Rosales, L. Cernuda). Die europ. Moderne und die span. Tradition wirkten in der Revolutionierung des Theaters zusammen, die von Valle-Inclán und García Lorca ausging. Das essayist. Schaffen wurde u.a. von J. Ortega y Gasset fortgeführt. Bed. Romane schrieben G. Miró Ferrer, B. Jarnés Millán und R. J. Sender.

spanische Literatur: Federico Garcia Lorca (um 1931)

Durch den Span. Bürgerkrieg und das Francoregime brachen alle Entwicklungen ab. Wichtige Repräsentanten der künstler. Elite kamen um (wie García Lorca), der größte Teil ging ins Exil und kehrte erst in den 60er-Jahren oder überhaupt nicht nach Spanien zurück. Der Bürgerkrieg selbst brachte leidenschaftlich engagierte polit. Lyrik hervor (R. Alberti, M. Hernández). Die Lit. der Nachkriegszeit stand bis in die 70er-Jahre unter staatl. und kirchl. Zensur. Bedeutendster der im Lande verbliebenen Dichter war V. Aleixandre (Nobelpreis 1977). Seit den 50er-Jahren sah sich die Mehrzahl der Autoren einer politisch und sozial engagierten Lit. verpflichtet: in der Lyrik G. Celaya, J. A. Goytisolo, B. de Otero, auf dem Theater A. Buero Vallejo, A. Sastre, im Frühwerk auch F. Arrabal, im Roman J. C. Cela (Nobelpreis, 1989), M. Delibes, R. Sánchez Ferlosio, Ana María Matute, L. und J. Goytisolo, J. Marsé Carbo. Den Anschluss an den modernen europ. Roman stellten u.a. L. Martín Santos, G. Torrente Ballester und J. Benet Goitia her, internat. erfolgreich sind auch J. Semprún, M. Vazquéz Montalbán, A. Pombo. Seit den 60er-Jahren löste sich die Lyrik vom polit. Engagement (u.a. Ana María Moix, A. Colinas, L. García Montero). Bed. Autoren der jüngeren Generation sind I. Martínez de Pisón, E. Mendoza, J. Tomeo, J. J. Millás, J. Marías, A. Muñoz Molina. Wesentl. Anteil an der zeitgenöss. s. L. haben erfolgreiche Autorinnen: Almudena Grandes, Adelaida García Morales, Rosa Montero, Soledad Puértolas, Carme Riera und Esther Tusquets.

📖 FLASCHE, H.: *Geschichte der s. L., 3 Bde. Bern u. a. 1977–89.* – *Das span. Theater. Vom MA. bis zur Gegenwart, hg. v.* V. ROLOFF *u. a. Düsseldorf 1988.* – *Die span. Lyrik der Moderne. Einzelinterpretationen, hg. v.* M. TIETZ. *Frankfurt am Main 1990.* – *Span. Theater im 20. Jh., hg. v.* W. FLOECK. *Tübingen 1990.* – NEUSCHÄFER, H.-J.: *Macht u. Ohnmacht der Zensur. Literatur, Theater u. Film in Spanien (1933–76). Stuttgart 1991.* – GUMBRECHT, H.-U.: *Eine Gesch. der s. L., 2 Bde. Sonderausg. Frankfurt am Main 1992.* – FRANZBACH, M.: *Gesch. der s. L. im Überblick. Stuttgart 1993.* – WITTSCHIER, H. W.: *Die s. L. Einführung u. Studienführer. Von den Anfängen bis zur Gegenwart. Tübingen 1993.* – *Der span. Roman vom MA. bis zur Gegenwart, hg. v.* V. ROLOFF *u.* H. WENTZLAFF-EGGEBERT. *Stuttgart u. a. ^{2}1995.* – *Geschichte der s. L., hg. v.* C. STROSETZKI. *Tübingen ^{2}1996.* – *Span. Literaturgeschichte, hg. v.* H.-J. NEUSCHÄFER. *Stuttgart u. a. 1997.* – *Die span. Lyrik von den Anfängen bis 1870. Einzelinterpretationen, hg. v.* M. TIETZ. *Frankfurt am Main 1997.*

spanische Mode, die um die Mitte des 16. Jh. von der span. Hoftracht ausgehende strenge Mode,

Juan Ramón Jiménez

Camilo José Cela

Jorge Semprún

Javier Marías

in der v. a. für die männl. Kleidung Schwarz die bestimmende Farbe wurde.

spanische Musik. Die seit der Antike einander folgenden Besetzungen der Iber. Halbinsel oder einzelner Gebiete durch Phöniker, Griechen, Römer, Goten und Araber beeinflussten die bodenständige Musiktradition. In der arab. Zeit wurden

spanische Musik: Manuel de Falla (um 1940)

u. a. die Musikinstrumente Rabab (Streichinstrument) und Laúd (Laute) übernommen. Die Blütezeit der mozarab. Liturgie lag im 7. Jh.; Ende des 11. Jh. wurde sie durch den röm. Ritus ersetzt. Vielfach bezeugt ist eine reiche Musikpflege im Kalifat von Córdoba sowie an den späteren christl. Höfen. Sie spiegelt sich in der Überlieferung des 12. Jh. von Santiago de Compostela (»Codex Calixtinus«) ebenso wie in der im 12. Jh. einsetzenden Bewegung der den frz. Troubadours entsprechenden Trovadores und den »Cantigas de Santa María« (2. Hälfte 13. Jh.) von Alfons X., dem Weisen. Die Vertrautheit mit der Entwicklung der Mehrstimmigkeit des 13. Jh. erweist der bed. »Codex Las Huelgas« (aus dem Zisterzienserkloster Las Huelgas bei Burgos). Um 1500 traten P. de Escobar und J. del Encina als internat. bekannte Komponisten hervor. Die hohe Blüte der s. M. bes. auf dem geistl. Gebiet im 16. Jh. belegen die Namen von C. Morales, F. Guerrero und T. L. de Victoria, dessen Messen und Motetten dem Palestrina-Stil nahe stehen, sowie in der Lauten- und Gitarrenmusik die Tabulaturen von L. Milán. Zu Beginn des 17. Jh. wurde auch in der s. M. ein starker italien. Einfluss wirksam, der sich in mehrchöriger Kirchenmusik und im raschen Vordringen der instrumentalbegleiteten Monodie äußert. In der →Zarzuela mit ihren Musikeinlagen bringt Spanien einen eigenen Beitrag zu den Bühnenwerken des 17./18. Jh. Im 18. Jh. verstärkten die Italiener ihren Einfluss als Opernkomponisten, Sänger, Cembalisten und Kammermusiker. Andererseits drang das Kolorit volkstümlicher span. Formen (nach Folia, Sarabande, Passacaglia seit dem 18. Jh. nun Bolero, Fandango, Flamenco, Malagueña, Seguidilla, Zapateado) in die europ. Musik ein. Mit dem Wirken von F. Pedrell verbanden sich im 19. Jh. nat.-span. Tendenzen, die bis in die Gegenwart lebendig blieben. Neben den auch hier spürbaren Einfluss R. Wagners trat um und nach 1900 der der frz. Musik, wie er etwa in Kompositionen von I. Albéniz, E. Granados y Campiña, M. de Falla und J. Turina deutlich wird. Zunächst noch der span. Tradition verpflichtet waren R. und E. Halffter sowie Joaquín Rodrigo. Den Anschluss an die europ. Avantgarde stellten C. Halffter Jiménez und J. L. de Delás her, der am elektron. Studio in Utrecht arbeitete. Vertreter der zeitgenöss. s. M. sind u. a. R. Barce, J. Mestres Quadreny, L. A. de Pablo Costales, X. Benguerel, J. Soler, T. Marco sowie M. Hidalgo.

📖 Livermore, A.: *A short history of Spanish music. London 1972.* – Mitjana y Gordón, R.: *La música en España. Arte religioso y arte profano. A. d. Frz. Madrid 1993.* – Pahlen, K.: *Manuel de Falla u. die Musik in Spanien. Mainz u. a. 1994.*

Spanischer Bürgerkrieg, militärische Auseinandersetzung 1936–39 zwischen nationalistisch-faschist. und konservativ-traditionalist. Kräften auf der einen und republikan. Truppen auf der anderen Seite. Im S. B. entluden sich die Spannungen zw. autonomist. und zentralist. Staatsdenken, zw. traditionell-kath. und liberal-sozialist. Auffassungen. Hinzu kamen die Gegensätze zwischen Großgrundbesitzern, Bauern und Arbeitern. – General F. Franco Bahamonde löste im Juli 1936 in Spanisch-Marokko durch einen Putsch den Aufstand gegen die Republik aus, der dann auf das span. Mutterland übergriff; Franco gewann Andalusien und stieß durch die Extremadura nach Kastilien vor; auf seiner Seite griffen Truppen des faschist. Italien und des nat.-soz. Dtl. (Legion Condor, Zerstörung von →Gernika-Lumo) ein, aufseiten der Republikaner, die militärtechn. Hilfen der UdSSR erhielten, zahlr. Freiwillige aus vielen Nationen (Internat. Brigaden). Versuche auf internat. Ebene, die Einmischung ausländ. Mächte zu unterbinden, scheiterten. Nach der vergebl. Belagerung von Madrid (Nov. 1936 bis März 1937) eroberte Franco 1937 Málaga, Bilbao, Santander und den Rest Asturiens; im Winter 1937/38 siegte er in den Kämpfen um Teruel. Der Durchbruch der Truppen Francos von Teruel zum Mittelmeer (damit Zweiteilung des noch verbliebenen republikan. Herrschaftsgebietes) und die Eroberung Kataloniens (Jan./ Febr. 1939) entschieden den S. B.; Madrid wurde am 28. 3. 1939 kampflos besetzt. Am 1. 4. 1939 verkündete Franco das Ende des Bürgerkrieges. Die Zahl der

Todesopfer betrug etwa 600 000–800 000 Menschen, davon mehr als die Hälfte Zivilisten. Weiteres BILD Capa

📖 BERNECKER, W. L.: *Krieg in Spanien 1936–39.* *Darmstadt 1997.*

Spanische Reitschule Wien (bis 1919 und 1939–45 Span. Hofreitschule), 1572 als Span. Reitsaal gegr. (nach der Abstammung der Lipizzaner von span. Zuchtpferden), Pflegestätte der → hohen Schule mit Lipizzanerhengsten.

Spanischer Erbfolgekrieg, der um das Erbe des letzten span. Habsburgers Karl II. 1701–13/14 geführte europ. Krieg. Karls testamentarisch bestimmter Nachfolger war Philipp von Anjou (Philipp V.), ein Enkel Ludwigs XIV., der die span. Linie der Bourbonen begründete. Gegen die drohende Hegemonie der Bourbonen auf dem Kontinent und eine Vereinigung der frz.-span. Kolonialreiche bildete Österreich eine Große Allianz mit Großbritannien, den Generalstaaten, Portugal sowie dem Hl. Röm. Reich zum Kampf gegen Frankreich (verbündet mit Bayern und Köln). Hauptkriegsschauplätze waren Oberitalien, Spanien, S-Deutschland und die span. Niederlande. Die bedeutendsten Siege errangen die Alliierten unter Prinz Eugen und Herzog von Marlborough bei Höchstädt a. d. Donau (13. 8. 1704), Ramillies-Offus (23. 5. 1706), Turin (7. 9. 1706) und Malplaquet (11. 9. 1709). Philipp V. konnte sich zwar behaupten, in den Friedensschlüssen von Utrecht (11. 4. 1713), Rastatt (6. 3. 1714) und Baden (7. 9. 1714) verlor Spanien aber seine Besitzungen in Italien und den südl. Niederlanden an Österreich; Gibraltar und Menorca wurden britisch.

Spanischer Reiter, *Militärwesen:* mit Stacheldraht überspanntes Holzgestell als Gelände- oder Straßensperre.

spanische Sprache (kastilische Sprache), eine der → romanischen Sprachen. Sie bildet mit dem Portugiesischen, dem Galicischen und dem Katalanischen das Iberoromanische. Das Spanische wird als Mutter- (rd. 30 Mio. Sprecher) und Zweitsprache im gesamten span. Staatsgebiet (seit der span. Verf. 1978 Amtsprache) und im Bereich des ehem. span. Kolonialreichs, bes. in Südamerika (außer

Spanischer Bürgerkrieg: Gegen die Schrecken des Krieges schuf Pablo Picasso 1937 für den spanischen Pavillon der Weltausstellung in Paris das Monumentalwerk »Guernica« (heute Madrid, Centro de Arte Reina Sofía); der Titel des Gemäldes bezieht sich auf die Zerstörung der baskischen Stadt Gernika-Lumo durch die nationalsozialistische Legion Condor

Othmar Spann

Brasilien und Guayana), Mittelamerika mit Mexiko und in den angrenzenden Teilen der USA (→Chicanos) sowie z.T. noch auf den Philippinen und als Judenspanisch (»sefardí«) in N-Afrika, in Israel und auf dem Balkan gesprochen. Mit insgesamt rd. 250 Mio. Sprechern ist das Spanische nach dem Chinesischen und dem Englischen die dritthäufigste Sprache der Welt. Die span. Schriftsprache ist aus der kastil. Mundart hervorgegangen und wird zunehmend »castellano« (Kastilisch) genannt, von dem westlich das Asturisch-Leonesische zum Galicisch-Portugiesischen, östlich das Aragonesische zum Katalanischen überleitet. Das mit der Reconquista nach S-Spanien getragene Kastilisch führte dort zu sekundären Dialekten (Andalusisch, Murcianisch, Extremenisch, Riojanisch und Kanarisch). In den Wortschatz der s. S. sind viele arab. Wörter eingedrungen, in Amerika auch viele indianische.

📖 Tovar, A.: *Einführung in die Sprachgeschichte der Iber. Halbinsel. A.d.Span. Tübingen* [3]*1989.* – Berschin, H. *u.a.: Die s. S. Verbreitung, Geschichte, Struktur. Ismaning* [2]*1995.*

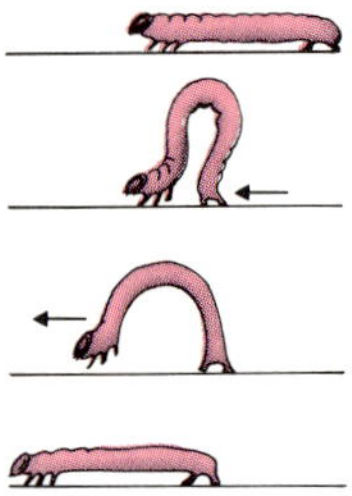

Spanner: Fortbewegung einer Spannerraupe

spanische Wand (Paravent), zusammenlegbarer Wandschirm aus bespannten Holzrahmen, Rohrstäben, Holzleisten oder -brettchen, durch Scharniere oder Gurte miteinander verbunden.

spanische Weine. Spanien besitzt mit 1,5 Mio. ha die größte Rebfläche aller Länder der Erde und nimmt in der Weinproduktion mit rd. 33 Mio. hl pro Jahr die dritte Stelle ein. Führendes span. Rotweingebiet ist Rioja, wichtigstes Weißweingebiet Penedès in Katalonien (v.a. Verarbeitung zu Schaumwein); weitere Weinbaugebiete sind Ribera del Duero, Navarra, Toro (Rotweine) und Rueda (Weißwein). Die bekannteste Weinart Spaniens ist der →Sherry, der als führender Aperitivwein eine besondere Stellung einnimmt.

Spanisch-Guinea [-giˈneːa], ehemalige span. Kolonie, wurde 1959 als Fernando Póo und Río Muni Überseeprovinz, 1968 als →Äquatorialguinea unabhängig.

Spanisch-Marọkko, 1912–56 span. Protektorat in N-Marokko, umfasste das Gebiet des Rif; Hptst. war Tétouan.

Spanisch-Sahara, ehemalige span. Überseeprovinz an der NW-Küste Afrikas, →Westsahara.

Spanish Town [ˈspænɪʃ ˈtaʊn], zweitgrößte Stadt von Jamaika, 110 400 Ew.; Nationalarchiv, Museen; Handelszentrum. – Anglikan. Kathedrale (1714 umgebaut). – 1534 unter dem Namen Santiago de la Vega gegründet.

spanlose Formung, die Fertigungsverfahren, bei denen das Werkstück ohne Abnahme von Spänen geformt wird: Gießen **(Urformen),** Biegen, Prägen, Pressen, Schmieden, Walzen **(Umformen),** Aus- und Abschneiden **(Trennen).**

Spạnn, Othmar, österr. Volkswirtschaftler, Philosoph und Soziologe, *Wien 1. 10. 1878, †Neustift an der Lafnitz (Burgenland) 8. 7. 1950; Begründer des Universalismus (Ganzheitslehre), einer gegen Rationalismus, Liberalismus, Materialismus und Marxismus gerichteten Gesellschafts- und Volkswirtschaftslehre, die im Ideal eines hierarchisch gegliederten Ständestaates mündete. Auf seiner philosoph. und gesellschaftstheoret. Konzeption basierte der austrofaschist. »Korneuburger Eid« der österr. Heimwehren.

Spannbeton, ein →Stahlbeton mit vorgespannter Bewehrung. Nach der Einbetonierung und Erhärtung des Betons (sofortiger Verbund) wird die Verankerung gelöst, aus der Zugkraft wird eine Druckkraft, die auf den Beton wirkt. Der S. ermöglicht die Überbauung großer Stützweiten mit geringen Konstruktionsquerschnitten.

Spanndienst, →Fron.

Spanne, altes dt. Längenmaß, bes. der Abstand zw. den Spitzen des kleinen Fingers und Daumens der gespreizten Hand; lag zw. 22 und 28 cm.

Spanner (Geometridae), Familie überwiegend dämmerungs- und nachtaktiver Schmetterlinge; Raupen unbehaart, mit Fortbewegung durch S.-Bewegung (buckelndes Hochkrümmen und anschließendes Strecken des Körpers nach vorn). →Frostspanner, →Kiefernspanner

Spannung *die,* **1)** *Elastizitätslehre:* a) **elast. S.,** die bei Belastung und damit verbundener Deformation eines elast. Körpers auftretenden inneren (Reaktions-)Kräfte je Flächeneinheit, die die urspr. Form des unbelasteten Körpers wiederherzustellen suchen. SI-Einheit ist das →Pascal oder N/m^2. Nach Art der Beanspruchung werden Zug-, Druck-, Knick-, Biege-, Scher- und Torsions-S. unterschieden. Elast. S. lassen sich zerlegen in eine senkrecht zur Oberfläche des betroffenen Volumenelements gerichtete **Normal-S.** σ und in zwei tangential auf das Flächenelement wirkende, zueinander senkrechte Komponenten, die **Schub-** oder **Tangential-S.** τ. Die Normal-S., die für positive Werte als Zug **(Zug-S.),** für negative Werte als Druck **(Druck-S.)** bezeichnet wird, bewirkt bei Einwirkung auf einen Körper eine Volumenänderung, die Schub-S. dagegen eine Scherung. **Innere S.** bestehen als Eigen-S. im Inneren eines Werkstückes, unabhängig von äußerer Belastung. b) →Oberflächenspannung.

2) *Elektrizitätslehre:* (elektr. S.) Formelzeichen U, die Voraussetzung für das Fließen eines elektr. Stromes, in elektrostat. und langsam veränderlichen elektr. Feldern die zw. zwei Punkten des Feldes herrschende Potenzialdifferenz (→Potenzial). Die elektr. S. ist gleich der Arbeit W, die aufgewendet werden muss, um eine Ladung Q längs des Weges $\boldsymbol{s}$ von einem Punkt des Feldes zum anderen zu bewegen (elektr. Feldstärke $\boldsymbol{E}$), dividiert durch die Ladung:

$$U = W/Q = \int_1^2 E\,\mathrm{d}s$$

Einheit der S. ist das → Volt.

Elektrochemische Spannungsreihe von Metallen

Metall	Metall-kation	Normalpotenzial in V bei 25 °C
Li	Li^+	−3,04
K	K^+	−2,92
Ca	Ca^{2+}	−2,87
Na	Na^+	−2,71
Mg	Mg^{2+}	−2,37
Mn	Mn^{2+}	−1,18
Zn	Zn^{2+}	−0,76
Cr	Cr^{3+}	−0,74
Fe	Fe^{2+}	−0,44
Cd	Cd^{2+}	−0,40
Co	Co^{2+}	−0,28
Ni	Ni^{2+}	−0,23
Sn	Sn^{2+}	−0,14
Pb	Pb^{2+}	−0,13
H_2	$2\,H^+$	+0,00
Cu	Cu^{2+}	+0,34
Ag	Ag^+	+0,80
Hg	Hg^{2+}	+0,85
Au	Au^+	+1,50
Pt	Pt^{2+}	+1,20

Elektrochemische Spannungsreihe von Nichtmetallen

Nichtmetall-anion	Nichtmetall	Normalpotenzial in V bei 25 °C
S^{2-}	S (fest)	−0,51
$2\,I^-$	I_2 (fest)	+0,54
$2\,Br^-$	Br_2 (flüssig)	+1,07
$2\,Cl^-$	Cl_2 (gasförmig, 1 bar)	+1,36
$2\,F^-$	F_2 (gasförmig, 1 bar)	+2,87

Spannungs-Dehnungs-Diagramm, grafische Darstellung der im → Zugversuch gemessenen Verlängerung eines Probestabes (Dehnung) in Abhängigkeit von der Zunahme der Kraft (Spannung). Der Verlauf ist vom Werkstoff abhängig. Mithilfe der Kennlinien können die Festigkeits- und Verformungskenngrößen ermittelt werden (Dehngrenze, Streckgrenze, Zugfähigkeit, Bruch).

Spannungsfall, durch äußere Bedrohung eines Staates hervorgerufene gefährl. Situation, die sich zum Verteidigungsfall verschärfen kann; wird gemäß Art. 80a GG vom Bundestag festgestellt (→ Notstandsverfassung).

Spannungsmesser, 1) *Elektrotechnik:* (Voltmeter) Instrument zur Messung der elektr. Spannung, das parallel geschaltet wird und einen großen Innenwiderstand aufweist. Die wichtigsten S. für Gleichspannungen sind Drehspul- und Dreheiseninstrumente, für genaue und empfindl. Gleichspannungsmessungen (nach Gleichrichtung auch für Wechselspannungen) Digitalvoltmeter.

2) *Mechanik:* → Dehnungsmesser.

Spannungs|optik, opt. Verfahren zur Untersuchung der mech. Spannungen in belasteten Körpern oder Bauteilen; es beruht darauf, dass optisch isotrope Körper durch mechan. Beanspruchung anisotrop werden und eine → Doppelbrechung **(Spannungsdoppelbrechung)** zeigen, deren Stärke ein Maß für die örtlichen mechan. Spannungen ist. Im Modell (meist aus durchsichtigem Kunststoff), das zw. Polarisator und Analysator gebracht wird, werden Orte gleicher Spannungszustände im polarisierten Licht in Form von Interferenzstreifen hinter dem Analysator sichtbar. – Spannungsopt. Untersuchungen sind auch mithilfe der holograph. Interferometrie möglich.

Spannungsprüfer, elektr. Gerät meist in Form eines Stiftes oder Schraubendrehers mit metallischer Tastspitze und Glimmlampe oder Tonsignal zum Nachweis elektrischer Spannung zw. 100 und 500 V.

Spannungsregler, Gerät oder Schaltung zum Erzielen einer Ausgangsspannung, die von Schwankungen der Spannungsquelle und Laständerungen auf der Verbraucherseite unabhängig ist.

Spannungsreihe, die Ordnung der chem. Elemente, v.a. der Metalle, nach zunehmendem elektr. Potenzial gegen ein Bezugselement.

Bei der **elektrochem. S.** werden die Elemente nach steigenden Potenzialen geordnet, die sich bei einer bestimmten Temperatur in einer Elektrolysezelle gegen die Normalwasserstoffelektrode als Normalpotenziale ergeben; dabei taucht das Element in eine Lösung mit für das Element normaler Aktivität. Je negativer das Normalpotenzial eines Metalls ist, desto unedler ist es, d.h., desto leichter gibt es Elektronen ab (wird es oxidiert); je positiver das Normalpotenzial ist, desto edler ist das Metall, d.h., desto leichter nehmen seine Ionen Elektronen auf (werden reduziert). Die Differenz der Normalpotenziale zweier Metalle gibt die Spannung an, die ein aus ihnen gebildetes elektrochem. Element liefert. Die S. der Nichtmetalle, bei der die Ionen die reduzierten Stoffe darstellen, bilden (nach zunehmendem negativen Potenzial) z.B. S, J, Br, Cl, F. – Die **elektr. S. (voltasche S.)** ist die Einordnung von Metallen nach der Größe ihrer Kontaktpotenziale in Bezug auf ein anderes Metall; stehen Metalle mit positiver Kontaktspannung (→ Berührungsspannung) vor denen mit negativer Kontaktspannung, so erhält man:

(+) Rb–K–Na–Al–Zn–Pb–Sn–Sb–Bi–Fe–Cu–Ag–Au–Pt (–).

Ein bestimmtes Metall wird elektrisch negativ, wenn man es mit einem weiter links stehenden in Berührung bringt. – Eine **thermoelektr. S.** erhält man bei Einordnung der Metalle nach der Größe der Thermospannung (→ Thermoelektrizität) ge-

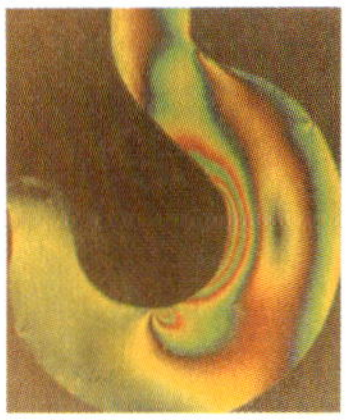

Spannungsoptik: in weißem Licht sich zeigende Isochromaten eines flachen Kranhakenmodells

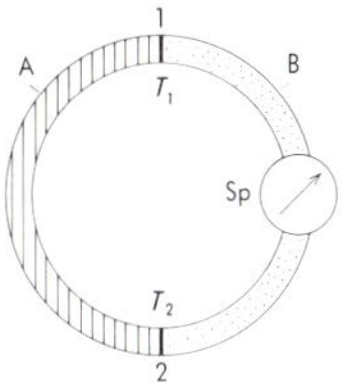

Spannungsreihe: Versuchsanordnung zur Messung der thermoelektrischen Spannung; die Metalle A und B sind verlötet an den Stellen 1 und 2 mit den Temperaturen T_1 und T_2; Sp Spannungsmesser

gen ein Bezugsmetall (meist Kupfer). Bei Erwärmen eines aus zwei dieser Metalle gebildeten Thermoelements erhält das in der thermoelektr. S. voranstehende Metall eine positive, das andere eine negative Spannung. Metalle der thermoelektr. S. sind: Sb, Fe, Sn, Au, Su, Ag, Pb, Al, Pr, Hg, Ni, Bi.

Spannungsteiler, elektr. Netzwerk, das eine Eingangsspannung definiert herabsetzt. Einstellbare S. sind →Potentiometer.

Spannungswandler, ein →Messwandler.

Spannvorrichtungen, bei Werkzeugmaschinen spezielle Teile zum Einspannen des Werkstücks oder Werkzeugs, z. B. Schraubstock und Schraubzwinge. Bes. für große Werkstücke geeignet ist die **Planscheibe,** die auf die Arbeitsspindel der Drehmaschine geschraubt wird und mit radial einzeln verschiebbaren Klauen das Werkstück festhält. Weitere S. sind das **Backenfutter,** meist als Dreibackenfutter, dessen Spannbacken das Werkstück gemeinsam umfassen, und das **Bohrfutter** zum Einspannen von Bohrern in die Bohrmaschine. Sehr genaue, schnelle Einspannung zylindr. Teile ist durch **Spannzangen** (für Außenzylinder) und **Spannbuchsen** (für Innenzylinder) möglich. S. können manuell oder automatisch betätigt werden (elektrisch, magnetisch, hydraulisch, pneumatisch).

Spannweite, 1) *allg.:* der Abstand zw. den Enden der ausgebreiteten Flügel (Vögel, Insekten) oder von Tragflügeln (Flugzeuge, Gleiter).

2) *Bautechnik:* (Stützweite) bei Brücken, Trägern, Balken der horizontale Abstand zw. den Mitten benachbarter Auflager.

Spanplatten, kurz für →Holzspanplatten.

Spant, 1) *Flugzeugbau:* ring- oder bandförmiges formgebendes Bauteil zur Versteifung der Rumpfschale und Einleitung von Einzelkräften.

2) *Schiffbau:* gebogener Träger aus Holz oder Metallprofilen zur Quer- oder Längsversteifung und Formhaltung des Schiffsrumpfes.

SPAR, Name von Handelsketten in 27 Ländern, durch freiwilligen Zusammenschluss von Groß- und Einzelhändlern zur Rationalisierung von Ein- und Verkauf sowie Werbung und Verkaufsförderung seit 1932 entstanden (in der Bundesrep. Dtl. seit 1952). Dachorganisation ist die **Internat. SPAR-Centrale,** Amsterdam. In Dtl. existiert die **SPAR Handels-AG,** Schenefeld, die Groß- und Einzelhandel betreibt. Mehrheitsaktionär ist seit 1997 die frz. Einzelhandelskette Intermarché.

Sparbriefe, von Banken oder Sparkassen **(Sparkassenbriefe)** in einer Stückelung von 100–10 000 DM herausgegebene mittelfristige Wertpapiere (ein bis zehn Jahre Laufzeit) mit festem, jährlich steigendem oder variablem Zinssatz. Die Zinszahlung erfolgt je nach Typ jährlich (Normaltyp), am Ende der Laufzeit einschl. Zinseszinsen (Aufzinsungstyp) oder vorab, indem der Ausgabepreis dem um die diskontierten Zinsen verminderten Nennwert entspricht (Abzinsungstyp).

Sparda-Banken, urspr. Spar- und Darlehenskassen für Eisenbahner (1897 erste Gründungen), heute universell tätige Genossenschaftsbanken (→Kreditgenossenschaften). Sie sind im Verband der S.-B. e. V., Frankfurt am Main, zusammengeschlossen.

Spar|einlagen, auf ein Sparkonto bei Kreditinstituten eingelegte Sparbeträge, über die eine Urkunde **(Sparbuch)** ausgestellt wird, die alle Kontobewegungen enthält. Mit der Änderung des Kreditwesen-Ges. vom 21. 12. 1992 wurden die bisherigen Regelungen über die S. aufgehoben und durch privatwirtsch. Regelungen in Form der Allg. Geschäftsbedingungen der Kreditinstitute ersetzt. Damit entfällt das klass., gesetzlich geschützte Sparbuch. Aufgrund einer Rechts-VO dürfen S. auch weiterhin nicht für die Abwicklung des Zahlungsverkehrs verwendet werden. Seit 1. 7. 1993 können innerhalb eines Kalendermonats 3 000 DM (vorher 2 000 DM) ohne Abzug von Vorschusszinsen abgehoben werden. Ein solcher Abzug ist nun nicht mehr gesetzlich vorgeschrieben (ggf. darf er 25 % der Habenzinsen nicht übersteigen). Für höhere Beträge besteht weiterhin eine (vereinbarte) Kündigungsfrist von drei Monaten.

Sparen, der Verzicht auf die Verwendung von Einkommen zugunsten zukünftigen Konsums oder langfristiger Vermögensbildung. Zum S. gehören auch die Nichtausschüttung von Unternehmensgewinnen sowie der Überschuss der Staatseinnahmen über die -ausgaben. – Zum **freiwilligen S.** zählen Geldanlagen (Sparkonten, Wertpapiere u. a.) bei Kreditinst., Versicherungsunternehmen und Bausparkassen sowie das Ansammeln von Geld beim Sparer selbst. **Zwangs-S.** liegt vor bei staatl. Verordnung (z. B. Beiträge zur gesetzl. Sozialversicherung, Zwangsanleihen). Die Sparfähigkeit ergibt sich v. a. aus der Höhe des Einkommens, wobei der Anteil der Ersparnisse am verfügbaren Einkommen, die durchschnittl. **Sparquote,** i. d. R. mit steigendem Einkommen zunimmt. Die gesamtwirtsch. Sparquote ist der Anteil der Ersparnisse am Volkseinkommen.

In modernen Volkswirtschaften kommt dem S. eine zentrale Rolle im Wirtschaftsablauf zu. Zum einen werden Teile des Einkommens nicht nachfragewirksam, insofern hat die Sparneigung der privaten Haushalte direkten Einfluss auf den Konjunkturverlauf. Zum anderen entsteht zusätzl. Geldvermögen, das zur Finanzierung von Aktivitäten anderer Wirtschaftseinheiten verwendet werden kann. Die Sparneigung und -fähigkeit entscheidet auch über die Verteilung des gesamtwirtsch. Vermögenszuwachses, insofern kommt dem S. eine sozialpolit. Bedeutung zu und wird vom Staat (→Sparerfreibetrag, →Wohnungsbauprämie u.a.) gefördert.

Sparerfreibetrag, *Einkommensteuerrecht:* Freibetrag bei der Ermittlung der Einkünfte aus Kapitalvermögen (§ 20 Abs. 4 EStG); ab 1. 1. 1993 nach Abzug der Werbungskosten für Alleinstehende 6000 DM und für Verheiratete 12000 DM; ohne Nachweis von Werbungskosten kann eine Werbungskostenpauschale von 100 bzw. 200 DM geltend gemacht werden (→Kapitalertragsteuer).

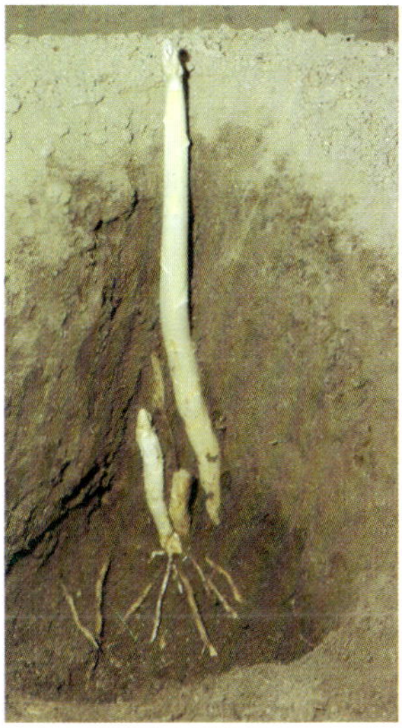

Spargel: Wurzelstock mit Spargelstangen; durch Aufschütten der Erde bis auf etwa 20 cm bleiben die Spargelstangen bleich und zart

Spargel [grch.-lat.] (Asparagus), Gattung der Liliengewächse in den gemäßigten und subtrop. Gebieten der Alten Welt; Kräuter oder Halbsträucher mit stark verzweigten Stängeln; Blätter sehr klein, schuppenförmig. Einige Arten liefern Schnittgrün. Der **Gemüse-S.** (**Echter S.,** Asparagus officinalis) ist eine heute überall in den gemäßigten Gebieten kultivierte Art; 0,30–1,50 m hohe, reich verzweigte Staude mit nadelartigen Flachsprossen, grünl. Blüten und 6–9 mm dicken, scharlachroten Früchten. Das horizontal im Boden wachsende Rhizom entwickelt jedes Frühjahr bis zu sechs aufrecht wachsende, oberird. Hauptsprossen, die durch Aufschütten von Erde in der Länge von etwa 20 cm bleich und zart bleiben **(S.-Stangen).** Sobald die Knospen dieser Sprossen die Erdoberfläche durchstoßen, werden diese »gestochen«. Die Ernte kann im 3. bis 4. Jahr nach der Pflanzung beginnen und 15–20 Jahre lang fortgeführt werden. Die nährstoffarmen S.-Stangen enthalten etwa 2% Eiweiß, viel Vitamin C und Vitamine der B-Gruppe. Ihr Aroma wird durch den hohen Gehalt an freier Asparaginsäure bewirkt. Durch Lichteinfluss ergrünte S.-Stangen bezeichnet man als **Grünspargel.** – S. wurde im Altertum von Ägyptern, Griechen und Römern angebaut, in Dtl. fand S. nach 1539 Verbreitung vom Oberrhein. Tiefland aus.

Spargelfliege (Platyparea poeciloptera), etwa 6 mm lange, dunkelbraune Art der Fruchtfliegen, deren Maden in den Spargeltrieben Gänge fressen.

Spargelkohl, der →Broccoli.

Spark, die Pflanzengattung →Spörgel.

Spark [spɑ:k], Muriel Sarah, engl. Schriftstellerin, *Edinburgh 1. 2. 1918; lebt in Rom; schrieb u.a. die Romane »Memento mori« (1959), »In den Augen der Öffentlichkeit« (1968) und »Symposion« (1990) sowie die Autobiographie »Curriculum Vitae« (1992).

Sparkasse (Sparbank), Kreditinstitut, dessen Hauptaufgabe urspr. die Verwaltung von Spareinlagen war. Unterstützt von den regionalen Landesbanken/Girozentralen haben sich die dt. S. zu Universalbanken entwickelt. – In Dtl. existieren 1996 (1992) 607 (723) S. mit rd. 18900 (19700) Zweigstellen. Die Bez. S. ist den öffentl. S. (kommunale oder freie öffentl. S.) vorbehalten. Die bei weitem überwiegenden kommunalen S. sind gemeinnützige Anstalten des öffentl. Rechts in der Form von Stadt-, Kreis- oder Bezirks-S. Die kommunale Körperschaft (Gemeinde, Stadt, Kreis, Zweckverband) haftet als Gewährträger für die Verbindlichkeiten der S. und darüber hinaus für die Existenz der S. (Anstaltslast). Die freien öffentl. S. werden in der Rechtsform von Stiftungen des bürgerl. Rechts oder wirtsch. Vereinen geführt; sie erfüllen wie die kommunalen S. gemeinnützige Aufgaben. Die S. unterliegen außer der allg. Bankenaufsicht nach dem Kreditwesen-Ges. zusätzlich noch einer besonderen S.-Aufsicht der Bundesländer. Die Geschäftstätigkeit der S. unterliegt gegenüber der übrigen Kreditwirtschaft gesetzl. und satzungsrechtl. Beschränkungen. So dürfen S. z.B. nur in einem bestimmten Gebiet tätig sein.

S. haben versch. Geldanlageformen entwickelt (Sparbuch und -briefe, Wertpapiere, Investmentzertifikate, Prämiensparen u.a.). Darüber hinaus müssen sie ausreichende kreditwirtsch. Leistungen für die Bev., die Wirtschaftsunternehmen sowie

Spargel: Zweig mit Früchten

Muriel Spark

Die größten Sparkassen in Deutschland (in Mio. DM; Ende 1996)

Institut	Bilanzsumme	Spareinlagen	Beschäftigte	Zweigstellen
Hamburger Sparkasse	42968	12676	6142	207
Landesgirokasse Stuttgart	38541	11045	4992	233
Stadtsparkasse Köln	28257	8456	3557	116
Frankfurter Sparkasse, Frankfurt am Main	24582	7418	3034	86
Nassauische Sparkasse, Wiesbaden	21967	6781	2732	331
Stadtsparkasse München	19826	8553	3446	120
Kreissparkasse Köln	19235	6954	2985	133
Die Sparkasse Bremen	14513	4819	2646	85
Sparkasse Aachen	13454	4097	2611	112
Stadt-Sparkasse Düsseldorf	12440	4601	2361	79

Sparren 2): häufig vorkommendes Heroldsbild

die öffentl. Hand bieten. Der Schwerpunkt liegt auf langfristigen Darlehen, v.a. für den Wohnungsbau. Als S.-Zentralbanken fungieren die regionalen →Girozentralen sowie die Dt. Girozentrale – Dt. Kommunalbank. Die S. gehören den regionalen S.- und Giroverbänden an; Spitzenorganisation ist der Dt. Sparkassen- und Giroverband e.V., Bonn.

Geschichte: Die 1778 in Hamburg gegr. »Ersparungs-Casse« gilt als erste S. in Dtl. In Preußen wurde 1818 die Städt. S. Berlin errichtet. Wichtig war die 1909 auf Initiative J. C. Eberles erfolgte Einführung des bargeldlosen Zahlungsverkehrs (Spargiroverkehr) der S. und die Gründung von S.- und Giroverbänden sowie Girozentralen. Am 1. 2. 1918 wurde die Dt. Girozentrale in Berlin gegründet. – In *Österreich* wurde 1819 in Wien die erste S. gegründet; heute existieren etwa 80 universell tätige S., die seit 1986 auch die Rechtsform einer S.-AG annehmen können. In der *Schweiz* gilt die 1786 gegr. Dienstzinskasse der Stadt Bern als älteste S.; 1794 wurde die S. in Genf gegründet. Die inzwischen universell tätigen S. werden nicht gesondert ausgewiesen, sondern zählen statistisch zu den rd. 127 (1995) Regionalbanken und Sparkassen.

Sparta: in Messenien aufgefundene lakonische Kriegerfigur; Schild und Schwert sind verloren gegangen (spätes 6. Jh. v. Chr.; Athen, Archäologisches Nationalmuseum)

Sparmannia, die Pflanzengattung →Zimmerlinde.

Sparren, 1) *Bautechnik:* die schräg stehenden Hölzer des Dachstuhls, die die Dachdeckung tragen. (→Dach)

2) *Heraldik:* aus zwei in der Mitte des oberen Schildrands zusammenstoßenden Schrägbalken gebildetes Heroldsbild.

Sparring [engl.] *das* (Sparringskampf), *Boxen:* an einschränkende Bedingungen gebundener Trainingskampf.

Sparta (ngrch. Sparti), Hptst. des VerwBez. (Nomos) Lakonien, Griechenland, im S der Peloponnes, 11 900 Ew.; archäolog. Museum. – Von eingewanderten Dorern zw. 950 und 800 v.Chr. durch Zusammenschluss von fünf Ortschaften als **Lakedämon** (lat. **Lacedaemon**) gegr.; eroberte im 8./7. Jh. Messenien. Die Unterworfenen wurden zu →Heloten oder →Perioken, die als »Hopliten« im spartan. Heer kämpften. Vollbürger waren nur die →Spartiaten. An der Spitze des Staates standen urspr. zwei Könige, deren Macht immer mehr auf die jährlich gewählten Ephoren überging. Durch die Gründung des Peloponnes. Bundes (Ende des 6. Jh.) wurde S. neben Athen zur Vormacht in Griechenland. Seit dem Ende des 7. Jh. kam es durch die Notwendigkeit, sich gegen die zahlenmäßig größere Schicht der Heloten zu behaupten, zu einer rigorosen Militarisierung. Nach entscheidender Beteiligung an den Perserkriegen (500–449/448), dem Sieg über Athen im Peloponnes. Krieg (431–404) und vorübergehend führender Stellung nach dem Königsfrieden 387/386 verlor S. seine Macht durch die Niederlagen gegen Theben 371 und 362 (Verlust Messeniens und damit der Existenzgrundlage). Das Königtum in S. endete nach dem Scheitern polit. und sozialer Reformen 222 v.Chr. mit der Niederlage gegen die Makedonen. – Im MA. zunächst unter byzantin. Herrschaft, verfiel S. ab dem 13. Jh.; die heutige Stadt wurde 1834 in der Nähe der antiken neu gegründet.

📖 CLAUSS, M.: *S. München 1983.* – *S., hg. v.* K. CHRIST. *Darmstadt 1986.* – LINK, S.: *Der Kosmos S. Recht u. Sitte in klass. Zeit. Darmstadt 1994.* – STIBBE, C.: *Das andere S. A. d. Niederländ. Mainz 1996.*

Spartacus, römischer Sklave thrak. Herkunft, Führer im 3. röm. →Sklavenkrieg, ⚔ Lukanien 71 v.Chr.; floh 73 v.Chr. mit etwa 70 anderen Sklaven aus einer Gladiatorenschule in Capua, fand großen Zulauf unter den Sklaven und Freien der Umgebung; er kontrollierte einen Teil S-Italiens, besiegte mehrfach röm. Legionen. 71 wurde S. durch Crassus nach S-Italien zurückgedrängt und in Lukanien geschlagen. 6000 überlebende Sklaven wurden entlang der Via Appia gekreuzigt.

📖 HÖFLING, H.: *Römer – Sklaven – Gladiatoren. Der Spartakusaufstand. Sonderausg. Darmstadt 1987.*

Spartakiade [nach Spartacus] *die,* große Sportveranstaltung in den sozialist. Staaten, erstmals 1921 in Prag von Arbeitersportlern durchgeführt, bes. als S. der Völker der UdSSR, in der DDR die Kinder- und Jugend-Spartakiade.

Spartakusbund, von K. Liebknecht, R. Luxemburg und F. Mehring am 1. 1. 1916 gebildete Gruppe am äußersten linken Flügel der SPD, April 1917 bis Dez. 1918 der USPD angeschlossen; Spartakisten und Bremer Linksradikale gründeten am 30. 12. 1918 die KPD. (→ Novemberrevolution)

Spartaner, i. w. S. der Stamm der Lakedämonier, i. e. S. die Spartiaten.

spartanisch, streng, hart, karg.

Spartiaten, im antiken Sparta die vollberechtigten Bürger im Ggs. zu den → Periöken; sie bildeten eine streng abgegrenzte Kriegerkaste, der jede produktive Arbeit untersagt war. Sie lebten von den ihnen zugewiesenen Landanteilen, die von den Heloten bestellt wurden; staatlich geregelte Erziehung in strenger militär. Disziplin.

Spartransformator, ein Transformator ohne galvan. Trennung der Primär- und Sekundärwicklung. Die Sekundärspannung wird durch Anzapfen der Primärwicklung gewonnen und Wickelmaterial gespart; Anwendung als Koppeltransformator in Energieversorgungsnetzen.

Spar- und Darlehenskassen, ländl. → Kreditgenossenschaften.

spasmisch [grch.] (spasmodisch), *Medizin:* krampfhaft, verkrampft (vom Spannungszustand der Muskulatur gesagt).

Spasmophilie [grch.] *die* (rachitogene Tetanie), *Kinderheilkunde:* Übererregbarkeit infolge rachit. Stoffwechselstörung mit Hypokalzämie (erniedrigter Calciumspiegel im Blut), äußert sich in Schreckhaftigkeit, Krämpfen der Hände und Füße oder allg. Krämpfen.

Spasmus [grch.] *der,* → Krampf.

Spastik [grch.] *die,* Tonuserhöhung der Muskulatur infolge Schädigung des 1. motor. Neurons (z. B. bei Lähmung).

Spastiker [grch.], an einer spasm. Erkrankung Leidender.

Spat, 1) *Mathematik:* das → Parallelepiped.

2) *Mineralogie:* Mineral mit ausgeprägter Spaltbarkeit, z. B. Feldspat, Kalkspat.

3) *Tiermedizin:* ein- oder beidseitig auftretende chron. nichtinfektiöse Erkrankung an der Innenfläche des Sprunggelenks bei Pferd und Rind; führt zu typ. Spatlahmheit.

Spätaussiedler, nach § 4 Bundesvertriebenen-Ges. dt. Volkszugehöriger, der die Republiken der ehem. Sowjetunion nach dem 31. 12. 1992 im Wege des Aufnahmeverfahrens verlassen und seinen Wohnsitz in Dtl. genommen hat, wenn er a) seit dem 8. 5. 1945 oder b) nach seiner Vertreibung oder der Vertreibung eines Elternteils seit dem 31. 3. 1952 seinen Wohnsitz in den Aussiedlungsgebieten hatte. S. ist auch, wer c) vor dem 1. 1. 1993 geboren ist, seinen Wohnsitz in den Aussiedlungsgebieten hatte und von einer Person abstammt, die die Voraussetzungen unter a) und b) erfüllt. Für die Eingliederung der S. gelten die Regelungen des Bundesvertriebenen-Ges. i. d. F. v. 2. 6. 1993.

Spätburgunder (Blauer Spätburgunder, Pinot noir), Rotweinrebe mit schwarzblauen Beeren in kompakten Trauben; liefert helle bis dunkle, fruchtig-samtige (typ. Burgunderton) Weine mit vielseitigem Aroma; lange lagerfähig.

Spatel [lat.-grch.], kleiner → Spachtel.

Spätgeburt, Geburt nach über 14-tägiger Überschreitung **(Übertragung)** des errechneten Geburtstermins.

Späth, Lothar, Politiker (CDU), *Sigmaringen 16. 11. 1937; in Bad.-Württ. 1972–78 Vors. der Landtagsfraktion, 1979–91 Landesvors. der CDU, 1980–90 stellv. Bundesvors. der CDU, war 1978 Innenmin. und 1978–91 MinPräs.; seither Vors. der Geschäftsführung der Jenoptik Carl Zeiss Jena GmbH.

Spatha [grch.] *die,* **1)** *Botanik:* großes, häufig auffallend gefärbtes, den Blütenstand überragendes Hochblatt, z. B. bei Aronstabgewächsen.

2) *Waffenkunde:* zweischneidiges Langschwert der Germanen.

Spatium [lat.] *das, Buchwesen:* Zwischenraum (z. B. zw. den Notenlinien, Buchstaben), im Handsatz das dünnste einsetzbare Anschluss- oder Zwischenstück.

Spätlese, nach dem dt. und österr. Weingesetz ein Qualitätswein mit Prädikat, der aus in später Lese und vollreifem Zustand geernteten Trauben stammt.

Spatz, volkstüml. Bez. für den Haus- und Feldsperling.

SPD, Abk. für → **S**ozialdemokratische **P**artei **D**eutschlands.

Speaker ['spi:kə; engl. »Sprecher«] *der,* der Präsident des brit. Unterhauses und des Repräsentantenhauses der USA.

Spearman ['spɪəmən], Charles Edward, brit. Psychologe, *London 10. 9. 1863, †ebd. 17. 9. 1945; war 1911–31 Prof. in London, Mitbegründer der → Faktorenanalyse.

Spechte (Picidae), Familie 10–55 cm langer → Spechtvögel in Eurasien, Afrika und Amerika. Kennzeichen sind: der lange, meißelförmige Schnabel, der von den Männchen auch zum »Trommeln« genutzt wird; die wurmförmige, weit über die Schnabelspitze vorstreckbare Zunge mit Borsten, die als Widerhaken beim Aufnehmen von Insektenlarven wirken, sowie der abgestutzte Stützschwanz. S. können mithilfe kräftiger Greif-

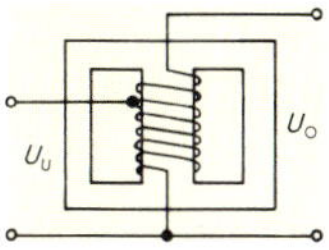

Spartransformator: U_U Unterspannung als Primärspannung, U_O Oberspannung als Sekundärspannung

Lothar Späth

Spechte: Buntspecht (oben) und Schwarzspecht

Spechte: Der Grünspecht lebt in Laub- und Mischwäldern

füße sehr gut an Baumstämmen klettern, sie legen ihre weißen Eier in selbst gefertigten Baumhöhlen ab. In Europa verbreitet ist der Wälder und Parks bewohnende **Bunt-S.** (Dendrocopos major); das Männchen hat einen roten Hinterkopf. In größeren Laubwäldern nistet der **Mittel-S.** (Dendrocopos medius), mit rotem Scheitel, der nur selten das charakterist. »Trommeln«, öfter aber ein Quäken vernehmen lässt. Der **Klein-S.** (Dendrocopos minor), ebenfalls mit rotem Scheitel, ist nur 14 cm lang und bewohnt lichte Wälder. Offenes Gelände bevorzugt der aus SO-Europa vordringende **Blut-S.** (Dendrocopos syriacus). Der **Weißrücken-S.** (Dendrocopos leuconotos) bewohnt Osteuropa und Teile Asiens. Seltener Bewohner von Gebirgswäldern ist der **Dreizehen-S.** (Picoides tridactylus). Der **Schwarz-S.** (Dryocopus martius), krähengroß, schwarz mit rotem Scheitel, besiedelt größere Wälder. Der **Grün-S.** (Picus viridis) mit grünem Gefieder und rotem Nacken sowie der **Grau-S.** (Picus canus), ähnlich dem Grün-S., doch etwas kleiner mit grauen Halsseiten, bewohnen Laub- und Mischwälder.

Spechtvögel (Spechtartige, Piciformes), Ordnung der Vögel, deren sehr unterschiedl. Vertreter durch zwei nach vorn weisende Zehen gekennzeichnet sind. Zu den S. gehören die Familien Glanzvögel, Faulvögel, Honiganzeiger, Pfefferfresser, Spechte und Bartvögel.

Special Effects ['speʃəl ɪ'fekts, engl.], *Filmtechnik:* im Film oder im Soundtrack eines Films eingesetzte Mittel zur Darstellung und Visualisierung von in der Realität so nicht existierenden Situationen, z. B. Aktionen in gigant. Räumen, Landschaften, Bauwerken, Raumschiffen, Kriegsmaschinerien sowie menschl. oder tier. Fantasiewesen und Roboter. Zu den S. E. zählen filmtechn. Aufnahmeverfahren (z. B. Zeitraffer), Ateliertrick- und Aufnahmetrickverfahren, z. B. fotograf., mechan., pyrotechn. Verfahren, Computeranimation, oft in Verbindung mit Chromakey oder mit Bluescreen. Mittels der Computeranimation können Hintergründe erstellt sowie auch Modelle (Objekte, Figuren, Schauspieler) belebt werden, indem diese mit speziellen Scannern abgetastet und die erhaltenen Koordinaten dann vom Computer für die gewünschten Bewegungen berechnet werden. In virtuellen Studios, die völlig leer sind bis auf eine große farbige Stellwand (z. B. Bluescreen), vor der agiert wird, wird mithilfe von Filtern vor den

Special Effects: Ein gigantisches Raumschiff der Außerirdischen geht für den Angriff auf New York in Stellung, Szene aus dem Film »Indepencence Day« (1995, Regie Roland Emmerich), der vor allem wegen seiner Spezialeffekte international bekannt wurde

Kameras die Farbe weggedrückt und computertechnisch durch die jeweils gewünschten Bilder ersetzt.

species [lat.], *biol. Systematik:* → Art.

Speck, das Fettgewebe zw. Haut und Muskelfleisch, bes. beim Schwein, auch mit eingelagerten schwachen Muskelschichten.

Friedrich Spee: eigener Entwurf zum Titelblatt der 1649 postum erschienenen Liedersammlung »Trutz-Nachtigal...« (Straßburg, Bibliothèque Nationale et Universitaire)

Speckbacher, Joseph (Josef), gen. der Mann von Rinn, Tiroler Freiheitskämpfer, * Gnadenwald (bei Hall in Tirol) 13. 7. 1767, † Hall in Tirol 28. 3. 1820; nahm 1809 an der Seite A. Hofers führend am Tiroler Aufstand teil; wurde Kommandant des Oberinntals, entkam nach seiner Niederlage bei Melleck am Steinpass (Okt. 1809) den ihn suchenden frz. Truppen nach Wien.

Speckkäfer (Dermestidae), weltweit verbreitete Familie 2–10 mm langer Käfer, deren Larven an organ. Stoffen meist tier. Herkunft fressen. Die längl. **Pelzkäfer** (Gattung Attagenus) ernähren sich meist von Pollen, die Larven fressen u. a. an Pelzen, Teppichen und Wolle. Die eigentl. **S.** (Gattung Dermestes) ernähren sich wie ihre Larven von Fellen, Häuten und Fleischwaren. (→ Kabinettkäfer)

Speckle-Interferometrie [spekl-; englisch speckle »Fleck«], **1)** *Astronomie:* Methode zur Verbesserung des Auflösungsvermögens opt. Teleskope bis zum theoretisch erreichbaren Wert, indem man die Szintillation in der Erdatmosphäre (→ Luftunruhe) vermeidet. Fotografiert man kosm. Objekte mit Belichtungszeiten, die kürzer sind als die Szintillationsdauer, so erhält man eine Folge von Lichtflecken **(Speckles),** die mithilfe eines Lasers oder elektron. Verfahren zu einem Gesamtbild überlagert werden.

2) *Optik:* Verfahren zur Messung geringer Verschiebungen und Oberflächenverformungen durch Überlagerung der Specklebilder zweier Objektzustände. **Speckles** treten dabei als zufällige (»fleckenartige«) Intensitätsverteilung bei Beleuchtung einer diffus reflektierenden Fläche mit kohärentem Licht (z. B. eines Lasers) auf; Ursache ist die Interferenzfähigkeit der reflektierten Strahlung aufgrund ihrer hohen Kohärenz.

Speckstein (Steatit), dichte, weiße oder hellfarbige, sich fettig anfühlende Aggregate des Minerals → Talk.

Spectator [spek'teɪtə; engl. »Zuschauer«], einflussreiche, von J. Addison mit Sir R. Steele 1711/12 und 1714 in London herausgegebene Zeitschrift, Vorbild der → moralischen Wochenschriften.

Spediteur [-'tø:r, frz.] *der,* im Rechtssinn der Kaufmann, der für Rechnung seines Auftraggebers (Versender) im eigenen Namen Verträge mit Transportunternehmen über die Beförderung von Gütern abschließt **(Speditionsvertrag).** Den S. trifft keine Beförderungspflicht; er kann jedoch den Transport selbst übernehmen und wird dann zugleich Frachtführer. Der S. hat Anspruch auf Provision und Aufwendungsersatz, der durch ein gesetzl. Pfandrecht am Beförderungsgut gesichert ist (§§ 407 ff. HGB). In der Praxis werden die Vorschriften des HGB durch Vereinbarung der Allg. Dt. S.-Bedingungen weitgehend zugunsten des S. abgeändert. An die Stelle der Haftung des S. tritt hier eine zugunsten und auf Kosten des Versenders genommene **Speditionsversicherung.** – In *Österreich* gelten dem dt. Recht entsprechende Regeln und die Österr. Allg. S.-Bedingungen. Das *schweizer.* Recht regelt den S.-Vertrag nur rudimentär, deshalb werden i. d. R. die Allg. Bedingungen des Schweizer. S.-Verbandes vertraglich vereinbart.

Spee, 1) Friedrich, Dichter, * Kaiserswerth (heute zu Düsseldorf) 25. 2. 1591, † Trier 7. 8. 1635; Jesuit (seit 1610), wirkte als Lehrer und Geistlicher. Seine religiösen Lieder der »Trutz-Nachtigal ...« (hg. 1649) entspringen tiefer Sehnsucht nach der Vereinigung mit Gott. Das »Güldene Tugend-Buch« (hg. 1649) ist ein belehrendes Erbauungsbuch. Gegen das bei den Hexenprozessen angewandte Gerichtsverfahren schrieb S. anonym die »Cautio criminalis, ...« (1631).

2) Maximilian Reichsgraf von, Vizeadmiral, * Kopenhagen 22. 6. 1861, ⚔ bei den Falklandinseln 8. 12. 1914; ab 1913 Chef des dt. Kreuzergeschwaders in O-Asien; besiegte am 1. 11. 1914 bei Coronel

Speckkäfer (von oben): Pelzkäfer der Gattung Attagenus (Größe etwa 6 mm) und Speckkäfer der Gattung Dermestes (Größe etwa 8 mm)

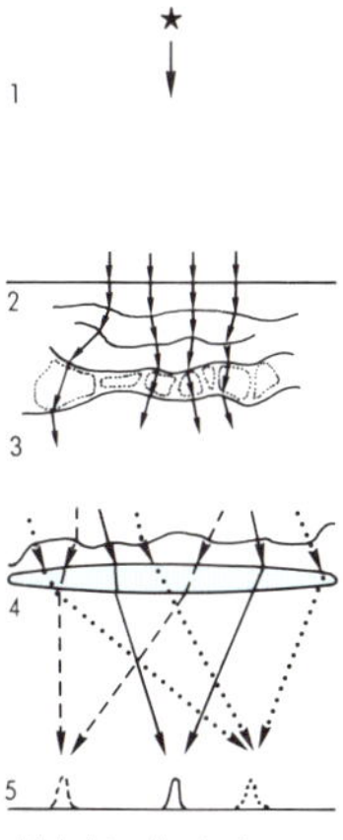

Speckle-Interferometrie 1): schematische Darstellung eines Specklebilds; das Licht eines praktisch punktförmigen Sterns (1) erreicht die Erde durch den interstellaren Raum nahezu ungestört und trifft als ebene Wellenfront (2) auf die oberen Schichten der Erdatmosphäre; in den dichteren Atmosphäreschichten (3) wird die Wellenfront deformiert und trifft so auf das Teleskop (4); verschiedene Bereiche der deformierten Wellenfront erzeugen im Teleskop mehrere Beugungsbilder (Speckles) unterschiedlicher Intensität (5)

einen brit. Kreuzerverband, unterlag jedoch in der Schlacht bei den Falklandinseln.

Speech [spi:tʃ, engl.] *der,* Rede, Ansprache.

Speed [spi:d, engl.] *der, Sport:* plötzl. Steigerung der Geschwindigkeit im Wettkampf (Spurt).

Speedwayrennen ['spi:dweɪ-, engl.] (früher auch Dirttrackrennen), mit Spezialmotorrädern auf meist 400 m langen Aschenbahnen betriebenes Rennen über jeweils 2 000 m. Ein S. wird in mehreren Läufen zu je vier Fahrern mit Punktwertung für die Laufplatzierung ausgetragen. Jeder Fahrer fährt einmal gegen jeden. Die Gesamtpunktzahl entscheidet. Weltmeisterschaften seit 1936, Europameisterschaften seit 1957. (→Eisspeedway)

Speer, 1) *Leichtathletik:* Wurfgerät für Weitwürfe; für Männer 2,60–2,70 m lang und 800 g schwer; für Frauen 2,20–2,30 m lang und 600 g schwer (→Speerwerfen).

2) *Waffenwesen:* v. a. zum Wurf verwendete kürzere Form der Lanze.

Speer, Albert, Architekt und Politiker (NSDAP), *Mannheim 19. 3. 1905, †London 1. 9. 1981; plante und errichtete ab 1933 im Auftrag Hitlers zahlr. monumentale Repräsentationsbauten in Berlin, München und Nürnberg; 1937 zum »Generalbauinspektor für die Reichshptst. Berlin« ernannt; 1942 Reichsmin. für Bewaffnung und Munition, 1943 Reichsmin. für Rüstung und Kriegsproduktion; 1946 vom Internat. Militärtribunal in Nürnberg zu 20 Jahren Gefängnis verurteilt (Spandau); 1966 entlassen.

Speerschleuder, stab- oder brettförmige Hebelschleuder mit Widerlager am Hinterende, mit dem das Geschoss (Speer, Pfeil, Stein) fortkatapultiert wird.

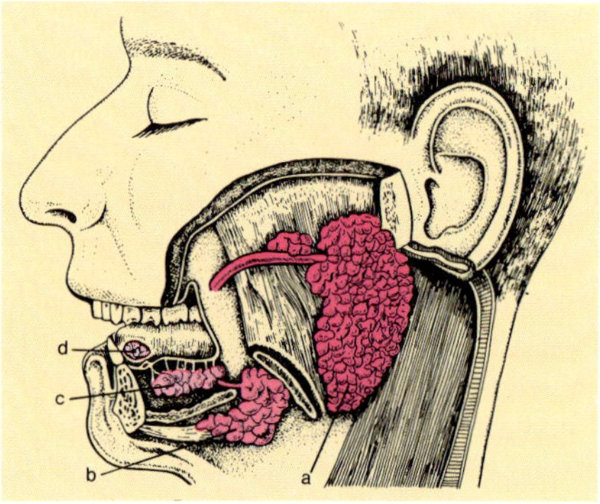

Speicheldrüsen: die wichtigsten Speicheldrüsen des Menschen, a Ohrspeicheldrüse, b Unterkieferspeicheldrüse, c Unterzungendrüse, d vordere Zungendrüse

Speerwerfen, leichtathlet. Disziplin: Weitwurf eines Speers aus einer 4 m breiten und etwa 35 m langen Anlaufbahn heraus. Der Speer muss an der Griffstelle des Mittelteils gefasst werden; die Speerspitze muss immer in Wurfrichtung weisen und am Boden eine Spur hinterlassen. Olymp. (seit 1908), Weltmeisterschafts- (seit 1983) und Europameisterschaftsdisziplin (seit 1934).

Speiche, 1) *Anatomie:* (Radius) auf der Daumenseite liegender langer Röhrenknochen des Unterarms (→Arm).

2) *Fahrzeugtechnik:* Bestandteil des Rades, der die Nabe mit der Felge (dem Radkranz) radial verbindet.

Speichel, von S.-Drüsen gebildetes und in die Mundhöhle oder den Anfangsteil des Darmtrakts abgegebenes Sekret von entweder wässriger (seröser) oder schleimiger (muköser) Konsistenz. Beim S. der Säugetiere (einschl. des Menschen) handelt es sich um einen Misch-S., dessen chem. Zusammensetzung und Menge (beim Menschen normalerweise 1–2 l je Tag; beim Rind bis zu 60 l je Tag), abhängig von der Nahrung sowie von psych. und nervösen Einflüssen, erheblich variieren kann. Der S. des Menschen ist meist schwach sauer (pH 5,8–7,8, im Mittel 6,4), wasserklar, geruch- und geschmacklos und viskos. Er enthält zu über 99 % Wasser, außerdem bakterizid wirkende Leukozyten, Schleimstoffe, Enzyme u. a. Eiweiße sowie Salze. Die Funktion des S. ist es, die Nahrung anzufeuchten, zu verdünnen und gleitfähig zu machen, um das Schlucken zu erleichtern. Außerdem bringt der S. Geschmacksstoffe in Lösung; die dauernde, wenn auch geringe (im Schlaf zusätzlich stark verminderte) S.-Abgabe hat Spülfunktion, d. h., sie dient der Selbstreinigung der Mundhöhle. Durch die S.-Amylase (Ptyalin) kommt es zu einer Spaltung von Stärke und Glykogen, d. h. zu einer Vorverdauung (die im Magen noch einige Zeit weitergeht).

Speicheldrüsen, in die Mundhöhle mündende, den Mundspeichel absondernde Drüsen v. a. bei Landwirbeltieren; kleine und verstreut in der Mundschleimhaut liegende Drüsen (z. B. vordere Zungendrüse) und größere Drüsenkörper, die bei den Säugetieren (einschl. des Menschen) neben kleineren Drüsen in Dreizahl als paarige Ohrspeicheldrüse, Unterkieferspeicheldrüse und Unterzungendrüse vorkommen.

Speicher, 1) *allg.:* Lagerhaus, Vorratshaus.

2) *Datenverarbeitung:* Funktionseinheit eines Computers, die Daten (Daten-S.) und Programme (Programm-S.) aufnimmt und später wieder bereitstellt. Heutige S. arbeiten ausschl. digital, d. h., sie bestehen aus einer Vielzahl einzelner **S.-Elemente,** von denen jedes nur zwei mögl. Zustände (0 und 1) annehmen und damit 1 Bit speichern kann. Um beim Schreiben (Einspeichern) oder Lesen (Abrufen) von Informationen gezielt auf bestimmte S.-Elemente bzw. Gruppen von ihnen, die **S.-Zellen (S.-Plätze),** zugreifen zu können, verfügt ein S. über Adresseingänge. Jeder S.-Zelle, der kleinsten adressierbaren Einheit eines S. (i. Allg. aus 8 Bit = 1 Byte, einem **S.-Wort,** bestehend), ist eine Adresse zugeordnet.

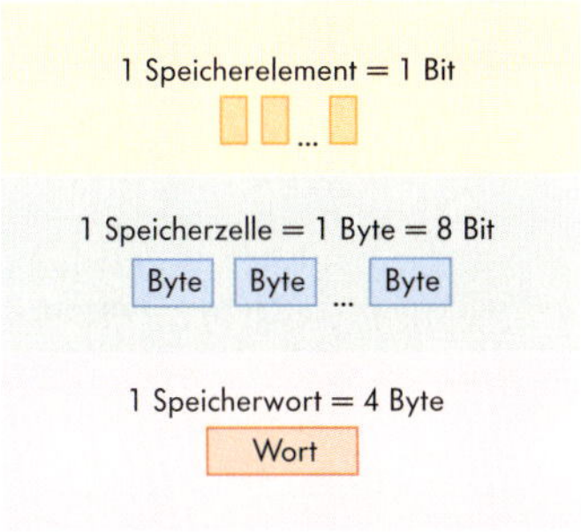

Speicher 2): Aufteilung des Speichers in Speicherelemente, Speicherzellen und Speicherworte

Je nach Bauweise unterscheidet man S. v. a. hinsichtlich ihrer **S.-Kapazität** (Anzahl der verfügbaren S.-Zellen), ihrer Zugriffszeit (Zeitspanne zw. Anlegen der Adresse und Bereitstellen der damit angesprochenen Information) und hinsichtlich ihrer Zugriffsart, je nachdem, ob auf die S.-Zellen wahlfrei (direkt, z. B. bei Magnetkern-S.), zyklisch (zeitperiodisch, z. B. beim Magnetplatten-S.) oder sequenziell (z. B. beim Magnetband-S.) zugegriffen werden kann. Ein weiteres Unterscheidungsmerkmal ist die Flüchtigkeit: Im Ggs. zu **stat. (nichtflüchtigen) S.** müssen die Informationen bei **dynam. (flüchtigen) S.** nach einem bestimmten Zeitintervall (automatisch) neu in die S.-Zellen eingeschrieben werden.

Nach dem **S.-Medium,** dem eigentl. physikal. Informationsträger eines S., unterscheidet man neben **magnet. S.** (→Magnetspeicher) und **opt. S.** (insbesondere den **holograph. S.**) die **Halbleiter-S.,** die als integrierte Schaltungen realisiert sind. Bei den **Halbleiter-Nurlese-S.** (Festwert-S.) gibt es das maskenprogrammierte **ROM** (Abk. für read-only memory), es erhält seine Information beim letzten Maskierungsvorgang der Chipherstellung. Beim **PROM** (Abk. für programmable read-only memory) kann der Anwender mithilfe eines speziellen Programmiergerätes den Inhalt eingeben, der dann erhalten bleibt. Das **EPROM** (Abk. für erasable programmable read-only memory) und das **EAROM** (Abk. für electrically alterable read-only memory) erlauben ein Löschen und Neueinschreiben der Information; bei dem Erstgenannten wird durch Bestrahlung mit ultraviolettem Licht hoher Intensität, beim Letzteren durch elektr. Signale gelöscht. Als Sammelbez. wird auch der Begriff **REPROM** (Abk. für reprogrammable read-only memory) verwendet. Für **Halbleiter-Schreib-/Lese-S.** ist die Bez. **RAM** (Abk. für random-access memory) gebräuchlich. Ein stat. RAM besitzt pro S.-Zelle ein Flipflop, ein dynam. RAM (**DRAM,** Abk. für dynamic random-access memory) verwendet Kapazitäten (Ladungsmengen) zur Informationsspeicherung. Abhängig davon, wie eng S. mit der Zentraleinheit eines Computers zusammenarbeiten, werden die S. in versch. hierarchisch organisierte S.-Ebenen unterteilt **(S.-Hierarchie),** zw. denen Programme und Daten transferiert werden: a) **Primär-S.:** Arbeits-S. des Prozessors, sehr schneller Halbleiter-S. mit direktem Zugriff (RAM); b) **Sekundär-S.:** Hintergrund-S. größerer Kapazität und mittlerer Zugriffszeit mit direktem bzw. zykl. Zugriff, Magnetplatten-S. (v. a. Festplatten-S.); c) **Tertiär-S.:** Massen-S., langsamer S. mit sequenziellem Zugriff (v. a. Magnetbandspeicher).

Speichergesteine, Gesteine, die wegen ihres großen Porenvolumens, ihrer Klüftigkeit und Durchlässigkeit zur Aufnahme und Migration von Wasser, Erdöl oder -gas geeignet sind, z. B. Sand- und Kalksteine, Tuffe.

Speicherkraftwerke, Wasserkraftwerke, die das zufließende Wasser in einem Ausgleichsspeicher auffangen und bei Bedarf als Triebwasser entnehmen (Sonderbauform: Pumpspeicherwerk); auch Bez. für Dampfkraftwerke mit einem Dampfspeicher und Luftspeicher-Gasturbinenkraftwerke.

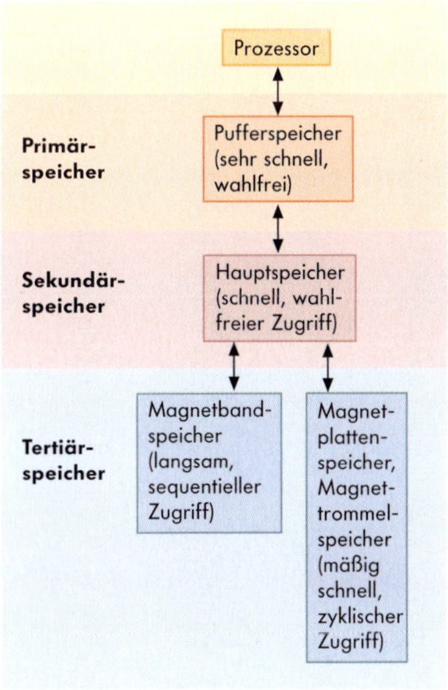

Speicher 2): Organisation einer Speicherhierarchie zur Transferierung von Programmen und Daten

Speicherring, ringförmige Magnetanordnung, mit deren Hilfe die in einem →Teilchenbeschleuniger erzeugten hochenerget. Teilchen, v. a. Elektronen und Protonen, sowie deren Antiteilchen Positronen und Antiprotonen in einem torusähnl.

hochevakuierten Rohr auf einer konstanten Kreisbahn gehalten werden. S. dienen v.a. der längerfristigen Speicherung von Teilchen sowie, je nach Aufgabenstellung, der Akkumulation und Auslenkung von Teilchenpaketen. Auf Beschleunigungsstrecken werden die insbesondere durch →Synchrotronstrahlung auftretenden Energieverluste kompensiert oder höhere Teilchenenergien erzeugt. Je nach Konstruktion der Anlage können die in zwei gegensinnig zueinander umlaufenden Teilchenstrahlen entweder im gleichen S. (Einzelring) oder in zwei separaten, sich kreuzenden Ringen geführt werden. Die Wechselwirkung zw. den Strahlen tritt an besonderen Kreuzungspunkten der gegeneinander laufenden Teilchenstrahlen ein. Die beim Stoß der Teilchen (Energien E_1 und E_2) umgesetzte Energie ist mit $\sqrt{4E_1E_2}$ wesentlich größer als beim Beschuss ruhender Targetteilchen ($\sqrt{2E_0E_1}$) der Energie E_0. Zu den für die →Hochenergiephysik wichtigsten S. gehören der Elektron-Positron-S. PETRA, der Doppelring-Speicher DORIS und die Elektron-Proton-S.-Anlage HERA des →Deutschen Elektronen-Synchrotrons sowie die S. bei →CERN, darunter der bisher größte S. →LEP. Neuerdings werden S. nicht nur als Collider, sondern auch als Quellen für Synchrotronstrahlung eingesetzt.

Hans Speidel

Speidel, Hans, General, *Metzingen 28. 10. 1897, †Bad Honnef 28. 11. 1984; 1940–44 in hohen Stabsstellungen, 1944/45 als Angehöriger der Widerstandsbewegung in Haft. S. war maßgeblich am Aufbau der Bundeswehr beteiligt und leitete 1955–57 die Abt. Streitkräfte im Bundesverteidigungsministerium; 1957–63 Oberbefehlshaber der NATO-Landstreitkräfte in Mitteleuropa.

Speierling, Art der →Eberesche.

Speik [lat. spica »Ähre«], →Lavendel.

Speise, *Metallurgie:* Gemische von Arseniden und Antimoniden der Schwermetalle, die als Zwischenprodukt bes. bei der Verhüttung von Kupfer-, Nickel-, Kobalt- und Bleierzen anfallen können. In der S. reichern sich Edelmetalle, v.a. Gold- und Platinmetalle, an.

Speisebrei (Chymus), die halbflüssige, sauer reagierende und z.T. enzymatisch gespaltene, Kohlenhydrate und Eiweiß enthaltende, aus der mechanisch zerkleinerten und mit Speichel versetzten Nahrung unter Einwirkung des Magensaftes gebildete Masse im Magen der Wirbeltiere (einschl. des Menschen); wird durch den Magenpförtner portionsweise in den Darm abgegeben.

Speise|eis (Gefrorenes), cremige Zubereitung aus Flüssigkeiten (Milch, Sahne, Trinkwasser), Zucker, geschmackgebenden Zutaten (Vanille, Kakao, Früchte u.a.) sowie natürl. oder naturident. Aromastoffen, Bindemitteln, Emulgatoren und Stabilisatoren, die unter Schlagen gefroren wird.

Speisefette, alle zur menschl. Ernährung geeigneten, bei normaler Temperatur festen pflanzl. und tier. Fette (Kokosfett, Rindertalg u.a.).

Speiseöle, der menschl. Ernährung dienende, bei Zimmertemperatur flüssige Speisefette v.a. pflanzl. Ursprungs (Oliven-, Erdnuss-, Soja-, Sesamöl u.a.).

Speiseröhre (Ösophagus), Teil des Verdauungskanals, der den Schlund mit dem Magen verbindet; ein 25 cm langer, 1–1,5 cm breiter, von Schleimhaut ausgekleideter bindegewebig-muskulöser Schlauch; transportiert den Speisebrei nach dem Schluckakt durch wellenförmige Bewegungen zum Magen.

Speisewasser, Wasser, das einem Dampferzeuger zugeführt wird; es muss gereinigt, zumindest teilweise entsalzt und enthärtet werden, um Kesselsteinbildung oder Korrosion zu verhindern.

Speiskobalt, →Skutterudit.

Speitäubling, Blätterpilz, →Täublinge.

Speke [spi:k], John Hanning, brit. Afrikaforscher, *Jordans (Cty. Somerset) 4. 5. 1827, †Neston Park (Cty. Wiltshire) 15. 9. 1864; entdeckte 1858 (mit R. F. Burton) den Tanganjikasee und den Victoriasee, den er als Quellsee des Nil erkannte.

Spektabilität [lat.] *die,* traditionelle Anrede des Dekans an Hochschulen.

Spektral|analyse, *physikal. Chemie:* Verfahren zum Nachweis **(qualitative S.)** sowie zur Konzentrations- und Mengenbestimmung **(quantitative S.)** chem. Elemente aus ihrem →Spektrum, bes. im ultravioletten, sichtbaren und nahen infraroten Spektralbereich. Bei der **Emissions-S.** wird eine gas- oder dampfförmige Probensubstanz zum Leuchten angeregt und ihr Emissionsspektrum untersucht; die Anregung kann dabei thermisch, z.B. in einer Flamme (bes. Alkalien), mittels elektr. Lichtbögen (Spurenanalyse von Gesteinen), Funkenentladungen (Schwermetalle) oder optisch erfolgen. Bei der **Absorptions-S.** werden die durch eine feste, flüssige oder gasförmige Substanz absorbierten Wellenlängen sowie die Stärke der Absorption gemessen. Die **Fluoreszenz-S.** nutzt die Fluoreszenzstrahlung, die durch Bestrahlung mit einer intensiven Lichtquelle (z.B. Laser) in der Probe induziert wird, zum analyt. Nachweis aus. Die entsprechenden Spektren werden mit Spektralapparaten ausgewertet; aus der Lage der Spektrallinien kann auf die qualitative, aus ihren Intensitäten auf die quantitative Zusammensetzung der Probe geschlossen werden.

Spektral|apparate, Geräte zur Zerlegung einer elektromagnet. Strahlung nach ihren Wellenlängen bzw. Frequenzen, i.w.S. auch zur Zerlegung einer Teilchenstrahlung nach ihren Energien, Massen u.Ä. (z.B. →Massenspektrograph, →Neutronenspektrometer) sowie zur Registrierung des entsprechenden →Spektrums. Für die Analyse elektromagnet. Strahlung werden je nach Frequenzbereich Gamma-S. (→Gammaspektrometer), Röntgen-S., opt. S. und Mikrowellen-S. (→Hochfrequenzspektroskopie) eingesetzt.

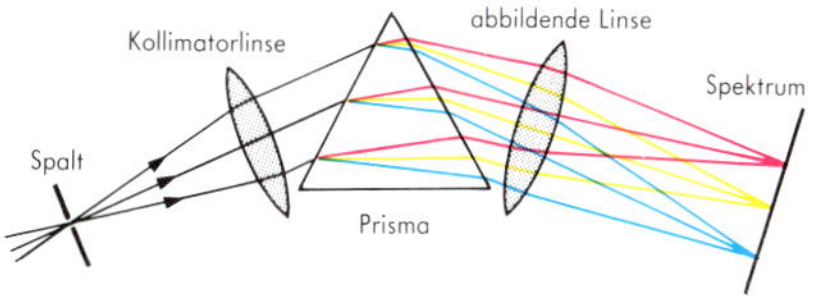

Spektralapparate: Grundschema eines Prismenspektralapparats mit Entstehung des Spektrums

Optische S. benötigen eine Strahlungs-(Licht-)Quelle zur Anregung des zu untersuchenden Spektrums und bestehen prinzipiell aus einem Strahlen sammelnden System (Spalt- und Kollimatorlinse), einem Strahlen zerlegenden Element und dem Beobachtungs- oder Registrierteil, das bei modernen S. zur Signalverarbeitung und -darstellung an ein Computersystem gekoppelt ist. Nach der Art des spektral zerlegenden Teiles unterscheidet man v. a. **Prismen-, Gitter-** und **Interferenz-S.,** nach der Beobachtungs- bzw. Registrierart **Spektroskope** (mit i. Allg. auf Unendlich eingestelltem Fernrohr zur visuellen Beobachtung von Spektren), **Spektrographen** (mit einer Einrichtung zur fotograf. oder photoelektr. Registrierung von Spektren) und **Spektrometer** (mit Präzisionsskalen oder Vergleichsspektren zur Wellenlängenmessung der Spektrallinien). Zur Ausblendung einer Linie oder eines schmalen Spektralbereiches dienen **Monochromatoren.** Beim **Spektralphotometer (Spektrophotometer),** einer Kombination aus S. und Photometer, das zur Ermittlung der Lichtintensität als Funktion der Wellenlänge dient, trifft das durch den Austrittsspalt des Monochromators gehende Licht auf eine

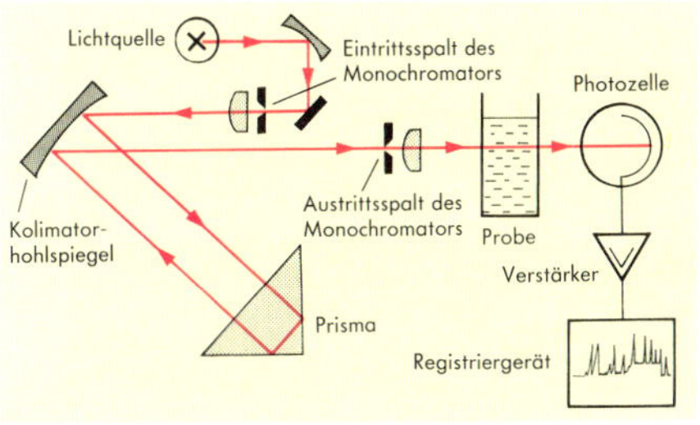

Spektralapparate: schematische Darstellung des Strahlengangs in einem Spektralphotometer für Absorptionsmessungen

Probe, deren opt. Eigenschaften (z. B. Absorption, Reflexion) bestimmt werden sollen. – Heute werden in der →Spektroskopie fast ausschl. abstimmbare Laser verwendet, die bei hoher Intensität und Monochromasie ihrer Strahlung gleichzeitig die Funktion der Strahlungsquelle und des wellenlängenselektiven Elements in einem S. übernehmen **(Laserspektrometer).**

Spektralfarben, →Spektrum.

Spektralklassen (Spektraltypen), in der *Astronomie* die auf den Sternspektren beruhenden Klassen von Sternen. Die beobachteten Spektren, die weitgehend den physikal. Aufbau einer Sternatmosphäre widerspiegeln, sind Kontinua mit Absorptions- und Emissionslinien. Für die Einteilung in S. ist die relative Stärke benachbarter Linien von besonderer Bedeutung. Geordnet nach fallenden Oberflächentemperaturen ergeben sich folgende S., die jeweils noch dezimal unterteilt sind:

O sehr heiße, blaue Sterne mit Absorptionslinien, bes. des ionisierten Heliums;

B heiße, blaue Sterne mit Absorptionslinien des neutralen Heliums;

A weißblaue Sterne mit Absorptionslinien des Wasserstoffs;

F weißgelbe Sterne mit schwächeren Wasserstofflinien und beginnenden Metalllinien (Eisen, Titan, Calcium);

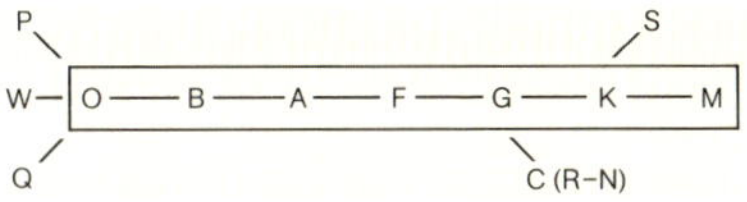

Spektralklassen: Schema der Spektralklassifikation mit der Hauptsequenz der O- bis M-Sterne und den Nebensequenzen

G gelbe Sterne mit vorherrschenden Metalllinien;

K gelbrote Sterne mit noch kräftigeren Metalllinien und beginnenden Molekülbanden des Titanoxids;

M rote Sterne mit vorherrschenden Banden des Titanoxids;

Den Klassen O bis M (Hauptsequenz) gehören rd. 99 % der sichtbaren Sterne an. Die Nebensequenz bilden die S.:

C (früher R und N) kühle Sterne mit Banden von Kohlenstoffverbindungen, daher Kohlenstoffsterne;

S ähnlich den M-Sternen, aber mit starken Absorptionsbanden von Molekülen der Seltenerdmetalle.

Die restl. Sterne werden den Sonderklassen Q (Novae), P (planetar. Nebel) und W bzw. W-R (Wolf-Rayet-Sterne) zugeordnet. Unsere Sonne gehört zur S. G2.

Spektrallampe, eine →Gasentladungslampe zur Erzeugung des Linienspektrums des eingeschlossenen Gases oder Metalldampfs.

Spektrallinie, die von atomaren Systemen emittierte **(Emissionslinie)** oder absorbierte **(Ab-**

sorptionslinie) monochromat. Strahlung, die im →Spektrum als helle oder dunkle schmale Linie hervortritt.

Spektralserie, Folge von Spektrallinien eines Linienspektrums, die Elektronenübergängen aus angeregten Zuständen in den gleichen Endzustand eines Atoms entsprechen. Die Frequenzen der Linien einer S. genügen einer **Serienformel** und häufen sich an der kurzwelligen **Seriengrenze.** (→Wasserstoff)

Spektrograph *der,* →Spektralapparate.

Spektroheliograph *der,* Gerät zur fotograf. Aufnahme **(Spektroheliogramm)** der Sonne in einem engen Wellenlängenbereich (etwa 0,01 nm Breite).

Spektroskop *das,* →Spektralapparate.

Spektroskopie *die,* die Lehre von der Erzeugung, Beobachtung und Registrierung der von Atomen, Ionen, Molekülen **(Atom-** und **Molekül-S.)** und Atomkernen **(Kern-S.)** sowie der kondensierten Materie als (i.e.S. elektromagnet.) Strahlung emittierten bzw. absorbierten Spektren (→Spektrum), einschl. ihrer Ausmessung (Bereich der **Spektrometrie,** häufig auch synonym mit S. verwendet) und Interpretation. Die mit →Spektralapparaten, insbesondere mit Laserspektrometern, durchgeführten spektroskop. Untersuchungen liefern Informationen über die in der untersuchten Probe vorhandenen Elemente oder Verbindungen (→Spektralanalyse) und ermöglichen Aussagen über die Wechselwirkung zw. Materie und Strahlung (Strukturbestimmung von Atomen und Molekülen, Dynamik der Elementaranregungen u.a.). Als Teilgebiete der S. unterscheidet man a) nach den Wellenlängen: Radiowellen-(NMR-)S., Mikrowellen-(Hochfrequenz-)S., Infrarot-S., Ultraviolett-S. (i. Allg. zus. mit der S. im sichtbaren Bereich als UV-VIS-S.), Röntgen-S., Gamma-S., b) nach der Art der Wechselwirkung: Absorptions-S., Emissions-S., Reflexions-S., Streu-S., nichtlineare Laser-S. und c) nach der Auflösung: hochauflösende S. und zeitaufgelöste S.

GÖPEL, W.: *Struktur der Materie. Grundlagen, Mikroskopie u. S. Stuttgart u. a. 1994.*

Spektrum [lat.] *das,* i.w.S. jede Häufigkeits- oder Intensitätsverteilung der von einer physikal. Größe angenommenen Werte, z.B. das Energie-, Geschwindigkeits- oder Massen-S. in einem System von Teilchen, oder das Schall-S. (→Schallanalyse); i.e.S. die Intensitätsverteilung einer elektromagnet. Strahlung in Abhängigkeit von der Wellenlänge oder Frequenz. Urspr. verstand man unter S. nur das farbige Lichtband, das entsteht, wenn weißes Licht (z.B. Sonnenlicht) durch einen Spalt auf ein Prisma **(Dispersions-S.)** oder Gitter **(Beugungs-S.)** fällt und entsprechend seinen unterschiedl. Wellenlängen versch. stark abgelenkt wird. Es entstehen, abhängig von der Lichtzusammensetzung, entweder diskrete Spaltbilder **(Spektrallinien)** als Linien-S. oder eine kontinuierl. Verteilung **(kontinuierl. S.),** bei der die Farben **(Spektralfarben)** stetig ineinander übergehen: beginnend bei Violett über Blau, Grün, Gelb, Orange bis Rot. Der sichtbare Spektralbereich ist Teil des gesamten **elektromagnet. S.,** das sich von der kurzwelligsten kosm. Strahlung bis zu den langwelligsten Radiowellen erstreckt (→elektromagnetische Wellen). – Entsteht ein S. durch Emission aus einem durch Energiezufuhr angeregten Stoff, spricht man von einem **Emissions-S.** Stoffe, die infolge hoher Temperaturen leuchten (Temperaturstrahler), zeigen dabei ein kontinuierl. S. Zum Leuchten angeregte Gase und Dämpfe liefern i. Allg. ein S. aus einzelnen Spektrallinien **(Linien-** oder **Atom-S.)** bzw. aus Häufungen von Linien **(Banden-** oder **Molekül-S.),** das für die jeweiligen Atome bzw. Moleküle des Gases charakteristisch ist und daher zu deren Nachweis herangezogen werden kann (→Spektralanalyse). Je nach den Anregungsbedingungen zeigen die Stoffe versch.

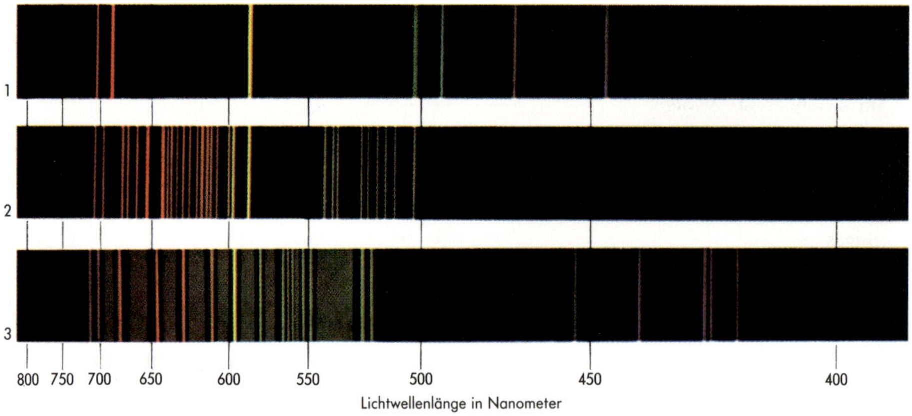

Spektrum: Linienspektrum von Helium (1), Neon (2) und Argon (3)

Linien, man unterscheidet z.B. Bogen-S., Funken-S., Flammen-S. Zur Beobachtung eines **Absorptions-S.** dient ein kontinuierl. S., bei dem man in den Strahlengang den zu untersuchenden Stoff in gelöstem oder gasförmigem Zustand bringt. Das durchgelassene Licht weist dann Lücken in seinem S. (Absorptionslinien oder -banden) bei denjenigen Wellenlängen auf, die von der durchstrahlten Probe absorbiert wurden. Die fraunhoferschen Linien im Sonnen-S. sind solche Absorptionslinien.

Herbert Spencer
(um 1900)

Spekulation [lat. speculatio »Betrachtung«] *die,* **1)** *Philosophie:* nach Hegel die philosoph. Methode, die Begriffsentwicklung des absoluten →Geistes nachvollziehend darzustellen, ohne darüber zu reflektieren. (→Dialektik)

2) *Wirtschaft:* Geschäftsabschlüsse, die unter Ausnutzung von Preisschwankungen getätigt werden. S.-Objekte sind v.a. Wertpapiere, Devisen, Handelswaren, Grundstücke und Immobilien. **S.-Geschäfte** sind nach dem Einkommensteuerrecht (§23 EStG) Veräußerungsgeschäfte, bei denen der Zeitraum zw. Anschaffung und Veräußerung nicht mehr als zwei Jahre (bei Grundstücken und grundstücksgleichen Rechten) bzw. nicht mehr als sechs Monate (bei anderen Wirtschaftsgütern, v.a. bei Wertpapieren) beträgt. Einkünfte aus S.-Geschäften werden ermittelt als Differenz zw. dem Veräußerungspreis und den Anschaffungs- oder Herstellungskosten sowie den Werbungskosten. Gewinne bleiben steuerfrei, wenn der erzielte Gesamtgewinn im Kalenderjahr weniger als 1000 DM beträgt.

Spekulatius [niederländ.] *der,* Kleingebäck in Figurenform aus gewürztem Mürbeteig.

Spekulum [lat.] *das, Medizin:* trichter- oder röhrenförmiges diagnost. Instrument zur Untersuchung von Hohlräumen des Körpers, z.B. Scheiden-, Nasenspekulum.

Speläologie [grch.] *die,* Höhlenkunde.

Spelz (Spelt), eine Weizenart, →Dinkel.

Spelze, trockenhäutiges Hüllblatt im Blütenstand der Gräser; man unterscheidet: Deck-, Hüll- und Vorspelze.

Spemann, Hans, Zoologe, *Stuttgart 27. 6. 1869, †Freiburg im Breisgau 12. 9. 1941; gewann durch Versuche an Lurchkeimen wesentl. Erkenntnisse über die Entwicklung tier. Organanlagen. Er erhielt 1935 den Nobelpreis für Physiologie oder Medizin.

Spencer ['spensə], Herbert, brit. Philosoph, *Derby 27. 4. 1820, †Brighton 8. 12. 1903; zunächst Eisenbahningenieur, dann Redakteur. S. vertrat schon vor Darwin einen philosophisch-erkenntnistheoret. Evolutionismus, dem zufolge allen Erscheinungen ein allg. Entwicklungsgesetz zugrunde liegt. Danach vollzieht sich die – nicht zielgerichtete – Entwicklung der natürl. und sozialen Welt in einem Fortschrittsprozess der steigenden Anpassung an die Umwelt zu immer heterogeneren und komplexeren Formen. Die Rolle des Staates beschränke sich auf Unterstützung und Sicherung dieses Prozesses. – *Werke:* Social Statics (1851); Einleitung in das Studium der Soziologie (1873); Von der Freiheit zur Gebundenheit (1891).

Spenden, freiwillige und unentgeltl. Leistungen, die Geld- und Sachzuwendungen sein können. S. für mildtätige, kirchl., religiöse, wiss. und als bes. förderungswürdig anerkannte gemeinnützige sowie kulturelle Zwecke sind bei der Einkommensteuer als Sonderausgaben (§10b EStG), bei der Körperschaftsteuer als abziehbare Aufwendungen (§9 Körperschaftsteuer-Ges.) in bestimmter Höhe abzugsfähig, wenn der Empfänger eine Körperschaft des öffentl. Rechts, eine öffentl. Dienststelle oder eine sonstige begünstigte Körperschaft, Personenvereinigung oder Vermögensmasse ist (§48 Einkommensteuer-Durchführungs-VO).

Spender ['spendə], Sir (seit 1983) Stephen, engl. Schriftsteller, *London 28. 2. 1909, †ebd. 16. 7. 1995; Studium in London und Oxford; 1930–33 Aufenthalt in Dtl.; schrieb v.a. intellektuelle, kontemplative Lyrik, anfangs radikal-sozial, später mit humanitären Zügen (u.a. »Poems«, 1933; »Ruins and visions«, 1941; »The generous days«, 1969); veröffentlichte neben Literaturkritik, einem Drama und erzählender Prosa (»Der Tempel«, R., 1988) Autobiographien (»Welt in der Welt«, 1951; »The thirties and after«, 1978).

Spener, Philipp Jacob, evang. Theologe, *Rappoltsweiler (Elsass) 13. 1. 1635, †Berlin 5. 2. 1705; seit 1686 Oberhofprediger in Dresden, seit 1691 Propst in Berlin; wurde durch seine Schrift »Pia Desideria« (1675) zum Begründer des luther. →Pietismus.

Oswald Spengler

Spengler, Oswald, Geschichtsphilosoph, *Blankenburg (Harz) 29. 5. 1880, †München 8. 5. 1936; schuf mit seinem Werk »Der Untergang des Abendlandes« (2 Bde., 1918–22) eine von Goethe und Nietzsche beeinflusste Kultur- und Geschichtsphilosophie. Er unterschied acht unabhängige Kulturen, deren »Stil« jeweils alle Äußerungen wie Wirtschaft, Recht, Kunst, Religion bestimme. Entstehung, Blüte und Verfall der Kulturen hätten eine vergleichbare Gesetzlichkeit; die gegenwärtige westl. (»faustische«) Kultur habe ihren Höhepunkt überschritten.

Weitere Werke: Preußentum und Sozialismus (1920); Neubau des dt. Reiches (1924); Der Mensch und die Technik (1931).

Edmund Spenser (Ausschnitt eines zeitgenössischen Gemäldes)

Spenser ['spensə], Edmund, engl. Dichter, *London 1552(?), †ebd. 16. 1. 1599; ging 1580 als Regierungsbeamter nach Irland; neben Shakespeare der bedeutendste Dichter der engl. Renaissance. Sein Hauptwerk, das unvollendet gebliebene Epos »Fünf Gesänge der Feenkönigin« (1590–96; Fragment: 7. Buch, 1609; dt. Teilübers.), stellt in allegor. Weise sechs Tugenden an den Abenteuern von sechs Artusrittern dar, die diese auf der Suche nach der Feenkönigin Gloriana zu bestehen haben. Bes. seine feierlich anmutende Strophenform (**S.-Stanze:** acht jamb. Fünfheber und ein Alexandriner) machen es zu einem bed. Kunstwerk. S. schrieb ferner Hirtengedichte (»The shepheardes calender«, 1579) und Liebessonette (»Amoretti«, 1595).

Spẹnzer, kurze Überjacke mit kleinem Schoß.

Sperber, Art der →Habichte.

Sperber ['ʃpɛrbər, frz. spɛr'bɛːr], Manès, frz. Schriftsteller österr. Herkunft, *Zabłotów (heute Sabolotiw, Ukraine) 12. 12. 1905, †Paris 5. 2. 1984; war Mitarbeiter A. Adlers, emigrierte 1933 über Jugoslawien nach Frankreich, lebte seitdem in Paris; bis 1937 Mitglied der KP. Setzte sich in Romanen,

Manès Sperber (1975)

u. a. »Wie eine Träne im Ozean« (R.-Triologie, 1949–53), und Essays mit jegl. Form von Totalitarismus auseinander; Georg-Büchner-Preis 1975, Friedenspreis des Börsenvereins des Dt. Buchhandels 1983. – *Weitere Werke:* Bis man mir Scherben auf die Augen legt (Erinnerungen, 1977), Churban oder Die unfaßbare Gewißheit (Essay, 1979).

Sperlinge (Passeridae), Familie der Singvögel, heute nahezu weltweit verbreitet. In Europa tre-

Sperlinge: Der Haussperling ist weltweit verbreitet

ten auf: **Feld-S.** (Passer montanus), Höhlenbrüter, mit schokoladebraunem Oberkopf und schwarzem Fleck in der Wange; **Haus-S.** (Passer domesticus), Kulturfolger, mit braun-grau-schwarz gemustertem Männchen mit grauem Oberkopf, Weibchen mausgrau; **Weiden-S.** (Passer hispaniolensis), Kulturfolger im Mittelmeergebiet, Männchen mit brauner Kopfplatte und schwarzer Kehle; außerdem →Schneefink und →Steinsperling.

Sperlingskauz (Glaucidium passerinum), mit 16,5 cm Größe die kleinste Eulenart Europas; lebt in Wäldern des nördl. Eurasien; ernährt sich von Kleinsäugern und Kleinvögeln.

Sperlingsvögel (Passeriformes), Ordnung der Vögel mit über 5000 Arten in allen Erdteilen; gemeinsames Merkmal: das →Sperren der Jungvögel. Die systemat. Gliederung ist umstritten, meist unterscheidet man die Unterordnungen: Breitrachen, Tyrannenschreivögel, Leierschwanzartige und Singvögel.

Sperlọnga, Badeort in der Region Latium, Italien, südlich von Terracina, am Tyrrhen. Meer, 3600 Ew.; hier wurde 1957 eine röm. Villa aus dem 1. Jh. n. Chr. (Datierung umstritten, vielleicht 2. Jh. v. Chr.), ausgegraben, mit künstl. Grotte, die mit Plastiken sowie Fragmenten hellenist. Figurengruppen geschmückt war.

Spẹrma [grch.] *das* (Samenflüssigkeit, Samen, Semen), das beim Samenerguss (→Ejakulation) vom männl. Begattungsorgan abgegebene Ejakulat: eine die Spermien enthaltende schleimige, alkalisch reagierende Flüssigkeit mit Sekret v. a. aus den Nebenhoden, der Prostata und der Bläschendrüse.

Spermatophọre [grch.] *die* (Samenpaket, Samenträger), bei versch. Tiergruppen (viele Würmer, Gliederfüßer, Weichtiere, Schwanzlurche) von den Männchen abgegebenes Gebilde, das eine größere Menge Spermien oder Spermienbündel enthält; wird entweder direkt in die weibl. Geschlechtsöffnungen übertragen oder vom Weibchen aktiv aufgenommen.

Spermatophyten [grch.], die →Samenpflanzen.

Spermatorrhö [grch.] *die* (Samenfluss), der ohne geschlechtl. Erregung erfolgende Abgang von Samenflüssigkeit bei Schließunfähigkeit des Endabschnittes des Samenleiters.

Spermi|en [grch.] (Spermatozoen, Samenzellen), nicht mehr teilungsfähige, i.d.R. bewegl. männl. Geschlechtszellen von Menschen und Tieren; meist durch eine lange Geißel fadenförmig **(Samenfäden).** Beim typischen menschl. **Geißelspermium,** das 0,05–0,06 mm lang ist, unterscheidet man drei Hauptabschnitte: 1) den Kopf mit dem sehr kompakten Zellkern; 2) das Mittelstück aus dem Hals und dem Verbindungsstück: Im Hals liegt ein Zentriol, aus dem in der Eizelle der Teilungsapparat (Spindel, Polstrahlen, Zugfasern) für die Furchungsteilung hervorgeht; 3) den langen Schwanz (Geißel, S.-Geißel) als Bewegungsorganell (Geschwindigkeit etwa 3,5 mm pro Minute). – Die S. werden in sehr großer Anzahl in den Hodenkanälchen gebildet und, noch bewegungsunfähig, in den Nebenhoden gespeichert (bei den Säugern).

Sperm|öl (Spermazetöl), hellgelbes Öl aus Walrat, u.a. Schmiermittel für feinmechan. Geräte.

Sperr, Martin, Schriftsteller und Schauspieler, *Steinberg (heute zu Marklkofen, Kr. Dingolfing-Landau) 14. 9. 1944; schrieb realist., sozialkrit. Dramen: »Jagdszenen aus Niederbayern« (1965), »Landshuter Erzählungen« (1967), »Koralle Meier« (1970); Fernsehspiele.

Sperr|effekt, der → Gleichrichtereffekt.

Sperren, Bettelverhalten von Jungvögeln (v.a. Sperlingsvögel, Wiedehopfe, Spechte und Kuckucke), das im Aufreißen des Schnabels besteht. S. erfolgt auf taktile, opt. und akust. Reize, es löst bei den Altvögeln Fütterungsverhalten aus.

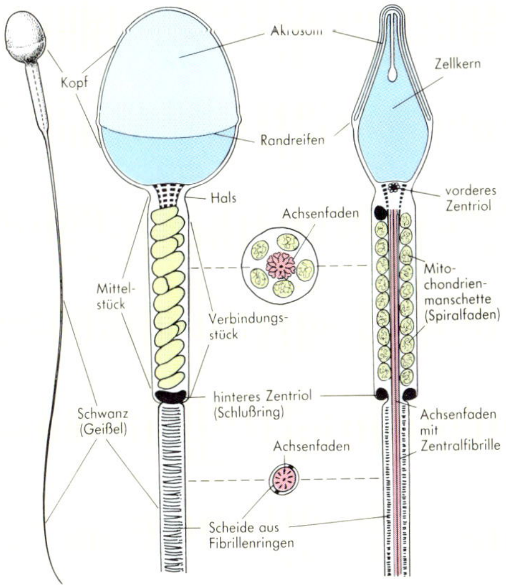

Spermien (von links): Schema des menschlichen Geißelspermiums und Längsschnitt bei Seitenansicht

Sperrfeuer, vorbereitetes Feuer der Artillerie, dient der Abriegelung eines feindl. Angriffs auf bestimmte Geländeteile.

Spermien

Das längste Spermium besitzt die Fruchtfliege Drosophila bifurca. Es ist etwa 60 Millimeter lang. Das entspricht 20-mal der eigenen Körperlänge. Somit ist das Spermium 10 000-mal länger als das eines männlichen Homo sapiens, ganz egal, wie gut dieser ausgestattet ist. Das Riesenspermatozoon stellt die Wissenschaft vor ein Rätsel: Bisher war man der Meinung, dass das Produzieren einer Vielzahl kleiner Spermien für den Körper energiesparender sei.

Sperrfrist, Zeitraum, in dem bestimmte Rechtshandlungen nicht vorgenommen werden dürfen (z.B. die entzogene Fahrerlaubnis nicht wieder erteilt werden darf) oder nicht wirksam werden (z.B. Massenentlassung grundsätzlich erst einen Monat nach Anzeige beim Arbeitsamt). Von erhebl. Bedeutung ist die **Sperrzeit** nach dem Arbeitsförderungs-Ges. (§§ 119 ff.), in der der Anspruch auf Arbeitslosengeld bis zu 12 Wochen ruht, z.B. wenn der Anspruchsberechtigte ohne wichtigen Grund seine Arbeit aufgegeben hat.

Martin Sperr

Sperrgetriebe, Getriebe, bei denen durch ein Sperrglied **(Gesperre, Sperrer)** die gegenseitige Beweglichkeit zweier dreh- oder schiebbar miteinander verbundener Glieder zeitweilig gesperrt oder gehemmt werden kann, wobei die Sperrung in einer oder in beiden Richtungen wirken kann. Unterschieden werden Schaltwerke, Hemmwerke, Sprungwerke und Spannwerke.

Sperrholz, plattenförmiger Holzwerkstoff aus mindestens drei verleimten Lagen; man unterscheidet **Furnierplatten** (häufig einfach S. oder Sperrplatten genannt) und **Tischlerplatten,** die eine Mittellage aus Holzleisten und mindestens eine Furnierlage auf jeder Seite aufweisen.

Sperrklausel, → Wahlrecht.

Sperrkraut, *Botanik:* → Himmelsleiter.

Sperrkreis, ein Parallelkreis mit einer angelegten Wechselspannung, die der Eigenfrequenz (fast) gleicht und damit einen sehr hohen Widerstand aufweist.

Sperrminorität, *Aktienrecht:* Minderheit des vertretenen Kapitals (mehr als 25 und weniger als 50%), die ausreicht, um wichtige Entscheidungen (z.B. Satzungsänderungen), die eine Dreiviertelmehrheit erfordern, zu verhindern.

Sperrrichtung, die Polungsrichtung eines → pn-Übergangs, die praktisch keinen Stromfluss durch das Bauelement zulässt; Ggs.: Durchlassrichtung.

Sperrschicht, *Halbleitertechnik:* sehr dünnes Übergangsgebiet (Raumladungszone) zw. Halbleiterzonen versch. Leitfähigkeit (p- und n-Leitung).

Sperrschicht|effekt, der →Gleichrichtereffekt.

Sperrschwinger (Blocking-Oszillator), elektron. Schaltung (→Kippschaltung) zur Erzeugung von Sägezahnschwingungen.

Sperrstoffe, alle Baustoffe, die wegen hohen Diffusionswiderstands oder Wasserdichtigkeit zur Herstellung von vertikalen und horizontalen Sperrschichten verwendet werden, z. B. Bitumenpappe, Metallfolien, Kunststoffbahnen, wasserdichter Beton.

Roger Wolcott Sperry

Sperrstunde, die →Polizeistunde.

Sperrwerk, Bauwerk in einem Tidefluss mit Verschlussvorrichtungen zum Absperren bei Flut oder ausschl. zum Schutz vor Sturmfluten.

Sperry ['sperɪ], Roger Wolcott, amerikan. Neurologe und Psychobiologe, * Hartford (Conn.) 20. 8. 1913, † Pasadena (Calif.) 17. 4. 1994; wies die Unabhängigkeit der Gehirnhälften hinsichtlich Lernfähigkeit, Erinnerungsvermögen und damit deren Funktionsspezialisierung nach. Dafür erhielt S. mit D. H. Hubel und T. N. Wiesel 1981 den Nobelpreis für Physiologie oder Medizin.

Sperrylith *der,* zinnweißes, metallisch glänzendes kub. Mineral der chem. Zusammensetzung $PtAs_2$, das in Magnetkieslagerstätten auftritt; wichtiges Platinerz.

Spervogel, Name, unter dem in den großen Liederhandschriften die mhd. Spruchdichtung vor Walther von der Vogelweide zusammengefasst ist; es handelt sich zumindest um zwei Dichter.

Spesen [italien.], Aufwendungen und Auslagen, die bei der Erledigung eines Geschäfts (z. B. einer Geschäftsreise) entstehen. Sie sind vom Auftraggeber zu ersetzen, wenn sie nicht durch das Arbeitsentgelt oder die Provision mit abgegolten werden.

Spessart *der,* Mittelgebirge zw. Vogelsberg und Rhön sowie Odenwald, mit dem es eine tekton. Einheit bildet. Als Grenze zw. S. und Odenwald gilt das Durchbruchstal des Mains (»Mainviereck«). Während im niedrigeren, geringer bewaldeten und dichter besiedelten **Vor-S.** der kristalline Kern bloßgelegt ist, ist der dicht bewaldete **Hohe S.** (Geiersberg 585 m ü. M.) von Buntsandstein bedeckt.

📖 *S. Bilanz einer Kulturlandschaft, hg. vom Projektbüro S., Beiträge v.* H. GÜNTHER *u. a. Bad Orb 1996.*

Speyer 1)
Stadtwappen

Spessartin *der,* →Granat.

Speyer, 1) kreisfreie Stadt im RegBez. Rheinhessen-Pfalz, Rheinl.-Pf., an der Mündung des Speyerbachs in den Rhein, 49 500 Ew.; Landesversicherungsanstalt, Landeszentralbank, Rechnungshof Rheinl.-Pf., Landesbibliothek, Staatsarchiv; Hochschule für Verwaltungswiss., Fachschulen. S. ist Sitz eines kath. Bischofs und des prot. Landeskirchenrats; Histor. Museum der Pfalz mit Weinmuseum, Technikmuseum; Metall verarbeitende, Druckind., elektrotechn. Ind.; Rheinhafen.

Stadtbild: Bedeutendstes Bauwerk (und UNESCO-Weltkulturerbe) ist der **Speyerer Dom** (St. Maria und St. Stephan; BILDER deutsche Kunst), das größte roman. Bauwerk Dtl.s, um 1025 unter Kaiser Konrad II. begonnen, 1061 geweiht, kurz vor 1082 bis 1106 unter Kaiser Heinrich IV. umgebaut und eingewölbt. Die sechstürmige, dreischiffige, ungewöhnlich hohe Basilika ist von überwältigendem Raumeindruck (fast 134 m lang); charakteristisch ist die Gliederung der Mittelschiffwände durch Blendarkaden; Apsis mit Zwerggalerie, Bauplastik von lombard. Steinmetzen. Die Krypta (1041 geweiht) ist die Grablege der Salier. An der N-Seite befindet sich die 1106 vollendete Afrakapelle, an der S-Seite die Doppelkapelle St. Emmeram (Taufkapelle um 1080) und St. Katharinen. Der W-Bau wurde 1854–58 von H. Hübsch rekonstruiert. Dem Dom in der Bauornamentik verwandt ist das Judenbad (12. Jh.); Torturm »Altpörtel« (13. Jh., im 16. Jh. erneuert), Dreifaltigkeitskirche (1701–17), Rathaus (1712–24), neugot. Protestationskirche (begonnen 1893), Ludwigskirche (1912–14), Histor. Museum der Pfalz (1907–09, Erweiterungsbau von 1989).

Speyer 1): Von der Stadtbefestigung erhalten ist der Torturm »Altpörtel« aus dem 13. Jh. (im 16. Jh. erneuert)

Geschichte: Um 150 v. Chr. erstmals als **Noviomagus** erwähnt (kelt. Oppidum), 58 v. Chr. von Cäsar unterworfen; 496 von den Franken erobert und im 6. Jh. erstmals als **Spira** bezeichnet, seit Erhebung zum Bischofssitz stets Stadt gen. (Stadtrecht seit 1230 belegt); im 7.–11. Jh. unter wachsendem bischöfl. Einfluss; seit 1111 ständ. und gerichtl. Freiheiten; 1294 freie Reichsstadt; Schauplatz zahlr. Hof- und Reichstage (1529 Protestation von S.); 1527–1689 Sitz des Reichskammergerichts; 1816 an Bayern.

🕮 *Der Dom zu S., bearb. v.* H. E. KUBACH *u. a., 3 Bde. München 1972. – Denkmaltopographie Bundesrep. Dtl. Kulturdenkmäler in Rheinl.-Pf., hg. vom* BUNDESAMT FÜR DENKMALPFLEGE, *Bd. 1: Stadt S., bearb. v.* H. DELLWING. *Düsseldorf ²1990.*

2) Bistum; wohl im 4. Jh. entstanden, seit 614 bezeugt; bis 1801 Suffraganbistum von Mainz; durch das frz. Konkordat (1801) fiel der größte Teil an das neue Bistum Mainz. Als Folge des Konkordats mit Bayern (1817) entstand 1821 ein neues Bistum S., das auf den linksrhein. Rheinkreis (seit 1838 Pfalz) beschränkt blieb und zur Kirchenprovinz Bamberg gehört.

Speyer, Wilhelm, Schriftsteller, * Berlin 21. 2. 1887, † Basel 1. 12. 1952; emigrierte 1933, schrieb Jugendbücher (»Der Kampf der Tertia«, 1927; »Die goldene Horde«, 1931), Dramen und den Roman »Das Glück der Andernachs« (1947).

Spezereien [italien.], ältere Bez. für Gewürze.

Spezia, La, italien. Stadt, → La Spezia.

Spezialhandel, → Außenhandel.

Speziallager, → Internierungslager.

Spezies [lat.] *die* (species), **1)** *biolog. Systematik:* die → Art.

2) *Pharmazie:* Teegemisch, Tee, z. B. Species laxantes (Abführtee).

Spezieskauf (Stückkauf), Kauf einer individuell festgelegten, nicht lediglich der Gattung nach bestimmten Sache, z. B. Kauf eines vom Käufer besichtigten Pferdes; Ggs.: → Gattungskauf.

Speziesschuld, die Verpflichtung zur Leistung einer bestimmten Sache, im Unterschied zur Gattungsschuld, bei der nur eine nach Gattungsmerkmalen bestimmte Sache zu leisten ist.

Speziestaler, als Münze ausgeprägter Taler im Unterschied zum nur als Rechnungsgröße von 24 Groschen dienenden Rechnungstaler.

Spezifikation [lat.] *die, Recht:* → Verarbeitung.

Spezifikationskauf, Handelskauf einer bewegl. Sache, bei dem dem Käufer die nähere Bestimmung über Form, Maß u. a. in angemessener Frist vorbehalten ist. Kommt der Käufer mit dieser Verpflichtung in Verzug, kann an dessen Stelle der Verkäufer die Bestimmung vornehmen oder Schadensersatz wegen Nichterfüllung fordern oder vom Vertrag zurücktreten (§ 375 HGB).

spezifische Ladung, das Verhältnis Q/m der Ladung Q zur Masse m atomarer Teilchen (Elementarteilchen).

spezifischer Widerstand (kurz für spezifischer elektrischer Widerstand, Resistivität), Materialkonstante ρ zur Berechnung des elektr. → Widerstandes R eines Leiters über die Beziehung $R = \rho \cdot l/A$ (l Länge und A Querschnitt des Leiters).

Spezifischer Widerstand (in $10^{-8}\ \Omega \cdot m$, bei 273 K)

Aluminium	2,417	Silber	1,467
Eisen	8,57	Wolfram	4,8
Gold	2,051	Halbleiter (je nach Art und Grad der Verunreinigung typischerweise)	10^4 bis 10^{13}
Kohlenstoff	1 357		
Kupfer	1,534		
Phosphor (weiß)	$1 \cdot 10^{17}$		
Platin	10,6		

spezifisches Gewicht, die → Wichte.

spezifisches Volumen, Formelzeichen v, der Quotient aus dem Volumen V und der Masse m eines Stoffes, $v = V/m$, d. h. der Kehrwert der → Dichte ρ, $v = 1/\rho$.

spezifische Wärmekapazität (früher spezifische Wärme), Formelzeichen c, die auf die Masse m bezogene → Wärmekapazität. Sie ist zahlenmäßig gleich der Wärmemenge, die erforderlich ist, um 1 kg eines Stoffes um 1 K zu erwärmen; Einheit J/(kg · K). Man unterscheidet die s. W. bei konstantem Volumen (c_V) und die s. W. bei konstantem Druck (c_p), es gilt stets $c_p > c_V$. (→ Dulong-Petit-Regel)

Sphalerit [grch.] *der,* Mineral, → Zinkblende.

Sphäre [grch. »Kugel«] *die,* **1)** *allg.:* Gesichtskreis, Wirkungskreis, Machtbereich.

2) *Astronomie:* die Himmels-S. (→ Himmel).

Sphärenharmonie, von den Pythagoreern des ausgehenden 5. Jh. v. Chr. aufgestellte Theorie, nach der die in harmon. Abständen von der Erde angeordneten Himmelskörper durch ihre Bewegung Töne (Sphärenmusik) erzeugen, die der diaton. Tonleiter entsprechen, vom menschl. Ohr aber nicht wahrgenommen werden können, sondern nur »geistig« erkennbar seien.

sphärisch, 1) das Himmelsgewölbe betreffend.

2) kugelig; auf eine Kugel oder die Oberfläche einer Kugel bezogen.

sphärische Aberration, *Optik:* ein → Abbildungsfehler.

Sphäroid [grch. »kugelähnlich«] *das,* Bez. für einen kugelähnlichen Körper oder eine von einer Kugel wenig abweichende Fläche; i. e. S. für ein Rotationsellipsoid; in der Geodäsie die mathematisch behandelbare Normalfigur des Erdkörpers (→ Geoid); i. Allg. ein → Niveausphäroid oder ein an den Polen abgeplattetes Rotationsellipsoid (→ Referenzellipsoid).

Sphärolith [grch. »Kugelstein«] *der* (Sphärit), kugelförmiges, radialstrahliges Aggregat nadeliger Kristalle (Sphärokristall), bildet sich meist bei der Entglasung vulkan. Gesteine.

Sphäroproteine, Gruppe von wasserlösl. Proteinen, die im Blutserum, im Eiklar und den meisten Enzymen vorkommen.

Spherics (kurz für engl. Atmo**sperics,** Sferics), elektromagnet. Störungen in der Atmosphäre, verursacht durch Blitze u.a. Entladungsvorgänge in Gewitterwolken, über große Entfernungen nachweisbar mithilfe geeigneter Empfangsanlagen; möglicherweise auch verantwortlich für bestimmte Wetterkrankheiten.

Sphinkter [grch.] *der,* der →Schließmuskel.

Sphinktersklerose (Sphinkterstarre, Blasenschließmuskelstarre), narbige Umwandlung des inneren Harnblasenschließmuskels mit Abflussbehinderung; tritt vorwiegend bei Männern auf, häufig durch chron. Prostataentzündung verursacht, kommt aber auch als Folge von Rückenmark- oder peripheren Nervenschädigungen vor; Behandlung durch Elektroresektion (endoskopisch) oder operativ.

Sphinx [grch.] *die* oder *der,* **1)** ägypt. Fabelwesen mit dem Körper eines Löwen und dem Kopf eines Königs, Sinnbild des Herrschers; von Phönikern, Hethitern, Assyrern als geflügelter Löwe oder Stier mit Menschenkopf übernommen, früh auch schon von den Griechen, bei denen das Fabelwesen in eine dämonische weibl. Gestalt verwandelt ist, oft auf Friedhöfen aufgestellt. Der **S. von Giseh,** eine aus dem Felsen gehauene 20 m hohe und 73,5 m lange Figur, stellt wohl den König Chephren dar. BILDER Giseh, Karnak

2) *grch. Mythos:* ein geflügeltes Ungeheuer mit Löwenkörper und Frauenkopf in der Nähe von Theben, das jeden tötete, der das ihm aufgegebene Rätsel nicht lösen konnte; es lautete: Es gibt auf der Erde ein Wesen, das zwei, drei und vier Füße hat. Wenn es sich mit den meisten Füßen fortbewegt, ist es am langsamsten. Ödipus erriet, dass der Mensch gemeint sei, der als Kind auf Händen und Füßen kriecht und als Greis den Stock zu Hilfe nimmt. Daraufhin stürzte sich die S. in den Abgrund, und Theben war befreit.

Sphragistik [grch.] *die* (Siegelkunde), eine histor. Hilfswiss., die sich mit dem Vorkommen, der Echtheit, der rechtl. Bedeutung und den Formen der Siegel beschäftigt und die Verbindung zu den Nachbarwiss., v.a. der Numismatik, der Heraldik und der Kunstgesch., herstellt.

Spiegel

Um sich komplett im Spiegel betrachten zu können, muss ein Spiegel mindestens halb so hoch sein wie die Körperhöhe. Das kann man sich leicht klarmachen, wenn man bedenkt, dass bei der Reflexion der Einfallswinkel gleich dem Ausfallswinkel ist. Mit der gleichen Überlegung kann man sich vergewissern, dass das Gesicht im Spiegel immer dieselbe Höhe hat.

Sphinx 2): Ursprünglich als Weihegeschenk der Naxier im Apollonheiligtum in Delphi aufgestellte Mamorskulptur, Höhe 2,22 m (Delphi, Archäologisches Museum)

spiccato [italien.], Abk. **spicc.,** bei Streichinstrumenten eine Strichart mit deutlich voneinander abgesetzten Tönen, die in schnellem Tempo zum Springbogen (→sautillé) übergeht.

Spiegel [aus lat. speculum], **1)** *Jägersprache:* heller Fleck (Scheibe) um den After der Hirsche, Rehe und Gämsen; bei Gänsevögeln metallisch schimmernde Zone auf den Flügeln.

2) *Literatur:* im MA. Buchtitel für jurist. (→Sachsenspiegel), lehrhafte (→Fürstenspiegel) oder theolog. Werke.

3) *Militärwesen:* kurz für →Kragenspiegel.

4) *Mode:* Reversbesatz aus Seide oder Samt an Frack und Smoking.

5) *Optik:* Bauelement für Strahlenablenkung oder Bilderzeugung, dessen Funktion auf der regulären →Reflexion beruht. Die S.-Fläche besteht meist aus poliertem Metall oder aus Glas mit aufgedampftem bzw. elektrolytisch abgeschiedenem Metall. Bei **Rückflächen-S.** wird die Rückseite der Metallschicht meist durch einen Lacküberzug gegen Beschädigung und Feuchtigkeit geschützt. S. für opt. Instrumente werden vorderseitig metallisiert **(Oberflächen-S.).** Hochwertige absorptionsfreie S. für Laser oder Interferometer werden durch Aufdampfen von Schichtsystemen aus dielektr. Materialien hergestellt. Bei sehr dünnen spiegelnden Schichten wird nur ein Bruchteil der auffallenden Strahlung reflektiert, der Rest hindurchgelassen. Solche **teildurchlässigen S.** werden als Strahlteiler in opt. Geräten verwendet.

Nach der Form der reflektierenden Fläche unterscheidet man zw. ebenen und gewölbten S.: **Ebene S. (Plan-S.)** dienen in opt. Instrumenten zur Strahlumlenkung. **Konkav-** oder **Hohl-S.** (Sammel-S., z.B. Rasier-S.; die hohle Fläche ist dem Licht zugewandt) und **Konvex-** oder **Wölb-S.** (Zerstreuungs-S., z.B. Rück-S.; die nach außen gewölbte Fläche ist dem Licht zugewandt) werden zu opt. Abbildungen in der gleichen Art wie Linsen oder als Teil eines opt. Systems (z.B. S.-Teleskop) benutzt. Sie können **sphärisch** (Kugel-S.) oder **asphärisch,** z.B. elliptisch, zylindrisch oder parabolisch sein; Parabol-S. werden z.B. für Scheinwerfer, ellipt. S. in Kinoprojektoren verwendet. (→Tripelspiegel)

Geschichte: Seit der Bronze- und La-Tène-Zeit wurden polierte Metallplatten als S. verwendet. In Ägypten, im kretisch-myken. Kulturbereich, im antiken Griechenland, bei Etruskern und Römern wurden Metall-S. oft kunstvoll verziert. In der röm. Kaiserzeit gab es auch kleine Glas-S. mit Zinnunterlage und Metalleinfassung, die Plinius d.Ä. als Erfindung der Phöniker bezeichnete. Runde konkav- und konvexgewölbte Formen aus Metall und Glas findet man bei den Wand- und Hand-S. des MA. Seit Anfang des 16. Jh. wurden flache S. v.a. in Venedig hergestellt. Der S. als tragendes Element der Innendekoration kam im 17. Jh. in Frankreich in den Schlössern Ludwigs XIV. auf (S.-Galerie von Versailles). Das kleine S.-Kabinett war bes. im Rokoko beliebt.

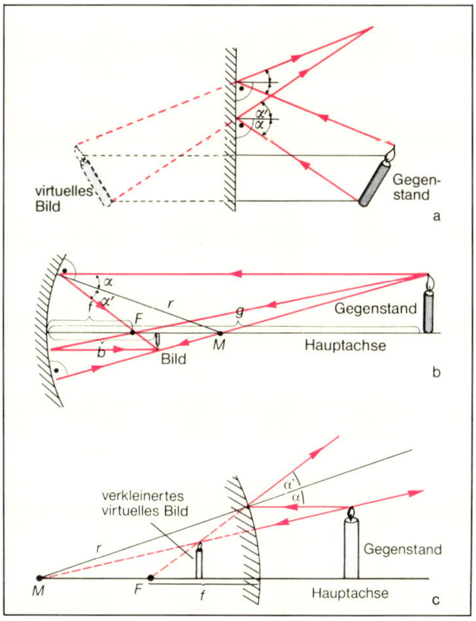

Spiegel 4): Schema der Abbildungsverhältnisse: a beim ebenen Spiegel, b beim Konkavspiegel, c beim Konvexspiegel; α Einfallswinkel, *M* Krümmungsmittelpunkt, *r* Krümmungsradius, *F* Brennpunkt, *f* Brennweite, *g* Gegenstandsweite, *b* Bildweite

Spiegel|affäre, üblich gewordene Bez. für einen schweren innenpolit. Konflikt in der Bundesrep. Dtl., ausgelöst durch die Durchsuchung der Redaktionsräume der Zeitschrift »Der Spiegel« in Hamburg und Bonn am 27. 10. 1962 sowie die Festnahme ihres Herausgebers R. Augstein, des Redakteurs C. Ahlers u.a. wegen des Vorwurfs des publizist. Landesverrats und der Beamtenbestechung (wegen eines Beitrages über die NATO-Übung »Fallex 62«); Verteidigungsmin. F.J. Strauß musste zurücktreten.

Spiegel, Der, polit. Nachrichtenmagazin, gegr. 1946 als »Diese Woche«; Sitz: Hamburg; Hg.: R. Augstein.

Spiegelglas, hochwertiges Flachglas aus möglichst reinen Ausgangsstoffen; wird auf Stahlplatten oder auf ein Band gegossen, auf Schleifmaschinen beiderseitig geschliffen und poliert; wegen seiner verzerrungsfreien Transparenz bes. für die Herstellung von Spiegeln geeignet.

Spiegelreflexkamera, →fotografische Apparate.

Spiegelteleskop (Spiegelfernrohr, Reflektor), Fernrohr, bei dem ein paraboloid geschliffener Hohlspiegel als Objektiv das auftreffende Licht reflektiert und in der Brennebene (Primärfokus) ein Bild des Gegenstandes erzeugt, das nach Herausführung aus dem Tubus mit einem Okular betrachtet oder fotografiert werden kann. Größere S. werden v.a. in der Astronomie verwendet. Die meisten S. besitzen einen oder mehrere weitere Spiegel zum Umlenken des vom Hauptspiegel reflektierten Lichts, um die Bildebene dem Strahlungsempfänger leicht zugänglich zu machen und Abbildungsfehler zu korrigieren. Häufig verwendet werden die S. nach I. Newton **(Newton-Spiegel)** und N. Cassegrain **(Cassegrain-Reflektor)** mit durchbohrtem Hauptspiegel, was beim Coudé-System durch Verwendung von Hilfsspiegeln vermieden wird, sowie der komafreie →Schmidt-Spiegel. – Während das S. in Selentschukskaja im Nordkaukasus noch einen Einzelspiegel (6 m Durchmesser) herkömml. Bauart aufweist, werden für die Entwicklung moderner Großteleskope neuartige Technologien angewandt, die zum Einsatz adaptiver Optiken, z.B. beim →NTT und →VLT, sowie zu Mehrspiegelteleskopen (→Multiple Mirror Telescope) führen.

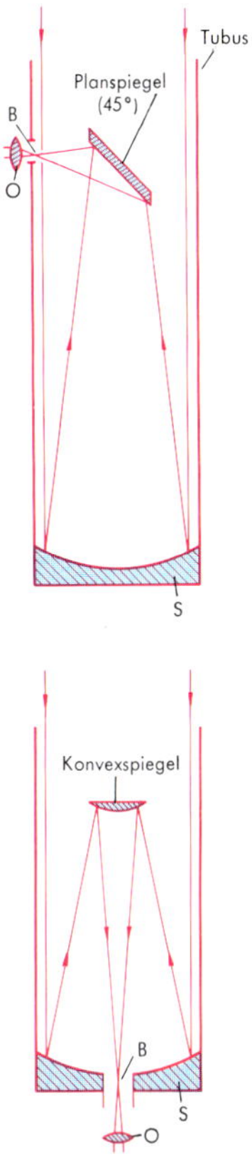

Spiegelteleskop nach Isaac Newton (oben) und N. Cassegrin; B Brennpunkt, O Okular, S Spiegel

Spiegelung, 1) *Geometrie:* spezielle Kongruenzabbildung; in der ebenen Geometrie gibt es Punkt- und Geraden-S., im Raum auch Ebenen-S. Ist X' das Bild des Punktes X bei einer S., so ist P bei einer **Punkt-S.** an P Mittelpunkt der Strecke $\overline{XX'}$; bei **Geraden-S.** an der Geraden g bzw. **Ebenen-S.** an der Ebene E ist $\overline{XX'}$ zu g bzw. E senk-

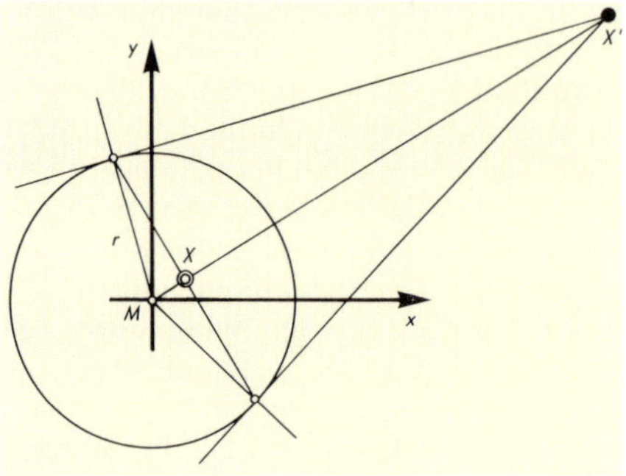

Spiegelung 1) am Kreis, *M* Mittelpunkt, *r* Radius des Inversionskreises, *X'* Bildpunkt von *X*

recht und *X, X'* haben von *g* bzw. *E* den gleichen Abstand. – Die **S. (Inversion) am Kreis** ordnet jedem Punkt *X* in Bezug auf einen vorgegebenen Kreis (Inversionskreis) einen Punkt *X'* derart zu, dass das Produkt der Abstände der Punkte vom Kreismittelpunkt *M* gleich dem Quadrat des Kreisradius *r* ist: $\overline{MX} \cdot \overline{MX'} = r^2$. Anwendung: Konstruktion von Spiegelbildern beim Wölb- oder Hohlspiegel.

2) *Optik:* →Reflexion.

3) *Physik:* S. an einem Punkt, S. an einer Ebene, →Symmetrieoperation.

Hilde Spiel

Spiekerloog, eine der Ostfries. Inseln, im Landkreis Wittmund, Ndsachs., 17,7 km^2, mit der Gemeinde S., 760 Ew.; Seebad, Seewasseraquarium, Muschelmuseum; Fährverkehr mit Neuharlingersiel. Der O-Teil ist Vogelschutzgebiet.

Spiel, 1) *allg.:* Tätigkeit, die ohne bewussten Zweck lediglich aus Freude an ihr selbst ausgeübt wird und mit Lustempfindungen verbunden ist. S. finden sich bei Tieren und Menschen. Das S. des Kleinkindes beginnt mit der Beschäftigung mit sich selbst. Kritzeleien und Gestaltungen von formbarem Material zeigen sich bereits vom 2. Lebensjahr an. Hieran schließt sich das S. mit Gegenständen (Funktions-S.), das spielende Nachahmen von Erwachsenen und das Zeichnen, Konstruieren, Nacherzählen, Singen u.Ä. sowie später das Gruppen-S. mit verteilten Rollen an. Die nachfolgenden S. mit Wettbewerbs- und Regelcharakter werden auch von Erwachsenen gepflegt. – Die klass. **Theorien vom S.** verstehen S. u.a. als Ein- und Vorübung wichtiger Anlagen und Instinkte, als Erholung und Entlastung oder als Abfuhr von Affekten und Triebregungen. Im dt. Idealismus (z.B. F. Schiller) galt das S. als Ausdruck des schöpfer. Triebes des Menschen. J. Huizinga bestimmte das spieler. Handeln als Grundlage kultureller Tätigkeit. Die Bedeutung des (kindl.) S. in der Pädagogik wurde bereits von F. Fröbel, von der Psychotherapie und u.a. von D. W. Winnicott hervorgehoben.

📖 WINNICOTT, D. W.: *Vom S. zur Kreativität. A.d.Engl. Stuttgart u.a.* ^{6}*1992.* – HUIZINGA, J.: *Homo ludens. Vom Ursprung der Kultur im S. Aus dem Niederländ. Reinbek 1994.*

2) *Jägersprache:* der Schwanz von Birkhahn und Fasan.

3) *Recht:* (S.-Vertrag) ein Vertrag, durch den sich zwei Parteien der Unterhaltung oder des Gewinns wegen eine Leistung unter entgegengesetzten Bedingungen versprechen. Durch S. und Wette wird keine Verbindlichkeit begründet, jedoch kann das einmal Geleistete nicht zurückgefordert werden (§ 762 BGB). (→Glücksspiel, →Lotterievertrag) – Nach *österr.* (§§ 1270, 1432 ABGB) und nach *schweizer.* Recht (Art. 513 ff. OR) ist das S. ähnlich geregelt.

4) *Technik:* Maßunterschied zw. zwei zueinander gehörenden Maschinenteilen, z.B. bei der Spielpassung (→Passung).

Spiel, Hilde, österr. Schriftstellerin, *Wien 19.10.1911, †ebd. 30.11.1990; vielfältige Veröffentlichungen von literaturkrit. und essayist. Charakter zur österr. Literatur und der ihres ehem. Exillands Großbritannien, die thematisch auch die jüdische Emigration berühren; war der Tradition des österr. Fin de Siècle verbunden; u.a. »Kati auf der Brücke« (R., 1933), »Lisas Zimmer« (R., 1965), »Der Mann mit der Pelerine« (Erz., 1985); aus dem Nachlass: »Die Dämonie der Gemütlichkeit. Glossen zur Zeit u.a. Prosa« (1991), »Das Haus des Dichters. Literarische Essays, Interpretationen ...« (1992).

Spiellautomat (Spielgerät), Gerät mit einer vom Spieler zu betätigenden, den Spielausgang beeinflussenden Vorrichtung (Halbautomat), das als Geschicklichkeits-S. der Unterhaltung dient oder

Spiel

Die Spiele der Griechen und Römer waren prinzipiell gleicher Art wie die der Neuzeit. Kleine Kinder spielten mit Klappern, Rasseln, Puppen oder Tieren aus Stoff, Ton, Wachs oder Knochen, aber auch mit lebendigen Tieren wie Vögeln und Hasen. Die größeren Kinder bevorzugten Laufspiele, Reifentreiben, Gehen auf Stelzen, Steckenpferdreiten, Huckepack, Kreiselschlagen, Verstecken, Blindekuh, Tauziehen, Ballspiele, Wurfspiele mit Nüssen oder Steinen (z.B. über die Wasseroberfläche) und Ratespiele.
Die Erwachsenen liebten Brettspiele, darunter eine Art Damespiel und ein Belagerungsspiel, teils in Verbindung mit Würfeln. Man benutzte Spielsteine oder Würfel, wobei meist mit mehreren aus der Hand oder einem Becher gewürfelt wurde und entweder die Zahl der »Augen« oder deren Kombination galt. Trotz Verbots wurde oft und um hohe Summen gespielt. Beim Kottabos-Spiel galt es, den Flüssigkeitsrest in einem Trinkgefäß auf ein verschieden gestaltetes Ziel zu schleudern. Brett-, Knöchel- und Würfelspiel kannten auch die Kelten und – wohl durch sie – die Germanen.

als Geld-S. die Möglichkeit eines Gewinns eröffnet. Die gewerbsmäßige öffentl. Aufstellung von S., die eine Gewinnmöglichkeit bieten, ist nur gestattet, wenn die Bauart des S. von der Physikalisch-Techn. Bundesanstalt zugelassen und die Inbetriebnahme von der Aufsichtsbehörde genehmigt ist (§§ 33 c ff. GewO). Kindern und Jugendlichen ist die Anwesenheit in öffentl. Spielhallen u. a. vorwiegend dem Spielbetrieb dienenden Räumen nicht gestattet.

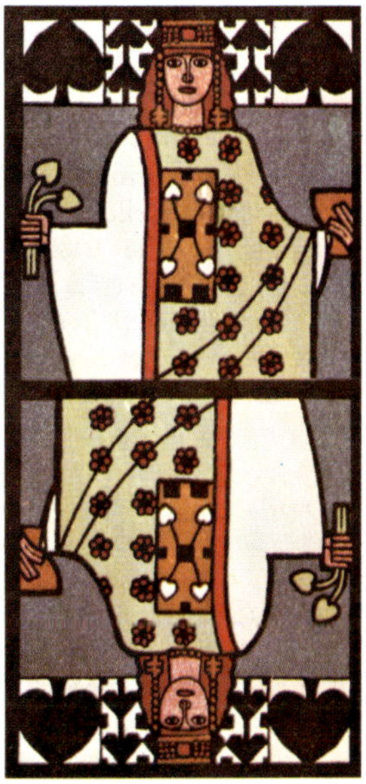

Spielkarten: Pikdame (Doppelbild) des »Sezessionstarock«, Lithographie von Ditha Moser (Wien, um 1906)

Spielbank (Spielkasino), Unternehmen, das gewerbsmäßig Gelegenheit zum öffentl. →Glücksspiel gibt. S. bedürfen in Dtl. der staatl. Zulassung. – In *Österreich* kann der Bundesmin. für Finanzen Konzessionen für den Betrieb von S. erteilen (Glücksspiel-Ges. von 1989). In der *Schweiz* wurde 1993 durch Volksabstimmung die Aufhebung des S.-Verbots beschlossen.

Spielbank|abgabe, Steuer besonderer Art, die von Betreibern der Spielbanken auf der Grundlage des Gesetzes über die Zulassung öffentl. Spielbanken vom 14. 7. 1933 und der VO über öffentl. Spielbanken vom 27. 7. 1937 erhoben wird. Sie beträgt in Dtl. 80% der Bruttospielerträge und fließt den Ländern zu.

Spielbein, *bildende Kunst:* →Kontrapost.

Spielberg ['spi:lbə:g], Steven, amerikan. Filmregisseur, *Cincinnati (Oh.) 18. 12. 1947; zu seinen Filmen, meist Märchen von Träumen, Ängsten und Abenteuern, gehören u. a. »Der weiße Hai« (1974), »Unheiml. Begegnung der dritten Art« (1977), »E.T. – Der Außerirdische« (1982), »Die Farbe Lila« (1986), »Jurassic Park« (1993), »Vergessene Welt« (1997); 1980-88 drehte er drei Indiana-Jones-Filme. 1993 kam »Schindlers Liste« heraus, die Geschichte des dt. Unternehmers, der mehr als 1 000 Juden rettete.

Spieldose, mechan. Musikinstrument, bei dem eine durch Federkraft in langsame Drehung versetzte Stiftwalze Metallzungen zum Klingen bringt, oft mit einer sich drehenden Figurengruppe verbunden, auch mit Uhr **(Spieluhr).**

Spielhagen, Friedrich, Schriftsteller, *Magdeburg 24. 2. 1829, †Berlin 25. 2. 1911; einer der erfolgreichsten Romanciers der 2. Hälfte des 19. Jh., dessen besonderes Interesse der Darstellung der sozialen Interessen des liberalen Bürgertums galt (»Problemat. Naturen«, 4 Bde., 1861; »Hammer und Amboss«, 5 Bde., 1869; »Sturmflut«, 3 Bde., 1877); heute v. a. als Theoretiker des Realismus und der Erzählstrategie geschätzt.

Spielhahn, *Jägersprache:* Bez. für den Birkhahn.

Spielkarten, Blätter für das Kartenspiel. Sie zeigen auf der Vorderseite meist farbige Figuren oder Ziffern, auf der Rückseite ein gleichmäßiges Muster. Eine bestimmte Anzahl von S. bildet ein Kartenspiel. Die europ. S. zeigen meist die Einteilung in vier (selten fünf) Reihen mit versch. Farben. Jede Reihe hat bis zu zehn Farb- oder Zahlenkarten sowie drei bis vier Figurenkarten.

Die **dt. S.** mit den Farben Eichel (Eckern), Grün (Laub), Herz (Rot) und Schellen bestehen aus 32 Blatt: Daus (Ass), König, Ober, Unter (Wenzel), 10, 9, 8 und 7. Die **schweizer S.** haben ähnlich die Farben Eichel, Schilten (Wappenschilde), Rosen, Schellen. Die 10 befindet sich auf einem Banner, wie bereits auf frühen dt. S. Die **frz. S.** zeigen die Farben Trèfle (Treff; schwarzes Kleeblatt), Pique (Pik, Schippen; schwarze Lanzenspitze), Cœur (rotes Herz), Carreau (Eckstein, Karo, rotes Viereck) mit den Figuren Roi (König), Reine (Dame), Valet (Bube) und den Zählkarten 10–1, wobei die 1 (Ass) als höchster Wert gilt. Bei den **italien.** und **span. S.** (Trappolierkarten) werden als Serienzeichen verwendet: Coppe (span. Copas; dt. Kelche, Becher), Spade (Espadas; Schwerter), Denari (Oros; Münzen), Bastoni (Bastos; Stäbe oder Keulen), als Figuren Re (Rey; König), Cavallo (Caballo; Reiter), Fante (Sota; Bube), gelegentlich auch Regina (Reina; Königin), die Zahlen 10–2 und 1 (Asso). Die **Tarockkarte** hat 78 Blatt (manchmal weniger) mit italien. oder frz. Farbzeichen, darunter 21 Tarocks mit den Zahlen 1–21 (oder I–XXI) und den Sküs (entspricht dem Joker). Die Tarockkarten sind illustriert (Doppelbild), z. B. mit Genreszenen, Tieren u. a., beim **Tarot** mit feststehenden Einzelbildern. – Die frühesten S. stammen aus Korea und China (7. Jh.), sie kamen im 13. Jh. nach Europa.

📖 *Alle Karten auf den Tisch. Geschichte der standardisierten S. aller Welt, 2 Bde., Ausst.-Kat. Dt. S.-*

Steven Spielberg

Spielkarten (von oben): indisch-bengalische Rundkarte aus handgemaltem und lackiertem Karton (um 1820) und chinesische Geldspielkarte (Holzschnitt, um 1840)

Spielzeug: bronzene Gliederpuppe aus Sparta, die einen Krieger darstellt und vermutlich als Kinderspielzeug diente (um 540 v. Chr.; München, Staatliche Antikensammlung)

Museum Leinfelden-Echterdingen. Marburg 1990. – HOFMANN, D.: *Kultur- u. Kunstgeschichte der Spielkarte. Marburg 1995.*

Spielkartenmeister, Goldschmied und Kupferstecher oberrhein. oder schweizer. Herkunft, tätig um 1450, ben. nach dem ältesten dt. gestochenen Kartenspiel (vor 1446). Da er ein Mainzer Musterbuch für Randzeichnungen benutzte, wird vermutet, dass er in Mainz tätig war (vielleicht Beziehungen zu J. Gutenberg).

Spielmann, 1) im MA. der i.d.R. recht- und ehrlose Possenreißer und Musikant, der gegen Lohn seine Künste zu Festzeiten und an den Höfen zeigte. Die Spielleute haben internat. Parallelerscheinungen (so in Frankreich die Jongleurs, Goliarden und Menestrels, in England die Minstrels). In der dt. Literaturgesch. wurde der Begriff (in Nachfolge der romant. Auffassung der Brüder Grimm, die von der dichter. Gestalt Volkers im »Nibelungenlied« einen Typus ableiteten) als Bez. für den wandernden Vermittler volkstüml. Erzählstoffe verwendet. (→Spielmannsdichtung)

2) im früheren dt. Heer der Trommler, Pfeifer und Hornist der Infanterie. In der neueren Militärmusik tritt ein **Spielmannszug** neben das Musikkorps.

Spielmannsdichtung (Spielmannsepik), *Literaturgeschichte:* Bez. für eine Reihe von Versepen (2. Hälfte 12. Jh., Datierung unsicher), die eher zur Heldendichtung als zur religiösen oder höf. Epik in Beziehung stehen: »König Rother«, »Herzog Ernst«, »Oswald«, »Orendel«, »Salman und Morolf«. Allen S. gemeinsam ist der histor. Hintergrund der Kreuzzüge und das Brautwerbungsschema. Umstritten ist, ob wandernde Spielleute (→Spielmann) die Verfasser der S. gewesen sind. Heute nimmt man überwiegend Geistliche als Verfasser an.

Spielzeug: Puzzlespiel (um 1840; München, Münchner Stadtmuseum)

📖 *Spielmannsepik,* hg. v. W. J. SCHRÖDER. *Darmstadt 1977.*

Spieltheorie, von J. von Neumann begründete mathemat. Theorie zur Beschreibung **strateg. Spiele,** bei denen im Ggs. zu reinen Glücksspielen die Spieler Einflussmöglichkeiten besitzen, den Spielausgang vollständig (z.B. Schach) oder teilweise (z.B. Skat) festzulegen. Der Begriff »Spiel« umfasst dabei insbesondere soziolog., wirtsch. und polit. Gegebenheiten (Wettbewerb, Konkurrenzkampf, Konflikt u.a.), die ähnl. Strukturen aufweisen wie die übl., durch feste Regeln bestimmten Spiele. Ein strateg. Spiel kann durch einen »Entscheidungsbaum« dargestellt werden. Ziel der S. ist es, die für einen Spieler optimale Spielstrategie zu finden. Anwendungsgebiete der S. sind Produktions- und Preistheorie, Operationsresearch, Statistik, polit. und militär. Planung.

Spieltherapie, Form der Psychotherapie (in Einzel- oder Gruppensituationen) bei Kindern: Das Kind bringt durch Umgang mit Puppen u.Ä. seine familiäre Situation und seine (meist unbewussten) Konflikte zum Ausdruck.

Spiel|uhr, →Spieldose.

Spielverlängerung, in Tor-, Mal- und Korbspielen zusätzl. Spielzeit bei unentschiedenem Ausgang. (→Suddendeath)

Spielzeug, jeder Gegenstand und alle Materialien, die der Befriedigung des kindl. Spieltriebes oder der unterhaltenden Beschäftigung (→Spiel) dienen. Die fundamentale Bedeutung von Spiel und S. (seit den frühesten Kulturen) liegt in ihrer Funktion, Mittel zu sein, den Umgang mit Dingen und dem eigenen Körper zu üben, Dinge zu begreifen, die »Welt« zu ergreifen. Das von F. →Fröbel entwickelte System von Spielgaben für das Kleinkind zielt auf Weckung von Fantasie und freier Gestaltungskraft, das von Maria →Montessori auf Sinnesschulung.

Geschichte: S. ist bereits für vorgeschichtl. Zeit belegt (Rasseln, Tontiere); aus dem alten Ägypten sowie aus der Antike sind Gliederpuppen, kleine Wagen, Reifen und Bälle überliefert; das MA. kannte dagegen nur wenig S.; seit dem 15. Jh. Ausbildung eines S.-Gewerbes v.a. für Holz-S. (führend: Nürnberg); im 19. Jh. Aufkommen von mechan. S. (v.a. Eisenbahnen, Kräne), im 20. Jh. Ausweitung des S.-Angebotes (u.a. Puppen, Plüsch- und Kunststofffiguren, Maschinen, Autos, Experimentierkästen, opt. S., Computer- und Videospiele).

📖 KAZEMI-VEISARI, E.: *Zur gesellschaftl. u. pädagog. Funktion von Spielwaren in der Gegenwart. Frankfurt am Main 1987.* – HAHN, H.: *Vom Ernst des Spielens. Eine zeitgemäße Betrachtung über S. u. Spiel. Stuttgart ⁴1988.*

Spierling, Bez. für zwei Fischarten, den Europ. Stint und die Elritze.

Spierstrauch (Spiraea), Gattung der Rosengewächse in der nördl. gemäßigten Zone; sommergrüne Sträucher mit einfachen, meist gesägten Blättern; Blüten klein; Blütenstände doldig oder traubig; z. T. als Ziersträucher kultiviert.

Spies, Werner, Kunsthistoriker, * Tübingen 1. 4. 1937; Mitgl. der Dt. Akademie für Sprache und Dichtung; veröffentlichte zahlr. Werke zur zeitgenöss. Kunst, u. a. zu V. Vasarely, J. Albers, Christo, M. Ernst und P. Picasso; dt. Kommissar der Ausstellungen »Paris – Berlin«, 1987, und »Berlin – Moskau«, 1995; seit 1997 Direktor des Centre Georges-Pompidou in Paris.

Werner Spies

Spieß, 1) *Militärwesen:* in der Soldatensprache Bez. für den Kompanie- und Batteriefeldwebel.

2) *Zoologie:* die endenlose Geweihstange der (meist jungen) Elch-, Rot-, Damhirsche **(Spießer),** Rehböcke **(Spießer, Spießböcke).**

Spießbock, 1) der Spießer (Rehbock), → Spieß.

2) Art der → Pferdeböcke.

Spießbürger, im MA. der nur mit einem Spieß bewaffnete, ärmere Stadtbürger; heute abschätzige Bez. für einen kleinl., engstirnigen Menschen, der an überlebten Anschauungen festhält (auch **Spießer** genannt).

Spießglanze, artenreiche Gruppe von Mineralen (Erze), die sich aus einem Metallsulfid MeS (Me = Ag_2, Cu_2, Fe, bes. Pb) und einem weiteren Sulfid R_2S_3 (R = As, Sb, Bi) in wechselnden Verhältnissen zusammensetzen; z. B. **Bournonit,** $PbCuSbS_3$.

Spießhirsche (Mazamahirsche, Mazama), Gattung kleiner Neuwelthirsche der Savannen und Wälder Süd- und Mittelamerikas, mit kurzem Spießgeweih, z. B. der **Große Rote Spießhirsch** (Mazama americana), mit einer Schulterhöhe von 69–71 cm.

Spießrutenlaufen, seit Mitte des 16. Jh. überlieferte Militärstrafe, bes. bei Desertion, Trunkenheit und verbotenem Glücksspiel. Der Delinquent musste mit bloßem Oberkörper durch eine Gasse von Soldaten laufen, die mit Ruten auf ihn einschlugen, oft mit tödl. Ausgang; in Preußen 1807, in Österreich um 1850 abgeschafft.

Spiethoff, Arthur, Volkswirtschaftler, * Düsseldorf 13. 5. 1873, † Tübingen 4. 4. 1957; zählt zu den Begründern der modernen Konjunkturforschung und entwickelte in »Die wirtsch. Wechsellagen« (2 Bde., 1955) eine originäre Variante der Überinvestitionstheorien.

Spiez, Fremdenverkehrsgemeinde im Kt. Bern, Schweiz, 628 m ü. M., am Thuner See, 11 500 Ew.; Lehrerseminar; Heimat- und Rebbaumuseum. – Barock ausgebautes Schloss (12. Jh. ff.) mit Schlosskirche (Fresken, 12. Jahrhundert).

Spika [lat. »Ähre«] (Spica), Stern 1. Größe, Stern α im Sternbild Jungfrau.

Spikes [spaɪks, engl.], **1)** *Fahrzeugtechnik:* (S.-Reifen), → Reifen.

2) *Leichtathletik:* Dornenschuhe für Läufer oder Springer.

Spiköl, äther. Öl, das aus dem Großen Speik (→ Lavendel) gewonnen wird, als Ersatz für echtes Lavendelöl und in der Maltechnik verwendet.

Spillane [spɪˈleɪn], Mickey, eigtl. Frank Morrison S., amerikan. Schriftsteller, * New York 9. 3. 1918; schrieb zahlr. Kriminalromane, meist Thriller (»Die Rache ist mein«, 1950; »Rhapsodie in Blei«, 1952; »Der Tag, an dem das Meer verschwand«, 1979; »The killing man«, 1990).

Spin [engl.] *der* (Eigendrehimpuls), Drehimpuls von Elementarteilchen, Atomen und deren Kernen (Kern-S.), der nicht auf eine Bahnbewegung zurückzuführen ist und eine innere, nur quantenmechanisch beschreibbare Eigenschaft der Teilchen repräsentiert; anschaulich (nicht real) am ehesten als Drehimpuls einer Eigenrotation der Teilchen vorstellbar. Der S. ist gequantelt; sein Betrag $s \cdot \hbar$ wird in Einheiten von $\hbar = h/(2\pi)$ (h plancksches Wirkungsquantum) angegeben, wobei die **S.-Quantenzahl** s (kurz S.) ganze oder halbzahlige Werte annehmen kann, d. h. $s = 0, \frac{1}{2}, 1, \frac{3}{2}, \ldots$ Teilchen mit halbzahligem S. heißen Fermionen (z. B. Elektron: $s = \frac{1}{2}$), solche mit ganzzahligem S. Bosonen (z. B. Photon: $s = 1$). Auf dem Elektronen-S. beruhen u. a. das magnet. Moment der Teilchen, die Feinstruktur von Spektrallinien und der Ferromagnetismus; der S. der Protonen ist Grundlage der Kernspinresonanz.

Spina [lat.] *die, Anatomie:* Dorn, Stachel, z. B. **S. iliaca,** der Darmbeinstachel.

Spina, antike grch.-etrusk. Hafenstadt im südl. Mündungsgebiet des Po, eine urspr. grch. Gründung; Blütezeit vom 6. bis 4. Jh. v. Chr.; verlor seine Bedeutung infolge Versandung der Küste. Grabungen erbrachten eine Fülle bemalter att. Vasen aus der Zeit von 510 bis 400 v. Chr. (heute im Museum von Ferrara).

Spina bifida [lat.] *die,* angeborene Spaltbildung der Wirbelsäule.

spinal [lat.], die Wirbelsäule oder das Rückenmark betreffend, zu diesen gehörend.

Spinaliom [lat.] *das* (Plattenepithelkarzinom, Stachelzellenkrebs), bösartige Haut- oder Schleimhautgeschwulst mit zerstörendem Wachstum und Übergreifen auf regionäre Lymphknoten; entsteht u. a. auf chronisch entzündeter oder strahlengeschädigter Haut und auf straffen Narben; tritt in höherem Lebensalter auf.

Spinalnerven (Rückenmarknerven, Nervi spinales), paarige, in fast allen Körpersegmenten vorhandene, dem Rückenmark über je eine vordere und eine hintere Wurzel entspringende Nerven der Wirbeltiere (einschl. Mensch, der 31 Paar S. be-

Spinett: Querspinett (mit schräggestellter Flügelform) aus dem Jahr 1681 (Paris, Privatbesitz)

sitzt). Die S. innervieren die Streckmuskulatur des Rückens, die Muskulatur des vorderen Rumpfes, der Extremitäten und die jeweiligen Hautbezirke.

Spinat: Gemüsespinat (Höhe 20–30 cm)

Spinat [aus pers.-arab.] (Spinacia), Gattung der Gänsefußgewächse mit nur drei Arten, vom Mittelmeergebiet bis Zentralasien. Wichtigste Art ist der als Wildpflanze nicht bekannte, einjährige **Gemüse-S.** (**Echter S.,** Spinacia oleracea), weltweit verbreitet, mit 20–30 cm hohen Stängeln, lang gestielten, dreieckigen, kräftig grünen Blättern. S. hat einen hohen Gehalt an Vitaminen (Provitamin A, Vitamine der B-Gruppe, Vitamin C) und Eiweißen; der Eisengehalt ist nur gering.

Spindel, 1) *Architektur:* Mittelsäule einer Wendeltreppe.

2) *Botanik:* Hauptachse gefiederter Blätter und von Blütenständen.

3) *Maschinenbau:* bei Werkzeugmaschinen die Hauptarbeitswelle, die Werkzeug oder Werkstück dreht **(Arbeits-** oder **Haupt-S.).** Über Zug-S. und Leit-S. → Drehmaschine.

4) *Textiltechnik:* rotierendes Maschinenteil an Spinn- und Zwirnmaschinen, dreht den Faden.

Spinnen

Welche Spinne ist die gefährlichste?

Eindeutig die Schwarze Witwe. Aber tödliche Begegnungen sind äußerst selten. Außer im Mittelmeergebiet kommt sie in den USA vor. Dort hat man von 1726 bis 1943 gerade mal 1291 Bisse gezählt, bei denen 55 Menschen starben. Es starb also alle vier Jahre ein Mensch daran. Der Biss der Schwarzen Witwe soll allerdings unerträgliche Schmerzen auslösen. Eine solche Gefahr besteht bei der amerikanischen Vogelspinne oder der mediterranen Tarantel nicht: Ihr Biss ist nicht schlimmer als ein Bienen- oder Wespenstich.

Spindelmage, andere Bez. für → Kunkelmage.

Spindelstrauch (Spindelbaum, Euonymus), Gattung der Spindelbaumgewächse in den gemäßigten Zonen, den Subtropen und Tropen, v.a. in SO-Asien; Sträucher mit meist vierkantigen Zweigen und überwiegend gegenständigen Blättern; Blüten vier- bis fünfzählig, meist unscheinbar; Frucht eine drei- bis fünffächerige Kapsel. Neben dem giftigen einheim. **Pfaffenhütchen (Europ. Pfaffenhütchen,** Euonymus europaea), 3–6 m hoch, mit gelblich grünen Blüten und vierkantigen roten, einem Priesterhut ähnelnden Kapselfrüchten, deren Samen von einem orangefarbenen Samenmantel umschlossen sind, werden zahlr. Arten und Sorten als Ziersträucher angepflanzt.

Spinelle, Gruppe isomorpher kub. Minerale, die eine feste Lösung zweier Metalloxide darstellen. Sie werden meist nach dem dreiwertigen Metall (Al, Fe, Cr) in **Aluminat-, Ferrit-** und **Chromit-S.** unterteilt. Zu den Aluminat-S. zählt bes. der **Spinell,** $MgAl_2O_4$ (in gut ausgebildeten Kristallen oft als Schmuckstein verwendet), und der **Hercynit,** $FeAl_2O_4$. Zu den Ferrit-S. zählt u.a. der Magnetit, zu den Chromit-S. der Chromit.

Spinett [italien.] *das,* kleines, einchöriges Kielklavier mit fünf- bis sechseckigem Instrumentenkorpus; meist in 8-Fuß-Lage und mit vier Oktaven Tonumfang. Die (mit einem Kiel angerissenen) Saiten verlaufen im Ggs. zum Cembalo spitzwinklig zur Klaviatur. – Ab Mitte des 17. Jh. setzte sich das **Quer-S.** durch, mit schräggestellter Flügelform, vorderständigen Wirbeln und im spitzen Winkel zur Klaviatur verlaufendem Saitenbezug. Mit seiner Anrissstelle gleichbleibend nahe am Steg ähnelt sein Klang dem eines kleinen Cembalos.

Spinnaker [engl.] *der,* auf Segelbooten ein großes, bauchiges Vorsegel, das fast ausschließlich auf Vorwindkurs gesetzt wird.

Spinndrüsen, tier. Drüsen, die ein an der Luft erhärtendes Sekret aus Proteinen in Form eines Spinnfadens ausscheiden. S. besitzen v.a. Insekten.

Spinnen (Webespinnen, Araneae), artenreiche Ordnung der → Spinnentiere, weltweit, überwiegend an Land verbreitet. Kopfbruststück und Hinterleib sind ungegliedert und durch einen tiefen Einschnitt voneinander getrennt. Das Kopfbruststück trägt vorn oben eine Gruppe von 1–4 Paar Einzelaugen, vorn die Kieferfühler, unten die Kiefertaster und die vier Beinpaare. Das Grundglied der Kieferfühler hat eine einschlagbare, durchbohrte Klaue, in die eine schlauchförmige Giftdrüse mündet. Die Kiefertaster sind beinförmig, ihr Endglied ist beim Männchen verdickt und trägt das Begattungsorgan. Die siebengliedrigen Beine haben kammzähnige Klauen. Auf der Unterseite des Hinterleibs liegen kurz vor dem endständigen After 1–4 Paar Spinnwarzen. Auf ihnen münden Spinndrüsen. Vorn auf der Unterseite des Hinterleibs münden die Geschlechtsorgane. S. leben räuberisch von Insekten und anderen Kleintieren, die sie mit ihrem Gift lähmen und dann aussaugen. Sie fangen ihre Beute im Lauf oder Sprung (z.B. Spring-S., Vogel-S.), oder sie weben ein Fangnetz (S.-Netz), das sie am Boden (z.B. Trichter-S.) oder frei in der Luft (z.B. Radnetz-S.) aufspannen, um in oder bei ihm auf Beute zu lauern.

📖 FOELIX, R. F.: *Biologie der S. Stuttgart ²1992.*

Spinnentiere (Arachnida), Klasse der Fühlerlosen (Chelicerata) mit den Ordnungen der Walzenspinnen, Kapuzenspinnen, Afterskorpione, Skorpione, Geißelskorpione, Weberknechte, Spinnen und Milben. Der Körper der S. gliedert sich in ein Kopfbruststück und einen Hinterleib; nur bei den Milben sind beide Körperabschnitte verschmolzen. Die zum Kopf gehörenden beiden vorderen Gliedmaßenpaare (Kieferfühler und Kiefertaster) können klauen- oder scherenförmig sein. Atmungsorgane sind Röhrentracheen oder Tracheenlungen; Fortpflanzung i.d.R. durch Eier; Jugendentwicklung meist ohne Metamorphose.

Spinner, 1) *Biologie:* Sammelbez. für mehrere Familien der Schmetterlinge, z.B. Seiden-S., Träg-S., Zahn-S., Augen-S., Bärenspinner.

2) *Fischerei:* meist künstl. Angelköder für den Fang von Raubfischen.

Spinnerei, Herstellung von Garn aus Spinnfasern auf mechan. Weg, auch Bez. für den Betrieb, in dem aus Fasern Garn gesponnen wird. Als Rohstoffe verwendet man natürl. Spinnfasern (z.B. Baumwolle, Wolle) und Chemiespinnfasern (→Chemiefasern). – Beim **Handspinnen** wird das auf einen Spinnrocken aufgesteckte Fasergut unter Benutzung einer Spindel oder eines Spinnrades mit der Hand zum Faden verfeinert. Die **Maschinen-S.** hat das Prinzip des Handspinnens für das mechan. Spinnen übernommen. Die **Vorspinnmaschine (Flyer)** fertigt aus Faserbändern ein Vorgarn. Die **Ringspinnmaschine** verzieht es mittels eines Streckwerkes zur geforderten Feinheit und verfestigt es durch Verdrehen. Der **Selfaktor** ist eine Feinspinnmaschine der Streichgarn-, die **Dosenspinnmaschine** der Grobgarn-S. Letztere verfestigt das Vorgarn ohne Verziehen zum Garn, die **Offenendspinnmaschine (OE-Spinnmaschine,** auch **Rotorspinnmaschine)** verfestigt das Vorgarn durch Verziehen und Verdrehen im Luftstrom zum Garn.

In der **Baumwoll-S.** wird die Baumwolle zum Krempel- oder Kardenband vorgefertigt, das auf Vor- und Ringspinnmaschine zum Garn verzogen wird und Drehung erhält. Für bes. feine und saubere Ringspinngarne wird bei der Baumwollverarbeitung ein Kämmprozess eingeschaltet. In der **Flachs-S.** wird Schwingflachs in Lang- und Kurzfasern (Werg, Hede) geschieden. Die Flachs- und Wergbänder werden über Zwischenstufen zu Garn gesponnen. Bei der **Woll-S.** werden im Streichgarnspinnverfahren Schafwollvliese, im Kammgarnspinnverfahren lange glatte Wollen über Spezialmaschinen, wie Doppelkrempel, Kämmmaschine u.a., zum Vorgarn entwickelt und auf der Feinspinnmaschine zu Garn gesponnen. Die **Schappe-S. (Florett-S.)** verarbeitet Raupenseidenabfälle, die **Bourrette-S.** in der Schappe-S. anfallende Kämmlinge, die **Grobgarn-S.** Reißfasern aus Textilabfällen u.a. zu groben Garnen.

Geschichte: Bereits in der Steinzeit verstand man Schafwolle und Flachs zu verspinnen. Der erste Hinweis auf ein Spinnrad findet sich als Abbildung im »Hausbuch der Familie Waldburg« (1480). 1767 mechanisierte J. Hargraves das Handspinnrad und baute die Jenny-Maschine. R. Arkwright schuf 1769 die erste Flügelspinnmaschine. 1779 konstruierte S. Crompton die Mulemaschine, aus der R. Roberts 1825–30 den Selfaktor entwickelte. 1830 wurde in Amerika die Ringspinnmaschine entwickelt.

📖 BOHNSACK, A.: *Spinnen u. Weben. Reinbek 17.–18. Tsd. 1989.* – SEILER-BALDINGER, A.: *Systematik der textilen Techniken. Neuausg. Basel 1991.*

Spinnfüßer (Embien, Embioptera), seit der Kreidezeit bekannte, meist tropisch-subtrop. Insekten, lang gestreckt mit großem Kopf, hellbraun bis schwarz, 1,5–20 mm groß. Die Weibchen sind stets flügellos, die Männchen oft geflügelt. S. fertigen unter Steinen und Rinde ein Seidengespinst, in dem sie leben.

Spinnmilben (Tetranychidae), an Pflanzen schmarotzende Milben, die die Blattunterseiten mit Gespinstfäden überziehen. Durch Saugen an Blättern u.a. Pflanzenteilen verursachen sie oft schwere Schäden, z.B. die **Obstbaumspinnmilbe (Rote Spinne,** Metatetranychus ulmi).

Spinnrad, einfaches Gerät zum Handspinnen von Fäden, bei dem die auf dem [Spinn]rocken befestigten Textilfasern einer Spindel zugeführt und bei deren Drehung verdrillt werden. BILD S. 214

Spinnvlies (engl. Spunbond), textiles Flächengebilde, das aus den unmittelbar extrudierten oder düsengesponnenen Chemiefäden besteht, deren Filamente im gleichen Arbeitsgang verstreckt, geöffnet, verwirrt und mechanisch, thermisch oder chemisch zu einem Vlies verfestigt werden.

Spinnwebenhaut (Arachnoidea), mittlere Hirn- und Rückenmarkhaut; zarte, blutgefäßlose, bindegewebige Membran.

Spinnwebtheorem (Cobwebtheorem), dynam. Preisbildungsmodell, das den Prozess der Anpassung von Marktparteien an ein Marktungleichgewicht beschreibt. Planen z.B. die Produzenten ihr Angebot aufgrund des Marktpreises der Vorperiode und ist dieser nach Beendigung der Produktion – bedingt durch erhöhte Nachfrage – höher, entsteht ein kurzfristig nicht ausgleichbarer Nachfrageüberschuss. Die Folge sind Preiserhöhungen.

Spindelstrauch: Zweig mit Früchten des Pfaffenhütchens

Das Angebot wird bei höherem Preis und gegebener Nachfrage ausgedehnt und ein neues Ungleichgewicht entsteht (Überangebot, das nur zu einem niedrigeren Marktpreis abgesetzt werden kann) usw. Je nach Verlauf der Angebots- und Nachfragekurve können die Preis-Mengen-Bewegungen sich einer Gleichgewichtssituation annähern, konstant bleiben oder zunehmen. Die graf. Darstellung dieses Anpassungsprozesses ähnelt einem Spinngewebe. Ein Beispiel für das S. ist der →Schweinezyklus.

Spinoza [niederländ. -'no:za:], Baruch (Benedictus) de, niederländ. Philosoph, *Amsterdam 24. 11. 1632, †Den Haag 21. 2. 1677; stammte aus einer marranisch-jüd. Familie; wurde 1656 wegen religiöser Dogmenkritik mit dem Bannfluch der jüd. Gemeinde belegt. Sein heftig angefeindeter religionskrit. »Theologisch-polit. Traktat« (1670) ist ein frühes Beispiel der Anwendung der historisch-krit. Methode. Insbes. von T. Hobbes und R. Descartes beeinflusst, entwickelte S. in seiner etwa seit 1662 entstandenen »Ethik« (erschienen 1677) eine pantheist. Metaphysik und Anthropologie nach geometr. Beweisverfahren. Danach ist Gott die einzige, unteilbare, unendl. Substanz (Substanzmonismus) mit unendlich vielen Attributen, von denen nur Denken und Ausdehnung erkennbar sind. Gott und die Natur sind ein und dasselbe (»Deus sive natura«). Alle endl. Erscheinungen (Dinge und Ideen) sind Modi (Daseinsweisen) der einen Substanz, da alles, was ist, aus ihr notwendig folgt. Die Basis von S.s Ethik bildet die Affektenlehre, die sich auf die Idee der Selbsterhaltung gründet. Höchstes Gut und höchste Tugend ist »die geistige Liebe zu Gott«, zugleich für den Menschen die höchste Seligkeit. – S. hat bes. die dt. Philosophie (u.a. G. W. Leibniz, J. G. Fichte, F. Schleiermacher und F. W. J. Schelling) stark beeinflusst.

Baruch de Spinoza: Ausschnitt eines anonymen Gemäldes (um 1665; Den Haag, Gemeentemuseum)

Spinnrad mit Fußantrieb (2. Hälfte 18. Jh.; London, Science Museum)

📖 SEIDEL, H.: *S. zur Einführung. Hamburg 1994.* – VRIES, T. DE: *B. de S. A. d. Niederländ. Reinbek 35.–37. Tsd. 1994.* – BARTUSCHAT, W.: *B. de S. München 1996.*

Spinozismus *der,* die Lehre von →Spinoza sowie ihre Weiterentwicklung und das weltanschauliche Bekenntnis zu ihr, insbesondere zur Gleichsetzung von Gott und Natur.

SPIO, Abk. für →**Sp**itzen**o**rganisation der Filmwirtschaft e.V.

Spion [italien.] *der,* **1)** *allg.:* Person, die Spionage betreibt.

2) *Messtechnik:* die →Fühllehre.

Spionage [-ʒə] *die,* das Auskundschaften von militär., polit. und wirtsch. Geheimnissen, v.a. für einen anderen Staat. S. ist in Krieg und Frieden keine Völkerrechtsverletzung. Im Krieg darf nach der Haager Landkriegsordnung als Spion nur behandelt werden, wer heimlich oder unter falschem Vorwand in dem Operationsgebiet eines Krieg führenden Staates Nachrichten einzieht oder einzuziehen sucht in der Absicht, sie der Gegenpartei mitzuteilen. Personen, die Mitteilungen an das eigene oder das feindl. Heer offen überbringen, sowie Militärpersonen in Uniform, die zur Verschaffung von Nachrichten in das Operationsgebiet des feindl. Heeres eindringen, dürfen nicht als Spione behandelt werden. Der Staat, gegen den sich die S. richtet, kann den Spion nach Strafrecht oder Militärstrafrecht aburteilen (→Landesverrat). Auch im Kriegsfall darf der Spion nicht ohne Gerichtsverfahren verurteilt werden. (→Nachrichtendienst, →Wirtschaftsspionage)

Spirale [lat.] *die,* **1)** *Mathematik:* ebene Kurve, die in unendlich vielen Windungen mit ständig größer werdendem Abstand einen festen Punkt (Pol) umläuft. Die **archimed. S.** ($r = a \cdot \varphi$; $a \neq 0$) wird von einem Punkt beschrieben, der mit konstanter Geschwindigkeit v auf einer Geraden fortschreitet, während diese mit konstanter Winkelgeschwindigkeit ω um einen festen Punkt gedreht wird ($a = v/\omega$). Für **logarithm. S.** ($r = ae^{k\varphi}$, $k > 0$) und **hyperbol. S.** ($r = a/\varphi$) mit $a \neq 0$ ist der Pol ein asymptot. Punkt.

2) *Medizin:* umgangssprachliche Bez. für versch. Intrauterinpessare (→Empfängnisverhütung).

Spiralgalaxie (früher Spiralnebel), →Sternsysteme.

Spirant [lat.] *der* (Spirans), Reibelaut (→Laut).

Spirdingsee (poln. Jezioro Śniardwy), größter See Polens, Hauptsee der Masur. Seen, 116 m ü. M., 113,8 km², bis 23,4 m tief; durch Kanäle und Flussläufe mit anderen Seen verbunden.

Spirillen [lat. spira »Windung«], allg. Bez. für schraubig gewundene Bakterien (helikale Gestalt).

Spiritismus [lat. spiritus »Geist«] *der,* eine Lehre, die auf zwei Annahmen beruht: 1) dass die menschl. Psyche (oder ein Teil von ihr) den körperl. Tod überdauert, und 2) dass mithilfe bestimmter Personen (»Medien«) oder Techniken eine direkte Verbindung mit Verstorbenen möglich ist, die sich experimentell beweisen lässt. Als Manifestationen gelten z. B. Klopfgeräusche, das Ertönen von Stimmen, Jenseitsbotschaften, Materialisationen. S. hat es in allen Kulturen und Religionen gegeben. (→Okkultismus, →Parapsychologie)

Spiritual ['spɪrɪtjʊəl, engl.] (Negrospiritual) *das,* auch *der,* Gattung religiöser Lieder der Afroamerikaner. Der Begriff S. wurde seit dem 18. Jh. von angloamerikan. Siedlern als Bez. für Hymnengesänge und geistl. Lieder verwendet und von den als Sklaven in die USA gebrachten Afrikanern im Zuge ihrer Christianisierung übernommen. Während die musikal. Grundlage der S. europ. Kirchenlieder sind, finden sich in ihnen spezifisch afroamerikan. Elemente wie Wechsel von Vorsänger und Chor (Call and Response), →Offbeat und Bluenotes (Erniedrigungen der 3. und 7., seltener der 5. Stufe der Tonleiter) geprägt. Die Texte sind dem A. T. entnommen, jedoch bezogen auf die konkrete soziale Situation der schwarzen Bev. im 18. und 19. Jh. Aus Elementen des S. und des Jazz entstand in den 1920er-Jahren der Gospelsong (→Gospel). Bekannte S.-Interpreten sind u. a. Mahalia Jackson und das Golden Gate Quartet.

Spiritualen [lat.], im 13./14. Jh. eine Richtung der →Franziskaner; erhoben den Alleinanspruch auf das geistige Erbe Franz von Assisis und forderten radikale Armut und Askese; päpstlich verurteilt (1318) und von der Inquisition verfolgt.

Spiritualien [lat.], *kath. Kirche:* Bez. für »geistl. Sachen«, z. B. Sakramente, kirchl. Ämter.

Spiritualismus [lat.] *der,* **1)** *Philosophie:* die dem Materialismus entgegengesetzte monist. Lehre, dass alles Wirkliche seiner wahren Beschaffenheit nach Geist sei; vertreten u. a. von G. Berkeley, nach dem die Welt eine Setzung des Geistes ist, und von Hegel, dem die Wirklichkeit ihrer Substanz nach den absoluten Geist darstellt.

2) *Theologie:* von christl. Bewegungen vertretene Lehre, die den Hl. Geist in den Mittelpunkt stellt, der die christl. Gemeinschaft begründet, und i. d. R. Organisation, Kultus und (Teile der) Lehre der Kirche ablehnt und ihnen ihre eigenen, »dem Hl. Geist gemäßen« Formen und Lehrinhalte entgegensetzt, z. B. der »linke Flügel der Reformation« (→Schwenckfelder, →Täufer), von Luther als Schwärmer verurteilt; heute die →Gemeinschaftsbewegung und die →Quäker.

Spirituosen [lat.-frz.], Getränke mit Äthylalkohol (durch Brennverfahren gewonnen) als wertbestimmendem Anteil. Nach der Zusammensetzung unterscheidet man Branntweine, Liköre, Punschextrakte, Mischgetränke (Cocktails).

Spiritus [lat.] *der,* **1)** *allg.:* Luft, Atem; Lebenshauch; Geist, Seele.

2) *Chemie:* gewerblich hergestellter →Branntwein. **Brennspiritus** ist konzentrierter vergällter Äthylalkohol (Äthanol) für Brennzwecke.

3) *grch. Grammatik:* Lesezeichen über Vokalen im Wortanlaut zur Bez. des behauchten (**S. asper,** Zeichen ʿ) und des unbehauchten (**S. lenis,** Zeichen ʾ) Vokaleinsatzes.

4) *Pharmazie:* (Weingeist) nach dem Dt. Arzneibuch ein Äthanol-Wasser-Gemisch mit 90 Vol.-% Äthanol (mit 70 Vol.-% Äthanol: **Spiritus dilutus**).

Spiritus Sanctus [lat.] *der,* →Heiliger Geist.

Spirochäten [grch.], lange, schlanke, spiralig gewundene Bakterien, die aktiv beweglich sind, z. B. der Syphiliserreger Treponema pallidum.

Spirometer [lat.-grch.] *das* (Atemmesser), Gerät zur Messung von Atemfrequenz, Atemvolumen, Vitalkapazität u. a. Atemgrößen bei der Lungenfunktionsdiagnostik.

Spirre, ein vielachsiger Blütenstand.

Spiš [spiʃ], Landschaft in der Slowakei, →Zips.

Spišská Nová Ves ['spiʃska: 'nɔ:va: 'vɛs] (dt. Zipser Neudorf), Stadt in der Zips, Slowak. Rep., am oberen Hornád, 43 400 Ew.; Möbel-, Textilind.; in der Nähe Eisen- und Manganerzbergbau. – Got. Kirche mit mächtigem Turm (im 19. Jh. auf 85 m aufgestockt). – In dem ursprünglich slowak. Ort siedelten sich im 13. Jh. dt. Kolonisten an.

Spital, Hermann Josef, kath. Theologe, * Münster 31. 12. 1925; seit 1981 Bischof von Trier, seit 1989 Präs. der dt. Sektion von →Pax Christi.

Spitta, 1) Karl Johann Philipp, evang. Theologe, * Hannover 1. 8. 1801, † Burgdorf 28. 9. 1859, Vater von 2); schrieb geistl. Lieder (»Psalter und Harfe«, 2 Bde., 1833–43).

2) Philipp, Musikforscher, * Wechold (heute zu Hilgermissen, Kr. Nienburg/Weser) 27. 12. 1841,

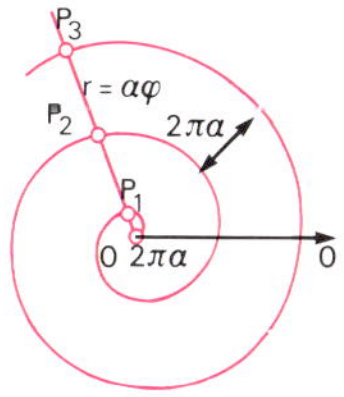

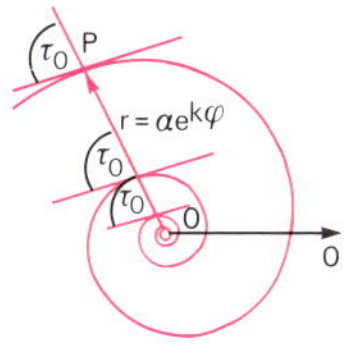

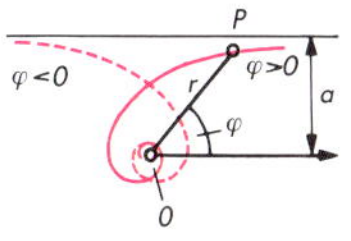

Spirale: (von oben): archimedische S., logarithmische S., hyperbolische S.

Spittal an der Drau: Blick in den dreigeschossigen Arkadenhof des 1527–97 erbauten Renaissanceschlosses Porcia

† Berlin 13. 4. 1894, Sohn von 1); war ständiger Sekr. der Akademie der Künste in Berlin, gab die Werke von D. Buxtehude, H. Schütz und Friedrich II. heraus und schrieb die grundlegende Biographie »Johann Sebastian Bach« (2 Bde., 1873–80).

Spittal an der Drau, Bezirks-Hptst. in Kärnten, Österreich, an der Mündung der Lieser in die Drau, 15300 Ew.; Zentrum Oberkärntens; Papierherstellung, Sägewerk, Schuhfabrik, Käseerzeugung; Fremdenverkehr, Seilbahn auf das Goldeck (2139 m ü. M.). – Schloss Porcia (1527–97 erbaut), ein Renaissancebau mit dreigeschossigem Arkadenhof (z. T. Museum), Rathaus (1537), got. Pfarrkirche.

Spitteler, Carl, schweizer. Schriftsteller, * Liestal 24. 4. 1845, † Luzern 29. 12. 1924; schrieb Versepen »Prometheus und Epimetheus« (1881, Neufassung 1924 u. d. T. »Prometheus der Dulder«) und »Olymp. Frühling« (1900–05, Neufassung 1910), in denen überliefertes humanist. Gedankengut und mythisch-kosm. Vorstellungen mit zeit- und kulturkrit. Ansichten (Einflüsse A. Schopenhauers, F. Nietzsches und J. Burckhardts) verschmolzen sind; auch Novellen, Romane (»Imago«, 1906), Lustspiele, Balladen und Essays. 1919 erhielt er den Nobelpreis für Literatur.

Mark Spitz

Spitz, 1) [spɪts], Mark, amerikan. Schwimmer, * Modesto (Calif.) 10. 2. 1950; einer der erfolgreichsten Olympiateilnehmer, gewann 1968 und 1972 neun Goldmedaillen sowie je eine Silber- und Bronzemedaille; stellte 35 Weltrekorde auf.

2) [spits, ungar. ʃpits], René Arpad, österr.-ungar. Psychoanalytiker, * Wien 29. 1. 1887, † Denver (Colo.) 14. 9. 1974; emigrierte 1933 (seit 1938 in den USA); erforschte bes. die frühe Mutter-Kind-Beziehung (Untersuchungen zu Folgen einer Trennung von der Mutter beim Säugling und Kleinkind).

Spitzbergen (norwegisch Spitsbergen), Inselgruppe im Nordpolarmeer, 63000 km², 2900 Ew.; bildet mit der Bäreninsel die norweg. Außenbesitzung (Verw.gebiet) Svalbard; der Hauptort ist Longyearbyen (1100 Ew.). S. besteht v. a. aus den Inseln West-S., Nordostland, Edge-Insel, Barentsinsel. Die Inseln haben im W alpinen Charakter mit starker Vergletscherung; im Innern und im O herrschen von Einzelbergen überragte eisbedeckte Hochflächen vor. Etwa 60% des Landes sind vergletschert. Der Boden taut im kurzen Sommer nur 50–100 cm tief auf; das arkt. Klima wird durch den Nordatlant. Strom etwas gemildert; dadurch nebelreiches, wechselhaftes Wetter bei geringen Niederschlägen (mittlere Jahrestemperatur an der W-Küste: –8 bis –16 °C Januar bis März, 5–6 °C im Juli). – Die Pflanzenwelt der Tundra ist auf den niedrigen Strandterrassen verbreitet; an Tieren sind bes. Eisbären, Rentiere, Polarfüchse, Lemminge vertreten. Der Abbau der großen Steinkohlenlager geschieht in den russ. Grubensiedlungen Barentsburg (etwa 1200 Ew.) und Pyramiden (etwa 900 Ew.), in Longyearbyen (Flughafen seit 1975) durch Norwegen. Neben dem norweg. Polarinstitut (seit 1968) befindet sich seit 1991 die dt. Karl-Koldewey-Station des Alfred-Wegener-Instituts für Polar- und Meeresforschung in Ny-Ålesund. Sommerlicher Fremdenverkehr, v. a. durch Kreuzfahrtschiffe.

Geschichte: Nach altisländischen Annalen 1194 von Wikingern aufgesucht und Svalbard (»kalte Küste«) gen., 1596 von dem Holländer W. Barents wieder entdeckt; seit dem 17. Jh. Walfanggebiet, im 19. Jh. Beginn der wiss. Erforschung; auf Beschluss des Völkerbunds 1920 Norwegen zugesprochen (1925 eingegliedert); jedoch erhielten alle Staaten das Recht zum Kohleabbau, zur Jagd und Fischerei.

Spitzbuckel, *Medizin:* → Kyphose.

Carl Spitteler (um 1910)

Spitze (Spitzenbetrag), *Börsenwesen:* Betrag, der bei der Schlussabrechnung eines Geschäfts zw. den Parteien übrig bleibt und auszugleichen ist.

Spitze, Rassengruppe von Haushunden mit spitzem Fang, spitzen, aufrecht stehenden Ohren und auf dem Rücken liegender, eingerollter Rute; **Dt. Groß-S.,** 40–50 cm schulterhoch, u.a. mit dem **Wolfsspitz** (45 cm schulterhoch), und **Dt. Klein-S.,** bis 28 cm schulterhoch. BILD S. 218

Spitzen, textile Flächengebilde, die manuell oder maschinell durch Weben, Wirken, Häkeln, Klöppeln oder Knüpfen hergestellt werden, aber nicht gleichmäßig dicht, sondern durchbrochen gearbeitet sind (regelmäßige Lochbildung, netzartige Stellen).

Spitzendürre, das Absterben der Zweigspitzen von Holzgewächsen, z.B. durch Pilzbefall, Schadstoffeinwirkung.

Spitzen|entladung, langsame elektr. Entladung (Koronaentladung) an Spitzen von Leitern, bes. die →Büschelentladung.

Spitzenlastkraftwerk (Spitzenkraftwerk), Kraftwerk zur Deckung von (kurzen) Bedarfsspitzen (im Ggs. zum Grundlastkraftwerk), meist Diesel-, Gasturbinen- oder Speicherwasserkraftwerk. Gasturbinen-S. arbeiten im offenen Kreislauf (→Gasturbine) oder mit Druckluft (Luftspeichergasturbinenkraftwerk). S. können schnell auf die nötige Leistung gebracht werden.

Spitzen|organisation der Filmwirtschaft e.V., Abk. **SPIO,** Dachverband der filmwirtsch. Spartenverbände (Hersteller, Verleiher, Theaterbesitzer), gegr. 1923, Sitz: Wiesbaden; eine Abteilung der SPIO ist die →Freiwillige Selbstkontrolle der Filmwirtschaft.

Spitzensport, der →Leistungssport. (→Sport)

Spitzentanz, um 1820 entwickelte Tanztechnik des klass. Balletts: Tanz auf Zehenspitzen mit speziellem Ballettschuh.

Spitzenverband, Dachorganisation von Wirtschafts- bzw. Berufsverbänden, z.B. Bundesverband der Dt. Industrie e.V.

Spitzer, 1) Leo, österr. Romanist, *Wien 7. 2. 1887, †Forte dei Marmi (Prov. Lucca) 16. 9. 1960; Prof. in Marburg, Köln, Istanbul, seit 1936 in Baltimore (Md.); verfasste u.a. »Stilstudien« (2 Bde., 1928) und »Roman. Literaturstudien, 1936–1956« (1959).

2) Wolf, Bildhauer, *Speyer 19. 2. 1940; studierte u.a. bei F. Wotruba, gestaltete stark abstrahierte Porträts und Bänderskulpturen aus Bronze oder Stahl.

spitzer Winkel, ein Winkel, der kleiner als ein rechter Winkel (90°) ist.

Spitzfuß, →Fußdeformitäten.

Spitzhörnchen (Tupaiidae), Familie urtüml. Säugetiere Asiens, zw. Insektenfressern und Pri-

Spitzbergen: Eisfjord im Zentrum Westspitzbergens

maten stehend, dunkelbraun, eichhornähnl. Gestalt, etwa 20 cm groß, i.d.R. buschiger Schwanz.

Spitzkasten, Anlage zum Klassieren feinkörniger Erze. Die Erze werden von einem Flüssigkeitsstrom über eine Reihe hohlpyramidenförmiger Kästen geführt, in denen sie sich nach Korngrößen abscheiden.

Spitzkehre, an Berghängen der stumpf endende Teil einer Gleisanlage, aus dem Eisenbahnfahrzeuge nach Umstellen einer Weiche in entgegengesetzter Richtung weiterfahren können.

Spitzklette (Xanthium), Korbblütlergattung in den wärmeren und gemäßigten Klimagebieten; einjährige Kräuter mit grünl., eingeschlechtigen Blütenköpfen, wovon die weibl. am Hüllkelch Hakenstacheln besitzen.

Spitzbergen

Carl Spitzweg: »Der arme Poet« (1839; München, Neue Pinakothek)

Spitzmäuse (Soricidae), Familie der Insektenfresser mit mäuseähnl. Körperbau, rüsselartiger Schnauze, dichtem, kurzem Fell und kleinen Augen. S. leben räuberisch; außer in Australien sind sie weltweit verbreitet. Rote Zahnspitzen kennzeichnen die Unterfamilie **Rotzahn-S.** (Soricinae), zu denen die **Wasser-S.** (Neomys fodiens) und die **Wald-S.** (Sorex araneus) gehören. Die Unterfamilie **Weißzahn-** oder **Wimper-S.** (Crocidurinae) hat wimperartige Borsten, z.B. **Haus-S.** (Crocidura russula), **Garten-S.** (Crocidura suaveolens) und die **Etrusker-S.** (Suncus etruscus; kleinstes Säugetier, wiegt 2 g).

Spitzmausrüssler (Spitzrüssler, Spitzmäuschen, Apioninae), Unterfamilie der Rüsselkäfer; meist 2–5 mm lang, häufig metallisch grün oder blau gefärbt; leben v.a. auf Schmetterlingsblütlern.

Spitzpocken, die → Windpocken.

Spitzweg, Carl, Maler, *München 5. 2. 1808, †ebd. 23. 9. 1885; Apotheker, als Maler Autodidakt. Er schilderte in kleinformatigen, vom Anekdotischen bestimmten Gemälden humorvoll Szenen aus dem Leben von Kleinbürgern und Sonderlingen in der Zeit von Biedermeier und Restauration (»Der arme Poet«, 1839; »Der Liebesbrief«, um 1845/46). Seine zunächst zeichnerisch bestimmte Art wandelte sich nach einem Aufenthalt in Paris (1851) zu einer gelösten, den kolorist. und atmosphär. Reiz wiedergebenden Malweise. Als Zeichner arbeitete S. seit 1844 v.a. für die »Fliegenden Blätter«. Weiteres Bild Ständchen

Spitzmäuse: Wasserspitzmaus (links) und Gartenspitzmaus

Spitzwegerich, Pflanzenart, → Wegerich.

Spleen [spli:n, engl.] *der,* Schrulle, Marotte, fixe Idee, Überspanntheit.

Spleißen, *Genetik:* → Splicing.

Splen [grch.] *der,* die → Milz.

Splendid Isolation ['splendɪd aɪsə'leɪʃn; engl. »glanzvolles Alleinsein«] *die,* polit. Schlagwort für die Bündnislosigkeit Großbritanniens im 19. Jh., das sich auf diese Weise seine polit. Handlungsfreiheit bewahrte.

Splicing ['splaɪsɪŋ; engl. »Zusammenfügen«] *das* (Spleißen), *Genetik:* Vorgang, bei dem aus einem primären RNS-Transkript durch Herausschneiden der Introns und Zusammenfügen der Exons (→ Mosaikgene) das fertige RNS-Produkt (m-RNS, t-RNS, r-RNS) gebildet wird.

Spitze: Wolfsspitz (Schulterhöhe 45 cm)

Spline [splaɪn, engl.] *der,* biegsames Kurvenlineal, das man zum Zeichnen einer glatten Kurve durch eine Zahl von vorgegebenen Punkten benutzt. **S.-Funktionen** sind spezielle Polynomfunktionen dritten Grades, die man für gute → Interpolationen verwendet.

Splint, 1) *Forstwirtschaft:* (Splintholz) → Holz.

2) *Technik:* aus Draht gebogener zweischenkliger Stift zur Sicherung von Schrauben, Muttern und Bolzen; er wird durch ein gebohrtes Loch gesteckt, dann durch Aufspreizen der Schenkelenden gesichert.

Split, Hafenstadt in Kroatien, auf einer Halbinsel an der Adriaküste, 189 400 Ew.; Kultur- und Wirtschaftszentrum Dalmatiens, Erzbischofssitz, Univ., ozeanograph. Institut (mit Aquarium), Museen, Theater; Werft, chem., Zement-, elektrotechn., Nahrungsmittelindustrie. – Die Altstadt

Split (vor der Zerstörung): Blick auf die Hafenstadt an der Adriaküste; inmitten der Altstadt befindet sich auch das ehemalige Mausoleum Diokletians, ein im 13. Jh. zum Dom umgebauter achteckiger Kuppelbau mit dem 61 m hohen romanischen Glockenturm, der 1890-1908 erneuert wurde

(UNESCO-Weltkulturerbe), zu deren bedeutendsten Bauten der Palast Diokletians (295–305) und der Dom (urspr. Mausoleum des Kaisers, im 13. Jh. zum Dom umgebaut, später mehrmals verändert) gehören, wurde im serbisch-kroat. Krieg 1991/92 stark zerstört. – S. entstand im 7. Jh. um den Palast des röm. Kaisers Diokletian und war schon im 8. Jh. eine bed. Hafen- und Handelsstadt; gehörte 1105–1420 zu Ungarn (mit Unterbrechungen), 1420–1797 zu Venedig, kam 1797 sowie erneut 1815 zu Österreich, 1918 zum späteren Jugoslawien.

Splitt, durch Brechen aus Festgestein gewonnener Zuschlagstoff für Beton (Beton-S., Körnung 7–30 mm), als Roll-S. mit Teer gemischt für die Herstellung von Deck- und Tragschichten im Straßenbau verwendet.

Splitting ['splɪtɪŋ, engl.] *das,* **1)** *Börsenwesen:* Verfahren zur Aufteilung von Aktien, deren Kurs sehr hoch gestiegen ist, in zwei oder mehrere Aktien **(Aktiensplit).** Dadurch soll die Aktie für den Anleger optisch attraktiver werden, da sich bei gleichbleibendem Grundkapital die Anzahl der ausgegebenen Aktien erhöht und der Kurswert entsprechend sinkt.

2) *Steuerrecht:* Verfahren der →Ehegattenbesteuerung im Rahmen der Einkommensteuer.

Splügen *der,* Pass in Graubünden, Schweiz, →Alpenstraßen, ÜBERSICHT.

SPÖ, Abk. für →**S**ozialdemokratische **P**artei **Ö**sterreichs.

Spodumen [grch.] *der,* monoklines Mineral, meist grünlich weiß bis apfelgrün, ein Lithiumpyroxen, mit der chemischen Zusammensetzung $LiAl[Si_2O_6]$; wichtiger Rohstoff für Lithium. Bes. schöne Abarten sind **Hiddenit** und **Kunzit,** die als Schmucksteine Verwendung finden.

Split Stadtwappen

Spoerl ['ʃpœrl], Heinrich, Schriftsteller, *Düsseldorf 8. 2. 1887, †Rottach-Egern 25. 8. 1955; urspr. Rechtsanwalt, schrieb humorist. Romane und Erzählungen: »Die Feuerzangenbowle« (1933, verfilmt mit H. Rühmann), »Wenn wir alle Engel wären« (1936).

Heinrich Spoerl

Spoerli ['ʃpœrli], Heinz, schweizer. Tänzer, Choreograph und Ballettdirektor, *Basel 8. 7. 1941; tanzte u. a. beim Basler Ballett und wurde 1973 dessen Chefchoreograph, 1978 auch dessen Direktor; seit 1991 Leiter des Balletts der Dt. Oper am Rhein, Düsseldorf-Duisburg. Seine fantasievollen Choreographien verbinden klass. Ballett und Moderndance.

Spoerri ['ʃpœri], Daniel, eigtl. D. Spörri, urspr. D. Isaak Feinstein, schweizer. Künstler rumän. Herkunft, *Galați 27. 3. 1930; übersiedelte 1942 in die Schweiz, 1960 Mitbegründer des →Nouveau Réalisme in Paris; schuf »Fallenbilder«, Objekte, in denen die Spuren bestimmter Vorgänge durch Fixierung dokumentiert werden; begründete die →Eat-Art.

Spohr, Louis, Komponist, Violinist und Dirigent, *Braunschweig 5. 4. 1784, †Kassel 22. 10. 1859; wirkte als Kapellmeister in Wien, Frankfurt a. Main und Kassel; einer der bedeutendsten Geiger seiner Zeit. S. gehört mit seinen Kompositionen zur Romantik im Sinne von F. Schubert und F. Mendelssohn Bartholdy. Sein umfangreiches Schaffen umfasst u. a. zehn Opern (darunter »Faust«, 1816; »Jessonda«, 1823), vier Oratorien, zehn Sinfonien, 15 Violinkonzerte, Streichquartette, -quintette, -septett, Oktett und Nonett für Bläser und Streicher, geistl. und weltl. Chormusik, Lieder; schrieb auch eine »Violinschule« (1831). BILD S. 220

Spoiler ['spɔɪlə, engl.] *der,* **1)** *Flugzeugtechnik:* die →Störklappen.

Daniel Spoerri: »Napoléon« (1982; Privatbesitz)

2) *Kfz-Technik:* bei Kraftwagen, bes. Renn- und Sportwagen, Luftleitblech, auch Stabilisierungsflosse; erzeugt vertikale Kräfte, verringert den Luftwiderstand und führt zur Kraftstoffeinsparung.

Louis Spohr: Kupferstich (um 1820)

Spoils system [ˈspɔɪlz ˈsɪstɪm; engl. »Beutesystem«] *das,* Bez. für das in den USA seit dem 19. Jh. bestehende Gewohnheitsrecht von Politikern, nach ihrem Amtsantritt die ihnen unterstellten Behörden mit eigenen Anhängern neu zu besetzen.

Spokane [spəʊˈkæn], Stadt im O des Staates Washington, USA, 177200 Ew.; Univ.; Handelsmittelpunkt eines bed. Agrargebiets (Weizen, Vieh) und Bergbaureviers (Blei, Zink, Silber); Aluminiumproduktion, Holz-, Metall-, Lebensmittelverarbeitung; Kraftwerk am Spokane River.

Spoleto Stadtwappen

Spoleto, Stadt in Umbrien, Provinz Perugia, Italien, in Hanglage über dem Tessino, 37800 Ew.; Erzbischofssitz; Fremdenverkehr; Sommerfestspiele; Braunkohlenbergbau. – Kastell »Rocca« (1355–67); Reste der Stadtmauer aus röm. Zeit, 80 m hoher Ponte delle Torri (14. Jh., Brücke und zugleich Wasserleitung), Dom (12. Jh.) mit Fresken von Fra Filippo Lippi. – S., seit 571 Hauptort eines langobard. Herzogtums, war 754–1860 Teil des Kirchenstaats.

Spoleto: Das über der Stadt liegende Kastell »Rocca« (1355–67) diente um 1500 Lucrezia Borgia als Residenz

Spoli|en [lat.], Kunstwerke oder Bauteile aus einer älteren Kultur, die wieder verwendet wurden, z. B. antike Gemmen auf mittelalterl. Buchdeckeln, antike Säulenschäfte in der islam. und frühchristl. Baukunst.

Spoli|enrecht, im MA. Anspruch weltl. oder geistl. Machthaber auf den geistl. Nachlass.

Spondeus [grch.] *der,* antiker Versfuß aus zwei langen Silben (– –).

Spondyl|arthritis ankylosans [grch.], die → Bechterew-Krankheit.

Spondylitis [grch.] *die,* Wirbelentzündung mit Zerstörung der Wirbelkörper; häufigste Ursachen Infektionskrankheiten wie Syphilis und Tuberkulose.

Spondylose [grch.] *die* (Spondylosis deformans), nicht entzündl. Gelenkveränderung der Wirbelsäule (→ Gelenkkrankheiten).

Spondylus [grch.] *der, Anatomie:* der → Wirbel.

Sponheim (urspr. Spanheim), ehem. reichsunmittelbare Grafschaft im Hunsrück, fiel im 15. Jh. teils an Veldenz (Pfalz), teils an Baden. Eine Linie stellte 1122–1269 die Herzöge von Kärnten. Von den Grafen von S. stammt auch das Haus Sayn-Wittgenstein ab.

Sponsion [lat.] *die,* die feierl. Verleihung des akadem. Grades eines Magisters oder Diplomingenieurs an österr. Hochschulen.

Sponsor [engl. ˈspɔnsə] *der,* 1) Förderer, Geldgeber (z. B. im Sport); 2) v. a. in den USA Person oder Gruppe, die Sendungen in Hörfunk und Fernsehen finanziert, um sie zu Werbezwecken zu nutzen. (→ Sponsoring)

Sponsoring [ˈspɔnsərɪŋ, engl.] *das,* Zuwendung von Finanzmitteln, Sach- und/oder Dienstleistungen durch ein Unternehmen **(Sponsor)** an eine Einzelperson, eine Gruppe von Personen, eine Organisation oder Institution aus dem gesellschaftl. Umfeld des Unternehmens **(Gesponserte)** gegen Gewährung von wirtsch. Rechten zur Nutzung von Person bzw. Institution und/oder Aktivitäten des Gesponserten für Zwecke des Marketing (bes. der Kommunikationspolitik) auf der Basis einer vertraglichen Vereinbarung **(Sponsorship).** Mit dem Prinzip des Geschäfts auf Gegenseitigkeit grenzt sich das S. vom Mäzenatentum und vom Spendenwesen ab.

spontan [lat.], von selbst, ohne äußeren Anlass erfolgend; einer plötzl. Eingebung folgend.

Spontane|ität *die,* das Handeln aus eigenem Antrieb; auch das Handeln ohne Absicht oder Überlegung.

Spontanspaltung (spontane Kernspaltung), seit 1940 bekannte Art des radioaktiven Zerfalls schwerer Atomkerne (Ordnungszahlen $Z \geqq 90$)

ohne Beschuss durch andere Teilchen in meist zwei Bruchstücke, deren Massen sich etwa im Verhältnis 2 : 3 verhalten. S. kommt bei den in der Natur vorhandenen schweren Elementen (z. B. Uran) sehr selten vor und tritt erst für einige künstlich hergestellte Transurane häufiger auf.

Spontini, Gaspare, italien. Komponist, *Maiolati (heute Maiolati Spontini, Prov. Ancona) 14. 11. 1774, †ebd. 24. 1. 1851; wirkte bes. in Paris und Berlin als Opernkomponist und -dirigent. Mit seinen in Paris geschriebenen Hauptwerken »Die Vestalin« (1807), »Ferdinand Cortez« (1809; 2. Fassung 1817) und »Olympia« (1819; dt. Fassung 1821) versuchte er eine Weiterentwicklung der Dramatik C. W. Glucks.

Sponton [spɔn'to:n, spɔ̃'tɔ̃, frz.] *der,* von den Infanterieoffizieren und -unteroffizieren im 18. Jh. geführte Stangenwaffe.

Spool-Betrieb [spu:l-; Abk. für engl. **s**imultaneous **p**eripheral **o**perations **o**n **l**ine] (Spooling), automatisierte Ein- oder Ausgabe von Daten auf langsame Peripheriegeräte über schnelle externe Zwischenspeicher wie Magnetplatten.

Sporaden, griech. Inseln im Ägäischen Meer, unterteilt in die **Nördl. S.** (etwa 80 Inseln nördlich von Euböa, u. a. Skiathos, Skopelos, Alonissos und Skyros) und die **Südl. S.** vor der W-Küste Kleinasiens, die den →Dodekanes bilden.

sporadisch [grch.], vereinzelt (vorkommend); gelegentlich, selten.

Sporangium [grch.] *das,* Sporenbehälter; einzellig bei Algen und Pilzen, bei denen die Sporen (Endosporen) durch eine Öffnung in der Zellwand entlassen werden; vielzellig bei Moosen und Farnen, meist geteilte Kapseln, die sich bei Moosen durch einen Deckel, bei Farnen durch Wandriss öffnen und die Endosporen entlassen.

Sporen [grch.], *Biologie:* der ungeschlechtl. Vermehrung dienende Keimzellen; **Exo-S. (Konidien)** werden am Ende von Zellfäden nach außen abgeschnürt (z. B. bei vielen Pilzen); **Endo-S.** entstehen in einem Sporangium. Auch Bez. für die Dauerstadien von Bakterien und anderen Einzellern.

Sporenpflanzen (Kryptogamen), niedere Pflanzen (z. B. Bakterien, Algen, Pilze, Moose, Farne), die keine Blüten bilden und deren Vermehrung meist durch einzellige Keime (v. a. Sporen) erfolgt; Ggs.: Samenpflanzen.

Sporentierchen (Sporozoen, Sporozoa), Klasse der →Protozoen (Urtierchen) mit sehr geringer Zelldifferenzierung und entoparasit. Lebensweise; fast immer mit Generationswechsel (Metagenese), häufig auch mit Wirtswechsel; oft Ausbildung von Infektionskeimen mit widerstandsfähiger Hülle (Sporen), z. T. gefährl. Krankheitserreger bei Tier und Mensch.

Spörgel (Spark, Spörk, Spergula), Gattung der Nelkengewächse, einjährige Kräuter mit quirlständigen, schmalen Blättern und weißen Blüten. Auf sandigem Boden wächst der 30 cm hohe **Ackerspark** (Spergula arvensis), eine weit verbreitete unerwünschte Wildpflanze.

Sporn, 1) *Botanik:* spitzer Nektarbehälter an Kelch- oder Kronenblättern der Blüten, z. B. bei Rittersporn.

2) *Geographie:* vorspringende, meist steilwandige Geländeform.

3) *Luftfahrt:* federndes, häufig gedämpftes Bauteil am Rumpfende eines Flugzeugs zur (Hilfs-)Stützung; ausgeführt als Gleitkufe oder Spornrad.

4) *Reitsport:* Metallstachel am Absatz des Reitstiefels; dient der Verstärkung der Schenkelhilfen.

5) *Zoologie:* spitzer, von dicker Hornschicht überzogener langer Fortsatz an der Hinterseite des Laufes männl. Hühnervögel.

Gaspare Spontini

Sporophyt [grch.] *der,* bei Pflanzen mit →Generationswechsel die aus der befruchteten Eizelle hervorgehende, sich ungeschlechtlich vermehrende, Sporen bildende Generation.

Sporozoen [grch.] (Sporozoa), die →Sporentierchen.

Sport [engl.], Sammelbez. für alle als Bewegungs-, Spiel- oder Wettkampfformen gepflegten körperl. Aktivitäten des Menschen. Im S. zeigt sich ein spezifisch menschl., gesellschaftlich vermitteltes Sichauseinandersetzen mit den eigenen phys. Kräften. Aufgrund der leichten Überprüfbarkeit und z. T. der Messbarkeit (Registrierung von Rekorden) dient der S. sowohl der persönl. Bestätigung als auch der sozialen Konkurrenz im Wettstreit.

Die Deutung des S. als einer sich selbst genügenden menschl. Tätigkeit (Amateur-S.) wird durch gesundheitl. und sozialpädagog. Rechtfertigungen für S.-Treiben und -Pflege ergänzt. Das gilt beson-

Sport

In welchem Land wurde in den Kirchen Sport gepredigt?

Im England des 17. Jahrhunderts. Nachdem König Jakob I. eingesehen hatte, dass die zahlreichen Sportverbote die Untertanen wenig beeindruckten, ließ er von Bischof Morton von Chester ein »Book of Sports« verfassen. In diesem Buch waren alle Sportarten verzeichnet, die an Sonntagen nach der Messe betrieben werden durften. Im Jahre 1618 (in Deutschland hatte man andere Sorgen, da begann gerade der Dreißigjährige Krieg) ließ der englische Monarch (selbst ein großer Sportsfreund) das »Book of Sports« von allen Kanzeln des Landes verlesen. 1633 erneuerte König Karl I. diese Anweisung, die Bestand hatte, bis Oliver Cromwells Puritaner sie abschafften. Das »gotteslästerliche« Sporttreiben haben sie damit nicht unterbinden können.

ders für den Schul-S. und sonstige S.-Förderung. Außerdem gibt es Erklärungsversuche u.a. im Rückgriff auf kult. Ursprünge, Bewegungstrieb, Aggressionstrieb und Schaubedürfnis. Die sozialwiss. Deutung sieht den modernen S. als ein mit der Ind.gesellschaft synchron anwachsendes Phänomen, das deren Grundzüge wie Leistungs-, Konkurrenz- und Gleichheitsprinzip bes. deutlich mache. Andererseits zeigen sich in der Ausgestaltung des Leistungs-S. jene Phänomene, die den allgemeinen neuzeitlichen Rationalisierungsprozess kennzeichnen: Verwissenschaftlichung, Quantifizierung, Zerlegung, Spezialisierung, Systematisierung, Regulierung, auch Bürokratisierung und Zentralisierung.

Der **Breitensport** (Freizeitsport) ist an Motiven wie Fitness und Geselligkeit orientiert, wobei das ansteigende Masseninteresse durch Angebote und Anregungen von S.-Organisationen, aber auch zunehmend im Sinne eines Marktes durch die Freizeitindustrie befriedigt wird. Der **Leistungssport** (Hochleistungs-S., Spitzen-S.) hat seinen Kern in der meist durch die Medien vermittelten Präsentation von Spitzenleistungen, die als Kampf um den Sieg und Bestleistungen breites Interesse finden. Die Grenzen zw. Profi- und Amateur-S. sind fließend. Bei bedingungsloser Leistungssteigerung sind oft gesundheitl. Gefährdungen, nicht zuletzt im Kinder- und Jugendleistungssport, sowie personale, soziale u.a. Konflikte die Folge. Das gilt erst recht, wenn →Doping im Spiel ist. Der **Behinderten-S.** (Versehrten-S.) ist heute Teil einer umfassenden Therapie zur Rehabilitation von Behinderten. Organisationsprinzip des S. an der Basis ist die sportl. Selbstverwaltung der Vereine; regionale Verbände schließen sich zu nat. Fachverbänden, diese wiederum zu internat. Organisationen zusammen. Zur Entscheidung verbandsinterner Rechtsstreitigkeiten und Verhängung von Verbandsstrafen bestehen S.-Gerichte. Die Darstellung und Kommentierung der Entwicklung des S. i. Allg. sowie v.a. der aktuellen Ereignisse in den Massenmedien ist Aufgabe der Sportpublizistik.

📖 *Sportwissenschaftl. Lexikon, hg. v.* P. Röthig *u.a. Schorndorf* [6]*1992.* – Peters, L. *u.a.: Gewinnen u. verlieren. Spaß am S. in Schule u. Verein. München 1995.*

Sportabzeichen: Deutsches Sportabzeichen

Sport|abzeichen, Auszeichnung für eine sportl. Vielseitigkeitsprüfung; in Dtl. das **Deutsche S.,** verliehen vom Dt. Sportbund in drei Stufen: Innerhalb eines Kalenderjahrs ist aus fünf Gruppen je eine Bedingung zu erfüllen. Nach der ersten erfolgreichen Prüfung wird Bronze, nach der dritten Silber, nach der fünften Gold vergeben. Erfolgreiche Wiederholungen werden mit Gold 10, 15, 20 usw. ausgezeichnet. Ferner werden das **Dt. Jugend-S.** (13–17 Jahre) und das **Dt. Schüler-S.** (8–12 Jahre) vergeben, nach der ersten erfolgreichen Prüfung Bronze, nach der zweiten Silber, nach der dritten Gold, nach der fünften Gold 5. Dazu kommen das **Dt. Behinderten-S.;** in *Österreich* das **Österr. Sport- und Turnabzeichen (ÖSTA).**

Sport|akrobatik, Sportart, die sich aus dem Kunstkraftsport und dem Bodenturnen entwickelt hat; vereint akrobat., tänzer., gymnast., kraft- und mutbetonte Elemente; Disziplinen: Springen, Paarübungen, Gruppenübungen.

Sport|angeln (Angelsport, Sportfischerei), der Fang von Fischen als Freizeitbeschäftigung und als sportl. Wettbewerb. Die Wettkämpfe mit Angeln werden in zwei Disziplinen ausgetragen: als **Wettfischen** an Gewässern, wobei nach einem Punktsystem die in einer bestimmten Zeit gefangenen Fische nach Größe und Masse gewertet werden, und als Casting (Turnierangelsport) an Land, wobei Wettbewerbe in versch. gerätebedingten Klassen als Ziel- oder Weitwurf durchgeführt werden. Weltmeisterschaften jeweils seit 1955.

Sport|arzt, Arzt mit besonderer sportmedizin. Ausbildung oder Kenntnissen (in Dtl. mit Diplom des Dt. Sportärztebundes).

Sporteln [lat. sportella], früher Verwaltungsgebühren, die direkt den beteiligten Beamten zuflossen; im 18. Jh. durch staatl. Besoldung ersetzt.

Sportgericht, ein Vereinsgericht, das entsprechend den jeweiligen Verbandssatzungen Entscheidungen in Streitfällen und bei Verstößen gegen die Sportgesetze fällt; kein Gericht im Sinn des Art. 92 GG.

Sport|herz, Vergrößerung des Herzens infolge intensiven Ausdauertrainings. Dem S. liegen eine Erweiterung der Herzhöhlen, eine Zunahme der Wanddicke und eine veränderte Kontraktilität der Herzmuskulatur zugrunde. Die Förderleistung des Herzens ist erhöht, die Schlagfrequenz nimmt in Ruhe ab, die Erholungsfähigkeit verläuft schneller. Das S. bildet sich nach Beendigung regelmäßigen Trainings zurück.

Sport|hochschule, Hochschule für Lehre, Forschung und Praxis der Sportwissenschaften, die Diplomsportlehrer, Trainer u.a. Fachleute ausbildet. In West-Dtl. wurde 1947 die **Dt. Sporthochschule Köln** als Nachfolgerin der Dt. Hochschule für Leibesübungen (Berlin, gegr. 1920) gegründet. – Die Dt. Hochschule für Körperkultur in Leipzig (1950 gegr.) wurde 1990 der Univ. Leipzig als Sportwissenschaftl. Fakultät angegliedert.

Sportmedizin, Teilgebiet der Medizin; prüft mit klin. und physiolog. Methoden die Auswirkungen sportl. Betätigungen auf den menschl. Organismus.

Sportpädagogik (Leibeserziehung, Körpererziehung), Wiss. von den pädagog. Prinzipien,

Aufgaben und Möglichkeiten von Didaktik und Methodik des Sports. Für die Praxis der schul. S. **(Schulsport)** sind Lehr- und Stoffplane erforderlich, die auch den weniger Begabten alternative Möglichkeiten anbieten. Dazu kommen differenzierte Formen für behinderte, geschwächte oder geschädigte Kinder **(Sonderturnen).** Die sich mit dem außerschul. Bereich befassende S. hebt auf stärkere erzieherisch-wiss. Einflüsse im Vereinssport, im Sport für Sondergruppen (z.B. Seniorensport für ältere Menschen), in der Rehabilitation und im Spitzensport ab. Dies erfordert unterschiedl. Ausbildungswege für Sportpädagogen im Sportstudium.

Sportschießen, →Schießsport.

Sportschwimmen, →Schwimmen.

Sporttauchen, →Tauchsport.

Sportverband, Organisation, die national oder international für eine Sportart verantwortlich ist, Meisterschaften ausschreibt, die Einhaltung der Regeln überwacht, an Neuregelungen mitarbeitet, Rekordlisten führt u.a.

Sportwaffen, Sammelbez. für die im Schießsport verwendeten Handfeuerwaffen, die im Bogenschießen gebrauchten Bogen und die im Fechten benutzten Florett, Degen und Säbel.

Sportwagen, *Motorsport:* meist zweisitziger Kraftwagen mit geschlossener Karosserie, hoher Motorleistung und speziellem Fahrwerk.

Sportwissenschaft, Forschung, Lehre und Praxis, die sich mit der Gesamtheit des Sports und seinen Teilaspekten befasst; sie wird oft als angewandte und interdisziplinäre Wiss. verstanden. Die S. umfasst geisteswiss. Bereiche (Theorie und Geschichte von Körpererziehung und Sport, Sportsoziologie, Sportpädagogik, Sportpsychologie u.a.), naturwiss. Disziplinen (Sportphysiologie, Sportmedizin, Biochemie, Biomechanik u.a.), sportmethod. Disziplinen (z.B. Theorie und Methodik des sportl. Trainings), bereichsorientierte Disziplinen (z.B. Methodik des Leistungssports, des Rehabilitationssports) sowie struktur- und technikwiss. Disziplinen (z.B. Messtechnik, Sportstättenbau).

Spot [spɔt; engl. »Fleck«, »Platz«] *der* (Werbespot), Werbekurzfilm im Fernsehen **(Fernseh-S.)** oder kurze Szene in Werbesendungen des Hörfunks.

Spotlight [ˈspɔtlaɪt, engl.] *das,* Scheinwerfer mit Licht sammelnder Optik, Effektleuchte z.B. im Theater.

Spotmarkt [ˈspɔt-], internat. Warenbörse für Geschäfte gegen sofortige Kasse und Lieferung **(Spotgeschäfte).** Im Rohölgeschäft Handelsplatz, an dem Rohöl, das außerhalb der laufenden Abnahmeverträge mit den Mineralölgesellschaften angeliefert wird, meistbietend an freie Händler und Raffinerien verkauft wird (v.a. in New York, Mexiko und Rotterdam).

Spötter, Vögel, die nichtartgemäße Klangmotive nachahmen, z.B. der →Gartenspötter.

SPQR, Abk. für →**S**enatus **P**opulus**q**ue **R**omanus.

Sprach|akademi|en, Einrichtungen zur Pflege und auch Normierung einer Sprache, meist staatl. Gesellschaften, die oft aus Gelehrtengesellschaften des 17. und 18.Jh. entstanden sind. Für das Italienische gilt die Accademia della Crusca in Florenz, für das Französische die Académie française als maßgeblich. Keine unmittelbare Nachfolge fanden die dt. →Sprachgesellschaften. 1885 wurde ein Allg. Dt. Sprachverein gegründet, 1947 wieder gegr. als →Gesellschaft für Deutsche Sprache. 1964 wurde das →Institut für deutsche Sprache gegründet. Eine weitere zentrale Einrichtung zur Erforschung der dt. Sprache ist der →Deutsche Sprachatlas. Die Aufgaben der 1925 gegründeten →Deutschen Akademie werden in neuer Form vom →Goethe-Institut wahrgenommen. Außerdem besteht die →Deutsche Akademie für Sprache und Dichtung.

Sprach|analyse, 1) *Datenverarbeitung:* als Teil der →Spracherkennung die Umsetzung der menschl. Sprache in für die elektron. Datenverarbeitung geeignete elektr. Signale.

2) *Sprachwiss.:* die Zerlegung linguist. Einheiten (z.B. Sätze, Morpheme, Phoneme) in ihre Elemente, u.a. zur Erfassung ihres Sinnes oder ihrer Struktur.

Sprach|atlas, Sammlung von detaillierten Sprachkarten, aus der die geograph. Verbreitung sprachl. Erscheinungen hervorgeht (→Deutscher Sprachatlas).

Sprach|ausgabe, *Datenverarbeitung:* die maschinelle (automat.) Ausgabe von Informationen in natürl. oder künstlich erzeugter menschl. Sprache (z.B. Ansagegeräte, Sprachsynthesizer). Dabei können elektronisch gespeicherte Wörter im Computer ausgewählt und über elektroakust. Wandler (z.B. Lautsprecher) ausgegeben oder vollständig aus einzelnen Lautelementen (Phonemen) synthetisierte Sprachkomplexe (→Sprachsynthese) aus dem Computer abgerufen werden.

Sprachbarri|ere, soziolinguistische Bez. für die soziale Benachteiligung von Unterschichtgruppen durch sprachl. Defizite (geringer Wortschatz, Dialekt, grammatikal. Schwäche), bes. als Hemmnis der Kinder aus diesen Schichten im Schulunterricht.

Sprachbund, →Sprache.

Sprache, die Fähigkeit zu sprechen, das Sprechen; im weitesten Sinn von Semiotik und Informationstheorie ein konventionelles System von Zeichen zu Kommunikationszwecken. **Natürliche S.** (historisch gewachsene Sprachen wie Deutsch, Englisch) als Ausdruck menschl. Denkens, Fühlens und

Wollens weisen im Unterschied zu künstl. S. u. a. verschiedene Sprachschichten (Hoch- oder Standard-S., Dialekte, Soziolekte) sowie Mehrdeutigkeit in Wortschatz und grammat. Struktur auf; auch haben sie eine gewisse Redundanz und sind in ihrer Verwendung vom jeweiligen Kontext und der Sprechsituation abhängig. Natürl. S. eignen sich gleichzeitig zur metasprachl. Reflexion. Zu den **künstlichen S.** zählen die durch elektron. →Sprachsynthese erzeugte Sprach- und Sprechsignale und die Sprachsysteme wie semantisch interpretierte logisch-mathemat. Kalküle bzw. formale oder →formalisierte Sprachen, →Programmiersprachen sowie →Welthilfssprachen. – Zu den S. zählen auch die Kommunikationssysteme von Tieren (→Tiersprache) sowie allg. alle ein Symbolverständnis voraussetzenden Zeichensysteme (z. B. →Gebärdensprache, Flaggensignale, Morsealphabet).

Entscheidend für die Theorie vom Funktionieren der S. sind folgende Grunderkenntnisse: Die Beziehung zw. Zeichen (z. B. sprachl. Äußerung) und Bezeichnetem (ein Ausschnitt aus der außersprachl. Wirklichkeit) hängt von der jeweiligen Sprachgemeinschaft ab; dieselbe Wirklichkeit kann unterschiedlich bezeichnet werden, die Zeichen sind daher nicht der notwendige oder natürl. Ausdruck der Wirklichkeit, sondern sie werden ihr von jeder Sprachgemeinschaft konventional zugeordnet. – Im →Strukturalismus wird S. als überindividuelles Zeichensystem (Langue) von ihrer Aktualisierung durch den einzelnen Sprecher (Parole) unterschieden.

Sprache

»Die Sprache ist dem Menschen gegeben, um seine Gedanken zu verbergen.«

Dieses sentenzhafte Zitat (im Original: »La parole a été donnée à l'homme pour déguiser sa pensée«) ist ein Ausspruch von Napoleons Minister Talleyrand aus dem Jahr 1807 gegenüber dem spanischen Gesandten Izquiero, als dieser ihn an seine Versprechungen erinnerte. Heinrich Heine legt in »Ideen. Das Buch Le Grand« 1826 eine abgewandelte Formulierung dem Polizeiminister Joseph Fouché in den Mund: »Les paroles sont faites pour cacher nos pensées« (»Die Worte sind dazu da, unsere Gedanken zu verbergen«). Mit einer ähnlichen Formulierung, die Talleyrand gekannt haben könnte, sagt Voltaire in seinem »Dialogue du Chapon et de la Poularde« von den Menschen: »Sie gebrauchen ihren Verstand nur, um ihr Unrecht zu rechtfertigen, und ihre Sprache allein, um ihre Gedanken zu verbergen« (im Original: »Ils ne se servent de la pensée que pour autoriser leurs injustices, et n'emploient les paroles que pour déguiser leurs pensées«).

Alle S. haben sich im Lauf der Zeit in Lautung, Wortgestalt, Wortgebrauch, Wortschatz und Syntax verändert. Erste Abweichungen gehen von einzelnen Menschen oder Gruppen in einzelnen Sprechakten aus; dadurch, dass sie nachgeahmt werden und allg. durchdringen, verändern sie den Sprachgebrauch der Gemeinschaft. Ihre Verbreitung und Durchsetzung hängt stark vom Ansehen des Urhebers und des Kreises ab, der sie zuerst aufnimmt. Änderungen des gesellschaftl., sozialen oder polit. Gefüges führen häufig zu stärkeren Veränderungen der Sprachgestalt **(Sprachwandel),** bes. wenn eine S. von einer anderssprachigen Bev. übernommen wird.

Der Einfluss gesellschaftl. Momente auf den Sprachbesitz drückt sich im Zusammenhang von sozialem Wandel und sprachl. Kommunikation aus. Soziale Differenzierung und differenziertes sprachl. Ausdrucksverhalten stehen in engem Wechselverhältnis; dies gilt sowohl für die National-S. als auch für schicht- und gruppenspezif., durch sozialen Status, Beruf und Alter bestimmte Gruppensprachen.

Die **Sprachtypologie** beschäftigt sich mit der formalen Charakteristik der Sprachen. – Nach dem Typus ihres Baus teilt man die S. unter Zugrundelegung des Verhältnisses von Wort und Satz ein: 1) Wird die Gestalt der Wörter durch ihre Rolle im Satz nicht berührt, spricht man von **isolierenden Sprachen.** Viele von diesen haben nur einsilbige Wörter, z. B. das klass. Chinesisch. 2) Werden alle bedeutungstragenden Lautungen in einer Wortform vereinigt, sodass der Satz formal nur aus einem zusammengesetzten Wort besteht, heißen die S. **polysynthetisch** oder **inkorporierend,** z. B. das Eskimo-Aleutische. 3) In den **agglutinierenden S.** wird die Rolle des Wortes im Satz durch Anfügen besonderer Lautungen (Affixe), die selbstständig nicht vorkommen, an die unveränderten Stämme bezeichnet (finnougr. Sprachen). 4) **Flektierende S.** sind solche, in denen auch der Stamm des Wortes je nach der Rolle im Satz verändert wird. Diesen Typus vertreten die semit. S.; ihm gehören auch die indogerman. S. an.

Sprachverwandtschaft liegt bei engen histor. Beziehungen zw. S. vor. Diese Beziehungen können versch. Gründe haben: 1) Die S. sind durch Auflösung einer ehem. Spracheinheit entstanden **(genealog.** oder **genet. Sprachverwandtschaft).** Die gemeinsame S. nennt man Grund-S. (früher auch Ur-S.), die neuen S. deren Tochter-S.; sie bilden zusammen eine **Sprachfamilie.** Beispiel dafür sind die roman. S. als Fortbildungen des Lateinischen. Der Vorgang kann sich wiederholen, sodass es genealog. Sprachverwandtschaft zw. ganzen Sprachfamilien gibt, die dann einen **Sprachstamm** bilden (z. B. die indogerman., semit. oder ural. S.), dessen Glieder man auch **Sprachzweige** nennt. 2) Ursprünglich unähnl. S. entwickeln sich unter gleichen Kulturbedingungen in nachbarl. Berührung so, dass sie einander immer ähnlicher werden,

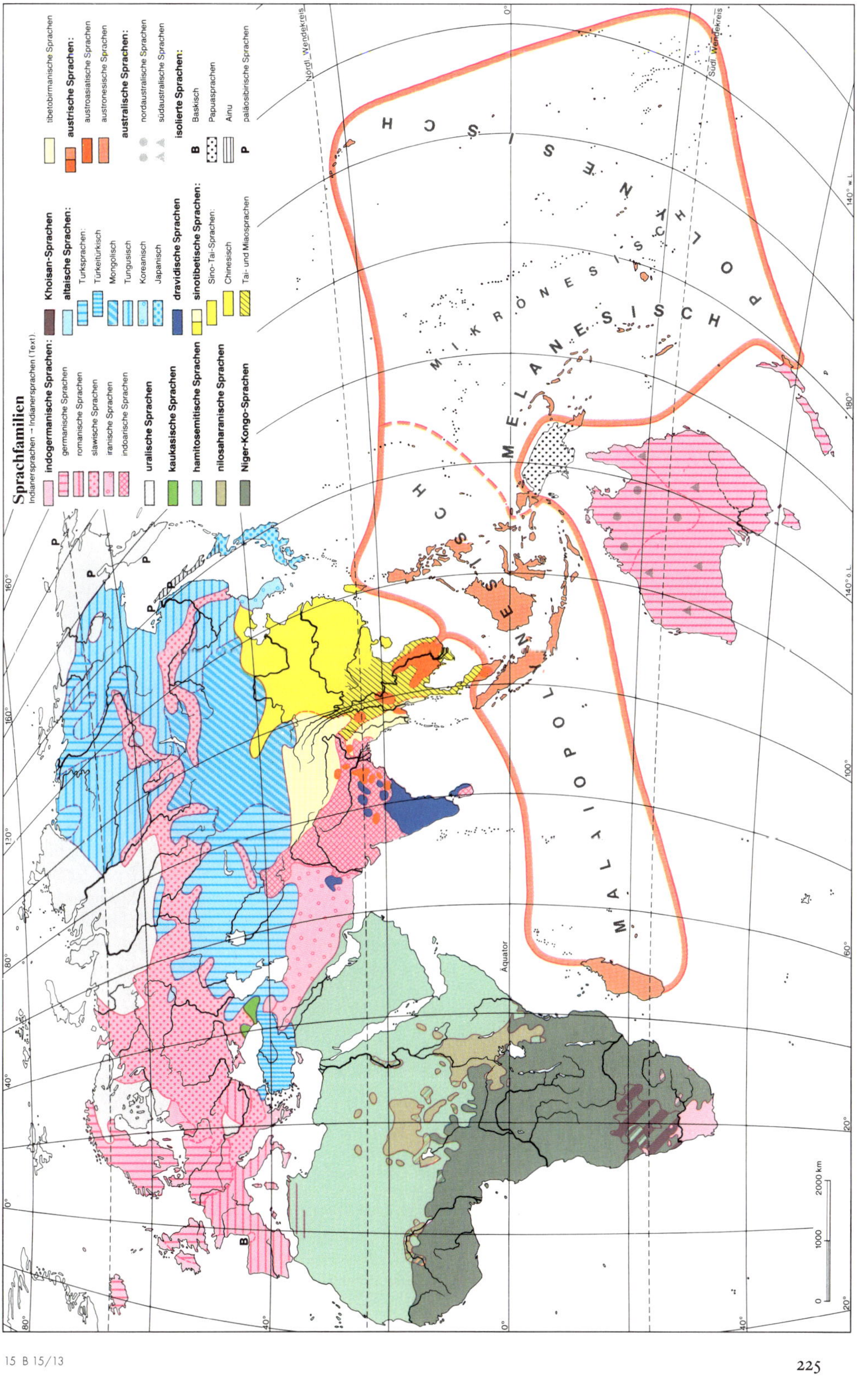
Sprachfamilien
Indianersprachen → Indianersprachen (Text).
indogermanische Sprachen:
germanische Sprachen
romanische Sprachen
slawische Sprachen
iranische Sprachen
indoarische Sprachen
uralische Sprachen
kaukasische Sprachen
hamitosemitische Sprachen
nilosaharanische Sprachen
Niger-Kongo-Sprachen
Khoisan-Sprachen
altaische Sprachen:
Turksprachen:
Türkeitürkisch
Mongolisch
Tungusisch
Koreanisch
Japanisch
dravidische Sprachen
sinotibetische Sprachen:
Sino-Tai-Sprachen:
Chinesisch
Tai- und Miaosprachen
tibetobirmanische Sprachen
austrische Sprachen:
austroasiatische Sprachen
austronesische Sprachen
australische Sprachen:
nordaustralische Sprachen
südaustralische Sprachen
isolierte Sprachen:
B Baskisch
Papuasprachen
Ainu
P paläosibirische Sprachen
MALAIOPOLYNESISCH
MELANESISCH
MIKRONESISCH
POLYNESISCH
Nördl. Wendekreis
Südl. Wendekreis
Äquator
0 1000 2000 km

es entsteht ein Sprachbund **(kulturelle Sprachverwandtschaft),** z.B. die Balkansprachen. 3) Wenn der normale Austausch zw. benachbarten S. durch Entlehnung von Wörtern, Bildungsmitteln, Satzbauplänen und Lautgewohnheiten ein bestimmtes Maß übersteigt, verlieren die betroffenen S. ihre ursprüngl. Eigenart; es entsteht eine **Misch-S.,** die mit den an ihrer Entstehung beteiligten S. verwandt ist, ohne dass diese unter sich verwandt sein müssen. Eine solche Sprachverwandtschaft verbindet das Englische mit den german. S. und mit dem Französischen.

Sprachen der Erde: Die insgesamt auf der Erde gegenwärtig oder früher gesprochenen (bzw. schriftlich überlieferten) S., deren Zahl auf zw. 2500 und 5500 geschätzt wird, unterscheiden sich voneinander sehr stark, auch die genetisch näher miteinander verwandten S. der versch. Sprachfamilien.

📖 *Les langues du monde, hg. v.* A. MEILLET *u.a. Paris 1952, Nachdr., 3 Bde. Genf 1981. – Le langage, hg. v.* A. MARTINET. *Paris 1968.* – COLLINDER, B.: *S. u. Sprachen. Hamburg 1978.* – COSERIU, E.: *S., Strukturen u. Funktionen. Tübingen ³1979. – The*

Sprachen der Erde (Auswahl)[1]

afrikanische Sprachen (Afrika):
1) **hamitosemitische (afroasiatische) Sprachen:** Berbersprachen; Kuschitensprachen: Oromo (Galla), Somali u.a.; semitische Sprachen (vgl. rechte Spalte); tschadische oder tschadohamitische Sprachen: Hausa u.a.
2) **Khoisan-Sprachen:** Buschmannsprachen, Hottentottisch u.a.
3) **Kongo-kordofanische (nigritische) Sprachen:** Niger-Kongo-Sprachen (Adamaua-Ost-Sprachen; Benue-Kongo-Sprachen; Bantusprachen mit Suaheli, Xhosa, Zulu u.a.; Gur-Sprachen; Kwa-Sprachen: Akan, Ewe, Ibo, Yoruba u.a.; Mande-Sprachen: Bambara, Mende u.a.; Westatlantische Klassensprachen: Ful, Diola, Wolof u.a.); Kordofan-Sprachen
4) **nilosaharanische Sprachen:** Fur, Kanuri, Songhai u.a.

altaische Sprachen (Asien, Europa):
1) **Japanisch**[2]
2) **Koreanisch**[2]
3) **mongolische Sprachen:** Burjatisch; Chalcha-(Khalkha-)Mongolisch; Kalmückisch, Oiratisch u.a.
4) **tungusische Sprachen:** Ewenisch, Ewenkisch, Mandschu, Nanaisch u.a.
5) **Turksprachen:** Baschkirisch, Karakalpakisch, Kasachisch, Kirgisisch, Kumückisch, Nogaisch, Tatarisch; Altaisch, Chakassisch, Jakutisch, Tuwinisch; Aserbaidschanisch, Gagausisch, Türkisch, Turkmenisch; Uigurisch, Usbekisch; Tschuwaschisch

australische Sprachen (Australien)

austrische Sprachen:
1) **austroasiatische Sprachen** (Asien): Mon-Khmer-Sprachen (Khmer [Kambodschanisch], Mon u.a.); Mundasprachen (Mundari, Santali u.a.)
2) **austronesische Sprachen** (Asien, Madagaskar, Ozeanien):
   a) **malaiopolynesische Sprachen:** Bahasa Indonesia, Balinesisch, Javanisch, Maduresisch, Malagasy, Malaiisch, Sundanesisch, Tagalog; Formosasprachen
   b) **ozeanische Sprachen:** melanesische Sprachen, mikronesische Sprachen, polynesische Sprachen

Dravidasprachen (Asien):
Kannada, Malayalam, Tamil, Telugu u.a.

Eskimoisch (Nordamerika, Grönland)

Indianersprachen:
Nordamerika: Algonkin, Cherokee, Ojibwa, Chocktaw, Cree, Creek, Dakota, Irokesisch, Navajo u.a.; Mittelamerika mit Mexiko: Maya, Mixtekisch, Nahuatl, Otomí, Zapotekisch u.a.; Südamerika: Aimara, Araukanisch, Aruak, Gê, Guaraní, Ketschua, Tupí u.a.

indogermanische Sprachen (alle Erdteile):
1) **Albanisch**
2) **Armenisch**
3) **baltische Sprachen:** Lettisch, Litauisch
4) **germanische Sprachen:** Deutsch, Englisch, Friesisch, Luxemburgisch (Letzebuergesch), Niederländisch; Dänisch, Färöisch, Isländisch, Norwegisch, Schwedisch; Afrikaans; Jiddisch
5) **Griechisch**
6) **indoarische Sprachen:** Assami, Bengali, Gujarati, Hindi, Hindustani, Marathi, Nepali, Oriya, Panjabi, Rajasthani, Romani, Sindhi, Singhalesisch, Urdu u.a.
7) **iranische Sprachen:** Belutschi, Kurdisch, Persisch, Ossetisch, Paschto, Tadschikisch u.a.
8) **keltische Sprachen:** Bretonisch, Irisch, Kymrisch (Walisisch), Schottisch-Gälisch u.a.
9) **romanische Sprachen:** Französisch, Italienisch, Katalanisch, Portugiesisch, Rätoromanisch (Bündnerromanisch), Rumänisch, Sardisch, Spanisch, Provenzalisch (Okzitanisch)
10) **slawische Sprachen:** Russisch, Ukrainisch, Weißrussisch, Kaschubisch, Polnisch, Slowakisch, Sorbisch, Tschechisch; Bulgarisch, Makedonisch, Serbisch, Kroatisch, Slowenisch

kaukasische Sprachen (Asien, Europa):
1) **nordwestkaukasische Sprachen:** Abchasisch, Adygeisch (Tscherkessisch) u.a.
2) **ostkaukasische Sprachen:** Awarisch, Darginisch, Lakkisch; Lesgisch; Inguschisch, Tschetschenisch, Cesisch u.a.
3) **südkaukasische** oder **Kartwelsprachen:** Georgisch u.a.

paläosibirische Sprachen (NO-Asien):
Giljakisch, Jukagirisch, Ketisch, Tschuktschisch u.a.

Papuasprachen (Asien, Melanesien, Neuguinea)

semitische Sprachen (Asien, Afrika)[3]:
1) **Nord(west)semitisch:** Hebräisch, Syrisch
2) **Süd(west)semitisch:** Nordarabisch, Südarabisch (einschließlich semit. Sprachen Äthiopiens: Amharisch, Geez, Tigre, Tigrinja u.a.)

sinotibetische Sprachen (O- und SO-Asien)[4]:
Sino-Tai-Sprachen: Chinesisch, Laotisch, Thai u.a.; tibetobirmanische Sprachen: Birmanisch, Lolo, Tibetisch u.a.

uralische Sprachen (Europa, Asien):
1) **finnougrische Sprachen:** Estnisch, Finnisch, Ingrisch, Karelisch, Lappisch, Livisch, Wepsisch, Wotisch; Mordwinisch, Tscheremissisch; Syrjänisch, Wotjakisch; Ostjakisch, Wogulisch; Ungarisch
2) Samojedisch

[1] berücksichtigt sind nur die wichtigsten lebenden Sprachen; isolierte Sprachen (darunter in Europa: Baskisch) sind in der Übersicht nicht eigens aufgeführt. – [2] mit austrischer Komponente. – [3] das Maltesische, ein arabischer Dialekt, in Europa. – [4] die Zugehörigkeit des Vietnamesischen zu einer der Sprachgruppen SO-Asiens ist noch nicht endgültig geklärt

world's major languages, hg. v. B. COMRIE. *London u. a. 1987, Nachdr. ebd. 1991.* – LYONS, J.: *Die S. Aus dem Engl. München* [4]*1992.* – CRYSTAL, D.: *Die Cambridge-Enzyklopädie der S. Aus dem Engl. Darmstadt 1995.* – SCHUCH, G. VON: *Einführung in die Sprachwissenschaft. Neuried* [2]*1996.*

Sprach|eingabe, → Spracherkennung.

Sprachenfrage, Bez. für 1) Probleme, die aus dem Anspruch nat. Minderheiten erwachsen, ihre Sprache als Regional- oder Amtssprache in einem Staat zu verwenden; 2) Schwierigkeiten, die sich aus dem Gebrauch von mehreren Sprachen in einem Staat ergeben; 3) Probleme, die mit der Wahl einer heim. Amtssprache v. a. in Entwicklungsländern verbunden sind.

Sprachenrecht, das von einem Staat durch Gesetz oder von mehreren Staaten durch Vertrag geordnete Recht des Gebrauchs einer bestimmten Sprache durch Angehörige einer nat. Minderheit oder versch. Volksgruppen. In einem Staat werden eine oder mehrere Sprachen als → Amtssprachen bestimmt.

Sprach|erhaltung, Bez. für die Erhaltung von Sprachen und Dialekten, die mit anderen in Kontakt stehen und durch die polit., wirtsch. oder kulturelle Dominanz von deren Sprechern in ihrem Fortbestand bedroht sind. S. wird u. a. durch Einrichtung von Kulturinstituten, Nutzung der Medien, Erstellung von Regelwerken (Grammatiken u. Ä.) sowie ein tolerantes Sprachklima im öffentl. und privaten Leben gewährleistet.

Sprach|erkennung, *Datenverarbeitung:* Verfahren, das die automatische Erfassung **(Spracheingabe)** und Klassifizierung der gesprochenen menschl. Sprache, ihre Speicherung und die Umsetzung in eine andere Form (z. B. Schrift) gestattet. Grundlage der automat. S. ist die Entwicklung von Algorithmen zur Erkennung der Zeichenzusammensetzung gesprochener Wörter, die nach der Spracheingabe z. B. digitalisiert und als Bitmuster gespeichert werden können. Die in den Computer eingegebenen Sprachsignale werden mit den gespeicherten Mustern verglichen und z. B. nach statist. Methoden bewertet. Die Schwierigkeit besteht v. a. in der Umsetzung individueller Sprache (z. B. unterschiedl. Betonung, Pausenlängen). Derzeit befinden sich versch. Programme in der Entwicklung. Anwendung finden S.-Systeme heute schon bei telefon. Auskunftssystemen oder als Vorstufen schreibender Diktiergeräte (Computer).

Sprach|erwerb, die Aneignung der Fähigkeit, grammatikalisch richtige Sätze zu bilden, sprachl. Äußerungen zu verstehen und situationsgerecht anzuwenden. S. bezeichnet sowohl das Erlernen der ersten Sprache als auch den Fremdsprachenerwerb. S. und geistige Entwicklung stehen in enger Wechselbeziehung; beide werden durch (soziale) Umweltbeziehungen stark beeinflusst. S. der ersten Sprache (Muttersprache) beginnt nicht mit dem ersten Wort, er setzt bereits ein mit der Interaktion insbesondere von Mutter und Kind. Folgende Stadien lassen sich unterscheiden: Zwischen dem 4. und 5. Lebensmonat eines Kindes beginnt die Lallperiode. Gesprochen wird das erste Wort i. d. R. mit Ablauf des ersten Lebensjahres. Danach werden Einwortsätze, später Zwei- und Mehrwortsätze gebildet. Mit 4–5 Jahren sind das Lautsystem und die grundlegenden syntakt. Strukturen weitgehend erworben, die Flexion mit 6–7 Jahren. Komplexere syntakt. Strukturen werden erst mit 8 bis 12 Jahren zielgerichtet verwendet. Der S. durch Kinder erfordert keine Erklärungen oder Korrekturen durch Eltern oder Lehrer; die Kinder filtern sich systematisch Elemente der Sprache ihrer Umgebung heraus und rekonstruieren sie sich nach und nach. Dabei werden entwicklungsbedingt vorübergehend auch Strukturen verwendet, die in dieser Form nicht aus der Sprache ihrer Umgebung kommen.

Sprachfamili|e, → Sprache.

Sprachfehler, → Sprachstörungen.

Sprachgefühl, das durch den Gebrauch erworbene und unreflektiert verfügbare Wissen eines Sprechers um die Richtigkeit der Bildung sprachl. Formen und ihrer sinngemäßen Anwendung.

Sprachgemeinschaft, Gruppe von Sprechern mit wesentlich gleichem Sprachbesitz (→ Sprache). Die S. ist vielfach gegliedert in → Mundarten, nach Altersstufen, Geschlechtern, der sozialen Stellung, dem Bildungsgrad, der Berufs- oder Lebensgemeinschaft. Allen diesen Besonderheiten steht der weit überwiegende gemeinsame Besitz als Gemeinsprache gegenüber. Nach dem Zweck des Sprechens unterscheidet man die situationsgebundene **Umgangssprache** des tägl. Lebens von der selbstständigen **Hochsprache (Standardsprache)** von Literatur, Wissenschaft und Verwaltung. Ferner gibt es Fachsprachen der versch. Sachgebiete. Deutliche Absonderungstendenzen von der übrigen S. zeigen Soziolekte und Sondersprachen (→ Rotwelsch, → Argot, → Slang).

Sprachgeographie (Dialektgeographie), Teilgebiet der sprachwiss. Mundartforschung (Dialektologie), das die geograph. Verbreitung gegenwärtiger und histor. Spracherscheinungen erforscht und ihre Verlaufs- und Trennungslinien auf Sprachkarten festhält (→ Deutscher Sprachatlas).

Sprachgesellschaften, gelehrte Vereinigungen des 17. und 18. Jh. mit dem Ziel, die dt. Sprache von fremden Einflüssen (v. a. Fremdwörtern) zu reinigen, ihre dichter. Ausdrucksfähigkeit zu erhöhen sowie sprachl. und poet. Gesetze zu erforschen. Nach dem Vorbild der Accademia della

Crusca in Florenz (gegr. 1582) wurde 1617 in Weimar die erste und bedeutendste dt. S. gegründet, die →Fruchtbringende Gesellschaft; weitere S.: Teutschgesinnete Genossenschaft (1643 von P. von Zesen gegr.), →Pegnitzorden, Deutsche Gesellschaft (1717 als »Poet. Gesellschaft« in Leipzig gegr., 1726 von J. C. Gottsched umgebildet), →Deutscher Sprachverein.

Sprach|inhaltsforschung, eine von L. Weisgerber u.a. begründete Richtung der Sprachwiss. (inhaltsbezogene Sprachbetrachtung), die bes. Wortbedeutung und Satzsinn untersucht und die »Weltansicht« einer Sprache zu erschließen versucht. Die S. gründet in der Sprachauffassung W. von Humboldts und bestimmt Sprache als »Energeia«, als eine Kraft geistigen Gestaltens, deren Entfaltungsformen die natürl. Sprachen (Muttersprachen) seien. Eine der S. nahe stehende Richtung ist die Ethnolinguistik von B. L. Whorf.

Sprach|insel, geschlossene Sprach- und Siedlungsgemeinschaft in einem anderssprachigen größeren Gebiet.

Sprachkonflikt, Spannungen innerhalb mehrsprachiger Gemeinschaften, die ausgelöst werden können, wenn eine Sprachgemeinschaft sich der anderen gegenüber in einer untergeordneten Position befindet.

Sprachkritik, einerseits die Analyse des Sprachgebrauchs, verbunden mit der krit. Reflexion der Inhalte und ideolog. Bedingungen; andererseits sprachphilosoph. Bestrebungen, Sprache auf ihren Wirklichkeitsgehalt hin zu untersuchen (B. Russell, L. Wittgenstein, →Wiener Kreis).

Sprachlabor: Kassettenlehranlage mit zentralem Schaltpult

Sprachlabor, mit audiovisuellen Unterrichtsmitteln ausgestattete, nach dem Prinzip des →programmierten Unterrichts arbeitende Einrichtung des Sprachunterrichts.

Sprachlehre, die →Grammatik.

Sprachmanipulation, Manipulation mittels Sprache und die dadurch beabsichtigte Beeinflussung des (der) Adressaten im Sinne einer entsprechenden Meinungs- und Verhaltensänderung. Dabei können sowohl bestimmte Bewertungen nahe gelegt als auch tatsächlich bestehende Zusammenhänge verschleiert werden.

Sprachmelodie, die →Sprechmelodie.

Sprachnorm, Regelwerk, Gesamtheit der Richtlinien für einen als vorbildlich geltenden Sprachgebrauch.

Sprachnormung, Vereinheitlichung von Fachsprachenterminologien durch nat. und internat. Organisationen.

Sprachpflege, Maßnahmen zum Erhalt und Ausbau einer Sprache unter Berücksichtigung von Sprachstruktur, Sprachgebrauch und Bedingungen sprachl. Kommunikation mit dem Ziel einer optimalen Verständigung.

Sprachphilosophie, Teildisziplin der Philosophie, die sich einerseits mit Ursprung und Wesen, soziolog., kultureller und geistiger Funktion, Logik und Psychologie der Sprache befasst, andererseits die Bedingungen der Möglichkeit von Philosophie und Wiss. u.a. sprachlich verfasster Kulturleistungen zum Gegenstand hat. Die S. ist eine Grundlage der Sprachwissenschaft; zum bestimmenden Gegenstand der zeitgenöss. Philosophie wurde sie v.a. in der →analytischen Philosophie.

📖 KUTSCHERA, F. VON: *S. München* [2]*1993.*

Sprachpolitik, polit. Handlungsfeld, das von der Sprachpflege bis zur Verwendung von Sprache für polit. Zwecke reicht; Untersuchungsgegenstand einer interdisziplinär betriebenen Sprachwiss., die Wechselbeziehungen zw. sozialen, wirtsch. und polit. Verhältnissen und Sprache untersucht und Maßnahmen zur Beeinflussung der sprachl. Entwicklung beschreibt. Bes. sind zu unterscheiden: 1) Maßnahmen zur sprachl. Integration von Mundarten und Varietäten sowie der Umgangssprache in die Hochsprache; 2) Maßnahmen zur Unterdrückung sprachl. Varietäten, z.B. regionaler Sprachformen; 3) der Versuch von Staaten, eine nat. Identität durch eine gemeinsame Sprache zu begründen; 4) Bemühungen, einer Sprache durch den erforderl. Ausbau (d.h. einen kodifizierten, standardisierten und schließlich normierten Regelapparat) in der mündl. und schriftl. Kommunikation die nötige Geltung zu verschaffen; 5) Maßnahmen, das sprachl. Miteinander in polyethn. und/oder -lingualen Staatsverbänden wie in inter- und supranat. Organisationen zu regeln; in Verbindung damit Anerkennung (oder Nichtanerkennung) von Minoritätensprachen; 6) Förderung von Fremdsprachenkenntnissen; 7) Bestrebungen, die (Mutter)sprache von fremdsprachl. Einflüssen zu »reinigen«; 8) Sprachmanipulation.

Sprachpsychologie, Teilgebiet der Psychologie, das die Sprachentwicklung, den individuellen Ablauf des Sprechvorgangs (Sprachproduktion) und des Verstehens sprachl. Mitteilungen (Sprachrezeption) unter psycholog. Aspekten untersucht. Die Erforschung der psych. Voraussetzungen des kommunikativen Aspektes der Sprache wird als **Psycholinguistik** bezeichnet.

Sprachregelung, Anordnung oder Empfehlung, dass ein bestimmter Sachverhalt (bes. im amtl. Sprachgebrauch) nur auf eine bestimmte Weise zu nennen oder zu formulieren ist.

Sprachrohr (Schalltrichter, Megaphon), trichterförmiges Gerät zur gerichteten Abstrahlung der Schallenergie.

Sprachsoziologie, die →Soziolinguistik.

Sprachstörungen, Abweichungen von den (alterstyp.) Normen der Sprache bzw. des Sprechens. Gelegentlich werden **Sprachfehler** als Normvarianten ohne wesentl. Einschränkung der Mitteilungsfähigkeit der gravierenden, langfristig behandlungsbedürftigen **Sprachbehinderung** gegenübergestellt. Bei den **Störungen der Sprache (Sprachentwicklungsstörungen)** wird die Muttersprache nicht altersentsprechend angewendet. Die verzögerte Sprachentwicklung tritt häufig infolge organ. Vorschädigungen (z.B. bei Lippen-, Gaumen- und Kieferanomalien, bei Hördefekten, bei Schädigungen der zentralnervösen Sprachzentren oder bei extrapyramidalen Erkrankungen des Gehirns) auf. Die sprachl. Rückständigkeit kann auch durch geistige Behinderung bedingt sein. – Als **Störungen der Aussprache** (Dysarthrien) werden die Artikulationsstörungen bezeichnet: Beim Stammeln können Laute und Lautverbindungen nicht gebildet werden, werden falsch ausgesprochen oder durch andere Laute ersetzt. Unter Näseln versteht man ein auffälliges Über- und Unterschreiten der normalen Nasalität, die organ. Ursachen haben kann (Verengung oder Spalten im Nasen-Rachen-Raum). Als Stimmstörungen (Dysphonie) bezeichnet man Abweichungen vom normalen Klangbild der Sprache. – Bei den **Störungen der Sprechflüssigkeit (Sprechstörungen, Redestörungen)** ist der verbale Gebrauch der Sprache erheblich mitbetroffen: Stottern ist eine auffallend häufige Unterbrechung des Sprechablaufs und der Sprechflüssigkeit. Poltern ist durch eine zu hastige Sprechweise mit Undeutlichkeit in der Aussprache gekennzeichnet. Eine Unfähigkeit, artikulierte Laute zu bilden (Alalie), besteht infolge organ. Störungen oder mangels Koordination der Sprechwerkzeuge. Als wichtigste Form der nachträgl. Einbuße oder des Verlustes eines früher vorhandenen Sprachvermögens gilt die →Aphasie. Bei der Paraphasie kommt es zum Versprechen oder zur Verstümmelung von Wörtern oder zur Vertauschung von Wörtern und Lauten. Als Mutismus bezeichnet man eine Verweigerung des Sprechens bei vorhandenem Sprechvermögen.

📖 *Zentrale Sprach- u. Sprechstörungen, hg. v.* M. Grohnfeldt. *Berlin 1993.*

Sprachsynthese, die künstl. Erzeugung von Sprechsignalen mit elektron. Mitteln. Stimmhafte Töne werden von einer Impulsquelle erzeugt, deren Amplitude moduliert wird, um die Intensität zu steuern. Stimmlose Laute entstehen durch bes. gefiltertes weißes Rauschen. Bei der digitalisierten S. wird das Signal zeitdiskret getastet.

Sprachsystem, der komplexe Zusammenhang, der zwischen sprachl. Einheiten und ihren Beziehungen auf phonolog., morpholog., syntakt. und semant. Ebene angenommen und darzustellen versucht wird. Besonders auf phonolog. Ebene lassen sich wechselseitige Beeinflussungen innerhalb eines S. nachweisen.

Sprachtheorie, Teildisziplin der Sprachwiss., die sich mit den allgemein-theoret. Voraussetzungen für sprachwiss. Beschreibungen befasst. Sie trifft in theoret. Verallgemeinerung Aussagen über Ursprung, Wesen und Funktion der Sprache sowie Gesetzmäßigkeiten ihrer Entwicklung und Struktur. Ihr Ansatz verbindet Sprachforschung und Sprachphilosophie.

Sprach|unterricht, systemat. Spracherziehung im Schulwesen, im tertiären Bildungswesen und als Privatunterricht. S. dient in der Schule, wo Deutsch und eine, meist ab der Sekundarstufe I zwei Fremdsprachen zum festen Bestandteil des Fächerkanons gehören, der Sprachschulung in der Muttersprache sowie dem Erwerb von Fremdsprachenkenntnissen. Als fruchtbarste Unterrichtsform wird heute i. Allg. die kommunikative Situation im Unterricht angesehen, ergänzt durch Wortschatzübungen und Sprachlehre sowie die Arbeit im Sprachlabor.

Sprachverschlüsselung, *Nachrichtenwesen:* Verfahren zur Kodierung von Sprache v.a. bei der nicht leitungsgebundenen Nachrichtenübertragung; soll den Inhalt eines Ferngesprächs Dritten unverständlich machen. S. verlangt empfangsseitig Entschlüsselung.

Sprachverwandtschaft, →Sprache.

Sprachwandel, →Sprache.

Sprachwissenschaft, umfassende Bez. für die wiss. Beschäftigung mit der Sprache, mit den Einzelsprachen und ihren Gliederungen. Gleichbedeutend mit S. wird häufig die Bez. →Linguistik verwendet, i.e.S. wird Linguistik als synchron ausgerichtete und auf die innere Sprachstruktur orientierte Wiss., d.h. als Teildisziplin der allgemeinen S. verstanden. Der Zeichencharakter der Sprache wird im Rahmen der Semiotik untersucht. Die Beschreibung der Sprachstruktur ist Aufgabe der Grammatik, die sich in Phonologie, Morphologie, Syntax und Semantik gliedert. Soziale und räuml. Gliederung der Sprache werden von der Soziolinguistik und von der Dialektologie (Mundartforschung) untersucht. Die Entwicklung der Sprechfähigkeit beim Kind ist Gegenstand der Spracherwerbsforschung (→Spracherwerb) als Teil der →Psycholinguistik. Die geschichtl. Veränderungen von Sprachen und sprachl. Subsystemen (z.B. Lautwandel) werden in der histor. S. behandelt. Die Etymologie untersucht im histor. Rückblick die Entstehung der Wortbedeutungen. Beim Vergleich von Einzelsprachen fragt man historisch einerseits nach gemeinsamen Vorstufen, andererseits wird die Aufspaltung einer Sprache in sich auseinander entwickelnde Einzelsprachen verfolgt. Ohne historisch-genetische Methode arbeitet die Sprachtypologie, die vergleichend Sprachen nur nach strukturellen Eigenschaften untersucht, ebenso wie die kontrastive Linguistik. – Die Ergebnisse und Erkenntnisse der sprachwiss. Disziplinen spielen bes. im pädagogisch-didakt. Bereich, im muttersprachl. und im fremdsprachl. Unterricht eine wichtige Rolle, ebenso bei der Sprachmittlung (Übersetzen, Dolmetschen) und der Sprachtherapie (therapeut. Verfahren zur Behandlung von Sprachstörungen). Daneben sind sie für die Entwicklung von Verfahren zur elektron. Informationsspeicherung und -verarbeitung sowie bei den Bemühungen um eine maschinelle Übersetzung und linguist. Datenverarbeitung wichtig geworden.

Geschichte: Bereits im keilschriftl. Kulturkreis des Alten Orients (3./2. Jt. v. Chr.) führten Bemühungen um das Verständnis tradierter kult. Texte zur philolog. Beschäftigung mit Sprache, die sich bes. in einer zweisprachigen Lexikographie (Sumerisch–Akkadisch) auswirkte. Während in Indien schon früh eine grammat. Tradition bestand, auf die Panini (6./5. Jh.) zurückgreifen konnte, hat sich die antike grch. S. im Kontext philosoph. Fragen nach dem Sprachursprung und dem Verhältnis zw. Form und Bedeutung von Wörtern entwickelt. Erste grammat. Kategorisierungen wurden von Aristoteles im Rahmen von Poetik und Logik vorgenommen. In Alexandria entstanden die ersten grch. Grammatiken von Dionysios Thrax (2. Jh. v. Chr.) und Apollonios Dyskolos (2. Jh. n. Chr.), nach deren Vorbild die lat. Grammatiken von Aelius Donatus (4. Jh.) und Priscianus (5./6. Jh.) gestaltet sind. Eine Leistung der Sprachforschung im MA. bildet die scholast. Darstellung des Zusammenhangs von Sprache, Logik, Erkenntnistheorie und Metaphysik in sog. spekulativen Grammatiken. Die Entwicklung der S. im 17. und 18. Jh. ist gekennzeichnet durch die seit der Reformation wachsende Bedeutung der Volkssprachen und durch die Entdeckung amerikan., afrikan. und asiat. Sprachen. Die vermehrte Kenntnis von Einzelsprachen führte im 19. Jh. zur **vergleichenden und histor. S.,** die bes. durch die Entdeckung der Verwandtschaft des Sanskrit mit den europ. Sprachen ausgelöst wurde. Von R. Rask, F. Bopp und J. Grimm wurden Methoden ausgearbeitet, mit denen die genet. Verwandtschaft der indogerman. Sprachen nachgewiesen wurde. Neben der materialbezogenen historisch-vergleichenden S. war und ist die **allg. S.,** die W. von Humboldt begründete, von größter Wirkung. Humboldts Unterscheidung von äußerer und innerer Sprachform und seine These von der Verknüpfung der Sprache mit Mentalität, Kultur und Weltansicht eines Volkes wirkten sich in unterschiedl. Weise auf spätere Sprachtheorien aus. Die Epoche der primär historisch-vergleichend ausgerichteten S. wurde zu Beginn des 20. Jh. von der **strukturell orientierten Linguistik** abgelöst; als ihr Begründer gilt F. de Saussure. Forschungen zur Phonologie wurden bes. von der →Prager Schule betrieben. Strukturelle Gesichtspunkte gingen auch in die Wortfeldforschung (J. Trier, L. Weisgerber) ein. In der amerikan. Linguistik konnte nach Betrachtung des quantifizierbaren Materials der Sprache eine Verbindung zur Mengenlehre hergestellt werden, die eine Methode der **mathemat. Linguistik** ergab. Diese beschäftigt sich mit der Anwendung mathemat. und formal-log. Methoden in Grammatik und Sprachanalyse. Aus der Verbindung von S. und Anthropologie entstand der **Deskriptivismus,** der von behaviorist. Psychologie und positivist. Auffassungen geprägt ist (L. Bloomfield). Kennzeichnend ist die Betonung synchroner Beschreibung der gesprochenen Sprache, die weitgehende Ausklammerung der Semantik sowie die Anwendung exakter analyt. Verfahren. Die Beschränkungen des Deskriptivismus versuchte seit den frühen 1960er-Jahren die →generative Grammatik mit zu überwinden. Nachdem einige Zeit die formale grammat. Seite der Sprache im Zentrum der Forschung stand, fragt man heute wieder nach den gegenseitigen Verbindungen von Sprache, Denken und Bewusstsein **(Psycholinguistik),** sieht das sprachl. Handeln im Zusammenhang mit dem gesamten menschl. Handeln, betrachtet die Sprache als gesellschaftl. Phänomen.

📖 Szemerényi, O.: *Richtungen der modernen S., 2 Bde. Heidelberg 1971–82.* – Arens, H.: *S. Der Gang ihrer Entwicklung von der Antike bis zur Gegenwart, 2 Bde. Frankfurt am Main Neuausg. 1974.* – Gipper, H.: *Sprachwissenschaftl. Grundbegriffe u. Forschungsrichtungen. München 1978.* – Geier, M.: *Methoden der Sprach- u. Literaturwissenschaft. Mün-*

chen 1983. – Brekle, H. E.: *Einf. in die Gesch. der S. Darmstadt 1985. – Lexikon der S., bearb. v.* H. Bussmann. *Stuttgart* [2]*1990. – International encyclopedia of linguistics, hg. v.* W. Bright, *4 Bde. New York u. a. 1992.* – Crystal, D.: *The Cambridge encyclopedia of language. Cambridge* [2]*1997.*

Sprachzentrum, Bez. für versch. der Sprachbildung und dem Sprachverständnis dienende Großhirnregionen (motor., sensor. sowie opt. S.), die bei Rechtshändern in der linken, bei Linkshändern in der rechten Hirnhemisphäre liegen; Schädigung führt zu →Sprachstörungen.

Sprạnger, 1) Bartholomäus, niederländ. Maler, *Antwerpen 21. 3. 1546, †Prag Juli oder August 1611; Schüler von J. Mandyn, beeinflusst von F. Floris in Antwerpen und den Manieristen in Parma und Rom; seit 1575 Hofmaler in Wien, ab 1581 Rudolfs II. in Prag; malte mytholog. und allegor. Bilder in manierist. Stil.

Bartholomäus Spranger: »Angelica und Medoro« (um 1580; München, Alte Pinakothek)

2) Eduard, Philosoph, Psychologe und Pädagoge, *Berlin 27. 6. 1882, †Tübingen 17. 9. 1963; seit 1920 Prof. in Berlin, seit 1946 in Tübingen; führte die lebens-, geschichts- und kulturphilosoph. Forschungen W. Diltheys fort. Er gab durch seine Typologie des menschl. Verhaltens der Persönlichkeits- und Jugendforschung entscheidende Anregungen und suchte eine geisteswiss. Psychologie zu begründen.

📖 Han, Y.-Y.: *E. S.s Pädagogik. Frankfurt am Main u. a. 1994. – Beiträge zur Philosophie E. S.s, hg. v.* J. S. Hohmann. *Berlin 1996.*

Spratlyinseln ['sprætlɪ-], im Südchines. Meer gelegene Inselgruppe von z. T. unbewohnbaren Koralleninseln und zahlr. Riffen, auf die China, Taiwan, Vietnam, Malaysia, Brunei und die Philippinen Anspruch erheben. Die S. liegen in strategisch günstiger Lage in einem Gebiet mit vermuteten Erdölvorkommen.

Spray [spreɪ, engl.] *der* oder *das,* Zerstäuber von Flüssigkeiten, bei dem durch Druck eine Flüssigkeit als Sprühnebel (Aerosol) aus einer Düse getrieben wird; auch der erzeugte Sprühstrahl.

Sprech|akt, von J. L. Austin eingeführter Begriff der linguist. Pragmatik, mit dem der Handlungscharakter sprachl. Äußerungen betont wird: Indem man etwas sagt, tut man etwas. Der S. wird in Teilaspekte zerlegt, z. B. in den lokutiven Akt (der u. a. die Äußerung von Lauten und die Verwendung von Wörtern in einer bestimmten Bedeutung umfasst), den propositionalen Akt (unterteilt in Referenz: Bezugnahme auf Objekte und Sachverhalte; Prädikation: Zusprechen von Eigenschaften), den illokutiven Akt (der die Intention einer Äußerung in einer bestimmten Kommunikationssituation festlegt) und den perlokutiven Akt (der die Wirkung der Äußerung auf den Hörer bestimmt).

Sprecher|erkennung (Sprecheridentifikation, Sprecherverifikation), automat. Erkennung des Sprechers; mithilfe eines festgelegten Satzes soll eine ausweisähnl. Identifizierung erzielt werden, gleichbedeutend einer Unterschrift. Der identifizierte Sprecher hat danach, z. B. über das Telefon, autorisierten Zugriff u. a. zu Geld, Waren oder Informationen.

Sprechfunk, drahtloses Fernsprechen mittels ortsfester oder mobiler Funksprechgeräte im Kurzwellen- oder Ultrakurzwellenbereich.

Sprechgesang, eine dem Sprechton angenäherte Singweise, bei der es v. a. auf deutl. Aussprache und musikal. Erfassung von Sinn, Rhythmus, Klang des Wortes ankommt (z. B. das Rezitativ).

Sprechhilfen, Geräte zur Bildung einer Ersatzstimme nach operativer Entfernung des Kehlkopfs. Die Halsgeräte **(Elektrolarynx, Kehlkopfgenerator)** bestehen aus einem obertonreichen Wechselstromgenerator; er regt (meist durch äußeres Auflegen an den Mundboden) die Resonanzräume in Mundhöhle und Rachen zur Schwingung an und ermöglicht durch Sprechbewegungen eine Sprachbildung. Daneben gibt es Schlauchgeräte **(Pipa di Ticchioni),** bei denen der Klang durch Anblasen eines mechan. Vibrators erzeugt wird, und intraorale Geräte, die jedoch technisch noch verbessert werden müssen.

Sprechkunde, Wissenschaft von der Sprecherziehung und Rhetorik, untersucht die gesprochene Sprache aus der Sicht des Sprechers und Hörers. Zu den Teilbereichen gehören Psychologie

Eduard Spranger

und Soziologie der Sprachhandlung, Physiologie und Phonetik der Sprechakte (Atem-, Stimm-, Lautbildung) und rhetor. Kommunikationstheorie.

Spree: Die Spreequelle bei Kottmar im Lausitzer Bergland

Sprechkunst, i. e. S. Bez. für den künstler. Vortrag literar. Texte, i. w. S. für das auf besonderer Beherrschung von Atem-, Stimm- und Sprechtechnik beruhende Sprechen.

Sprechmelodie (Sprachmelodie), die Tonhöhenbewegung beim Sprechen.

Sprechwerkzeuge (Sprechorgane), die zum Sprechen benutzten Organe, → Laut.

Spree *die,* linker und bedeutendster Zufluss der Havel, 382 km lang (davon die unteren 147 km schiffbar); entspringt im Lausitzer Bergland, fließt, sich vielfach aufspaltend, durch den → Spreewald, den Nauendorfer See (Prahmsee), den Schwieloch-, den Müggelsee und mündet bei Spandau. Der Unterlauf der S. ist auf einer kurzen Strecke Teil des Oder-Spree-Kanals.

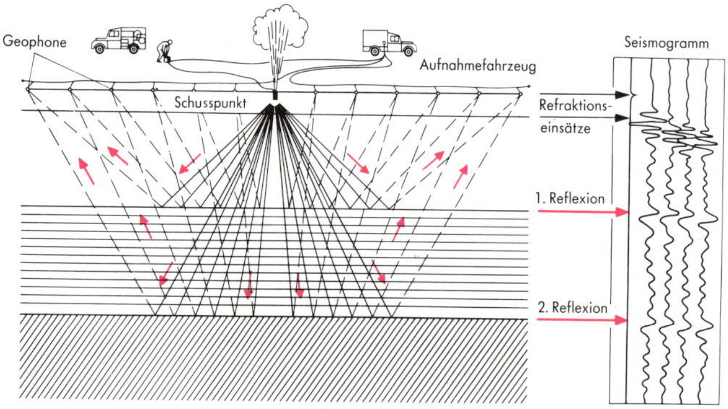

Sprengseismik: Prinzip der Reflexionsseismik; der Kurvenverlauf des Seismogramms (rechts) wird mithilfe bekannter Daten ausgewertet

Spree-Neiße, Landkreis in Brandenburg, 1662 km², (1996) 154900 Ew.; Krst. ist Forst (Lausitz).

Spreewald (sorb. Błota), Landschaft in der Niederlausitz, das von der Spree in einem Netz von Wasseradern durchzogene Glogau-Baruther Urstromtal. Der größte Teil der Niederung ist vermoort und mit Erlenbruchwald bestockt. Umfangreiche Meliorationsarbeiten wurden in den letzten Jahren durchgeführt. Die Bewohner, z. T. → Sorben, treiben Landwirtschaft, bes. Gemüsebau (Gurken, Zwiebeln). Verkehrsmittel ist vielfach noch der Kahn; bed. Fremdenverkehr (Kahnfahrten, S.-Museum und Freilichtmuseum in Lübbenau/S.). Von der UNESCO wurde der S. als Biosphärenreservat (476 km²; Bruch- und Auenwaldflora) anerkannt. BILD Deutschland

Spreizfuß, → Fußdeformitäten.

Spremberg (sorb. Grodk), Stadt im Kr. Spree-Neiße, Brandenburg, an der Spree, im Niederlausitzer Braunkohlengebiet, 23400 Ew.; nördlich von S. Talsperre (42,7 Mio. m³, 9,9 km²). Behälterbau, Ferrolegierungswerk, Kunststoffverarbeitung, Textilind., Wärmekraftwerk. – Spätgot. Pfarrkirche (1. Hälfte des 16. Jh.); das Schloss wurde nach 1731 unter Verwendung älterer Bauteile als dreigeschossiger Barockbau errichtet. – Neben einer um 1200 angelegten Burg entstand die 1301 als Stadt bezeugte Siedlung; war bis 1993 Kreisstadt.

Sprendlingen, seit 1977 Stadtteil von → Dreieich.

Sprengel, kirchl. (Diözese, Pfarrei) oder weltl. (Gerichts-S.) Amtsbezirk.

Sprengel, Bernhard, Industrieller und Kunstsammler, *Hannover 17. 4. 1899, † ebd. 22. 1. 1985; schenkte eine Sammlung von Gemälden, Grafiken und Skulpturen des 20. Jh. (u. a. Werke von E. Nolde, P. Klee, E. L. Kirchner, K. Schwitters) 1969 seiner Vaterstadt, die 1979 einen Neubau (Erweiterungsbau 1991/92) für das Kunstmuseum Hannover mit der Sammlung Sprengel eröffnete.

Sprengen, plötzl. Verändern des Gefüges bzw. der Lage eines Gesteins oder Bauwerks durch Sprengstoffe. Die Sprengstoffe werden dazu in Bohrlöcher eingebracht, die außen abgedichtet (verdämmt) sind, und über eine Zündschnur gezündet werden. Beim Aufleger-S. wird der Sprengstoff direkt an dem zu zerkleinernden Objekt angebracht; es dient z. B. im Bergbau zur Gewinnungssprengung.

Sprenggranate, Hohlgeschoss der Artillerie mit Sprengladung, dessen Wirkung auf der großen Zahl der Granatsplitter und auf der Druckwelle (Gasschlagwirkung) beruht.

Sprengkapsel (früher Zündhütchen), Hülse aus Kupfer oder Aluminium, die mit einem Initialsprengstoff und einem energiereichen Sekundärsprengstoff gefüllt ist; dient als Zündmittel zur Einleitung von Detonationen.

Sprenglaut (Verschlusslaut), *Sprachwiss.*, durch Lösen eines Verschlusses entstehender → Laut, z. B. *b*, *p*.

Sprengmittel, die zu einer Sprengung notwendigen, in Patronen, Pakete oder Säcke abgefüllten Sprengstoffe (→ Explosivstoffe) sowie die Zündmittel (→ Sprengkapsel, → Zündschnur).

Sprengpunkt, Punkt der Geschossflugbahn, an dem ein mit Zeitzünder verfeuertes Geschoss detoniert. Die senkrechte Höhe über dem Ziel ist die Sprenghöhe, der waagerechte Abstand vom Ziel die Sprengweite.

Springbock (Körperlänge bis zu 1,5 m; Schulterhöhe bis zu 90 cm)

Sprengring, offener Ring aus federndem Material zur axialen Festlegung von Maschinenteilen (z. B. von Lagern auf Wellen) und zur Schraubensicherung.

Sprengseismik, die Erzeugung elast. Bodenwellen durch Sprengungen sowie ihre Aufzeichnung und geophysikal. Auswertung. Aus der Ausbreitungsgeschwindigkeit der Wellen kann auf den Aufbau der Erdkruste geschlossen werden. Die S. wird z. B. in der Lagerstättenforschung (Erdöl) angewendet. Bei der überwiegend angewandten Reflexionsseismik werden die entsprechenden Größen der direkt reflektierten Wellen ausgewertet.

Sprengstoffe, → Explosivstoffe, → Wettersprengstoffe.

Sprengwerk, *Brückenbau:* Baukonstruktion (Trag- oder Hilfswerk) aus Holz, Stahl oder Stahlbeton zur Aufnahme von Strecken- oder Einzellasten und deren Abführung in seitl. Auflager. Ggs.: → Hängewerk.

Spreu (Kaff, Überkehr), beim Dreschen der Körnerfrüchte abfallende Spelzen, Grannen, entkörnte Ähren.

Sprichwort, volkstüml. Form der bildl. Rede; kurzer Spruch oder Lebensregel, für die besondere sprachl. Mittel (z. B. Alliteration, Reim, Parallelismus der Satzglieder), Bildlichkeit, Prägnanz und Witz kennzeichnend sind. Seine Allgemeingültigkeit gewinnt das S. aus der Formulierung einer kollektiven Erfahrung, die den Anspruch erhebt, weder schichtspezifisch noch historisch gebunden zu sein (z. B. »Wer andern eine Grube gräbt, fällt selbst hinein.«). Die Urheber bleiben anonym.

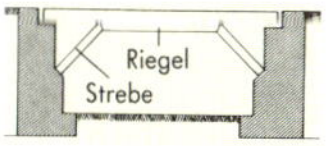

Sprengwerk

Spring [sprɪŋ], Howard, engl. Schriftsteller, *Cardiff 10. 2. 1889, †Falmouth 3. 5. 1965; schilderte das Leben der walis. Berg- und der nordengl. Industriearbeiter (»Geliebte Söhne«, R., 1938; »Tumult des Herzens«, R., 1953).

Spring|antilopen, → Gazellen.

Springbock (Antidorca marsupialis), Art der Gazellen im südl. Afrika mit leierförmigem Gehörn, braun, an Gesicht und Unterseite weiß.

Springbogen, Strichart bei Streichinstrumenten, → sautillé.

Springbohne (Sebastiana palmeri), im trop. Amerika beheimateter, Milchsaft führender, giftiger Strauch der Wolfsmilchgewächse, dessen Samen mehrere Millimeter hoch hüpft, wenn eine Schmarotzerlarve sich darin bewegt.

Springbrunnen, Brunnen, bei dem Wasser aus einer Düse als Strahl nach oben steigt und in ein Becken zurückfällt (Fontäne); kann auch mehrere Düsen aufweisen (Wasserspiele).

Springe, Stadt im Landkreis Hannover, Ndsachs., am Deister und Osterwald; 29 800 Ew.; Jagdmuseum (im Jagdschloss, 1838–42) am Saupark (mit Wisentgehege), zahlreiche Fachwerkhäuser, Fremdenverkehr; elektrotechn. Ind., Maschinenbau, Holzverarbeitung. – Seit dem 10. Jh. bezeugt, 1342 erstmals als Stadt genannt.

Axel Springer

Springer, Schachfigur, Zugmöglichkeit: ein Feld in gerader und ein Feld in schräger Richtung (Rösselsprung).

Springer, Axel Caesar, Verleger, *Altona (heute zu Hamburg) 2. 5. 1912, †Berlin 22. 9. 1985; baute seit 1945 in Hamburg und Berlin seinen Zeitungs- und Zeitschriftenverlag auf und durch Engagement im privaten Rundfunk zum → Springer-Konzern aus.

Springer-Konzern, eigtl. Axel Springer Verlag AG, Medienkonzern, gegr. 1945 zunächst als Buchverlag von A. C. Springer mit dem Hammerich &

Sprichwort

In Luthers Übersetzungen erscheint gelegentlich der bezeichnende Randvermerk »Das ist auff sprichworts weise geredt«. Luthers Interesse an Sprichwörtern dokumentiert eine eigenhändig angelegte Sammlung von fast 500 Beispielen, die erst 1900 veröffentlicht wurde. Auch da wird dem Volk »aufs maul« geschaut:

»Zween hunde
beissen einen«.
»Er hat sich ynn der weisheit
beschissen«.
»Ein bube auffm ros
Ein bubin auffm schlos
Ein laus ym grind
Sind drey stoltze ding«.

Lesser Verlag (gegr. 1789) seines Vaters Hinrich (*1880, †1949); AG seit 1970; Sitz: Berlin (seit 1967), vorher Hamburg. Der S.-K. ist der größte dt. Anbieter von Tageszeitungen (z. B. »Hamburger Abendblatt«, »Bild«, »Die Welt«; die Sonntagszeitungen »Welt am Sonntag«, »Bild am Sonntag«). Weitere Zeitungen und Zeitschriften sind u. a. »Auto-Bild«, »Bild der Frau«, »Sport-Bild«, »Computer-Bild« und die Programmzeitschrift »Hörzu«. Romanreihen (jährl. Auflage: 27 Mio.) erscheinen im Cora Verlag. Zum S.-K. zählen auch der Ullstein Verlag und mehrere Druckereien. In den elektron. Medien ist der S.-K. beteiligt an privaten Hörfunksendern (u. a. Radio Schleswig-Holstein, Antenne Bayern), an privaten Fernsehgesellschaften (SAT 1); weitere Beteiligungen im Bereich Filmproduktion und -vertrieb sowie an der Sportrechteagentur ISPR (50 %).

Springmäuse: Wüstenspringmaus (Größe 10-15 cm)

📖 SARKOWSKI, H. *u.* GÖTZE, H.: *Der Springer-Verlag. Stationen seiner Geschichte, 2 Bde. Berlin u. a. 1992–94.*

Springfield ['sprıŋfi:ld], **1)** Hauptstadt (seit 1837) des Staates Illinois, USA, 105 200 Ew.; Univ.; Handels- und Finanzzentrum eines reichen Agrargebiets, jährl. Landwirtschaftsmesse; Landmaschinenbau, Nahrungsmittel-, chem. Industrie. – Bis 1861 Wirkungsstätte von A. Lincoln (zahlr. Gedenkstätten, u. a. Wohnhaus, Grabmal).

2) Stadt in SW-Missouri, USA, am Rand der Ozark Mountains, 141 000 Ew.; kath. Bischofssitz; Univ.; Stahl-, Bekleidungs-, Holz- u. a. Industrie.

Springflut (Springtide), → Gezeiten des Meeres.

Springkraut (Impatiens), Gattung der Balsaminengewächse, meist im trop. Afrika und Asien; Kräuter oder Halbsträucher; Frucht eine aufspringende, die Samen wegschleudernde Kapsel. Einheimisch das **Echte S. (Rührmichnichtan,** Impatiens noli-tangere), Blüten goldgelb, innen mit roten Punkten, und das **Garten-S. (Balsamine,** Impatiens balsamina) mit verschiedenfarbigen Blüten. Topfpflanze ist das aus Afrika stammende **Fleißige Lieschen** (Impatiens walleriana) mit meist roten, lang gespornten Blüten. Urspr. als Gartenpflanzen aus Asien eingeführt und inzwischen verwildert sind das **Kleinblütige S.** (Impatiens parviflora) mit hellgelben Blüten und das **Drüsige S.** (Impatiens glandulifera) mit rötl. Blüten.

Springkraut: Fleißiges Lieschen

Springmäuse (Springnager, Dipodidae), Familie der Nagetiere in Trockengebieten und Wüsten Asiens und N-Afrikas; Länge 4–15 cm; Schwanz weit über körperlang, mit Endquaste; Hinterbeine stark verlängert, Vorderbeine kurz; bewegen sich in großen Sprüngen (auf zwei Beinen); nachtaktiv, u. a. die **Wüsten-S.** (Jaculus jaculus).

Springprozession, Prozession mit vom übl. Gang abweichender Schrittfolge: nach rechts und links oder vor und zurück, v. a. die S. in → Echternach.

Springreiten, *Pferdesport:* in fünf Leistungsklassen (Klasse E = Einsteigerklasse, A = Anfängerklasse, L = leichte Klasse, M = mittlere Klasse, S = schwere Klasse) ausgetragene Leistungsprüfung auf einem 600–1200 m langen Parcours mit einer bestimmten Anzahl versch. hoher und breiter, abwerfbarer Hindernisse in einer vorgegebenen Zeit; Strafpunkte gibt es für Fehler beim Überspringen (Hindernisfehler), Verweigerung oder Zeitüberschreitung. Außer den Standardspringprüfungen gibt es Spezialspringprüfungen, z. B. Mannschafts-S. und Stilspringprüfungen, bei denen bis zu zehn Wertnoten vergeben werden. Bei Springreiterwettbewerben für Anfänger werden bis zu zehn Wertnoten vergeben, ebenfalls bei Springpferdprüfungen für Rittigkeit und Springmanier der jungen Pferde. – S., früher auch Jagdspringen gen., ist seit 1900 olymp. Disziplin mit Einzel- und

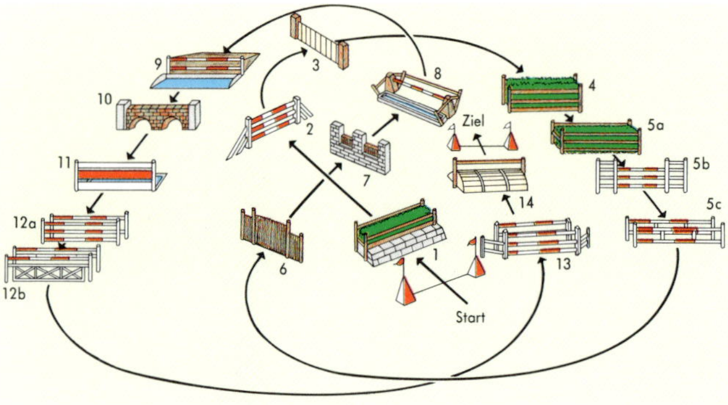

Springreiten: Beispiel für einen Parcours; 1 niedrige Mauer mit Doppelstangen, 2 Palisade, 3 Gutstor, 4 Hecke mit Barriere, 5a Oxer, 5b Tivolibarrieren, 5c offener Oxer, 6 Rivierazaun, 7 Parkmauer, 8 Wassertrog mit Stangen, 9 Wassergraben, 10 irländische Mauer, 11 Wassergraben mit Stationata, 12a Birkenstangen, 12b Birkengatter, 13 schwedischer Doppelzaun, 14 Hochweitsprung

Mannschaftswettbewerb, seit 1953 Welt- und seit 1957 Europameisterschaften.

Springschrecken, → Heuschrecken.

Springschwänze (Collembolen, Collembola), Ordnung der primär ungeflügelten Urinsekten mit 0,2–10 mm großen, z. T. weltweit verbreiteten Arten, die weiß, grau, grün, violett oder bunt gefärbt sind. Die S. tragen auf dem vierten der sechs Hinterleibssegmente eine Sprunggabel, mit der sie sich im Bogen vorwärts stoßen. Viele S. sind blind, andere haben Punktaugen. Zu den S. gehört u. a. der auf Eis und Schnee lebende **Gletscherfloh** (Isotoma saltans).

Springspinnen (Hüpfspinnen, Salticidae), Familie der Spinnen, die die Beute im Sprung ohne Fangnetze jagen; in Mitteleuropa u. a. die **Harlekinspinne** (Salticus scenicus) mit Schwarzweißzeichnung auf dem Körper.

Springsteen ['sprɪŋstiːn], Bruce, amerikan. Rocksänger und -gitarrist, *Freehold (N. J.) 23. 9. 1949; greift in seinen balladenhaften, ausdrucksstarken Songs, von denen er viele selbst schreibt, v. a. gesellschaftskrit. Themen auf. Zu seinen erfolgreichsten LPs gehören »Born in the U. S. A.« (1984), »Tunnel of Love« (1987).

Springwurmwickler (Sparganothis pilleriana), Schmetterling mit etwa 2 cm Spannweite, verschiedenfarbig, von Europa bis O-Asien verbreitet. Die Raupe überwintert am Rebholz; die Larve befällt im Frühjahr Knospen und Blätter. Bei Beunruhigung schnellt die Raupe (bis 2,5 cm lang) ruckartig rückwärts. Der S. lebt auch an Laubhölzern, Hopfen, Erdbeeren und Brombeeren.

Sprinkler|anlagen [von engl. to sprinkle »sprengen«], → Feuerlöschanlagen.

Sprint [engl.] *der, Sport:* Kurzstreckenwettbewerb mit höchster Geschwindigkeitsentfaltung, z. B. in der Leichtathletik alle Laufstrecken bis 400 m.

Spritze, 1) *Medizin:* → Injektion.

2) *Technik:* Gerät zum Ausstoßen einer Flüssigkeit oder eines pulverförmigen Stoffes in feinem Strahl, z. B. zum Feuerlöschen.

Spritzgießen (Spritzguss), Verfahren zur Herstellung von Kunststoff-Formteilen, das in einem Arbeitsgang vom ungeformten Rohstoff zum fertigen Gegenstand führt. Die pulver- oder granulatförmige Spritzgießmasse wird durch eine Spritzgießmaschine mit hohem Druck dem formgebenden Spritzgießwerkzeug zugeführt. Nach der Erstarrung des Spritzlings durch Abkühlung oder (bei Duroplasten) durch Vernetzen wird das fertige Formteil entnommen.

Spritzgurke (Eselsgurke, Ecballium elaterium), einjähriges Kürbisgewächs der Mittelmeerländer mit gelbgrünen, getrenntgeschlechtigen Blüten und eigroßen, stachelwarzigen Früchten, die nach der Reife vom Stiel springen und das Innengewebe mit den Samen ausspritzen.

Spritzpistole (Farbenzerstäuber), pistolenförmiges Gerät zum Aufspritzen von flüssigen oder staubförmigen Stoffen auf Metall, Holz, Gewebe, Leder u. a., meist mit Druckluft betrieben. Als Flüssigkeiten werden Farbstoffe, Lacke u. a. Anstrichstoffe, auch schmelzflüssige Stoffe wie Metall oder Paraffin verspritzt.

Spritzpressen (Transferpressen), Verfahren zum Herstellen von Kunststoff-Formteilen aus härtbaren → Formmassen, die in einem Spritzzylinder erhitzt und von dem Spritzstempel mit hohem Druck in die Form des auf Härtungstemperatur (meist 130–190 °C) beheizten Spritzpresswerkzeugs gepresst werden.

Spritzwürmer (Sipunculida), Meereswürmer mit walzenförmigem Rumpf und ausstülpbarem, hakenbesetztem Rüssel; in Sand- und Schlammböden oder Gesteinslücken.

spröd, hart und doch brüchig, nicht elastisch; leicht pulverisierbar (von Mineralien gesagt); bei spröden Werkstoffen tritt nach Überschreitung der Elastizitätsgrenze **Sprödbruch** auf.

Spross (Trieb), der aus den Grundorganen S.-Achse und Blatt gebildete, aus der S.-Knospe hervorgehende Teil des Vegetationskörpers der S.-Pflanzen. Er entwickelt sich meist oberirdisch (Luft-S.), bei Wasserpflanzen untergetaucht (Wasser-S.), auch ganz oder teilweise unterirdisch (Rhizom, S.-Knolle, Zwiebel). Je nach Art des Wachstums und der Funktion der Blätter werden Laub-S. (unbegrenztes Spitzenwachstum, Blätter als Assimilations- oder Speicherorgane) und Blüten (begrenztes Wachstum, Blätter als Schauapparate und Fortpflanzungsorgane) unterschieden.

Sprossenkohl, der → Rosenkohl.

Sprosser (Polnische Nachtigall, Luscinia luscinia), mit der Nachtigall nah verwandte Drossel (Gattung Erdsänger); etwa 17 cm lang; Oberseite rötlich braun, Unterseite grauweißlich, Brust dunkler als bei der Nachtigall; verbreitet von N- und O-Europa bis nach Westsibirien.

Springspinnen: Harlekinspinne (Körperlänge 5–7 mm)

Bruce Springsteen

Spritzgurke (Höhe bis zu 60 cm)

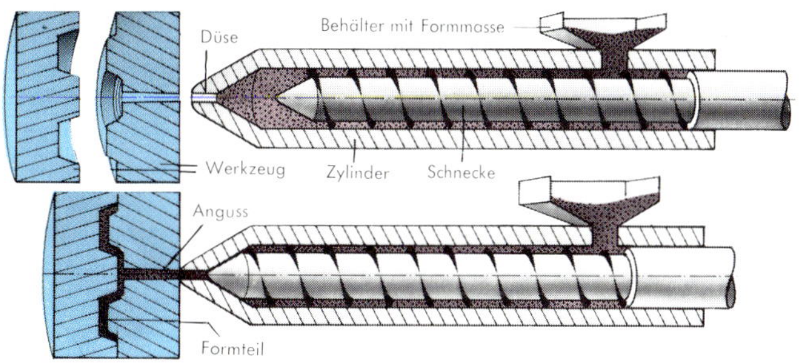

Spritzgießen: Ausgangsstellung nach Entformen der vorangegangenen Spritzung, darunter das Schließen des Werkzeugs und Einspritzung der Spritzgießmasse

Sprotte
(Länge 10-15 cm)

Sprosspflanzen, die →Kormophyten.

Sprotte [niederdt., zu Spross] (Sprott, Brisling, Breitling, Sprattus sprattus), 10–15 cm langer Heringsfisch, in der Nord- und Ostsee häufig; kommt gesalzen und geräuchert, bes. als **Kieler S.,** sowie mariniert als Anchovis auf den Markt.

Spruch, literar. Gattung mit lehrhaften Elementen (→Spruchdichtung).

Spruchdichtung, 1) von K. Simrock eingeführte Bez. für mhd. Lieder und Gedichte über religiöse, polit. und moral. Fragen und mit Kritik an kirchl. und weltl. Zuständen. Der **Sangspruch** (dem Lied verwandt und strophisch gegliedert) wurde gesungen vorgetragen. Bed. Spruchdichter: Walther von der Vogelweide, Reinmar von Zweter, Bruder Wernher, der Marner und Frauenlob. Der zum Sprechvortrag bestimmte **Sprechspruch** (meist vierhebige Reimpaare ohne Stropheneinteilung) mit seiner didakt., vielfach unmittelbar moralisierenden Tendenz wurde v.a. von Heinrich dem Teichner, H. Folz und H. Rosenplüt ausgeformt.

2) germanische gnomische Dichtung, die, dem Sprichwort verwandt, in stab- sowie silbenreimenden Versen und Strophen Lebensweisheiten, Rätsel- und Zaubersprüche überliefert.

Sprüche Salomos (in der Vulgata Proverbia), Abk. **Spr.,** Buch des A. T., von der jüd. Tradition König Salomo zugeschrieben; enthält Lehrreden und Einzelsprüche, die das Wesen der Weisheit entfalten; nach der →Babylonischen Gefangenschaft zusammengestellt.

Spruchkammern, mit Laien besetzte, in Form eines Gerichts verhandelnde Institutionen, die ab 1946 die Prüfungsverfahren im Rahmen der →Entnazifizierung durchführten.

Sprudel, an freiem Kohlendioxid reiches Mineralwasser (meist mit Kohlensäure versetzt).

Sprudelstein, in heißen Quellen vorkommende Art des Minerals →Aragonit.

Sprue [spru:, engl.] *die,* Syndrom mit mangelhafter Absorption von Nährstoffen, Vitaminen und Mineralstoffen im Dünndarm (Malabsorption). Der **einheim. S.** (bei Auftreten im Kleinkindalter als →Zöliakie bezeichnet) liegt eine Unverträglichkeit gegenüber Gliadin, einem Bestandteil des Klebereiweißes Gluten (enthalten in Weizen, Roggen, Gerste und Hafer), zugrunde. Die Behandlung besteht in glutenfreier Ernährung. Die Ursache der epidemisch auftretenden **trop. S.** ist unbekannt. Symptome sind u. a. Durchfälle, voluminöse Fettstühle, Schwäche und Gewichtsverlust. Die Behandlung erfolgt mit Antibiotika und Folsäure.

Sprung, 1) *Datenverarbeitung:* durch einen S.-Befehl oder eine S.-Anweisung ausgelöste Verzweigung innerhalb eines Programms, dessen Fortsetzung an einer durch das S.-Ziel (→Label) festgelegten Stelle erfolgt.

2) *Geologie:* →Verwerfung.

3) *Tierhaltung:* der vom Tierhalter gesteuerte Begattungsakt bei Haustieren.

Sprungbein, einer der Fußwurzelknochen (→Fuß).

Sprungbrett, *Sport:* federnde Absprunghilfe beim Turnen und Wasserspringen.

Sprungfunktion, mathemat. (Zeit-)Funktion, die als Produkt aus der Größe des Sprungs und der **Einheits-S.** definiert ist; diese nimmt für den Zeitraum $t<0$ den Wert 0 und für $t \geq 0$ den Wert 1 an. Signalverläufe vom Charakter einer S. werden als Testsignale in der System- und Regelungstheorie benutzt.

Sprunggelenk, Verbindung zw. dem Sprungbein und den Knochen des Unterschenkels **(oberes S.)** sowie zw. dem Sprungbein und benachbarten Fußwurzelknochen **(unteres Sprunggelenk).**

Sprunglauf, →Skispringen.

Sprungrevision, *Recht:* →Revision.

Sprungschanze (norweg. Bakken), *Skisport:* Anlage für →Skispringen und Skifliegen; besteht aus Anlaufbahn (Neigung 30–35°) mit versch. Absprungluken, Schanzentisch (Neigung 7–11°), von dem der Absprung erfolgt, Aufsprungbahn mit blauer Markierung des Anfangspunkts P des Landebereichs (Stelle, an der unter normalen Bedingungen eine gefahrlose Landung möglich ist) und roter Markierung des kritischen Punkts K (Stelle, nach der die Landung mit einem erhöhten Risiko

Sprungschanze: Luftbildaufnahme der Sprungschanzen in Garmisch-Partenkirchen

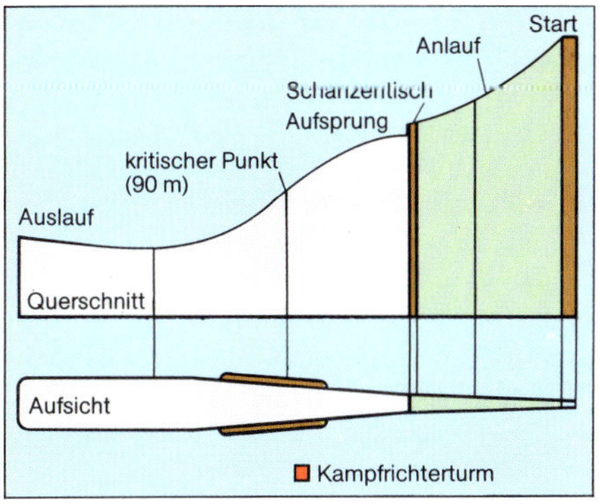

Sprungschanze: Querschnitt und Aufsicht einer 90 m-Sprungschanze

verbunden ist) und Auslauf. Etwa 20–30 m nach Ende des Übergangsbogens in den Auslauf befindet sich eine markierte Sturzlinie. Nach der K-Punkt-Weite unterscheidet man kleine (20–49 m), mittlere (50–69 m), Normal- (70–99 m) und Großschanze (100–120 m) sowie Flugschanze (145–185 m).

Sprungschicht, *Meereskunde:* Grenzschicht zw. zwei horizontal angeordneten Wasserschichten unterschiedl. Dichte und therm. Schichtung. – Bei Binnenseen heißt die S. →Metalimnion.

Sprungtemperatur, →Supraleitung.

Sprungtuch, Rettungsgerät der Feuerwehr; ein starkes Segeltuch (3,50 m × 3,50 m) zum Auffangen gefährdeter Personen, die aus den oberen Stockwerken von Gebäuden abspringen müssen. Das **Sprungpolster** ist ein durch Luftkammern gepolstertes Sprungtuch.

SPS, Abk. für: **1)** **s**peicher**p**rogrammierbare **S**teuerung (→Steuerung).

2) →**S**ozialdemokratische **P**artei der **S**chweiz.

Spühler, Willy, schweizer. Politiker, *Zürich 31. 1. 1902, †ebd. 31. 5. 1990; 1938–55 Nationalrat, 1955–59 Ständerat, 1959–70 Bundesrat (1966–70 Leiter des Polit. Departements); 1963 und 1968 Bundespräsident.

Spuk, Sammelbegriff für Erscheinungen, die durch ihre anscheinende Unerklärlichkeit den Charakter des Unheimlichen tragen, z. B. Klopf- und Trittgeräusche, Bewegungen von Gegenständen, Zerstörungen, Verschwinden und Wiederauftauchen von Objekten, übernatürl. Wesen, Erscheinung von Verstorbenen.

Spule, 1) *Elektrotechnik:* Bauelement aus meist vielen Windungen eines isolierten Drahtes, deren Form und Zahl die Induktivität (→Induktion) bestimmt. Ist die S. auf einen eisenhaltigen Kern gewickelt, heißt sie Eisenkern- oder Ferritkern-S.; S. ohne Kern heißen Luft-S. S. werden als induktive Wechselstromwiderstände, Filter, Drosseln oder Schwingkreise verwendet.

2) *Textiltechnik:* zylindr. oder kon. Körper zum Aufwickeln von z. B. Garn, Draht.

Spülung, bei Verbrennungsmotoren das Entfernen der verbrannten Gase aus den Zylindern.

Spulwürmer (Askariden, Ascarididae), Familie der Fadenwürmer, mit zahlr., bis 40 cm langen, im Darm von Wirbeltieren (einschl. Mensch) parasitierenden Arten; Entwicklung ohne Zwischenwirt. Die Eier gelangen mit dem Kot ins Freie und werden mit verschmutzter Nahrung oder Trinkwasser aufgenommen. Das Weibchen legt täglich rd. 200 000 Eier. Die Larven schlüpfen im Darm, durchbohren die Darmwand und gelangen mit dem Blutstrom in die Lungen, von dort in die Mundhöhle und werden verschluckt. Erst danach verbleiben die S. im Dünndarm und werden geschlechtsreif. – Eine bekannte Gattung ist **Ascaris** mit dem etwa 25 cm (Männchen) bis 40 cm (Weibchen) langen **Menschenspulwurm** (Ascaris lumbricoides), der im Dünndarm des Menschen parasitiert.

Willy Spühler

Spundwand, senkrechte, möglichst wasserdichte Wand als selbstständiges Bauwerk (Ufermauer, Schleusenwand) oder Umschließung einer Baugrube.

Spur, 1) *Datenverarbeitung:* Bereich eines flächenhaften Speichermediums (v. a. von Magnetschichtspeichern), in dem die elementaren Dateneinheiten (Bytes) als sequenzielle Bitmuster dargestellt werden.

2) *Jägersprache:* →Fährte.

3) *Mathematik:* die Summe der Diagonalelemente einer quadrat. →Matrix.

Spuren|analyse, Sammelbez. für die analyt. Methoden, durch die Mikromengen einer Substanz in Makromengen von anderem Material zu erfassen sind (→Mikroanalyse). Unter »Spuren« versteht man i. Allg. Konzentrationen unter 0,01 % (100 ppm). Dieser Bereich lässt sich unterteilen in (Angaben in ppm): Spuren (10^{2}–10^{-4}), Mikrospuren (10^{-4}–10^{-7}), Nanospuren (10^{-7}–10^{-10}) und Pikospuren (10^{-10}–10^{-13}), wobei 100 ppm als obere Grenze genommen wird.

Spuren|elemente (Mikronährstoffe), Bez. für eine Reihe von chem. Elementen, die für die menschl., tier. und pflanzl. Ernährung und den Stoffwechsel unentbehrlich sind, jedoch nur in sehr geringen Mengen benötigt werden. S. für Mensch und Tier sind Eisen, Mangan, Kupfer, Kobalt, Zink, Fluor und Jod. Bei Pflanzen sind es Mangan, Kupfer, Zink, Molybdän, Bor und Chlor. Die S. sind meist Bestandteile von Enzymen, Vitaminen und Hormonen. Ihr Fehlen (durch einseitige Ernährung bzw. Bodenmüdigkeit) ruft Mangelkrankheiten hervor.

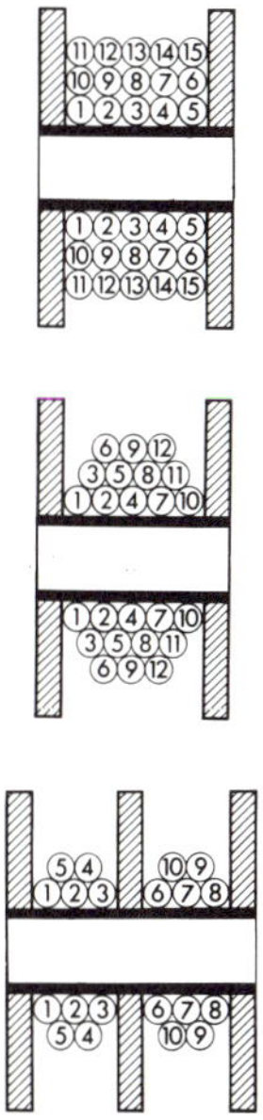

Spule 1): verschiedene Wicklungsarten (von oben); Lagenwicklung, Stufenwicklung, Kreuz- oder Honigwabenwicklung

Spurenkammer, Sammelbez. für Geräte, die die Bahnen von Ionen oder geladenen Elementarteilchen sichtbar und fotografierbar machen, v. a.

Spurensicherung: Nikolaus Lang, »For the vanished tribes of the Flinders Ranges«, Moorhölzer und Torf (1984/86; Privatbesitz)

→Nebelkammer, →Blasenkammer und →Gasspurkammern (z.B. →Funkenkammer).

Spurensicherung, Richtung der zeitgenöss. Kunst, bei der unter Anwendung archäolog. und ethnolog. Methoden Relikte aus der Vergangenheit in subjektiver Interpretation zusammengestellt werden (C. Boltansky, Anne und P. Poirier, N. Lang). Die S. setzte Ende der 1960er-Jahre als Sensibilisierung der individuellen Erfahrung gegenüber den sekundären Bildwelten der Pop-Art ein und überschneidet sich teilweise mit der →individuellen Mythologie und der →Narrative Art.

Spürhaare, →Sinushaare.

Spurkranz, bei Rädern von Schienenfahrzeugen der ringförmige Wulst an der Innenseite des Radreifens. Er verhindert ein Abgleiten der Räder von der Schiene.

Spurre: Doldenspurre (Höhe bis zu 25 cm)

Spurre (Holosteum), Gattung der Nelkengewächse im temperierten Eurasien; Kräuter mit weißen bis hellrosafarbenen Blüten in wenigblütigen Scheindolden. In Dtl. kommt nur die **Dolden-S.** (Holosteum umbellatum) vor, ein bis 25 cm hohes unerwünschtes Wildkraut, auf sandigen Äckern und an Wegrainen.

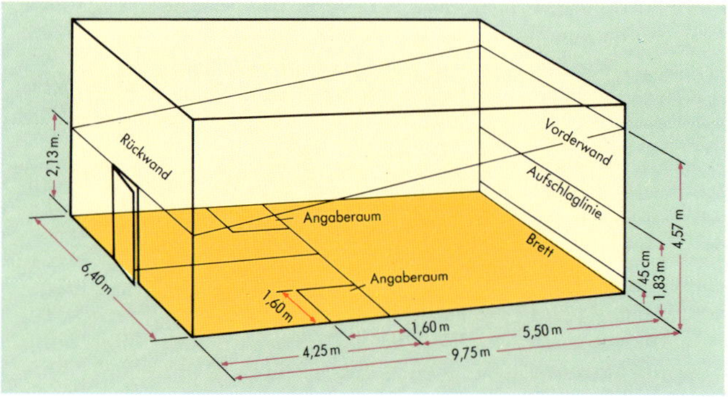

Squash: Schema des Spielfeldes mit den vorgeschriebenen Maßen

Spurt [engl.] *der, Sport:* in Rennen die höchste Geschwindigkeitsentfaltung über kurze Zeit, während des Rennens als **Zwischen-S.,** im Endkampf als **Endspurt.**

Spurweite, 1) *Eisenbahn:* der Abstand zw. den Innenkanten der Schienenköpfe eines Gleises; sie beträgt bei Normalspur (Regel-, Vollspur) 1435 mm. Daneben bestehen größere S., Breitspur, und kleinere S., Schmalspur (→Eisenbahnbau).

2) *Kfz-Technik:* bei Kraftwagen der Abstand der Reifenmitten beider Räder einer Achse, bei Doppelreifen der Abstand der Mitten der Zwillingsreifen.

Sputnik [russ. »Weggefährte«] *der,* Name der ersten drei sowjet. Satelliten. (→Raumfahrt)

Sputtering ['spʌtərɪŋ, engl.] *das* (eingedeutscht Sputtern), Bez. für →Kathodenzerstäubung.

Sputum [lat.] *das,* der →Auswurf.

Spyri ['ʃpiri], Johanna, geb. Heusser, schweizer. Schriftstellerin, *Hirzel (bei Zürich) 12. 6. 1827, †Zürich 7. 7. 1901. Ihre Geschichten von »Heidi« (1880, 1881; mehrfach verfilmt) machten sie zu einer der weltweit bekanntesten Kinderbuchautorinnen.

📖 Villain, J.: *Der erschriebene Himmel. J. S. u. ihre Zeit. Zürich u. a. 1997.*

Square ['skweə, engl.] *der* oder *das,* Abk. **sq,** im angloamerikan. Raum Vorsatz vor Längeneinheiten zur Bildung einer Flächeneinheit, z.B. beim square foot (sq ft).

Squaredance ['skweədɑ:ns, engl.] *der,* volkstümlicher nordamerikan. Tanz, bei dem sich vier Paare im Quadrat gegenüberstehen; die Figuren und Partnerwechsel werden nach den Anweisungen eines Ansagers (engl. caller) ausgeführt.

Squash [skwɔʃ; engl. »weicher Körper«] *das* (Squashrackets), mit einem Vollgummiball und Schlägern in einem geschlossenen Raum von 6,40 m × 9,75 m × 4,60 m gegen die Wand gespieltes Rückschlagspiel (Einzel und Doppel) um drei Gewinnsätze zu je neun Gewinnpunkten, die sich aus gegner. Fehlern bei eigenem Aufschlag ergeben.

Squaw [skwɔ:, Algonkin] *die,* aus dem Englischen übernommene Bez. für Indianerfrau.

Squaw Valley ['skwɔ: 'vælɪ], Ort und Wintersportplatz im N der Sierra Nevada, Kalifornien, USA, 1889 m ü.M.; 2200 Ew.; Austragungsort der Olymp. Winterspiele 1960.

SQUID [Abk. für engl. **s**uperconducting **qu**antum **i**nterference **d**evice, »supraleitendes Quanteninterferometer«], ein auf den →Josephson-Effekten beruhendes hoch empfindl. Quanteninterferometer zur Messung schwacher Magnetfelder (bis herab zu 10^{-14} T). Es besteht im Wesentlichen aus einem supraleitenden Stromkreis mit ein oder zwei Josephson-Kontakten, wobei Änderungen des durch die Josephson-Kontakte hindurchtreten-

Sri Lanka

Fläche: 65 610 km²
Einwohner: (1995) 18,35 Mio.
Hauptstadt: Colombo
Verwaltungsgliederung: 9 Provinzen
Amtssprachen: Singhalesisch und Tamil
Nationalfeiertag: 4. 2.
Währung: 1 Sri-Lanka-Rupie (S.L.Re.) = 100 Sri-Lanka-Cents (S.L.Cts.)
Zeitzone: MEZ + 4 Std. und 30 Minuten

den magnet. Flusses eine Änderung der elektr. Stromstärke bewirken. SQUIDs, für deren Bau bereits Hochtemperatur-Supraleiter eingesetzt werden, dienen z.B. in der Medizin zur Messung von Herz- und Gehirnströmen.

Squire ['skwaıə; engl., gekürzt von Esquire] *der,* in Großbritannien Bez. für den zur Gentry gehörenden Gutsherrn; in den USA gelegentlich auch Anrede für Friedensrichter und Anwälte.

sr, Einheitenzeichen für →Steradiant.

Sr, chem. Symbol für →Strontium.

Srbik ['zır-], Heinrich Ritter von, österr. Historiker, *Wien 10. 11. 1878, †Ehrwald 16. 2. 1951; 1929/30 Unterrichtsmin., 1938–45 MdR; sah als führender Vertreter der gesamtdt. Geschichtsauffassung (ohne Nationalsozialist gewesen zu sein) sein nationalpolit. Ideal nach 1938 verwirklicht.

Werke: Metternich (3 Bde., 1925–54); Dt. Einheit (4 Bde., 1935–42); Geist und Geschichte vom dt. Humanismus bis zur Gegenwart (2 Bde., 1950/51).

Sre̱brenica [-tsa], Stadt in O-Bosnien, mit (1995) 44 000 Ew., davon zahlr. Flüchtlinge. Die nach Ausbruch des Bürgerkriegs zur Schutzzone der UN erklärte Stadt wurde im Juli 1995 von bosn. Serben erobert, die die Bev. vertrieben, wobei mehrere Tausend Menschen offenbar ermordet wurden.

Sre̱dna go̱ra, Gebirge im mittleren Bulgarien, südlich des Balkans, im Bogdan 1 604 m ü. M.; stark bewaldet, dank Mineralquellen mehrere Kurorte.

Sre̱mski Ka̱rlovci [-lɔvtsi] (dt. Karlowitz), Stadt in der Wojwodina, Jugoslawien, 7 000 Ew.; Sitz des serbisch-orth. Bischofs von Sirmien; Priesterseminar; Weinkellereien, Slibowitzherstellung. – Im **Frieden von Karlowitz** (26. 1. 1699), der den Großen Türkenkrieg (seit 1683, →Türkenkriege) beendete, musste das Osman. Reich Ungarn und Siebenbürgen an Österreich, andere Gebiete an Polen, Russland und Venedig abtreten.

SRG, Abk. für →**S**chweizerische **R**adio- und Fernseh**g**esellschaft.

Sri̱ La̱nka [»glückliches Lanka«] (bis 1972 Ceylon, amtlich singhales. Sri Lanka Prajathantrika Samajavadi Janarajaya, Tamil: Ilangai Jananayaka Socialisa Kudiarasu, dt. Demokratische Sozialistische Republik S. L.), Inselstaat in Südasien, umfasst die Insel Ceylon und 23 kleine Inseln im Ind. Ozean, der Halbinsel Vorderindien vorgelagert.

Staat und Recht: Nach der Verf. von 1978 ist S. L. eine präsidiale Republik. Staatsoberhaupt, oberster Inhaber der Exekutive und Oberbefehlshaber der Streitkräfte ist der auf sechs Jahre direkt gewählte Präsident. Er ernennt und entlässt den Premiermin. und die übrigen Mitgl. des Kabinetts. Die Legislative liegt bei der Nationalversammlung (225 Abg., auf sechs Jahre gewählt). Einflussreichste Parteien: Vereinigte Nationalpartei (UNP), S. L.-Freiheitspartei (SLFP), Tamil. Vereinigte Befreiungsfront (TULF).

Landesnatur: Die Insel ist vom ind. Subkontinent durch die seichte Palkstraße mit den Inseln der Adamsbrücke getrennt. Der Großteil der Insel wird von Lagunen gesäumt. Es überwiegen weit gespannte Tief- und Küstenebenen. Im südl. Teil erhebt sich ein zertaltes, nach S steil abfallendes Hochgebirge (Pidurutalagala 2 524 m ü. M., Adam's Peak 2 243 m ü. M.), das von Tiefland (schmal im S, ausgedehnt im N) umgeben ist. Das Klima ist tropisch (im S durch die Höhenlage gemildert) und von den südostasiat. Monsunen beeinflusst; regenreich im SW, trockener in dem im Regenschatten des Gebirges liegenden Nordosten.

Bevölkerung: Die Bev. besteht zu 82,7% aus meist buddhist. Singhalesen; rd. 9% sind Tamilen (meist Hindu; Jaffna-Tamilen überwiegend an der O-Küste und im N, ind. Tamilen im Hochland), rd. 7% sind Moors (Muslime; Nachkommen von Arabern). Die wenigen Ureinwohner (Wedda) leben im inneren Gebirgsland. Hauptsiedlungsgebiet ist der regenreiche SW. – Allg. Schulpflicht besteht vom 6. bis 15. Lebensjahr, der Unterricht ist unentgeltlich; es gibt zehn Univ., darunter eine buddhist. und eine offene Universität.

Staatswappen

CL

Internationales Kfz-Kennzeichen

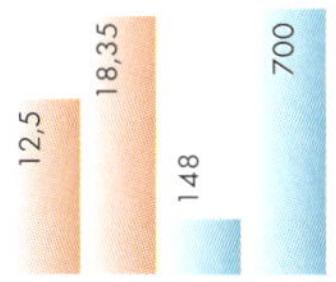

Bevölkerung (in Mio.)
Bruttosozialprodukt je Ew. (in US-$)

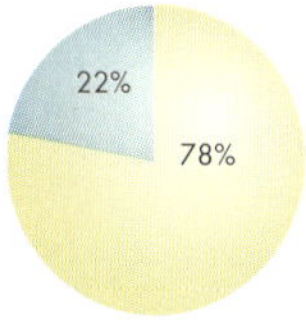

Bevölkerungsverteilung 1995

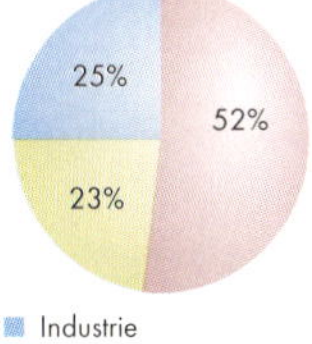

Bruttoinlandsprodukt 1995

Solomon Bandaranaike

Sirimawo Bandaranaike

Junius Richard Jayawardene

Chandrika Kumaratunga

Wirtschaft, Verkehr: Grundlage der durch den seit 1983 anhaltenden Bürgerkrieg geschwächten Wirtschaft bilden die seit 1975 zum Großteil verstaatlichten Plantagen, deren Hauptprodukte Tee, Kautschuk und Kokosnüsse fast die Hälfte der Exporteinnahmen erbringen. S. L. ist nach Indien und China der drittgrößte Teeproduzent der Welt, in der Kautschukerzeugung steht es an achter Stelle der Weltproduktion. Der Fischfang ist für einen Inselstaat nur wenig entwickelt. Im Bergbau werden Graphit, Kaolin, Titanrohstoffe, Edel- und Halbedelsteine gewonnen. Die großen Wasserressourcen des Mahaweli werden durch Kraftwerkssysteme (ständiger Ausbau) genutzt. Zu den größten Ind.unternehmen des Landes zählen eine Erdölraffinerie, ein Stahlwerk und eine Reifenfabrik; Hauptindustriestandort ist Colombo (seit 1979 und 1987 zwei freie Produktionszonen). Große Bedeutung besitzen auch das traditionelle Handwerk sowie der Fremdenverkehr. – Das Verkehrsnetz ist relativ gut ausgebaut (1450 km Eisenbahnlinien und rd. 26000 km befestigte Straßen); Fährverbindung besteht über die Adamsbrücke mit Indien. Mittelpunkt des internationalen Flugverkehrs und Haupthafen ist Colombo.

Geschichte: Die älteste Bev.schicht der Insel (alter Name in Sanskrit und Pali: **Lanka;** antike grch. Bez. **Taprobane**) wird durch die →Wedda repräsentiert. Um die Mitte des 1. Jt. v. Chr. Einwanderung einer indoar. Volksgruppe aus N-Indien (später Selbstbez. Singhalesen), die ein Königreich mit der Hptst. Anuradhapura gründete. Im 3. Jh. v. Chr. verbreiteten ind. Missionare den Buddhismus auf der Insel. Um 200 v. Chr. eroberten südind. Tamilen die Insel, wurden aber von dem späteren König Dutthagamani (161–137 v. Chr.) vertrieben, der bis heute als Nationalheld verehrt wird. Seither war sie bis zum 13. Jh. n. Chr. wiederholt Einfällen südind. Eroberer ausgesetzt und zerfiel immer wieder in Teilreiche. Dennoch war S. L. damals durch den hohen Stand seiner Bewässerungskultur und durch seine Lage an einem wichtigen Schnittpunkt des Welthandels sehr wohlhabend. Im 14. Jh. bildete sich ein von den singhales. Königen unabhängiges tamil. Königreich. Die 1505 auf der Insel gelandeten Portugiesen, die die westl. Küstengebiete und den N in Besitz nahmen, wurden 1656 von den Niederländern verdrängt; 1796 eroberte Großbritannien die Insel. 1815 setzten die singhales. Adligen den König ab und unterstellten sein Reich in der »Konvention von Kandy« Großbritannien, das nun die gesamte Insel als Kronkolonie **Ceylon** beherrschte.

Nach Erlangung der Unabhängigkeit als Dominion (4. 2. 1948) stellte die konservative UNP bis 1956 und 1965–70 den MinPräs.; dazwischen regierte die SLFP unter Solomon Bandaranaike, die im Zusammenwirken des singhalesisch-buddhist. Nationalismus mit sozialist. Ideen einen tief greifenden kulturellen und wirtsch. Wandel in Gang setzte. Nach Bandaranaikes Ermordung (Sept. 1959) folgte ihm seine Witwe Sirimawo Bandaranaike im Amt (1960–65, erneut 1970–77). Der Umsturzversuch der mit dem Sozialisierungstempo unzufriedenen Volksbefreiungsfront im April 1971 wurde mit ausländ. Waffenhilfe niedergeschlagen, doch gab er den Anstoß zu einem Sozialisierungsprogramm (u. a. Staatskontrolle über ökonom. Schlüsselbereiche, seit 1975 Verstaatlichung der Plantagen). 1972 gab sich das Land eine neue Verf. und wurde Rep. unter dem Namen S. L. Nach dem Wahlsieg der UNP unter J. R. Jayawardene 1977 wurden repressive Gesetze aufgehoben, und es erfolgte eine beschleunigte Rückkehr zur freien Marktwirtschaft. Nach der Einführung des Präsidialsystems wurde Jayawardene 1978 Staatspräs. (1982 Wiederwahl). Um die seit 1983 eskalierten blutigen Auseinandersetzungen zw. Tamilen (Forderung nach eigenem Staat) und Singhalesen zu beenden, schlossen Indien und S. L. 1987 ein Abkommen über die Landung ind. Truppen, die die Entwaffnung tamil. Rebellen (insbesondere der Liberation Tigers of Tamil Eelam) in Vorbereitung einer Autonomie für die Tamilen im N und O überwachen sollten. Dennoch kam es in der Folgezeit immer wieder zu Gefechten zw. tamil. Guerillaeinheiten und srilank. Streitkräften, in die die ind. Truppen verwickelt wurden. Die ind. Truppen wurden bis März 1990 abgezogen; der Bürgerkrieg hielt jedoch weiter an. Nach der Ermordung von MinPräs. R. Premadasa durch ein Bombenattentat (1. 5. 1993) wurde D. B. Wijetunga zum Staatspräs. gewählt; das Amt des Reg.chefs übernahm R. Wickremesinghe. Bei den Parlamentswahlen vom Aug. 1994 setzte sich die von Chandrika Kumaratunga geführte People's Alliance (PA) durch. Frau Kumaratunga, seit 19. 8. 1994 Premiermin., wurde bei den Präsidentschaftswahlen im Nov. 1994 zur Staatspräs. gewählt. Zur Premiermin. ernannte sie ihre Mutter Sirimawo Bandaranaike. Als vorrangiges Ziel ihrer Politik nannte Frau Kumaratunga die polit. Lösung des Tamilenkonflikts durch die Einführung einer föderalist. Verfassung. Gleichzeitig zeigte sie im April 1996 durch die Einnahme der Tamilenhochburg Jaffna militär. Härte.

📖 *Religion and legitimation of power in S. L., hg. v.* B. L. SMITH. *Chambersburg, Pa., 1978.* – SILVA, K. M. DE: *A history of S. L. London 1981.* – GEIGER, W.: *Culture of Ceylon in mediaeval times. Wiesbaden ²1986.* – DROUVE, A.: *S. L. Moers 1994.* – *Weltatlas der alten Kulturen, Bd. 19:* JOHNSON, G.: *Indien u. Pakistan, Nepal, Bhutan, Bangladesch, S. L. München 1995.* – KRACK, R.: *S.-L.-Handbuch. Bielefeld ³1996.*

Srinagar, Sommerhptst. des von Indien verwalteten Teils von Kaschmir (Jammu and Kashmir), im Hochbecken von Kaschmir, 1768 m ü. M., am Jhelum, 594800 Ew.; Univ.; Fremdenverkehrszentrum, vielseitiges Handwerk (Teppich-, Brokat-, Wollwebereien, Metall- und Holzverarbeitung). – Maler. Stadtbild mit zahlr. Palästen und Gärten der Mogulzeit sowie Moscheen (u. a. Shah-Hamadan-Moschee), Tempeln und Klöstern; luxuriöse Hausboote auf dem Dalsee, dort auch schwimmende Gärten (Gemüsebau auf Holzflößen) und Märkte. BILD S. 242

Srirangam, Stadt auf der Insel S. im Kaveri, im Bundesstaat Tamil Nadu, Indien, 62000 Ew. – Der gewaltige hinduist. Tempelbezirk (13.–17. Jh.) ist eine bed. Wallfahrtsstätte.

Srividjaja [srivi'dʒaja] (Sriwijaya, Srivijaya), historisches indones. Großreich, → Indonesien (Geschichte).

Środa Śląska ['ɕrɔda 'ɕlɔ̃ska] (dt. Neumarkt), Stadt in der Wwschaft Wrocław (Breslau), Polen, in Niederschlesien, 8100 Ew.; Holz-, Lebensmittel-, Bekleidungs-, Lederindustrie.

SS, Abk. für **S**chutz**s**taffel, 1925 entstandene Sonderorganisation zum Schutz Hitlers u. a. NSDAP-Funktionäre, die unter ihrem Reichsführer H. Himmler (ab 1929) zugleich den »Polizeidienst« innerhalb der NSDAP ausübte; formal der

Sri Lanka - Wirtschaft

Sri Lanka: Teeanbaugebiet im zentralen Hochland

obersten SA-Führung, nach dem sog. Röhm-Putsch (30. 6./1. 7. 1934) Hitler unmittelbar unterstellt. Neben dem SS-Amt für die allg. Führung und Verwaltung bestand Himmlers Führungsapparat ab 1931 aus dem Rasse- und Siedlungsamt, später **Rasse- und Siedlungshauptamt** (Abk. RuSHA) und dem SD-Amt (SD: Abk. für **Sicherheitsdienst**), dem von R. Heydrich gegr. Nachrichtendienst gegen polit. Gegner und innerparteil. Oppositionelle, ab 1936 offizieller Nachrichtendienst des Reiches. Himmlers Ernennung zum »Reichsführer SS und Chef der Dt. Polizei« (1936) brachte die Kopplung von Partei- und Staatsamt. Die **Sicherheitspolizei** (Gestapo und Kriminalpolizei unter R. Heydrich) wurde 1939 mit dem SD im → Reichssicherheitshauptamt zusammengeschlossen. Ab 1939/40 entwickelte sich neben der Allg. SS (1939: rd. 240000 Mitgl.) die rasch erweiterte → Waffen-SS, in der die ab 1933 aufgestellte **SS-Verfügungstruppe** (1939: 18000 Mann) und die **SS-Totenkopfverbände** zur Bewachung der KZ (Ende 1938: 8500 Mitgl.) aufgingen. Als Hauptträger des nat.-soz. Terrors wurde die SS in den Nürnberger Prozessen 1946 zur verbrecher. Organisation erklärt.

SSD, Abk. für → **S**taats**s**icherheits**d**ienst.

SSI, *Elektronik:* → Integrationsgrad.

ssp., Abk. für → **S**ub**sp**ecies.

SSR, Abk. für russ. **S**owjetskaja **S**ozialistitscheskaja **R**espublika, Sozialistische Sowjetrepublik (→ Sowjetunion).

SS-Raketenwaffen, Bez. für sowjet. Boden-Boden- und seegestützte Flugkörper; bes. bekannt wurden im Zusammenhang mit den Verhandlungen über Mittelstreckenwaffen (→ INF) die 1977 eingeführten **SS-20** (drei nukleare Gefechtsköpfe, Reichweite 5000 km).

SSSR, Abk. für russ. **S**ojus **S**owjetskich **S**ozialistitscheskich **R**espublik, → Sowjetunion.

S-Sterne, Sterne der → Spektralklasse S.

st, Einheitenzeichen für Ster (→ Raummeter).

St, Abk. für frz. **S**ain**t**.

St., Abk. für 1) **S**ankt; 2) engl. **S**ain**t**.

s.t., Abk. für **s**ine **t**empore, ohne →akademisches Viertel.

Staat [lat.] *der,* Vereinigung vieler Menschen innerhalb eines abgegrenzten geograph. Raumes unter einer souveränen Herrschaftsgewalt. Der Begriff erscheint im 15. Jh. erstmals bei Machiavelli, seit Ende des 18. Jh. ist er auch im dt. Sprachbereich üblich. – Das **S.-Volk** bildet die Gesamtheit der durch dieselbe S.-Angehörigkeit verbundenen Mitgl. eines S. (National-S.), manchmal mehrere Nationen umfassend (Nationalitäten-S.). Das **S.-Gebiet** ist der geograph. Raum (einschließlich des Luftraums darüber und der Eigen- und Küstengewässer), in dem der S. seine Herrschaftsrechte ausübt. – Die **S.-Gewalt** ist die Herrschaftsmacht des S. über sein Gebiet und über die auf ihm befindl. Personen sowie über die eigenen S.-Angehörigen. – Die **S.-Organe** sind alle Personen, Körperschaften und Behörden, die im Namen und in Vollmacht des S. kraft eigener Zuständigkeit an der Ausübung der S.-Gewalt teilnehmen (→Gewaltenteilung).

S.-Formen bzw. **polit. Systeme:** Da im MA. die Person und die von ihr ausgeübte öffentl. Herrschaft sowie privates und öffentl. Recht noch nicht getrennt waren, wurden die Stellung in der Hierarchie und die Ämter einer Person als rechtlich garantiertes und ihr zustehendes Eigentum angesehen. Diese mittelalterl. Form wird **Personenverbands-S.** im Ggs. zum modernen **Flächen-S.** genannt. – Bei den **Herrschaftsformen** unterscheidet man seit dem grch. Altertum →Monarchie, →Aristokratie und →Demokratie. – Nach der Ausübung staatl. Hoheitsgewalt oder nach der Führungsgruppe unterscheidet man folgende **Regierungsformen:** den →Absolutismus, den →Feudalismus, den →Ständestaat, den →Parlamentarismus, das →Präsidialsystem und daneben das →Rätesystem. Die modernen westl. Demokratien kennen parlamentar. und präsidiale Verfassungen sowie versch. Mischformen; ihnen gemeinsam ist die Einbeziehung von Parteien bei der Repräsentation (sog. **Parteien-S.**). Parteien-S. können danach unterschieden werden, ob mehrere Parteien mit wechselnden Koalitionen die Macht anstreben **(Mehrparteien-S.)** oder ob es zwei Parteien sind, von denen jeweils eine Reg.- und die andere Oppositionspartei ist **(Zweiparteien-S.).** In Diktaturen wird häufig nur eine einzige Partei zugelassen **(Einparteien-S.),** bzw. andere Parteien stehen unter der Hegemonie der führenden Partei. Weiterhin werden **zentral verwaltete S.** (alle Entscheidungen werden von den obersten S.-Organen in der Hauptstadt getroffen, wie z.B. in Frankreich) und **föderative S.** unterschieden: Nur bestimmte Aufgaben (z.B. Außen- und Sicherheitspolitik) werden von der Regierung des **Gesamt-S.** wahrgenommen, während andere Aufgaben von der Regierung der **Glied-S.** (Länder) selbstständig oder zugewiesen erfüllt und von Landesparlamenten kontrolliert werden. – Im 19. Jh. kam der Begriff des →Rechtsstaats, im Laufe des 20. Jh. der des →Sozialstaats auf; vom Sozial-S. zu unterscheiden ist der →Wohlfahrtsstaat.

Als **S.-Wissenschaften** gelten 1. die **allg. S.-Lehre,** die als typologisierende und erklärende Wiss. von den Erscheinungsformen staatl. Gebilde Methoden und Erkenntnisse aus den Gebieten der Philosophie, Soziologie, Nationalökonomie, Rechtswiss. und Geschichte vereinigt; 2. die →politische Wissenschaft oder Politologie (innerhalb dieser speziell die **S.-Theorie**); 3. die **rechtswiss. S.-Lehre,** die v.a. verfassungsrechtl. Normen analysiert; 4. die **S.-Soziologie,** die v.a. Verfassungsnormen und -wirklichkeit vergleicht, indem sie Funktionen des S. als Ordnungsmacht, Herrschaftsorganisation und gesellschaftlich-polit. Integrationsform überprüft.

Gegenstand der **S.-Philosophie** oder polit. Philosophie ist die Reflexion über Wesen, Aufgabe, Zweck und eth. Berechtigung des S. sowie über dessen Entstehung, Rechtfertigung, Prinzipien und Formen. – Exponenten der antiken S.-Philosophie waren Sokrates, Platon und Aristoteles sowie die Philosophen der →Stoa. Die S.-Philosophie des MA. ging von der →Zweischwerterlehre sowie von der Frage nach dem gerechten Herrscher und später nach dem Gottesgnadentum aus. Die bes. von Luther und Calvin vertretene reformator. S.-Philosophie verknüpfte die Zwei-Gewalten-Lehre mit der Anerkennung der weltl. Obrigkeit (→Zweireichelehre); im Rahmen der Reformation begründeten G. Buchanan und F. Hotmann später die Lehre vom Widerstandsrecht. – Die S.-Philosophie der Aufklärung war an der Naturrechtslehre orientiert und betonte die Bedeutung der Vertragstheorien (→Naturrecht, →Vertragslehre). –

Srinagar: Blick auf Wohnhäuser und Hausboote am Jhelum, in der Bildmitte die Shah-Hamadan-Moschee (1732)

Zur Zeit des dt. Idealismus betonte die S.-Philosophie, dass sich der S. vom Zwangs- zum Rechts-S. entwickeln müsse sowie den Weg zum S.-Bund der Völker zu garantieren habe (Kant, J. G. Fichte, Hegel). – Die S.-Philosophie des histor. Materialismus (Marx, Engels) propagierte die Lehre vom Klassenkampf, der Revolution und der klassenlosen Gesellschaft. – Grundsätzlich gibt es in der Neuzeit drei Positionen: die Ablehnung des S. (u.a. F. Nietzsche, M. Bakunin), seine Anerkennung innerhalb bestimmter Grenzen seiner Wirksamkeit (u.a. W. von Humboldt) sowie die Verabsolutierung des Staatlich-Politischen (N. Machiavelli, T. Hobbes, C. Schmitt).

📖 EICHENBERGER, K.: *Staatsfähigkeit. Aarau 1992.* – BÖHRET, C.: *Funktionaler S. Ein Konzept für die Jahrhundertwende? Frankfurt am Main u. a. 1993.* – SIMSON, W. VON: *Der S. als Teil u. als Ganzes. Baden-Baden 1993.* – *S., Wirtschaft & Recht. Begriffe, Strukturen, Organisationen, Beiträge v.* S. SCHIEREN *u. a. Bergisch Gladbach 1995.*

Staatenbund, →Bundesstaat.

Staatenlose, Personen, die keine →Staatsangehörigkeit besitzen. Da die Staatsangehörigkeit Grundlage für ein gesichertes Aufenthaltsrecht in dem jeweiligen Staat, für den staatl. Schutz im Ausland und für zahlr. Berechtigungen im nat. Recht ist (z.B. Wahlrecht), sind S. überall benachteiligt. Deswegen bestehen Bestrebungen, durch völkerrechtl. Vereinbarungen und Gestaltung des nat. Rechts die Staatenlosigkeit zu verhindern und die Rechtsstellung der S. zu verbessern (in Dtl. z.B. durch Gesetz vom 29. 6. 1977). Staatenlosigkeit kann u.a. durch Ausbürgerung oder bei Gebietswechsel (z.B. bei Flucht) entstehen (→Nansenpass). Grundsätzlich unterliegen S. dem Ausländerrecht des jeweiligen Staates.

Staatensukzession (Staatennachfolge), die Übernahme der Rechte und Pflichten eines S. durch einen anderen Staat. Der Tatbestand der S. ist gegeben, wenn ein Staat durch Aufteilung in mehrere Staaten oder durch Aufnahme in einen anderen oder einen neu entstehenden Staat (Fusion) untergeht oder seine rechtl. Selbstständigkeit verliert oder wenn ein Teil eines fortbestehenden Staates als Gebietserwerb an einen anderen Staat übergeht oder nach Abtrennung (z. B. durch Sezession) einen neuen Staat bildet.

Ob und in welchem Umfang der Nachfolgestaat die völkerrechtl. Pflichten und Rechte des Gebietsvorgängers gegenüber Dritten übernimmt, ergibt sich meist nur aus einer etwaigen vertragl. Regelung. Den Staatsangehörigen des Gebietsvorgängers muß der Nachfolgestaat den Erwerb seiner Staatsangehörigkeit ermöglichen. Der Gebietsvorgänger bleibt bei Gebietswechseln Vertragspartei von Verträgen für sein verkleinertes Gebiet, während beim Untergang eines Staates dessen Rechte und Pflichten aus einem Staatsvertrag erlöschen.

Staatenverbindungen, alle rechtlich geordneten, auf Dauer angelegten Vereinigungen von Staaten, bei denen die Eigenstaatlichkeit der Glieder erhalten bleibt. Auf einer völkerrechtl. Vereinbarung beruhende S. sind die universalen, regionalen oder auf einen besonderen Zweck gerichteten internat. Organisationen (z.B. UN), die einen engeren Zusammenschluss bildenden Staatenbünde und die Protektorate (S. zw. Schutzmacht und abhängigem Staat). Staatsrechtlich durch eine Verf.regelung entstehende S. werden z.B. von Bundesstaaten gebildet. Die neuere Entwicklung hat die am souveränen Nationalstaat orientierten Einteilungen der S. in vielem überholt; bes. die supranat. EU stellt eine neuartige Form der S. dar.

Staatliche Bildstelle, 1885 gegr. als Königl. Preuß. Meßbildanstalt, Berlin, ab 1921 unter dem Namen S. B. eine staatl. Einrichtung, die im Dienste der Denkmalpflege wichtige Baudenkmäler aufnahm. 1945 gelangten etwa 70000 Aufnahmen in die Sowjetunion, die sie 1958 an die DDR zurückgab. Etwa 40% davon kamen als Abzugsexemplar in das Zentralinst. für Kunstgeschichte in München und wurden 1970 von der Kunstbibliothek der Stiftung Preuß. Kulturbesitz in Berlin übernommen.

Staatliche Museen zu Berlin – Preußischer Kulturbesitz, seit dem 1. 1. 1992 offizielle Bez. der von der →Stiftung Preußischer Kulturbesitz verwalteten Museen in Berlin. Die Bestände der zusammengeführten Museen werden z.T. neu geordnet.

Staatsakt, 1) hoheitl., rechtsgestaltende Entscheidung oberster Staatsorgane (Gesetzgebungs-, Regierungsakt; auch völkerrechtl. Akt wie Vertragsabschluss).

2) vom Staatsoberhaupt angeordnete feierl. Veranstaltung (z.B. Diplomatenempfang, Staatsbegräbnis).

Staatsangehörigkeit, die rechtliche Mitgliedschaft einer natürl. Person (Staatsangehöriger) in einem Staat, aus der Rechte (z.B. Wahlrecht) und Pflichten (z.B. Wehrpflicht) folgen. Für den Erwerb der S. gilt grundsätzlich entweder das Abstammungsprinzip (lat. »ius sanguinis«) – so in kontinentaleurop. Rechtstradition im dt., österr. und schweizer. Recht – oder das Territorialitätsprinzip (lat. »ius soli«). Zu einer Doppel- oder Mehrfach-S. kann es kommen, wenn jemand die Voraussetzungen für die S. in mehreren Staaten erfüllt. Personen, die die Voraussetzungen für die S. in keinem Staat erfüllen, sind →Staatenlose. In Dtl. ist das Recht der S. im Reichs- und Staatsangehörigkeits-Ges. vom 22. 7. 1913 mit späteren Änderungen geregelt. Danach wird die dt. S. durch Geburt, Legitimation, Annahme als Kind oder durch →Einbürgerung erworben, nicht aber durch Heirat mit einem dt. Staatsangehörigen. Der Verlust der dt. S. tritt ein durch »Entlassung aus der S.« auf Antrag des Betroffenen, durch Verzicht, Erwerb einer ausländ. S. oder Annahme als Kind durch einen Ausländer. Nach Art. 16 GG darf die dt. S. nicht zwangsweise entzogen (aberkannt) werden, d.h. darf eine Ausbürgerung nicht erfolgen. Der Verlust der S. darf nur aufgrund eines Gesetzes und gegen den Willen des Betroffenen nur dann eintreten, wenn dieser dadurch nicht staatenlos wird (Art. 16 Abs. 1 Satz 2 GG).

In *Österreich* sind Erwerb und Verlust der Staatsbürgerschaft im Staatsbürgerschafts-Ges. 1985 ähnlich dem dt. Recht geregelt. In der *Schweiz* setzt sich die S. aus dem Schweizer Bürgerrecht, dem Kantonsbürgerrecht und dem Gemeindebürgerrecht zusammen.

📖 *Dt. Staatsangehörigkeits- u. Paßrecht, bearb. v.* W. Bergmann *u. a., 2 Bde. Köln u. a. ³1995.*

Staatsanwalt, in Dtl. nichtrichterl. Beamter der →Staatsanwaltschaft, dessen Ausbildung der des Richters entspricht (→Jurist).

Staatsanwaltschaft, selbstständiges, vom Gericht unabhängiges Rechtspflegeorgan bei den ordentl. Gerichten. Als Strafverfolgungsbehörde obliegt der S. die Leitung des →Ermittlungsverfahrens, Erhebung und Vertretung der Anklage sowie die Strafvollstreckung. Bei Ordnungswidrigkeiten sowie bei bestimmten Zivilsachen (z.B. Todeserklärungen) hat sie ein Mitwirkungsrecht. Sie ist eine hierarchisch aufgebaute Justizbehörde (Verw.behörde). Das Amt der S. wird ausgeübt (§§ 141 ff. GVG) beim Bundesgerichtshof durch den Generalbundesanwalt und Bundesanwälte, bei den Oberlandesgerichten durch den Generalstaatsanwalt und Staatsanwälte, bei den Landgerichten durch den (Leitenden) Oberstaatsanwalt und Staatsanwälte und bei den Amtsgerichten durch Staatsanwälte oder Amtsanwälte (bei Letzteren Befähigung zum Richteramt nicht erforderlich). Der einzelne Staatsanwalt ist an Weisungen des Vorgesetzten gebunden. Das Weisungsrecht findet jedoch seine Grenze insbesondere im →Legalitätsprinzip; es kann i.d.R. nur in Ermessensfragen und zweifelhaften Rechtsfragen ausgeübt werden. In der Hauptverhandlung vertritt die S. die Anklage.

In *Österreich* gilt eine entsprechende organisator. und funktionelle Regelung. Den Gerichtshöfen erster Instanz ist ein Staatsanwalt, den Gerichtshöfen zweiter Instanz ein Oberstaatsanwalt und dem Obersten Gerichtshof ein Generalprokurator (unmittelbar dem Bundesmin. der Justiz unterstellt) zugeordnet. In der *Schweiz* sind Aufgaben und Befugnisse der S. kantonal versch. geregelt. Die Bundesanwaltschaft führt die Ermittlung bei Delikten, die von Bundes wegen verfolgt werden, und vertritt die Anklage vor den Bundesstrafgerichten.

📖 Heghmanns, M.: *Das Arbeitsgebiet des Staatsanwalts. Münster ²1997.*

Staatsaufsicht, die Aufsicht des Staates über rechtsfähige Verw.einheiten, bes. über Körperschaften, Anstalten und Stiftungen des öffentl. Rechts in Selbstverwaltungsangelegenheiten. In Dtl. ist die S., v.a. die S. über Gemeinden und Gemeindeverbände **(Kommunalaufsicht),** in Angelegenheiten der Selbstverwaltung auf die Überwachung der Gesetzmäßigkeit der Verw.tätigkeit **(Rechtsaufsicht)** beschränkt. Soweit staatl. →Auftragsangelegenheiten wahrgenommen werden, erstreckt sich die S. auch auf die Zweckmäßigkeit der Verw.tätigkeit (**Fachaufsicht,** →Bundesaufsicht).

Staatsausgaben (öffentliche Ausgaben), die Ausgaben des öffentl. Sektors (Gebietskörperschaften, Sozialversicherung). Im Haushaltsplan werden die S. unterteilt nach dem Ministerialprinzip (danach, von welchen Verw.ressorts Ausgaben getätigt werden) oder nach dem Funktionalprinzip (Gruppierung nach Sachgebieten wie Verteidigung, soziale Sicherung). Die S. sind das wesentlichste Mittel des Staates zur Beeinflussung der Wirtschaft (→Finanzpolitik). Höhe und Struktur der S. dienen als Indikatoren für den Umfang der Staatstätigkeit (→Staatsquote).

Staatsbank der DDR, die Notenbank der DDR; gegr. 1967 als Nachfolgerin der Dt. Notenbank, Sitz: Berlin; wurde 1990 in Staatsbank Berlin umbenannt und 1994 in die Kreditanstalt für Wiederaufbau eingegliedert.

Staatsbanken, öffentlich-rechtl. Kreditinstitute mit bestimmten allgemeinwirtsch. Aufgaben; hierzu gehörten urspr. u.a. die Verw. der Staatsgelder, die Führung der Kassengeschäfte für den Staat sowie die Unterbringung seiner Anleihen; heute i.d.R. als Universalbanken tätig. Die Dt. Bundesbank ist keine Staatsbank.

Staatsbankrott, Zahlungsunfähigkeit eines Staates, d.h. teilweise oder völlige Nichterfüllung der von einer öffentl. Körperschaft eingegangenen Verpflichtung zur Zins- und/oder Kapitalrückzahlung; wird bei hoch verschuldeten Entwicklungsländern meist über Umschuldungsabkommen aufgefangen (→Schuldenkrise); Versuche der Wiederherstellung der Zahlungsfähigkeit durch exzessive Geldschöpfung führen zum Verfall des Werts der Währung, der nur durch eine Währungsreform überwunden werden kann.

Staatsbibliothek zu Berlin – Preußischer Kulturbesitz, seit 1992 Name der wieder vereinigten beiden Nachfolgeinstitutionen der 1945 aufgelösten Preuß. Staatsbibliothek, der Dt. Staatsbibliothek (Berlin, Ost) und der Staatsbibliothek

Preuß. Kulturbesitz (Berlin, West). – 1661 wurde in Berlin die Churfürstl. Bibliothek gegründet (1701 1918 Königl. Bibliothek, 1918 45 Preuß. Staatsbibliothek). Der Ausbau zur Nationalbibliothek nach der Reichsgründung scheiterte u. a. am Widerstand Bismarcks; 1914 wurde der Neubau Unter den Linden eingeweiht. Die während des 2. Weltkriegs in den Westen Dtl.s verbrachten Teile wurden 1962 von der Stiftung Preuß. Kulturbesitz übernommen (1963 Staatsbibliothek der Stiftung Preuß. Kulturbesitz, 1968 Staatsbibliothek Preuß. Kulturbesitz; 1978 wurde das von H. Scharoun entworfene Bibliotheksgebäude bezogen). Die Preuß. Staatsbibliothek im ehem. Ostteil Berlins wurde 1946 in Öffentl. Wiss. Bibliothek, 1954 in Dt. Staatsbibliothek umbenannt.

📖 PAUNEL, E.: *Die S. zu B. Berlin 1965. – Jetzt wächst zusammen ... Eine Bibliothek überwindet die Teilung, bearb. v.* E. FISCHBACH, *Ausst.-Kat. Staatsbibliothek zu Berlin 1992.*

Staatsbürger, i. w. S. der Staatsangehörige (→Staatsangehörigkeit), i. e. S. nur der Staatsangehörige mit vollen polit. Rechten (bes. dem Wahlrecht). **Staatsbürgerl. Rechte und Pflichten** sind die Rechte und Pflichten des Einzelnen, die in einem Anteil an der Bildung des Staatswillens oder an der Ausübung der Staatsfunktionen bestehen (Wahlrecht, Recht zur Bekleidung öffentl. Ämter als Ehrenbeamter, Recht zur Bildung von polit. Parteien, Wehrpflicht u. a.). Nach Art. 33 GG hat jeder Deutsche in jedem Land Dtl.s die gleichen staatsbürgerl. Rechte und Pflichten. – ÜBERSICHT Alter: Lebensalter im Recht.

Staatsbürger in Uniform, Bez. für das Leitbild des Soldaten der dt. Bundeswehr. Kerngedanke ist, dass der Soldat die gleichen staatsbürgerl. Rechte und Pflichten wie jeder andere Staatsbürger hat und diese Rechte nur im Rahmen der Erfordernisse des militär. Dienstes durch gesetzlich begründete Pflichten beschränkt werden (geregelt im Soldatengesetz).

Staatsdienst, der Teil des →öffentlichen Dienstes, der der Wahrnehmung primär staatl. Aufgaben dient, bes. durch Beamte und Soldaten.

Staatseinnahmen (öffentliche Einnahmen), die Einnahmen des öffentl. Sektors (Gebietskörperschaften, Sozialversicherung), untergliedert in Erwerbseinkünfte, Abgaben (Steuern, Gebühren, Beiträge), Einnahmen aus Kreditaufnahme (Staatsschulden), Zahlungen anderer Gebietskörperschaften (v. a. Zuweisungen im Rahmen des Finanzausgleichs).

Staatsexamen, die →Staatsprüfung.

staatsfeindliche Hetze, Straftatbestand des polit. Strafrechts der DDR (§ 106 StGB), stellte »Angriffe gegen die verfassungsmäßigen Grundlagen der sozialist. Staats- und Gesellschaftsordnung z. B. durch Diskriminierung der gesellschaftl. Verhältnisse, der Repräsentanten u. a. Bürger wegen deren staatl. oder gesellschaftl. Tätigkeit« als Verbrechen unter Strafe; diente der Kriminalisierung jeglicher krit. Meinungs- und Willensbekundung.

Staatsgebiet (Territorium), der geograph. Raum, der rechtlich der Hoheitsgewalt eines Staates unterliegt, d. h. das Landgebiet einschl. des beherrschbaren unterird. Bereichs, die Binnengewässer, die maritimen Eigengewässer (Meeresteile, die vom S. umschlossen sind), die Territorialgewässer (Küstenmeer) und der Luftraum über dem Land- und Wassergebiet.

Staatsgefährdung, die →Rechtsstaatsgefährdung.

Staatsgeheimnisse, Tatsachen, Gegenstände oder Erkenntnisse, die nur einem begrenzten Personenkreis zugänglich sind und vor einer fremden Macht geheim gehalten werden müssen, um die Gefahr eines schweren Nachteils für die äußere Sicherheit des Staates abzuwenden (§ 93 Abs. 1 StGB). Der Verrat von S. wird als →Landesverrat bestraft. Keine S. sind Tatsachen, die gegen die freiheitl. demokrat. Grundordnung oder unter Geheimhaltung gegenüber den Vertragspartnern Dtl.s gegen zwischenstaatlich vereinbarte Rüstungsbeschränkungen verstoßen (sog. **illegale Geheimnisse**). Die einfache Offenbarung illegaler Geheimnisse ist straflos; doch macht sich unter Umständen strafbar, wer illegale Geheimnisse einer fremden Macht mitteilt (§ 97a StGB). – Ähnl. Regelungen enthalten das *österr.* (§ 252 ff.) und das *schweizer.* StGB (Art. 267).

Staatsgewalt, Herrschaftsmacht des Staates über sein Gebiet und die auf ihm befindl. Personen (Gebietshoheit) sowie über die eigenen Staatsangehörigen (Personalhoheit). Die S. ist wesentl. Merkmal des Staates (→Souveränität). Mithilfe der S. setzt der Staat die geltende Rechtsordnung durch. Hierfür steht ihm das Monopol der Anwendung phys. Gewalt (Gewaltmonopol) zu. Nach außen ist die S. durch das Völkerrecht oder internat. Verträge, nach innen durch die Grundrechte der Staatsbürger begrenzt.

Staatshaftung (Amtshaftung), die Verantwortlichkeit des Staates für Schäden, die Amtswalter (Beamte, Angestellte oder Arbeiter im öffentl. Dienst) in Ausübung ihres Amtes bei einem Dritten verursachen.

Die S. i. e. S. knüpft an die schuldhafte Verletzung einer den Schutz auch des geschädigten Dritten bezweckenden Amtspflicht durch einen Amtswalter gemäß § 839 BGB an. Handelt der Amtswalter hierbei hoheitlich (öffentlich-rechtlich), trifft die Schadensersatzpflicht gemäß Art. 34 GG grundsätzlich den Staat, und zwar i. d. R. die jurist. Person des öffentl. Rechts, die den Amtswalter angestellt hat. Bei Amtspflichtverletzungen durch Richter greift die S. nur ein, wenn die Pflichtverletzung eine Straftat (insbesondere Rechtsbeugung) darstellt. Die Haftungsüberleitung auf den Staat ist spezialgesetzlich für einige Fälle durch die persönl. Haftung des Handelnden ausgeschlossen; dies gilt z. B. für Gebührenbeamte (z. B. Schornsteinfeger, Fleischbeschauer) und für Notare.

Für Amtspflichtverletzungen, die ein Amtswalter bei nichthoheitl. (privatrechtl.) Amtstätigkeit begeht, gilt die Haftungsüberleitung auf den Staat durch Art. 34 GG nach vorherrschender Auffassung nicht. In diesen Fällen haftet der Beamte persönlich nach § 839 BGB, der Angestellte oder Arbeiter im öffentl. Dienst nach den allgemeinen Vorschriften über unerlaubte Handlungen (§§ 823 ff. BGB). Den Staat trifft daneben die Haftung nach den allgemeinen Vorschriften des BGB über Erfüllungs- bzw. Verrichtungsgehilfen (§§ 89, 31 BGB für die leitenden Beamten, § 831 BGB in den sonstigen Fällen und § 278 BGB bei Vertragsverletzungen).

Zu diesem S.-Recht i. e. S. treten versch. Institute der S. i. w. S. Für Sonderopfer des Einzelnen, d. h. bes. für rechtswidrige Eingriffe in das Eigentum oder sonstige eigentumsrechtlich geschützte vermögenswerte Positionen, stehen dem Geschädigten Ansprüche auf Entschädigung zu (→ Enteignung). Viele Fälle sind spezialgesetzlich geregelt, z. B. die Entschädigung für Impfschäden oder für unschuldig erlittene Untersuchungshaft.

Staatshandelsländer, Länder mit staatl. Außenhandelsmonopol, insbesondere Länder mit zentraler Planwirtschaft wie die Mitgl. des Rats für gegenseitige Wirtschaftshilfe (bis 1991).

Staatshaushalt, → Haushalt.

Staatskapelle Berlin, das Orchester der Dt. Staatsoper Berlin, hervorgegangen aus dem im 18. Jh. gegr. Orchester der Königl. Oper. Bed. Dirigenten waren u. a. F. von Weingartner, R. Strauss, W. Furtwängler, H. Abendroth, E. Kleiber, C. Krauss, H. von Karajan, F. Konwitschny, O. Suitner. Chefdirigent ist seit 1992 D. Barenboim.

Staatskapelle Dresden, → Sächsische Staatskapelle Dresden.

Staatskapitalismus, Wirtschaftsform, bei der der Staat vorwiegend oder ausschl. Eigentümer der Produktionsmittel ist und sich wirtsch. Unternehmen bedient, um bestimmte Ziele der staatl. Willensbildung zu verwirklichen. Ziele des S. sind z. B. Veränderung oder Beeinflussung der staatl. Wirtschaftsordnung, auch Verstärkung des staatl. Einflusses (Interventionismus), Erschließung zusätzl. Finanzierungsquellen. – In der marxistisch-leninist. Theorie ist der S. die letzte Phase des Kapitalismus. Von Kritikern wird die Wirtschaftsform kommunist. Staaten häufig als S. bezeichnet.

Staatskirche, die innerhalb der Grenzen eines Staates einzige oder vorherrschend als Kirche anerkannte, von ihm direkt (z. B. über Parlament, Kirchenministerium und Staatsgesetze) beeinflusste oder geleitete Religionsgemeinschaft. Beispiele für S. sind: die Kirche von England, die luth. Kirchen in Dänemark, Island, Norwegen und Schweden und die orth. Kirche Griechenlands.

Staatslehre, → Staat.

Staatsmonopol, vom Staat unter Ausschluss privater Unternehmen beanspruchtes ausschließl. Recht (Monopol), bestimmte Güter anzubieten; unterschieden in Finanzmonopole (vornehmlich zur Erzielung von Einnahmen, z. B. Branntweinmonopol) und Verwaltungsmonopole (zur Erfüllung öffentl. Aufgaben wie das Monopol der Dt. Bundesbank für die Ausgabe von Banknoten).

staatsmonopolistischer Kapitalismus, Kw. **Stamokap,** von W. I. Lenin im Zusammenhang mit der von ihm konstatierten Verquickung von Staat und (Rüstungs-)Ind. in Dtl. während des 1. Weltkrieges geprägte und seit den 1950er-Jahren v. a. von marxistisch-leninist. Theoretikern in der UdSSR und in der DDR weiterentwickelte Bez. für eine Entwicklungsphase des Kapitalismus; kennzeichnend sei eine Verflechtung der Macht der Wirtschaftsmonopole mit der des Staates zu einem einheitl. Machtmechanismus. Der Theorie zufolge bemächtigen sich die Monopole des Staatsapparates und ordnen ihn ihren Interessen unter. Durch wirtschaftspolit. Maßnahmen (z. B. steuerpolit. Umverteilung zugunsten der Monopole, Übernahme oder Subventionierung nichtprofitabler Wirtschaftsbereiche durch den Staat, Minderung der durch Strukturwandel auftretenden sozialen Probleme) sichert der Staat die weitere Existenz und die Kapitalverwertungsmöglichkeiten der Monopole.

Staatsoberhaupt, der oberste Repräsentant eines Staates, der den jeweiligen Staat auch völkerrechtlich vertritt.

Staatspapiere, von Bund, Bundesländern und deren Sondervermögen ausgegebene Wertpapiere wie Schatzanweisungen, Schatzwechsel, Kassenobligationen oder Anleihen (Staatsanleihen).

Staatspartei, in diktator. oder totalitären Staaten die allein zugelassene Partei mit monopolartiger Stellung in Staat und Gesellschaft (Einparteiensystem), die v. a. die alleinige Verfügungsgewalt über alle Staatsorgane ausübt.

Staatsphilosophie, → Staat.

Staatspräsident, allg. übliche Bez. (in versch. Ländern auch offizielle Amtsbez.) für das Staatsoberhaupt einer Rep., das i. d. R. direkt vom Volk oder vom Parlament gewählt wird. Für die Bundesrep. Dtl. ist dies der → Bundespräsident.

Staatspreis (Großer Österreichischer S.), seit 1950 jährlich verliehene Auszeichnung (für bildende Kunst, Musik, Literatur und Filmkunst).

Staatsprüfung (umgangssprachlich Staatsexamen), von staatl. Prüfungsausschüssen abgenommene Prüfung für den Eintritt in die Beamtenlaufbahn oder einen staatlich überwachten Beruf, z. B. als Apotheker, Arzt, Krankenschwester, medizinisch-techn. Assistentin, Jurist, Lehrer. Gewöhnlich schließt die **Erste S.** das Hochschulstudium ab, die **Zweite S.** (bei Ärzten und Apothekern die Approbation) den prakt. Vorbereitungsdienst.

Staatsquallen (Röhrenquallen, Siphonophora), Ordnung mariner Nesseltiere (Klasse Hydrozoen) mit rd. 150 Arten; glasartig durchscheinend, oft schimmernd bunt gefärbt; bilden wenige cm bis über 3 m lange, frei schwimmende Kolonien, am oberen Teil mit Schwimmglocken; die übrigen (unteren) Individuen sind nach ihrer Funktion unterschiedlich ausgebildet, z. B. Nährpolypen, Deckstücke (Schutzfunktion), Geschlechtstiere und Palponen (mundlos, v. a. der intrazellulären Verdauung dienend); das Nesselgift mancher Arten ist für den Menschen gefährlich.

Staatsquote, Verhältniszahl zur Kennzeichnung der staatl. Aktivität (Staatsanteil) im Rahmen der Gesamtwirtschaft auf Basis der Einnahmen und Ausgaben. Die **Staatsausgabenquote (allgemeine S.)** ist das Verhältnis der gesamten Staatsausgaben zu einer Sozialproduktgröße (meist das Bruttoinlandsprodukt). Die Verhältnisse bestimmter Ausgabenbereiche (Sozial-, Gesundheits-, Bildungs-, Verteidigungsausgaben) zum Sozialprodukt werden als **spezielle S.** bezeichnet. Für die Einnahmeseite werden u. a. die Verhältnisse von Steuereinnahmen zu Sozialprodukt **(Steuerquote),** von Steuern und Sozialabgaben zu Sozialprodukt **(Abgabenquote)** sowie von Schuldenstand bzw. Nettoneuverschuldung zu Sozialprodukt **(Schuldenquote)** berechnet.

Staatsräson, der Grundsatz, dass die Verwirklichung des »Wohls des Staates« (Sicherung seiner Existenzbedingungen, Erhaltung und Erweiterung seiner Macht) erste Aufgabe der polit. Führung und der sie tragenden Kräfte sei; als Idee zuerst von N. Machiavelli (»Il principe«, 1532) formuliert, seither versch. interpretiert und häufig abgelehnt.

Staatsrat, Kollegialorgan auf der obersten Ebene eines Staates mit unterschiedl. Aufgaben und Kompetenzen; entwickelte sich aus der im MA. in verschiedenen europ. Ländern ausgebildeten Institution des Consilium status (»Staatsrat«) als oberste Reg.behörde; bestand seit dem 19. Jh. nur noch in einzelnen Ländern mit vorwiegend beratenden Funktionen fort, in Österreich bis 1848, in Großbritannien bis heute (Privy Council). – In der *Schweiz* führen die Reg. mehrerer Kantone die Bez. S.; in den skandinav. Ländern und in China heißt das Min.kollegium S. – In Frankreich ist der S. (Conseil d'État) Beratungsorgan der Reg. und zugleich oberstes Verw.gericht. 1960–90 war der S. in der DDR das kollektive Staatsoberhaupt.

Staatsrecht, der Teil des öffentl. Rechts, der die rechtl. Grundordnung eines Staates zum Gegenstand hat. Das S. regelt insbesondere Organisation des Staates, Aufbau und Befugnisse der Staatsorgane und das Grundverhältnis zw. Staat und Bürgern. Es ist weitgehend mit dem **Verfassungsrecht** identisch, da die Verf. die festgelegte rechtl. Grundlage eines bestimmten Staates darstellt.

Staatsreligion, die von einem Staat in seinem Territorium ausschl. anerkannte oder zumindest bevorzugte Religion bzw. Konfession. Im Unterschied zur förml. →Staatskirche ist die S. jedoch vom Staat nicht direkt beeinflusst oder mit ihm identisch.

Staatsroman, Bezeichnung R. von Mohls (1845) für die fiktionale Schilderung eines idealen Gesellschafts- und Staatslebens, meist als Gegenbild zu bestehenden religiösen, sozialen oder polit. Zuständen in didaktisch-moral. Absicht verfasst; früher synonym zu →Utopie. Der S. steht in der Tradition der Fürstenspiegel und v. a. der großen philosoph. Staats- und Gesellschaftsentwürfe T. Mores, T. Campanellas und F. Bacons. Im 19. Jh. treten die sozialen Probleme der entstehenden Industriegesellschaft in den Vordergrund; im 20. Jh. erscheint ein fiktionaler, positiver utop. Entwurf nicht mehr möglich (H. G. Wells, G. Orwell, A. Huxley); wegen ihrer futurist. Ausrichtung werden diese Romane des 19. und 20. Jh. als utop. Zukunftsromane bezeichnet oder der Sciencefiction zugerechnet.

Staatsschulden (Staatsverschuldung, öffentliche Schulden), Verbindlichkeiten des öffentlichen Sektors (Gebietskörperschaften, Sozialversicherung) aus der öffentl. Kreditaufnahme im Inland oder im Ausland. Die Differenz zw. der Aufnahme öffentl. Kredite (Bruttoneuverschuldung) und Schuldentilgungen einer Periode wird als Nettokreditaufnahme (Nettoneuverschuldung) bezeichnet; dieser Betrag muss dem jeweiligen Schuldenstand am Anfang einer Periode hinzugerechnet werden. Man unterscheidet nach dem Ziel der Kreditaufnahme Finanzierungskredite zur Deckung von Haushaltsfehlbeträgen (Defizite) und Kassenverstärkungskredite zur kurzfristigen Überbrückung von Liquiditätsengpässen; nach dem Dokument Brief- (mit gesonderter Schuldenurkunde) und Buchschulden (in ein Schuldbuch eingetragen); nach der Fristigkeit kurzfristige (z. B. Finanzierungsschätze, Schatzanweisungen), mittelfristige (z. B. Bundesschatzbriefe, Bundesobligationen, Kassenobligationen) und langfristige S. (z. B. Anleihen, Schuldscheindarlehen). In Dtl. ist die **Bundesschuldenverwaltung,** Bad Homburg v. d. Höhe, als selbstständige Bundesbehörde zuständig für die Beurkundung, Verw. und Bedienung (Zins-, Tilgungszahlungen) der Bundesschulden; sie führt auch das Bundesschuldbuch, in das Schuldverschreibungen als Schuldbuchforderungen eingetragen werden und verwaltet gebührenfrei auf Schuldbuchkonten versch. Bundeswertpapiere privater Anleger.

Staatsschulden: Öffentliche Schulden ausgewählter Länder[1]

Staat	1980	1985	1990	1995	1997
Belgien	78,2	122,1	129,7	133,5	127,2
Dänemark	44,7	76,6	59,6	72,1	66,8
Deutschland[2]	31,5	41,5	43,2	57,1	60,5
Finnland	14,1	18,9	14,5	58,8	58,1
Frankreich	30,9	38,6	35,4	52,9	57,8
Griechenland	22,9	47,8	90,1	111,8	106,9
Großbritannien	54,0	58,9	39,4	54,0	54,1
Irland	72,7	104,8	95,2	81,6	69,0
Italien	58,1	82,3	98,0	124,4	123,3
Japan	51,2	67,0	65,1	80,6	90,8
Kanada	44,0	64,1	72,5	100,5	97,2
Luxemburg	12,5	12,9	4,7	5,9	6,5
Niederlande	46,9	71,7	78,8	79,5	74,5
Norwegen	47,6	37,1	32,5	42,8	36,7
Österreich	37,3	50,5	58,3	69,3	71,3
Portugal	32,8	58,0	65,2	68,4	66,3
Schweden	44,3	66,7	43,5	78,2	77,3
Spanien	18,3	50,8	45,1	65,7	69,8
USA	37,0	49,5	55,5	63,4	63,8

[1] Bruttoschuld des Staates in % des Bruttoinlandsproduktes. – [2] bis 1990 früheres Bundesgebiet; 1990 einschließlich übergeleiteter Haushalt der ehemaligen DDR für das 2. Halbjahr 1990; ab 1995 Gesamtdeutschland

Bei den Wirkungen der S. auf die Wirtschaftstätigkeit werden u. a. diskutiert: 1) mögl. Verdrängung privater Nachfrage am Kapitalmarkt durch öffentl. Kreditaufnahme (Crowding-out); 2) Einschränkung künftiger finanzpolit. Handlungsspielräume durch wachsende Zins- und Tilgungslasten in den öffentl. Haushalten; 3) Gefahr der Finanzierung aktueller Ausgaben zulasten künftiger Generationen (Lastenverschiebungsthese); 4) Scheitern der antizykl. Finanzpolitik durch Defizitfinanzierung in der Praxis aufgrund der starken Zunahme der S. insbesondere auch als Folge der dt. Einheit; 5) Rückführung der S. und der Staatstätigkeit bes. im Zusammenhang mit den Konvergenzkriterien im Rahmen der Europ. Wirtschafts- und Währungsunion durch Begrenzung und Umstrukturierung der Staatsausgaben sowie durch Privatisierung.

Die Schulden der Gebietskörperschaften in der Bundesrep. Dtl. sind von (1970) 125,9 Mrd. DM auf (1990) 1048,9 Mrd. DM gestiegen. Für Gesamt-Dtl. hat sich der Schuldenstand auf (1996) 2093,6 Mrd. DM erhöht; bezogen auf das Bruttoinlandsprodukt sind dies 60,7 %.

📖 Heinemann, F.: *Staatsverschuldung. Köln 1994.* – Rügemer, W.: *Schuldgewinner. Gewinner u. Verlierer der Staatsverschuldung. Köln 1995.*

Staatsschutzdelikte, Straftaten, die sich gegen den Bestand des Staates, also insbesondere gegen seine verfassungsmäßigen Einrichtungen und die lebenswichtigen Rechtsgüter des Staatswesens, richten. Zu den S. zählen u. a. der →Hochverrat, der →Landesverrat, die →Rechtsstaatsgefährdung.

Staatssekretär, seit 1919 in Dtl. Bez. für den nach dem Minister ranghöchsten Beamten eines Ministeriums. Neben **beamteten S.,** die den Min. außer in Reg.geschäften in allen Ressortfragen vertreten, gibt es in der Bundesrep. Dtl. seit 1967 auch das Amt des **parlamentar. S.,** der die polit. Führung des Ministeriums verstärken und den Min. entlasten soll. – In *Österreich* gilt auf Bundesebene Ähnliches. In der *Schweiz* tragen insbesondere die Vorsteher der polit. Direktion und des Amtes für Außenwirtschaft den Titel Staatssekretär.

Staatssicherheitsdienst, Abk. **SSD,** Bez. für das Ministerium für Staatssicherheit (MfS, kurz Stasi) der DDR. Der S., 1950 gegr., 1957 bis Nov. 1989 unter Leitung von E. Mielke, war eines der wichtigsten Herrschaftsinstrumente der SED. Er verband die Sicherung der Parteiherrschaft nach innen mit der Spionage nach außen. In ihm bündelten sich Aufgaben einer polit. Geheimpolizei, einer mit exekutiven Befugnissen ausgestatteten Untersuchungsbehörde für polit. Strafsachen und eines geheimen Nachrichtendienstes. Der S. erwies sich als ein weit verzweigtes, personalstarkes Instrument repressiver Gewalt zur umfassenden Überwachung der Bev. und ihrer Ausrichtung auf die Ziele von Partei und Staat. Während der Amtszeit von E. Honecker erfolgte ein extensiver Ausbau des S. (1989 etwa 85 000 hauptamtl. und über 100 000 inoffizielle Mitarbeiter, IM). Geheime Offiziere im besonderen Einsatz (OibE) waren u. a. in den Ministerien, Außenhandelseinrichtungen und Abteilungen Inneres der Räte der Bezirke und Kreise tätig. Festnahmen lange gesuchter mutmaßl. Mitgl. der Vereinigung »Rote-Armee-Fraktion« (RAF) in der DDR im Juni 1990 offenbarten enge Kontakte des S. zu internat. gesuchten Terroristen. Ende 1989/90 wurde der S. unter Kontrolle von Bürgerkomitees und (seit Juni 1990) eines Sonderausschusses der Volkskammer (Leiter: J. Gauck) aufgelöst. – Am 3. 10. 1990 übernahmen der Sonderbeauftragte der Bundesregierung für die Verw. der Stasi-Akten (J. Gauck) und seine Behörde die Verantwortung für die Aufbewahrung und Sicherung der hinterlassenen Unterlagen und

Dateien des S. (darunter etwa 6 Mio. personenbezogene Akten). Das »Stasi-Unterlagen-Ges.« vom 20. 12. 1991 gewährt jedem Einzelnen seit dem 1. 1. 1992 (nach erfolgter Antragstellung) das Recht auf Einsichtnahme in seine personenbezogenen Unterlagen.

📖 SCHELL, M. *u.* KALINKA, W.: *Stasi u. kein Ende. Bonn u. a.* ³*1992.* – GAUCK, J.: *Die Stasi-Akten. Das unheiml. Erbe der DDR, bearb. v.* M. STEINHAUSEN *u.* H. KNABE. *Reinbek 1995.*

Staatssozialismus, Theorie, die eine Beseitigung sozialer Missstände und Gegensätze durch Ordnungsmaßnahmen des Staats, d. h. einen »Sozialismus von oben« (u. a. durch Verstaatlichung der Produktionsmittel, Eingriffe des Staats in die Wirtschaft), fordert; Vertreter: L. von Stein, J. K. Rodbertus-Jagetzow und F. Lassalle.

Staatsstreich, ein gewaltsamer, verfassungswidriger Regierungsumsturz, vorgenommen vom Inhaber der Reg.gewalt oder von einem anderen Träger oberster staatl. Funktionen (z. B. Militärbefehlshaber).

Staatstheorie, theoret. Annahmen über Wesen, Zweck und Funktion staatl. Macht (→Staat).

Staatsunternehmen, →öffentliche Unternehmen.

Staatsverbrauch, in der volkswirtsch. Gesamtrechnung die der Allgemeinheit ohne spezielles Entgelt zur Verfügung gestellten Leistungen der Gebietskörperschaften (Bund, Länder, Gemeinden) und der Sozialversicherung, z. B. Straßen, Sicherheits-, Bildungs-, Verwaltungsleistungen, Gesundheitsbetreuung.

Staatsvermögen (öffentliches Vermögen), das Vermögen des öffentl. Sektors (Gebietskörperschaften, Sozialversicherung). Unterschieden werden u. a.: **Verwaltungsvermögen,** die Vermögensteile, die der unmittelbaren Erfüllung von Verwaltungsaufgaben dienen; **Sachen in Gemeingebrauch** (Straßen, Brücken, Gewässer u. a.); **Finanzvermögen** (Betriebsvermögen, Unternehmensbeteiligungen, allgemeines Kapital- und Sachvermögen).

Staatsvertrag, 1) *Staatsrecht:* **innerstaatlicher S.,** Abkommen zw. Gliedstaaten eines Bundesstaats. In Dtl. können die Länder untereinander – in gewissem Umfang auch mit dem Bund – S. im Rahmen ihrer Kompetenzen (z. B. im Schul- und im Rundfunkrecht) abschließen. Die S. bedürfen i. d. R. der Zustimmung der Parlamente.

2) *Völkerrecht:* **internationaler Vertrag,** Vereinbarung zw. Staaten oder mit internat. Organisationen über völkerrechtl. Rechte und Pflichten und zur Regelung der internat. Beziehungen und Zusammenarbeit.

S. sind ein Mittel zur Entwicklung der friedl. Zusammenarbeit der Nationen und die wichtigste Rechtsquelle des Völkerrechts. Die Gegenstände von S. sind vielfältig; durch sie werden Bündnisse geschlossen und internat. Organisationen gegründet, Regelungen über den internat. Verkehr oder die Stellung von Ausländern getroffen, friedenssichernde oder wirtschaftsfördernde Vereinbarungen geschlossen.

Rechtl. Grundlage der S. sind die Prinzipien der freien Übereinkunft und von Treu und Glauben sowie der Grundsatz »Pacta sunt servanda«. Die völkerrechtlich bindenden Erklärungen des Vertragsabschlusses sind Unterzeichnung und →Ratifikation. Alle S., die ein Mitgl. der UN schließt, sind dessen Sekretariat zur Registrierung und Veröffentlichung mitzuteilen. Die Nichteinhaltung eines S. ist eine Völkerrechtsverletzung, die zu Schadensersatz und Genugtuung, bei einer wesentl. Vertragspflicht auch zur Kündigung oder Suspendierung des Vertrages berechtigt.

Die völkerrechtl. Regeln über S. sind aufgrund von Vorarbeiten der International Law Commission der UN durch die Wiener Konferenz von 1968/69 in dem Entwurf einer Konvention über das völkerrechtl. Vertragsrecht vom 23. 5. 1969 kodifiziert worden.

Staatswissenschaften, →Staat.

Staatszielbestimmungen, Verfassungsnormen, die dem Staat die Erfüllung bestimmter Aufgaben oder die Verfolgung bestimmter Ziele vorschreiben. Verbindlichkeit und Bestimmtheit der S. können sehr unterschiedlich sein. S. sind i. d. R. nicht unmittelbar einklagbar, sie wenden sich in erster Linie an den Gesetzgeber, der bei der Erfüllung des Auftrags weiten Spielraum hat. Prototyp einer S. im GG ist die Sozialstaatsklausel (Art. 20 Abs. 1 GG); als S. des GG wird ferner u. a. die Pflicht zur Förderung des gesamtwirtsch. Gleichgewichts (Art. 109 Abs. 2 GG) angesehen.

Staat und Kirche, Kurzformel zur Bez. des Verhältnisses der zwei unabhängigen, jedoch im Rahmen ihrer Interessenwahrnehmung aufeinander bezogenen oder miteinander verflochtenen Institutionen Staat und Kirche. In Dtl. bildet der Art. 140 GG in Verbindung mit den Artikeln 136–138 und 141 der Weimarer Reichsverf. die Grundlage ihrer gegenseitigen Beziehungen. Bei beiderseitiger Anerkennung des Prinzips der Trennung von Staat und Kirche garantiert der zu religiöser und weltanschaul. Toleranz, Neutralität und Parität verpflichtete Staat den Kirchen die →Glaubens-, Gewissens- und Bekenntnisfreiheit und die →Kultusfreiheit; die Kirchen sind außerhalb ihres unmittelbar religiösen Wirkens an die für alle geltenden staatl. Gesetze gebunden. Die gegenseitigen Beziehungen in Bereichen, in denen sich Aufgaben des Staates mit Interessen der Kirchen berühren, werden im Rahmen des **Staatskir-**

Stabfiguren des österreichischen Puppenspielers Richard Teschner (1913; München, Puppentheatersammlung)

chenrechts geregelt: mit der kath. Kirche in →Konkordaten, mit den evang. (Landes-)Kirchen in →Kirchenverträgen. – Bed. Versuche, das Verhältnis zw. Staat und Kirche theologisch zu bestimmen, waren in der lat. Kirche die mittelalterl. →Zweischwerterlehre, in den Ostkirchen die byzantin. Auffassung des Cäsaropapismus (Vereinigung der höchsten weltl. und geistl. Macht in der Hand des christl. Kaisers).

📖 ZIPPELIUS, R.: *S. u. K. Eine Geschichte von der Antike bis zur Gegenwart. München 1997.*

Stabat Mater *das* [lat. »es stand die (schmerzensreiche) Mutter«] (S. M. dolorosa), nach den Anfangsworten benannte Sequenz über das Mitleiden Marias beim Kreuztod Jesu; vermutlich zw. dem 12. und 14. Jh. entstanden.

Stäbchen, Sinneszelle der Netzhaut des →Auges.

Staberl, zentrale Figur des Wiener Volkstheaters, geschaffen 1813 von A. Bäuerle; ein Pechvogel mit Mutterwitz, stand bis etwa 1850 im Mittelpunkt zahlr. Lokalpossen (Staberliaden).

STABEX, Kw. für **Stab**ilisierung der **Ex**porterlöse, in den →Lomé-Abkommen geregelter produktbezogener Erlösausgleich für anfangs 29, später (Lomé III und IV) 48 agrar. Erzeugnisse, der bei Einbußen bei Exporterlösen in Anspruch genommen werden kann. Das System bezieht sich jedoch lediglich auf Exporte der AKP-Staaten in die EG. Der Anspruch auf Kompensationszahlungen ist an bestimmte Bedingungen geknüpft. Mit Lomé II wurde ein ähnl. System zur Stabilisierung mineral. Exporterlöse **(SYSMIN)** für bestimmte mineral. Rohstoffe eingeführt. Finanziert werden beide Systeme über den Europ. Entwicklungsfonds.

Stabfigur (Stabpuppe), von unten geführte Theaterpuppe, deren Kopf und Oberkörper an einem Stab befestigt sind, der von einer Spielerhand bewegt wird, während die andere die an Stäben befestigten Puppenhände führt. (→Figurentheater)

Stabheuschrecke, eine Art der →Gespenstheuschrecken.

Stabhochsprung, leichtathlet. Disziplin, bei der eine möglichst große Höhe (Sprunglatte auf Sprungständern) mithilfe eines beliebig langen und dicken elast. Stabes nach Anlauf zu überwinden ist. Die Sprunganlage besteht aus der Anlaufbahn (sie muss einen Anlauf von mindestens 45 m ermöglichen), den höhenverstellbaren Sprungständern mit Auslegern, auf denen die 4,48–4,52 m lange Sprunglatte ruht, dem zw. den Sprungständern in den Boden eingelassenen Einstichkasten (für den Stab) sowie dem 5×5 m messenden Sprungkissen (Mindesthöhe 80 cm). Die Regeln entsprechen weitgehend denen des Hochsprungs. Olymp. (seit 1896), Weltmeisterschafts- (seit 1983) und Europameisterschaftsdisziplin (seit 1934).

Stabiae, antike Küstenstadt in Kampanien, bei dem Ausbruch des Vesuv 79 n. Chr. mit Herculaneum und Pompeji verschüttet; Reste von Villenanlagen mit kostbaren Wandmalereien. Im Bereich des antiken S. entstand →Castellammare di Stabia.

Stabile [lat.] *das, bildende Kunst:* auf dem Boden stehende metallene Konstruktion aus nichtbewegl. Teilen, im Unterschied zum Mobile.

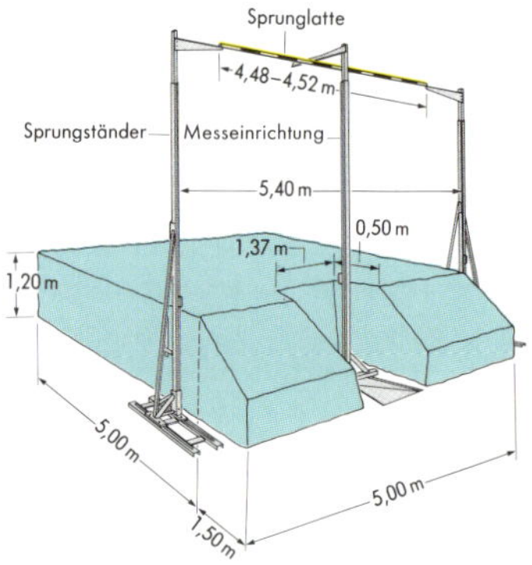

Stabhochsprung: Sprunganlage

Stabilisator [lat.] *der,* **1)** *allg.:* Komponente in einem Gerät oder Stoffsystem, die der Erhöhung der →Stabilität einer Größe dient.

2) *Chemie:* allg. Bez. für Stoffe, die chem. Produkten, Kosmetika, Lebensmitteln u. a. in geringen Anteilen zugesetzt werden, um durch Einwirkung von Wärme, Licht (UV-Strahlung) oder Sauerstoff (→Antioxidantien) bedingte bzw. infolge Phasentrennung auftretende unerwünschte Veränderungen (Alterung) zu unterdrücken.

3) *Kraftfahrzeugtechnik:* Vorrichtung zur Verringerung der Kurvenneigung der Karosserie und zur Beeinflussung des Eigenlenkverhaltens.

Stabilisi̲erung, als **S. der Währung** die Herstellung geordneter Währungsverhältnisse im Inland (v. a. durch Bekämpfung der Inflation) mit dem Ziel eines konstanten Preisniveaus (Geldwertstabilität) sowie der S. der Wechselkurse gegenüber dem Ausland (äußere Stabilität). Die **gesamtwirtsch. S.** umfasst alle finanz- und konjunkturpolit. Maßnahmen zur Verwirklichung des gesamtwirtsch. Gleichgewichts.

Stabilitä̲t [lat.] *die,* **1)** *allg.:* Standfestigkeit; die Eigenschaft eines Systems, seinen Zustand nicht oder kaum zu ändern.

2) *Luftfahrt:* Fähigkeit eines Luftfahrzeugs, einen durch äußere Einflüsse vorübergehend gestörten Gleichgewichtszustand der Fluglage **(statische S.)** oder der Flugbewegung **(dynamische S.)** wiederzuerlangen. **Natürliche S.** oder **Eigen-S.** liegt vor, wenn es ohne Zuhilfenahme von Steuerrudern wieder in die Ausgangslage zurückkehrt. Man unterscheidet **Längs-S.** gegenüber Drehungen um die Querachse (Nickbewegungen), **Kurs-** oder **Richtungs-S.** gegenüber Drehungen um die Hochachse (Gierbewegungen) und **Quer-S.** gegenüber Drehungen um die Längsachse (Rollbewegungen). – Verzichtet man auf die natürl. S., was bei neuesten Kampfflugzeugen Verbesserungen von Flugleistungen und -eigenschaften ermöglicht, so kann das indifferente oder instabile Gerät mithilfe einer bes. leistungsfähigen Flugregel- und -steuerungsanlage durch dauernde korrigierende Bewegungen von Steuerrudern ebenfalls in einem Gleichgewichtszustand gehalten werden **(künstliche Stabilität).**

3) *Meteorologie:* Zustand der Atmosphäre, bei dem das Temperaturgefälle kleiner als 1 K je 100 m Höhendifferenz ist.

4) *Physik, Chemie, Technik:* a) Beständigkeit eines durch innere Kräfte zusammengehaltenen Systems, selbst äußeren Einwirkungen gegenüber; z. B. die S. der Materie, der Moleküle und Atome; b) Eigenschaft eines Systems, Zustands oder Vorgangs, nach Störung seines Gleichgewichts wieder in den Ausgangszustand zurückzukehren (→ Gleichgewicht).

5) *Schifffahrt:* Eigenschaft eines Schiffs, nach dem Auftreten krängender (Neigung um die Längsachse, **Quer-S.**) oder trimmender (Neigung um die Querachse, **Längs-S.**) Momente wieder in ein stabiles Gleichgewicht zurückzukehren. Dieses Verhalten hängt von der Lage des → Metazentrums zum Gewichtsschwerpunkt ab.

Stabilitä̲tsgesetz, Kurzbez. für **Gesetz zur Förderung der Stabilität und des Wachstums der Wirtschaft,** rechtl. Grundlage für eine anti-

Stabiae: Fresko der so genannten Primavera aus einer Villa in Stabiae (vermutlich 3. Viertel des 1. Jh.; Neapel, Museo Archeologico Nazionale)

zykl. Konjunkturpolitik. Als grundsätzl. Aufgaben für die Wirtschafts- und Finanzpolitik von Bund und Ländern schreibt das S. vom 8. 6. 1967 fest, dass sie das gesamtwirtsch. Gleichgewicht beachten und zur Stabilität des Preisniveaus, zu einem hohen Beschäftigungsstand, zum außenwirtsch. Gleichgewicht sowie zu einem stetigen und angemessenen Wirtschaftswachstum beitragen sollen (→ magisches Vieleck). Das S. ermächtigt die Bundesreg., mit Zustimmung des Bundesrates zur Ab-

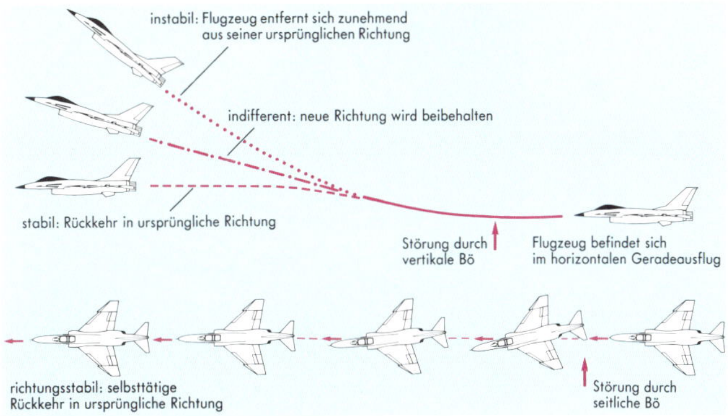

Stabilität 2): Stabilitätsverhältnisse nach einer Störung der Fluglage durch eine vertikale (oben) und eine seitliche Bö

Stachelbeere
(Höhe bis zu 1 m)

wehr von Störungen des gesamtwirtsch. Gleichgewichts steuerl. (z. B. Aussetzung oder Beschränkung von Sonderabschreibungen, Steuererhöhungen bzw. -ermäßigungen bis zu 10 %, Ergänzungsabgabe) und haushaltspolit. Maßnahmen (Begrenzung bzw. Ausweitung öffentl. Ausgaben sowie der Neuverschuldung; Bildung einer **Konjunkturausgleichsrücklage** durch Einstellung von Mitteln bei einem Nachfrageüberhang, die bei einer Konjunkturabschwächung für zusätzl. Ausgaben zu verwenden sind) zu ergreifen. Außerdem verpflichtet das S. die Bundesreg., jährlich dem Bundestag und Bundesrat den →Jahreswirtschaftsbericht vorzulegen, die →mittelfristige Finanzplanung aufzustellen und einen Konjunkturrat zu bilden. Fernerhin hat sie bei Gefährdung eines der gesamtwirtsch. Ziele Orientierungsdaten für die →konzertierte Aktion zur Verfügung zu stellen.

Stabilitätspolitik (Stabilisierungspolitik), die Gesamtheit aller wirtschaftspolit. Maßnahmen zur Erreichung des Ziels, den Wirtschaftsablauf zu stabilisieren und die Volkswirtschaft möglichst im Zustand des gesamtwirtsch. Gleichgewichts zu halten. Ein besonderes Gewicht hat dabei das Ziel der Preisniveaustabilität bzw. die Vermeidung von Inflation. (→Finanzpolitik, →Geldpolitik, →Konjunkturpolitik)

Stabkirche (Mastenkirche), ein- oder dreischiffige Holzkirche mit inneren, das mehrstöckig gestufte Dach stützenden Pfosten (Masten) und wandbildenden, senkrecht in den Boden oder einen Schwellenrahmen eingelassenen (Stab-)Planken. Ihre Bauweise ist keine Übertragung der kontinentalen Steinbauweise in Holz, sondern eine selbstständige Entwicklung; sie wurde zuerst bei Profanbauten des 9. Jh. in Haithabu nachgewiesen und erreichte ihren Höhepunkt in den norweg. S. des 12. und 13. Jh. Die Verzierungen, geschnitzte Drachen- und Rankenornamente, sind bis in die Gotik nicht vom Christentum bestimmt. In Norwegen sind etwa 30 S. erhalten; zu den ältesten gehören die von Borgund, Gol (12. Jh.; seit 1885 im Freilichtmuseum Bygdøy), Heddal (Mitte 13. Jh.; größte erhaltene Stabkirche) und Urnes; vereinzelte Beispiele auch in England und Schweden.

Stabkirche: Die Mitte des 13. Jh. erbaute Kirche im südnorwegischen Heddal ist die größte erhaltene Stabkirche

Stabpuppe, *Figurentheater:* →Stabfigur.

Stabreim, *Metrik:* die →Alliteration.

Stabsichtigkeit, *Medizin:* der →Astigmatismus.

Stabspiel, Bez. für Idiophone mit abgestimmten Stäben oder Platten aus Holz (z. B. Xylophon) oder Metall (z. B. Vibraphon).

staccato: a Notierung, b Ausführung

staccato [italien.], Abk. **stacc.,** musikal. Vortragsbezeichnung: abgestoßen; die Töne sind deutlich voneinander getrennt zu spielen; angezeigt durch einen Punkt über oder unter den Noten; Ggs.: legato.

Stachanow, bis 1992 Name der ukrain. Stadt →Kadijewka.

Stachanow-Bewegung, nach dem sowjet. Bergarbeiter Alexei G. Stachanow (*1905, †1977), der 1935 seine tägl. Arbeitsnorm mit 1300 % übertraf, benannte Wettbewerbsbewegung in der UdSSR zur Steigerung der Arbeitsproduktivität und zur Kostensenkung durch höchste Arbeitsleistungen; diente als Vorbild für die Aktivistenbewegung (→Aktivist) in der DDR u. a. kommunist. Ländern.

Stachel, 1) *Botanik:* ein (im Ggs. zum →Dorn) aus Rindengewebe gebildetes Anhangsorgan der Sprossachse höherer Pflanzen (z. B. Rosenstachel). Die S. dienen den Spreizklimmern (Kletterpflanzen wie Kletterrosen) zur Verankerung im Geäst ihrer Tragpflanzen und als Schutz gegen Tierfraß.

2) *Zoologie:* spitzes Gebilde unterschiedl. Herkunft und Bedeutung, häufig mit Schutzfunktion; z. B. durch Kalk oder Gerbstoffe verhärteter, spitzer Chitinvorsprung des Außenpanzers, umgebildete Hinterleibsextremität bei weibl. Insekten (Lege-S., Gift-S.), bei Fischen entsprechend umgebildete Schuppe, Hautzahn, Flossenstrahl, in eine Spitze ausgezogene Hornschuppe bei vielen Echsen, Borste in Form eines dicken, steifen Haares aus Hornsubstanzen bei Säugetieren.

Stachelbeere (Stachelbeerstrauch, Ribes uvacrispa), Obststrauch in Europa und im W-Himalaja. Die Zweige tragen Stacheln; herzförmig-dreilappige Blätter, grüne Blüten. Die essbare, vielsamige Beere ist meist borstig behaart, grün, gelb oder rot und enthält Vitamin C sowie Vitamine der B-Gruppe.

Stachelflosser (Strahlenflosser, Acanthopterygii), Überordnung der Knochenfische, mit zweiteiliger Rückenflosse und brust- oder kehlständiger Bauchflosse, die mit dem Schultergürtel verbunden ist; die erste Rückenflosse kann in einzelne Stacheln aufgelöst sein.

Stachelhäuter (Echinodermata, Echinodermen), ein Stamm meeresbewohnender, meist fünfstrahlig gebauter Tiere (rd. 6 000 Arten), mit Kalkskelett im Unterhautbindegewebe, das stachelförmig herausragen kann (bes. bei Seeigeln). Charakteristisch ist das **Ambulakralgefäßsystem,** ein mit Flüssigkeit gefülltes Röhrensystem. Es besteht aus einem den Schlund umfassenden Ringkanal und fünf davon strahlig abgehenden Radiärkanälen, die unter Kalkplatten **(Ambulakren, Ambulakralplatten)** liegen und mit zahlr. Saugscheiben tragenden Füßchen besetzt sind, die dem Nahrungserwerb und der Fortbewegung dienen. Die S. sind meist getrenntgeschlechtlich; ihre Larven sind frei schwimmend, zweiseitig symmetrisch. Zu den S. gehören Haarsterne und Seelilien, Schlangensterne, Seesterne, Seeigel und Seewalzen.

Stachelmohn (Argemone), Gattung der Mohngewächse in Nord- und Südamerika; einjährig, mit fiederspaltigen, meist stachelig gezähnten Blättern und gelben oder weißen Blüten. Die Art **Argemone mexicana** ist ein heute weltweit verbreitetes Unkraut der Tropen; andere Arten werden als Gartenzierpflanzen kultiviert.

Stachelpilz: Semmelstoppelpilz (Hutbreite 5–12 cm)

Stachelpilz (Stoppelpilz, Hydnum), Gattung der Ständerpilze mit Fruchtkörpern, die auf der Unterseite an Stacheln die Sporenschicht tragen. Jung essbar ist der **Semmelstoppelpilz (Igelschwamm,** Hydnum repandum) mit blassgelbem, buckligem Hut (Hutbreite 5–12 cm); auf der Unterseite mit zahlr. Stacheln.

Stachelschweine: Gewöhnliches Stachelschwein (Körperlänge etwa 60–70 cm)

Stachelschweine (Altweltstachelschweine, Hystricidae), Familie der Nagetiere in Afrika, S-Asien und S-Europa, Körperlänge rd. 35–85 cm; bes. am Rücken mit oft sehr langen Stacheln, die in Abwehrstellung aufgerichtet werden; u. a. das **Gewöhnliche S.** (Hystrix cristata) in N-Afrika, Italien sowie in SO-Europa, Körperlänge etwa 60–70 cm; dämmerungs- und nachtaktiv.

Stachelmohn: Argemone mexicana (Höhe bis zu 1 m)

Stackelberg, Heinrich Freiherr von, Volkswirtschaftler, *Kudinow (bei Moskau) 30. 10. 1905, †Madrid 12. 10. 1946; gehört zu den Begründern der modernen Marktformenlehre; setzte sich für die Mathematisierung der Wirtschaftstheorie ein und lieferte bed. Beiträge zur Preistheorie.

Stade, 1) Landkreis im RegBez. Lüneburg, Ndsachs., 1266 km², (1996) 185 600 Einwohner.

2) Kreisstadt von 1) in Ndsachs., an der Schwinge vor deren Mündung in die Unterelbe; 45 200 Ew.; Fernhochschule Lüneburg; Regionalmuseum, Kunsthaus, Freilichtmuseum, Staats- und Stadtarchiv; Flugzeugbau, chem. und Aluminiumind., Saline; Kernkraftwerk; Häfen an der Unterelbe. – Zwei got. Kirchen St. Wilhadi (13./14. Jh.) und St. Cosmae et Damiani (13./15. Jh., im 17. Jh. erneuert), Rathaus (1667), Zeughaus (1697–99), Speicherhaus (1692) und Bastion; Bürgermeister-Hintze-Haus mit manierist. Fassadenstuck (1621); am Alten Hafen stattl. Bürgerhäuser. – 994 ersterwähnt, 1209 Stadtrecht, seit dem 13. Jh. Mitgl. der Hanse; ab 1648 Hptst. und Festung der schwed. Herzogtümer Bremen und Verden. BILD S. 254

Stade 2) Stadtwappen

Städelsches Kunstinstitut, Kurzbez. **Städel,** von dem Bankier Johann Friedrich Städel (*1728, †1816) mit einer Kunstschule 1815 gestiftete Gemäldegalerie in Frankfurt am Main. Der Museumsbau wurde 1877 fertig gestellt (Erweiterungsbau 1988–90 von G. Peichl, Umbau 1997 ff.). Die

Stade 2): In der Altstadt am Alten Hafen befinden sich stattliche Bürgerhäuser aus dem 17. Jh.; das 1621 erbaute Bürgermeister-Hintze-Haus mit seinem manieristischen Fassadenstuck (rechts) ist von besonderem kunstgeschichtlichem Interesse

durch weitere Stiftungen und Neuerwerbungen vermehrte Sammlung bietet v.a. europ. Malerei und Grafik: dt., niederländ., italien. Malerei des 14.–18. Jh., aus dem 19. Jh. bes. Malerei der Romantik und des Impressionismus, aus dem 20. Jh. Malerei und Plastik. – Aus der Kunstschule ging die **Städelschule** (Staatl. Hochschule für bildende Kunst) hervor.

Johann Philipp Graf von Stadion

Stadion [grch.] *das,* **1)** *Messwesen:* antikes Längenmaß, örtlich versch., z. B. in Olympia 192,27 m, in Delphi 177,55 m und in Athen 184,97 m.

2) *Sport:* Großanlage für sportl. Wettkämpfe. Das S. war bei den Griechen v.a. Laufstätte in der Form eines lang gestreckten Rechtecks (Länge: 1 S.), dann mit halbkreisförmigem Abschluss; später auch Kampfstätte für andere Sportarten. Heute haben S. für internat. Wettbewerbe eine um einen Fußballplatz geführte 400-m-Laufbahn, längsseits und in den frei bleibenden Kurvensektoren Sprung- und Wurfanlagen, vielfach mit Kunststoffbelag. Die teilweise überdachten Zuschauertribünen fassen bis zu 100 000 und mehr Personen.

Stadion, Johann Philipp Graf von, österr. Staatsmann, *Mainz 18. 6. 1763, †Baden (bei Wien) 15. 5. 1824; aus schwäb. Uradelsgeschlecht, 1805–09 Außenmin., plante eine neue Erhebung Österreichs gegen Napoleon I., die ganz Dtl. mitreißen sollte. Nach der militär. Niederlage von 1809 wurde er von Metternich abgelöst. Ab 1816 Finanzmin., gründete S. die Nationalbank und bereitete einer Steuerreform den Weg.

Stadium [grch.-lat.] *das,* Zustand, Entwicklungsstufe.

Stadler, 1) Anton von, gen. Toni S., österr. Maler, *Göllersdorf (NÖ) 9. 7. 1850, †München 17. 9. 1917, Vater von 4); malte, stilistisch von der Schule von Barbizon beeinflusst, v.a. Landschaften des oberbayer. Voralpengebiets.

2) Ernst, Schriftsteller, *Colmar 11. 8. 1883, ⚔ bei Ypern 30. 10. 1914; Wegbereiter expressionist. Lyrik (»Der Aufbruch«, 1914); krit. und literaturwiss. Arbeiten, daneben Übersetzer v.a. frz. Literatur.

3) Maximilian, eigtl. Johann Carl Dominik S., österr. Organist und Komponist, *Melk 4. 8. 1748, †Wien 8. 11. 1833; Benediktiner; schrieb Oratorien (»Die Befreyung von Jerusalem«, 1813), Messen u.a. Kirchenwerke, Kantaten und Lieder.

4) Toni, Bildhauer, *München 5. 9. 1888, †ebd. 5. 4. 1982, Sohn von 1); Schüler von A. Gaul; 1925–27 in Paris (Einfluss von A. Maillol); gestaltete in stark vereinfachter Formgebung Köpfe, Menschen- und Tierfiguren.

Stadt, Siedlung mit meist nichtlandwirtsch. Funktionen (Ausnahme Ackerbürger-S.), gekennzeichnet u.a. durch eine gewisse Größe, Geschlossenheit der Ortsform, hohe Bebauungsdichte, zentrale Funktionen in Handel, Kultur und Verwaltung; in größeren S. führt die Differenzierung des Ortsbildes zur Bildung von S.-Vierteln (z. B. City, Wohnviertel, Ind.gebiete). Die statist. Definition geht nur von einer bestimmten Einwohnerzahl aus, unabhängig vom S.-Recht; für internat. Vergleiche scheint eine Mindesteinwohnerzahl von 20 000 sinnvoll zu sein; in Dtl. unterscheidet man Klein- (5 000–20 000 Ew.), Mittel- (20 000–100 000 Ew.) und Groß-S. (über 100 000 Ew.).

Geschichte: Die S.-Entwicklung setzte im 9./8. Jt. v. Chr. in Palästina ein (Jericho), aber noch ohne typ. Merkmale städt. Strukturen. Seit dem 5. Jt. entstanden städt. Zentren in den Tälern des Nil (z. B. Theben), Indus (Harappakultur), Euphrat und Tigris (z. B. Uruk) und des Jangtsekiang, in Europa seit Beginn des 3. Jt. v. Chr. im östl. Mittelmeerraum (ägäische Kultur), seit Anfang des 1. Jt. v. Chr. im gesamten Mittelmeerraum (Griechenland, Karthago, Rom). Im 1. Jh. n. Chr. erreichten röm. Stadtgründungen den Rhein. Hier traf die S.-Werdung auf bereits bestehende Ansätze eines v.a. befestigten S.-Wesens (u.a. kelt. Oppidum). Die antiken grch. und röm. S. waren organisator. Mittel-

15 **Stadt**

Stadtluft macht frei

Hierbei handelt es sich um einen Rechtsgrundsatz des Mittelalters. Er bezog sich auf vom Land in die Stadt abgewanderte Bauern, die sich als Unfreie auf diese Weise ihren Grundherren entzogen. Ihre Leibeigenschaft wurde hinfällig, wenn sie ein Jahr lang in der Stadt gelebt hatten, ohne dass sie von ihrem Grundherren zurückgeholt wurden. Sie wurden damit Freie. – Man verwendet den Satz heute gelegentlich, um auszudrücken, dass das Leben in der Stadt freier und ungebundener ist gegenüber dem Leben auf dem Land.

Größte Städte der Welt (Ew. in Mio.)

Stadt	Land	Ew.*)	Jahr
Seoul	Süd-Korea	10,229	1995
Bombay	Indien	9,926	1991
São Paolo	Brasilien	9,627	1991
Schanghai	China	9,100	1995
Moskau	Russland	8,718	1995
Mexiko	Mexiko	8,484	1995
Jakarta	Indonesien	8,259	1990
Tokio	Japan	7,966	1995
New York	USA	7,333	1994
Delhi	Indien	7,207	1991
Kairo	Ägypten	6,955	1995
Peking	China	6,840	1995
Istanbul	Türkei	6,748	1990
Teheran	Iran	6,620	1992
Lima	Peru	5,706	1993
Bangkok	Thailand	5,584	1994
Rio de Janeiro	Brasilien	5,473	1991
Karatschi	Pakistan	5,181	1981
Santiago de Chile	Chile	5,077	1995
Tientsin	China	5,060	1995

*) die Zahlen beziehen sich nicht auf die städt. Agglomeration

punkte des öffentl. Lebens, polit., kulturelle und wirtsch. Zentren.

Das Ende des Röm. Reiches brachte (v.a. im Westen) auch den Niedergang der antiken S.-Kultur mit sich. Die german. und slaw. Völker übernahmen erst im MA. allmählich städt. Lebensformen. Wichtigste Keimzellen oder Gründungskerne der frühmittelalterl. S.-Entwicklung in Mitteleuropa waren neben röm. Gründungen (z.B. Köln, Mainz und Trier) die entlang den Heer- und Handelsstraßen angelegten Burgen oder Pfalzen (z.B. Dortmund, Nürnberg) sowie Domburgen der Bischofssitze (z.B. Bremen, Münster) oder Klöster. Hinzu kam meist in Anlehnung an Burg oder Kloster die Kaufmannssiedlung (Wik). Der Typ der vielgliedrigen und -gestaltigen frühmittelalterl. »Mutter-S.« hat sich bis um 1150, ausgehend vom Maas-Schelde-Raum (z.B. Gent, Brügge), über das Rheinland bis in die Ostmarken an Elbe und Saale, Main und Donau ausgebildet. Neben die gleichsam gewachsenen alten S. traten seit Anfang des 12. Jh. planmäßig gegr. S. (sog. Gründungs-S., etwa Freiburg im Breisgau, Lübeck), zunächst als Instrumente kaiserl. oder fürstl. Machtpolitik, v.a. seit 1250 auch als landesherrl. Gründungen. Ein gewisses Maß an Selbstverw. und eigener städt. Gerichtsbarkeit wurde teils durch Privilegierung, teils in Auseinandersetzungen mit dem S.-Herrn erworben (S.-Recht). Zu den städt. Rechten zählten etwa auch das Marktrecht, das Zunftwesen, Recht auf Selbstverteidigung (Bürgerwehr und Mauern). Die persönl. Freiheit, die Rechtsgleichheit und die besseren wirtsch. Möglichkeiten in der S. übten eine außerordentl. Anziehungskraft auf die Landbev. aus. Die Leistung der mittelalterl. S. bestand v.a. in der Konzentration von Handel und Gewerbe, in der wirtsch. Beherrschung des Umlandes und der Erschließung neuer Absatzräume. Ihre polit. Bedeutung beruhte bes. auf ihrer überlegenen Finanzkraft. Polit. und wirtsch. Zusammenschlüsse (Städtebünde, z.B. der Schwäbische Städtebund) sicherten sich einen Einfluss auf die Reichs- und Territorialpolitik. Die →Reichsstädte nahmen ab 1489 als geschlossene Kurie an den Reichstagen teil. – Bis zum 14. Jh. hatten sich aus den Siegeln die S.-Wappen gebildet.

Der entstehende neuzeitl. Staat, auf die Steuerleistung der S. angewiesen, beschnitt seit dem 15./16. Jh. die städt. Autonomie und gliederte sie immer stärker in den Staatsverband ein. Ihre militär. Bedeutung mit dem Fortschreiten der Waffentechnik verlierend, wandelte sich die S. zum Amts- und Verw.zentrum im institutionellen Flächenstaat. Neugründungen (Plan-S.) durch die absolutist. Herrscher waren geprägt von den Idealen der Renaissance. Es entstanden radiale Straßensysteme mit dem Schloss als Bezugspunkt (Versailles, Karlsruhe); Bauvorschriften sorgten für Einheitlichkeit und Gliederung. Neben diesen Haupt- und Residenz-S. entwickelten sich Bergbau-S. mit oft nur kurzer Blütezeit, Exulanten-S. (z.B. Krefeld, Frankenthal (Pfalz), Freudenstadt), Wallfahrts-, Bade-, Festungs- und Garnisons-S. sowie Überseehandelsplätze. Neben den weiterhin selbstständigen Reichs-S. gab es S. unter Hoheit eines Landesfürsten sowie Klein-S. mit nur geringen Vergünstigungen (Marktrecht). Die Idee der kommunalen Selbstverwaltung behauptete sich, wurde jedoch erst im 19. Jh. verfassungsmäßig verankert (z.B. preuß. Städteordnung 1808/31). Die indust-

Stadt

Städte im Römischen Reich

Abgesehen von den regellos und allmählich gewachsenen Städten wie zum Beispiel Rom, wo während der Kaiserzeit etwa eine Million Einwohner lebten und wo die von Kaiser Aurelian im 3. Jahrhundert n. Chr. errichtete Stadtmauer ein Gebiet von rund 13 720 km² umfasste, folgten die römischen Städte einem zentralen, axialen Gliederungsprinzip: Um zwei sich rechtwinklig kreuzende, nach den Himmelsrichtungen ausgerichtete Hauptstraßen lagen rechteckige oder quadratische Baublöcke, in der Stadtmitte das Forum, in dessen Nähe größere öffentliche Gebäude. Die im Zuge der militärischen Expansion eroberten oder durch planmäßige Kolonisation neu gegründeten Städte wurden dem römischen Staat als Gemeinwesen mit unterschiedlichem Rechtsstatus (etwa Colonia, Municipium oder Vicus) eingegliedert. Das Ende des Römischen Reiches bedeutete auch den Niedergang der antiken Stadtkultur, deren Erbe jedoch besonders in West- und Mitteleuropa, wo die Stadt als Organisationsform durch die Berührung mit der römischen Welt entscheidend befördert wurde, weiterlebte.

Stadt

1

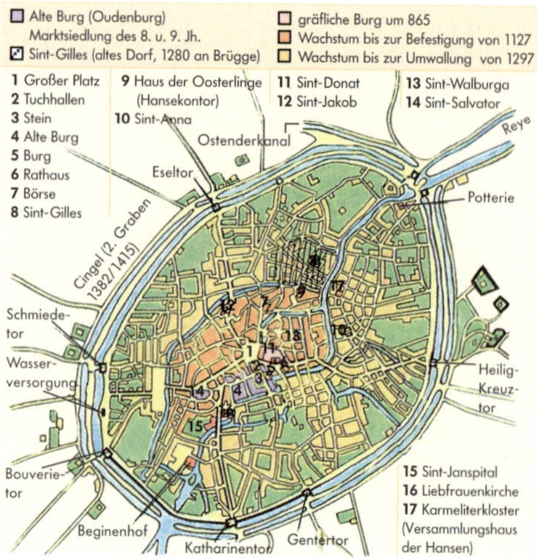

2

3

4

| **1** Als eine der ältesten Städte der Welt gilt Jericho im Westjordanland; die ältesten Siedlungsreste auf dem im Luftbild zu sehenden Hügel Tell es-Sultan reichen bis ins 9./8. Jt. v. Chr. zurück | **2** Grundriss der mittelalterlichen Stadt Brügge; eine erste Stadtumwallung wurde um 1127 angelegt, die zweite um 1297 | **3** Rekonstruierte Ansicht Karthagos zur Zeit Hannibals (3./2. Jh.); im Vordergrund ein Teil der Wohnviertel und das Forum, dahinter die Häfen | **4** Blick über die durch Ausgrabungen freigelegte, gut erhaltene römische Landstadt Pompeji auf den Vesuv, bei dessen Ausbruch im Jahr 79 die Stadt völlig verschüttet wurde; im Vordergrund ist das älteste erhaltene Amphitheater zu erkennen, das für etwa 20 000 Menschen Platz bot

rielle Revolution führte im 19. Jh. zu enormem Bev.zuwachs in und bei den Ind.zentren und zur Proletarisierung der Bev., zunächst und am nachhaltigsten in Großbritannien. Neue S.-Teile aus Mietskasernen wurden errichtet; es entwickelten sich die modernen Groß-S. (in Dtl. Berlin, München, Hamburg u.a.). Gleichzeitig wuchsen die öffentl. Aufgaben der S. (u.a. Wasserversorgung, Kanalisation, Müllabfuhr, Gas- und Elektrizitätsversorgung, Nahverkehr, Sozialfürsorge, Schulen).

Probleme der Großstadt: Wirtsch. Interessen (Konzentration von Handel und Verwaltung in den S.-Zentren) und steigende Mieten verdrängten nach und nach die Bewohner aus den S.-Zentren; die Betonbautechnik führte dazu, dass v.a. nach dem 2. Weltkrieg die alte Bausubstanz durch Hochhäuser aus Glas und Beton ersetzt wurde, während heute vielerorts die Altstadtsanierung zur Verbesserung der Wohn- und Lebensbedingungen in der Altstadt den Vorrang genießt. Die S. selbst

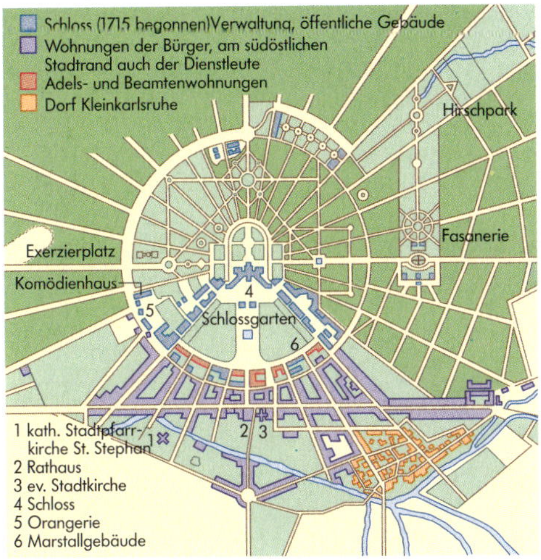

| 5

| 6

| **5** Die Stadt Karlsruhe wurde 1715 gegründet und planmäßig mit einem in engster räumlicher Beziehung zum Schloss stehenden Grundriss erbaut; Mittelpunkt ist der Turm des Schlosses, von dem 32 Straßen strahlenförmig ausgehen | **6** Wolkenkratzer wie diese im Südteil des New Yorker Stadtteils Manhattan prägen das Bild der Millionenstädte des 20. Jahrhunderts

wuchsen planlos entlang den Ausfallstraßen; die Besserverdienenden siedelten sich in S.-Erweiterungsgebieten im Grünen an; im 19. Jh. geschah dies in geplanten Reihenvillengebieten, im 20. Jh. weitgehend regellos in Gebieten mit Einfamilienhäusern an den S.-Rändern. Um die Ausbreitung der S. unter Kontrolle zu bekommen, wurden an den S.-Peripherien **Trabanten-** oder **Satelliten-S.** errichtet, oft mit Hochhauskomplexen, die auf die Wohnfunktion reduziert waren. In diesen sog. Schlaf-S. lebten v.a. Hausfrauen, alte Menschen und Kinder wegen fehlender kultureller und sozialer Einrichtungen isoliert; später wurden aufgrund dieser Mängel zur Entlastung der Groß-S. Satelliten-S. mit Versorgungsfunktionen des tägl. und teilweise des gehobenen Bedarfs, die gleichzeitig auch Gewerbestandorte bildeten, gebaut. Diese Lösung strebte bereits um die Jh.wende das Konzept der Garten-S. an, das sich jedoch nicht durchsetzte. Heute wird auch die Bedeutung der Förderung von Stadtteilzentren gesehen.

Das starke Wachstum größerer S., verbunden mit höherem Verkehrsaufkommen durch die Trennung von Wohnen und Arbeiten sowie die zunehmende Umweltbelastung (Abwasser, Müll, Smog), stellen die S.-Verwaltungen vor Probleme, die durch die schwierige Finanzsituation der Kommunen noch verstärkt werden. Darüber hinaus hat die S.-Soziologie, die sich mit den Problemen des modernen (Groß-)Stadtlebens und deren Ursachen beschäftigt, auf den Zusammenhang zw. S.-Größe und sozialem Verhalten hingewiesen, der sich v.a. in einer Verkümmerung sozialer Lebensformen manifestiert und in sozialpatholog. Auswüchsen (z.B. Slums, erhöhte Kriminalitätsrate) gipfelt. Alle diese Erkenntnisse haben Einfluss auf die S.-Planung (→Städtebau), die nicht mehr allein Aufgabe von Bauingenieuren, sondern auch von Ökologen, Soziologen und Sozialpsychologen ist.

📖 SCHIRMACHER, E.: *Stadtvorstellungen. Die Gestalt der mittelalterl. Städte. Zürich 1988.* – LICHTENBERGER, E.: *Stadtverfall u. Stadterneuerung. Wien 1990.* – SCHABERT, T.: *Stadtarchitektur. Zürich 1990.* – *Die Geschichte der S., bearb. v.* L. BENEVOLO. *A. d. Italien. Neuausg. Frankfurt am Main ⁶1991.* – LICHTENBERGER, E.: *Stadtgeographie, Bd. 1. Stuttgart ²1991.* – REULECKE, J.: *Geschichte der Urbanisierung in Dtl. Frankfurt am Main ³1992.* – SCHMIDT-EICHSTAEDT, G.: *Stadtökologie. Lebensraum Großstadt. Mannheim u. a. 1996.*

Stadtallendorf (früher Stadt Allendorf), Stadt im Landkreis Marburg-Biedenkopf, Hessen, zw. Amöneburger Becken und Schwalm, 21500 Ew.; Eisengießerei, Werkzeugfabrikation, Süßwaren-, Textil-, Papier- u.a. Industrie. – 782 als Allendorf erstmals erwähnt, bis zur Ansiedlung von Sprengstofffabriken Ende der 1930er-Jahre eine kleinbäuerl. Siedlung, seit 1960 Stadt.

Stadtbahn, Verkehrsmittel des schienengebundenen öffentl. Personennahverkehrs in Großstädten, meist auf eigenem Bahnkörper; Zwischenstufe von Straßen- und U-Bahn. – Aus der früheren Berliner S. ist die S-Bahn hervorgegangen.

Stadtbücher, seit dem 12. Jh. geführte Bücher zur Aufzeichnung aller rechtserhebl. Vorgänge in einer Stadt, seit dem 14. Jh. inhaltlich u.a. getrennt in Gerichts-, Verwaltungs- und »Privatrechtsgeschäftsbücher«.

Stadtdirektor, in Ndsachs. und früher in NRW leitender Verwaltungsbeamter in den Städten, in den kreisfreien Städten Oberstadtdirektor. (→Gemeinde)

Städtebau, Teilgebiet der Urbanistik. Der S. hat die Aufgabe, die räuml., bes. die baul. Entwicklung im gemeindl. Bereich zu lenken. Das Tätigkeitsfeld umfasst sowohl die städtebaul. Planung mit der räuml. Disposition der versch. Bodennutzungen bis hin zur Festsetzung der Umgrenzung und der Höhen der Gebäude als auch die Realisierung der Planung über Bodenpolitik (Bodenwirtschaft und Bodenordnung) sowie Aufschließung (Erschließung, Folgeeinrichtungen – bes. Anlagen des Gemeinbedarfs – der öffentl. Hand und sonstiger Träger, private Versorgungseinrichtungen).

Stadtplanung: Die städtebaul. Planung, gesetzlich »Bauleitplanung«, allg. auch Ortsplanung oder Städteplanung genannt, soll die gesamte Bebauung in den Städten und Dörfern, die zu ihnen gehörenden Anlagen und Einrichtungen sowie die mit der Bebauung in Verbindung stehende Nutzung des Bodens so vorbereiten und leiten, dass eine dem Wohl der Allgemeinheit entsprechende sozial gerechte Bodennutzung gewährleistet, eine menschenwürdige Umwelt gesichert und die natürl. Lebensgrundlagen geschützt und entwickelt werden. Die Bauleitplanung der Gemeinde vollzieht sich nach dem Baugesetzbuch in zwei Stufen: im **Flächennutzungsplan** (vorbereitender Bauleitplan), der das ganze Gemeindegebiet umfasst und die beabsichtigte städtebaul. Entwicklung der Gemeinde als Ganzes in den Grundzügen darstellt, und in dem **Bebauungsplan** (verbindl. Bauleitplan), der aus dem Flächennutzungsplan zu entwickeln ist. Der Bebauungsplan ist zugleich Grundlage für die Erschließung und begründet planvorbereitende und plandurchführende Bodenordnungsmaßnahmen (z.B. Genehmigungspflicht für den Grundstücksverkehr, Vorkaufsrecht, Umlegung, Enteignung). Die Wahl der Standorte für den Gemeinbedarf sowie die zentralen öffentl. und privaten Einrichtungen, die Anordnung der Grün- und Freiflächen in Verbindung mit den Wohn- und Arbeitsplätzen, zweckmäßige Führung und Emissionsabschirmung der Hauptverkehrslinien sind von besonderer Bedeutung für die Qualität der künftigen Umwelt. Die Verkehrsplanung muss daher in die Bauleitplanung integriert werden und sich mit dem fließenden und ruhenden Individualverkehr, dem Fußgängerverkehr und dem öffentl. Nahverkehr (Schiene, Bus) befassen. Die Bauleitpläne sind den Zielen der überörtl. Raumordnung und Landesplanung anzupassen.

Rechtliches: Das Baugesetzbuch (1. Kapitel, Allg. S.-Recht) regelt das städtebaul. Planungs- und Bodenrecht sowie das Erschließungsrecht. Die Regelung der Gestaltung baul. Anlagen gehört zur Kompetenz des Bauordnungsrechts, das der Gesetzgebung der Länder überlassen ist. Deren Landesbauordnungen dienen u.a. der Gefahrenabwehr, der Verhinderung von verunstaltenden baul. Anlagen, dem Schutz des Orts- und Landschaftsbilds gegen ästhetisch störende Eingriffe sowie der Wahrung sozialer Belange. Die Gemeinden sind ermächtigt, besondere Gestaltungssatzungen zu erlassen und hiermit die Bebauungspläne zu ergänzen. Solche Satzungen sind eine Hilfe für Denkmalschutz und -pflege, auch in Ländern, wo besondere Denkmalschutz-Ges. nicht bestehen, oder wenn zu den Maßnahmen aufgrund von Denkmalschutz-Ges. weitere Bestimmungen getroffen werden sollen. Für die Planung und Realisierung städtebaul. Sanierungsmaßnahmen zur Behebung städtebaul. Missstände sowie für bedeutsame Entwicklungsmaßnahmen bietet das Baugesetzbuch (2. Kapitel, Besonderes S.-Recht) u.a. zusätzl. bodenrechtliche Handhaben. Der Förderung des Wohnungsbaus dienen das Maßnahme-Ges. zum Baugesetzbuch vom 17. 5. 1990 und das Investitionserleichterungs- und Wohnbauland-Ges. vom 22. 4. 1993, die u.a. die Vereinfachung des Verw.verfahrens bewirken sollen. In den neuen Bundesländern gelten bis zum 31. 12. 1997 Übergangsregelungen zum Baugesetzbuch (§ 246 a).

Stadtentwässerung, der Abführung von Abwässern dienendes System von Kanalrohrleitungen. (→Kanalisation)

Städtepartnerschaft (frz. Jumelage, engl. Town Partnership), Abkommen zw. Städten unterschiedl. Nationalität mit dem Ziel, durch gegenseitiges Kennenlernen das Verständnis füreinander zu fördern. Die vertragl. Vereinbarungen zw. den Partnerstädten erstrecken sich z.B. auf Kontakte bes. zw. Jugendgruppen, kulturelle und sportl. Veranstaltungen.

Stadtfahrzeug (Stadtauto), Kraftfahrzeug für den innerstädt. (vorwiegend Personen-)Verkehr, das den hier bes. wichtigen Umweltschutz und die Verkehrsraumknappheit berücksichtigt; bisherige Vorschläge: Elektrofahrzeug, Gyroantrieb, Hybridantrieb, Solarzellenantrieb.

Stadtflucht, Abwanderung größerer Bev.gruppen aus innerstädt. Bereichen und städt. Ballungsgebieten (v.a. wegen steigender Wohnkosten) in ländl. Wohnräume; ist mit erhebl. Folgeproblemen (Verödung der Innenstädte, erhöhte Pendlerzahlen, Zersiedlung des Umlandes) verbunden.

Stadtgas (früher Leuchtgas), überwiegend aus Wasserstoff, Kohlenmonoxid und Methan bestehendes Brenngas für die öffentl. Gasversorgung von Haushalt, Gewerbe und Ind., das durch Entgasung von Steinkohle, Spaltung von Kohlenwasserstoffen (z. B. Flüssiggas, Benzin) mit Wasserdampf oder Kohlevergasung hergestellt werden kann. Heute ist S. weitgehend durch Erdgas ersetzt.

Stadtgericht, im MA. städt. Gericht für Bürger; als Marktgericht auch für Fremde; Gerichtsherr war anfänglich der Stadtherr, ab dem 13. Jh. der Stadtrat.

Stadthagen, Krst. des Landkreises Schaumburg, Ndsachs., nördlich der Bückeberge, 23 800 Ew.; Metall- und Lederverarbeitung, Holzind., Herstellung von Fahrtreppen und -steigen, Maschinenbau. – Innerhalb der Wallanlagen zahlr. Fachwerkhäuser und Bauten der Weserrenaissance; ehem. fürstl. Schloss (16. Jh.), fürstl. Mausoleum (1625). – 1225 gegr., ist S. seit 1344 Stadt.

Stadtilm, Stadt im Ilm-Kreis, Thür., an der Ilm, am Nordostrand des Thüringer Waldes, 5 200 Ew.; Heimatmuseum; Herstellung von Wohnraumleuchten, Haushaltschemikalien und Gelenkwellen, Lederverarbeitung, Schuhproduktion. Im Stadtteil **Oberilm** Salzsiederei und Saline. – Rathaus (17. Jh.), Stadtkirche (12. Jh.). – Um 1150 bezeugt, 1224 erstmals als Stadt genannt.

Stadtkämmerer, Leiter einer städt. Finanzverwaltung, oftmals auf der Stufe von Dezernenten.

Stadtklima, das Klima großer Städte im Vergleich zu ihrer Umgebung, gekennzeichnet durch höhere Temperaturen als Folge der Wärme, die bei künstl. Energienutzung abgegeben oder durch das rasche Abfließen von Wasser in die Kanalisation nicht zur Verdunstung benötigt wird. Bei austauscharmen Wetterlagen kommt es, verstärkt durch einen hohen Aerosolgehalt der Luft, rasch zu Dunst- oder Nebelbildung (Smog); die Wärmeabgabe begünstigt die Konvektion.

Stadtlohn, Stadt im Kr. Borken, NRW, an der Berkel (Zufluss der IJssel), 19 400 Ew.; Landmaschinen-, Textil-, Möbelind., Töpfereien. – Die bei der Burg Lon (1152 gegr.) entstandene Siedlung wurde 1316 Stadt. Bei S. siegte am 6. 8. 1623 Tilly über Christian von Braunschweig-Wolfenbüttel.

Stadtmission, ein Fachverband des Diakon. Werkes, der sich in Großstädten der sozialdiakon. und geistl. Betreuung (Telefonseelsorge, Beratungsdienste u. a.) v. a. von gesellschaftl. Rand- und Problemgruppen (z. B. Alleinerziehende, Behinderte, Haftentlassene, Nichtsesshafte, Süchtige) widmet.

Stadtoldendorf, Stadt im Landkreis Holzminden, Ndsachs., im Weserbergland, am Naturpark Solling-Vogler, 6 500 Ew.; Gipsgewinnung und -verarbeitung; Fremdenverkehr. – Stadtmauer, Fachwerkhäuser; oberhalb der Stadt die Ruine Homburg (12. Jahrhundert).

Stadtplan, großmaßstäbige Orientierungskarte einer Stadt mit Suchgitter und Register, in der die Straßen meist stark verbreitert und bebaute Flächen sehr vereinfacht wiedergegeben sind.

Stadtplanung, → Städtebau.

Stadtrat, 1) die Gemeindevertretung in den Städten (→ Gemeinde); 2) das einzelne Mitglied dieses Kollegiums.

Stadtrecht, das in den Städten des MA. seit dem 12. Jh. entstandene Recht, worin das Landrecht den wirtsch. und polit. Verhältnissen der Städte angepasst war; galt z. T. bis ins 19. Jh. Urspr. beruhte das S. auf Privilegien (Handfesten) des Königs oder Stadtherrn, später traten städt. Ratssatzungen in den Vordergrund. Andere Quellen waren private Rechtsbücher und Sammlungen von Schöffensprüchen und die Stadtbücher. Durch Bewidmung jüngerer Städte mit dem Recht einer älteren bildeten sich **S.-Familien** (→ Oberhof, → Magdeburger Recht).

Stadtroda, Stadt im Saale-Holzland-Kreis, Thür., am Saalezufluss Roda, 6 400 Ew.; Agraringenieurschule; Möbelindustrie. – Heilig-Kreuz-Kirche (12. Jh. ff.), Pfarrkirche Sankt Salvator (16. Jh.), Barockschloss (17. und 18. Jh.). – Um 1250 bei dem Kloster Roda als Marktflecken angelegt, 1333 als Stadt bezeugt; war bis 1994 Kreisstadt.

Stadtschnellbahn, die → S-Bahn.

Stadtschreiber, 1) *Geschichte:* früher der (oft juristisch geschulte) Leiter der städt. Kanzlei. – In einigen größeren Gemeinden der *Schweiz* ist S. der Sekretär des Gemeinderats und Vorsteher der Gemeindekanzlei.

2) *Literaturwesen:* heute Schriftsteller, der auf Einladung einer Stadt für eine befristete Zeit als Chronist und Literaturvermittler wirkt.

Stadtsenat, seit 1919 das leitende Gemeindeorgan von Wien, gleichzeitig Landesreg. von Wien.

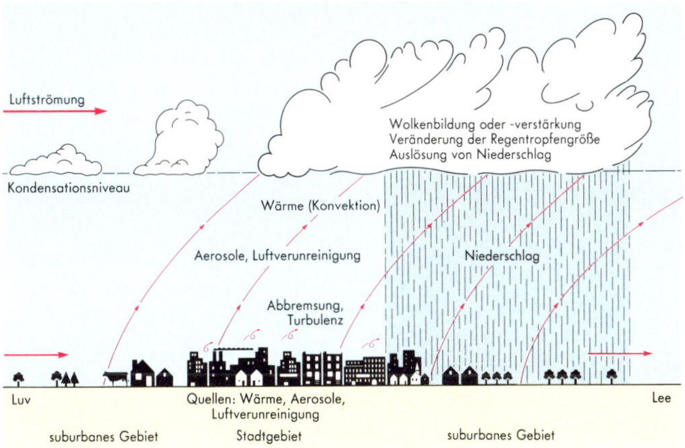

Stadtklima: schematische Darstellung der Wolken- und Niederschlagsbildung im Stadtbereich

Klaus Staeck: »Saurer Regen«, Plakat (1983)

Stadtstaat, eine Stadt, die ein selbstständiges Staatswesen mit einem auf die nähere Umgebung beschränkten Herrschaftsbereich bildet, so die →Polis der grch. Antike, im alten Dt. Reich die Reichsstädte; heute in Dtl. Hamburg, Bremen und Berlin.

Stadtverordneter, der gewählte Vertreter der Bürgerschaft einer Stadt; er hat in der **Stadtverordnetenversammlung** Sitz und Stimme; entspricht dem Stadtrat. (→Gemeinde)

Staeck, Klaus, Grafiker, *Pulsnitz 28. 2. 1938; Rechtsanwalt, als Künstler Autodidakt; entwickelte im Anschluss an J. Heartfield und die russ. Konstruktivisten satir. Plakate, Postkarten, Aufkleber u.a. zur polit. Provokation.

Staël [stal], **1)** Anne Louise Germaine, Baronin von S.-Holstein, gen. Madame de S., frz. Schriftstellerin schweizer. Herkunft, *Paris 22. 4. 1766, †ebd. 14. 7. 1817; Tochter von J. →Necker, auf dessen Gut Coppet bei Genf (seit 1792) ihre Freundschaft mit B. →Constant de Rebecque begann. Ab 1797 wieder in Paris, wurde ihr Salon zum Zentrum der Opposition gegen Napoleon I., der sie 1803 auswies. In Coppet sammelte sie wichtige Repräsentanten des europ. Geisteslebens um sich; auch auf ihren ausgedehnten Reisen hatte sie zu fast allen bed. Zeitgenossen Kontakt (in Dtl. Goethe, Schiller, J. G. Herder, C. M. Wieland, die Brüder A. W. und F. Schlegel). Mit ihrem Hauptwerk, der von A. W. Schlegel inspirierten Schrift »Über Deutschland« (3 Bde., 1. Ausgabe 1810 auf Befehl Napoleons vernichtet, Neudruck London 1813) beeinflusste sie die frz. Romantik und darüber hinaus für lange Zeit das Deutschlandbild Frankreichs: Deutschland als das Land politisch passiver Menschen, der Denker und Träumer. In z. T. autobiograph. Romanen trat S. für das Recht der Frau auf außerehel. Liebe (»Delphine«, 4 Bde., 1802) und für die Anerkennung weibl. Geistesschaffens ein (»Corinna«, 2 Bde., 1807).

📖 HEROLD, J. C.: *Madame de S. Herrin eines Jahrhunderts. A. d. Amerikan. München 1980.* – PULVER, C.: *Madame de S. Biographie. München 1980.*

2) Nicolas de, frz. Maler russ. Herkunft, *Sankt Petersburg 5. 1. 1914, †(Selbstmord) Antibes 16. 3. 1955; lebte ab 1938 in Frankreich; malte seit 1942 Landschaftsbilder und Stillleben von klar gebauten, starkfarbigen Flächenformen (Spachtelschichten) vor meist monochromen Hintergründen; ab 1952 versuchte er Abstraktes und Gegenständliches miteinander zu verbinden (Fußballspieler-Serie).

Stäfa, Gemeinde im Kt. Zürich, Schweiz, am O-Ufer des Zürichsees, 10 600 Ew.; feinmechan. Ind.; Weinbau. – Ritterhäuser und Kapelle, ref. Kirche (1688/89) mit frühklassizist. Stuckaturen.

Staff, Leopold, poln. Lyriker, *Lemberg 14. 11. 1878, †Skarżysko-Kamienna (Wwschaft Kielce) 31. 5. 1957; entwickelte über Verse nach klass. Muster immer einfachere und klarere Formen (z. B. »Barwa miodu«, 1936). Der Gedichtband »Wiklina« (1954) galt als künstler. Kampfansage an den sozialist. Realismus; bed. Übersetzer aus dem Italienischen und Deutschen.

Staffa ['stæfə], Insel der Inneren Hebriden, Schottland, westlich der Insel Mull, mit Basaltsäulen und Höhlen, darunter die →Fingalshöhle.

Madame de Staël: Gemälde von Elisabeth-Louise Vigée-Lebrun (um 1800; Genf, Musée d'Art et d'Histoire)

Staffage [sta'faːʒə, frz.] *die, bildende Kunst:* Menschen- und Tierfiguren zur Belebung von Landschafts- und Architekturbildern, auch zur Verdeutlichung von Raumtiefe und Größenverhältnissen.

Nicolas de Staël: »Abstrakte Komposition« (1949; Paris, Musée d'Art Moderne)

Staffelanleihe, Anleihe mit veränderl. Zinsfuß **(Staffelzins),** der im Zeitverlauf zu den in den Emissionsbedingungen fixierten festen Terminen steigt oder fällt.

Staffelbruch (Treppenverwerfung, Schollentreppe), *Geologie:* Gruppe annähernd paralleler Verwerfungen mit treppenartiger Absenkung einzelner Gesteinsschollen.

Staffelei, verstellbares Holzgestell zum Aufstellen eines in Arbeit befindl. Gemäldes **(S.-Gemälde, Staffelbild).**

Staffellauf (Staffel), *Sport:* Disziplin der Leichtathletik, mehrere (meist vier) Läufer einer Mannschaft haben im Wechsel einen Abschnitt auf der 400-m-Rundbahn zu durchlaufen (wobei Rund- und Pendelstaffel unterschieden werden); bei dem Wechsel innerhalb eines vorgegebenen Wechselraums von 20 m (beim Sprint zusätzlich noch 10 m für den Anlauf) wird im Lauf ein Stab von 28 bis 30 cm Länge übergeben. – Staffelwettbewerbe gibt es auch im Biathlon, Schwimmsport, Sporttauchen (Flossenschwimmen) und im Skilanglauf.

Staffelmiete, →Miete.

Staffelrückgriff, *Wechselrecht:* →Wechsel.

Staffelsee, Moränenstausee im Alpenvorland, Bayern, nördlich von Garmisch-Partenkirchen, 649 m ü. M., 7,7 km², bis 38 m tief; mit Inseln.

Staffelstein, Stadt im Landkreis Lichtenfels, Bayern, am Fuß des Staffelberges (539 m ü. M.), 10700 Ew.; Porzellanherstellung, Maschinen- und Akkumulatorenbau, Möbelind.; Fremdenverkehr, Kurbetrieb dank eisen- und kohlensäurehaltiger Sole (Obermaintherme). Nahebei →Banz und →Vierzehnheiligen.

Stafford ['stæfəd], Hptst. der Cty. Staffordshire, Mittelengland, am Sow, 55500 Ew.; Museen; Maschinenbau, Schuhindustrie.

Stafford ['stæfəd], Jean, amerikan. Schriftstellerin, *Covina (Calif.) 1. 7. 1915, †White Plains (N. Y.) 26. 3. 1979; schildert in Romanen und Kurzgeschichten Probleme Heranwachsender: »Die Geschwister« (R., 1947), »Das Katharinenrad« (R., 1952), »Klapperschlangenzeit« (Erz., 1965, dt. Auswahl).

Staffordshire ['stæfədʃɪə], Cty. in Mittelengland, 2716 km², (1991) 1,056 Mio. Ew.; Verw.sitz ist Stafford.

Stagflation [Kw. aus **Stag**nation und **Inflation**] *die,* Zustand einer Volkswirtschaft, bei dem die Wachstumsrate des realen Sozialprodukts gleich null ist, die Preise steigen und die Arbeitslosigkeit zunimmt.

Stagnation [lat.] *die,* **1)** *allg.:* Stockung, Stillstand.

2) *Wirtschaft:* Stillstand beim Wachstum des Sozialprodukts, der bei zunehmender Arbeitsproduktivität mit steigender Arbeitslosigkeit verbunden ist. Vorübergehende S. ist häufig in der Rezessionsphase des Konjunkturzyklus anzutreffen, eine dauerhafte S. (säkulare S.) wird in der Wirtschaftstheorie als Endzustand der wirtsch. Entwicklung (stationäre Wirtschaft) diskutiert.

Stahl, jedes hüttenmännisch hergestellte unlegierte oder mit den verschiedensten Elementen legierte →Eisen mit Kohlenstoffgehalten bis zu etwa 2 %, das sich ohne besondere Vorbereitung schmieden oder walzen lässt. Die Eigenschaften von S. sind bei der Herstellung durch Änderung der Legierungszusammensetzung, d. h. durch eine Änderung des Kohlenstoffgehalts bzw. -gefüges und durch Zusatz von weiteren Elementen (v. a. Metalle), in großen Bereichen variierbar. Bei einem Kohlenstoffgehalt über 2 % wird der S. spröde und verliert seine Verformbarkeit. Eisen mit einem höheren Kohlenstoffgehalt bezeichnet man als Gusseisen oder Roheisen. Grundlage für die Einstellung der Gefüge ist das →Eisen-Kohlenstoff-Diagramm. Man unterscheidet austenit. S. (→Austenit), martensit. S. (→Martensit), ferrit. S. (→Ferrit), perlit. S. (→Perlit) und ledeburit. S., die Eisencarbid oder harte Carbide von Wolfram, Titan u. a. enthalten. Wird der S. außer mit Kohlenstoff noch mit anderen Elementen zu bestimmten Prozentanteilen legiert, spricht man von **legiertem S.,** z. B. Chrom-S., Mangan-S., Nickel-S. S. mit einem

Gesamtgehalt an Legierungselementen über 5% gilt als **hochlegierter S.** S. mit einem niedrigeren Gehalt an Legierungselementen als in der Euronorm festgelegt wird als **unlegierter S.** bezeichnet. – Innerhalb der Hauptgruppen der legierten bzw. unlegierten S. unterscheidet man zw. Grund-S., Qualitäts-S. und Edelstahl. Neben der S.-Sorte ist auch die Erzeugnisform für eine Unterscheidung wichtig. Es gibt aus dem Roh-S. hergestellte Halbzeuge und Walzstahlfertigerzeugnisse, z.B. Band-S., Form-S., Profil-S. und Walzdraht.

Die Herstellung von S. aus dem im Hochofen gewonnenen Roheisen, z.T. unter Zusatz von Schrott, beruht im Wesentlichen darauf, dass die im Roheisen gelösten unerwünschten Begleitelemente des Eisens, insbesondere der Kohlenstoff, daneben auch Mangan, Silicium, Phosphor und Schwefel, durch →Frischen in Form von Schlacke oder gasförmigen Verbindungen ganz oder teilweise entfernt werden. Hierzu sind bei den **Blasverfahren** als ältere Verfahren v.a. das Bessemer-Verfahren und das Thomas-Verfahren zu nennen, bei denen das Roheisen in →Konvertern durch Einblasen von Luft vom Konverterboden aus gefrischt wird (Windfrischverfahren). Große technische Bedeutung haben heute die **Sauerstoffblasverfahren,** v.a. das für phosphorarmes Roheisen geeignete **LD-Verfahren** (→Sauerstoffmetallurgie) sowie das für phosphorreiches Roheisen entwickelte **LD-AC-Verfahren** (Linz-Donawitz-ARBED-CNRM-Verfahren; benannt nach ARBED S.A., Luxemburg, und Centre National des Recherches, Lüttich). Beim **Kaldoverfahren** (Erfinder Bo Kalling, Stahlwerke Domnarvet in Schweden) wird der Konverter während des Frischens gleichzeitig gedreht und geneigt, um durch die vergrößerte Oberfläche die Reaktion zu beschleunigen. Ein wichtiges Konkurrenzverfahren zur Sauerstoffaufblasmetallurgie ist das **OBM-Verfahren** (Oxygen-Bottom-Maximilianshütte-Verfahren; benannt nach der Eisenwerk-Gesellschaft Maximilianshütte mbH, Sulzbach-Rosenberg), ein **Sauerstoffdurchblasverfahren** mit Schutzmedium für den Sauerstoffstrahl. **Herdfrischverfahren** sind das **Siemens-Martin-Verfahren,** bei dem die unerwünschten Begleitstoffe durch Einwirkung heißer, oxidierender Flammengase und durch die Frischwirkung des von Schrott oder oxid. Eisenerz abgegebenen Sauerstoffs entfernt werden, und das **Elektrostahlverfahren,** d.h. die Herstellung von Elektro-S. in Elektroschmelzöfen wie Lichtbogen- oder Induktionsöfen. In den letzten Jahren gewann die S.-Herstellung durch Direktreduktion von Eisenerzen zunehmende Bedeutung. (→Stahlindustrie)

Friedrich Julius Stahl (Ausschnitt einer zeitgenössischen Lithographie)

Stahl, 1) Friedrich Julius, eigtl. F.J. Jolson-Uhlfelder, Rechtsphilosoph und Politiker, *Würzburg 16. 1. 1802, †Bad Brückenau 10. 8. 1861; seit 1840 Prof. in Berlin, seit 1849 Mitgl. der preuß. 1. Kammer (Führer der äußersten Rechten). Seine christlich-konservative Staatslehre (»Die Philosophie des Rechts nach geschichtl. Ansicht«, 1830–37, 2 Bde. in 3 Tln.; »Das monarch. Prinzip«, 1845) prägte auf lange Zeit den Konservativismus in Preußen und dem Dt. Reich nach 1871.

2) Georg Ernst, Arzt und Chemiker, *Ansbach 21. 10. 1660, †Berlin 14. 5. 1734; Prof. der Medizin in Halle, seit 1716 Leibarzt des Königs in Berlin; entwickelte die für die Verbrennungsvorgänge aufgestellte →Phlogistontheorie weiter.

Stahl: Auf der Konverterbühne eines nach dem Sauerstoffblasverfahren arbeitenden Stahlwerks wird Roheisen in den Konverter gefüllt (links); daneben Lichtbogenofen zur Herstellung von Elektrodenstahl mit hochgefahrenen Elektroden

3) Hermann, Schriftsteller, Bühnenbildner und Maler, *Dillenburg 14. 4. 1908; urspr. Maler (1933 für »entartet« erklärt); schrieb formal strenge, sprachlich präzise und klangvolle Gedichte und Romane um Verstrickung und Bewährung junger Menschen, später Zeitromane: »Tage der Schlehen« (1960), »Das Pfauenrad« (1979); auch Hörspiele, Kritiken und Feuilletons.

Hermann Stahl

Stahlbau, Bauweise für Tragkonstruktionen des Ingenieurbaus, deren Einzelteile aus Walzstahl (Form- und Stabstahl, Breitflach- und Bandstahl, Bleche und Stahlrohre), Lager, Gelenke u.a. auch aus Formstücken und Gussstahl bestehen. Teilgebiete des S. sind Stahlhochbau, -brückenbau, -wasserbau, -tragwerke für Krane und Fördergeräte sowie Bohrtürme, Maste, Funktürme u.a. **Metallleichtbau** ist eine moderne Entwicklungsrichtung. Vorteile des S. sind v.a. hoher Vorfertigungsgrad, große Stützweiten, Elastizität; nachteilig ist der hohe Aufwand für Korrosions- und Brandschutz.

Stahlbeton (bewehrter Beton), mit Stahleinlagen (i.d.R. Rundstahl) versehener Beton. Tragfähigkeit und Beständigkeit des S. beruhen auf dem Zusammenwirken von Beton und Stahl: Beton ist druckfest, aber nur wenig zugfest, sodass er schon bei geringer Dehnung reißt; er ist deshalb als Baustoff allein ungeeignet, wenn im Baukörper Zugdehnungen auftreten. Erst im Verbund mit Stahleinlagen (Bewehrung), die die Zugkräfte aufnehmen, wird Beton für Bauteile aller Art anwendbar. Eine bes. Form des S. ist der →Spannbeton.

Beim **S.-Bau** sind die Grundformen für Bauteile Platten, Balken, Plattenbalken, Stützen, Rahmen, Fachwerke, Schalen, Scheiben und Faltwerke.

Als Erfinder des S. gilt J. Monier, auf den auch die früher übl. Bez. Moniereisen für die Stahleinlagen zurückgeht.

Stahlflasche, nahtlos gezogener Hohlkörper aus zähem Flussstahl zur Lagerung, Beförderung und Entnahme von Druckluft und hoch verdichteten Gasen, z.B. Sauerstoff, Stickstoff, Wasserstoff, Acetylen, Kohlendioxid, Argon. Zur Kennzeichnung des Inhalts werden die gleichen Farben wie bei →Rohrleitungen benutzt.

Stahlhelm, *Militärwesen:* metallener Kopfschutz (→Helm).

Stahlhelm, eigtl. S.-Bund der Frontsoldaten, 1918 von F. →Seldte gegründete Vereinigung von Teilnehmern des 1. Weltkriegs (seit 1924 auch Nichtkriegsteilnehmer); ab 1931 an der Harzburger Front beteiligt. 1933 wurde der Wehr-S. (Mitgl. bis 35 Jahre) in die SA eingegliedert; 1935 aufgelöst; 1951 neu gegr., jedoch ohne Bedeutung.

Stahlhof, fälschlich für →Stalhof.

Stahlindustrie, zusammenfassende Bez. für versch., zum verarbeitenden Gewerbe gerechnete Branchen; dazu gehören Hochofen-, Stahl- und Warmwalzwerke, die Sparte Stahlverformung (Röhren-, Press-, Schmiede- und Hammerwerke), Drahtziehereien und Kaltwalzwerke sowie Eisen-, Stahl- und Tempergießereien. Hochofen-, Stahl-, Warm- bzw. Kaltwalzwerke sowie Stahlgießereien und Schmiedewerke fasst man auch unter dem Begriff **Eisen schaffende Industrie** zusammen; die übrigen Sparten der S. zählen zur **Eisen verarbeitenden Industrie,** wenn auch eindeutige Grenzen nicht immer zu ziehen sind. Die Bez. S. hat in den letzten Jahren die Bez. **Eisen- und Stahlindustrie** weitgehend in den Hintergrund gedrängt. Die S. hat ihre frühere volkswirtsch. Bedeutung verloren, da Stahl v.a. in den 70er- und 80er-Jahren in starkem Maße durch Kunststoffe und andere Werkstoffe ersetzt wurde und heute wesentlich rationeller (u.a. durch verbessertes Recycling) eingesetzt wird. Wegen des drast. Kapazitätsabbaus in der Stahlkrise ist der Anteil der S. an der industriellen Erzeugung gesunken, wie auch die Zahl der Arbeitsplätze.

Stahlbau: Montage einer tragenden Stahlkonstruktion im Stahlhochbau

Stahlkrise, Bez. für die 1974 einsetzende und bis in die 1. Hälfte der 80er-Jahre andauernde Strukturkrise der Stahlind. der EG-Staaten. Ursachen waren erhebl. Überkapazitäten in den nat. Stahlind. (u.a. bedingt durch weltweiten Rückgang der Nachfrage aufgrund des Einsatzes alternativer Werkstoffe) und die von den einzelnen Reg. in unterschiedl. Ausmaß betriebene Subventionspolitik, die zum Erhalt von Anlagen wesentlich beitrug. Darüber hinaus hatten Schwellen- und Staatshandelsländer durch Dumpingpreise wachsende Marktanteile errungen. Die S. bewirkte eine erhebl. Reduzierung von Arbeitsplätzen durch Abbau von Kapazitäten, Stilllegung von Werken und z.T. traditionsreichen Standorten. Da die von der

EG-Kommission angestrebten freiwilligen Lieferbeschränkungen der Stahlunternehmen scheiterten, wurde 1980 ein Zwangskartell mit überwachten Produktions- und Absatzquoten sowie Mindestpreisen geschaffen (bis 1988 in Kraft). 1992/93 kam es im EG-Bereich erneut zu einer S. Die EG-Kommission appellierte an die Mitgl.staaten, ihre Stahlkapazitäten zu reduzieren, lehnte jedoch die erneute Einführung von Zwangsquoten- und Preiskartellen ab. Geplant ist, mit den osteurop. Billiganbietern Selbstbeschränkungsabkommen sowie zw. den USA und den EG ein multilaterales Stahlabkommen (Subventions- und Dumpingverbot) abzuschließen und den Umstrukturierungsprozess in den am stärksten betroffenen Ländern mit EG-Mitteln zu unterstützen.

Stahlpakt (italien. Patto d'acciaio), der am 22. 5. 1939 in Berlin unterzeichnete Freundschafts- und Bündnisvertrag zw. dem nationalsozialist. Dtl. und dem faschist. Italien.

Stahlrohrmöbel, mit tragendem Gerüst aus verchromtem oder lackiertem Stahlrohr gefertigte leichte und stabile Möbel, v. a. Sitzmöbel. S. wurden Mitte der 1920er-Jahre bekannt durch die bahnbrechenden Entwürfe für Stahlrohrsessel von M. L. Breuer und L. Mies van der Rohe.

Stahlstich, ein um 1820 in England erfundenes graf. Verfahren, bei dem in einer dem →Kupferstich entsprechenden Technik eine polierte Stahlplatte verwendet wird.

Stahlwolle, Haufwerk aus langen Stahlspänen zum Putzen, Schleifen, als Belag für Bremsbacken.

Emil Staiger

Staiger, 1) Emil, schweizer. Literaturwissenschaftler, *Kreuzlingen 8. 2. 1908, †Horgen 28. 4. 1987; Prof. in Zürich; für die 2. Hälfte des 20. Jh. richtungweisende Poetikforschungen (»Grundbegriffe der Poetik«, 1946); Hauptvertreter der Methode werkimmanenter Interpretation (»Die Kunst der Interpretation. Studien zur dt. Literaturgeschichte«, 1955); literaturhistor. Arbeiten, Beiträge zur Diskussion über die Rolle der neueren schweizer. Literatur.

Stahlrohrmöbel: Marcel Lajos Breuer, Stahlrohrcouch (1930/31; New York, Museum of Modern Art)

Otto Staiger: »Universität und Museum«, Glasfenster in der Eingangshalle des Kunstmuseums in Basel (1932–36)

2) Otto, schweizer. Glasmaler und Maler, *Basel 3. 9. 1894, †ebd. 5. 9. 1967; einer der Erneuerer der Glasmalkunst in der Schweiz. Angeregt vom dt. Expressionismus, gelangte S. zu einer starkfarbigen, flächenhaften, streng stilisierten Glasmalerei (Fenster in der Antoniuskirche in Basel, 1926–29).

Stainer (Steiner), Jakob, Tiroler Geigenbauer, *Absam vor 1617, †ebd. 1683. Seine Instrumente, den italien. Meistergeigen gleichwertig, haben einen hellen, weit tragenden Ton. S. gilt als Gründer der »Tiroler Schule«.

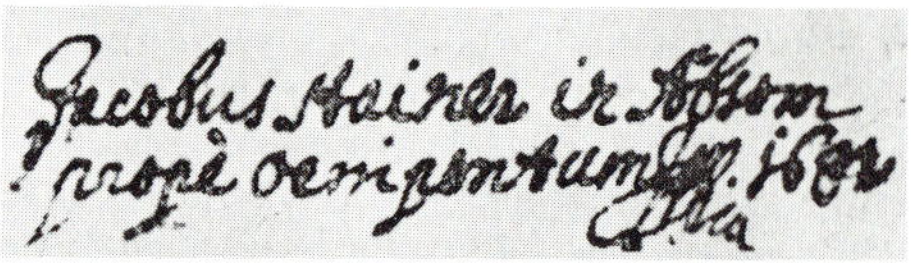

Jakob Stainer: Geigeninschrift aus dem Jahr 1682

Stalagmit [grch.] *der,* vom Boden nach oben wachsende Tropfsteinsäule.

Stalaktit [grch.] *der,* von der Decke nach unten wachsender Tropfsteinzapfen.

Stalaktitengewölbe, Gewölbeform in der persisch-islam. Baukunst: übereinander aufsteigende Zellenwölbungen mit zackenförmig herabhängendem Steinwerk.

Stalhof (fälschlich Stahlhof), seit dem 15. Jh. die Niederlassung (Kontor) der hans. Kaufleute in London, 1598 geschlossen.

Stalin, Jossif (Josef) Wissarionowitsch, eigtl. J. W. Dschugaschwili, sowjet. Politiker georg. Herkunft, *Gori 21. 12. 1879 (nach anderen Angaben 6. 12. 1878), †Kunzewo (heute zu Moskau) 5. 3. 1953; Sohn eines Schuhmachers; vom Priesterseminar in Tiflis 1899 wegen Verbindungen zu marxist. Kreisen (seit 1898 Mitgl. der SDAPR) ausgeschlossen; organisierte unter dem Decknamen Koba Streiks und Demonstrationen; zw. 1903 und 1917 mehrmals verbannt. Seit 1912 Mitgl. des ZK und seit 1917/19 des Politbüros der Bolschewiki; wurde nach der Oktoberrevolution Volkskommissar für Nationalitätenfragen (1917–23) und setzte mit der Roten Armee gewaltsam die Wiedereingliederung der vom russ. Gesamtstaat abgefallenen Nationalitäten des Kaukasus (Georgien, Armenien, Aserbaidschan) durch. 1922 übernahm S. das neu geschaffene Amt des Gen.-Sekr. des ZK der Partei, das er trotz Lenins Empfehlung (»Testament«) zu seiner Ablösung auch nach dessen Tod (Jan. 1924) behielt. Zw. 1924 und 1929 gelang es S., seine Konkurrenten (insbesondere L. Trotzki) nach und nach auszuschalten. Ab Ende der 1920er-Jahre unumschränkter Diktator, sicherte er in der Folgezeit seine Macht durch eine rücksichtslose Vernichtung polit. Gegner, die ihren Höhepunkt mit den »Säuberungen« und Schauprozessen der 1930er-Jahre (Große →Tschistka) erreichte. Innenpolitisch forcierte S. entsprechend seiner These vom »Aufbau des Sozialismus in einem Land« die Industrialisierung und Zwangskollektivierung in der Landwirtschaft (→Kulak). Außenpolitisch schloss er kurz vor Ausbruch des 2. Weltkrieges 1939 einen Nichtangriffspakt mit Dtl. (Geheimes Zusatzprotokoll zur Festlegung der territorialen Interessensphären in O-Europa). Nach der Besetzung O-Polens (Sept. 1939) löste er den finnisch-sowjet. Winterkrieg (1939/40) aus und gliederte 1940 die balt. Staaten als Sowjetrep. der UdSSR an. Vom dt. Angriff 1941 wurden S. und die Rote Armee, deren Offizierskorps durch die »Säuberungen« stark dezimiert worden war, überrascht. Während des Krieges ließ er unter dem Vorwurf der Kollaboration mit den Deutschen nat. Minderheiten nach O deportieren (u.a. 1941 die Wolgadeutschen, 1944 die Krimtataren). Die letztlich erfolgreiche Abwehr des dt. Überfalls im »Großen Vaterländ. Krieg« nutzte S. als Vors. des Rats der Volkskommissare (seit 1941), Marschall (1943) und schließlich Generalissimus (1945) zum weiteren Ausbau des Personenkults. In den Verhandlungen mit den westl. Alliierten (Konferenzen von Teheran, Jalta und Potsdam) und durch den erzwungenen Machtantritt kommunist. Parteien in mittel- und osteurop. Ländern konnte S. die Einflusssphäre der UdSSR bis zum O Dtl.s ausdehnen. Er ließ in den »Volksdemokratien« führende nationalkommunist. Kräfte ausschalten (seit Ende der 1940er-Jahre Schauprozesse; 1948 Bruch mit dem von J. B. Tito geführten Jugoslawien). Der von S. formierte Ostblock (Ausrichtung der zu ihm gehörenden Staaten am sowjet. Gesellschaftsmodell) geriet in einen scharfen Ggs. zu der von den USA geführten westl. Welt (→Kalter Krieg, →Ost-West-Konflikt). Eine bereits vorbereitete neue Welle von innenpolit. »Säuberungen« kam durch seinen Tod nicht mehr zustande. 1956 begann mit der Kritik N. S. Chruschtschows an S. und seiner Herrschaft (»Geheimrede« auf dem XX. Parteitag) eine →Entstalinisierung. 1961 wurde der Leichnam S.s vom Mausoleum am Roten Platz in Moskau an die Kremlmauer umgebettet. S., der sich selbst unter die »Klassiker« des Marxismus-Leninismus einreihte, verfasste zahlr., den Marxismus vulgarisierende Schriften. (→Stalinismus)

Jossif (Josef) Stalin
(um 1941)

📖 Bullock, A.: *Hitler u. S. A. d. Engl. Tb.-Ausg. München 1993.* – Rubel, M.: *Josef W. S. Reinbek [7]1994.* – Becker, F.: *S.s Blutspur durch Europa. Partner des Westens 1933–45. Kiel 1996.*

Stalinabad, 1929–61 Name der tadschik. Stadt →Duschanbe.

Stalingrad, 1925–61 Name der russ. Stadt →Wolgograd. – Die **Schlacht um S.** (Ende Aug. 1942 bis Anfang Febr. 1943) wurde zum Wendepunkt des 2. Weltkrieges an der O-Front. Nachdem die von General F. Paulus geführte 6. Armee bis Mitte Nov. 1942 den größten Teil der Stadt erobern konnte, begann am 19./20. 11. nordwestlich und südlich von S. eine sowjet. Gegenoffensive, die

Stalaktitengewölbe im Eingangsportal der 1602-16 erbauten Lotfollah-Moschee in Isfahan (Iran)

am 22. 11. nach Zusammentreffen der beiden Angriffszangen zur Einkesselung der 6. Armee führte. Nach wochenlangem Ausharren und schweren Kämpfen kapitulierten die Reste der dt. Truppen am 31. 1./2. 2. 1943; insgesamt gerieten mindestens 110 000 dt. Soldaten in sowjet. Kriegsgefangenschaft, aus der nur etwa 6 000 zurückkehrten.

Staliniri, 1934–61 Name der georg. Stadt →Zchinwali.

Stalinismus *der,* Bez. für eine bestimmte, von J. W. Stalin geprägte theoret. Interpretation des Marxismus sowie für autoritär-bürokrat. Methoden und Herrschaftsformen in den kommunist. Ländern, die von Stalin erstmals praktiziert wurden. – In der Theorie kennzeichnet den S. die Dogmatisierung des Marxismus, die Reduzierung der Dialektik auf bloße Gegensätzlichkeit, die Überbetonung einer Determiniertheit der gesellschaftl. Entwicklung gegenüber den Einflussmöglichkeiten subjektiver Faktoren sowie eine starre Schematisierung. – In der polit. Praxis werden sowohl einzelne bürokrat. Erscheinungen als »stalinistisch« bezeichnet als auch (in umfassenderer Bedeutung) die innerhalb kommunist. Parteien von der Mitgliedschaft unkontrollierbar ausgeübte Führung der Partei durch einen bürokrat. Apparat, der seine polit. Linie autonom festlegt und administrativ durchsetzt. – Als Herrschaftsform wird unter S. die Diktatur einer Parteiführung oder – wie im Falle Stalins – eines Parteiführers (→Personenkult) verstanden, wobei die administrative Durchsetzung der willkürlich festgelegten polit. Linie mit Repression und Terror bis hin zur phys. Liquidierung wirkl. oder vermeintl. polit. Gegner erfolgt. – Kritiker des Marxismus betrachteten den S. als konsequente Folge des Marxismus(-Leninismus) in der Theorie bzw. in der polit. Praxis, während Marxisten den S. als eine dem Wesen des Sozialismus widersprechende Erscheinung erklären. Innerhalb des Kommunismus entstand in Opposition zum S. die Richtung des Reformkommunismus. (→Entstalinisierung)

📖 Hedeler, W.: *Stalin – Trotzki – Bucharin. Studien zum S. u. Alternativen im histor. Prozeß. Mainz 1994.* – Wood, A.: *Stalin u. der S. A. d. Engl. Mainz 1995.*

Sylvester Stallone

Stalinkanal, 1933–61 Name des →Weißmeer-Ostsee-Kanals.

Stalino, 1924–61 Name der ukrain. Stadt →Donezk.

Stalinorgel, dt. Bez. für den im 2. Weltkrieg von der Roten Armee eingesetzten Mehrfachraketenwerfer (russ. »Katjuscha«), mit dem in kurzer Folge bis zu 48 Geschosse abgefeuert werden konnten.

Stalinsk, 1932–61 Name der russ. Stadt →Nowokusnezk.

Mart Stam und El Lissitzky entwickelten 1925 das Projekt »Wolkenbügel«, ein in einer hohen Trägerkonstruktion angebrachtes Bürogebäude

Stalinstadt, →Eisenhüttenstadt.

Stall, Gebäude zur Unterbringung und Haltung von Nutztieren. Der S. soll sowohl die Gesundheit und Leistungsfähigkeit der Tiere gewährleisten (z. B. durch Be- und Entlüftungsanlagen) als auch rationelles Füttern (bei Milchvieh auch Melken) und Entmisten (heute oft durch mechan. Vorrichtungen erreicht) erlauben. – Milchvieh ist meist im **Anbinde-S.** untergebracht, bei dem die Tiere in Längsrichtung des S. nebeneinander stehend vor dem Futtertrog angebunden sind. Zunehmend findet der **Lauf-S.** Verbreitung, in dem sich die Tiere frei bewegen können. Beim **Liegeboxenlauf-S.** sind Futterplatz und Melkstand getrennt von dem in einzelne Boxen unterteilten Liegeplatz angelegt. – Pferdeställe für Zucht- und meist auch für Reitpferde sind in einzelne Boxen unterteilt; für Arbeitspferde sind die Anbindestände meist nur durch Flankierbäume abgegrenzt. Für Mastschweine findet in Kleinbetrieben die **dän. Aufstallung** mit Liege- und Kotfläche in den einzelnen Buchten, bei größeren Beständen der **Teil-** oder **Vollspaltenboden** (Betonbalken) Anwendung. Besondere Vorkehrungen (z. B. Heizung) sind zur Aufzucht von Jungtieren erforderlich. – Legehennen werden (sofern nicht Käfighaltung in »Legebatterien«) in größeren Räumen gehalten. (→Massentierhaltung)

Stallone [stəˈləʊn], Sylvester, amerikanischer Filmschauspieler, -regisseur und Drehbuchautor, *New York 6. 7. 1946; Star des amerikan. Actionfilms (»Rocky«, 5 Tle., 1976–90; »Rambo«, 3 Tle., 1982–87; »Cliffhanger«, 1992; »Demolition Man«, 1993; »Der Spezialist«, 1994; »Judge Dredd«, 1994).

Stalowa Wola, Stadt in der Wwschaft Tarnobrzeg, Polen, am San, 69 200 Ew.; Eisenhütten- und Stahlind., Maschinenbau, Drahtzieherei.

Stam, Mart, eigtl. Martinus Adrianus S., niederländ. Architekt, *Purmerend (Prov. Nordholland) 5. 8. 1899, †Goldach (bei Rorschach, Schweiz) 23. 2. 1986; bed. Vertreter des Funktionalismus; entwickelte 1925 mit El Lissitzky das »Wolkenbügelprojekt«; beteiligt am Entwurf der Fabriek Van Nelle in Rotterdam (1926–30); ferner Entwürfe für Reihenhäuser der Weißenhofsiedlung in Stuttgart (1926–27).

Stamboliski, Alexandar Stoimenow, bulgar. Politiker, *Slawowiza (bei Pasardschik) 1. 3. 1879, †(ermordet) ebd. 14. 6. 1923; seit 1908 Vors. der Bauernpartei, Gegner des Kriegseintritts Bulgariens an der Seite der Mittelmächte; ab 2. 10. 1919 MinPräs.; konnte die Bedingungen des Friedensvertrages von Neuilly-sur-Seine (1919) nicht mildern; wegen seines radikalen Reformprogramms und seiner unpopulären Außenpolitik (bes. Ausgleich mit Jugoslawien) am 9. 6. 1923 durch Militärputsch gestürzt.

Stamen [lat.] *das, Botanik:* das →Staubblatt.

Stamitz, Johann Wenzel Anton (tschech. Jan Václav Antonín Stamic), böhm. Komponist und Violinist, *Deutsch-Brod (heute Havlíčkův Brod) 19. 6. 1717, †Mannheim 27. 3. 1757; schuf einen neuen Orchesterstil und begründete die →Mannheimer Schule, die v. a. die Entwicklung der Sinfonie förderte und zur Wiener Klassik führte. Er komponierte Orchestertrios, 74 Sinfonien, Konzerte, Kammermusik und geistl. Vokalwerke.

Johann Stamitz: zeitgenössischer Stich (Mannheim, Reiss-Museum)

Stamm, 1) *Anatomie:* der →Rumpf.

2) *Biologie:* (Phylum) die zweithöchste Kategorie der zoolog. Systematik, zw. Reich und Klasse; ihm entspricht in der botan. Systematik die Abteilung.

3) *Botanik:* die verdickte und verholzte Sprossachse von Bäumen und Sträuchern.

4) *Sprachwissenschaft:* Wortbestandteil ohne Flexionsendungen als eigentl. Bedeutungsträger (z. B. schreib-, zu »schreiben«, »Schreiber« usw.).

5) *Völkerkunde:* ethn. Einheit (Bez. heute noch v. a. für Naturvölker gebraucht), die Menschen gleicher Sprache und Kultur sowie mit gemeinsamem Siedlungsgebiet umfasst.

Stammaktie, die übl. Form der →Aktie.

Stammbaum, 1) *Botanik* und *Zoologie:* die schemat. Darstellung der natürl. Verwandtschaften zw. den systemat. Gruppen der Lebewesen unter dem Bild eines sich verzweigenden Baumes.

2) *Genealogie:* volkstüml. Bez. für die grafisch in Baumform dargestellte Nachfahren- oder Ahnentafel (→Genealogie).

Stammbaumtheorie, Theorie der Entwicklung der indoeurop. Einzelsprachen durch Teilung und Aufspaltung einer angenommenen indoeurop. Ursprache (in Gestalt eines Stammbaums). Die Wellentheorie dagegen vertritt die Herausbildung der Einzelsprachen aus einer Grundsprache durch allmähl. Differenzierung, wobei sich sprachl. Neuerungen von beliebigen Punkten aus und jeweils unterschiedlich weit ausgebreitet hätten.

Stammblütigkeit, *Botanik:* →Kauliflorie.

Stammbuch, 1) *Familienforschung:* urspr. ein Verzeichnis von Familienangehörigen, seit der 2. Hälfte des 16. Jh. ein Freundschafts- oder Erinnerungsbuch; heute →Familienbuch.

2) *Tierzucht:* das →Herdbuch.

Stammeinlage, Betrag, der bei einer GmbH durch jeden Gesellschafter auf das Stammkapital zu leisten ist.

Stammel, Josef Thaddäus, österr. Bildschnitzer, getauft Graz 9. 9. 1695, †Admont 21. 12. 1765; dort seit 1726 für das Kloster tätig; Holzbildwerke in der Stiftsbibliothek: »Die vier Letzten Dinge« (Tod, Gericht, Himmel, Hölle; 1760 vollendet). S. knüpfte an die alpenländ. Schnitzkunst an, v. a. in seinem volkstümlich geprägten Spätwerk.

Stammeln, Sprachstörung mit fehlerhafter Artikulation, bei der bestimmte Laute oder Lautverbindungen falsch gebildet **(Dyslalie),** durch andere ersetzt **(Paralalie)** oder (seltener) ausgelassen werden **(Mogilalie).** Häufigste Form des S. ist die fehlerhafte Bildung des S-Lautes **(Lispeln** oder **Sigmatismus),** daneben auch des R-Lautes (**Rhotazismus;** v. a. Ersetzung durch l, ch, h), des L-Lautes (**Lambdazismus;** statt l meist r, j, n) oder des K-Lautes (**Kappazismus;** statt k oder g meist t oder d). Ursachen sind anatom. Abweichungen der Sprechorgane, Schwerhörigkeit, psych. Störungen, geistige Behinderung, aber auch schlechte Sprachvorbilder. Als entwicklungsbedingtes Stadium tritt S. im Kleinkindalter auf. Die Behandlung besteht in Sprachheilpflege. (→Sprachstörungen)

Stammesentwicklung (Stammesgeschichte), die →Phylogenese.

Stammesrechte, Rechtsaufzeichnungen der german. Stämme (→germanische Volksrechte).

Josef Stammel: »Die Hölle«, bronzierte Holzplastik aus dem Figurenzyklus »Die vier Letzten Dinge« in der Stiftsbibliothek in Admont, Höhe etwa 2 m (1760 vollendet)

Theodoros Stamos: »Weißes Feld VII« (1961; Privatbesitz)

Stammesreligionen, v.a. in Afrika, S-Asien und Südamerika verbreitete Religionen, i.Allg. beschränkt auf einen vergleichsweise kleinen Kreis von Anhängern, die durch gemeinsame Abstammung und Gemeinsamkeiten in Kultur, Brauchtum und Sprache verbunden sind und in einem bestimmten Siedlungsgebiet (Stammesterritorium) leben. Die Stammesgesellschaft versteht sich als die Heilsgemeinschaft schlechthin. Die früher übl. Bez. »Naturreligionen« wird wegen ihrer irreführenden Begrifflichkeit (»Natur« im Ggs. zu »Kultur«) nur mit Vorbehalt gebraucht.

Stammganglilen (Basalganglien), von Nervenfaserzügen (weiße Substanz) umgebene Ansammlungen von Nervenzellen (Ganglien) im Inneren der Großhirnhemisphären. S. stellen ein wichtiges Schaltzentrum, vorwiegend für die Beeinflussung der Skelettmuskulatur (Regulation von Bewegungsabläufen), dar.

Stams: Teil der Westfront des im 17. und 18. Jh. erbauten Stiftsgebäudes, in dem heute ein Internat untergebracht ist, mit den Achtecktürmen des ehemaligen Fürstentrakts und der über fünf Arkaden vorspringenden Fassade des Bernhardisaals

Stammgut, im älteren dt. Recht ein Gut des Hochadels, das nicht ohne Zustimmung der Erben veräußert werden konnte. Die S. wurden im Mannesstamm in Einzelerbfolge vererbt.

Stammhirn (Hirnstamm), Teil des →Gehirns von Mensch und Wirbeltieren.

Stammkapital, auf einen bestimmten Nennbetrag festgesetztes Eigenkapital einer GmbH.

Stammler, Wolfgang, Germanist, *Halle (Saale) 5. 10. 1886, †Hösbach (Kr. Aschaffenburg) 3. 8. 1965; Herausgeber wichtiger Standardwerke der Germanistik: »Reallexikon der dt. Literaturgeschichte« (4 Bde., 1926–31, mit P. Merker), »Die dt. Literatur des MA. Verfasserlexikon« (5 Bde., 1933–55, Bde. 3–5 hg. v. K. Langosch); »Dt. Philologie im Aufriß« (4 Bde., 1952–59). – 1925–65 Mithg. der »Zeitschrift für dt. Philologie«.

Stammtafel, →Genealogie.

Stammwürze, →Bier.

Stamokap, Abk. für →**sta**ats**mo**nopolistischer **Kap**italismus.

Stamos ['steɪməs], Theodoros, amerikan. Maler, *New York 31. 12. 1922; schuf parallel zu M. Rothko und W. Baziotes Bilder mit surrealisch geprägten biomorphen Formen. In den 1950er Jahren beruhigte sich sein Stil zu einer von der ostasiat. Kunst beeinflussten, atmosphärisch leuchtenden Form des abstrakten Expressionismus mit landschaftl. Assoziationen.

Stampa, Gaspara, italien. Dichterin, *Padua 1523, †Venedig 23. 4. 1554; verlieh ihrer unglückl. Liebe zu Graf Collaltino di Collalto in leidenschaftl., z.T. petrarkisierenden Gedichten Ausdruck (hg. 1554; dt. Ausw. 1922: »Liebes-Sonette«).

Stampfen, die durch Seegang verursachte Bewegung eines Schiffes um seine Querachse, wobei sich Vor- und Hinterschiff stark heben und senken.

Stams, Gemeinde im Bezirk Imst, Tirol, Österreich, 671 m ü.M., im Oberinntal, 1300 Ew. – Die Stiftskirche des 1273 errichteten Zisterzienserklosters wurde 1729–32 barock umgebaut (reiche Stuckaturen von F. X. Feuchtmayer); Stiftsgebäude (17.–18. Jh., heute Internat), im Risalit der Bernhardisaal.

Stand, *Soziologie:* Gesellschaftsgruppe, die aufgrund von Abstammung, Besitz, Beruf und Bildung oder polit. Verdiensten bzw. einer bestimmten Standesethik zusammengehört. Innerhalb von S. besteht im Unterschied zu sozialen Schichten eine Interessengemeinschaft und organisator. Verbindung sowie Traditionsbewusstsein und eine relative Abgeschlossenheit. Historisch entwickelten sich aus den drei S. des MA. (Adel, Freie und Unfreie) versch. hierarchische Ständemodelle wie im ländl. Raum die ständ. Gliederung von Adel, Klerus und Bauern oder in den mittelalterl. Städten die von Patriziern, Bürgern und unterständ. Gruppen (Volk). Nach der Frz. Revolution setzte sich das Bürgertum gegen die privilegierten S. (Adel, Klerus, stadtbürgerl. Patriziat) durch, und der »vierte Stand«, die Arbeiterschaft, kam auf.

Standard [engl.] *der,* **1)** *allg.:* Maßstab, Norm, Richtschnur; Leistungs- und Qualitätsniveau.

2) *Technik:* der durch Vereinheitlichung geschaffene feste Maßstab für bestimmte Waren gleicher Qualität (→Standardisierung).

Standardabweichung, *Wahrscheinlichkeitstheorie:* →Streuung.

Standardelektrode, →Normalelektrode.

Standardelement, das Normalelement (→galvanische Elemente).

Standarte des Brandenburgischen Dragonerregiments II (18. Jh.)

Standardisierung, 1) *allg.:* Vereinheitlichung (nach einem Muster), Normung, Eichung.

2) *Statistik:* die Überführung einer Zufallsgröße durch geeignete Normierung in die **standardisierte Variable,** z. B. für Vergleichsberechnungen (u. a. bei Sterbeziffern).

3) *Technik:* bes. im Fertigungsbereich durchgeführte Vereinheitlichung von Erzeugnissen **(Typung, Typisierung)** und Erzeugnisteilen **(Normung)** sowie die Programmierung der Fertigungs- und Verwaltungsabläufe zum Zweck einer rationellen, kostengünstigen Herstellungsweise.

Standardmodell, *Physik:* Bez. für versch. als gültig anerkannte theoret. Modelle, z. B. in der Hochenergiephysik, der Sonnenphysik oder der Kosmologie.

Standard Oil Co. of New Jersey ['stændəd 'ɔɪl 'kʌmpənɪ əf nju:'dʒə:zɪ], →Exxon Corp.

Standard & Poors Index ['stændəd ənd 'pʊəz -], Abk. **S&P Index,** vom amerikan. Brokerhaus Standard & Poors Company 1957 entwickelter Aktienindex für den amerikan. Aktienmarkt, der die Aktienkurse von 400 Industrieunternehmen, 40 Versorgungsunternehmen, 40 Banken und Versicherungsunternehmen sowie 20 Verkehrsunternehmen umfasst **(S&P-500-Index).** Im Unterschied zum Dow-Jones-Aktienindex wird der S&P-500-Index nach dem Wert der umlaufenden Aktien eines Unternehmens gewichtet.

Wolfgang Stammler

Standardsprache (Hochsprache), eine allgemein verbindliche (genormte) Sprachform einer Sprachgemeinschaft, bes im Ggs. zu Mundarten und Umgangssprache; wird v. a. in der Lit., im wiss. Schrifttum, in den Medien und in anderen öffentl. Bereichen verwendet.

Standardtänze, *Tanzsport:* die neben den lateinamerikan. Tänzen für den Turniertanz festgelegten Tänze: langsamer Walzer, Tango, Wiener Walzer, Slowfox und Quickstep.

Standardwerke, maßgebende Grundlagenwerke, z. B. Enzyklopädien, Wörterbücher, in Sachgebieten Lehr- und Handbücher, Quellen- und Textsammlungen, grundlegende Bibliographien; in der wiss. Lit. auch bed. (Fach-)Monographien.

Standardwerte, *Börsenwesen:* breit gestreute Aktien großer, bekannter Unternehmen (Publikumsgesellschaften) im Unterschied zu den Spezialwerten. Wegen ihrer hohen Börsenumsätze werden S. im amtl. Handel zu variablen Kursen notiert (fortlaufende Notierung) und bilden die Grundlage für Aktienindizes. Ihre Kursentwicklung gilt als repräsentativ für das Börsengeschehen.

Standarte des Bundespräsidenten der Bundesrepublik Deutschland

Standarte [frz.] *die,* seit etwa 1800 die persönl. Flagge von Staatsoberhäuptern und Mitgl. von Herrscherhäusern. – Im Altertum und MA. Sammelbez. für Stangen oder Fahnen, als →Feldzeichen gebraucht; seit dem Spät-MA. Bez. für eine (seit 1700 quadrat.) Reiterfahne; im nat.-soz. Dtl. Bez. für SA- und SS-Einheiten in Regimentsstärke.

Standbein, das vom Körper belastete Bein im Unterschied zum Spielbein. (→Kontrapost)

Standbild, die →Statue.

Stand-by-Kredite ['stændbaɪ-, engl.] (Beistandskredite), kurzfristige, vom Internat. Währungsfonds, von der Bank für Internat. Zahlungsausgleich, von einzelnen Notenbanken oder mehreren Notenbanken gemeinsam gewährte Kredite zur Deckung von Zahlungsbilanzdefiziten bzw. zur Stützung schwacher Währungen.

Stand-by-Tarif ['stændbaɪ-, engl.], verbilligter Flugtarif für Passagiere, die sich ohne feste Platzbuchung auf eine Warteliste eintragen lassen und zur Abflugzeit bereithalten, um eventuell frei bleibende Plätze einnehmen zu können.

Ständchen, Musikstück, das urspr. für die Geliebte, seit dem 19. Jh. auch allg. zu Ehren einer Person z. B. vor deren Haus vorgetragen wird. BILD S. 270

Ständeklausel, die in einseitiger Deutung des Aristoteles von den Renaissance- und Barockpoetiken bis hin zu J. C. Gottsched erhobene Forderung, nach der in der Tragödie die Hauptpersonen nur von hohem, in der Komödie dagegen nur von niederem Stand sein durften.

Ständemehr, im schweizer. Verfassungsrecht Bez. für die Mehrheit der Kantone. Verfassungsänderung und Bestätigung dringl. Bundesbeschlüsse bedürfen des S. und des **Volksmehrs** (Mehrheit der Abstimmenden).

Ständchen: Angeregt durch die Serenade aus Gioacchino Rossinis Oper »Der Barbier von Sevilla« schuf Carl Spitzweg 1856 das Gemälde »Spanisches Ständchen« (München, Schack-Galerie)

Stander [niederdt.], dreieckige Signalflagge und starres Kommandozeichen (auch rechteckig) an Dienstfahrzeugen höherer Offiziere und polit. Persönlichkeiten.

Ständer (lat. Stator), *Elektrotechnik:* der fest stehende (meist Außen-)Teil einer elektr. Maschine; Ggs.: Läufer, Rotor.

Ständelrat, die föderative Kammer der schweizer. Bundesversammlung sowie deren Mitglieder.

Ständerpilze (Basidiomycetes), Klasse der Pilze, deren Myzel aus Hyphen mit Querwänden und chitinhaltiger Zellwand besteht. Der Fortpflanzung dienen Sporen (Basidiosporen), von denen sich i. d. R. vier an einem keulenförmigen oder zylindr. Hyphenende (Ständer, Baside) abschnüren; hierzu gehören die Hut- und Bauchpilze mit, Brand- und Rostpilze ohne Fruchtkörper.

Standesamt, Behörde zur Beurkundung von Geburten, Eheschließungen und Todesfällen durch Eintragung in die **Personenstandsbücher** (→Personenstand) durch den **Standesbeamten.**

Standesherren, Angehörige der Fürsten- und Grafengeschlechter, die durch die »Mediatisierungen« 1803 und 1806 von selbstständigen Reichsständen zu Untertanen der größeren Landesherren wurden. Die Dt. Bundesakte von 1815 gewährleistete ihnen die Zugehörigkeit zum hohen Adel, Ebenbürtigkeit mit den regierenden Fürstenhäusern u. a. Vorrechte (z. T. bis 1918 gültig).

Standesrecht, Gesamtheit von Regelungen für Angehörige bestimmter Berufe (z. B. Ärzte, Anwälte), die Verhaltenspflichten bei der prakt. Berufsausübung festlegen; gelten als Ausdruck eines bestimmten Berufsethos. Ihre Verletzung kann sowohl vor →Berufsgerichten geahndet werden als auch Haftungstatbestände auslösen.

Standessprachen, Sprachen ständ. Gemeinschaften mit eigenem Wortschatz, i. e. S. Berufssprachen, offene Sprachen; i. w. S. auch Sondersprachen, Geheimsprachen (wie die →Gaunersprachen). Die **Bergmannssprache** ist ihrem Sprachzustand nach mitteldt.; zu ihr gehören Ausdrücke wie »Flöz«, »Schicht«, »Steiger«, »Stollen«, »Zeche«. Eine **Soldatensprache** kennt man seit dem Dreißigjährigen Krieg. Von ihr ist die Heeresfachsprache zu unterscheiden. Die **Kaufmannssprache** hat viele italien., span. und (durch die Hanse) skandinav. Wörter. Die **Seemannssprache** beruht auf niederdt.-niederländ. Grundlage; fremde Einflüsse kamen bes. aus dem Englischen (»Flagge«, »Log«, »Steward« u. a.). Die **Studentensprache** (im 18. Jh. Burschensprache) hatte ihre Blüte im 18. Jh., bes. an den mitteldt. prot. Univ. (Halle, Jena). Vorwiegend unter dem Einfluss der lat. Gelehrtensprache sowie des Französischen entstand die **Druckersprache** (»Imprimatur«, »Petit«). Eine weitere S. ist die →Jägersprache.

Ständestaat, ein Staat, in dem bestimmte Stände als staatstragende Gruppen verfassungsmäßig anerkannt sind und v. a. bei Gesetzgebung und Verwaltung durch ihre Standesvertretungen mitwirken.

In Mittel-, West- und Nordeuropa traten schon früh neben die regionalen Ständeversammlungen (z. B. Landstände) die Ständeversammlungen eines ganzen Landes (so der Dt. Reichstag, das engl. Parlament, die frz. Generalstände und die Reichstage Ungarns, Polens, Schwedens, Dänemarks). Ihre Ziele waren meist, sich gegen polit. und finanzielle Unterstützung des Landesherrn polit., soziale und wirtsch. Privilegien verfassungsmäßig garantieren zu lassen, z. B. in der →Magna Charta (libertatum).

Im 19. und 20. Jh. wurden versch. Versuche zur Errichtung eines S. auf berufsständ. Grundlage unternommen, so im faschist. Italien unter B. Mussolini (Korporationensystem), auch in diktator. Regierungssystemen in Portugal (Korporativkammern) und Spanien (Cortes). 1934 entstand in Österreich ein an der kath. Soziallehre orientiertes Ständesystem.

Standestracht, inständ. Systemen die für bestimmte Personengruppen aufgrund von Standeszugehörigkeit, sozialem Rang oder Berufsstand zugelassene oder vorgeschriebene Kleidung, z. B. die Kleidung von Adel, Geistlichkeit und städt. Oberschichten, Dienstkleidung von Amtsträgern (→Amtstrachten) sowie die von Zunfttraditionen geprägte Kleidung der Handwerker. Eine negative Kennzeichnung durch Kleidung erfuhren gesellschaftl. Randgruppen wie Juden, Henker, Dirnen, Leprakranke, Almosenempfänger.

Standfoto, bei Filmaufnahmen eine Fotografie, die Einrichtung, Kostümierung und Arrangement jeder Kameraeinstellung für die weiteren Dreharbeiten festhält.

Standgericht, →Standrecht.

Ständiger Internationaler Gerichtshof (frz. Cour Permanente de Justice Internationale, engl. Permanent Court of International Justice), der 1920 im Rahmen der Satzung des Völkerbunds errichtete internat. Gerichtshof mit Sitz in Den Haag; war u. a. zuständig für alle dem Völkerrecht unterliegenden internat. Streitfragen und für die Erstattung von Gutachten auf Ersuchen der Organe des Völkerbundes. Die Tätigkeit des S. I. G. endete 1946; Nachfolger ist der →Internationale Gerichtshof.

Ständiger Militärausschuss (engl. Military Committee in Permanent Session), das ständige Organ des Militärausschusses der →NATO, zusammengesetzt aus Vertretern, die von den Stabschefs der Mitgliedstaaten entsandt werden.

Ständiger Schiedsgerichtshof (Internationaler Schiedsgerichtshof, Haager Schiedshof, frz. Cour Permanente d'Arbitrage, engl. Permanent Court of Arbitration), →Schiedsgerichtsbarkeit.

Ständige Vertretung, eine 1974 nach dem →Grundvertrag geschaffene Einrichtung, die die Interessen der Bundesrep. Dtl. und der DDR im jeweils anderen Staat wahrnehmen sollte und mit konsular. u. a. Aufgaben betraut war. Obschon einer Botschaft weitgehend vergleichbar, sollte mit der S. V. (nach Auffassung der Bundesrep. Dtl.) nach Bez. und Ausgestaltung die Aufnahme diplomat. Beziehungen im eigentl. Sinn zw. beiden dt. Staaten vermieden werden, um den Besonderheiten des dt.-dt. Verhältnisses Rechnung zu tragen.

Standlicht, *Kraftfahrzeugtechnik:* von den Begrenzungsleuchten abgegebener Lichtstrom. Mit S. allein darf in Dtl. nicht gefahren werden.

Standlini|e, in der →Navigation zur Ortsbestimmung erforderliche Linie. Der Schnittpunkt zweier oder mehrerer S. ist der Standort.

Standort, 1) *Botanik* und *Zoologie:* die Umwelt, der ein Organismus oder eine Organismengemeinschaft ausgesetzt ist und deren **S.-Faktoren** (Klima, Boden u. a.) das Gedeihen von Organismen ermöglichen oder verhindern.

2) *Militärwesen:* (früher Garnison) der Ort, in dem Truppenteile, Dienststellen u. a. ständig untergebracht sind.

3) *Wirtschaft:* geograph. Ort von Wirtschaftssubjekten (v. a. Unternehmen), an dem die Produktionsfaktoren eingesetzt werden. Die **S.-Theorien** befassen sich mit der optimalen räuml. Lokalisation von Wirtschaftstätigkeiten und Unternehmen sowie mit dem Einfluss des S. auf Absatz und Gewinn. J. H. von Thünen wies in seiner landwirtsch. S.-Theorie auf die Abhängigkeit der Bodennutzung von den Kosten, insbesondere den Transportkosten, hin. A. Weber bestimmte in der industriellen S.-Theorie den optimalen S., ausgehend von einer unterschiedl. Verteilung der Rohstoff-, Konsum- und Arbeitskräfte-S. in einem ansonsten homogenen Raum, als den Minimalpunkt der Transportkosten. Die klass. S.-Theorien wurden von A. Lösch u. a. zu einer umfassenden Raumwirtschaftstheorie weiterentwickelt.

📖 SCHÄTZL, L.: *Wirtschaftsgeographie, Bd. 1: Theorie. Paderborn u. a. ⁶1996.*

Standortfaktoren, Sachverhalte und Bedingungen, die für die Standortwahl eines Unternehmens maßgebend sind: v. a. vorhandene Rohstoffquellen, Energieversorgung, Arbeitskräftepotenzial, Lohnkosten, Infrastruktur, Belastungen durch Abgaben, Absatz- und Beschaffungsmarktnähe, Verkehrskosten, Konkurrenz, Investitionsförderung.

Standortsicherungsgesetz, →Steuerreform.

Standrecht, das im Ausnahme-, Belagerungs- oder Kriegszustand nach Maßgabe der Verf. und der Gesetze bestehende Recht, über Verbrechen und Vergehen bestimmter Art in einem abgekürzten gerichtl. Verfahren durch **Standgerichte** zu entscheiden und eine dabei verhängte Todesstrafe alsbald zu vollstrecken. Auch vor Standgerichten müssen ordnungsgemäße Sachverhalts- und Schuldfeststellungen getroffen und die Verteidigungsrechte gewährleistet werden. Das Genfer Recht lässt bei Kriegsgefangenen Standgerichte nicht zu. In Dtl. sind Standgerichte unzulässig (Art. 101 Abs. 1 GG).

Standsicherheit (Standfestigkeit), *Baustatik:* Sicherheit eines Körpers gegen Kippen, Gleiten oder Drehen. Die Kippmomente sind an der Kippgrenze gleich dem stützenden Standmoment.

Standvögel, Vögel, die das ganze Jahr über in der Nähe ihres Nistplatzes bleiben, z. B. Rebhuhn, Haussperling; Ggs.: Zugvögel.

Standwaage, *Bodenturnen:* Der Turner steht auf einem Bein; Oberkörper, Arme und das andere Bein werden waagerecht gehalten. Die S. kann vor- und seitlings ausgeführt werden.

Standzeit, die Zeitdauer, während der ein Werkzeug, bes. Maschinenwerkzeug, ohne Überschreiten des zulässigen Verschleißes verwendet werden kann.

Charles Villiers Stanford: Kreidezeichnung (um 1920)

Stanford ['stænfəd], Sir (seit 1901) Charles Villiers, irischer Komponist, *Dublin 30. 9. 1852, †London 29. 3. 1924; Kompositionslehrer und Orchesterleiter in London und Cambridge; zu seinen Schülern zählen u.a. R. Vaughan Williams und A. Bliss; integrierte ir. Folklore in seine an der Spätromantik orientierten Kompositionen, schrieb u.a. Chorwerke, Opern, Sinfonien, Kammermusik, Orgelstücke, Lieder.

Stange, Teil des →Geweihs.

Stangenwaffen, Trutzwaffen für Hieb und Stoß, deren langer Stiel die Größe des Kriegers überragte. Zu den S. gehören u.a. Hellebarde, Gleve, Spieß (Speer, Lanze), Partisane, Pike; v.a. in den Söldnerheeren bis zum 17. Jahrhundert.

Stạngerbad [nach dem Gerbermeister J. Stanger, *1843, †1909], hydroelektr. Vollbad; ermöglicht großflächige Einwirkung von Gleichstrom auf den Körper; angewendet bei nervalen (z.B. Lähmungen), rheumat. und peripheren Gefäßkrankheiten.

Stạnislaus (poln. Stanisław), Könige von Polen: **1) S. I. Leszczyński,** *Lemberg 20. 10. 1677, †Lunéville 23. 2. 1766; war mit schwed. Unterstützung 1704–09 anstelle Augusts II., des Starken, König. Durch die Heirat seiner Tochter Maria mit Ludwig XV. von Frankreich (1725) wuchs sein Einfluss. 1733 wieder zum poln. König gewählt, konnte sich S. aber im →Polnischen Thronfolgekrieg nicht durchsetzen. Er wurde mit den Herzogtümern Lothringen und Bar entschädigt.

2) S. II. August Poniatowski, letzter König von Polen (1764–95), *Wołczyn (Polesien) 17. 1. 1732, †Sankt Petersburg 12. 2. 1798; aus der Magnatenfamilie Poniatowski; Günstling der späteren russ. Kaiserin Katharina II., die seine Wahl zum König durchsetzte. S. erließ 1791 eine demokrat. Verfassung (die erste geschriebene in Europa); er musste die drei Teilungen Polens hinnehmen und dankte 1795 ab.

Henry Morton Stanley (anonymer Holzstich, 1890)

Stanislaus II. August Poniatowski, König von Polen (Ausschnitt eines Gemäldes von Angelica Kauffmann, um 1765)

Stạnislaus (poln. Stanisław), Bischof von Krakau (seit 1072), *Szczepanów (bei Krakau) um 1030, †Krakau 11. 4. 1079; wurde auf Veranlassung König Bolesławs II. ermordet. Heiliger, Patron Polens und des Erzbistums Krakau (Tag: 11. 4.).

Stanislạw, bis 1962 Name der ukrain. Stadt →Iwano-Frankowsk.

Stanislạwski, Konstantin Sergejewitsch, eigtl. K. S. Alexejew, russ. Schauspieler und Theaterleiter, *Moskau 17. 1. 1863, †ebd. 7. 8. 1938; 1898 Mitbegründer und Direktor des →Moskauer Künstlertheaters. Seine frühen Inszenierungen (u.a. von A. P. Tschechow) sind der internat. Höhepunkt des psychologisch-naturalist. Illusionstheaters; seit 1918 auch Operninszenierungen. Als Pädagoge war er mit der S.-Methode richtungweisend: Der exakte Vollzug äußerer (»phys.«) Handlungen soll zum intensiven Durchleben der Rolle führen und mit dem Eindruck von Natürlichkeit und Glaubhaftigkeit einhergehen. S. schrieb u.a. »Die Arbeit des Schauspielers an sich selbst« (1938).

Stạnković [-vitç], Borisav, serb. Schriftsteller, *Vranje 22. 3. 1876, †Belgrad 22. 10. 1927; bed. Stilist des serb. Realismus; schilderte in Erzählungen und Romanen (u.a. »Unreines Blut«, 1910) das Leben in seiner südserb. Heimat.

Stanley ['stænlı] (früher Port S.), Hauptort der brit. Falklandinseln, an der O-Küste von Ostfalkland, 1600 Ew.; Hafen, Flugplatz.

Stanislaus I. Leszczyński, König von Polen: Ausschnitt eines Kupferstichs (um 1705)

Stanley ['stænlı], **1)** Sir (seit 1899) Henry Morton, eigtl. John Rowlands, brit. Journalist und Afrikareisender, *Denbigh (Denbighshire) 28. 1. 1841, †London 10. 5. 1904; suchte im Auftrag des amerikan. Zeitungsverlegers J. G. Bennett den in Afrika verschollenen D. Livingstone und fand ihn 1871 in Udjidji. 1874–77 durchquerte S. Afrika von O über den Victoriasee bis zur Kongomündung; erforschte 1879–84 im Auftrag des belg. Königs Leopold II. das Kongobecken. 1887–89 unternahm S. eine Expedition zur Rettung →Emin Paschas.

Werke: Wie ich Livingstone fand, 2 Bde. (1872); Der Kongo und die Gründung des Kongostaates,

2 Bde. (1885); Im dunkelsten Afrika, 2 Bde. (1890); Mein Leben (1909).

2) Wendell Meredith, amerikan. Biochemiker, *Ridgeville (Ind.) 16. 8. 1904, †Salamanca (Spanien) 15. 6. 1971; 1935 gelang ihm die erste Isolierung eines Virus (Tabakmosaikvirus, TMV). S. vertrat die Ansicht, dass Krebs durch onkogene Viren ausgelöst wird. Für seine Virusuntersuchungen erhielt er 1946 (mit J. H. Northrop und J. B. Sumner) den Nobelpreis für Chemie.

Konstantin Sergejewitsch Stanislawski: Ausschnitt einer Kreidezeichnung von Walentin Alexandrowitsch Serow (1908; Moskau, Tretjakow-Galerie)

Stanleyfälle ['stænlɪ-] (Boyomafälle), gefällreiche, nicht schiffbare Flussstrecke des Lualaba (→Kongo) im NO der Demokrat. Rep. Kongo.

Stanley Pool ['stænlɪpu:l] (Malebo Pool), seeartige Erweiterung des →Kongo vor seinem Durchbruch durch die Niederguineaschwelle.

Stanleyville [stanlɛ'vil, frz.], →Kisangani.

Stannate, Bez. für Salze der hypothet., in freiem Zustand nicht erhältlichen Zinnsäure, $H_2[Sn(OH)_6]$, die vierwertiges Zinn im Anion enthalten, und für die früher als **Stannite** bezeichneten S.(II) mit zweiwertigem Zinn im Anion der allg. Formel $M^I[Sn(OH)_3]$ bzw. $M^{II}[Sn(OH)_4]$. In den **Meta-S.(IV)** tritt als Anion SnO_3^{2-} auf.

Stannin [lat.] *der,* Mineral, →Zinnkies.

Stanniol *das,* aus Zinn durch Walzen hergestellte silberglänzende, dünne Folie, die u. a. als Verpackungsmaterial dient; heute meist durch Aluminiumfolie ersetzt.

Stanowoigebirge, Gebirge in Ostsibirien, Russland, bis 2412 m ü. M.; Wasserscheide zw. Nordpolarmeer und Pazifik; Eisenerz- und Goldvorkommen.

Stans, Hauptort des Kt. Nidwalden, Schweiz, südlich des Vierwaldstätter Sees, 6400 Ew.; Flugzeugbau; Fremdenverkehr. – Frühbarocke Pfarrkirche (17. Jh.), Rathaus (1715).

Stanwyck ['stænwɪk], Barbara, amerikan. Film- und Fernsehschauspielerin, *New York 16. 7. 1907, †Santa Monica (Calif.) 20. 1. 1990; 1939–51 ⚭ mit R. Taylor; verkörperte in Filmen der »schwarzen Serie« die Erotisierung der Gewalt (u. a. »Frau ohne Gewissen«, 1944; »Du lebst noch 105 Minuten«, 1948); spielte auch in Sozialdramen und Komödien (»Die Falschspielerin«, 1941).

Wendell M. Stanley

Stanze [italien.], **1)** *Kunstgeschichte:* →Stanzen.

2) *Literatur:* italien. Strophenform aus acht Elfsilblern mit durchgehenden weibl. Endreimen (Reimschema: ab ab ab cc). Die S. wurde Ende des 13. Jh. erstmals als Versmaß in der italien. erzählenden Dichtung verwendet **(Ottava rima)** und zur herrschenden Form in der klass. Epik Italiens (L. Ariosto, M. M. Boiardo, T. Tasso); auch in anderen roman. Sprachen ist sie eine beliebte Strophenform: in Spanien (L. de Góngora y Argote, Lope F. de Vega Carpio) und Portugal (L. Vaz de Camões); in Dtl. wurde sie in Übersetzungen und in der Lyrik verwendet, u. a. von Goethe, Schiller, A. W. Schlegel. Eine S. mit der Reimzahl und Reimanordnung: ab ab ab ab heißt **Siziliane.**

Stanzen, Fertigungsverfahren, bei dem das Werkstück durch Schneid- und Biegevorgänge mithilfe eines zweiteiligen formgebenden Werkzeugs in einem Hub hergestellt wird. Das Werkzeug besteht aus einem Ober- und Unterteil (Stempel und Gegenstempel), mit dem Rohteil dazwischen. Beim Stanzvorgang wird der Stempel durch eine schnelle Maschinenbewegung nach unten gedrückt. Stempel und Gegenstempel passen in der Endstellung des Hubes so ineinander, wie es die Form des Fertigteils verlangt.

Stanzen [italien. stanza »Wohnraum«], *Kunstgeschichte:* die von →Raffael, seinen Schülern und Nachfolgern mit Wand- und Deckenmalereien geschmückten Gemächer im Vatikan: Stanza della Segnatura (1509 ff.), Stanza di Eliodoro (1512–14) und Stanza dell'Incendio (1514–17).

Stanzer Tal, 30 km langes Seitental des Inns, Tirol, Österreich, vom Arlberg bis Landeck, von der Rosanna und Sanna durchflossen; durch das Tal führen Arlbergbahn und -straße.

Stapelie *die* (Stapelia, Aasblume), Gattung der Schwalbenwurzgewächse, meist in S- und SW-Afrika; blattlose oder stummelblättrige, stachelige Pflanzen trockener Gebiete; die meist sternförmigen, dunklen Blüten **(Ordensstern)** verbreiten Aasgeruch; auch Zimmer- und Gewächshauspflanzen. BILD S. 274

Barbara Stanwyck

Stapellauf, das Hinabgleiten des Schiffsrumpfs von der →Helling ins Wasser auf geeigneten Ablaufbahnen. Seeschiffe werden i. d. R. durch **Längs-S.** zu Wasser gelassen, Binnenschiffe mit geringer Längsfestigkeit und bei wenig Auslauf vor der Helling durch **Quer-S.** – Sehr große, in Docks gebaute Schiffe werden durch **Fluten** des Docks zum Aufschwimmen gebracht.

Stapelrecht, im MA. das Recht einzelner Städte, durchziehende Kaufleute zu zwingen, ihre Waren für eine bestimmte Zeit zum Verkauf aus-

Stapelie

zustellen und ggf. mit städt. Schiffen oder Wagen weiterzutransportieren **(Umschlagsrecht).**

Stapelspeicher, *Informatik:* → Keller.

Stapelverarbeitung (engl. Batchprocessing), Betriebsart einer elektron. Datenverarbeitungsanlage, bei der die Informationen zunächst gesammelt und dann schubweise verarbeitet werden; Ggs.: → Echtzeitverfahren.

Stapelwaren, an großen Importplätzen gelagerte Welthandelsgüter, z.B. Baumwolle, Getreide, Kaffee, Metalle.

Philippe-Patrick Starck: Hocker Sarapis (1985)

Stapesplastik, *Medizin:* gehörverbessernde Operation bei funktionsuntüchtigem, unbeweglich gewordenen Steigbügel (Stapes; meistens durch Otosklerose verursacht). In das Mittelohr wird ein Steigbügelersatz aus Kunststoff oder Draht eingebracht, oder die Steigbügelfußplatte wird entfernt und durch ein Bindegewebstransplantat ersetzt.

Staphylokokken [grch.], trauben- oder haufenförmig gelagerte Kugelbakterien der Gattung Staphylococcus mit drei Arten; am häufigsten vorkommende Eitererreger, leben auf der Oberhaut von Warmblütern; verursachen u.a. Allgemeininfektionen (Blutvergiftung, Lungenentzündung) und Lebensmittelvergiftungen.

Star, Singvogel, → Stare.

Star [zu starren], Name versch. Augenkrankheiten, z.B. grauer S. (→ Katarakt), grüner S. (→ Glaukom).

Star [engl. »Stern«] *der,* **1)** *allg.:* gefeierte Persönlichkeit, Theater-, Film-, Sportgröße. – **Starlet** (Starlett), (ehrgeizige) Nachwuchsschauspielerin beim Film.

2) *Segelsport:* (Starboot) olymp. Zwei-Mann-Kielboot von 6,9 m Länge, 1,73 m Breite und 1,02 m Tiefgang, mit 27 m² Segelfläche.

Stara Sagora (Stara Zagora), Stadt in Bulgarien, am S-Fuß der Sredna gora, 150 900 Ew.; tierärztliche Hochschule, Museum, Gemäldegalerie, Opernhaus, zoolog. Garten; Nahrungs- und Genussmittelind., Düngemittelfabrik, Maschinenbau; Flughafen.

Starck [st-], Philippe-Patrick, frz. Designer und Architekt, * Paris 18. 1. 1949; trat mit Inneneinrichtungen (u.a. Élysée-Palast in Paris), Möbeln, kunsthandwerkl. Gegenständen und auch als Architekt hervor (Haus Le Moult in Paris, 1989).

Stare (Sturnidae), Familie der Singvögel mit rd. 110 Arten in allen Erdteilen. In Europa brüten drei Arten: Der schwarze, weißgetropfte **Gemeine Star** (Sturnus vulgaris) brütet in Höhlen, legt 5–6 hellblaue Eier bei einer Jahresbrut; die Jungen sind erdbraun. Die mitteleurop. S. ziehen im Herbst v.a. ins Mittelmeergebiet. Ähnlich ist der schwarze **Einfarbstar** (Sturnus unicolor) des westl. Mittelmeergebiets. Der **Rosenstar** (Sturnus roseus), oben und unten blassrosa, frisst v.a. Wanderheuschrecken und kommt nur vereinzelt nach Mitteleuropa. In Afrika leben die seidig glänzenden **Glanz-S.** (Gattung Lamprotornis). Die braunen **Madenhacker-S., Madenfresser-S.** (Unterfamilie Buphaginae) der afrikan. Steppen suchen die Haut von Wiederkäuern nach Zecken und Fliegenlarven ab. Der südostasiat. **Beo** (Gracula religiosa), schwarz mit orangegelben, fleischigen Anhängen am Kopf, ist ein beliebter Käfigvogel, der sprechen lernt. Der sprachbegabte ind. **Hirtenstar** (Acridotheres tristis) wird ebenfalls als Käfigvogel gehalten.

Stare: Gemeiner Star (Größe bis zu 22 cm)

Starez [russ. »der Alte«] *der* (*Pl.* Starzen), in der russisch-orth. Kirche der Beichtvater (Mönch) und geistl. Erzieher junger Mönche; bes. im 19. Jh. auch geistl. Autorität für Laien.

Starfighter [ˈstɑːfaɪtə, engl.] *der,* einsitziges, einstrahliges Kampfflugzeug der amerikan. Firma Lockheed Aircraft Corp.; Erstflug 1954. Die für die dt. Bundeswehr ab 1961 eingeführte Version

F-104 G hatte anfangs eine hohe Flugunfallrate. Anfang der 1970-er Jahre wurden sie durch die Kampfflugzeuge Phantom und Anfang der 1980-er Jahre durch den Tornado ersetzt. S. wurden endgültig 1991 außer Dienst gestellt.

Stargard in Pommern: Marktplatz mit gotischer Marienkirche (um 1400 zur Basilika ausgebaut)

Stargard in Pommern (poln. Stargard Szczeciński), Stadt in der Wwschaft Szczecin (Stettin), Polen, in Pommern, 70 000 Ew.; Textil-, Nahrungsmittelind., Landmaschinen-, Gerätebau. – Bed. Bauten der z. T. noch mit Mauern und Toren umgebenen Innenstadt sind die got. Marienkirche (um 1400 zur Basilika ausgebaut), das spätgot. Rathaus (1509) und die Johanneskirche (15. Jh., im 19. Jh. umgebaut).

Starhemberg [ˈʃtaːrəm-], oberösterr. Adelsgeschlecht, 1150 zuerst erwähnt, 1643 Reichsgrafen, 1765 Reichsfürsten; bekannt wurden v. a.:

1) Ernst Rüdiger Graf von, österr. Feldmarschall, *Graz 12. 1. 1638, †Vösendorf (bei Mödling) 4. 1. 1701; Stadtkommandant von Wien während der osman. Belagerung (1683).

2) Ernst Rüdiger Fürst von (bis 1919), österr. Politiker, *Eferding 10. 5. 1899, †Schruns 15. 3. 1956; war 1930–36 Bundesführer der österr. →Heimwehr, unterstützte seit 1932 die Politik von E. Dollfuß; 1934–36 Vizekanzler und Führer der Vaterländ. Front. 1938–55 im Exil.

Starine [russ.] *die,* russ. episches Lied, →Byline.

Stark, Johannes, Physiker, *Schickenhof (heute zu Freihung, Landkr. Amberg-Sulzbach) 15. 4. 1874, †Traunstein 21. 6. 1957; 1933–39 Präs. der Physikalisch-Techn. Reichsanstalt in Berlin; bed. Arbeiten zur elektr. Leitung in Gasen, fand 1905 den Doppler-Effekt bei Kanalstrahlen und 1913 den nach ihm ben. →Stark-Effekt; Nobelpreis für Physik 1919; neben P. Lenard Hauptvertreter einer nat.-soz. inspirierten »dt. Physik«, die u. a. die Relativitätstheorie als jüd. Wiss. bekämpfte.

Starkbier, →Bier.

Starke, die →Sterke.

Stärke (Amylum), von Pflanzen bei der Photosynthese über Glucose gebildetes Polysaccharid $(C_6H_{10}O_5)_n$, das aus zwei Komponenten besteht: Amylose (Mais: 23 %, Kartoffel: 18 %) und Amylopektin (Mais: 77 %, Kartoffel: 82 %). Sie können durch Säuren und Enzyme (z. B. Amylase) oder Wärme abgebaut werden. Die Zwischenprodukte sind wasserlösl. Dextrine. Die Ablagerung von S. in der Pflanze erfolgt in den Reserveorganen (Knollen, Samen) in Form von **S.-Körnern** mit einem Durchmesser zw. 5 und 500 μm und einer für die jeweilige Pflanzenart typ. Gestalt. Bei Mensch und Tier wird die in der Nahrung aufgenommene S. durch Enzyme des Speichels und des Safts der Bauchspeicheldrüse bis zu einfachen Kohlenhydraten, z. B. Glucose, gespalten. Aus diesen wird in der Leber Glykogen aufgebaut **(tier. S.)** und als Vorratsstoff abgelagert. – Als verdaul. Kohlenhydrat und als Konsistenzbildner findet S. breite Anwendung in der Nahrungsmittelind.; daneben hat sie große Bedeutung in versch. techn. Bereichen (z. B. bei der Papierherstellung, Textilausrüstung, in Gießereien, bei der Herstellung von Klebstoffen). Da unbehandelte **(native) S.** die gestellten Anforderungen häufig nicht erfüllen kann, verwendet man **modifizierte S.,** bei der die S.-Moleküle durch therm. oder chem. Prozesse so verändert werden, dass die für den jeweiligen Zweck erforderl. Eigenschaften erreicht werden. – Als nachwachsender Rohstoff hat S. in den letzten Jahren neue Anwendungsgebiete gefunden, z. B. als Füllstoff für partiell abbaubare Kunststoffe, Bindemittel für Dämmstoffe und Granulate (z. B. Düngemittel), Substrat für Fermentationsprozesse sowie als Rohstoff u. a. zur Herstellung von »kalorienarmen« Lebensmitteln und Wirkstoffen für Wasch- und Reinigungsmittel.

📖 GALLIARD, T.: *Starch. Properties and potential.* Chichester 1987.

Stärke|einheit, Abk. **StE,** Maßstab für die in Futtermitteln enthaltene, durch den Stoffwechsel von Wiederkäuern ausnutzbare Energie (1 StE = 9,9 kJ). 1 StE entspricht dem Fettbildungsvermögen von 1 g Stärke beim ausgewachsenen Rind (rd. 0,25 g). Früher wurde der Gehalt von 100 kg Futtermittel in Kilostärkeeinheiten (1 KStE = 1 000 StE) als dessen **Stärkewert** bezeichnet.

Stark-Effekt [nach J. Stark], die Aufspaltung der Spektrallinien von Atomen und Molekülen in mehrere Komponenten unter der Einwirkung eines äußeren elektr. Feldes.

Starker [ˈstɑːkə], Janos, amerikan. Violoncellist ungar. Herkunft, *Budapest 5. 7. 1924; verfügt sowohl als Solist als auch als Kammermusiker über ein weit gespanntes Repertoire von A. Vivaldi bis B. Bartók.

Johannes Stark

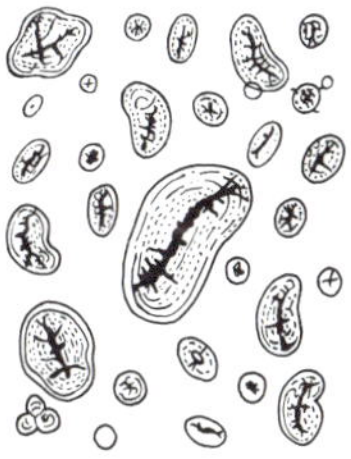

Bohne

Roggen

Kartoffel

Stärke: Stärkekörner in der für die jeweilige Pflanze typischen Gestalt

Stärlinge: Montezuma-Stirnvogel

Starkstromtechnik, herkömml. Bez. für den Zweig der →Elektrotechnik, der sich mit Erzeugung, Fortleitung und Verwertung elektr. Energie befasst.

Stärlinge (Icteridae), Familie amerikan. Singvögel, die teilweise gesellig brüten und häufig hängende Beutelnester bauen; Brutparasit ist der schwarze, 18 cm lange **Kuhstärling** (Molothrus ater); in Prärien lebt der schwarzweiße **Reisstärling** (Dolichonyx oryzivorus). Der **Montezuma-Stirnvogel** (Gymnostinops montezuma) bewohnt die Ränder der Tropenwälder in Südamerika.

Starnberg, 1) Landkreis im RegBez. Oberbayern, Bayern, 488 km², (1996) 120 200 Einwohner.

2) Kreisstadt von 1) in Bayern, am N-Ende des Starnberger Sees, 21 200 Ew.; Bayer. Beamtenfachhochschule; Landesanstalt für Fischerei; Wohn-, Ausflugs- und Naherholungsgebiet für München. – Schloss (16. Jh., Neubau 1651–70), Pfarrkirche St. Joseph (1764–70).

Starnberger See (früher Würmsee), See im Alpenvorland, Bayern, im Zungenbecken des würmeiszeitl. Isar-Loisach-Gletschers, 57 km² groß, bis 127 m tief; entwässert durch die Würm zur Amper.

Starogard Gdański [-'gdaĩski] (früher Preußisch Stargard), Stadt in der Wwschaft Gdańsk (Danzig), Polen, 48 000 Ew.; Arzneimittelwerk, Nahrungsmittel-, elektrotechn., Holz-, Schuhind., Glashütte; staatl. Gestüt. – Seit 1348 Stadt; gehörte 1772–1920 zu Westpreußen, kam 1920 an Polen.

Starost [slaw.] *der,* in Russland urspr. ein Mitgl. der Verw. auf unterster Ebene, seit der Bauernbefreiung (1861) das vom Staat verpflichtete, gewählte Oberhaupt der Dorfgemeinde. – In Polen seit dem 14. Jh. königl. Statthalter, vom 15. bis 18. Jh. auch adliger Inhaber eines Kronlehens, 1918–39 und 1944–50 leitender Beamter in der Kreisverwaltung.

Starre (Starrezustand), meist reversible Aufhebung versch. Lebensvorgänge infolge ungünstiger Umweltbedingungen, ohne dass der Tod eintritt, z. B. Kälte-, Licht-, Trocken-, Gift-, Hungerstarre.

starrer Körper, idealisierter makroskop. Körper, dessen Massenpunkte unveränderl. Abstände voneinander haben. Da der s. K. seine Form unter dem Einfluss angreifender Kräfte nicht ändert, kann der Angriffspunkt einer auf ihn wirkenden Kraft entlang ihrer Wirkungslinie verschoben werden, ohne dass sich dabei die Wirkung dieser Kraft auf den Körper selbst ändert.

Starrkrampf, der →Wundstarrkrampf.

Stars and Stripes ['stɑːz ənd 'straɪps; engl. »Sterne und Streifen«] (Sternenbanner), die Flagge der USA seit 1777. Die 13 Streifen stehen für die 13 Gründungsstaaten, die inzwischen 50 Sterne für die Bundesstaaten.

Star-Spangled Banner, The [ðə 'stɑː'spæŋgld 'bænə; engl. »das sternenbesäte Banner«], seit 1931 Nationalhymne der USA; Text 1814 von F. S. Key (*1779, †1843), Melodie von J. S. Smith (*1750, †1836).

Start [engl.] *der,* **1)** *Luftfahrt:* Einleitung der Flugphase eines Flugzeugs. S.-Arten von eigenstartfähigen Flugzeugen sind der **Flach-S.** bis zum Erreichen der Abhebegeschwindigkeit, anschließendes Abheben und Übergang in den Steigflug, und der **Senkrecht-** oder **Vertikal-S.** (→Senkrechtstarter).

2) *Sport:* Beginn eines Rennens entsprechend den Regeln der jeweiligen Sportart als Einzel-, Gruppen- oder Massenstart. Beim **fliegenden S.** befindet sich der Sportler bereits in Bewegung (z. B. zur Übernahme des Staffelstabes).

START [stɑːt], Abk. für engl. **St**rategic **A**rms **R**eduction **T**alks [»Gespräche über den Abbau strateg. Rüstung«], 1982 begonnene Verhandlungen zw. den USA und der UdSSR über die Verringerung ihrer strateg. Nuklearwaffen, die am 31. 7. 1991 zur Unterzeichnung des **START-Vertrages** führten. Festgelegt wurde darin u. a., die Zahl der nuklearen Gefechtsköpfe um ein Drittel auf etwa 10 000 Gefechtskräfte bis 1999 zu reduzieren. Nach der Auflösung der UdSSR Ende 1991 bemühte sich US-Präs. Bush, die GUS zu einer schnelleren Abrüstung zu veranlassen, um der Gefahr einer sicherheitspolit. Destabilisierung zu begegnen, die mit der Aufteilung des strateg. sowjet. Nuklearpotenzials auf Russland, Weißrussland, Kasachstan und die Ukraine entstanden war. Der daraufhin am 3. 1. 1993 von den USA und Russland unterzeichnete **START-II-Vertrag** sieht vor, die derzeitigen strateg. Kernwaffenarsenale um zwei Drittel gegenüber der in START-I erlaubten Potenziale abzubauen sowie Interkontinentalraketen mit Mehrfachsprengköpfen abzuschaffen. Bis zum 1. 1. 2003 soll die Reduzierung abgeschlossen sein. Der START-II-Vertrag wurde im Jan. 1996 durch die USA ratifiziert, die Zustimmung des russ. Parlaments steht noch aus.

Start|automatik, Einrichtung am Vergaser von Ottomotoren, die beim Kaltstart selbsttätig die Starterklappe betätigt. Die S. ersetzt den von Hand zu bedienenden →Choke.

Starter, *Maschinenbau:* der →Anlasser.

Starterklappe (Startklappe), durch den →Choke oder die Startautomatik betätigte Vorrichtung am Kraftstoffvergaser eines Ottomotors, wodurch das Kraftstoff-Luft-Gemisch für einen Kaltstart mit Kraftstoff angereichert wird.

Startfenster, bildl. Ausdruck für den günstigsten Zeitpunkt für den Start eines Raumflugkörpers, der unter Ausnutzung der himmelsmechan. Bedingungen das Erreichen eines Himmelskörpers mit geringstmögl. Energieaufwand erlaubt.

Startgeld, *Sport:* Teilnahmegebühr, die ein Sportler entrichten muss, um einen Teil der Veranstaltungskosten zu decken; meist vom Verein, bei Berufssportlern auch vom Veranstalter bezahlt.

Start- und Landebahnen, →Flughafen.

Stase [grch.] *die* (Stasis), Stillstand, Stockung des Blutstroms in der Endstrombahn des Kreislaufsystems, z. B. bei Entzündungen.

Stasi, →**Sta**ats**si**cherheitsdienst.

Stasigenese [grch.] *die,* bei Lebewesen die stammesgeschichtl. Erstarrung, Stabilisierung und Konservierung der durch →Anagenese entstandenen neuen Konstruktionstypen.

Staßfurt, Stadt im Landkreis Aschersleben-Staßfurt, Sa.-Anh., an der Bode, 22 500 Ew.; Theater, Salzmuseum; Chemieapparate- und Chemieanlagenbau, Herstellung von Fernsehgeräten und Achslagern, Soda-, Behälterglaswerk. – In der Kapelle des ehem. Hospitals St. Johannis niederländ. Schnitzaltar (um 1480/90). – 805 erstmals urkundlich erwähnt, 1276 als Stadt bezeugt; wirtsch. Bedeutung durch Salzgewinnung; war bis 1994 Kreisstadt.

Staßfurt: Der um 1480/90 geschaffene niederländische Schnitzaltar in der Kapelle des ehemaligen Hospitals Sankt Johannis zeigt in der Schreinmitte eine figurenreich geschnitzte Kreuzigung, flankiert von weiteren Szenen der Passion Christi

State Banks ['steɪt 'bæŋks], in den USA aufgrund gesetzl. Genehmigung der Einzelstaaten errichtete Banken, im Unterschied zu den →National Banks; Kredit- und Depositenbanken.

State Department ['steɪt dɪ'pɑ:tmənt] *das,* das Außenministerium der USA.

Statement ['steɪtmənt, engl.] *das,* Behauptung, öffentl. Erklärung.

Staten Island ['stætn 'aɪlənd], Insel in der New York Bay, USA, bildet mit kleinen Nachbarinseln den Stadtbezirk Richmond von →New York; durch mehrere Brücken mit New Jersey verbunden.

Statik [grch.] *die,* als Teilgebiet der Mechanik die Lehre vom Gleichgewicht der an einem ruhenden Körper angreifenden Kräfte (Ggs.: →Kinetik). Die S. starrer Körper ist bes. in der Bautechnik von Bedeutung **(Bau-S.);** sie dient dazu, aus den Belastungen eines Bauwerkes Spannungen und Formänderungen von Bauteilen sowie die zur Erreichung des Gleichgewichts notwendigen Bedingungen zu ermitteln.

📖 PESTEL, E.: *S. Mannheim u. a.* [3]*1988.*

Station [lat.] *die,* **1)** *allg.:* Ort an dem sich eine techn., wiss., o. a. Anlage befindet; Bahnhof, Haltepunkt, Sendestelle.

2) *Medizin:* Abteilung im Krankenhaus.

stationär, 1) *allg.:* bleibend, ortsfest; an einen Standort gebunden.

2) *Medizin:* im Krankenhaus behandelt; Ggs.: ambulant.

3) *Physik:* zeitlich unveränderlich als Folge eines dynam., stat. oder statist. Gleichgewichts; z. B. bezeichnet man in der Hydromechanik eine Strömung als s., wenn ihr Geschwindigkeitsfeld zeitunabhängig ist. Die entsprechenden Zustände physikal. Systeme, bei denen bestimmte Beobachtungsgrößen zeitlich konstant sind, heißen **stationäre Zustände;** in der Quantenmechanik versteht man darunter die Lösungen der zeitunabhängigen Schrödinger-Gleichung.

stationäre Wirtschaft (statische Wirtschaft), Bez. der makroökonom. Theorie für eine Volkswirtschaft in einem langfristigen Gleichgewichtszustand unter gleich bleibenden Bedingungen (konstante Bev. und Konsumgewohnheiten, kein techn. Fortschritt); alle wirtsch. Aktivitäten wiederholen sich im Zeitablauf unverändert, variable Größen (Verbrauch, Einkommen, Preise, Zinsen u. a.) weisen keine Veränderungsrate auf.

statisch [grch.], **1)** *allg.:* im Gleichgewicht befindlich, fest stehend, unbeweglich; Ggs.: dynamisch.

2) *Mechanik:* die Statik betreffend.

statische Analyse, *Wirtschaftstheorie:* Untersuchung der Volkswirtschaft oder volkswirtsch. Teilbereiche zu einem bestimmten Zeitpunkt unter Gleichgewichtsannahmen; dabei beziehen sich alle ökonom. Größen auf denselben Zeitpunkt. Im Unterschied hierzu wird bei der **dynam. Analyse** die zeitl. Entwicklung ökonom. Variablen berücksichtigt. Die **komparativ-statische Analyse** besteht im Größenvergleich der Variablen unterschiedl. statischer Gleichgewichte.

statischer Druck, *Strömungslehre:* →Staudruck.

statischer Sinn, der →Gleichgewichtssinn.

Statist [lat.] *der,* Darsteller meist stummer Nebenrollen im Theater; beim Film →Komparse.

Statistik [lat.] *die,* **1)** Teilgebiet der Mathematik, das sich mit der mathemat. Erfassung und Auswertung von zufälligen Ereignissen und Erscheinungen (Ergebnisse von Versuchen, Beobachtungen,

Experimenten, Proben) befasst. Statist. Methoden beruhen auf der Erfahrung, dass bei bestimmten Massenerscheinungen Gesetzmäßigkeiten nachweisbar sind, die für Einzelereignisse nicht formuliert werden können. Jede statist. Aussage ist dabei mit einer abschätzbaren, jedoch prinzipiell unvermeidl. Unsicherheit behaftet. – Aufgabe der **beschreibenden (deskriptiven) S.** ist es, eine Gesamtheit von Ereignissen nach bestimmten, ihr wesenseigenen Merkmalen (Variablen) zu untersuchen und auf deren Häufigkeitsverteilung zu schließen. Dazu werden empir. Daten in Tabellen und Grafiken dargestellt, das ihnen zugrunde liegende Verteilungsgesetz herausgearbeitet und durch geeignete Werte (statist. Parameter) gekennzeichnet; zu diesen gehören: **Positions-, Dispersions-** und **Korrelationsparameter,** die die Lage eines Kollektivs (Mittelwert), dessen Ausbreitung (Streuung) sowie das Maß der Abhängigkeit oder des Zusammenhangs von versch. zufallsartig variierenden Merkmalen kennzeichnen. Die **analytische (mathemat.) S.** zieht anhand des aus Stichproben gewonnenen statist. Materials mithilfe geeigneter wahrscheinlichkeitstheoret. Größen und Modelle Rückschlüsse auf die Grundgesamtheit, z.B. um Prognosen zu zukünftigen Ereignissen geben zu können. Die auf bestimmten Vermutungen **(statistische Hypothesen)** basierenden, mithilfe der Wahrscheinlichkeitsrechnung hergeleiteten Folgerungen werden statist. Test- und Schätzverfahren unterzogen und führen im Falle ihrer Akzeptanz zum statist. Schluss. – Statist. Methoden werden heute in fast allen Wiss. angewendet, bes. in den Wirtschafts- und Sozialwiss., in Medizin, Biologie, Physik (statist. Mechanik, Quanten-S.) und Linguistik.

Auf nat. und internat. Ebene bestehen zahlr. Institutionen, die sich mit amtl. S. befassen. Die S. für Bundeszwecke wird in Dtl. durch das Bundesstatistik-Ges. vom 22. 1. 1987 geregelt und obliegt dem Statist. Bundesamt, den Statist. Landesämtern sowie Behörden und Ministerien. Das Ges. über die Bev.-S. in den neuen Ländern vom 9. 4. 1991 sowie die Statistikanpassungs-VO vom 26. 3. 1991 regeln die Anpassung von S. für das Gebiet der ehem. DDR. – In *Österreich* existiert das Österr. Statist. Zentralamt in Wien, in der *Schweiz* das Bundesamt für S. in Bern. Auf internat. Ebene bestehen z.B. das Statist. Amt der EU in Luxemburg und das Statist. Amt der UN in New York, die die amtl. S. ihrer Mitgl.länder koordinieren.

📖 HARTUNG, J.: *S. München u. a.* [10]*1995.* – LEINER, B.: *Einf. in die S. München u. a.* [7]*1996.*

statistische Mechanik, die bes. von L. Boltzmann und J. W. Gibbs begründete kinetische Theorie der Wärme; umfasst die Teilgebiete →kinetische Gastheorie und statist. →Thermodynamik.

Statistisches Bundesamt, statist. Zentralbehörde der Bundesrep. Dtl., wurde 1953 als selbstständige Bundesoberbehörde im Geschäftsbereich des Bundesmin. des Innern errichtet; Sitz: Wiesbaden. Zu den Aufgaben des S. B. gehören u.a., Bundesstatistiken zu erheben und zu veröffentlichen, Statistiken anderer Staaten, der EU und internat. Organisationen zusammenzustellen und zu veröffentlichen, volkswirtsch. Gesamtrechnungen und Gutachten zu erarbeiten. Diese Funktionen nehmen in *Österreich* das Österr. Statistische Zentralamt (Wien), in der *Schweiz* das Bundesamt für Statistik (Bern) wahr.

Statius, Publius Papinius, röm. Dichter, *Neapolis (heute Neapel) um 40 n. Chr., †ebd. um 96; erhalten sind das Epos »Thebais« (Zug der Sieben gegen Theben), das unvollendete Epos »Achilleis« (Jugendgeschichte des Achill) und die »Silvae« (Sammlung von Gelegenheitsgedichten).

Stativ [lat.] *das,* Halterung mit (meist) drei Beinen, deren Länge veränderbar ist, zum Aufstellen von u.a. Filmkameras und Kameras für Langzeitaufnahmen, von Theodoliten, Mikroskopen, chem. und physikal. Apparaturen.

Stato della Città del Vaticano [-tʃit'ta-], amtl. Name der →Vatikanstadt.

Statolith [grch.] *der,* →Gleichgewichtsorgane.

Stator [lat.] *der, Elektrotechnik:* →Ständer.

Statthalter, ständiger Vertreter des Staatsoberhaupts oder der Reg. in einem besonderen Gebietsteil; im *Dt. Reich* gab es 1879–1918 einen kaiserl. S. in Elsass-Lothringen, in den dt. Ländern und Reichsgauen 1933–45 →Reichsstatthalter. In *Österreich* 1852–1918 der Leiter der allg. polit. Verwaltung **(Statthalterei)** in den Kronländern.

Statue [lat.] *die* (Standbild), *Bildhauerkunst:* eine stehende, vollplastisch gestaltete Einzelfigur. Kleine S. **(Statuetten)** kommen im Altertum als Weihgaben, seit der Renaissance auch als Werke der Kleinkunst vor.

Statur [lat.] *die,* Wuchs, Gestalt.

Status [lat.] *der,* **1)** *allg.:* Zustand, Bestand, Stand.

2) *Datenverarbeitung:* Zusammenfassung aller Informationen, die ein System charakterisieren, spe-

Statue

Die größte Statue der Welt ist die »Mutter Erde«, ein Produkt des sozialistischen Realismus, die bei Wolgograd, dem ehemaligen Stalingrad, zu bewundern ist. Ihre Höhe beträgt 83 Meter, die sie allerdings nur durch ein hoch in die Luft gerecktes Schwert erreicht, das an die 15 Meter lang ist. Bis zum Scheitel 72 Meter hoch ist die Buddhastatue von Leshan am Min-Fluss in Südchina. Sie wurde im 8. Jahrhundert von Mönchen aus einem Felsen gehauen. Die Freiheitsstatue in New York bringt es auf 46 Meter, die Christusstatue über Rio de Janeiro auf gerade mal 38 Meter.

ziell zur Beschreibung des Zustandes von Funktionseinheiten (Geräte-S.), Programmen (Programm-S., Inhalte aller Speicherelemente des Prozessors) oder Daten (Daten-S., Zustände von Operanden oder Resultaten).

3) *Soziologie:* (sozialer S.) Grad der sozialen Wertschätzung der Position eines Individuums oder einer Gruppe in der unter spezif. Wertgesichtspunkten entwickelten Rangordnung (»Prestige«) eines sozialen Systems. Er wird durch persönl. Eigenschaften (Begabungen), v.a. jedoch durch Merkmale wie Einkommen, Herkunft, Bildung, Beruf sowie S.-Symbole (Besitzgegenstände, Titel) bestimmt.

Status Nascendi [lat. »Zustand des Entstehens«] *der, Chemie:* bes. reaktionsfähiger Zustand vieler Stoffe im Augenblick ihrer Bildung aus anderen Stoffen, v.a. für den des Wasserstoffs bei seiner Freisetzung aus Verbindungen (z.B. bei der Reaktion von Zink mit Salzsäure).

Status quo [lat.] *der,* gegenwärtiger Zustand. **Status quo ante,** Zustand vor dem bezeichneten Ereignis.

Statut [lat.] *das,* die →Satzung; im internat. Privatrecht die maßgebende Rechtsordnung.

Statute Law ['stætju:t lɔ:, engl.], im angloamerikan. Recht das Gesetzesrecht, also das kodifizierte Recht im Ggs. zum Case Law (Fallrecht; →Common Law).

Statute Mile ['stætju:t maɪl, engl.], →Mile.

Stau, 1) *Meteorologie:* die Ansammlung von Luftmassen an einem Hindernis (Berg, Gebirge; Geländeaufwind), an dem die Luft zum Aufsteigen gezwungen wird, wobei es zur Wolkenbildung und zu Niederschlägen kommt. Bei geeigneter Wetterlage fallen auf der Anströmseite der Gebirge, der S.-Seite, ergiebige S.-Regen, Steigungsregen.

2) *Strömungslehre:* die Verzögerung einer Strömung an einem →Staupunkt, verbunden mit der Erhöhung des stat. Drucks.

Staub, 1) *allg.:* in der Luft schwebende, feste Teilchen von beliebiger Form, Struktur und Dichte (Korngröße 0,01 µm–0,5 mm), die sowohl aus natürl. Prozessen (Stürme, Wald- und Steppenbrände, Vulkanausbrüche, Erosion) als auch aus anthropogenen Quellen (industrielle Prozesse, Bergbau, Verbrennungsvorgänge) stammen. Mit einem →Konimeter oder Tyndallometer kann die Anzahl der S.-Teilchen in der Luft ermittelt werden. (→Entstaubung) – Über Gesundheitsschäden durch S. →Staubinhalationskrankheiten.

2) *Astronomie:* die (kleinen) festen Bestandteile der →interstellaren Materie.

Staubblatt (Staubgefäß, Stamen), männl. Organ der Blüte bei Samenpflanzen, besteht aus Staubfaden und Staubbeutel, in dem der Blütenstaub gebildet wird.

Staub|explosion, durch Funken oder Reibungswärme ausgelöste Explosion eines Gemischs aus Luft und festen, fein verteilten, brennbaren Stoffen, z.B. Kohlen-, Holz-, Zuckerstaub.

Staub|inhalationskrankheiten (Staublungenerkrankungen, Staublungen, Pneumokoniosen), Sammelbez. für alle krankhaften Veränderungen des Lungengewebes, die durch das Einatmen von Staubteilchen hervorgerufen werden. Das Einatmen zahlr. Metall-, Kalk- und Kohlenstäube führt meist zu einer unspezif. Ablagerung der Staubteilchen (Koniose) im lymphat. Gewebe, ohne i. Allg. Krankheitssymptome zu verursachen, z.B. bei der Kohlenstaublunge **(Anthrakose)** oder bei der Eisenoxidstaublunge **(Siderose),** die i.d.R. die Lungentätigkeit nicht beeinträchtigen. Durch Einatmen von Quarz- **(Silikose),** Asbest- **(Asbestose),** Talkum- **(Talkose)** oder z.B. Kaolinstäuben **(Silikatose),** die eine starke Reizwirkung auf das Lungengewebe ausüben, entsteht dagegen eine fortschreitende Lungenfibrose mit Emphysem, Rechtsvergrößerung des Herzens und Bronchitis.

Stäubling, ein Bauchpilz, →Bovist.

Staublungen, →Staubinhalationskrankheiten.

Staubsauger, trag- oder fahrbares Entstaubungsgerät für Haushalt und Gewerbe. Ein elektrisch angetriebenes Gebläse erzeugt einen starken Luftstrom, der Staub- und Abfallteilchen aufsaugt und in einem auswechselbaren Filterbeutel ablagert.

Staubsturm, der →Sandsturm.

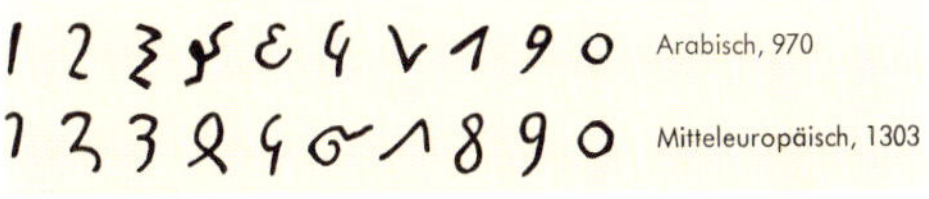

Staubziffern in der arabischen und der mitteleuropäischen Form

Staubziffern (Gobarziffern), von den indischen zehn Zahlzeichen abgeleitete Ziffernformen, die ab der 2. Hälfte des 9. Jh. in den arab. Ländern zum Rechnen auf der mit Staub bedeckten Rechentafel dienten. Die S. wurden um 1000 im Abendland eingeführt und bilden wahrscheinlich das Bindeglied zw. den indischen und den europ. Ziffern.

Stauchen, *Fertigungstechnik:* das Verkürzen metall. Werkstücke unter Querschnittszunahme oder Bildung von Verdickungen bei Raum- und Warmumformtemperatur durch Druck oder Schlag.

Stauchung, *Physik:* die negative →Dehnung.

Staudamm, Teil einer →Talsperre.

Stauden (Perennen), ausdauernde Pflanzen mit meist stark entwickelten unterird. Sprossorganen, deren meist krautige oberird. Sprosssysteme (Laub- und Blütensprosse) jährlich am Ende der Vegetationsperiode teilweise oder ganz absterben.

Hermann Staudinger

Staudinger, Hermann, Chemiker, * Worms 23. 3. 1881, † Freiburg im Breisgau 8. 9. 1965; gilt als Begründer der Chemie der Makromoleküle und Polymere (»Die hochmolekularen organ. Verbindungen«, 1932). S. ermittelte u. a. die Beziehung zw. Viskosität und Molekulargewicht gelöster Polymere (**S.-Index**). Für seine Entdeckungen auf dem Gebiet der Makromoleküle, die v. a. für die Entwicklung der Kunststoffe von Bedeutung waren, erhielt er 1953 den Nobelpreis für Chemie.

Staudruck, der Druckanstieg, der in einem strömenden Medium durch Verzögerung der Stoffteilchen auf die Geschwindigkeit null (Umsetzung von kinet. Energie in potenzielle Energie) im →Staupunkt eines umströmten Körpers auftritt. Im Staupunkt herrscht der **Gesamtdruck.** Die Differenz aus dem Gesamtdruck und dem Druck in der ungestörten Strömung **(stat. Druck)** heißt **dynam. Druck.** Für inkompressible Fluide ist er gleich dem Staudruck (→Bernoulli-Gleichung), der auch als die kinet. Energie der in der Volumeneinheit des strömenden Mediums enthaltenen Stoffmenge verstanden werden kann **(kinet. Druck, Geschwindigkeitsdruck).** Der S. wird mit einem S.-Messer (→Staurohr) bestimmt.

Wolfgang Staudte

Staudte, Wolfgang, Filmregisseur, * Saarbrücken 9. 10. 1906, † Zigarski (Slowenien) 19. 1. 1984; zunächst Schauspieler; arbeitete nach 1945 für die DEFA, seit 1955 in der Bundesrep. Dtl.; drehte v. a. gesellschaftskrit. Filme: »Die Mörder sind unter uns« (1946), »Der Untertan« (1951), »Rosen für den Staatsanwalt« (1959), »Die Dreigroschenoper« (1962), »Der Seewolf« (1971); auch Fernsehproduktionen.

Claus Graf Schenk von Stauffenberg

Staufer (Hohenstaufen), schwäb. Adelsgeschlecht, dessen Anfänge bis in die 1. Hälfte des 11. Jh. zurückreichen. Als Stammsitz erscheint zunächst Büren (heute Wäschenbeuren, Kr. Göppingen). Friedrich I., Sohn Friedrichs von Büren († nach 1053), wurde von Kaiser Heinrich IV. 1079 zum Herzog von Schwaben ernannt und mit Heinrichs Tochter Agnes vermählt; er erbaute die Burg Hohenstaufen, die der Dynastie den Namen gab. 1125 fielen die sal. Hausgüter an die S.; 1138 konnte Konrad III. seine Wahl zum Röm. König durchsetzen. Unter Friedrich I. Barbarossa und Heinrich VI. erreichte die Dynastie den Höhepunkt ihrer Geltung. Der Erbanfall Siziliens und der Machtverfall des Königtums im staufisch-welf. Thronstreit (1198–1214/15) verlagerten das Schwergewicht ihrer Herrschaft in den unteritalien. Normannenstaat; die glanzvolle Reg. Friedrichs II. konnte den Niedergang der Dynastie nicht verhindern. Mit der Enthauptung Konradins (1268) in Neapel starb das Geschlecht aus. (→deutsche Geschichte) BILD S. 282

📖 *Die Zeit der S., hg. v.* R. HAUSSHERR, *4 Bde. u. Supplement, Ausst.-Kat. Württemberg. Landesmuseum, Stuttgart* [6]*1977–79.* – KELLER, H.: *Zwischen regionaler Begrenzung u. universalem Horizont. Studienausg. Frankfurt am Main u. a. 1990.* – SCHALLER, H. M.: *Stauferzeit. Ausgewählte Aufsätze. Hannover 1993.* – ENGELS, O.: *Die S. Stuttgart u. a.* [6]*1994.* – WEBER, F.: *Die S. – nur Geschichte? Horb am Neckar 1994.*

Stauffenberg (Schenk von S.), schwäb. Adelsgeschlecht; 1698 Reichsfreiherren; bis heute besteht die Linie S.-Amerdingen. Bed. Vertreter:

1) Berthold Graf Schenk von, Widerstandskämpfer, * Stuttgart 15. 3. 1905, † (hingerichtet) Berlin 10. 8. 1944, Bruder von 2); ab 1939 Völkerrechtsberater bei der Seekriegsleitung; als enger Vertrauter seines Bruders Claus an den Vorbereitungen des Attentats auf A. Hitler am 20. 7. 1944 unmittelbar beteiligt.

Wolfgang Staudte: Szenenfoto aus dem 1946 gedrehten Film »Die Mörder sind unter uns« mit Hildegard Knef und Wilhelm Borchert in den Hauptrollen

Wolfgang Staudte

Die Mörder sind unter uns

Im Mai 1946 begannen in den DEFA-Studios in Babelsberg die Dreharbeiten zum ersten deutschen Nachkriegsfilm, zu dem der Regisseur Wolfgang Staudte auch das Drehbuch geschrieben hatte. Erzählt wird, wie ein junger Arzt unter der Erinnerung an Kriegsverbrechen, die er als Soldat miterlebt hat, leidet. Nach Kriegsende heimgekehrt, erkennt er dann in einem angesehenen Fabrikanten einen Offizier wieder, der Unschuldige hat ermorden lassen. Der Arzt will ihn erschießen, doch einer jungen Frau, selbst früher von den Nationalsozialisten verfolgt (gespielt von Hildegard Knef), gelingt es, ihn davon abzubringen. Der Film wirft die Frage nach der Verantwortung des Einzelnen in der Zeit des Nationalsozialismus auf und versucht eine ernsthafte Auseinandersetzung mit dem Problem von allgemeinem politischen Versagen und individueller Schuld daran. Der Filmtitel wurde besonders in den 50er-Jahren zitiert, um warnend darauf hinzuweisen, dass es noch immer ungesühnte Schuld gebe und dass jeder Anteil an dieser Schuld habe.

2) Claus Graf Schenk von, Offizier und Widerstandskämpfer, * Schloss Jettingen (heute zu Jettingen-Scheppach, bei Günzburg) 15. 11. 1907, † (hingerichtet) Berlin 20. 7. 1944, Bruder von 1); 1940–43 in der Organisationsabteilung des Generalstabs des Heeres; wurde zur treibenden Kraft der Widerstandsgruppen; als Oberst seit 1. 7. 1944 Stabschef beim Befehlshaber des Ersatzheeres (mit Zugang zu Hitlers Hauptquartier bei Rastenburg). Das von ihm als unabdingbar für den Umsturz betrachtete Attentat auf Hitler führte er am 20. 7. selbst durch; nach dessen Scheitern standrechtlich erschossen.

📖 FEST, J.: *Staatsstreich. Der lange Weg zum 20. Juli. Berlin 1994.* – BENTZIEN, H.: *C. S. G. von S. Zwischen Soldateneid u. Tyrannenmord. Hannover 1997.*

Staufer, Stammtafel (Auswahl)

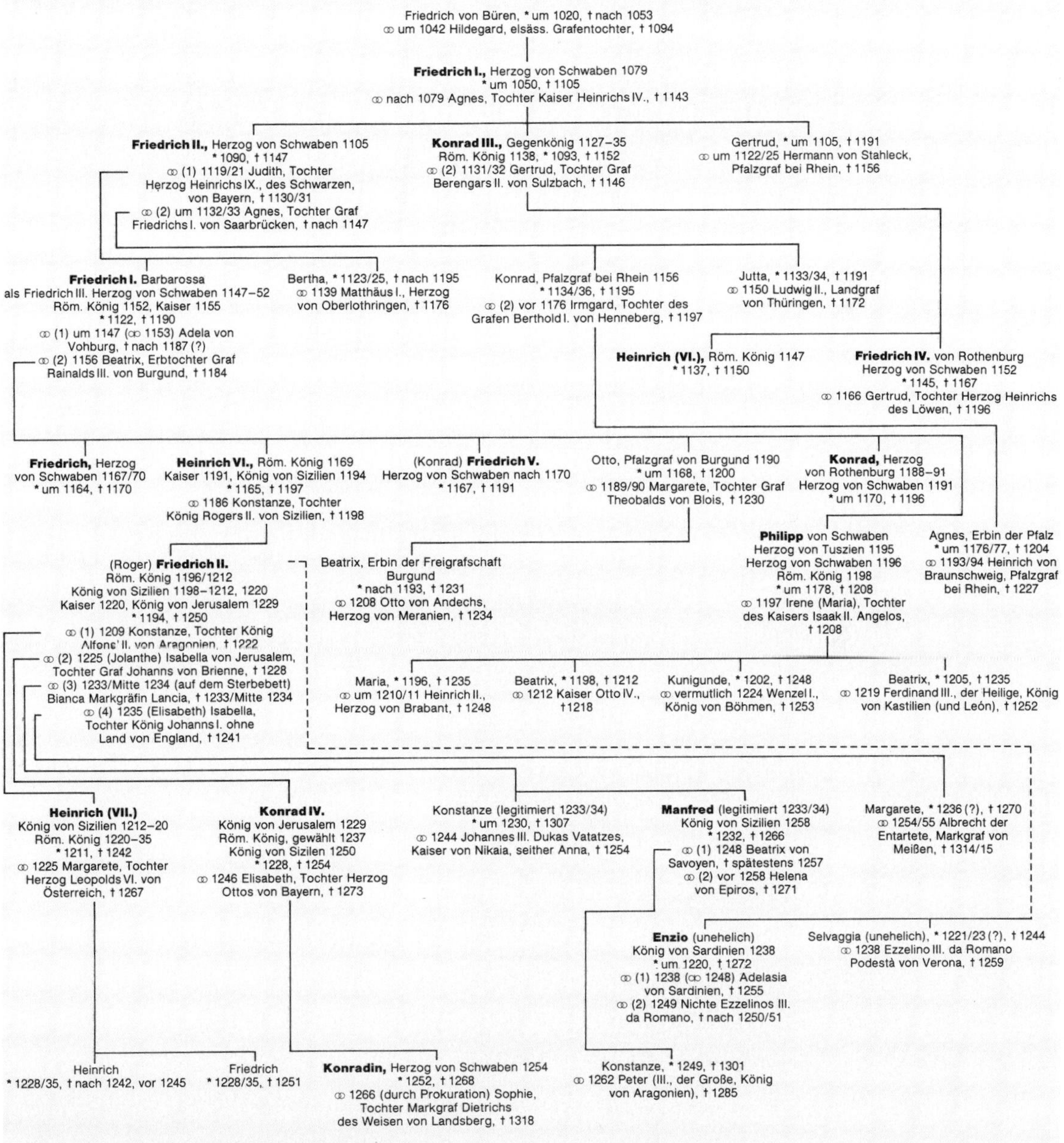

Die Lebensdaten sind vielfach nur erschlossen und daher unsicher.
Halbfett gesetzt sind die Namen der Herzöge von Schwaben sowie die der Könige und Kaiser

Karl Stauffer-Bern: »Bildnis des Dichters Gustav Freytag« (1886; Basel, Kunstmuseum)

Stauffer-Bern, Karl, schweizer. Maler und Radierer, *Trubschachen (bei Langnau im Emmental) 2. 9. 1857, †(Selbstmord) Florenz 24. 1. 1891; schuf in meisterhafter Technik lebensnahe Porträts (G. Keller, G. Freytag); zu seinen Schülern gehörte Käthe Kollwitz.

staufische Kunst, seit Ende des 1. Weltkriegs übliche Bez. für die Kunst in der Regierungszeit der →Staufer, wobei entscheidende Impulse weniger von den stauf. Herrschern selbst ausgingen, sondern mehr von einzelnen Landesfürsten (Heinrich der Löwe) und v.a. von der Kirche (Bettelorden).

In der *kirchlichen Baukunst* sind für Köln und das Rheinland Lisenen, Blendnischen und Zwerggalerien am Außenbau, Nischen und Laufgänge im Innenraum charakteristisch (u.a. Sankt Aposteln in Köln), am Oberrhein und im Elsass Doppelturmfassaden und sorgfältig behandeltes Quaderwerk, schwere, gedrungene Formen und Kreuzgewölbe (Murbach, Maursmünster, Schlettstadt, Worms), für Westfalen der Gewölbebau in breiter Proportionierung und der weitgehende Verzicht auf Schmuckformen (Sankt Patroklus in Soest) sowie die Entwicklung der Hallenkirchen (Dome in Paderborn und Münster). Durch den Einfluss der frz. Gotik ist der Bruch mit örtl. Tradition spürbar (Münster in Straßburg, Dome in Magdeburg, Halberstadt, Minden, Naumburg, Elisabethkirche in Marburg, Zisterzienserklöster in Maulbronn und Eberbach im Rheingau). Die Staufer errichteten Pfalzen und Burgen (Trifels, Gelnhausen, Wimpfen), unter Friedrich II. v.a. in Apulien (→Castel del Monte) und Sizilien.

Skulptur: Von den Kirchenausstattungen sind einige Triumphkreuze des 13. Jh. erhalten (Halberstadt, Dom, um 1220?) sowie zahlr. Bronzekruzifixe. Die Formensprache der Figurenplastik des Straßburger Münsters, des Bamberger und Naumburger Doms zeigt die Auseinandersetzung mit der frz. Kathedralplastik; bed. Goldschmiedekunst im Rhein-Maas-Gebiet (Nikolaus von Verdun).

Malerei: Hervorragende Glasmalerei (u.a. Straßburger Münster; Erfurt, Barfüßerkirche), zahlreiche Werke der Buchmalerei (u.a. Köln, Mainz, Bamberg, Regensburg, Salzburg sowie Sizilien, u.a. Messina). – Einen besonderen Charakter trägt die s. K. aus dem Umkreis Friedrichs II. in Süditalien und Sizilien mit der Wiederbelebung von Elementen antiker Kunst, u.a. die Kalksteinbüste von Barletta, Kopffragment vom Castel del Monte, Skulpturen für das Brückenkastell von Capua. (→deutsche Kunst, →Romanik)

📖 *Die Zeit der Staufer, hg. v.* R. HAUSSHERR, *4 Bde. u. Supplement, Ausst.-Kat. Württemberg. Landesmuseum, Stuttgart* [6]*1977–79.* – HOTZ, W.: *Pfalzen u. Burgen der Stauferzeit. Darmstadt* [3]*1992.*

Staukuppe, *Vulkanologie:* →Quellkuppe.

Stauning ['sdaunəŋ], Thorvald, dän. Politiker, *Kopenhagen 26. 10. 1873, †ebd. 3. 5. 1942; seit 1910 Vors. der Sozialdemokrat. Partei, 1924–26 und 1929–42 MinPräs. Seine sozialen Reformen trug Dänemark den Ruf eines »Wohlfahrtsstaates« ein.

Staupe [niederländ.], früher häufige, heute durch Impfungen seltener gewordene, sehr ansteckende Infektionskrankheit v.a. der Hunde, Katzen (→Panleukopenie) und Marder (bes. in Pelzfarmen). Die **Hunde-S.** wird durch ein Virus verursacht und durch bakterielle Sekundärinfektionen kompliziert. Die Übertragung erfolgt durch Ausscheidungen infizierter Tiere und Zwischenträger. Kennzeichen sind Fieber, Fressunlust,

Staufer: Der letzte Staufer Konradin von Schwaben übergibt vor seiner Hinrichtung in Neapel 1268 Ring und Handschuh an Heinrich Truchsess von Waldburg (Mitte links); auf dem Thron ist Karl von Anjou dargestellt (links); Werk eines anonymen süddeutschen Meisters (um 1650; Privatbesitz)

schleimiger Nasen- und Augenausfluss, Durchfall, Erbrechen, Beißsucht und Krämpfe.

Staupitz, Johann von, kath. Theologe, *Motterwitz (heute zu Thümmlitzwalde, bei Grimma) um 1465, †Salzburg 28. 12. 1524; seit 1503 Generalvikar der dt. Augustinerobservanten, 1502–12 zugleich Prof. in Wittenberg; Vertrauter des jungen Luther; förderte dessen theolog. Studien, setzte ihn 1512 als seinen Nachfolger in die Professur für Bibelauslegung ein.

Staupunkt, Punkt an der Oberfläche eines von einer Flüssigkeit (oder einem Gas) umströmten Körpers, an dem das Medium relativ zum Körper in Ruhe ist. Mit der Verzögerung der Strömungsgeschwindigkeit ist ein Druckanstieg im Staugebiet verknüpft (→Staudruck).

Stauregelung, *Wasserbau:* Art des Gewässerausbaus, bei dem das Gefälle (im Unterschied zur Flussregelung) in eine treppenartige Folge von Staustufen umgewandelt wird.

Staurohr, Sonde zur Messung des →Staudrucks eines strömenden Mediums, z. B. das →Pitot-Rohr. Wird mit dem S. auch der stat. Druck des Mediums gemessen (mit dem →prandtlschen Staurohr), kann man aus dem dynam. Druck nach der →Bernoulli-Gleichung die Relativgeschwindigkeit zw. strömendem Medium und S. bestimmen (Fahrtmesser in Luftfahrzeugen).

Staurolith [grch.] *der,* ein braunes, monoklines (pseudorhomb.) Mineral, Eisen-Aluminium-Silikat mit der chemischen Zusammensetzung $FeAl_4[O|OH|SiO_4]_2$, häufig verzwillingt; Vorkommen in metamorphen Gesteinen und als Schwermineral in Sanden.

Staurothek [grch.] *die,* Reliquiar zur Aufnahme einer Kreuzesreliquie, v. a. im byzantin. Bereich, schon um 400 in Jerusalem bekannt. Eine S. aus dem 10. Jh. befindet sich im Domschatz von Limburg a. d. Lahn. BILD S. 284

Stausee, durch Stau eines Flusses entstandener See, überwiegend als künstl. Anlage zur Speicherung von Trinkwasser, zur Gewinnung von Elektrizität, zur Bewässerung, zur Wasserregulierung für die Binnenschifffahrt und zum Hochwasserschutz u. a. ÜBERSICHT →Talsperren

Staustrahltriebwerk, ein →Strahltriebwerk.

Staustufe, *Wasserbau:* →Stauregelung.

Stauungsleber, Veränderungen der Leber infolge Behinderung des Abflusses des Lebervenenblutes in die untere Hohlvene und zum Herzen bei Herzinsuffizienz; führt zu Leberschädigung (Leberverfettung, Leberzirrhose).

Stauungslunge (Lungenstauung), die Veränderungen der Lunge bei Druckerhöhung im kleinen Kreislauf infolge Insuffizienz des linken Herzens mit Kapillarerweiterung, Blutfülle und (bei längerem Bestehen) Bindegewebsvermehrung und Lungenstarre.

Stauungspapille, nur mit Augenspiegel erkennbare Anschwellung oder Vorwölbung des Sehnervenkopfes in der Netzhaut bei Entzündungen oder Raum fordernden Prozessen im Schädelinnern, z. B. Hirntumor.

staufische Kunst: Das Kastell in Bari wurde im 12. Jh. von den Normannen errichtet und 1233–40 unter Friedrich II. umgebaut (oben); der Karlsschrein wurde 1200–15 in Aachen zur Aufnahme der Gebeine von Karl dem Großen angefertigt; an den Wänden sind statt der üblichen Heiligenfiguren 16 deutsche Herrscher dargestellt

staufische Kunst: Miniatur »Kampf der Seelen« aus dem »Speculum virginum« (Ende 12. Jh.; Bonn, Rheinisches Landesmuseum)

Staurolith: Einzelkristall (oben) und Durchwachsungszwilling

Stauwasser (Stillwasser), → Gezeiten.

Stavanger, Hptst. der Prov. Rogaland, Norwegen, am Ausgang des Boknfjords, 103 500 Ew.; Seefahrt- u. a. Museen, Kunstgalerie; petrochem., Nahrungsmittel- (v. a. Fischkonserven), Druck-, Werftindustrie (Bau von Förderplattformen); Hauptstützpunkt der Erdölbohrinseln; Hafen, internat. Flughafen. – Roman. Dom (um 1125 begonnen, got. Chor); der Königshof wurde später Bischofssitz (got. Kapelle, 13. Jahrhundert).

Stavenhagen (Reuterstadt S.), Stadt im Landkreis Demmin, Meckl.-Vorp., zw. Kummerower See und Tollensesee, 8 300 Ew.; Nahrungsmittelindustrie. – Klassizist. Stadtkirche (1782 geweiht). Im Rathaus (1783, heute Museum) wurde F. Reuter geboren. – Um 1250 angelegt, seit 1278 Stadt.

Stavenhagen, Fritz, niederdt. Schriftsteller, *Hamburg 18. 9. 1876, †ebd. 9. 5. 1906; begründete, vom Naturalismus beeinflusst, die neue niederdt. Dramatik (»Jürgen Piepers«, 1901; »Mudder Mews«, 1904; »De dütsche Michel«, 1905; »De ruge Hoff«, 1906).

Staurothek: Die byzantinische, mit Emails, Edelsteinen und vergoldetem Silber verzierte Staurothek entstand Mitte des 10. Jh. und enthielt neben der herausnehmbaren Kreuzreliquie weitere Heiligtümer (Limburg a. d. Lahn, Domschatz)

Stawropol, **1)** (1936–43 Woroschilowsk) Hauptstadt der Region S., Russland, im nördl. Kaukasusvorland, 318 000 Ew.; TH u. a. Hochschulen, Museen; Nahrungsmittel-, Maschinenbau-, chem., Leder-, Bekleidungsindustrie; Flughafen. – S. wurde 1777 als Festung an der Grenze des russ. Reiches gegründet.

2) bis 1964 Name der russ. Stadt → Toljatti.

Stażewski [staˈʒɛvski], Henryk, poln. Maler, *Warschau 9. 1. 1894, †ebd. 11. 6. 1988; einer der Hauptvertreter der geometr. Abstraktion in Polen.

Ste., Abk. für frz. **Sainte,** heilig (weibl. Form).

Steadystate [ˈstedɪsteɪt, engl.], in der Wachstumstheorie dynam. Gleichgewichtszustand einer Volkswirtschaft. Alle ökonomisch relevanten Größen (z. B. Sozialprodukt, Investitionen, Preise, Produktionspotenzial) wachsen mit derselben Rate (proportionales Wachstum) oder bleiben konstant (stationäre Wirtschaft).

Steady-State-Theorie [ˈstedɪ ˈsteɪt-, engl.], histor., nichtrelativist. Weltmodell, das als Theorie des stationären Kosmos auf dem vollkommenen (für alle Zeiten gültigen) kosmolog. Prinzip basiert (→ Kosmologie).

Stealth-Technik [ˈstelθ-, engl.] (Tarnkappentechnik), Bez. für verschiedenartige techn. Maßnahmen und Mittel, mit deren Hilfe die Ortung militär. Objekte sowie von Waffensystemen (bes. Flugzeuge und Schiffe) erschwert oder verhindert werden soll. Neben herkömml. Maßnahmen zur Verringerung der opt. und akust. Wahrnehmung spielt heute v. a. die Vermeidung der Ortung durch Radar oder Infrarot eine Rolle.

Steamcracken [ˈstiːmkrækən, engl.], Verfahren der → Petrochemie, bei dem Kohlenwasserstoffe bei etwa 850 °C in Gegenwart von Wasserdampf in kleinere Bruchstücke gespalten werden (→ Cracken). Daneben laufen Aufbaureaktionen ab, die u. a. zu Benzol und Heizölkomponenten führen.

Steamreforming [ˈstiːmrɪfɔːmɪŋ, engl.] *das* (Dampfspaltung), Verfahren zur Herstellung von Wasserstoff und wasserstoffhaltigen Gasgemischen (z. B. → Synthesegas) durch Umsetzung gasförmiger Kohlenwasserstoffe (meist Erdgas) bei 750–850 °C mit Wasserdampf an nickelhaltigen Katalysatoren.

Stearate, Salze und Ester der → Stearinsäure.

Stearin [aus frz. stéarine, zu grch. stéar »Fett«, »Talg«], 1) weißes bis gelbl., wasserunlösl. Gemisch aus S.- und Palmitinsäure, das aus dem bei der Fettspaltung entstehenden Fettsäuregemisch gewonnen wird. S. wird v. a. zur Kerzenfabrikation verwendet, daneben auch in der Seifen-, Gummi-, Textilind.; 2) Glycerinmono-, -di- und -tristearate.

Stearinsäure (Octadecansäure), gesättigte Fettsäure, die als Glycerinester in fast allen Pflanzenölen und Tierfetten vorkommt; dient u. a. zur Herstellung von Seifen, Salben, Kerzen.

Steatit *der,* der Speckstein, → Talk.

Steatopygie [grch.] *die,* der → Fettsteiß.

Steben, Bad, → Bad Steben.

Stech|apfel, Art der Nachtschattengewächsgattung → Datura.

Stech|eisen, der → Beitel.

Stechen (Stichkampf), *Sport:* Entscheidungskampf bei gleicher Leistung im eigtl., beendeten Wettbewerb.

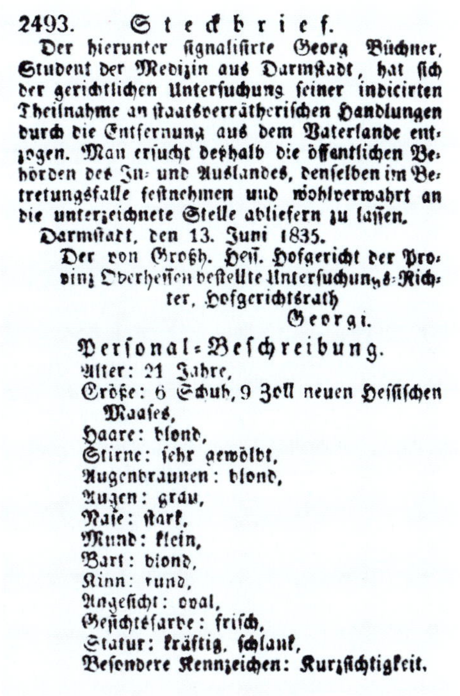
2493. Steckbrief.

Der hierunter signalisirte Georg Büchner, Student der Medizin aus Darmstadt, hat sich der gerichtlichen Untersuchung seiner indicirten Theilnahme an staatsverrätherischen Handlungen durch die Entfernung aus dem Vaterlande entzogen. Man ersucht deßhalb die öffentlichen Behörden des In- und Auslandes, denselben im Betretungsfalle festnehmen und wohlverwahrt an die unterzeichnete Stelle abliefern zu lassen.

Darmstadt, den 13. Juni 1835.

Der von Großh. Hess. Hofgericht der Provinz Oberhessen bestellte Untersuchungs-Richter, Hofgerichtsrath

Georgi.

Personal-Beschreibung.

Alter: 21 Jahre,
Größe: 6 Schuh, 9 Zoll neuen Hessischen Maases,
Haare: blond,
Stirne: sehr gewölbt,
Augenbraunen: blond,
Augen: grau,
Nase: stark,
Mund: klein,
Bart: blond,
Kinn: rund,
Angesicht: oval,
Gesichtsfarbe: frisch,
Statur: kräftig, schlank,
Besondere Kennzeichen: Kurzsichtigkeit.

Steckbrief Georg Büchners aus dem Jahr 1835

Stecher, Vorrichtung an Schusswaffen (Sportgewehren), die das Auslösen des Schusses bei leichtester Berührung des Abzugs bewirkt.

Stechfliegen (Stomoxidini), Gattungsgruppe der Vollfliegen (nach manchen Forschern: Unterfamilie Stomoxidinae), mit rd. 50 meist trop. Arten; Stechrüssel nach vorn gerichtet; Blutsauger bei Warmblütern, bes. Pflanzenfressern; einige Arten sind Krankheitsüberträger. In Mitteleuropa v.a. in Ställen häufig die **Stechfliege (Wadenstecher, Stallfliege,** Stomoxys calcitrans).

Stech|immen (Stechwespen, Aculeata), Gruppe der Hautflügler; das Legrohr der Weibchen ist zu einem Wehrstachel mit Giftdrüse umgebildet (z.B. bei Bienen und Wespen).

Stechmücken (Gelsen, Moskitos, Culicidae), weltweit, v.a. in den Tropen, verbreitete Familie mittelgroßer Mücken; Weibchen mit langem Saugrüssel, z.T. Blutsauger und gefährl. Krankheitsüberträger (Malaria, Gelbfieber); Männchen nehmen nur Wasser und Pflanzensäfte auf. In Mitteleuropa u.a. die **Wiesen-S. (Rheinschnaken,** Aedes sticticus) in Flussauen; in Gartenteichen und Regentonnen entwickeln sich die **Hausmücken** (Culex pipiens).

Stechpaddel, *Kanusport:* Canadierpaddel zum Einsatz auf einer Bootsseite.

Stechpalme (Ilex), Gattung der S.-Gewächse mit etwa 400 Arten, v.a. in den Tropen Asiens und Amerikas, wenige Arten in der gemäßigten Zone; heimisch die Art S. i.e.S. (**Stecheiche,** Ilex aquifolium), ein immergrüner Strauch oder kleiner Baum (3–10 m Höhe) mit derb ledrigen, oben dunkelgrünen, glänzenden, dornig gezähnten Blättern, weißl. Blüten und korallenroten, giftigen Früchten; Nutzpflanze ist die Matepflanze (→Mate).

Stechwinde (Smilax), Gattung der Liliengewächse; Rankenkletterer mit länglich-herzförmigen Blättern. Die **Raue S.** (Smilax aspera) des Mittelmeergebiets hat duftende Blüten und rote Beeren. Einige winterharte Arten sind als Garten- und Gewächshauskletterpflanzen beliebt.

Steckbrief [urspr. Ladebrief des Femegerichts, der in den Torriegel gesteckt wurde], das schriftlich an alle Behörden, bes. an die Polizei, ergehende Ersuchen, eine flüchtige oder sich verborgen haltende Person festzunehmen und sie der ersuchenden Behörde zu übergeben. Zuständig für den Erlass eines S. aufgrund eines Haft- oder Unterbringungsbefehls ist der Richter oder die Staatsanwaltschaft. Ohne Haftbefehl ist die Verfolgung durch S. auch durch die Polizei statthaft, wenn ein Festgenommener oder unter Bewachung Stehender entkommt (§§ 131, 457 StPO). Der S. soll die verfolgte Person genau beschreiben und die verfolgte Tat angeben. Er wird in Fahndungsblättern abgedruckt und kann durch Anschlag, Presse, Funk und Fernsehen bekannt gegeben werden. – Nach *österr.* Recht (§§ 416 ff. StPO) dürfen S. nur vom Gericht in Verbrechensfällen oder bei vorsätzl. Vergehen mit mehr als einem Jahr Strafdrohung erlassen werden. Das *schweizer.* kantonale Recht entspricht im Wesentlichen dem dt. Recht.

Steckdose, fest installierter Teil einer elektr. Steckvorrichtung, mit Buchsen zur Aufnahme der Steckkontakte und den Zuleitungsanschlüssen.

Stẹckel, Leonard (Leonhard), Schauspieler und Regisseur, *in Ungarn 18. 1. 1901, † (Eisenbahnunglück) Aitrang (Kr. Ostallgäu) 9. 2. 1971; spielte bes. in Berlin und nach Emigration 1933–53 in Zürich.

Stecklinge, 1) *Gartenbau:* zur vegetativen Vermehrung von Pflanzen abgetrennte Teile, die durch Bildung von Adventivsprossen und -wurzeln zu neuen selbstständigen Pflanzen heranwachsen.

2) *Landwirtschaft:* die zur Samengewinnung vorgesehenen überwinternden Sämlinge zweijähriger Pflanzen (z.B. Gemüse, Kohl, Zuckerrübe).

Steckrübe, die →Kohlrübe.

Steckschlüssel, ein →Schraubenschlüssel, der den Schraubenkopf glockenartig umfasst.

Steckverbinder, *Elektrotechnik:* mechan. Anordnung von paarigen Kontaktelementen zum

Stechfliegen: Wadenstecher (Körperlänge 0,8 cm)

Stechpalme: Zweig der Stecheiche mit Früchten (oben) und männliche Blüten

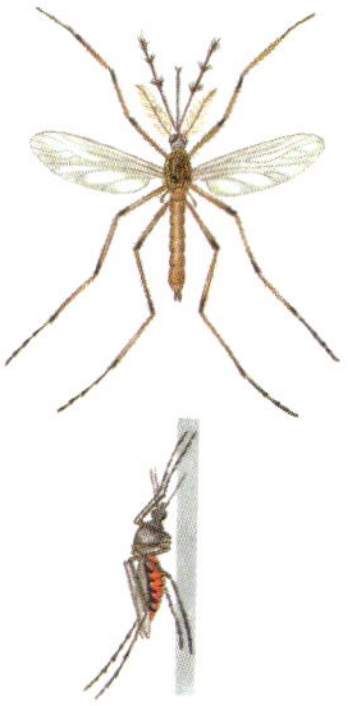

Stechmücken: Männchen (oben) und Weibchen der Hausmücke in Ruhestellung (Körperlängen 3,4–5 mm)

Jan Steen: »Das Bohnenkönigsfest« (1668; Kassel, Staatliche Kunstsammlungen)

Richard Steele (zeitgenössisches Schabkunstblatt)

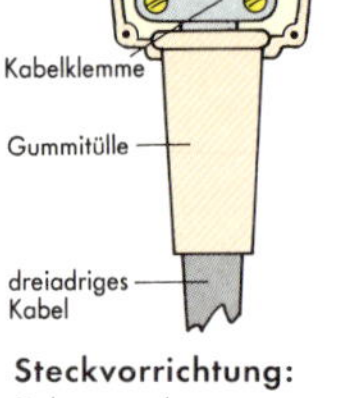

Steckvorrichtung: Schnittzeichnung eines Schutzkontaktsteckers

(ggf. mehrmaligen) Öffnen und Schließen einer oder mehrerer elektrisch leitender Verbindungen ohne zusätzl. Werkzeug. Wichtig ist, dass die Kontaktelemente der S. in der Lage sind, über einen längeren Zeitraum unter den vorhandenen mechan., elektr. und klimat. Umgebungsbedingungen zuverlässig und häufig wiederholbar sowohl eine elektrisch gut leitende Verbindung herzustellen als auch sicher zu trennen. Je nach Anwendungsbereich gibt es eine Vielzahl von Ausführungsformen: Nach dem Verwendungszweck unterscheidet man S. für gedruckte Schaltungen, für Einschübe, zum Messen und Prüfen sowie für Leitungen; nach der Ausführungsform S. mit starren Stiften oder Messern (je nach Form der Kontaktelemente) und S. mit federnden Stiften oder Messern und starren Gegenstücken (Steckbuchsen).

Steckvorrichtung, *Elektrotechnik:* ein Schaltgerät für feste und bewegliche bzw. ausschließlich bewegl. Strompfade, wenn die zum Verbinden oder Unterbrechen dienenden Teile nicht fest auf einem gemeinsamen Sockel vereint sind; es gestattet eine leicht lösbare Verbindung zweier Leitungsteile. S. für den Anschluss elektr. Geräte (über eine Steckdose) an das Leitungsnetz **(Stecker, Netzstecker)** sind mit zwei Kontaktstiften (bei Steckkupplungen mit Kontakthülsen) und federnden Schutzkontakten (zur Herstellung einer leitenden Verbindung mit der Schutzerdung; **Schutzkontaktstecker, Schukostecker**) versehen. Die unterschiedl. Form der Netzstecker in den einzelnen Ländern und die damit verbundenen Schwierigkeiten für den Benutzer elektr. Geräte führten zu Bemühungen zur einheitl. Normung **(Eurostecker)**.

Stẹdinger, im MA. freie fries. und sächs. Bauern in den Marschen an der Unterweser (Stedingen); verloren nach der Schlacht bei Altenesch (1234) ihre Freiheit. Ihr Land wurde zw. Bremen und Oldenburg aufgeteilt.

Steele [sti:l], Sir (seit 1715) Richard, engl. Schriftsteller, getauft Dublin 12. 3. 1672, † Llangunnor (bei Carmarthen) 1. 9. 1729; gab, z. T. mit J. Addison, → moralische Wochenschriften heraus; begründete mit »Die sich mit einander verstehenden Liebhaber« (1723) die Gattung des sentimentalen Lustspiels.

Steen, Jan Havicksz., niederländ. Maler, * Leiden 1626, begraben ebd. 3. 2. 1679; malte vielfigurige humorvolle Genrebilder aus dem Volks- und Bürgerleben, oft mit lehrhaft-moral. Bedeutung.

Werke: Das Sankt Nikolausfest (um 1660, Amsterdam, Rijksmuseum); Wie die Alten sungen, so zwitschern die Jungen (1668, Rotterdam, Museum Boymanns-van-Beuningen); Das Bohnenkönigsfest (1668, Kassel, Staatl. Kunstsammlungen). Weitere BILDER Genre, Gesellschaftsstück

Steenbeck, Max, Physiker, * Kiel 21. 3. 1904, † Berlin (Ost) 15. 12. 1981; Prof. in Jena und Direktor des Inst. für Magnetohydrodynamik der Akademie der Wiss. der DDR; Beiträge zur Elektronen- und Plasmaphysik, baute 1935 das erste Betatron.

Steeplechase [ˈsti:pltʃeɪs, engl.] *die, Pferdesport:* Jagdrennen (→ Hindernisrennen).

Stẹfan, 1) Josef, österr. Physiker, * Sankt Peter (heute zu Klagenfurt) 24. 3. 1835, † Wien 7. 1. 1893; Prof. in Wien, arbeitete zur kinet. Gastheorie und stellte 1879 das **S.-Boltzmann-Gesetz** auf, mit dessen Hilfe ihm u. a. die Berechnung der Oberflächentemperatur der Sonne gelang.

2) Verena, schweizer. Schriftstellerin, * Bern 3. 10. 1947; erregte mit ihrem Bekenntnisbuch »Häutungen« (1975), das zu einem der wichtigsten Bücher der feminist. Bewegung wurde, große Aufmerksamkeit; außerdem Lyrik, Erzählungen.

Stẹfan-Bọltzmann-Gesetz, von J. Stefan 1879 entdeckte und von L. Boltzmann 1884 theoretisch begründete Beziehung, wonach die von einem absolut → schwarzen Körper abgegebene Strahlungsleistung Φ_e der 4. Potenz seiner absoluten Temperatur T proportional ist, $\Phi_e = \sigma T^4$. Der Proportionalitätsfaktor $\sigma \approx 5{,}67 \cdot 10^{-8}\ \mathrm{W\,m^{-2}K^{-4}}$ heißt **Stefan-Boltzmann-Konstante**.

Stẹfano, Giuseppe Di, → Di Stefano.

Stefansson [ˈstefnsən], Vilhjalmur, kanad. Polarforscher und Ethnologe, * Arnes (Manitoba) 3. 11. 1879, † Hanover (N. H.) 26. 8. 1962; lebte 1906/07 unter den Eskimo, bereiste 1908–18 das nordamerikan. Polargebiet.

Steffạni, Agostino, italien. Komponist und Geistlicher, * Castelfranco Veneto (bei Treviso)

25. 7. 1654, †Frankfurt am Main 12. 2. 1728; führte ein wechselvolles Leben als Kapellmeister, Komponist, später als Diplomat u. a. in München, Hannover und Düsseldorf; wurde 1706 zum Bischof geweiht. Schrieb zahlr. Opern sowie Kammerduette und ein sechsstimmiges Stabat Mater.

Steffen, Albert, schweizer. Schriftsteller, *Murgenthal (bei Zofingen) 10. 12. 1884, †Dornach 13. 7. 1963; Mitarbeiter R. Steiners, war ab 1925 Präs. der Anthroposoph. Gesellschaft; Steiner, Manichäismus, Gnosis und ind. Religiosität führten ihn zu einem anthroposoph. Welt- und Menschenbild; schrieb Romane, Dramen, Lyrik, Essays.

Steffens, 1) Henrik (Henrich, Hinrich), Naturphilosoph und Schriftsteller, *Stavanger 2. 5. 1773, †Berlin 13. 2. 1845; von Schelling beeinflusster Vertreter der romant. Naturphilosophie. – *Werke:* Grundzüge der philosoph. Naturwiss. (1806), Was ich erlebte, 10 Bde. (1840–44).

2) Walter, Komponist, *Aachen 31. 10. 1934; schrieb die Opern »Eli« (nach N. Sachs, 1967), »Unter dem Milchwald« (nach D. Thomas, 1973), »Die Judenbuche« (nach A. von Droste-Hülshoff, 1993), ferner Orchester-, Kammer-, Vokalmusik.

Steffisburg, Gemeinde im Kt. Bern, Schweiz, an der Aare nördlich Thun, 13 500 Ew.; Maschinen- und Apparatebau u. a. Industrie; Töpferei.

Steg, 1) *Druckwesen:* Blindmaterial zum Ausfüllen größerer nicht druckender Zwischenräume in und zw. den Kolumnen, auch um den Satzspiegel (Kopf-, Fuß-, Bundsteg).

2) *Eisenbahn:* bei Vollwandträgern und Schienen der Teil zw. Ober- und Untergurt bzw. zw. Schienenkopf und -fuß.

3) *Saiteninstrumente:* (italien. Ponticello) bei Streichinstrumenten das Hartholzplättchen, das die Saitenschwingungen auf den Resonanzkörper überträgt; bei Klavier und Zither eine Holzleiste auf dem Resonanzboden, die dieselbe Aufgabe hat.

Stegerwald, Adam, Politiker, *Greußenheim (bei Würzburg) 14. 12. 1874, †Würzburg 3. 12. 1945; wurde 1919 Vors. des Gesamtverbands der christl. Gewerkschaften und des Dt. Gewerkschaftsbunds (bis 1929), 1920–33 MdR (Zentrum), zw. 1919 und 1932 u. a. preuß. und Reichsmin. (1921 zugleich preuß. Ministerpräsident).

Steglitz, Bezirk von Berlin.

Stegmüller, Wolfgang, österr. Philosoph; *Natters (bei Innsbruck) 3. 6. 1923, †München 1. 6. 1991; war 1958–90 Prof. in München; arbeitete, beeinflusst u. a. von R. Carnap, C. G. Hempel und K. Popper, bes. über Wissenschaftstheorie, zu deren Etablierung in Dtl. er maßgeblich beitrug, Logik und analyt. Philosophie.

Werke: Hauptströmungen der Gegenwartsphilosophie (1952, bis 1989 auf 4 Bde. erweitert); Probleme und Resultate der Wiss.theorie und analyt. Philosophie, 7 Tle. (1969–86, mit M. Varga von Kibéd); The structuralist view of theories (1979).

Stegreif, urspr. »Steigbügel«, nur in der Fügung »aus dem S.« (eigtl. »ohne vom Pferd zu steigen«), ohne Vorbereitung, improvisiert (bes. beim Vortrag von Reden).

Stegreifspiel, Darstellung einzelner Szenen ohne ausgeformte Textvorlage; vorgegeben sind nur Thema, Spielverlauf, Typen; Dialoge, Monologe, Gebärden u. a. Spieldetails werden improvisiert. S. waren der vorliterar. Mimus, die altitalische Atellane, kom. Einlagen des mittelalterlichen geistl. Spiels, die Aufführungen des engl. Komödianten, die possenhaften Zwischen- und Nachspiele mit Pickelhering und Hanswurst; das S. bestimmte v. a. den Aufführungsstil der Commedia dell'Arte und des Wiener Volkstheaters.

Steher, 1) *Pferdesport:* ein Rennpferd, das über längere Distanzen (ab 2 000 m) seine besten Leistungen zeigt.

2) *Radsport:* Steherrennen betreibender Sportler.

Steherrennen (Dauerrennen), Rennen, bei denen der Radfahrer (Steher) hinter einem ihm Windschatten bietenden Motorrad, der Schrittmachermaschine, fährt.

Stehr, Hermann, Schriftsteller, *Habelschwerdt (heute Bystrzyca Kłodzka, bei Kłodzko) 16. 2. 1864, †Schreiberhau 11. 9. 1940; verband in seinen Romanen, Novellen und Erzählungen Naturalismus und schles. Mystik (»Der begrabene Gott«, R., 1905; »Der Heiligenhof«, R., 1918; »Peter Brindeisener«, R., 1924); von den Nationalsozialisten, zu denen er sich bekannte, gefeiert.

Edward John Steichen: Auguste Rodin vor der Skulptur »Victor Hugo« (1902)

Steichen ['steɪkən], Edward John, eigtl. Eduard Jean S., amerikan. Fotograf und Maler luxemburg. Herkunft, *Luxemburg 27. 3. 1879, †West Redding (Conn.) 25. 3. 1973; trat v. a. mit Porträtaufnahmen hervor. Als Direktor (1947–62) der fotograf. Abtei-

Albert Steffen (Ausschnitt eines zeitgenössischen Gemäldes)

Wolfgang Stegmüller

lung des Museum of Modern Art in New York stellte er die viel beachtete Fotoausstellung »The Family of Man« zusammen.

Steiermark: Bauernhof auf dem Buchauer Sattel (861 m) in den Ennstaler Alpen; im Hintergrund ist der 2224 m hohe Große Buchstein zu erkennen

Steiermark Landeswappen

Steiermark, Bundesland im SO Österreichs, 16388 km², (1995) 1,206 Mio. Ew.; Hptst. ist Graz. Die S. liegt weitgehend in den Ostalpen. Sie gliedert sich in Ober- und Mittel-S.; die Unter- oder Süd-S. gehört heute zu Slowenien. In der Ober-S. liegt in den Nördl. Kalkalpen die höchste Erhebung, der Dachstein (2995 m ü. M.). Südlich des Ennstales erstrecken sich die Niederen Tauern und die Eisenerzer Alpen, südlich der oberen Mur die Gurktaler Alpen, südlich der Mur-Mürz-Furche das Steir. Randgebirge. Die Mittel-S. besteht aus dessen Abdachung, dem Grazer Bergland, sowie dem nach O anschließenden Joglland. Der SO des Landes wird von Tertiärablagerungen eingenommen (Oststeir. Hügelland, Grazer Becken und der östl. Teil des Weststeir. Hügellandes). Klimatisch liegt die S. im Übergangsbereich von Gebirgsklima zur pannon. Variante des kontinentalen Klimas. Hauptfluss ist die Mur, wichtiger Wirtschafts- und Siedlungsraum die Mur-Mürz-Furche.

Wirtschaft: Im Alpenvorland herrscht Landwirtschaft vor, Anbau von Getreide, Gemüse, Futterpflanzen; Wein- und Obstbau bes. im milden SO; größere Bedeutung hat die Viehzucht. Wichtigste Wirtschaftszweige sind Bergbau und Industrie: bei →Eisenerz werden Eisenerze gewonnen; Hütten- und Eisenind. im Mur-, Mürz- und Ennstal; ferner Abbau von Magnesit (Breitenau, Kraubath, Trieben), Braunkohle (im Murtal, bei Köflach und Voitsberg), Graphit, Talk, Gips und Salz. Auf dem Holzreichtum fußt eine bed. Papier- und Holzind., weiterhin Maschinenbau, Elektro- und Nahrungsmittelind.; Fremdenverkehr.

Geschichte: Etwa 45 n. Chr. röm. Provinz Noricum; ab 500 Einwanderung von Baiern, um 590 der Slowenen, die im 7./8. Jh. das Herzogtum Karantanien (Kärnten, Ober-S. und Teile der Unter-S.) errichteten; 772 bayrisch; von Karl d. Gr. 788 dem Fränk. Reich angeschlossen; nach 976 z. T. beim Herzogtum Kärnten; 1180 Schaffung des Herzogtums S. (Ober- und Mittel-S., Traungau); 1282 an die Habsburger; 1867–1918 Kronland der österr.-ungar. Monarchie. 1919/20 kam der slowen. Teil an Jugoslawien, das dt. Siedlungsgebiet wurde Bundesland der Rep. Österreich.

📖 PASCHINGER, H.: *S. Berlin 1974. – S., hg. v.* C. BRANDSTÄTTER. *Wien u. a. 1984. – Landeschronik S., hg. v.* W. ZITZENBACHER. *Wien u. a. 1988. – Dehio-Handbuch: S. (ohne Graz), bearb. v.* K. WOISETSCHLÄGER *u. a. Neuausg. Wien 1982.*

Steifleinen (Schneiderleinen), unelast., hartes Zwischenfuttergewebe für Oberbekleidung.

Steigbügel, 1) *Anatomie:* (Stapes) bei Säugetieren (einschl. des Menschen) eines der drei Gehörknöchelchen im →Ohr.

2) *Pferdesport:* Metallbügel, der beim Reiten als Fußstütze dient und festen Sitz im Sattel gibt.

Steig|eisen, an die Schuhe anschnallbare Stahlhaken zum Erklettern hölzerner Leitungsmasten sowie Sprossenstufen oder eingemauerte Bügel an Wänden, Schornsteinen zum Aufsteigen; auch Ausrüstungsgegenstand für Bergsteiger zum sicheren Gehen in alpinen Eisregionen.

Steiger, Aufsichtsbeamter im Bergbau, →Bergbauberufe.

Steigerung, *Grammatik:* →Komparation.

Steigerwald, Teil der fränk. Keuperstufe zw. Aisch und Main, im Hohenlandsberg 498 m ü. M., bildet den Naturpark S. (1280 km², eingerichtet 1971). Die steil aufsteigende, z. T. Reben tragende W-Seite ist stellenweise stark zergliedert. Die Höhen sind bes. im N reich bewaldet, im S landwirtsch. Nutzung.

Steig- und Sinkgeschwindigkeitsmesser, das →Variometer.

Steigung, 1) *Mathematik:* Tangens des Winkels, den die Tangente an eine ebene Funktion $f(x)$ mit der positiven x-Achse bildet; ergibt sich am Punkt (x_0, y_0) als Differenzialquotient df/dx an der Stelle x_0 (→Differenzialrechnung). Bei einer →Geraden der Gleichung $y = mx + n$ bezeichnet m die Steigung und n den Schnittpunkt der Geraden mit der y-Achse.

2) *Technik:* (Ganghöhe) →Gewinde.

Steilheit, *Elektronik:* bei aktiven Elementen allg. die Steigung einer Kennlinie, insbesondere die Steigung der Kennlinie für das Ausgangssignal in Abhängigkeit vom Eingangssignal.

Steilpass, *Ballsport:* in Torspielen weiträumiges Zuspiel in Richtung auf das gegnerische Tor.

Steilrohrkessel, ein →Dampferzeuger.

Stein, 1) *Geologie:* Gesteinsstück, Mineralstück.

2) *Metallurgie:* Gemisch aus Metallsulfiden bei der Gewinnung von Schwermetallen (Kupfer, Nickel) aus sulfid. Erzen.

Stein, 1) Stadt im Landkreis Fürth, Bayern, an der Rednitz, 14100 Ew.; Sitz des Müttergenesungswerkes; Herstellung von Schreib- und Zeichengeräten.

2) **Stein am Rhein,** Bezirkshauptort im Kt. Schaffhausen, Schweiz, am rechten Ufer des Hochrheins, 2800 Ew.; Textil-, Lederind., Apparatebau; Fremdenverkehr. - Maler. Stadtbild; ehem. Benediktinerabtei (Klosterkirche, um 1080; spätgot. Kreuzgang), Rathaus (1539, umgebaut 1899), zahlr. Bürgerhäuser (v. a. 17./18. Jh.) mit bemalten Fassaden. Nördlich von S. liegt die Burg Hohenklingen (12.–16. Jahrhundert).

Stein, 1) [staɪn], Sir (seit 1912) Aurel, brit. Archäologe und Asienforscher, *Budapest 26. 11. 1862, †Kabul 26. 10. 1943; gehörte zu den maßgebenden Erforschern Innerasiens. Auf drei großen Expeditionen (1900–01, 1906–08, 1913–16) besuchte er die Ruinenfelder O-Turkestans (Ausgrabungen in Hotan) und verfolgte die alten Handelsstraßen.

2) Charlotte von, Schriftstellerin, *Eisenach 25. 12. 1742, †Weimar 6. 1. 1827; war ab 1764 ⚭ mit dem herzogl. Stallmeister Friedrich Freiherr von S. (†1793); enges Freundschaftsverhältnis zu Goethe von 1775 bis zum Ende seiner ersten Italienreise 1788. Sie beeinflusste sein dichter. Schaffen entscheidend. Ihre Enttäuschung über die Trennung fand ihren Niederschlag in ihrer Tragödie »Dido« (1794, hg. 1867). Ihre Briefe forderte sie von Goethe zurück und verbrannte sie. »Göthe's Briefe an Frau von S. ...« (3 Bde., hg. 1848–51) blieben erhalten.

3) Edith, Philosophin, *Breslau 12. 10. 1891, †(ermordet) im KZ Auschwitz vermutlich 9. 8. 1942; Tochter eines jüd. Kaufmanns; promovierte bei E. Husserl; Arbeit als Dozentin für Pädagogik; konvertierte 1922 zum Katholizismus; 1933 wurde sie Karmelitin unter dem Namen Teresia Benedicta a Cruce. Sie suchte u. a. die Begriffswelt des Thomas von Aquin mit der Methode der Phänomenologie neu zu begründen. - 1987 selig gesprochen. - *Werke:* Zum Problem der Einfühlung (1917); Eine Untersuchung über den Staat (1925); Endliches und Ewiges Sein (1950).

4) [staɪn], Gertrude, amerikan. Schriftstellerin, *Allegheny (Pa.) 3. 2. 1874, †Paris 27. 7. 1946; aus dt.-jüd. Familie, seit 1902 in Paris. Ihr Salon wurde zum Treffpunkt von Malern der Moderne (P. Picasso, H. Matisse) und amerikan. Schriftstellern, deren Stil sie mit ihrer experimentellen Sprachkunst beeinflusste (J. Dos Passos, E. Hemingway) und für die in ihrem Umkreis die Bez. →Lost generation entstand; schrieb Lyrik, Romane (»The making of Americans«, 1925, dt.), Erzählungen (»Drei Leben«, 1909) und Essays. Die »Autobiographie von Alice B. Toklas« (1933) stellt ihr Leben aus der Perspektive ihrer Lebensgefährtin dar.

5) Horst, Dirigent, *Elberfeld (heute zu Wuppertal) 2. 5. 1928; war u. a. 1963–70 Generalmusikdirektor der Mannheimer Oper, 1973–77 der Hamburg. Staatsoper, 1980–85 Chefdirigent des Orchestre de la Suisse Romande in Genf, seit 1985 Leiter der Bamberger Symphoniker, daneben seit 1987 Chefdirigent des Basler Sinfonieorchesters.

6) Johann Andreas, Klavier- und Orgelbauer, *Heidelsheim (heute zu Bruchsal) 6. 5. 1728, †Augsburg 29. 2. 1792; baute 1755–57 die Orgel der Barfüßerkirche in Augsburg, wandte sich dann fast ausschließlich dem Klavierbau zu. Seine Instrumente wurden von W. A. Mozart als die besten seiner Zeit geschätzt. Entwickelte die »dt.« oder »Wiener Mechanik« des Klaviers. BILD S. 290

7) Karl Reichsfreiherr vom und zum, Staatsmann, *Nassau 26. 10. 1757, †Schloss Cappenberg (heute zu Selm) 29. 6. 1831; trat 1780 in den preuß. Staatsdienst; suchte als Finanz- und Wirtschaftsmin. (1804 bis Jan. 1807) den Staat für die Auseinandersetzung mit Napoleon I. vorzubereiten; wurde nach dem Frieden von Tilsit am 30. 9. 1807 (bis Nov. 1808) als leitender Min. in die Reg. berufen. Unter ihm wurden grundlegende Reformen durchgesetzt (→preußische Reformen). Weiter ge-

Gertrude Stein: Gemälde von Pablo Picasso (1906; New York, Metropolitan Museum of Art)

Charlotte von Stein (zeitgenössischer Kupferstich)

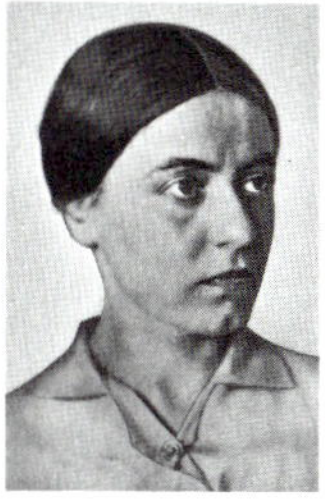

Edith Stein

Horst Stein

Johann Andreas Stein: Hammerflügel (um 1780; Bad Krozingen, Sammlung Fritz Neumeyer)

Lorenz von Stein

Peter Stein

hende Reformpläne (wie ländl. Selbstverwaltung und ständ. Volksvertretung) konnte S. nicht durchführen. Nach seiner Flucht vor Napoleon I. wurde er polit. Berater Kaiser Alexanders I. von Russland; er vermittelte das preußisch-russ. Bündnis (Tauroggen 1813) und wurde Präs. der Zentralverwaltung für die durch die verbündeten Truppen besetzten Gebiete. Auf dem Wiener Kongress Mitgl. der russ. Delegation; zog sich 1815 ins Privatleben zurück und gründete 1819 die »Gesellschaft für ältere dt. Geschichtskunde«, die die →Monumenta Germaniae Historica herauszugeben begann.

📖 HOLMSTEN, G.: *Freiherr vom S. Reinbek 1975.* – HARTLIEB VON WALLTHOR, A.: *Der Freiherr vom S. u. Rußland. Köln u. a. 1992.*

8) Lorenz von (seit 1868), Staatsrechtler und Volkswirtschaftler, *Borby (heute zu Eckernförde) 15. 11. 1815, †Weidlingau (heute zu Wien) 23. 9. 1890; wurde 1846 Prof. in Kiel, 1855 in Wien; erkannte die Bedeutung der sozialen Frage in der Industriegesellschaft; seine Verwaltungslehre enthält noch heute bedeutsame Ideen zum modernen Verfassungs-, Verwaltungs- und Sozialstaat. – *Werke:* Der Socialismus und Communismus des heutigen Frankreichs (1842); System der Staatswiss., 2 Bde. (1852–56); Lb. der Finanzwiss. (1860); Die Verwaltungslehre, 8 Bde. (1865–84).

Karl Reichsfreiherr vom und zum Stein (rechts) setzte als leitender Minister unter Napoleon I. die zusammen mit Gerhard Johann David von Scharnhorst (links) und Karl August Freiherr von Hardenberg entwickelten preußischen Reformen durch, Holzstich (um 1860)

9) Peter, Regisseur, *Berlin 1. 10. 1937; setzte sich Ende der 60er-Jahre für eine »demokrat. Praxis« am Theater (kollektive und wählbare Führung, Beteiligung aller Ensemblemitglieder an der Spielgestaltung u. a.) ein; seit 1970 Regisseur und bis 1985 auch künstler. Leiter der Schaubühne am Halleschen Ufer in Berlin; auch Film- und Fernsehinszenierungen; 1992–97 Schauspieldirektor der Salzburger Festspiele.

10) [staɪn], William Howard, amerikan. Biochemiker, *New York 25. 6. 1911, †ebd. 2. 2. 1980; arbeitete bes. über die Aminosäurefrequenz **(Moore-Stein-Analyse);** erhielt 1972 mit S. Moore und C. B. Anfinsen den Nobelpreis für Chemie.

Steinach, Stadt im Landkreis Sonneberg, Thür., auf der Kammfläche des Thüringer Schiefergebirges, 5300 Ew.; Herstellung von Spiel- und Glaswaren, medizin. Geräten und Christbaumschmuck; Luftkurort und Wintersportplatz. Bis 1968 Schiefergriffelproduktion.

Stein|adler, ein Greifvogel, →Adler.

Steinamanger, Stadt in Ungarn, →Szombathely.

Steinau an der Straße, Stadt im Main-Kinzig-Kr., Hessen, an der Kinzig, zw. Vogelsberg und Spessart, 11200 Ew.; Marionettentheater, Museum (im Schloss; 16. Jh.); Waschmittelfabrikation, Möbel-, chem., Metallwaren-, Holz verarbeitende Industrie. – Mittelalterliches Stadtbild (Ringmauer, 14. Jh.) mit Fachwerkhäusern (Amtshaus, 1562).

Steinbach-Hallenberg (Kurort S.-H.), Stadt im Landkreis Schmalkalden-Meiningen, Thür., auf der S-Abdachung des Thüringer Waldes, 6200 Ew.; Metallverarbeitung, Möbel-, elektrotechn. Ind.; Kurort und Wintersportplatz. – Pfarrkirche (17. Jahrhundert).

Steinbau, Bauweise, bei der Natursteine oder Kunststeine zu einem Baukörper geschichtet werden; meist im Verbund mit Mörtel errichtet. Im Altertum wurde das Mauerwerk lange nur durch die Schwere der Steine gesichert, auch durch genaue Verfugung (bes. die Inkabauten). Soweit verfügbar, wurde Stein im Altertum neben Holz und Lehm als Baustoff für monumentale Bauten profaner und sakraler Art verwendet. Unbehauene Steine verwendeten v. a. die Megalithkulturen für ihre Großsteinbauten aus Findlingen. In der Ägäis und in Vorderasien baute man Befestigungen aus kyklop. Mauern. Baumaterial für Pyramiden, Tempel und Mastabas im alten Ägypten war der glatt behauene Stein, den auch die Griechen und Römer verwendeten; die Römer verkleideten oft

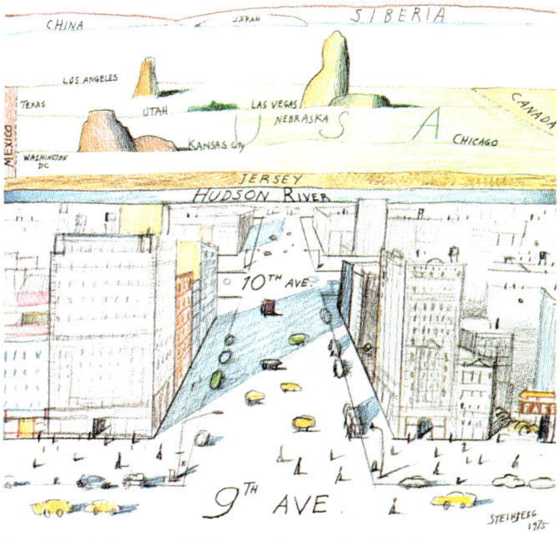

Saul Steinberg: »Weltansicht von der 9th Avenue aus« (1975)

Bauten aus gebrannten Ziegelsteinen, die seit dem 4. Jahrtsd. in Vorderasien bekannt waren, mit Natursteinen. Ihre bes. Leistung ist der Bau von echten steinernen Gewölben, während Gewölbe früher nur durch Vorkragen der Steine konstruiert wurden. Nördlich der Alpen begann die Verwendung von Stein im Kirchenbau der karoling. Zeit. Im Profanbau blieb Stein noch die Ausnahme, in den Städten setzte er sich seit dem hohen MA. zunächst für Rathäuser, Tore und Türme durch.

Steinbeck ['staınbek], John Ernst, amerikan. Schriftsteller, *Salinas (Calif.) 27. 2. 1902, †New York 20. 12. 1968; schrieb sozialkrit. Kurzgeschichten und Romane, die häufig das Schicksal amerikan. Wanderarbeiter behandeln. Dabei verband er drast. Schilderungen von Elend und Leiden inmitten von Reichtum und Überfluss mit Reflexion und symbol. Überhöhung; v. a. berühmt durch den Roman »Früchte des Zorns« (1939; verfilmt 1940) und durch die Familiensaga »Jenseits von Eden« (1952; verfilmt 1955), populär mit »Die wunderl. Schelme von Tortilla Flat« (R., 1935) und »Die Straße der Ölsardinen« (R., 1945). 1962 erhielt S. den Nobelpreis für Literatur.

Steinbeißer, ein Fisch, → Schmerlen.

Steinberg ['staınbə:g], Saul, amerikan. Karikaturist rumän. Herkunft, *Râmnicu Sărat 15. 6. 1914; seit 1942 in den USA, Mitarbeiter u. a. der Ztschr. »The New Yorker«; beeinflusste maßgebend die amerikan. und europ. Karikatur. In oft spielerisch wirkenden Linien verarbeitet er vielseitig realistische, surrealist. und abstrakte Elemente.

Steinberger, 1) Emil, schweizer. Kabarettist und Schauspieler, *Luzern 6. 1. 1933; wurde seit 1974 als »Emil« in Soloprogrammen bekannt. S.s Thema ist die unfreiwillige Komik des Alltags; auch Filmrollen (»Die Schweizermacher«, 1979).

2) ['staınbə:gə], Jack, amerikan. Physiker dt. Herkunft, *Bad Kissingen 25. 5. 1921; 1950–71 Prof. an der Columbia University in New York, seit 1968 am Europ. Kernforschungszentrum (CERN) in Genf. 1988 erhielt er mit M. Schwartz und L. M. Lederman für seine Arbeiten auf dem Gebiet der Neutrinostrahlen den Nobelpreis für Physik.

Steinbock, 1) *Astronomie:* (lat. Capricornus) Sternbild des südl. Himmels, 10. Zeichen des Tierkreises.

2) *Zoologie:* (Capra ibex) in Hochgebirgen Eurasiens und NO-Afrikas gesellig lebendes, gewandt kletterndes und springendes Säugetier (Gattung Ziegen); Länge etwa 1,1–1,7 m; Männchen mit sehr großen, bis über 1 m langen, zurückgebogenen Hörnern, meist mit ausgeprägten Querwülsten, Weibchen mit kleinen Hörnern; Färbung grau- bis gelb- oder dunkelbraun. Man unterscheidet mehrere Unterarten, u. a. **Alpen-S.** (bis 1 m schulterhoch), **Nubischer S.** (knapp 80 cm schulterhoch, auf der Arab. Halbinsel, in Israel und im nordöstl. Afrika), **Sibir. S.** (bis 1,6 m schulterhoch, im Hochgebirge von Afghanistan bis O-Sibirien).

Steinbrech (Saxifraga), Gattung der S.-Gewächse in den gemäßigten und arkt. Gebieten der Nordhalbkugel, den nordafrikan. Gebirgen und den Anden; meist ausdauernde, häufig Rasen oder Rosetten bildende Kräuter mit oft lederartigen oder fleischigen Blättern. In den Pyrenäen das immergrüne **Porzellanblümchen** (Saxifraga umbrosa), mit weißen, in der Mitte purpurfarbenen, am Grund gelb punktierten Bluten in einer Rispe;

William H. Stein

Jack Steinberger

John Steinbeck

John Steinbeck

Früchte des Zorns

*In seinem 1939 erschienenen Roman »Die Früchte des Zorns« (englischer Titel: The grapes of wrath) beschreibt John Steinbeck das harte Leben wandernder Farmarbeiter in Kalifornien, dokumentiert damit zugleich den unbeugsamen Lebenswillen der Menschen und setzt sich in scharfer Kritik mit den Auswüchsen des amerikanischen Kapitalismus auseinander. Nach dem Roman wurde 1940 unter der Regie von John Ford ein Film gedreht, der wie das Buch großen Erfolg hatte. Der englische Titel zitiert eine Formulierung aus dem Gedicht »The Battle Hymn of the American Republic« der amerikanischen Schriftstellerin und Frauenrechtlerin Julia Ward Howe (*1819, †1910). Darin heißt es: »Mine eyes have seen the glory of the coming of the Lord:/He is trampling out the vintage where the grapes of wrath are stored« (»Meine Augen haben die Herrlichkeit der Ankunft des Herrn gesehen: Er keltert den Wein, wo die Trauben des Zorns gelagert sind«).*

wird als wintergrüner Bodendecker angepflanzt. Neben einer Reihe alpiner Arten kommt in Dtl. auf sandigen Wiesen der geschützte **Körnige S.** (Saxifraga granulata) vor; mit weißen, sternförmigen Blüten und nierenförmigen Grundblättern. Als Topfpflanze kultiviert wird der **Judenbart** (**Rankender S.,** Saxifraga stolonifera) aus O-Asien; mit fadenförmigen Ausläufern; Blüten weiß in aufrechten Rispen. Einige Arten sind beliebte Steingartenpflanzen.

Steinbruch, Anlage zur Gewinnung nutzbarer Gesteine (Werk- und Bruchstein, Schotter, Kalkstein), meist im Tagebau, durch Gesteinsbohr- und Sprengarbeit.

Karl Steinbuch

Steinbuch, Karl, Nachrichtentechniker und Informationstheoretiker, *Stuttgart 15. 6. 1917; 1958–80 Prof. in Karlsruhe und Leiter des Inst. für Nachrichtenverarbeitung und -übertragung; Forschungsarbeiten, v.a. zur Technik Zeichen erkennender und lernender Automaten; daneben gesellschaftskritische Veröffentlichungen, u.a. »Die informierte Gesellschaft« (1966), »Kurskorrektur« (1973), »Maßlos informiert. Die Enteignung des Denkens« (1978), »Die desinformierte Gesellschaft« (1989).

Steinburg, Kreis in Schlesw.-Holst., 1056 km², (1996) 134000 Ew.; Krst. ist Itzehoe.

Steinbutt, Art der →Plattfische.

Stein der Weisen, seit der Spätantike Bez. für die wichtigste Substanz der Alchimie; sollte unedle Metalle in Gold oder Silber verwandeln können, als Lebenselixier auch verjüngend wirken.

Jakob Steiner (zeitgenössische Darstellung)

Steindl, Imre (Emmerich) von, ungar. Architekt, *Budapest 29. 10. 1839, †ebd. 31. 8. 1902; bed. Vertreter des Historismus in Ungarn (Parlamentsgebäude in Budapest, 1884–1904). BILD Budapest

Steindruck, die →Lithographie.

Steiner, 1) Jakob, Geigenbauer, →Stainer.

2) Jakob, schweizer. Mathematiker, *Utzenstorf (Kt. Bern) 18. 3. 1796, †Bern 1. 4. 1863; einer der Begründer der synthet. Geometrie. Der **steinersche Satz** gibt das →Trägheitsmoment eines Körpers bezüglich einer Achse an, die nicht durch den Schwerpunkt verläuft.

Rudolf Steiner

3) Rudolf, österr. Anthroposoph, *Kraljevec (bei Varaždin) 27. 2. 1861, †Dornach 30. 3. 1925; Studium der Mathematik, Naturwiss. und Philosophie in Wien; 1882–87 Mitarbeiter an der Weimarer Goethe-Ausgabe (Naturwiss. Schriften); schloss sich 1902 der Theosoph. Gesellschaft an; 1913 trennte er sich von ihr und gründete die Anthroposoph. Gesellschaft (Hauptsitz: Dornach bei Basel) und das →Goetheanum; 1919 folgte die Gründung der ersten →Waldorfschule. S. entfaltete den anthroposoph. Denkansatz in zahlr. Schriften und übte durch seine umfangreiche Lehr- und Publikationstätigkeit einen weit reichenden Einfluss auf das allg. Kulturleben aus (Architektur, Medizin, Pädagogik, Philosophie), der bis in die Gegenwart fortwirkt. – *Werke:* Die Philosophie der Freiheit (1894); Goethes Weltanschauung (1897); Das Christentum als myst. Thatsache (1902); Theosophie (1904).

Steiner Alpen (Sanntaler Alpen, slowen. Savinjske Alpe, Kamniške Alpe), Gruppe der Südl. Kalkalpen südöstlich der Karawanken in Slowenien, stark verkarstet, im Grintavec 2558 m ü.M.

Steinernes Meer, verkarstete Hochfläche der Salzburger Kalkalpen, südlich vom Königssee, in Bayern und in Salzburg, Österreich, mit Selbhorn (bis 2655 m ü.M.) und Schönfeldspitze (2653 m ü.M.); mit zahlr. Höhlen und Karrenfeldern.

Steinert, Otto, Fotograf, *Saarbrücken 12. 7. 1915, †Essen 3. 3. 1978; war bis 1948 als Arzt tätig; gehört zu den Begründern der »subjektiven Fotografie«, bei der gestalter. Ambitionen im Vordergrund standen.

Steine und Erden, Sammelbez. für natürlich vorkommende, technisch wichtige Minerale und Gesteine. Der entsprechende Wirtschaftszweig (»Gewinnung und Verarbeitung von S.u. E.«) ist dem Grundstoff- und Produktionsgütergewerbe zugeordnet. Die größte Bedeutung haben ihre Erzeugnisse als Baustoffe für den Hoch-, Tief-, Straßen-, Bahn- und Wasserbau.

Steinfasern (Gesteinsfasern), amorphe Fasern, die aus Schmelzen natürl. Gesteine hergestellt und als Isolierfasern im Wärme-, Schall- und Brandschutz verwendet werden. Als Rohstoffe dienen z.B. Ton, Mergel, Basalt und Diabas; zur Korrektur der Zusammensetzung kann Kalk oder Dolomit zugesetzt werden. Entscheidend ist der Anteil an Aluminiumoxid und Siliciumdioxid, da diese Oxide die Viskosität der Schmelze erniedrigen. S. mit einem Durchmesser von 2–15 µm und einer mittleren Länge von 14–22 mm fallen bei der Herstellung nach dem Blasverfahren aus der Schmelze als lose Wolle (Steinwolle) an, die überwiegend zu Dämmstoffen weiterverarbeitet wird.

Steinfliegen, *Zoologie:* die →Uferbolde.

Steinfrucht, fleischige Frucht mit verholztem Kern (Steinkern), z.B. Kirsche, Pfirsich, Aprikose, Pflaume.

Steinfurt, 1) Kreis im RegBez. Münster, NRW, 1792 km², (1996) 421100 Einwohner.

2) Kreisstadt von 1) in NRW, im NW des Münsterlands, 33400 Ew.; Abteilung der FH Münster; bed. Textilind., ferner Papier- und Metallverarbeitung; Brauerei. – Schloss Burgsteinfurt, eine im 16., 17. und 18. Jh. ausgebaute Wasserburg aus dem 12./13. Jh.; in der Altstadt zahlr. Fachwerkbauten. – 1975 aus Burgsteinfurt (890 erstmals erwähnt, 1347 Stadt gen.; Name seit 1285) und Borghorst (1950 Stadt) entstanden.

Steinfurt 1): Schloss Burgsteinfurt geht auf eine Wasserburg aus dem 12./13. Jh. zurück und wurde im 16., 17. und 18. Jh. ausgebaut

Steingaden, Gemeinde im Landkreis Weilheim-Schongau, Bayern, im Pfaffenwinkel, 2 700 Einwohner. – Roman. Kirche (1176 geweiht, Barockausstattung) der ehem. Prämonstratenserabtei und W-Flügel des roman. Kreuzgangs erhalten; got. Vorhalle (15. Jh.) mit Wandmalereien von 1580. Zu S. gehört die Wallfahrtskirche → Wies.

Steinguss, Verfahren, bei dem eine Gussmasse aus pulverisierten Steinen mit hydraul. Bindemitteln verwendet wird. Es wurde in der Gotik angewandt (→ schöne Madonnen); im 20. Jh. wieder aufgegriffen (W. Lehmbruck).

Steingut, tonkeram. Werkstoff mit weißem, porösem, meist glasiertem Scherben. Die Masse aus Ton, Kaolin und Quarzsand, auch Kalk- und Feldspat, wird bei 1250 °C gebrannt, die Glasur bei 1100 °C aufgeschmolzen. Seit der 2. Hälfte des 18. Jh. wurde S., von England ausgehend (Wedgwood), als Tafelgeschirr in Massenproduktion hergestellt.

Steinhagen, Gemeinde im Kreis Gütersloh, NRW, am S-Fuß des Teutoburger Waldes, 18 800 Ew.; seit dem 15. Jh. Herstellung von Steinhäger (Trinkbranntwein mit Wacholdergeschmack); Webereien, Maschinenbau.

Steinhausen, seit 1972 Ortsteil von Bad Schussenried, Bad.-Württ.; Wallfahrtskirche, 1727–33 von D. Zimmermann über ellipt. Grundriss erbaut, ausgemalt von J. B. Zimmermann.

Steinheil, Carl (Karl) August Ritter von (seit 1868), Astronom und Physiker, *Rappoltsweiler (Oberelsass) 12. 10. 1801, †München 12. 9. 1870; entwickelte u. a. einen Telegrafenapparat, entdeckte die Leitfähigkeit der Erde, konstruierte astronom. und optische Instrumente.

Steinheim, 1) Stadt im Kr. Höxter, NRW, im Weserbergland, 13 400 Ew.; Karosseriebau, Spanplattenherstellung. – Wasserschloss (18. Jh.) mit barocker Gartenanlage. – 970 erstmals erwähnt; seit 1275 Stadt.

2) Steinheim an der Murr, Stadt im Landkreis Ludwigsburg, Bad.-Württ., in den Ausläufern der Löwensteiner Berge, 10 900 Ew.; Urmensch-Museum (Dokumentation über den S.-Menschen); Möbelind.; Weinbau. – Fachwerkrathaus (1686). – 822 erstmals erwähnt, seit 1955 Stadt.

Steinheimer Becken, um 100–120 m eingetieftes rundl. Becken im O-Teil der Schwäb. Alb, Bad.-Württ., mit einem Durchmesser von 1,5 km und einer über 50 m hohen zentralen Erhebung (Klosterberg) in der Mitte; vor etwa 15 Mio. Jahren wie das Ries durch einen Meteoriteneinschlag entstanden. – Meteorkrater-Museum im namengebenden Steinheim am Albuch.

Steinheimer Becken: Der in die Hochfläche des Albuch eingetiefte Krater mit dem über 50 m hohen Klosterberg in der Mitte entstand vor etwa 15 Millionen Jahren durch einen Meteoriteneinschlag

Steinkraut: Gebirgssteinkraut (Höhe bis zu 30 cm)

Steinhoff, Johannes, General, *Bottendorf (bei Artern/Unstrut) 15. 9. 1913, †Bonn 21. 2. 1994; Jagdflieger im 2. Weltkrieg, 1966–70 Inspekteur der Bundesluftwaffe, 1971–74 Vors. des NATO-Militärausschusses in Washington.

Steinholz, aus Magnesitbinder und Füllstoffen hergestellter Werkstoff; als gut wärmedämmender Fußboden- und Wandbelag verwendet.

Steinhöwel, Heinrich, Humanist, Arzt, *Weil der Stadt 1412, †Ulm 1482; studierte in Wien und Padua, Leibarzt des württemberg. Grafen Eberhard im Barte; übersetzte Texte der Antike und der italien. Renaissance (G. Boccacio).

Steinhuder Meer, flacher See in Ndsachs., nordwestlich von Hannover, 29 km², bis 3 m tief, fließt durch den Meerbach zur Weser ab. 1974 wurde der Naturpark S. M. (310 km²) eingerichtet. Auf einer künstl. Insel steht die ehem. Festung Wilhelmstein (erbaut 1761–67).

Steinhuhn (Alectoris graeca), etwa 35 cm großes graubraunes Feldhuhn in Trockengebieten SO-Europas.

Steinigung, Form der körperl. Züchtigung als Sinnbild kollektiver Ächtung bei Delikten gegen Religion und Gemeinschaft; ferner Todesstrafe v.a. bei Griechen, Juden und Germanen, heute in islamisch-fundamentalist. Staaten.

Steinkauz, ein Vogel, →Eulen.

Steinkern, 1) *Botanik:* pflanzlicher Fruchtteil, →Steinfrucht.

2) *Paläontologie:* innerer Ausguss von Schalentieren bei Fossilisation (Versteinerung).

Steinkistengrab, →Megalithgräber.

Steinkjer ['stɛjnçər], Hauptstadt des Verw.gebiets Nord-Trøndelag, Norwegen, am inneren Ende des Trondheimfjords, 20 700 Ew.; Museum; Holz verarbeitende Industrie. – Die 1857 als Verladeplatz gegr. Siedlung wurde nach Zerstörungen im 2. Weltkrieg wieder aufgebaut.

Steinklee, die Pflanzengattung →Honigklee.

Steinkohle, harte, schwarze, oft fettig glänzende →Kohle in Sedimentgesteinen mit einem Kohlenstoffgehalt von über 80%. Nach dem Gehalt an flüchtigen Bestandteilen (→Inkohlung) werden Flamm-, Gasflamm-, Gas-, Fett-, Ess-, Magerkohlen und Anthrazit unterschieden, als makroskopisch erkennbare S.-Arten Glanz-, Matt-, Faser- und Halbglanzkohle. In der Kohlenmikroskopie erfolgt die Klassifizierung mithilfe der Mazerale, aus denen die →Streifenarten bestehen. In den weniger inkohlten Typen kommen pflanzl. Reste vor. Die größten S.-Vorkommen sind im Karbon entstanden, andere v.a. im Silur, Devon, Perm, in der Trias und im Jura. Die Vorkommen sind meist schichtförmig; Flächenerstreckung bis über 20 000 km².

Steinkohlen|einheit, Abk. **SKE,** nicht gesetzl., aber verbreitete Einheit zur Erfassung des Energieinhalts versch. Brennstoffe, definiert durch den Energieinhalt von 1 kg Steinkohle: 1 SKE = 29,3 kJ = 8,141 kWh = 7 000 kcal, 10^3 SKE = 1 t SKE.

Steinkorallen (Riffkorallen, Madreporaria), Ordnung der Korallen (Unterklasse Hexakorallen) in allen Meeren trop. bis gemäßigter Regionen; vorwiegend stockbildende, in den Tropen meist prächtig gefärbte Hohltiere mit kleinen Polypen; scheiden mit der Fußscheibe stets ein Kalkskelett ab (Riffbildung).

Steinkraut (Alyssum), artenreiche Kreuzblütlergattung im Mittelmeergebiet und in Mitteleuropa. Zierpflanze ist das goldgelb blühende **Gebirgs-S.** (**Felsen-S.,** Alyssum saxatile).

Steinkreis, prähistorische Anlage, →Kromlech, →Stonehenge.

Steinkreuze, 1) (engl. High Crosses) etwa 5 m hohe Steinmonumente in Form eines christl. Kreuzes, wohl Denkmäler für verstorbene Kleriker, zunächst im N Englands (7. Jh.), dann in Irland (8.–12. Jh.) mit bibl. Szenen und Flechtbandornamentik auf dem Schaft (Monasterboice und Kells bei Drogheda, Clonmacnoise).

Steinkreuze 1) aus dem 10.–12. Jh. auf dem Friedhof des Klosters Monasterboice bei Drogheda (Irland)

2) niedrige steinerne Kreuze, meist am Wegrand, zuweilen mit Ritzzeichnungen; häufig als Sühnekreuze. Im MA. waren sie bisweilen auch Grenzsteine oder Wahrzeichen von Gerichtsstätten; in der Neuzeit von den Bildstöcken abgelöst.

Steinkult, religiöse Verehrung von Steinen (Opfer-, Gebärsteine, Meteorite, Amulette); nimmt seit vorgeschichtl. Zeit (→Megalithkultur) einen wichtigen Platz im Kult vieler Völker ein.

Steinl (Steindl), Matthias, österr. Bildhauer und Baumeister, *Mattsee (?) um 1644, †Wien 18. 4. 1727; bekannt v.a. durch die drei Reiterstatuetten Leopolds I., Josephs I., Karls VI. aus Elfenbein

(Wien, Kunsthistor. Museum); schuf auch Kirchenausstattungen (Altäre, Kanzeln, Gestühl), Reliefs und Statuen. Italien. und frz. Elemente verbindend, gab er der österr. Barockarchitektur entscheidende Impulse. BILD Bildhauerkunst

Steinle, Edward Ritter von (seit 1879), österr. Maler, * Wien 2. 7. 1810, † Frankfurt am Main 18. 9. 1886; dort seit 1839 tätig, gehörte in Rom zum Kreis der → Nazarener, in deren Art er kirchl. Wandmalereien und Altarbilder schuf. Von lebendiger Gestaltungskraft sind seine Porträts, Aquarelle und Zeichnungen zu Märchen und Legenden.

Steinlen, Théophile Alexandre, frz. Zeichner und Grafiker schweizer. Herkunft, * Lausanne 10. 11. 1859, † Paris 14. 12. 1923; in Paris als Illustrator und Zeichner v. a. für satir. Blätter tätig. Mit seinen meist sozialkrit., die gesellschaftl. Situation des Jh. treffsicher erfassenden Darstellungen (auch Plakaten) und seinem H. de Toulouse-Lautrec nahe stehenden Flächen- und Umrissstil steht er an der Wende zur modernen Kunst.

Steinmar, mhd. Lyriker aus der 2. Hälfte des 13. Jh., oberdt., vielleicht schweizer. Herkunft; Vertreter des hohen Minnesangs; seine besondere Bedeutung liegt jedoch in seinen Liedern mit der Absage an den höf. Frauendienst.

Steinmetz, Ausbildungsberuf der Ind. (drei Jahre). Der S. fertigt Tür- und Fensterumrahmungen, Treppen, Fußböden, Grabmale, Grabeinrahmungen u. a. Der Ausbildungsberuf des Handwerks heißt **S. und Steinbildhauer**.

Steinmetzzeichen, monogrammartige oder geometr. Zeichen, die von den Steinmetzen seit Mitte des 12. bis Anfang des 16. Jh. in die von ihnen bearbeiteten Steine gehauen wurden. Sie waren Erkennungsmittel (z. B. für die Lohnberechnung), in den Bauhütten des MA. auch Ehrenzeichen.

Steinmispel (Steinquitte, Zwergmispel, Cotoneaster), Gattung der Rosengewächse; bis 2 m hohe Sträucher mit weißen oder roten Blüten und meist roten Früchten. Einige Arten sind Ziersträucher (u. a. Bodendecker).

Stein|nusspalme, die → Elfenbeinpalme.

Stein|obst, Obstsorten mit → Steinfrucht.

Stein|operation, chirurgische Entfernung von Konkrementen in Hohlorganen, v. a. von Harnblasen-, Nieren- und Gallensteinen, bei denen eine medikamentöse Auflösung (→ Litholyse) nicht möglich ist. Bei der **Lithotomie** wird das betroffene Organ von außen eröffnet; sie dient auch der Behandlung von Steinen im Harnleiter (Ureterolithotomie) und in der Niere (Nephrolithotomie); bei Gallensteinen wird meist die Gallenblase entfernt (Cholezystektomie), wobei die endoskop. Durchführung (»minimal invasive Chirurgie«) eine Verminderung der Operationsrisiken und eine Verkürzung der stationären Behandlung ermöglicht hat. – I. w. S. wird zu den S. auch die → Lithotripsie gerechnet.

Edward Ritter von Steinle: »Die Apokalyptischen Reiter« (1838; Mannheim, Städtische Kunsthalle)

Steinpilz (Herrenpilz, Edelpilz, Boletus edulis), Röhrling mit braunem Hut (Hutbreite bis zu 35 cm), anfangs weißlichen, später olivgrünen Röhren und bräunlich weit genetztem Stiel; guter Speisepilz mit weißem, nussartig schmeckendem Fleisch.

Steinmetzzeichen aus der Stauferzeit

Steinplastik, Werke der → Bildhauerkunst aus Stein. Im Ggs. zur Holzbildnerei und zur Tonplastik können in Stein auch monumentale Bauaufgaben gelöst werden; häufig kommt die S. in Zusammenhang mit einem Bauwerk als Bauplastik vor.

Steinsalz (Halit), meist farbloses, sonst durch Verunreinigungen gefärbtes kub. Mineral der chem. Zusammensetzung $NaCl$, das als Meeres- und Salzseesediment oft im Wechsel mit Anhydrit und Gips in fast allen geolog. Formationen vorkommt und bergmännisch abgebaut wird; gereinigt kommt es als Kochsalz sowie als Rohstoff für die chem. Ind. in den Handel.

Steinpilz (Hutbreite bis zu 35 cm)

Steinsame (Lithospermum), Gattung der Borretschgewächse; Kräuter und Kleinsträucher Europas, W- und N-Asiens mit glocken- oder trichterförmigen kleinen Blüten. Heimisch der **Echte S.** (Lithospermum officinale) mit weißl. Blüten in lichten Auenwäldern und Gebüschsäumen.

Steinschlag, von Felswänden herabstürzende Gesteinstrümmer, durch Verwitterung gelockert, bes. durch → Spaltenfrost. Der S. bildet **Steinschlagrinnen**.

Steinschlossgewehr, histor. Feuerwaffe, bei der ein im Hahn eingeklemmter Feuerstein beim Niederschnappen an dem sich öffnenden Deckel der Zündpfanne Funken erzeugt, welche die Ladung entzünden.

Steinschneidekunst (Steinschnitt, Glyptik), die Bearbeitung und Verzierung von Steinen sowie Glas durch →Gravieren. Ein Stein mit vertieftem Bild wird **Gemme,** ein Stein mit erhabenem Bild **Kamee** genannt. Die Bez. Gemme wird auch als Oberbegriff verwendet (Gemmoglyptik). Die ältesten, aus dem Vorderen Orient stammenden Beispiele sind die Stempelsiegel; daneben gab es die zuerst im sumer. Babylonien verwendeten Rollsiegel (→Siegel) und in Ägypten die Steine mit dem →Skarabäus. Zu hoher Vollendung entwickelt wurde die S. dann von der kretisch-myken. Kunst und seit dem 6. Jh. v. Chr. v. a. von der grch. Kunst. Es entstanden neben Siegeln in Form des Skarabäus (Skarabäoid) zahlr. Ringsteine für Siegelringe, die v. a. auch im Hellenismus und in röm. Zeit beliebt waren. Unter grch. Einfluss entwickelte die etruskisch-italische S. einen eigenen Stil. Seit dem Hellenismus und bes. in der röm. Kaiserzeit wurden außer Gemmen auch Kameen gearbeitet, oft aus Steinen mit mehreren Farbschichten und größeren Formats. Neben mytholog. Themen trat das Porträt, bes. das Kaiserporträt (Gemma Augustea, Wien, Kunsthistor. Museum). Im MA. wurden geschnittene Steine der Antike für Kreuze, Bucheinbände und kirchl. Gerät, Diademe und Kronen wieder verwendet. Eigene Gemmen wurden – abgesehen von karoling. Arbeiten (Bergkristallschnitt) – erst seit dem 13. Jh. geschnitten, bes. in Burgund. Zu neuer Blüte entwickelte sich die S. in Renaissance und Klassizismus, dann im Jugendstil. Weiteres BILD Gemme

Steinsperling (Petronia petronia), von Madeira bis nach Innerasien verbreitete graue Sperlingsart mit gelbem Kehlfleck und weißen Schwanzflecken.

Steinwälzer (Arenaria interpres), Regenpfeiferart im nördl. Eurasien, in Mitteleuropa nur auf dem Durchzug; dreht bei der Nahrungssuche nach Kleinlebewesen kleine Steine um.

Steinway & Sons ['staɪnweɪ ənd 'sʌnz], Unternehmen der Musikinstrumentenind. (Klaviere und Flügel); gegr. 1853 in New York von Heinrich E. Steinweg (*1797, †1871), seit 1880 Filiale in Hamburg.

Steinwild, *Jägersprache:* Bez. für den männl. und weibl. Steinbock.

Steinzeit, die älteste und längste Periode der Menschheitsgeschichte, in der Metalle noch unbekannt waren und Waffen und Werkzeuge aus Stein, Knochen oder Holz gefertigt wurden (→Altsteinzeit, →Mittelsteinzeit, →Jungsteinzeit).

Steinzeug, dichter, tonkeram. Werkstoff mit brauner bis heller Brennfarbe und verglastem, nicht durchscheinendem Scherben hoher Festigkeit. Die Masse besteht aus feuerfesten, früh sinternden, kalkarmen Tonen, evtl. mit Zusatz von

Steinzeug (von oben): Tüllenkanne aus Siegburg (1591); Wappenkrug aus Raeren bei Eupen (1598); Westerwälder Kirchturmhahn (um 1700; alle Köln, Museum für Angewandte Kunst)

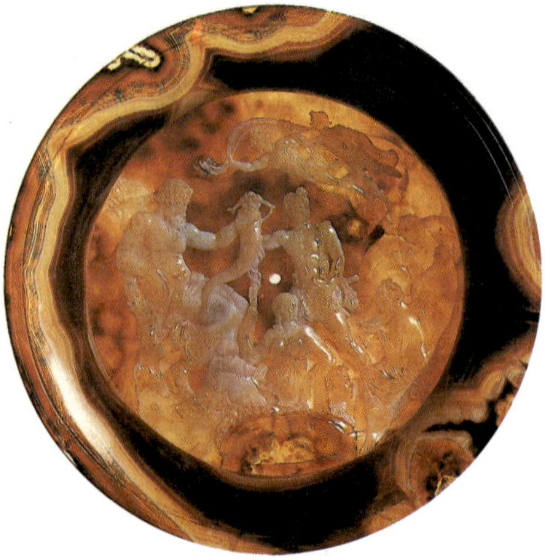

Steinschneidekunst: Tazza Farnese, eine in Kameentechnik geschnittene Vase aus Sardonyx (3.–1. Jh. v. Chr.; Neapel, Museo Archeologico Nazionale)

Quarz und Feldspat. **Grob-S.** (z. B. für Isolatoren) wird in nur einem Brand bei 1180–1300 °C gar gebrannt. **Fein-S.** (z. B. für Haushaltgegenstände) wird zuerst einem Schrühbrand (800–900 °C) unterzogen und dann bei 1250–1300 °C glatt gebrannt.

schichte: S. war früh in Ostasien verbreitet. Durch Vollendung der Form und Glasur zeichnen sich vor allem chines. Arbeiten der Song-Zeit aus. In Europa wurde S. seit dem 16. Jh. im Rheinland (Köln, Siegburg, Frechen, Raeren), im Westerwald (Kannebäckerland), in Sachsen (Waldenburg), in Franken (Kreußener Steinzeug) und Niederschlesien (Bunzlauer Gut) hergestellt, meist Krüge mit erhabenem oder eingedrücktem Dekor, bemalt mit Kobaltblau und Manganviolett. Eine neue Entwicklung begann im 17. Jh. mit der Imitation des ostasiat. roten S. durch den Holländer A. J. de Milde und durch J. F. Böttger sowie mit Erzeugnissen der Manufaktur Wedgwood.

Steirisches Randgebirge, östl. Gruppe der Zentralalpen, größtenteils zu Österreich, S-Teil in Slowenien, umgibt das mittelsteir. Hügelland mit dem Grazer Becken, umfasst Poßruck, Kor-, Pack-, Stub-, Gleinalpe, Fischbacher Alpen.

Steirisch-Niederösterreichische Kalk|alpen, der östlichste Teil der Nördl. Kalkalpen, östlich des Pyhrnpasses in der Steiermark und in Oberösterreich; dazu gehören Ennstaler Alpen, Hochschwab (2278 m ü. M.), Ötscher, Veitschalpe, Schneealpe, Rax und Thermenalpen.

Steiß, hinteres (kaudales) Rumpfende der Vierfüßer, das sich meist in einem Schwanz fortsetzt; beim Menschen und den anderen Primaten bildet das →Steißbein den Skelettanteil.

Steißbein, bei Menschenaffen und beim Menschen der unterste, aus vier oder fünf miteinander verschmolzenen, stark zurückgebildeten Wirbeln bestehende Wirbelsäulenabschnitt (Skelettrest des Schwanzes).

Steißfleck, der →Mongolenfleck.

Steißfüße (Lappentaucher, Podicipediformes), weltweit verbreitete Ordnung schwimm- und tauchgewandter Wasservögel mit weit hinten ansetzenden Beinen (»Steißfüße«); tragen häufig ihre Jungen auf dem Rücken; auf Binnengewässern Europas u. a. der 50 cm lange **Haubentaucher** (Podiceps cristatus).

Steißgeburt, →Beckenendlage.

Steißhühner (Tinamidae), Ordnung süd- und mittelamerikan. hühnerähnl. Bodenvögel mit kurzen runden Flügeln und kleinen Schwanzfedern, in Grassteppen und im Urwald.

Stek [niederdt.] *der, seemännisch* für Knoten.

Stele [grch.] *die,* ein als frei stehender Pfeiler errichteter, i. d. R. bearbeiteter Grenz-, Inschriften- oder Grabstein, in der ägypt., babylon., grch., chines. Kunst sowie in eisenzeitl. Kulturen Europas und in den vorkolumb. Kulturen Mittel- und Südamerikas vorkommend. Weiteres BILD babylonische Kunst

Stella ['stelə], Frank, amerikan. Maler, * Malden (Mass.) 12. 5. 1936; ging 1958 vom abstrakten Expressionismus zu streng geometr., räumlich komplexen Streifenkompositionen in V- oder sternförmigen Umrissen über und wurde zum Mitbegründer des Hardedge; seit den 1970er-Jahren auch riesige Aluminiumreliefs in betont dekorativen Farben; außerdem graf. Werke.

Frank Stella: »Bafq« (1966; Privatbesitz)

Stellage [stɛ'la:ʒə, niederländ.-frz.] *die,* **1)** *allg.:* Aufbau aus Stangen und Brettern u. a., Gestell.

2) *Börsenwesen:* (Stellgeschäft) ein →Termingeschäft (kombiniertes Vor- und Rückprämiengeschäft).

stellar [lat.], auf die Sterne bezogen.

Stele (von links): Stele des Prophetenvorstehers und königlichen Boten Antef aus einem Grab in Abydos, bemalter Kalkstein, Höhe 68 cm, 12. Dynastie (um 1900 v. Chr.; Kairo, Ägyptisches Museum); giebelbekrönte Grabstele aus Piräus mit einer Darstellung der Verstorbenen und einer Dienerin, Marmor, Höhe 1,22 m (Anfang des 4. Jh. v. Chr.; Athen, Archäologisches Nationalmuseum)

Stellar|astronomie, der Teil der Astronomie, der sich mit den Fixsternen, Sternhaufen und Sternsystemen befasst. Als Teil einer statist. Menge behandelt die **Stellarstatistik** abgrenzende Gruppen astronom. Objekte, um deren Aufbau und Verhalten kennen zu lernen.

Stellarator [engl. 'steləreɪtə] *der,* in den USA entwickeltes Großgerät zur Verwirklichung der kontrollierten →Kernfusion, bei dem die für das Gleichgewicht des Plasmas nötige Verdrillung des Magnetfelds durch äußere Ströme erzeugt wird. Wegen der komplizierten Formgebung der Magnetspulen und statischer Schwierigkeiten werden Fusionsreaktoren meist nach dem Prinzip eines →Tokamaks ausgelegt.

Stelle, *Betriebswirtschaftslehre:* die kleinste, selbstständig handelnde Einheit in einer Organisation. Durch **S.-Bildung** werden die Aufgaben eines gedachten Organisationsmitgliedes festgelegt. Die **S.-Beschreibung** enthält neben der Bez. und hierarch. Einordnung der S. auch die Ziele, Aufgaben, Kompetenzen, Verantwortungsbereiche und auch fachl. und persönl. Anforderungen an den S.-Inhaber.

Stellenbosch [stɛlən'bɔs], Stadt im Kapland, Prov. West-Kap, Rep. Südafrika, 35 000 Ew.; geistiger Mittelpunkt des Burentums; Univ. (1916 gegr.); bed. Obst- und Weinbauzentrum mit Forschungsinstitut, Weinmuseum und Spirituosenherstellung. – 1679 gegründet.

Stellenvermittlung, die →Arbeitsvermittlung.

Stellenwertsystem (Positionssystem), System zur Darstellung von Zahlen durch Ziffern, deren

Wert außer von ihrem Ziffernwert von ihrer Stellung innerhalb der Zahl abhängt. Das gebräuchlichste S. ist das →Dezimalsystem; in der Informatik spielen das Dual- und das Hexadezimalsystem eine große Rolle.

Stellenwertsystem

Welchen Fortschritt ein Stellenwertsystem gegenüber einem System mit festen Zahlzeichen (z.B. die römischen Ziffern) bedeutet, wird bei einfacheren Rechenoperationen schnell klar: Die schriftliche Multiplikation von zwei Zahlen (beispielsweise 258 × 377) ist in einem Stellenwertsystem relativ einfach, die Multiplikation von CCLVIII × CCCLXXVII dagegen ist recht kompliziert.

Stẹller, Georg Wilhelm, eigtl. Stoeller, Naturforscher, *Windsheim (heute Bad Windsheim) 10. 3. 1709, †Tjumen 12. 11. 1746; ab 1737 Teilnehmer an V. J. Berings Großer Nord. Expedition. Nach S. sind die von ihm beschriebene Stellersche Seekuh sowie der Stellersche Seelöwe benannt.

Stelling *die,* die →Gangway.

Stellmotor (Servomotor), (Hilfs-)Einrichtung zur Verstärkung von Steuer-, Regel- und Bremskräften. Je nach Antriebsart werden pneumat., hydraul. und elektr. S. unterschieden.

Stellung, *Militärwesen:* der von einer Truppe mit Feldbefestigungsanlagen verstärkte Geländeabschnitt.

Stellungskrieg, Form der Kriegführung, bei der sich die Gegner in befestigten Stellungen gegenüberstehen; Ggs.: Bewegungskrieg.

Stellvertreterkrieg, ein Krieg, bei dem über die regionalen Motive hinaus weltpolit. Gegensätze ausgetragen werden und die Großmächte oder Bündnissysteme Unterstützung gewähren, ohne allerdings selbst unmittelbar einzugreifen.

Stellvertretung (Vertretung), das rechtsgeschäftliche Handeln einer Person (des Stellvertreters oder kurz: Vertreters) im Namen und für Rechnung eines anderen (des Vertretenen). Von aktiver S. spricht man, wenn mit rechtsgeschäftl. Wirkung Willenserklärungen für den Vertretenen abgegeben, von passiver S., wenn Willenserklärungen vom Stellvertreter für den Vertretenen entgegengenommen werden.

Ein von dem Stellvertreter vorgenommenes Rechtsgeschäft wirkt unmittelbar für und gegen den Vertretenen, wenn der Vertreter Vertretungsmacht hat und zu erkennen gibt, dass er im Namen eines anderen handelt (§164 BGB). Ist Letzteres nicht der Fall, wird der Vertreter grundsätzlich selbst Vertragspartei. Fehlt dem Vertreter die erforderl. Vertretungsmacht oder überschreitet er diese, gelten die Grundsätze der →Vertretung ohne Vertretungsmacht. Die Befugnis zur S. (Vertretungsmacht) kann auf Gesetz beruhen (»gesetzl. Vertreter«, z.B. Eltern für ihre minderjährigen Kinder; Vorstände der jurist. Person u.a.) oder auf Rechtsgeschäft (gewillkürte S.); im letzten Fall heißt sie Vollmacht. Spezialfälle der Vollmacht sind die Handlungsvollmacht und die Prokura. – Keine S. liegt vor beim Handeln im eigenen Namen, z.B. beim Treuhänder, Kommissionär (»mittelbare S.«).

Ähnl. Vorschriften über die S. (z.T. **Bevollmächtigung** genannt, z.T. nicht scharf vom Auftrag unterschieden) gelten in *Österreich* (§§1002ff. ABGB) und in der *Schweiz* (Art. 32–40 OR).

Stelzen: Bachstelze (Länge etwa 18 cm)

Stellwerk, Eisenbahnbetriebsstelle zur Regelung und Sicherung des Zug- und Rangierbetriebs. Von **mechan. S.** werden die Signale, Weichen, Riegel und Gleissperren mit Drahtzugleitungen von einer Hebelbank aus gestellt. In **elektromechan. S.** werden die Stelleinheiten durch Gleichstrommotoren angetrieben. Die Stelleinrichtungen sind in Hebelwerken zusammengefasst. Als elektr. Schalter dienen Drehknöpfe, die untereinander durch mechan. Verschlusseinrichtungen und elektr. Schaltelemente (Relais) in Abhängigkeit stehen. Die moderneren **elektr. S.** arbeiten nur mit elektr. Verschlüssen. Auf dem Stelltisch ist der Lageplan des Stellbezirks schematisiert wiedergegeben; in diesem Gleisbild oder Spurplan sind die Weichen- und Signaltasten und die zugehörigen farbig leuchtenden Melder, die den Betriebszustand der Weichen, Signale und Gleisabschnitte wiedergeben, topographisch richtig verteilt **(Gleisbild-S., Spurplan-S.).** Mit einem Druck auf zwei korrespondierende Tasten werden sämtl. Weichen einer Fahrstraße und das Signal gestellt. Da nur Drucktasten verwendet werden, nennt man das Gleisbild-S. auch allg. **Drucktasten-S. (Dr-S.),** moderne Signaltechnik **Dr-Technik.** An die Stelle der Relais-S. treten heute zunehmend **elektron. S.,** bei denen die Signalrelais durch Mikrocomputerbausteine (MC) ersetzt sind. Der Datenaustausch zw. den MC-Systemen findet entweder im Punkt-zu-Punkt-Verkehr oder über eine Gemeinschaftsleitung mithilfe von Telegrammen statt. Das Sicherheitskonzept beruht auf einer zweikanaligen Verarbeitung. Elektron. S. erlauben, Gleise, Gleisabschnitte und Weichen mit Befahrbarkeitssperren zu belegen, sodass Zug- oder Rangierfahrten ausgeschlossen sind.

Stellwinkel, ein Winkelmessgerät, →Schmiege.

Stẹlvio, Pạsso dẹllo, italien. Name des →Stilfser Jochs.

Stelzen (Motacillidae), Familie langschwänziger Singvögel. S. fliegen schnell, wippen beim trippelnden Lauf mit dem Schwanz, nisten meist in dunklen Hohlräumen (auch Mauerlöchern); die **Bachstelze** (Motacilla alba) lebt in freiem Kulturland, die **Gebirgsstelze** (Motacilla cinerea) an

Bergbächen, die **Schafstelze** (Motacilla flava) auf Wiesen und Ackerland.

Stelzenschuh, Schuh oder Pantoffel mit hoher, sockelartiger oder als Doppelstelze ausgebildeter Plateausohle aus Holz oder Kork, mit Leder- oder Stoffbezug. In Vorderasien, in Griechenland (als Kothurn), in China und Japan getragen. Gelangte aus dem Orient über Spanien nach Europa, seit Ende des 15. bis ins 17. Jh. v. a. in Venedig getragen.

Stelzermotor [nach dem Erfinder F. Stelzer, *1934], nach dem Zweitaktverfahren arbeitender Freikolbenmotor mit zwei Brennräumen und einem doppelt wirkenden Mehrstufenkolben, dessen aus dem Motorblock herausragende Endstufen als eigentl. Arbeitskolben in den Brennräumen gleiten, während eine mittlere Kolbenstufe sich in einer zw. diesen liegenden Vorverdichtungskammer bewegt und sie unterteilt; bisher ist ein Serieneinsatz noch nicht absehbar.

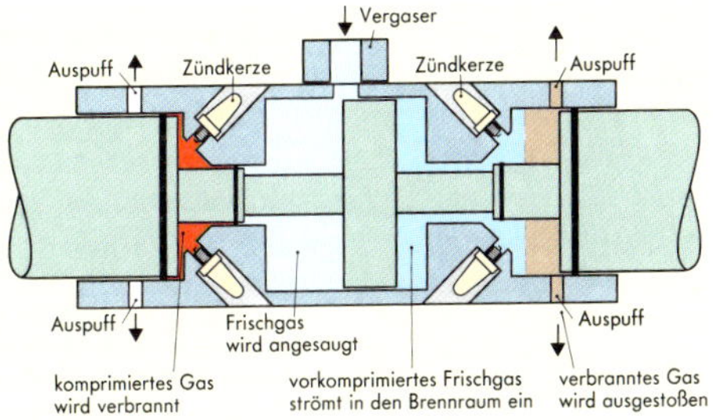

Stelzermotor: Schnittzeichnung

Stelzfuß, 1) *Anatomie:* (Watbein) Beinform der Vögel, bei der das Schienbein über der Ferse unbefiedert ist.

2) *Tiermedizin:* angeborene oder erworbene krankhafte Gliedmaßenstellung bei Pferd und Rind, bei der die Zehenknochen steil gestellt sind, sodass es im Fesselgelenk zum Überkippen nach vorn **(Überköten)** kommen kann.

Stelzhamer, Franz, österr. Mundartdichter, *Großpiesenham (heute zu Pramet, Bez. Ried im Innkreis) 29. 11. 1802, †Henndorf am Wallersee (bei Salzburg) 14. 7. 1874; zog als Wanderschauspieler durch S-Dtl. und Österreich und trug, als »Piesenhamer Franz«, seine Mundartgedichte vor; daneben schrieb er Novellen und Skizzen aus dem Volksleben.

Stelzmann, Volker, Maler und Grafiker, *Dresden 5. 11. 1940; ausgebildet als Mechaniker; übersiedelte 1986 in die Bundesrep. Dtl.; Hauptthema seines maler. und graf. Schaffens ist der Mensch, dessen Befindlichkeit er im Kontext aller Lebensprozesse immer wieder neu auslotet. Seine klare Formensprache steht in der Tradition der Neuen Sachlichkeit; wesentl. Impulse gingen auch von Werken italien. Manieristen aus.

Stelzvögel (Schreitvögel, Ciconiiformes), weltweit v. a. an Ufern und in Sümpfen verbreitete Ordnung meist langbeiniger und langhalsiger Vögel (u. a. Reiher, Störche, Ibisse).

Stemm|eisen, der →Beitel.

Stemmle, Robert Adolf, Schriftsteller, Filmregisseur, *Magdeburg 10. 6. 1903, †Baden-Baden 24. 2. 1974; schrieb Romane, Drehbücher (u. a. »Quax der Bruchpilot«, 1941; »Affäre Blum«, 1948); drehte u. a. die »Berliner Ballade« (1948), »Emil und die Detektive« (1954).

Robert Stemmle

Stempel, 1) *Bergbau:* Stütze für den Grubenausbau aus Stahl, Leichtmetall oder Holz.

2) *Botanik:* der →Fruchtknoten mit Griffel und Narbe.

3) *Fertigungstechnik:* Teil einer Stanz- oder Prägevorrichtung.

4) *graf. Technik:* Handdruckgerät mit Gummi-, Kunststoff- oder Metalltypen, die durch ein Farbkissen eingefärbt werden. S. können auch ein automatisch weiterzählendes Ziffernwerk haben **(Nummern-S., Paginiermaschine).**

Stempelsteuer, Verkehrsteuer, deren Entrichtung durch Aufdruck eines Stempels, Anbringen einer Stempelmarke (Steuermarke) oder durch Stempelpapier belegt wird. In Dtl. hatte die bis einschl. 1991 erhobene Wechselsteuer den Charakter einer Stempelsteuer. Von prakt. Bedeutung sind dagegen S. als **Stempelgebühren** (z. B. bei Ausweisen, Beurkundungen) in *Österreich* und als **Stempelabgaben** in der *Schweiz.*

Stendal, 1) Landkreis in Sa.-Anh., 2 423 km², (1996) 146 400 Einwohner.

2) Kreisstadt von 1), Sa.-Anh., an der Uchte, 43 700 Ew.; Mittelpunkt der Altmark mit Altmärk. Museum, Winckelmann-Museum (im Geburtshaus von J. J. Winckelmann), Theater; Maschinenbau, Metallverarbeitung. – Spätgot. Dom St. Nikolai (1423–67), spätgot. Marienkirche (um 1435–47), Petrikirche (13. Jh./14. Jh.), ehem. Klosterkirchen St. Annen (in der Klausur heute das Altmärk. Museum) und St. Katharinen; Tangermünder und Uenglinger Torturm (2. Hälfte 15. Jh.), vor dem Rathaus (15./16. Jh.) steinerne Rolandsfigur von 1525 (7,80 m hoch). – Um 1160 als Marktsiedlung angelegt, erhielt Magdeburger Stadtrecht; seit dem 14./15. Jh. Hauptort der Altmark.

Stendal 2) Stadtwappen

Stendelwurz, →Sumpfwurz.

Stendhal [stɛ̃ˈdal], eigtl. Marie Henri Beyle, frz. Schriftsteller, *Grenoble 23. 1. 1783, †Paris 23. 3. 1842; wählte sein Pseudonym nach J. J. Winckelmanns Geburtsort Stendal; war Offizier, nahm am Russlandfeldzug Napoleons I. als Beamter teil, lebte 1814–21 in Mailand, kehrte 1831 als frz. Konsul nach Italien (Civitavecchia) zurück. Italiens Gesch. und Kultur haben sein Werk nachhaltig geprägt (»Reise in Italien«, 1817; »Röm. Spaziergänge«, 2 Bde., 1829; »Renaissance-Novellen«, hg. 1855). Größte Bedeutung haben seine Romane, deren spröder, sachl. Stil zum Instrument der Zeitkritik wurde: »Armance« (1827), »Rot und Schwarz« (2 Bde., entstanden zw. 1828 und 1830), »Lucien Leuwen« (hg. 1855, Fragment), »Die Kartause von Parma« (2 Bde., 1839). Geschult an der moralistisch-psycholog. Lit. des 18. Jh., schilderte S. mit wiss. Genauigkeit die seel. Abläufe, die verborgenen Motive menschl. Handelns und bes. die Durchsetzung des schrankenlosen Individualismus herausragender Charaktere gegen die Mittelmäßigkeit ihrer Umwelt. Symbol eines solchen Lebens war für ihn Napoleon I. (»Denkschrift über Napoleon«, 1837). S. war auch ein bed. Essayist (»Über die Liebe«, 2 Bde., 1822; »Racine et Shakespeare«, 2 Bde., 1823–25). Er hinterließ außerdem autobiograph. Schriften (»Das Leben des Henry Brulard«, entstanden 1835/36, hg. 1890; »Bekenntnisse eines Egotisten«, entstanden 1832, hg. 1892) und umfangreiche Tagebücher. S., der zu Lebzeiten kaum Erfolg hatte, gilt heute als einer der einflussreichsten frz. Autoren des 19. Jahrhunderts.

Stendhal: Ausschnitt eines Gemäldes des schwedischen Künstlers Olof Johan Södermark (1839/40; Versailles, Musée National)

📖 KAYSER, R.: *S. oder das Leben eines Egoisten. Frankfurt am Main 1983.* – ALTER, R: *S. Eine krit. Biographie. Reinbek 1992.* – NERLICH, M.: *S. Reinbek 1993.*

Stengel, Friedrich Joachim, Baumeister und Ingenieur, *Zerbst 29. 9. 1694, †Saarbrücken 10. 1. 1787; dort seit 1733 tätig, Hauptmeister des klassizistisch kühlen rhein. Spätbarock (Einfluss von Palladio). Mit dem Quersaalbau der Ludwigskirche in Saarbrücken (1762–75, mehrfach zerstört, verändert wieder aufgebaut) schuf er einen der bedeutendsten prot. Kirchenbauten der Zeit. BILD Saarbrücken

Stenmark, Ingemar, schwed. alpiner Skisportler, *Tärnaby (Västerbotten) 18. 3. 1956; einer der weltbesten Skisportler in den 1970/80er-Jahren; mehrfacher Olympiasieger, Weltmeister, Weltpokalsieger.

Stenografie (Stenographie) [zu grch. stenós »eng«] *die* (Kurzschrift), Schnellschrift mit besonderen, kurzen Zeichen, festen Kürzungen (Sigel, Kürzel) und Regeln. Eine moderne S. ist dem Wesen nach eine Buchstabenschrift, enthält jedoch Elemente der Silben- und der Wortschrift. Für die S. gibt es drei wesentl. Anwendungsbereiche: 1) »Notizschrift« für private Aufzeichnungen, z. B. bei Vorträgen (»Konzeptschrift«); 2) »Berufsschrift« für Telefonnotizen, Protokolle u. a., zur Aufnahme von Diktaten; 3) »Verhandlungs-S.« (»Redeschrift«, »Debattenschrift«) zur wörtl. Aufnahme von Reden z. B. in Parlamenten. Man unterscheidet geometr. und kursive S.-Systeme.

Geschichte: Kurzschrift gab es schon im grch. (als Tachygraphie) und röm. (als Tiron. Noten) Altertum. Die Bez. S. tauchte zuerst 1602 in England auf. F. X. Gabelsberger veröffentlichte 1834 sein kursives System, mit dem sich die S. in Dtl. durchzusetzen begann; weitere kursive Systeme wurden entwickelt, z. B. von W. Stolze, 1841, F. Schrey, 1887, die Stenotachygraphie und die National-S.; 1897 entstand das Einigungssystem Stolze-Schrey. 1924 kam die Dt. Einheitskurzschrift (DEK) zustande, die nach Systemrevisionen (1936 und 1968) noch heute gelehrt wird (in den drei Stufen Verkehrsschrift, Redeschrift, Eilschrift). – In *Österreich* wird ebenfalls die DEK geschrieben, in der *Schweiz* Stolze-Schrey.

📖 SANDER-JAENICKE, B. *u.* KARPENSTEIN, H.: *Art u. Bau der wichtigsten Kurzschriften. Darmstadt [5]1988.*

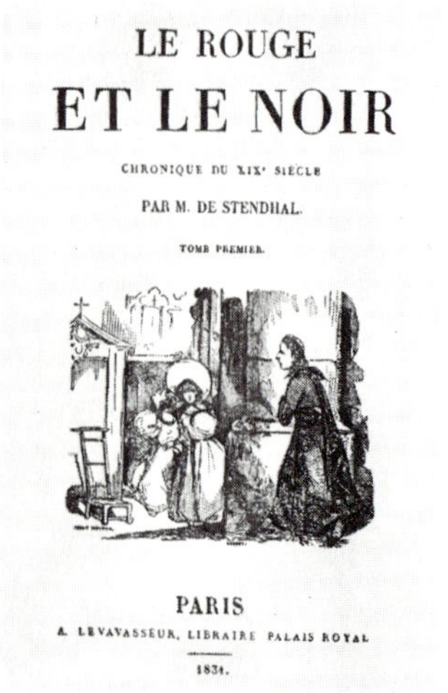
LE ROUGE
ET LE NOIR
CHRONIQUE DU XIXe SIÈCLE
PAR M. DE STENDHAL.
TOME PREMIER.
PARIS
A. LEVAVASSEUR, LIBRAIRE PALAIS ROYAL
1831.

Stendhal: Titelblatt der 1831 erschienenen Erstausgabe seines Romans »Le Rouge et le Noir« (»Rot und Schwarz«)

Stenogramm [grch.] *das,* Niederschrift in Stenografie.

Stenokardie [grch.] *die,* die →Angina pectoris.

Stenose [grch.] *die,* angeborene oder erworbene Verengung von Hohlorganen, Gängen und

Öffnungen (z.B. Magenausgang, Darm, Herzklappe, Arterie).

Stẹntor, nach Homer ein Grieche vor Troja, der so laut rufen konnte wie 50 Männer zusammen.

Stepanakẹrt (aserbaidschan. Xankändi, Chankendi), Hauptstadt von →Bergkarabach, Aserbaidschan, 830 m ü.M., am Fuß des Kleinen Kaukasus, 55 200 Ew.; Seiden-, Teppich-, Lederind., Weinkellereien. – Durch aserbaidschan. Raketenbeschuss (1992) stark zerstört.

Stẹphan, Herrscher:

Moldau: **1) S. III., der Große** (rumän. Ştefan cel Mare), Hospodar der Moldau (1457–1504), *1433, †Suceava 2. 7. 1504; förderte die kulturelle und wirtsch. Entwicklung seines Landes und erreichte dessen größte Machtstellung, musste dennoch ab 1489 dem Sultan Tribut leisten.

Polen: **2) S. IV. Báthory,** König (1575/76–86), Fürst von Siebenbürgen (1571–86), *Şimleu Silvaniei 27. 9. 1533, †Grodno 12. 12. 1586; eroberte in drei Feldzügen (1579–81) gegen den russ. Zaren Iwan den Schrecklichen Livland und Polozk zurück (1582 Frieden von Jam Zapolski). Diese Erfolge sowie seine Reformen machen ihn zu einem der bedeutendsten Herrscher Polens.

Serbien: **3) S. Dušan Uroš IV.,** König (1331–55) und Kaiser (Zar) (1346–55), *um 1308, †20. 12. 1355; nutzte byzantin. Thronstreitigkeiten zu planmäßigen Eroberungen (1343 Albanien, 1345 Makedonien, 1348 Epirus und Thessalien) und schuf ein serb. Großreich, das nach seinem Tod zerfiel.

Ungarn: **4) S. I., der Heilige** (ungar. István I., Szent István), Fürst (seit 997), König (1000–1038), *um 974, †Esztergom 15. 8. 1038; Sohn des Fürsten Géza, aus dem Geschlecht der Arpaden; Schwager Kaiser Heinrichs II.; führte, z.T. mit Gewalt, das Christentum ein (um 1000 Gründung des Erzbistums Esztergom), unterdrückte die stammesfürstl. Opposition und baute eine zentralist. Königsherrschaft (Komitatsverwaltung) auf. Nach ihm ist die →Stephanskrone benannt. 1083 heilig gesprochen, Schutzpatron Ungarns; Tag: 16. 8., in Ungarn 20. 8. (Nationalfeiertag).

Stẹphan, Heinrich von (seit 1885), Organisator des dt. Postwesens, *Stolp (heute Słupsk) 7. 1. 1831, †Berlin 8. 4. 1897; wurde 1870 Generalpostdirektor des Norddt. Bundes, später Generalpostmeister des Dt. Reichs, Staatssekr. des Reichspostamtes und Staatsmin. S. baute nach 1871 die Reichspost auf, führte 1870 die Postkarte und 1877 den Fernsprecher ein; Gründer des Weltpostvereins (1874).

Stephanọpulos, Konstantinos, grch. Politiker, *Patras 15. 8. 1926; Rechtsanwalt, in der Zeit der Militärdiktatur (1967–74) im Exil, 1964–67 und 1974–94 Parlaments-Abg. (als Mitgl. versch. konservativ ausgerichteter Parteien), 1974–76 Innenmin., 1977–81 Min. im Amt des MinPräs.; wurde 1995 vom Parlament zum Staatspräs. gewählt.

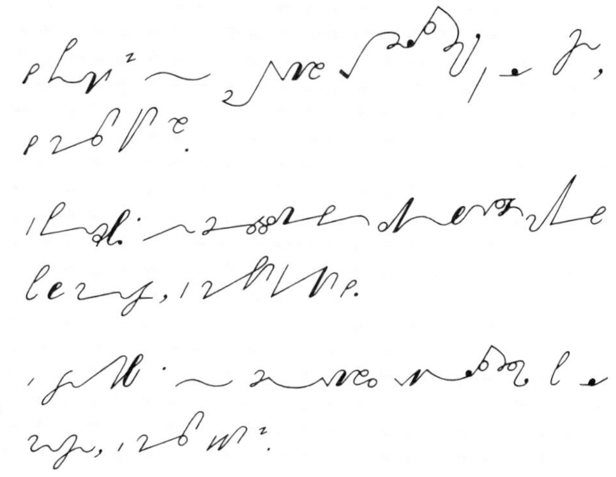

1 2 3

Stenografie: Der Satz »Die Stenographie ist ein hervorragendes Rationalisierungsmittel für alle Menschen, die geistig tätig sind« ist in den Systemen 1 Gabelsberger, 2 Stolze-Schrey und 3 Deutsche Einheitskurzschrift (DEK) notiert

Stẹphanskrone, die ungar. Königskrone, altes ungar. Staatssymbol; angeblich 1000 von Papst Silvester II. an Stephan I., den Heiligen, gesandt. Die byzantin. Arbeit (um 1074–77) erhielt ihr heutiges Aussehen vor 1440; 1945–78 in den USA aufbewahrt, dann an Ungarn zurückgegeben. Bild S. 302

Heinrich von Stephan (um 1880)

Stẹphanus, Gestalt des N.T.: einer der sieben Helfer der Apostel in der Jerusalemer Urgemeinde; nach Apg. 7, 54 ff. der erste christl. Märtyrer; Heiliger, Tag: 26. 12.

Stephenson [ˈstiːvnsn], George, brit. Eisenbahningenieur, *Wylam (bei Newcastle upon Tyne) 9. 6. 1781, †Chesterfield 12. 8. 1848; baute 1814 seine erste Lokomotive, leitete 1821–25 den Bau der Bahnstrecke Stockton–Darlington und gründete 1823 in Newcastle die erste Lokomotivenfabrik der Welt. Sein Neffe George Robert S. (*1819, †1905) und sein Sohn Robert S. (*1803,

Konstantinos Stephanopulos

Stephanskrone: Die ungarische Königskrone dürfte zwischen 1074 und 1077 in Byzanz gearbeitet worden sein, sie erhielt ihr heutiges Aussehen vor 1440

† 1859) führten das Unternehmen weiter. BILD Eisenbahn

Stepinac [stɛˈpiːnats], Alojzije, kroat. Kardinal (seit 1953), * Krašić 8. 5. 1898, † ebd. 10. 2. 1960; ab 1937 Erzbischof von Zagreb; 1946 wegen Tolerierung des Ustascha-Regimes zu 16 Jahren Zwangsarbeit verurteilt, 1951 freigelassen, aber an der Ausübung seines Amts gehindert.

Stepnoi, 1944–57 Name der kalmück. Stadt → Elista.

Steppe [russ.] *die,* in außertropischen kontinentalen Trockengebieten vorherrschende baumlose Vegetationsformation; v.a. aus dürreharten Gräsern gebildet, denen Halbsträucher, Stauden, Kräuter, bei ausreichender Niederschlagsmenge auch Sträucher beigemischt sind. **Waldsteppe** ist das Übergangsgebiet von der S. zum geschlossenen Wald, in dem Grasland und Waldinseln mosaikartig, scharf voneinander getrennt, ineinander greifen.

Steppen [engl.], → Stepptanz.

Steppenhuhn, Art der → Flughühner.

Steppenkerze: Die Art Eremurus robustus (Höhe bis zu 2 m) blüht von Juni bis Juli

Steppenkerze (Lilienschweif, Steppenlilie, Eremurus), Gattung der Liliengewächse in den Steppen W- und Mittelasiens; Stauden mit schmalen Blättern; Blüten weiß, gelb oder rosafarben, glockig oder sternförmig in langer, reich blühender Traube an einem bis zu 3 m hohen Schaft; mehrere Arten sind Zierpflanzen, z.B. die bis zu 2 m hohe Art **Eremurus robustus.**

Steppenkunst, die Kunst der eurasiat. Reiternomaden im Steppengürtel von Europa bis O-Asien, etwa zw. dem 8./7. Jh. v. Chr. und dem Beginn des 2. Jh. n. Chr. Die S. bildet eine kulturelle Einheit mit mehr oder weniger stark ausgebildeten lokalen Besonderheiten. Unterschieden werden i. Allg. die → skythische Kunst und die Kunst der Altainomaden, die politisch voneinander unabhängig waren, jedoch kulturell nicht zu trennen sind. Das kultisch überhöhte Königtum benachbarter Hochkulturen wurde von den Reiternomaden übernommen, später zurückgedrängt. Es entstanden typ. Denkmäler (Hügelgräber und Menhire) mit reichen Bestattungen sowie ein von den Sesshaften sich unterscheidendes Dekorationssystem im Tierstil für persönl. Schmuck, Waffen und Zaumzeug. Im Altai blieben nicht nur Gold- u.a. Metallarbeiten, sondern auch vergängl. Materialien, z.B. prachtvolle Pferdeschabracken, im Dauerfrostboden erhalten. Die wichtigsten Motive stammen aus dem Vorderen Orient. Da die S. fast überall bereits im 7. und 6. Jh. v. Chr. ausreift, ist ein Diffusionszentrum schwer zu ermitteln. Der Tierstil der S. trat anscheinend gleichzeitig in N-Iran, im Kubangebiet (Maioten) und bei den Skythen am Dnjepr auf. In den letzten Jh. v. Chr. wich der Tierstil anderen Dekorationssystemen. Die Weiterverwendung einzelner Motive ist in der sibir. Taiga, im Ordosgebiet und in Tibet belegt. Die Kunst der Han-Zeit Chinas übernahm viele Motive der S. Auch Dynastien nomad. Herkunft tradierten Motive der S. und bewahrten kostbare Werke.

📖 JETTMAR, K.: *Die frühen Steppenvölker. Tb.-Ausg. Baden-Baden 1988.*

Steppenlilie, die → Steppenkerze.

Stepptanz [engl. step »Schritt«], Tanz, bei dem der Rhythmus durch schnellen Bewegungswechsel zwischen Hacken und Spitzen **(Steppen)** der mit **Steppeisen** versehenen Schuhe akzentuiert wird.

Stepun, Fedor (russ. Fjodor S.), russ.-dt. Kulturphilosoph und Schriftsteller, * Moskau 19. 2. 1884, † München 23. 2. 1965; 1922 aus der UdSSR ausgewiesen. Zu seinen bed. Werken zählen der Roman »Die Liebe des Nikolai Pereslegin« (1928, russ. 1929) und die Erinnerungen »Vergangenes und Unvergängliches« (3 Bde., 1947–50, russ. 1956).

Ster [frz.] *der,* → Raummeter.

Steradiant [grch.-lat.] *der,* Einheitenzeichen **sr,** ergänzende SI-Einheit des Raumwinkels. 1 sr ist gleich dem → Raumwinkel, der als gerader Kreiskegel mit der Spitze im Mittelpunkt einer Kugel vom Radius 1 m aus der Kugeloberfläche eine Kalotte der Fläche 1 m^2 ausschneidet: 1 sr = 1 m^2/m^2.

Sterbebuch, Personenstandsbuch (→ Personenstand), das zur Beurkundung von Sterbefällen dient. Der Tod eines Menschen muss dem Standesbeamten, in dessen Bezirk er gestorben ist, spätestens am folgenden Werktag angezeigt werden.

Sterbegeld, Geldleistung, die die durch die Bestattung eines Verstorbenen entstandenen Aufwendungen (teilweise) ersetzen soll. Das S. ist eine Leistung der Kranken- und Unfallversicherung, kann aber auch aus privater Versicherung, von Berufsorganisationen gezahlt werden oder tariflich vereinbart sein. S. aus der Kranken- und Unfallversicherung wird für Personen, die nach dem 1. 1. 1989 in die Krankenversicherung eingetreten sind, nicht mehr gezahlt.

Steppenkunst (von oben): Die Bekrönung aus Holz und Leder in Gestalt eines Greifenkopfs mit dem Kopf eines Damhirschs im aufgerissenen Schnabel stammt aus einem Hügelgrab (Kurgan) im Altai (um 500 v. Chr.; Sankt Petersburg, Eremitage); der Beschlag aus Gold mit Türkiseinlage in Form eines Hirsches wurde in einem Hügelgrab (Kurgan) im Osten Kasachstans gefunden (7.–6. Jh. v. Chr.; Sankt Petersburg, Eremitage)

Sterbehilfe, begriffl. Zusammenfassung für Handlungen, die von der Hilfe und Unterstützung im Sterben bis hin zur aktiven Tötung Sterbender oder Schwerstkranker reichen. Die international für diesen Begriff gebräuchl. Bez. Euthanasie wird in Dtl. mit Rücksicht auf ihren Missbrauch während der nat.-soz. Zeit weitgehend vermieden. S. i. e. S. betrifft Situationen, in denen ein Sterbeprozess bereits unumkehrbar begonnen hat und/oder der Tod nahe bevorsteht. Generell geht es bei S. v. a. um die Bestimmung der Grenzen ärztl. Behandlungspflicht. Diese endet jedenfalls mit dem Eintritt des Hirntodes, d. h. dem irreversiblen und totalen Funktionsausfall des Gesamthirns.

Begrifflich unterscheidet man: **Sterbebegleitung (Sterbebeistand)** umfasst die nötige lindernde ärztl. wie pfleger. Versorgung und mitmenschl. Betreuung Sterbender. Unter **passiver S.** wird das Unterlassen spezif. lebensverlängernder Maßnahmen (z. B. Beendigung einer Medikation, Verzicht auf Ultima-Ratio-Operationen, die allenfalls eine kurzfristige Lebensverlängerung erwarten lassen) beim dem Tode nahen Patienten unter gleichzeitigem Aufrechterhalten der Basisversorgung verstanden. **Indirekte S.** ist die Gabe schmerz- oder leidenslindernder Mittel unter Inkaufnahme mögl. Lebensverkürzung. Die direkte **aktive S.** ist das gezielte und tätige Herbeiführen des Todes.

Mangels einer speziellen gesetzl. Regelung bleiben die grundsätzl. Zulässigkeit der S. sowie ihre Grenzen im Rechtlichen wie im Moralisch-Ethischen umstritten.

Bei der Sterbebegleitung in Form des Vorenthaltens der Basisversorgung kommt eine Strafbarkeit wegen Körperverletzung oder, soweit ursächlich, Tötung in Betracht. Die Verbesserung der Betreuung Sterbender in der Praxis ist das Anliegen der Hospizbewegung. – In Bezug auf die passive S. ergibt sich jedenfalls aus dem Erfordernis der Einwilligung des Patienten in ärztl. Handeln, dass der Abbruch einer lebensverlängernden Behandlung, die lediglich den natürl. Ablauf des Sterbens verzögert, zulässig ist. – Die indirekte S. wird bei unterschiedl. dogmat. Begründung weitgehend als zulässig betrachtet. – Die aktive S. ist unzulässig und als Tötungsdelikt strafbar.

Gesetzl. Regelungen der S. gibt es in den Niederlanden (ausgelöst vom Willen des Sterbenden) und in einzelnen Staaten der USA.

📖 *Moderne Medizin u. Strafrecht, hg. v.* A. KAUFMANN *u. a. Heidelberg 1989. – Materialien zur S., hg. v.* A. ESER *u.* H.-G. KOCH. *Freiburg im Breisgau 1991.* – BÖCKLE, F.: *Verantwortlich leben – menschenwürdig sterben. Zürich 1992.*

Sterbesakramente, *kath. Kirche:* die Sakramente der Buße, → Krankensalbung und Eucharistie für Schwerkranke und Sterbende.

Sterbetafel, *Bevölkerungsstatistik:* Übersicht, die (getrennt nach Geschlechtern) angibt, wie viele Personen des gleichen Alters das nächsthöhere Alter mit gegebener Wahrscheinlichkeit erleben und, daraus abgeleitet, die Anzahl der Toten des betreffenden Alters. Die Berechnung geht von alters- und geschlechtsspezif. Sterbewahrscheinlichkeiten

Fedor Stepun

Sterbetafel (Absterbeordnung) für Deutschland[*]

Alter	Anzahl		Alter	Anzahl	
	Männer	Frauen		Männer	Frauen
0	100000	100000	50	92579	96160
1	99379	99511	60	84511	92165
2	99326	99460	65	76992	88392
5	99235	99394	70	66680	82574
10	99146	99325	75	53053	73175
20	98678	99096	80	36980	59095
30	97677	98737	85	20331	39713
40	96064	98002	90	7812	19244

[*] bezogen auf 1993/95

aus. Diese besagen, wie viele von einer Ausgangsmasse Gleichaltriger im Lauf eines Lebensjahres durchschnittlich sterben. Die Sterbewahrscheinlichkeiten auf die Ausgangsmasse von 100000 Geborenen der S. sowie auf die jeweils Überlebenden jedes Jahres angewendet, ergeben die **Absterbeordnung.** Die S. dient zur Berechnung der mittleren Lebenserwartung und ist die wichtigste Grundlage zur Errechnung der Prämiensätze in der Lebensversicherung.

Sterblichkeit (Mortalität), *Bevölkerungsstatistik:* Höhe und Struktur des Risikos der Bev. eines Landes (oder von Teilen der Bev.), in einem bestimmten Zeitraum zu sterben. Das einfachste Maß der S. ist die **Sterbeziffer,** bei der die Gestorbenen (ohne Totgeborene) auf 1000 der mittleren Bev. eines Jahres bezogen werden. Diese allg. Sterbeziffer ist von der Altersgliederung der Bev. abhängig; ein hoher Anteil alter Menschen hat eine hohe Sterbeziffer zur Folge. Meist werden in der amtl. Statistik auch geschlechts- und altersspezif. Sterbeziffern wie die →Säuglingssterblichkeit berechnet, d.h. die Zahl der männl. oder weibl. Gestorbenen eines Alters bezogen auf 1000 Lebende des entsprechenden Alters und Geschlechts. Mit der Berechnung von altersspezif. und standardisierten Sterbeziffern werden Verzerrungen durch unterschiedl. Altersstrukturen eliminiert und ein zeitl. und internat. Vergleich ermöglicht. Zur S.-Statistik zählt auch die Statistik der Todesursachen. Von der S. zu unterscheiden ist die **Letalität,** die Wahrscheinlichkeit des tödl. Verlaufs einer Krankheit (Verhältnis zw. Todesfällen und Zahl der Erkrankten).

stereo... [grch. stereós »starr«, »fest«], feststehend, massiv; räumlich, körperlich.

Stereo *das,* **1)** kurz für Stereophonie.

2) *Drucktechnik:* für hohe Auflagen gefertigte Hochdruckduplikatdruckplatte, nach äußerer Form entweder eben (Flach-S.) oder zum Einsatz in Rollenrotationsmaschinen gewölbt (Rund-S.); nach verwendetem Material in Blei-, Kunststoff- oder Gummi-S. eingeteilt (→Druckverfahren, →Stereotypie).

Stereoagnosie [grch.] *die,* Unfähigkeit zur →Stereognostik bei erhaltener Sensibilität.

Stereochemie, Teilgebiet der Chemie, das sich mit dem räuml. (sterischen) Aufbau der Moleküle befasst. **Stereoisomere** sind Verbindungen, deren Moleküle gleiche Summenformel und Konstitution haben, deren Atome sich aber in der räuml. Anordnung (→Konfiguration, →Konformation) unterscheiden (→Isomerie). Eine **cis-trans-Isomerie** tritt z.B. bei Verbindungen auf, in denen Paare von Atomen oder Atomgruppen über eine Doppelbindung starr miteinander verbunden sind. Die Atome oder Atomgruppen haben bei der cis-Form den kleineren, bei der trans-Form den größeren

Sterblichkeit in ausgewählten Staaten[1]

Staat	1881–90	1920	1960	1990	1995
Belgien	20,6	13,9	12,5	10,5	10,5
Dänemark	18,3	11,4	9,5	11,9	12,1
Deutschland	25,1[2]	13,9[2]	12,0[3]	11,6	10,8
Finnland	–	17,0	9,0	10,0	9,6
Frankreich	29,5	17,2	11,4	9,3	9,1
Großbritannien	19,2[4]	12,4	11,5	11,2	11,0
Italien	27,1	18,8	9,6	9,6	9,5
Niederlande	21,0	12,0	7,6	8,6	8,8
Österreich	–	19,0	12,7	10,7	10,1
Russland	–	–	7,4	11,2	14,9
Schweden	16,9	13,3	10,0	11,1	10,6
Schweiz	20,8	14,4	9,7	9,5	9,0
Spanien	31,8	23,1	8,6	8,6	8,8
Australien	–	9,8	8,6	7,0	6,9
Japan	–	25,8	7,6	6,6	7,4
USA	–	13,0	9,5	8,6	8,8

[1] Gestorbene auf 1000 Ew. – [2] Deutsches Reich. – [3] 1960–95 alte und neue Bundesländer. – [4] England und Wales

Sterblichkeit: Sterberate in Deutschland 1989 und 95[*]

Alter	männlich		weiblich	
	1989	1995	1989	1995
0 bis unter 1	8,5	5,9	6,4	4,6
1 bis unter 5	0,4	0,3	0,3	0,3
5 bis unter 10	0,2	0,2	0,2	0,1
10 bis unter 15	0,2	0,2	0,1	0,1
15 bis unter 20	0,7	0,8	0,3	0,3
20 bis unter 25	1,0	1,0	0,4	0,4
25 bis unter 30	1,0	1,0	0,4	0,4
30 bis unter 35	1,3	1,3	0,6	0,6
35 bis unter 40	1,7	1,9	1,0	0,9
40 bis unter 45	2,6	2,9	1,5	1,5
45 bis unter 50	4,4	4,3	2,3	2,2
50 bis unter 55	7,1	6,9	3,5	3,4
55 bis unter 60	11,9	10,8	5,4	4,9
60 bis unter 65	18,6	17,9	8,5	8,1
65 bis unter 70	30,2	28,3	14,4	13,4
70 bis unter 75	47,0	44,4	24,7	23,3
75 bis unter 80	76,5	69,3	44,2	40,7
80 bis unter 85	125,3	115,6	82,3	76,5
85 bis unter 90	191,8	180,5	145,1	136,7
90 und darüber	306,6	273,7	256,2	244,1
insgesamt	10,9	10,3	11,6	11,3

[*] Gestorbene eines Jahres auf 1000 Lebende gleichen Alters

Abstand zueinander. **Enantiomerie (Spiegelbildisomerie)** liegt vor, wenn sich zwei Moleküle wie Bild und Spiegelbild zueinander verhalten. Sie tritt auf, wenn vier versch. Atome oder Atomgruppen tetraedrisch um ein Zentralatom (Chiralitätszentrum) angeordnet sind. Ist das Zentralatom ein Kohlenstoffatom, wird es asymmetr. Kohlenstoff-(C-)Atom genannt. Enantiomere zeigen → optische Aktivität und werden deshalb auch opt. Isomere genannt. Optisch aktive Verbindungen drehen die Schwingungsebene des linear polarisierten Lichtes. Eine Verbindung ist rechtsdrehend (gekennzeichnet mit +), wenn die Polarisationsebene im Uhrzeigersinn, und linksdrehend (–), wenn sie entgegen dem Uhrzeigersinn gedreht wird. Die Konfiguration am asymmetr. C-Atom bezeichnet man unabhängig vom Drehsinn der Verbindung mit D- (von lat. dexter »rechts«), wenn sie der des rechtsdrehenden, mit L- (von lat. laevus »links«), wenn sie der des linksdrehenden Glycerinaldehyds entspricht (D/L-Nomenklatur). (→ Asymmetrie)

Stereofilm, kinematograph. Film, der mit stereoskop. Verfahren aufgenommen und wiedergegeben wird, sodass die Betrachtung räuml. Bewegungsvorgänge **(dreidimensionaler Film, 3-D-Film)** möglich ist. Analog zu dem in der Stereoskopie übl. Anaglyphenverfahren oder mit Polarisatoren werden beim S. jedem Auge die zugehörigen Halbbilder mit entsprechend hoher Bildfrequenz zugeführt. Eine spezielle Brille ist für das Anaglyphenverfahren erforderlich. Zur Darstellung räuml. Bewegungsabläufe auf dem Fernsehschirm **(Stereofernsehen, 3-D-Fernsehen)** wurden versch. Verfahren entwickelt, die sich jedoch nicht durchsetzen konnten.

Stereofotografie (Raumbildfotografie), → Stereoskopie.

Stereognostik [grch.] *die,* Fähigkeit zum Formerkennen mithilfe des Tastsinns der Haut und der Stellungsempfindung der Glieder (Tiefensensibilität).

Stereometrie [grch.] *die,* Elementargeometrie des dreidimensionalen euklid. Raumes, insbesondere die Geometrie der räuml. Gebilde.

Stereophonie [grch.] *die,* elektroakust. Verfahren zur annähernd richtungstreuen Schallübertragung. Der Schall von mehreren Teilschallquellen (z. B. den Instrumentengruppen eines Orchesters) wird von zwei oder mehr Mikrofonen getrennt aufgenommen, in elektr. Spannungen umgewandelt, übertragen und im Wiedergaberaum über zwei getrennte, symmetrisch vor dem Hörer aufgestellte Lautsprecher abgestrahlt. Dadurch ist für den Hörer eine Richtungsbestimmung der Teilschallquellen möglich. Das Prinzip der S. beruht darauf, dass Unterschiede der Schalllaufzeit und -intensität, die beim direkten Hören zw. beiden Ohren auftreten, vom Aufnahmeort der Mikrofone zu den Lautsprechern übertragen werden. – Mit weiteren Mikrofonen im Aufnahmesaal kann man den Raumschall aufnehmen und eine wirklichkeitsgetreuere Übertragung erreichen (Ambiophonie, Quadrophonie). Bei der **kopfbezogenen S. (Kunstkopf-S.)** benutzt man zur Aufnahme zwei Mikrofone, die sich in einem nachgebildeten menschl. Kopf (Kunstkopf) befinden; die Wiedergabe erfolgt mit hochwertigen Stereokopfhörern. Bei **raumbezogener S.** versucht man, das Schallfeld des Aufnahmeraumes über Lautsprecher in den Wiedergaberaum zu vermitteln. Zu diesem Zweck werden so viele Mikrofone im Aufnahmeraum verteilt aufgestellt, wie Übertragungskanäle vorhanden sind (**AB-Verfahren**). Die Laufzeitunterschiede des Schalls, die zw. den Mikrofonen entstehen, werden übertragen (**Laufzeit-S.**). Die Anordnung der Lautsprecher muss der der ihnen zugeordneten Mikrofone entsprechen. Wenn nur ein Übertragungskanal vorhanden ist, lässt sich ein scheinbar räuml. Klangein-

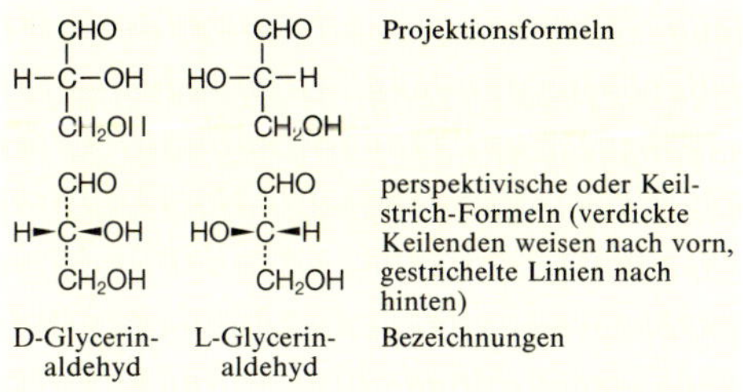

Stereochemie: Enantiomerie (Spiegelbildisomerie) am Beispiel von Glycerinaldehyd; bei der Projektionsformel (oben) liegen das Chiralitätszentrum in der Projektionsebene (Zeichenebene), die »horizontalen« Bindungen zu den Substituenten rechts und links oberhalb und die »vertikalen« Bindungen unten und oben unterhalb der Projektionsebene

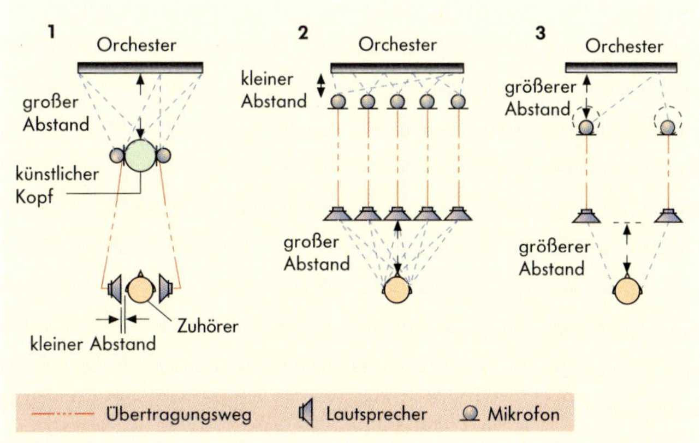

Stereophonie: Schema der Kunstkopf- (1) und der raumbezogenen Stereophonie mit fünf (2) und zwei (3) Übertragungswegen (Laufzeitstereophonie)

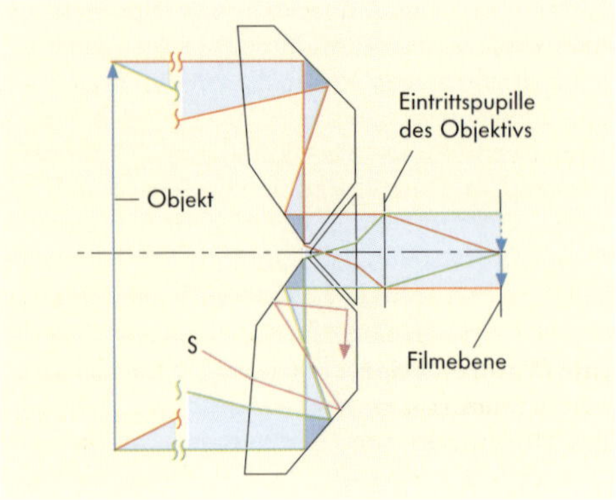

Stereoskopie (von links): Der Stereovorsatz wird vor dem Objektiv einer normalen Spiegelreflexkamera befestigt; Strahlengang in einem Stereovorsatz, unter größerem Winkel einfallende Strahlen S werden durch Totalreflexion ausgeschaltet, wodurch eine Überlappung der Teilbilder verhindert wird

druck **(Pseudo-S.)** mit besonderen Lautsprecheranordnungen und elektroakust. Mitteln (z.B. Schallverzögerungsgerät) erreichen.

📖 GERNEMANN, A.: *Messtechn. Untersuchungen der akust. Vorgänge beim natürl. Hören im Vergleich zu den Vorgängen bei der Laufzeit- u. »Intensitäts«-S. Aachen 1995.* – BAUER, D.: *Untersuchungen zur Ähnlichkeit digitaler Stereo-Signale bei hochwertiger Musikwiedergabe. Erlangen 1996.*

Stereoskop [grch.] *das,* Gerät, das dem rechten und dem linken Auge je ein Bild eines stereoskop. Bildpaares vermittelt, oft mithilfe von zwei Lupen.

Stereoskopie [grch.] *die* (Raumbildverfahren), Verfahren zur Herstellung von Bildern, bei deren Wiedergabe **(Stereoprojektion)** wie beim natürl. Sehen jedem Auge nur das ihm zugeordnete Teilbild vermittelt wird, wodurch im Gehirn ein räuml. Eindruck entsteht. Bei der Aufnahme werden entweder zusammengebaute Einzelkameras verwendet oder durch ein Vorsatzgerät vor eine normale Kamera zwei Teilbilder vom halben Bildformat hergestellt. Die Teilbilder liegen nebeneinander, ineinander oder übereinander. Zur Wiedergabe können die Stereobildpaare mit dem →Stereoskop betrachtet werden. Größere Bedeutung haben Verfahren, die eine Brille mit zwei verschiedenen Gläsern benutzen. Beim Anaglyphenverfahren werden die beiden Halbbilder durch komplementär gefärbte Filter projiziert, der Betrachter trägt eine Brille mit komplementär gefärbten Gläsern. Werden polarisiertes Licht und eine entsprechende Brille verwendet, spricht man vom Vektographenverfahren. Bei der freisichtigen S. (ohne Brille) werden beide Halbbilder streifenweise ineinander geschachtelt und das »falsche« Bild durch einen Raster verdeckt, durch dessen Zwischenräume jedes Auge nur die Streifen des »richtigen« Bildes sieht.

stereoskopisches Sehen, räuml. Sehen, vermittelt bes. durch die Kooperation der beiden Augen (zweiäugiges Sehen, Binokularsehen), wobei das Objekt von jedem Auge unter einem etwas versch. Blickwinkel gesehen wird (→binokular).

stereotaktische Operation, Gehirnoperation, bei der mithilfe eines am Kopf des Patienten befestigten Zielgerätes eine Sonde oder Elektrode durch eine kleine, in den knöchernen Schädel gebohrte Öffnung unter Schonung benachbarter empfindl. Strukturen (Gehirngewebe, Gefäße) zu einer tief liegenden Hirnbahn oder einem Nervenkern vorgeschoben wird, die aus therapeut. Gründen unterbrochen oder ausgeschaltet werden soll. Mit dem stereotakt. Zielgerät kann jeder Punkt im Gehirn genau erreicht werden. Die s. O. wird am Röntgenfernsehschirm kontrolliert.

Stereotyp [grch.] *das, Sozialwissenschaft:* vereinfachende, verallgemeinernde, schemat. Reduzierung einer Erfahrung, Meinung oder Vorstellung auf ein (meist verfestigtes, oft ungerechtfertigtes und gefühlsmäßig beladenes) Vorurteil über sich selbst oder über andere.

Stereotypie [grch.] *die,* **1)** *Drucktechnik:* Verfahren zur mechan. Abformung von Buchdruckformen (Satz oder Druckplatten) durch Abformen in Maternpappe und Ausgießen der gewonnenen Form z.B. mit einer Bleilegierung. Die Abformung wird Stereo genannt.

2) *Psychologie:* erstarrte Form von motor. und sprachl. Abläufen, die bei stärkerer Ausprägung auf psychot. Erkrankungen beruhen können.

steril [lat.], 1) keimfrei, aseptisch; 2) unfruchtbar, nicht fortpflanzungsfähig.

Sterilisation [lat.] *die,* **1)** *Hygiene:* (Entkeimung) die vollständige Abtötung sämtl. Mikroorganismen, einschl. ihrer Dauerformen und Sporen, im Unterschied zu der lediglich auf Inaktivierung zielenden Desinfektion. S. erfolgt durch versch. Verfahren, z.B. durch Erhitzen auf Temperaturen über 100 °C im Sterilisator (Autoklav).

2) *Medizin:* beim Menschen und bei Tieren das operative Unfruchtbarmachen, bei dem im Unterschied zur Kastration die Keimdrüsen (Hoden, Eierstöcke), die Geschlechtsorgane sowie der Sexualtrieb erhalten bleiben. Die S. stellt die sicherste Form der →Empfängnisverhütung dar. Die Eingriffe zur S. des Mannes sind einfacher als diejenigen bei der Frau; sie bestehen in einer **Vasektomie (Vasoresektion),** bei der unter Lokalanästhesie ein Stück (1–2 cm) des Samenleiters im Bereich des Hodensacks oder der Leisten entfernt wird. Bei der S. der Frau wird die Durchgängigkeit der Eileiter aufgehoben **(Tubensterilisation).**

Rechtlich unterliegt die freiwillige S. keiner Strafvorschrift; die S. eines Minderjährigen ist unzulässig (§ 1631c BGB). Die Voraussetzungen für die S. eines unter →Betreuung Stehenden sind im § 1905 BGB enthalten. Gesetzlich geregelt (durch Gesetz über die freiwillige Kastration u.a. Behandlungsmethoden vom 15. 8. 1969) ist u.a. die Kastration des Mannes (ab dem 25. Lebensjahr), wenn es sich um eine »gegen die Auswirkungen eines abnormen Geschlechtstriebes gerichtete Behandlung« handelt.

Sterilität [lat.] *die,* 1) *Biologie, Medizin:* (Unfruchtbarkeit) die Unfähigkeit, Nachkommen über eine Befruchtung zu erzeugen (Ggs. Fertilität, →Fruchtbarkeit). Als natürl. Ursache gelten Krankheiten und Fehlbildungen der Geschlechtsorgane, Hormonstörungen, Mutationen, chem. und chromosomale Unterschiede und Unverträglichkeiten zw. den Gameten sowie beim Menschen auch psych. Störungen (→Impotenz). Außerdem ist es möglich, S. künstlich herbeizuführen (→Sterilisation).

2) *Mikrobiologie, Medizin, Lebensmitteltechnik:* die Keimfreiheit, d.h. das Freisein von lebenden Mikroorganismen (einschl. Sporen) in oder auf einem Material.

Sterine [grch.] (Sterole), Steroide mit 27–30 C-Atomen und mit einer Hydroxylgruppe am 3. C-Atom des Steroidgrundskeletts, die deshalb formal Alkohole sind. Die S. sind in der Natur frei als Ester oder Glykoside sehr verbreitet. Tier. S. heißen **Zoo-S.** (z.B. Cholesterin), pflanzl. **Phyto-S.** (z.B. Sitosterin). Von ihnen kann man die S. aus Pilzen, als **Myko-S.** (z.B. Ergosterin), abtrennen. S. spielen in der Pharmakologie eine Rolle.

Sterke (Starke), junge Kuh, die noch nicht gekalbt hat.

Sterkulilengewächse (Stinkbaumgewächse, Sterculiaceae), Pflanzenfamilie der Zweikeimblättrigen, überwiegend in den Tropen; Bäume, Sträucher oder Kräuter; häufig fehlen die Kronblätter der Blüten; die Früchte zerfallen häufig in Teilfrüchte; wichtigste Gattungen: Stink-, Kakao- und Kolabaum.

Sterl, Robert Hermann, Maler und Grafiker, *Großdobritz (bei Meißen) 23. 6. 1867, †Naundorf (bei Pirna) 10. 1. 1932; lehrte 1904–32 an der Dresdner Kunstakademie; bed. Vertreter des dt. Impressionismus (Bildnisse, Landschaften, v.a. Motive aus der Arbeitswelt und aus Konzertsälen).

Sterlet [russ.] *der* (Acipenser ruthenus), Art der →Störe in Gewässern O-Europas, bis 1 m lang, schlank, Schnauze lang und spitz, mit vier Bartfäden; Speisefisch.

Sterling ['stɜːlɪŋ, engl.] *der,* altengl. Silbermünze, hat sich als **Pfund Sterling** (£, →Pfund) in der brit. Währungsbez. erhalten.

Sterlingblock ['stɜːlɪŋ-], Gesamtheit der Länder (meist Länder des Commonwealth), deren Währungen mit dem Pfund Sterling zu gemeinsamer Währungs- und Devisenpolitik verbunden sind und die ihre Währungsreserven zentral in London halten. Der S. wurde 1931 begründet und mit Beginn des 2. Weltkrieges institutionalisiert. Mit zunehmender Verselbstständigung der Mitgliedsländer (»Scheduled Territories«) verminderte sich die Rolle des Pfund Sterling als Reserve- und Leitwährung.

Sterlitamak, Stadt in Baschkortostan, Russ. Föderation, an der Belaja, 252 200 Ew.; chem. (Erdölverarbeitung, synthet. Kautschuk), Maschinenbau-, Leichtind.; Hafen.

Stern, →Sterne.

Stern, Illustrierte, 1948 in Hannover von H. Nannen als politisch engagiertes Unterhaltungsblatt entwickelt; Sitz: Hamburg.

Stern, 1) Horst, Journalist und Schriftsteller, *Stettin 24. 10. 1922; bekannt durch kritisch engagierte Fernsehsendungen über Tiere (»Sterns Stunde«); im Natur- und Umweltschutz tätig (z.B. Gründung der Zeitschrift »Natur«); schrieb u.a. »Bemerkungen über Pferde« (1971); »Bemerkungen über Hunde« (1971); »Bemerkungen über Bienen« (1971); »Tierversuche in der Pharmaforschung« (1979); »Mann aus Apulien« (1986); »Klint« (R., 1993).

Isaac Stern

2) [stɜːn], Isaac, amerikan. Violinist ukrain. Herkunft, *Kremenez (Ukraine) 21. 7. 1920; konzertierte als Solist in der ganzen Welt; Trio mit dem Pianisten E. Istomin und dem Cellisten L. Rose.

Otto Stern

3) Otto, amerikan. Physiker dt. Herkunft, *Sohrau in Oberschlesien (heute Żory, bei Rybnik) 17.2. 1888, †Berkeley (Calif.) 17. 8. 1969; bestimmte 1921 gemeinsam mit W. Gerlach die Richtungsquantelung des Elektronenspins und die Größe des mit dem Spin verknüpften magnet. Moments des Elektrons durch Ablenkung und Aufspaltung eines Strahls von Silberatomen in einem inhomogenen Magnetfeld **(Stern-Gerlach-Versuch);** ermittelte

Josef von Sternberg

ab 1933 mit der Molekularstrahlmethode das magnet. Moment des Protons; Nobelpreis für Physik 1943.

4) [stɔːn], Robert A. M. (Arthur Morton), amerikan. Architekt, Architekturkritiker und -theoretiker, *New York 23. 5. 1939; bed. Vertreter der postmodernen Architektur, schuf u. a. Bauten für Disney World, Fla. (1989/90) und für Euro Disneyland bei Paris (1990–92).

5) William Louis, amerikan. Philosoph und Psychologe dt. Herkunft, *Berlin 29. 4. 1871, †Durham (N. C.) 27. 3. 1938; arbeitete auf den Gebieten der Kinder-, Jugendpsychologie, entwickelte die differenzielle Psychologie; vertrat einen philosoph. Personalismus. – *Werke:* Die differentielle Psychologie in ihren method. Grundlagen (1911, Neuausg. von »Über Psychologie der individuellen Differenzen«, 1900); Psychologie der frühen Kindheit bis zum sechsten Lebensjahre (1914); Allg. Psychologie auf personalist. Grundlage (1935).

Dolf Sternberger

Stern|assoziation, → Sternhaufen.

Stẹrnberg, 1) Stadt im Landkreis Parchim, Meckl.-Vorp., am SW-Ufer des Sternberger Sees ($4\,km^2$), 4900 Ew.; landwirtsch. und Holz verarbeitende Betriebe, Pelztierfarm. – Frühgot. Stadtkirche (13. Jh.), Fachwerkhäuser des 18. und 19. Jh. – Zw. 1240 und 1250 als Stadt angelegt; war bis 1994 Kreisstadt.

2) Stadt in der Tschech. Rep., → Šternberk.

Sternberg ['stɔːnbɔːg], Josef von, amerikan. Filmregisseur österr. Herkunft, *Wien 29. 5. 1894, †Los Angeles (Calif.) 22. 12. 1969; wanderte mit seinen Eltern 1908 in die USA aus, prägte maßgebend den Hollywoodstil der frühen Dreißigerjahre (»Unterwelt«, 1927; »Sein letzter Befehl«, 1928); mit dem Film »Der blaue Engel« (1930) »Entdecker« und Regisseur von Marlene Dietrich.

Sternbilder

Offenbar haben schon die Menschen der Vorzeit den Nachthimmel sehr genau beobachtet. Prähistorische Höhlenmalereien zeigen jedenfalls auch deutlich erkennbare Darstellungen verschiedener Sternbilder. Warum aber die damaligen Maler das Sternenchaos durch gedachte Figuren ordnen wollten und dies zudem in Zeichnungen festhielten, das wissen wir nicht so genau.
Als Erklärung wird oft die Angst vor Naturereignissen vorgebracht, die den Menschen bedrohlich erschienen und die sie nicht erklären konnten, also etwa Sonnenfinsternisse und Kometen. Nach dieser Sichtweise verbanden die Menschen der Vorzeit mit den Sternen Gottheiten, die es zu verehren und besänftigen galt. Demnach wäre die Geburt der Astronomie eng verknüpft mit astrologischen und religiösen Vorstellungen. Andererseits spielten vermutlich auch ganz praktische Erwägungen eine wesentliche Rolle. Denn der Lauf von Sonne und Mond lieferte das erste Maß, mit dem der Mensch seine Zeit bestimmen und einteilen konnte. Der jahreszeitliche Lauf bestimmter Sterne aber diente zumindest in den frühen Hochkulturen bereits als wichtige Orientierungshilfe, etwa für die Bewässerungslandwirtschaft. Dort entwickelte sich dann auch eine erste Blüte der Astronomie.

Josef von Sternberg: Szenenfoto aus dem Film »Der Blaue Engel« mit Marlene Dietrich (1939)

Stẹrnberger, Dolf, Publizist und Politologe, *Wiesbaden 28. 7. 1907, †Frankfurt am Main 27. 7. 1989; war 1950–58 Mithg. der Ztschr. »Gegenwart«, seit 1955 Prof. in Heidelberg; begründete eine Politiktheorie auf der Grundlage eines »Verfassungspatriotismus«. – *Werke:* Panorama oder Ansichten vom 19. Jh. (1938); Grund und Abgrund der Macht (1962); Heinrich Heine und die Abschaffung der Sünde (1972); Machiavellis »Principe« und der Begriff des Politischen (1974).

Šternberk [ʃt-] (dt. Sternberg), Stadt im Nordmähr. Gebiet, Tschech. Rep., 17000 Ew.; Tabak-, Uhrenfabrik. – Die Burg (um 1560 zum Schloss ausgebaut) ist Museum und Galerie. – S. wurde 1241 von den Herren von Sternberg neben ihrer Burg gegründet.

Sternbilder, i. w. S. bildhaft zusammengefasste Gruppen von am Himmel benachbarten Sternen; im engeren, wiss. Sinn 1925 von der Internat. Astronom. Union durch Stunden- und Deklinationskreise so festgelegte Gebiete an der Sphäre, dass jedes Sternbild mindestens einen hellen Hauptstern enthält. Die helleren Sterne (etwa bis zur 4. Größenklasse) werden mithilfe grch. Buchstaben und der lat. Sternbildnamen bezeichnet (z. B. α Orionis oder α Ori). Es gibt heute 88 S., davon 30 nördl., 47 südl. und 11 beiderseits des Himmelsäquators. Entsprechend der jeweiligen Position der Erde bei ihrem Umlauf um die Sonne können die meisten S. nur zu bestimmten Jahreszeiten beobachtet werden. Eine Ausnahme bilden die **Zirkumpolar-S.** in einem Kreis um den Himmelspol, der den Radius der geograph. Breite des jeweiligen Beobachtungsortes besitzt, die das ganze Jahr über gesehen werden können. Die Namen der S. des nördl. Himmels und der Äquatorzone stammen meist aus dem Altertum, während viele südl. S. erst von Johann Bayer (*1572, †1625) und Nicolas Louis de Lacaille (*1713, †1762) benannt wurden. Die in der →Ekliptik liegenden S. werden zum →Tierkreis zusammengefasst.

Stern der Weisen (Dreikönigsstern, Stern von Bethlehem), *N. T.:* nach Mt. 2,2 und 9f. eine Himmelserscheinung (»Stern«), die die Hl. →Drei Könige zur Anbetung Jesu nach Bethlehem geführt hat. Von der Astronomie werden ein Nova-Ausbruch, eine Kometenerscheinung, eine Jupiter-Saturn-Konjunktion im Sternbild Fische 7 v. Chr. oder auch eine extrem enge Begegnung des Jupiters mit der Venus am 17. 6. des Jahres 2 v. Chr. zur Erklärung des überlieferten Phänomens erörtert. INFO S. 310

Sterndeutung, die →Astrologie.

Sterndolde (Strenze, Astrantia), Gattung der Doldengewächse in Europa und W-Asien; Stauden mit meist handförmig gelappten oder eingeschnittenen Blättern und doldenförmigen Blüten. Einheimisch ist u. a. die 30–100 cm **Große S.** (Astrantia major) in Schluchtwäldern und auf Bergwiesen. BILD S. 311

Sternbilder[1)]

lateinischer Name (Abk.)	deutscher Name	Fläche (°)^{2}	Hellste Sterne
Andromeda (And)[2)]	Andromeda	722	
Antila (Ant)	Luftpumpe	239	
Apus (Aps)	Paradiesvogel	206	
Aquarius (Aqr)[3)]	Wassermann	980	
Aquila (Aql)[3)]	Adler	652	Atair
Ara (Ara)	Altar	237	
Aries (Ari)[2)]	Widder	441	
Auriga (Aur)[2)]	Fuhrmann	657	Capella
Bootes (Boo)[2)]	Bärenhüter	907	Arcturus
Caelum (Cae)	Grabstichel	125	
Camelopardalis (Cam)[2)]	Giraffe	757	
Cancer (Cnc)[2)]	Krebs	506	
Canes Venatici (CVn)[2)]	Jagdhunde	465	
Canis Maior (CMa)	Großer Hund	380	Sirius
Canis Minor (CMi)[2)]	Kleiner Hund	183	Procyon
Capricornus (Cap)	Steinbock	414	
Carina (Car)	Kiel des Schiffes	494	Canopus
Cassiopeia (Cas)[2)]	Kassiopeia	598	
Centaurus (Cen)	Kentaur	1 060	Alpha Centauri
Cepheus (Cep)[2)]	Kepheus	588	
Cetus (Cet)[3)]	Walfisch	1 231	
Chamaeleon (Cha)	Chamäleon	132	
Circinus (Cir)	Zirkel	93	
Columba (Col)	Taube	270	
Coma Berenices (Com)	Haar der Berenike	386	
Corona Australis (CrA)	Südliche Krone	128	
Corona Borealis (CrB)	Nördliche Krone	179	
Corvus (Crv)	Rabe	184	
Crater (Crt)	Becher	282	
Crux (Cru)	Kreuz (des Südens)	68	Acrux
Cygnus (Cyg)[2)]	Schwan	804	Deneb
Delphinus (Del)[2)]	Delphin	189	
Dorado (Dor)	Schwertfisch, Goldfisch	179	
Draco (Dra)[2)]	Drache	1 083	
Equueleus (Equ)[2)]	Füllen	72	
Eridanus (Eri)	(Fluss) Eridanus	1 138	Achernar
Fornax (For)	Chemischer Ofen	398	
Gemini (Gem)[2)]	Zwillinge	514	Pollux, Castor
Grus (Gru)	Kranich	366	
Hercules (Her)[2)]	Herkules	1 225	
Horologium (Hor)	Pendeluhr	249	
Hydra (Hya)[3)]	Nördliche Wasserschlange	1 303	
Hydrus (Hyi)	Südliche Wasserschlange	243	
Indus (Ind)	Indianer, Inder	294	
Lacerta (Lac)[2)]	Eidechse	201	
Leo (Maior) (Leo)[3)]	(Großer) Löwe	947	Regulus
Leo Minor (LMi)[2)]	Kleiner Löwe	232	
Lepus (Lep)	Hase	290	
Libra (Lib)	Waage	538	
Lupus (Lup)	Wolf	334	
Lynx (Lyn)[2)]	Luchs	545	
Lyra (Lyr.)[2)]	Leier	286	Wega
Mensa (Men)	Tafelberg	153	
Microscopium (Mic)	Mikroskop	210	
Monoceros (Mon)[3)]	Einhorn	482	
Musca (Mus)	Fliege	138	
Norma (Nor)	Winkelmaß	165	
Octans (Oct)	Oktant	291	
Ophiuchus (Oph)[3)]	Schlangenträger	948	
Orion (Ori)[3)]	Orion	594	Rigel, Beteigeuze
Pavo (Pav)	Pfau	378	
Pegasus (Peg)[2)]	Pegasus	1 121	
Perseus (Per)	Perseus	615	
Phoenix (Phe)	Phönix	469	
Pictor (Pic)	Maler	247	
Pisces (Psc)[3)]	Fische	889	
Piscis Austrinus (PsA)	Südlicher Fisch	245	Fomalhaut
Puppis (Pup)	Heck des Schiffes	673	
Pyxis (Pyx)	Kompass	221	
Reticulum (Ret)	Netz	114	
Sagitta (Sge)[2)]	Pfeil	80	
Sagittarius (Sgr)	Schütze	867	
Scorpius (Sco)	Skorpion	497	Antares
Sculptor (Scl)	Bildhauer	475	
Scutum (Sct)[3)]	Schild (des Sobieski)	109	
Serpens (Caput) (Ser)[3)]	(Kopf der) Schlange[4)]	429	
Serpens (Cauda) (Ser)[3)]	(Schwanz der) Schlange[4)]	208	
Sextans (Sex)[3)]	Sextant	314	
Taurus (Tau)[2)]	Stier	797	Aldebaran
Telescopium (Tel)	Fernrohr	252	
Triangulum (Tri)[2)]	Dreieck	132	
Triangulum Australe (TrA)	Südliches Dreieck	110	
Tucana (Tuc)	Tukan	295	
Ursa Maior (UMa)[2)]	Großer Bär	1 280	Alioth, Dubhe
Ursa Minor (UMi)[2)]	Kleiner Bär	256	Polarstern
Vela (Vel)	Segel des Schiffes	500	
Virgo (Vir)[3)]	Jungfrau	1 294	Spica
Volans (Vol)	Fliegender Fisch	141	
Vulpecula (Vul)[2)]	Fuchs	268	

[1)] die Artikel zu den Sternbildern sind unter dem deutschen Namen zu finden. – [2)] Lage des Sternbildes befindet sich am nördl. Himmel. – [3)] Lage teilweise am nördl. bzw. südl. Himmel; Sternbilder, die unbezeichnet sind, befinden sich am südl. Himmel. – [4)] Serpens/Schlange ist ein Sternbild mit zwei getrennten Teilen

Stern-Dreieck-Schaltung, Schaltungsanordnung beim Dreiphasen-Asynchronelektromotor derart, dass der Anlauf in Stern-, der Dauerbetrieb nach Umschaltung in Dreieckschaltung erfolgt.

Stern der Weisen

Eine der möglichen Theorien stellte der Astronom Johannes Kepler auf. Für ihn war es die dreimalige Konjunktion (Annäherung) der Planeten Saturn und Jupiter im Sternzeichen der Fische. Er selbst konnte sie 1603/04 beobachten und stellte fest, dass sie nur alle 805 Jahre eintrifft, das vorletzte Mal also 7 v. Chr.; eine nicht unwahrscheinliche zeitliche Fixierung von Christi Geburt, schreibt doch Matthäus, Jesus sei »zur Zeit des Herodes« zur Welt gekommen. Nach dem jüdischen Geschichtsschreiber Josephus Flavius ist Herodes in der Nacht vom 12. auf den 13. März im Jahre 4 v. Chr. gestorben.

Sterne, im astronom. Sinn selbstständig leuchtende Gaskugeln im Weltall, die im Inneren Energie freisetzen und von den übrigen, gleichfalls als leuchtende Punkte am Himmel erscheinenden Himmelskörpern unterschieden werden; umgangssprachlich werden gelegentlich auch diese (Ausnahme: Mond) als S. bezeichnet. Da ihre Eigenbewegung nur über längere Zeiträume feststellbar ist, nannte man S. früher auch **Fix-S.,** im Unterschied z.B. zu den Planeten (»Wandel-S.«) und Kometen (»Schweif-S.«). Nach der →Sonne ist der zur Erde nächstgelegene Stern Proxima Centauri (→Alpha Centauri) in 4,3 Lichtjahren Abstand. Wegen ihrer großen Entfernung können (Ausnahme: Sonne) nur für einige sehr große und nahe S. mithilfe der →Speckle-Interferometrie Oberflächeneinzelheiten ermittelt werden.

Aufbau und Zusammensetzung: Alle Informationen über die S., die in Form elektromagnet. Strahlung, insbesondere als Licht, zu uns gelangen, stammen aus deren äußersten, im Vergleich zum Durchmesser sehr dünnen Schichten, der **Sternatmosphäre.** In dieser entsteht das →Spektrum eines Sterns, aus dessen Analyse auf den Zustand der Atmosphäre geschlossen werden kann. Er wird durch der Beobachtung zugängliche Zustandsgrößen wie Masse, Dichte, Leuchtkraft, Temperatur, Rotationsperiode u.a. beschrieben, die in Zustandsdiagrammen, z.B. im →Hertzsprung-Russell-Diagramm, dargestellt werden. Der innere, nicht direkt beobachtbare Aufbau der S. lässt sich nur theoretisch über Modelle erschließen. S. bestehen v.a. aus Wasserstoff und Helium. Die Eigengravitation der S. führt im Zentralbereich zu extremen Druck- und Temperaturverhältnissen, bei denen →Kernfusionen stattfinden, die Wasserstoff in Helium überführen; ist die dabei frei werdende Energie mit der Gravitation im Gleichgewicht, so ist ein Stern stabil. Der weitere Verlauf der →Sternentwicklung hängt entscheidend von der Masse des Sterns ab, die über Zustandsgleichungen mit den übrigen Zustandsgrößen (z.B. →Masse-Leuchtkraft-Beziehung) verbunden ist.

Die physikal. Eigenschaften der S. streuen z.T. über einen sehr weiten Bereich: Ihre Massen liegen zw. etwa 0,05 und 50 Sonnenmassen, ihre Leuchtkraft reicht vom etwa 10^{-5}fachen bis zum 10^{5}fachen der Sonnenleuchtkraft bei extrem massereichen Sternen. Der Radius der S. liegt zw. dem etwa 0,01fachen und dem 2000fachen des Sonnenradius. Dabei sind die kollabierten Rest-S. am Ende der Sternentwicklung ausgenommen (→weiße Zwerge, →Neutronensterne, →schwarze Löcher). Die Oberflächentemperatur der S. schwankt zw. etwa 2500 und 100000 K, dementsprechend sind auch ihre Farben verschieden. Nach ihrer Helligkeit werden die S. in →Größenklassen, nach ihrem Spektrum in →Spektralklassen eingeteilt. Man unterscheidet **Riesen-** und **Zwerg-S.,** die bei gleicher Spektralklasse versch. Durchmesser und Leuchtkräfte haben. Die mittleren Dichten, von Extremfällen am Ende der Sternentwicklung abgesehen, erreichen Werte zw. 10^{-7} g/cm^3 und einigen g/cm^3. Die Schwerebeschleunigungen an der Oberfläche schwanken zw. 0,001 und dem Mehrfachen der Schwerebeschleunigung an der Sonnenoberfläche, die Rotationsgeschwindigkeit am Äquator zw. 1 und 500 km/s. Viele S. besitzen auch ein Magnetfeld, z.T. mit Feldstärken, die 1000-mal höher liegen als beim allg. Magnetfeld der Sonne **(magnet. S.).** – Ein geringer Teil der S. weist Veränderungen bestimmter Zustandsgrößen auf (→Veränderliche), zu denen z.B. die →Novae und →Supernovae gehören.

Sterne

Für das »Funkeln« der Sterne in einer klaren Nacht sind Schwankungen in der Luftdichte der Erdatmosphäre verantwortlich. Durch diese sog. Luftunruhe (oder »Seeing«) wird die Sichtlinie vom Beobachter aus um winzige Beträge verschoben. Sie wirkt sich nur bei kleinen Objekten wie den Sternen aus. Größere Objekte wie der Mond oder die Planeten (Wandelsterne) »funkeln« nicht.

Sterne

Wie kann man mit bloßem Auge die Temperatur von Sternen schätzen?

Durch ihre unterschiedliche Farbe. Die kühlsten Sterne mit einer Oberflächentemperatur von ca. 3000 Grad Celsius sind glühend rot. Die heißesten mit 10000 Grad Celsius und mehr strahlen blau.

Die weißgelbe Sonne – für die Astronomen ein »Gelber Zwerg« mittlerer Größe – hat in ihrer Photosphäre eine Temperatur von etwa 5700 Grad Celsius.

Die meisten S. entstehen nicht einzeln, sondern als Paare (→Doppelsterne) oder Gruppen (→Sternhaufen). Man schätzt, dass nahezu jeder zweite Stern Mitgl. eines Doppelstern- oder Mehrfachsystems ist. Die S. sind in Form von Galaxien (→Sternsysteme) verteilt.

📖 SCHEFFLER, H. *u.* ELSÄSSER, H.: *Physik der S. u. der Sonne. Mannheim u. a.* ^{2}*1990. – S., bearb. v.* P. DANIELS. *Amsterdam* ^{5}*1991. – Weitere Literatur: →Astronomie.*

Sterne [stəːn], Laurence, engl. Schriftsteller, *Clonmel (Irland) 24. 11. 1713, †London 18. 3. 1768; ab 1741 Pfarrer, später Domherr in Yorkshire, bedeutendster engl. Erzähler zw. Aufklärung und Empfindsamkeit. Sein Roman »Tristram Shandys

Laurence Sterne: zeitgenössischer Kupferstich nach einem Gemälde von Joshua Reynolds (1760)

Leben und Meynungen ...« (9 Bde., 1759–67) begründete die Tradition des experimentellen Romans; an die Stelle äußerer Handlung tritt der Bewusstseinsstrom (→Stream of Consciousness) des Ich-Erzählers, der ironisch über die Niederschrift seiner Autobiographie reflektiert; wirkte bes. auf Jean Paul, im 20. Jh. auf J. Joyce und M. Proust. Sein Fragment gebliebener Reisebericht »Yoricks empfindsame Reise durch Frankreich und Italien« (2 Bde., 1768) wurde zu einem Modebuch des Sentimentalismus und der Empfindsamkeit.

Sternenbanner, →Stars and Stripes.

Stern|entfernungen, die Abstände der Sterne von einem Bezugssystem. Sie werden i. Allg. in Lichtjahren (Lj) oder Parsec (pc) angegeben und über eine Vielzahl v. a. indirekter (trigonometr., photometr.) Methoden bestimmt. (→Parallaxe)

Stern|entwicklung, die zeitl. Entwicklung des physikal. Zustandes und der chem. Zusammensetzung eines Sterns. Sterne entstehen beim Gravitationskollaps von diffusen interstellaren Gas- und Staubwolken, sofern diese eine bestimmte, von der Temperatur und Dichte abhängige krit. Mindestmasse haben. Es wird angenommen, dass z. B. Dichteschwankungen in den Materiewolken oder die Verdichtung durch die von einer nahen Supernova ausgehenden Schockwellen zum Kollaps führen. In dessen Verlauf zerfällt (fragmentiert) die Wolke in zahlr., sich weiter zusammenziehende Dichtezentren, die sich so weit aufheizen, dass aus ihnen schließlich **Protosterne** hervorgehen können. Möglicherweise sind die →Globulen solche zur Sternentstehung führenden Verdichtungen. Die weitere Kontraktion erhöht die Temperatur im Innern der Protosterne, bis sie bei Objekten von Sonnenmasse in etwa 100 Mio. Jahren, bei solchen mit 2,5facher Sonnenmasse in etwa 2 Mio. Jahren etwa 15 Mio. K erreicht. Dann beginnen die Prozesse der Energieerzeugung durch Kernfusion, wobei Wasserstoff in Helium umgewandelt wird (»Wasserstoffbrennen«). Unterhalb von 15 Mio. K überwiegt die →Proton-Proton-Reaktion, oberhalb von 15 Mio. K gehorcht die Umwandlung in erster Linie dem →Bethe-Weizsäcker-Zyklus. Es bildet sich ein Gleichgewicht zw. der Energieerzeugung und der Ausstrahlung, die umso größer ist, je mehr Masse der Stern besitzt. Die Energieerzeugung ist auf ein relativ kleines Kerngebiet des Sterns beschränkt, das nur rd. 10 % des Wasserstoffvorrats enthält. In diesem Zustand befindet sich der Stern auf der Hauptreihe des Hertzsprung-Russell-Diagramms; er ist voll entwickelt. Wenn von der Lebensdauer eines Sterns gesprochen wird, ist üblicherweise das längste Stadium der S. (etwa 10^{6}–10^{11} Jahre) gemeint. Wenn der Wasserstoff des Kerns in Helium verwandelt ist, nehmen Leuchtkraft und Radius zu, die Oberflächentemperatur nimmt ab; da zw. Kern und äußerer Sternhülle kein Materieaustausch stattfindet, verlagert sich die Fusionszone in Richtung Sternoberfläche (»Wasserstoffschalenbrennen«). Der Stern wird zum Roten Riesen, wobei der Heliumkern infolge des Absinkens von Gas- und Strahlungsdruck kontrahiert und heißer wird (über 100 Mio. K), bis schließlich im Zentralgebiet des Sterns die Fusion von Helium zu Kohlenstoff mit geringerer und vergleichsweise kurzzeitiger Energieabgabe einsetzt (»Heliumbrennen«, →Drei-Alpha-

Sterndolde: Große Sterndolde (Höhe 30–100 cm)

Lawrence Sterne

»Tristram Shandy«

Die fiktive Autobiographie, die die Gedanken des (vergeblich) um Objektivität bemühten Tristram Shandy in ihrer Sprunghaftigkeit spiegelt, ist durch eine Fülle eingestreuter Anekdoten, Reflexionen (auch über den Schreibprozess selbst) und Abschweifungen geprägt: So wird etwa Tristrams Geburt nicht vor dem vierten Buch geschildert, da zuvor noch Exkurse über die Zeugung, die Hebamme, den elterlichen Ehevertrag, den Pfarrer Yorick, aber auch über Embryos, Knoten, Flüche, Nasen usw. im Allgemeinen »erforderlich« sind. Die ironisch-humoristische, teils frivole Grundhaltung betont das Recht des Einzelnen auf Subjektivität und Skurrilität.

Sternhaufen: Kugelsternhaufen, wie hier ω Centauri im Sternbild Kentaur, gehören zu den ältesten Objekten des Milchstraßensystems; die Aufnahme entstand am Boyden-Observatorium in Bloemfontein in Südafrika

Prozess). Das Stadium des Roten Riesen wird bei sehr massereichen Sternen bereits nach einigen Mio. Jahren, bei der Sonne nach etwa 7 Mrd. Jahren und bei den roten Zwergsternen erst nach über 10 Mrd. Jahren erreicht.

Nach dem Stadium der Heliumfusion steigt bei massearmen Sternen die Zentraltemperatur nicht weit genug an, um die Kohlenstofffusion (»Kohlenstoffbrennen«) in Gang zu setzen. Die äußeren Bereiche des Sterns kontrahieren und kühlen ab, sodass der Stern unter Bildung eines planetar. Nebels zu einem →Weißen Zwerg wird. Bei massereichen Sternen führt die Kontraktion des Kohlenstoffkerns zu weiteren Formen der Kernfusion, die beendet sind, sobald der Stern nur noch aus chem. Elementen besteht, die sich im Periodensystem in der Nähe von Eisen befinden. Hat der Stern das Ende seiner thermonuklearen Entwicklung erreicht und erzeugt deshalb keinen Druck mehr, der der eigenen Massenanziehung das Gleichgewicht hält, stürzt er in sich zusammen **(Gravitationskollaps).** Dabei können äußere Schichten des Sterns explosionsartig fortgeblasen werden (→Supernova), sodass er Masse verliert. Je nach der Masse des Reststerns bildet sich bei weniger als 1,4 Sonnenmassen ein Weißer Zwerg, zw. etwa 1,4 und 2,5 Sonnenmassen ein →Neutronenstern und bei mehr als etwa 2,5 Sonnenmassen ein →Schwarzes Loch.

Sternfahrt, *Motorsport:* →Rallye.

Stern-Gerlach-Versuch, →Stern, Otto.

Sternhaufen, Ansammlung einer größeren Anzahl physikalisch zusammengehörender, gravitativ gebundener Sterne, die gemeinsam entstanden sind. **Offene S.** sind relativ lockere Sternansammlungen von etwa 10 bis 1 000 Sternen, die sich zum Zentrum hin mäßig konzentrieren und Durchmesser von 1 bis 20 pc aufweisen. Sie treten v.a. in der galakt. Ebene des Milchstraßensystems auf **(galakt. Haufen).** Von den dort auf etwa 10 000 geschätzten offenen S. sind wegen der vielen Dunkelwolken nur etwa 1000 sichtbar; bekannte Beispiele sind die Plejaden, die Hyaden und die Praesepe (Krippe). Diese gehören auch zu den **Bewegungs-S.,** deren Mitgl. durch gleiche Bewegungsrichtung und Geschwindigkeit auf einen gemeinsamen Zielpunkt hin charakterisiert sind. Offene S. sind nicht stabil. Die Sterne gehören, abgesehen von einigen Riesensternen, der Hauptreihe im →Hertzsprung-Russell-Diagramm an. Ihr Alter liegt etwa zw. 10^6 und 10^9 Jahren; die ältesten werden als Übergangsformen zu den **Kugel-S. (Kugelhaufen)** angesehen, die mit einem Alter von etwa 12–14 Mrd. Jahren zu den ältesten Objekten der Milchstraße gehören. Die etwa 125 sehr stabilen kugelförmigen S. des Milchstraßensystems dürften aus 50 000 bis 50 Mio. Sternen bestehen. Beispiele sind der große Kugelhaufen im Sternbild Herkules und ω Centauri im Sternbild Kentaur. Die Kugel-S. bewegen sich offenbar auf riesigen, stark exzentr. Ellipsen um das galakt. Zentrum des Milchstraßensystems und haben in diesem eine etwa sphärisch symmetr. Verteilung im galakt. Halo. Ihre Durchmesser betragen rd. 15–150 pc. In ihren Außenbezirken dürfte die Sterndichte etwa 50-mal so groß sein wie in der Sonnenumgebung und etwa von der gleichen Größenordnung wie in offenen S. – I. w. S. zählt man auch **Sternassoziationen (Assoziationen)** zu den S., lockere Sterngruppen, die weniger kompakt als S. sind. Ihre Zusammengehörigkeit ist an ihrem Bewegungsverhalten im Raum und an ihren Spektren zu erkennen.

Sternheim, Carl, Schriftsteller, *Leipzig 1. 4. 1878, †Brüssel 3. 11. 1942; karikiert in seinen grotesk-expressionist., satir. Werken die philisterhafte bürgerl. Gesellschaft der Wilhelmin. Ära, v.a. in der Komödienreihe »Aus dem bürgerl. Heldenleben« (»Die Hose«, 1911; »Die Kassette«, 1912; »Bürger Schippel«, 1913; »Der Snob«, 1914); preist aber andererseits den Willen zur selbstherrlichen Verwirklichung des Individuums (»Tabula rasa«, Schauspiel, 1916). 1933 wurde sein Gesamtwerk verboten; schrieb auch expressionist. Erzählungen, den Roman »Europa« (2 Bde., 1919–20) und Essays. BILD S. 314

Sternkarten (Himmelskarten), kartographische Darstellungen von Teilen der Himmelssphäre, in denen die Sterne u.a. Objekte (z.B. Ga-

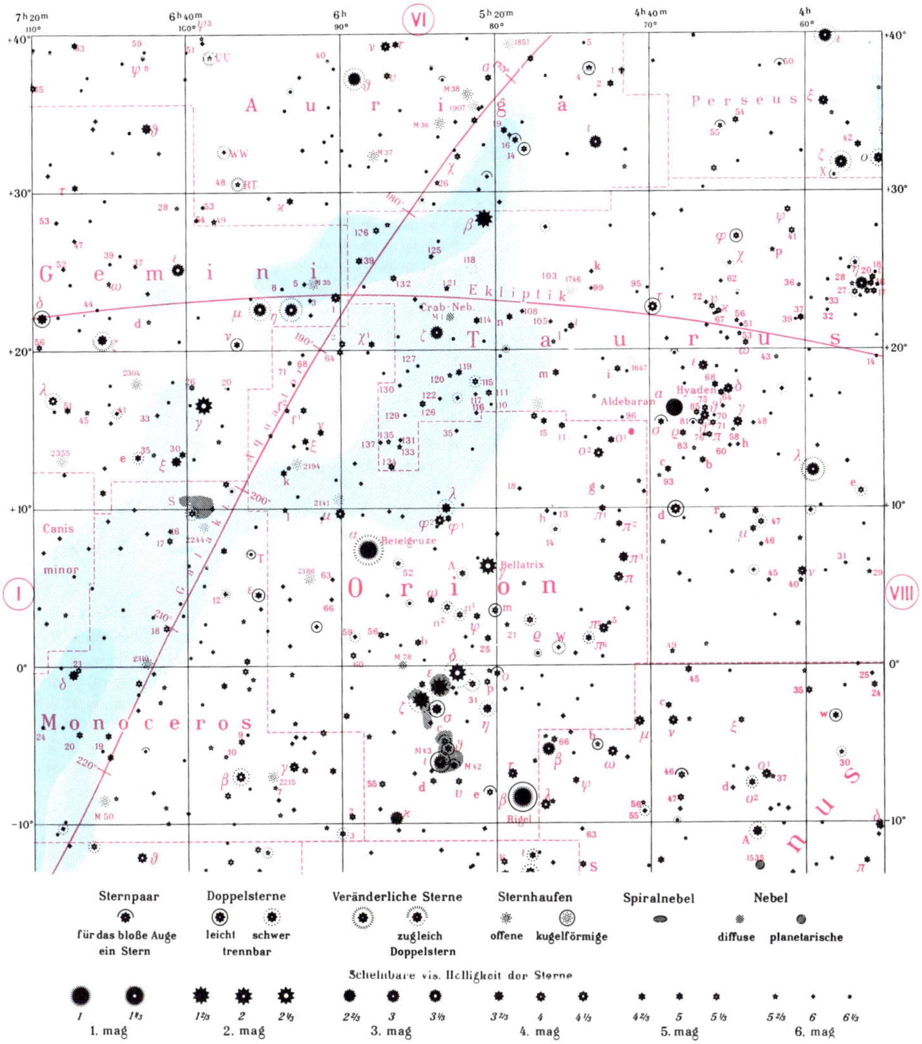

Sternkarten: Ausschnitt aus einer Sternkarte nach Richard Schurig und Paul Götz (neu bearbeitet von Karl Schaifers und Jürgen Knapp)

laxien, Nebel, in neueren S. auch Radio-, Röntgen- und Infrarotquellen) nach Position und (bei Sternen) Helligkeit wiedergegeben sind. Eine Sammlung zusammengehörender S. wird als **Stern-** oder **Himmelsatlas** bezeichnet. Während gezeichnete S. i. d. R. nur Grenzhelligkeiten von ca. $10^{\mathrm{m}}{,}5$ erlauben, erfassen fotograf. S. bis zu 23^{m}. Drehbare S. zeigen für jeden Zeitpunkt die Stellung des Sternhimmels zum Horizont an. – Die ältesten S. sind die von A. Dürer gezeichneten S. des nördl. und südl. Himmels (1515) und die Blätter der »Uranometria« von J. Bayer (Augsburg 1603). Zu den umfangreichsten fotograf. S. gehören heute der vom Mount-Palomar Observatorium erstellte **POSS** (**P**alomar **O**bservatory **S**ky **S**urvey) für den N-Himmel und dessen Erweiterung für den S-Himmel, der **ESO/SRC-Atlas** (**E**uropean **S**outhern **O**bservatory/**S**cience **R**esearch **C**ouncil).

Sternkatalog, systematisch geordnetes Verzeichnis von Sternen oder besonderen Sterngruppen, in dem für eine bestimmte Epoche die Koordinaten sowie weitere Kenngrößen (Helligkeit, Parallaxe u. a.) angegeben sind. Sternverzeichnisse, die alle Sterne bis zu einer bestimmten Grenzhelligkeit erfassen, Positionsangaben aber meist nur mit mäßiger Genauigkeit, werden als **Durchmusterungen** bezeichnet (z. B. Bonner Durchmusterung). Dagegen sind in **Positionskatalogen** oder →Fundamentalkatalogen die astronom. Koordinaten mit größtmögl. Genauigkeit verzeichnet. Der neueste, vom Astronom. Recheninstitut in Heidelberg erstellte S. (1987–92) mit Angaben über 327000 Sterne ist der **PPM** (engl. **P**ositions and **P**roper **M**otions). Ferner gibt es u. a. spezielle Helligkeits- und Spektralkataloge, Kataloge der Eigenbewegungen, Radialgeschwindigkeiten.

Sternkunde, die → Astronomie.

Sternmiere (Stellaria), Gattung der Nelkengewächse mit weißen kleinen Blüten; einige Arten werden kultiviert, andere gelten als Unkraut, z. B. die weltweit verbreitete **Vogelmiere** (**Hühnerdarm,** Stellaria media); in Laubwäldern und Hecken wächst die 15–30 cm hohe **Große S.** (Stellaria holostea), auf Magerrasen die **Gras-S.** (Stellaria graminea).

Sternmotor, ein → Verbrennungsmotor mit mehreren sternförmig angeordneten Zylindern, früher als Flugmotor verwendet.

Sternpopulation, die → Population.

Carl Sternheim (um 1928)

Sternschaltung, Schaltungsart von Drehstromverbrauchern (Drehstrommaschinen). Die Wicklungen sind mit einem Ende an dem Sternpunkt, die freien Enden an die Spannung führenden Leitungen angeschlossen, deren Wechselspannungen um jeweils 120° gegeneinander phasenverschoben sind. Ggs.: → Dreieckschaltung.

Sternschnuppe, → Meteor.

Sternsingen, Brauch zum Abschluss der Weihnachtszeit: als Hl. Drei Könige verkleidete Gruppen von Kindern und Jugendlichen **(Sternsinger)** ziehen, einen Stern mit sich führend, am Abend des Dreikönigstages oder am darauf folgenden Sonntag von Haus zu Haus und singen, verbunden mit der Bitte um Geschenke, Dreikönigslieder.

Sternsysteme, allg. Bez. für versch. große Sterngruppen, deren physikal., v. a. gravitative gegenseitige Beeinflussung zu einer räuml. Strukturbildung geführt hat. Diese ist nach zunehmender Komplexität in der Folge Stern, Doppel- oder Mehrfachsternsystem, Galaxie, Galaxiengruppe und -haufen, Superhaufen erkennbar. Als S. werden im Rahmen dieser Hierarchie die **Galaxien** bezeichnet, ausgedehnte Ansammlungen von bis zu schätzungsweise einigen 100 Mrd. Sternen, die in ein interstellares Medium aus sehr verdünntem Gas und Staub (→ interstellare Materie) eingebettet sind. Sie bilden kosmogonisch und dynamisch eine Einheit und sind durch weite Bereiche intergalakt. Raumes voneinander getrennt. Das Sternsystem, dem die Sonne angehört, ist das → Milchstraßensystem, ein Teil der → lokalen Gruppe. Die nächstgelegenen extragalakt. S., die beiden → Magellanschen Wolken und der → Andromedanebel, können noch mit bloßem Auge wahrgenommen werden. Wegen ihrer lichtschwachen, flächenhaften Erscheinung im Fernrohr wurden S. früher als Nebel bezeichnet. Mit Spiegelteleskopen können sie bis zu Größenklassen schwächer als 25^{m} nachgewiesen werden; von den heute über 3 Mrd. der Untersuchung zugängl. S. wurden bislang einige tausend katalogisiert und erforscht.

Nach ihrem Aussehen werden die S. in versch. Typen und Unterklassen eingeteilt. **Ellipt. Galaxien** (etwa 25 % aller S.) sind sehr sternenreich, zeigen keine inneren Strukturen und enthalten nur wenig oder keine interstellare Materie; kalte rote, d. h. alte Sterne dominieren. Ihr Erscheinungsbild ist das einer kreisrunden bis ellipsenförmig längl. Scheibe (im Grenzfall auch kugelförmig) mit scharfem Rand und nach innen zunehmender Helligkeit (Dichte). **Linsenförmige Galaxien** nehmen morphologisch eine Stellung zw. ellipt. und spiralförmigen Galaxien ein, da sie keine innere Strukturierung aufweisen, aber eine ausgeprägte Scheibenform zeigen. Die **spiralförmigen Galaxien (Spiralgalaxien, -nebel),** zu denen etwa 60 % aller extragalakt. S. zählen, sind weniger massereich, dafür aber leuchtkräftiger als die ellipt. Galaxien. Sie bestehen aus zwei oder mehreren um einen zentralen Kern gewundenen Spiralarmen, die in rasch rotierenden flachen Scheiben liegen und von jungen blauen Sternen und Wolken interstellarer Materie gebildet werden. Eine besondere Gruppe dieser S. bilden die **Balkenspiralen** mit einem balkenförmigen Kern, an dessen Enden die Spiralarme ansetzen. Bei den verhältnismäßig seltenen **irregulären S.** (ca. 2 % aller S.) fehlt eine deutlich ausgeprägte Symmetrieebene und das typ. Aussehen einer Rotationsfigur.

Die Entfernungen der S. lassen sich mit photometr. Methoden bestimmen. Ihre Durchmesser liegen zw. etwa 2 kpc (Zwerggalaxien) und 50 kpc, die mittleren Entfernungen der S. voneinander betragen ca. 3 kpc. Manche S. bilden Doppelsysteme, die sich um ihren gemeinsamen Schwerpunkt bewegen. Etwa 50 % der Galaxien bilden **Galaxienhaufen,** die man mit den dazwischenliegenden einzelnen S. **(Feldnebel)** zu **Superhaufen** zusammenfasst. Ihre Gesamtmasse bewegt sich zw. 10^{12}

Sternmiere: Große Sternmiere (Höhe 15–30 cm)

Sternsysteme

1

2

3

4

1 NGC 3031 (Messierbezeichnung M 81) kann als Spiralgalaxie mit mittlerem Kern klassifiziert werden | **2** Die Kleine Magellansche Wolke ist ein irreguläres Sternsystem und kann auch mit bloßem Auge gut erkannt werden | **3** Die elliptische Galaxie NGC 147 im Sternbild Cassiopeia ist Teil der lokalen Gruppe | **4** NGC 4594 (Messierbezeichnung M 104) im südlichen Bereich des Sternbilds Virgo gehört zum großen Virgo-Galaxienhaufen und wird wegen ihres Aussehens auch als »Sombreronebel« bezeichnet

und 10^{14} Sonnenmassen. Viele S. zeigen, v.a. in ihren Kernregionen, starke Aktivitäten wie Explosionen und Materieauswurf sowie erhöhte Röntgen-, Infrarot- und Radiostrahlung. Typ. Vertreter aktiver S. sind die →Seyfert-Galaxien und die →Radiogalaxien. Extrem helle und aktive Kerne sehr entfernter S. sind die →Quasare. – Nach der auf dem →Hubble-Effekt basierenden Vorstellung von der Expansion des Weltalls bewegen sich alle Galaxien von uns (und voneinander) fort, und zwar um so schneller, je weiter sie entfernt sind.

Sterntag, →Sternzeit.

Sternwarte (astronomisches Observatorium), mit →astronomischen Instrumenten ausgerüstete Einrichtung zur Beobachtung von Phänomenen im Weltall. Der Beobachtung im opt. Bereich dienen heute v.a. in drehbaren Kuppelbauten installierte Spiegelteleskope. Moderne S. werden vorwiegend in größerer Entfernung von Ballungsgebieten auf Bergen oder Hochflächen errichtet, um Streulicht und atmosphär. Turbulenzen zu vermeiden sowie meteorologisch günstige Bedingungen zu gewährleisten. Neben den rein wiss. Forschungsstätten dienen **Volks-S.** v.a. der Vermitt-

Sternwarte: Das Teleskopgebäude des New Technology Telescope an der Europäischen Südsternwarte auf dem La Silla in Chile weicht stark von der klassischen Kuppelform ab, um optimale Sichtbedingungen zu ermöglichen; es folgt während der Beobachtungen den Bewegungen des Teleskops

lung astronom. Kenntnisse an breite Bevölkerungskreise. – Zu den bedeutendsten S. gehören die S. auf dem Mount Wilson und Mount Palomar (beide etwa 1700 m ü. M.) und das Lick-Observatorium (1283 m ü. M., alle in Kalifornien), das Mauna-Kea-Observatorium (4205 m ü. M., Hawaii), Selentschukskaja (2070 m ü. M., Nordkaukasus), das Dt.-Span. Astronom. Zentrum auf dem Calar Alto (2168 m ü. M., Südostspanien) sowie die Europäische Süd-S. (ESO) auf dem La Silla (2440 m ü. M.) in Chile; große dt. S. befinden sich u. a. in Bochum, Bonn, Göttingen, Hamburg-Bergedorf, Heidelberg und Potsdam. – Neuere Entwicklungen sind z. B. das vom Weltraum aus operierende →Hubble-Weltraumteleskop.

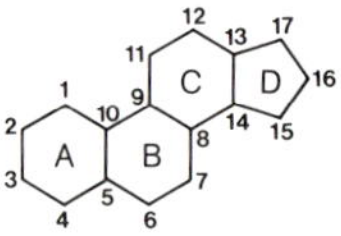

Steroide
(Grundgerüst)

Sterzing: Hauptstraße mit spätgotischen Bürgerhäusern und dem »Zwölferturm« aus dem Jahr 1486

📖 *Planetarien u. S.n, bearb. v.* T. SCHOLZ. *Stuttgart* ⁴*1994.*

Sternzeit, die Zeiteinteilung, die die einmalige Umdrehung der Fixsternsphäre als Zeiteinheit (Sterntag) benutzt. Der Sterntag ist die Zeit zw. zwei aufeinander folgenden oberen Kulminationen des Frühlingspunktes; er dauert 23 h 56 min 4,1 s.

Steroid|alkalo|ide, in Pflanzen (z. B. **Tomatin** in der Wildtomate, **Solanin** und **Demissin** in Kartoffeln) vorkommende Substanzen, die das Steroidgerüst als Grundkörper und daneben unterschiedl. chem. Gruppen und glykosidisch gebundene Monosaccharidreste enthalten.

Steroide [grch.], Gruppe von Naturstoffen (heute auch synthetisch hergestellt), deren Grundskelett **Gonan** (früher als Steran bezeichnet; systemat. Bez. Perhydrocyclopentaphenanthren) aus vier kondensierten alizykl. Ringen besteht. Wichtige Vertreter sind Cholesterin, Vitamin D, Testosteron und Östrogen sowie Cortisol. Für die chem. Nomenklatur der S. werden die Ringe des Gonans mit den Buchstaben A bis D, die einzelnen C-Atome des Gonanrings mit den Ziffern 1 bis 17 (die Substituenten mit Ziffern von 18 aufwärts) gekennzeichnet.

Steroidhormone, Hormone, denen das Steroidgrundskelett zugrunde liegt und die im Organismus aus Cholesterin gebildet werden. Hauptbildungsorte bei Wirbeltieren (einschl. Mensch) sind Nebennierenrinde (Gluco- und Mineralocorticoide) und Keimdrüsen (Androgene, Östrogene, Gestagene).

Sterole, die →Sterine.

Sterzing (italien. Vipiteno), Stadt in der Prov. Bozen, Südtirol, Italien, im oberen Eisacktal, 948 m ü. M., 5600 Ew.; Fremdenverkehrs- und Wintersportort. – Die mittelalterl. Pfarrkirche erhielt 1456–58 den Flügelaltar **(Sterzinger Altar)** von H. Multscher; spätgotische Bürgerhäuser, Rathaus (1468–73), »Zwölferturm« (1486). – 1181 erstmals erwähnt, seit 1296 Stadt.

Sterzinsky, Georg Maximilian, kath. Theologe, *Warlack (bei Lidzbark Warmiński) 9. 2. 1936; seit 1989 Bischof von Berlin, seit 1991 Kardinal.

Stesichoros, grch. Lyriker, *Matauros um 630 v. Chr., †Katane (heute Catania) um 555 v. Chr.; lebte v. a. in Himera auf Sizilien; seine Gestaltung des antiken Mythos (z. B. Orestie) steht zw. Epos und Tragödie.

Stethaimer (Stettheimer), **1)** Hans, d. Ä., eigtl. Hans (Hanns) von Burghausen, Baumeister, *Burghausen etwa zw. 1350 und 1360, †Landshut 10. 8. 1432, Vater oder Onkel von 2); der bedeutendste dt. Baumeister der 1. Hälfte des 15. Jh., beeinflusst von der Baukunst der Parler. Seine frühen Hallenkirchen haben einen gesonderten einschiffigen, die späteren einen hallenförmigen Chor mit Umgang. S. war auch Festungsbaumeister. – *Werke:* Karmeliterkirche, Straubing (1378 ff.); St. Martin, Landshut (wahrscheinlich nur das Langhaus von S., 1407 ff.); Hl.-Geist-Kirche, ebd. (1407 ff.); St. Jakob, Straubing (begonnen zw. 1400 und 1418).

2) Hans, d. J., Baumeister und Bildhauer, *1390, †nach 1459, Sohn oder Neffe von 1); vollendete von 1) nicht mehr ausgeführte Bauten. In St. Martin in Landshut stammen von ihm vermutlich die Kanzel (1422) und der Hochaltar; auch der Entwurf der beiden Langhausportale (zw. 1429 und 1432) wird ihm zugeschrieben. Sein Stil zeigt den Einfluss der Parler-Werkstatt.

Stetho|skop [grch.] *das* (Hörrohr), von R. T. H. Laennec 1819 zur →Auskultation eingeführtes ärztl. Instrument, urspr. ein Hohlzylinder mit Hörmuschel, inzwischen als **Schlauch-S.** zum Abhören mit beiden Ohren.

Stetigkeit. Eine Funktion $f(x)$ ist an der Stelle x_0 stetig, wenn 1) der Funktionswert $f(x_0)$ existiert, 2) die Funktion für $x \to x_0$ einen Grenzwert besitzt und 3) Grenz- und Funktionswert an der Stelle $x=x_0$ gleich sind, d. h., zu jedem $\varepsilon>0$ gibt es ein $\delta>0$, sodass gilt: $|f(x)-f(x_0)|<\varepsilon$ für alle x mit $|x-x_0|<\delta(\varepsilon)$. Anschaulich bedeutet dies, dass kontinuierl. Änderungen des Arguments keine sprunghaften Änderungen der Funktionswerte bewirken.

Stetten ob Lontal, Stadtteil von Niederstotzingen, Landkreis Heidenheim, Bad.-Württ. – In der **Vogelherdhöhle** bei S. ob L. wurden reiche Funde der Altsteinzeit gehoben, u. a. zwei menschl. Schädel und aus Elfenbein gefertigte Tierfiguren.

Stettin (poln. Szczecin), Hptst. der Wwschaft Szczecin, Polen, an den Mündungsarmen der schiffbaren unteren Oder, 25 km vor der Mündung in das Stettiner Haff, 417 700 Ew.; mit dem Vorhafen →Swinemünde größter poln. Seehafen; Univ. (seit 1985), TH, Landwirtsch., Medizin. Akademie, Seehochschule, vier Theater, Philharmonie, National-, Meeres-, Histor. Museum; Werften, Maschinenbau-, Lebensmittel-, chem., Textil-, Papierind.; Eisenhütte; nördlich von S. Wärmegroßkraftwerk (3 600 MW), nordöstlich Flughafen. – Die histor. Bauten der im 2. Weltkrieg stark zerstörten Altstadt wurden z. T. wiederhergestellt oder rekonstruiert, u. a. das Schloss der Herzöge von Pommern (im 14. Jh. begonnen, die Vierflügelanlage entstand 1575–77; der fünfte, sog. Museumsflügel, 1616–19), Dom St. Jakobi (14./15. Jh.), Altes Rathaus (14. Jh., mit Stadtmuseum), got. Johanneskirche (13./14. Jh.); Wohnhäuser aus dem 15./16. Jh. und Paläste aus dem 18./19. Jh.; vom Festungsgürtel blieben die barocken Anlagen des Königs- und Hafentors sowie das Berliner Tor erhalten. – Neben der wohl aus der 2. Hälfte des 8. Jh. stammenden slaw. Siedlung entstand eine dt. Kaufmannsgemeinde, die 1237/43 Magdeburger Stadtrecht erhielt. S. gehörte seit 1278 der Hanse an und wurde 1503 feste Residenz der Herzöge von Pommern. 1648–1720 unter schwed. Herrschaft, fiel es dann an Preußen. Der 1724–40 angelegte Festungsgürtel wurde 1873 beseitigt.

Stettin: Blick über die Oder auf den im 14./15. Jh. erbauten Dom Sankt Jacobi (im Hintergrund links), das Regierungsgebäude als nördlichen Abschluss der Hakenterrasse (Bildmitte) und den Hafenkai mit Werften

Stettiner Haff (Pommersches Haff, Zalew Szczeciński), Haff und Bodden an der Mündung der Oder in die Ostsee, gegliedert in das Kleine Haff (v. a. in Dtl.) im W und das Große Haff (in Polen) im O, etwa 650 km² groß, bis 9 m tief, durch die Inseln Usedom und Wollin von der Ostsee getrennt, jedoch durch Peenestrom, Swine und Dievenow mit ihr verbunden. Eine ständig offen zu haltende Haffrinne ermöglicht den Seeschiffverkehr von Swinemünde bis Stettin.

Stettin
Stadtwappen

Steuart ['stjʊət] (Stewart), Sir James Denham, brit. Volkswirtschaftler, *Edinburgh 21. 10. 1712, †Coltness (bei Glasgow) 26. 11. 1780. Sein Hauptwerk »Untersuchung über die Grundsätze der Volkswirtschaftslehre« (1767), eine systemat. Darstellung des Spätmerkantilismus, gab wertvolle theoret. Anregungen zur Entwicklung der Geld- und Bevölkerungstheorie.

Georg Sterzinsky

Steuben, Friedrich Wilhelm von, amerikan. General dt. Herkunft, *Magdeburg 17. 9. 1730, †Oneida County (N. Y.) 28. 11. 1794; nahm als preuß. Offizier am Siebenjährigen Krieg teil, 1764–75 Hofmarschall beim Fürsten von Hohenzollern-Hechingen; ging 1777 nach Amerika, trat dort in die Armee G. Washingtons ein und sorgte als Generalinspekteur für Organisation, Ausbildung und Disziplin der amerikan. Truppen; trug auch mit eigenen Truppenkommandos im amerikan. Unabhängigkeitskrieg zum Sieg über das brit. Heer bei. Seinem Andenken gilt die alljährliche **S.-Parade** Ende Sept. in New York. – Die **S.-Schurz-Gesellschaft** fördert die dt.-amerikan. Beziehungen.

Friedrich Wilhelm von Steuben: anonymes Gemälde (um 1770; Privatbesitz)

Steuer, 1) *Fahrzeugtechnik:* Vorrichtung zum Lenken; bei Schiffen →Ruder genannt; bei →Flugzeugen die Bedienungsteile des Steuerwerks; bei nicht schienengebundenen Landfahrzeugen Lenkstange oder Lenkrad (→Lenkung).

2) *Wirtschaft:* →Steuern.

Steuer|abzug, Form der Steuererhebung: Die Steuer wird unmittelbar beim Zufließen der steuerl. Einkünfte einbehalten (→Quellensteuer).

Steuer|aufkommen, der Gesamtbetrag der innerhalb eines Kalender- oder Rechnungsjahres vereinnahmten Steuern.

steuerbegünstigter Wohnungsbau, i.w.S. die durch Steuervergünstigungen geförderte Schaffung von Wohnungen durch Neubau, Ausbau oder Erweiterung. Das EStG kennt steuerl. Fördermaßnahmen sowohl für →Eigenheime (ferner →Baukindergeld) als auch für Mietwohnungen), erhöhte Absetzungen für Abnutzung nach §7c bei Schaffung von Mietwohnungen durch Baumaßnahmen an bestehenden Gebäuden (Fertigstellung vor dem 1. 1. 1996) und nach §7k bei Neuerrichtung von Mietwohnungen mit mindestens zehnjähriger Sozialbindung (Fertigstellung vor dem 1. 1. 1996). I.e.S. (§§5 und 82 Zweites Wohnungsbau-Ges. i.d.F.v. 19. 8. 1994) gelten lediglich solche neu geschaffenen Wohnungen als steuerbegünstigt, die vor dem 1. 1. 1990 bezugsfertig geworden sind, bei denen keine öffentl. Mittel eingesetzt sind und die die Wohnflächengrenzen für öffentlich geförderte Wohnungen um nicht mehr als 20% überschreiten. Steuerbegünstigte Wohnungen in diesem Sinne genießen eine zehnjährige Grundsteuervergünstigung (§92a). →Wohnungsbauprämie

Steuerbemessungsgrundlage, die der Ermittlung der Steuerschuld im Steuerfestsetzungsverfahren zugrunde liegende technisch-phys. (bei Mengensteuern) oder wirtsch.-monetäre (bei Wertsteuern) Größe.

Steuerberatung, die geschäftsmäßige Hilfe in Steuersachen einschließlich der Hilfe in Steuerstrafsachen und Steuerbußgeldsachen. Zur S. befugt sind nach dem S.-Gesetz i.d.F.v. 4. 11. 1975 Steuerberater, Steuerbevollmächtigte und S.-Gesellschaften sowie Rechtsanwälte, Wirtschaftsprüfer, Wirtschaftsprüfungsgesellschaften, vereidigte Buchprüfer und Buchprüfungsgesellschaften; bestimmte andere (z.B. Lohnsteuerhilfevereine) nur in beschränktem Umfang.

Als **Steuerberater** kann von der Finanzverw. nur bestellt werden, wer die Prüfung als Steuerberater bestanden hat oder von dieser Prüfung befreit worden ist (z.B. ehem. Finanzrichter und Beamte der Finanzverwaltung). Die Steuerberaterprüfung setzt ein wirtschafts- oder rechtswissenschaftl. Studium oder eine steuer- oder wirtschaftsberatende oder kaufmänn. Lehre sowie anschließende mehrjährige Berufspraxis voraus. Die frühere Berufsgruppe des **Steuerbevollmächtigten** ist durch Ges. v. 11. 8. 1972 mit der Berufsgruppe des Steuerberaters zusammengeführt worden (für die neuen Bundesländer galten Übergangsfristen). Die Tätigkeit der Steuerberater und Steuerbevollmächtigten ist kein Gewerbe, sondern freier Beruf. Die Vergütung erfolgt nach der vom Bundesmin. der Finanzen erlassenen Steuerberatergebühren-VO und richtet sich nach dem Wert, den der Gegenstand der S.-Tätigkeit hat. Als Berufskammer der S.-Berufe bestehen an den Orten der Oberfinanzdirektionen Steuerberaterkammern.

In *Österreich* ist die S. gesetzlich geregelt in der Wirtschaftstreuhänder-Berufsordnung. Danach sind zur entgeltl. Beratung und Vertretung in Steuerangelegenheiten neben den eigentl. Steuerberatern auch Wirtschaftsprüfer und Buchprüfer befugt.

In der *Schweiz* wird die S. von Treuhändern ausgeübt, die auf Bundesebene keiner Bewilligungspflicht oder Ausbildungsanforderungen unterstellt sind, deren Tätigkeit jedoch von den Kantonen an bestimmte Voraussetzungen geknüpft werden kann.

Steuerbescheid, Verwaltungsakt in Form einer i.d.R. schriftl. Mitteilung des Finanzamts an den Steuerpflichtigen über Art und Höhe der für ihn festgesetzten Steuer. Der S. enthält ferner eine Rechtsmittelbelehrung.

Steuerbilanz, →Bilanz.

Steuerbord, *Schifffahrt:* rechte Schiffsseite; Ggs.: Backbord; **steuerbord(s),** rechts (durch grüne Positionslaterne gekennzeichnet).

Steuerdestinatar, →Steuerträger.

Steuer|erklärung, Erklärung gegenüber den Finanzbehörden, die Auskünfte über steuerlich erhebl. Tatsachen liefert (§§149–153 AO). Sie wird i. d. R. auf amtlich vorgeschriebenem Vordruck abgegeben und dient der Feststellung der Besteuerungsgrundlagen und der Steuerfestsetzung. In einigen Fällen (z. B. Umsatzsteuervoranmeldung) hat der Steuerpflichtige im Rahmen der S. auch die geschuldete Steuer selbst zu berechnen **(Steueranmeldung).** Die Pflicht zur Abgabe von S. obliegt demjenigen, der in den Einzelsteuergesetzen hierzu verpflichtet wird. Soweit die Steuergesetze nichts anderes bestimmen, sind S., die sich auf ein Kalenderjahr beziehen, spätestens fünf Monate danach abzugeben (§149 AO).

Steuer|erlass, die Erlassung einer Steuerschuld, deren Einziehung nach Lage des Einzelfalles unbillig wäre (§227 AO).

Steuerflucht, Übertragung von Vermögen ins Ausland durch Verlegung des Wohn- oder Unternehmenssitzes in einen Staat mit niedrigerer Besteuerung (»Steueroase«). Das Außensteuer-Ges. vom 8. 9. 1972 sieht in Dtl. eine Reihe von Sanktionen bei S. vor, z. B. erweiterte beschränkte Steuerpflicht auf Einkünfte und Nachlässe für zehn Jahre nach Wegzug, Besteuerung des (auch des nicht realisierten) Kapitalgewinns aus wesentl. Beteiligungen.

steuerfreier Betrag, →Freibetrag.

Steuergeheimnis, Pflicht zur Geheimhaltung der im Rahmen der Besteuerung den Finanzbehörden und amtlich zugezogenen Sachverständigen bekannt gewordenen Sachverhalte (§30 AO). Die Verletzung des S. ist strafbar (§355 StGB). Die Offenlegung von durch das S. geschützten Daten ist nur ausnahmsweise zulässig, 1) soweit sie der Durchführung eines Besteuerungsverfahrens (z. B. Amtshilfe und →Kontrollmitteilungen) dient; 2) soweit sie durch Gesetz ausdrücklich zugelassen ist (z. B. zur Bekämpfung illegaler Beschäftigung); 3) soweit der Betroffene zustimmt; 4) unter bestimmten Bedingungen zur Durchführung eines Strafverfahrens; 5) aus zwingendem öffentl. Interesse, z. B. bei der Verfolgung von bestimmten Wirtschaftsstraftaten. Die Finanzbehörden dürfen ferner Auskünfte an ausländ. Steuer- und Zollbehörden leisten (§117 AO).

In *Österreich* ist das S. mit vergleichbarem Inhalt in §48a Bundesabgabenordnung als »Verpflichtung zur abgabenrechtl. Geheimhaltung« verankert.

In der *Schweiz* gilt das S. nicht absolut; in der Mehrheit der Kantone gilt eine gewisse Öffentlichkeit, indem die endgültige, für den Steuerbezug maßgebende Steuerveranlagung in ein Steuerregister eingetragen wird, das 10–30 Tage öffentlich aufgelegt wird.

Steuerharmonisierung, die internat. Angleichung oder Vereinheitlichung von Steuersystemen zur Vermeidung von Wettbewerbsverzerrungen. S. kommt v. a. im Zusammenhang mit der Schaffung des Europ. Binnenmarktes besondere Bedeutung zu. Bezüglich der Harmonisierung der Umsatzsteuersätze legte die EU am 24. 6. 1991 lediglich einen Mindeststeuersatz von 15% fest. Für spezielle Verbrauchsteuern (u. a. auf Mineralölerzeugnisse, Kaffee, Tabakwaren und alkohol. Getränke) erarbeitete die EU 1992 Richtlinien zur S., zu deren Umsetzung in Dtl. das Verbrauchsteuer-Binnenmarkt-Ges. beschlossen wurde.

Steuerhinterziehung, →Steuerstrafrecht.

Steuerhoheit, die staatl. Befugnis, Steuern festzusetzen (Gesetzgebungshoheit) und einzutreiben (Ertragshoheit), →Finanzhoheit.

Steuer|inzidenz *die,* →Steuerüberwälzung.

Steuerklasse, →Lohnsteuer.

Steuerlehre, als betriebl. oder betriebswirtsch. S. Teilgebiet der Betriebswirtschaftslehre, das sich v. a. mit den Einflüssen der Besteuerung auf Liquidität, Vermögen und Organisation des Betriebes sowie mit den betriebl. Gestaltungsmöglichkeiten bei der Besteuerung befasst; als allgemeine S. und besondere S. Teilgebiet der Finanzwissenschaft.

Steuermann, früher ein Schiffsoffizier, der in der Handelsmarine zur Unterstützung und in Sonderfällen zur Vertretung des Kapitäns in der Führung des Schiffes bestimmt war. – Bis 1945 in der Marine Dienstgrad eines Feldwebels in der Navigationslaufbahn; in der Bundesmarine entspricht dem der Dienstgrad Bootsmann und die Dienststellung Navigationsmeister.

Steuermessbetrag, der für die Berechnung der Gewerbe- und Grundsteuer durch Steuermessbescheid festgesetzte Grundbetrag. (→Hebesatz)

Steuern, Abgaben, die öffentlich-rechtl. Gemeinwesen natürlichen und juristischen Personen zwangsweise und ohne Anspruch auf eine spezielle Gegenleistung (im Ggs. zu öffentl. Gebühren und Beiträgen) v. a. zur Deckung des Finanzbedarfs der öffentl. Körperschaften auferlegen. Die Steuerpflicht wird dabei an einen bestimmten Besteuerungstatbestand geknüpft (z. B. das Halten eines Kfz bei der Kfz-Steuer). Das Recht des Staates oder einer sonstigen öffentl. Körperschaft, S. zu erheben **(Steuerhoheit),** die Regelung der Kompetenzen zw. versch. öffentl. Körperschaften und die Verteilung des Steueraufkommens zw. ihnen (→Finanzausgleich) sind Gegenstand der Finanzverf. Ein spezieller Fall ist die →Kirchensteuer.

Zur Erklärung und Begründung des Rechts auf Erhebung von S. sind von der Finanzwiss. versch. **Steuerrechtfertigungslehren** entwickelt worden. Die wichtigsten sind: 1) Äquivalenztheorie (Interessentheorie), nach der die private Steuerleistung als Äquivalent staatl. Leistungen anzusehen ist; 2) Assekuranztheorie (Versicherungstheorie), nach der die private Steuerleistung als Beitrag für den öffentl. Schutz der Person und des Eigentums gilt; 3) Opfertheorie, nach der sich jeder Bürger entsprechend seiner Leistungsfähigkeit durch persönl. Opfer an der Erfüllung der Gemeinschaftsaufgaben beteiligt und damit Existenz und Wirken des Staates sichert. Nach der Reinvermögenzugangstheorie wird die Leistungsfähigkeit durch sämtl., nach der Quellentheorie nur durch regelmäßig zufließende Einkünfte bestimmt.

S. sind die wichtigste öffentl. Einnahmequelle, wobei das Aufkommen der einzelnen S. sehr unterschiedlich ist. Die aufkommensstärkten S. sind die Einkommensteuer und die Umsatzsteuer, während andere S. weniger als 0,1 % des Steueraufkommens ausmachen (Bagatellsteuern). Die volkswirtsch. Bedeutung der S. wird anhand des Verhältnisses der Steuereinnahmen zum Sozialprodukt gemessen (Steuerquote).

S. lassen sich nach versch. Gesichtspunkten klassifizieren, wobei die Unterscheidungskriterien und die Zuordnung im Einzelnen umstritten sind. Häufigste Unterscheidung ist die in direkte und indirekte Steuern. Unter dem Gesichtspunkt der Steuerüberwälzung lassen sich **direkte S.** so definieren, dass bei ihnen eine Identität von Steuerzahler und Steuerschuldner gegeben ist (z. B. bei der Einkommensteuer), andernfalls handelt es sich um **indirekte S.** (z. B. die Umsatzsteuer). Weiterhin lassen sich S. nach dem Zweck in solche einteilen, die primär fiskal. Zwecken dienen **(Finanz-S.)**, und solche, die mit dem Ziel erhoben werden, den Besteuerten zu einem bestimmten Verhalten zu veranlassen, das aus ordnungspolit. Erwägungen erwünscht ist **(Ordnungs-S.)**. Aufgrund der unterschiedl. Erhebungsberechtigten ergibt sich eine Unterteilung in Bundessteuern, →Landessteuern, →Gemeindesteuern sowie →Gemeinschaftsteuern. Nach dem Steuergegenstand (Steuerobjekt) lässt sich eine Klassifizierung v. a. in →Besitzsteuern, →Verkehrsteuern und →Verbrauchsteuern vornehmen. Nach der Ermittlung der Steuerschuld wird unterschieden in S., bei denen die persönl. Verhältnisse des Steuerpflichtigen (z. B. Familienstand, Anzahl der Kinder bei der Lohnsteuer) berücksichtigt werden (→Personensteuern), und in S., bei denen die Ermittlung der Steuerschuld nur nach objektiven Gesichtspunkten an einen Gegenstand oder Sachverhalt (z. B. bei der Hundesteuer) geknüpft ist (→Ertragsteuern).

Die jeweils erhobenen S. bilden das Ergebnis histor. Entwicklungen und polit. Kompromisse; sie stellen kein widerspruchsfreies Steuersystem mit aufeinander abgestimmten Einzel-S. dar. Da S. nicht nur der Einnahmeerzielung, sondern auch wirtschaftspolit. Zwecken dienen (→Steuerpolitik), ist das Steuerrecht kompliziert, was immer wieder (v. a. unter Aspekten wie Steuergerechtigkeit und Steuerbelastung) zu →Steuerreformen führt.

📖 *Mit dem Zehnten fing es an. Eine Kulturgeschichte der Steuer*, hg. v. UWE SCHULTZ. *Neuausg. Frankfurt am Main u. a.* ^{3}*1992*. – ROHDE, E.: *S. in der BRD u. anderen führenden Industrieländern. Berlin 1990*. – BLANKART, C. B.: *Öffentl. Finanzen in der Demokratie. München* ^{2}*1994*. – *Unsere S. von A–Z, hg. vom Bundesministerium der Finanzen. Bonn* ^{18}*1997*.

Steuern

Im Mittelalter wurde der Finanzbedarf der Herrscher zunächst aus den Erträgen des Domänenbesitzes der Krone und der Territorialherren sowie durch Dienstleistungen der Vasallen und durch unregelmäßige Abgaben gedeckt. Am frühesten bauten die Städte ihre Einnahmewirtschaft auf regelmäßig erhobenen Steuern auf (unter anderem Grundvermögen-, Kopfsteuer, Verbrauchsteuern in Form von Markt- und Torabgaben). Im Heiligen Römischen Reich und in den Territorien hingegen wurden eigentliche Steuern neben den (Passier)zöllen und Wegegeldern bis ins späte Mittelalter nur bei außerordentlichem Mittelbedarf (z. B. im Kriegsfall) erhoben; ab dem 17. Jahrhundert wurde die Besteuerung auf zahlreiche spezielle Verbrauchsteuern (Akzisen) verlagert.

Im Gefolge der Französischen Revolution entwickelte sich in Deutschland, vor allem in den süddeutschen Staaten, ein umfassendes System von gleichmäßig erhobenen, objektiven Ertragsteuern. Erste in Preußen ab 1808 unternommene Versuche mit einer persönlichen Einkommensteuer scheiterten dagegen an der Abneigung der frühliberalen Epoche gegenüber einem staatlichen »Eindringen« in die persönlichen Verhältnisse der Bürger. Erst in der 2. Hälfte des 19. Jahrhunderts wurde eine allgemeine Einkommensteuer eingeführt.

Steuer|oase, Land, in dem keine oder nur sehr niedrige Steuern auf Einkommen oder Vermögen erhoben werden, z. B. Liechtenstein, die Bahamas, die brit. Kanalinseln (→Steuerflucht).

Steuer|objekt (Steuergegenstand), der Tatbestand, an den das Gesetz die Steuerpflicht knüpft.

Steuerpacht, früher die Pachtung von Steuern, bes. von indirekten, durch **Steuerpächter,** die an den Staat den festgesetzten Gesamtsteuerbetrag entrichteten und dann die Steuern meist rücksichtslos eintrieben, bes. in Frankreich bis 1790.

Steuerpflichtiger, derjenige, der eine Steuer schuldet (→Steuerschuldner), für eine Steuer haftet, eine Steuer für Rechnung eines Dritten einzubehalten und abzuführen (z. B. der Arbeitgeber für die Lohnsteuer des Arbeitnehmers) oder andere durch die Steuergesetze auferlegte Steuerpflichten zu erfüllen hat (§ 33 AO).

Steuerpolitik, Einsatz steuerl. Maßnahmen im Dienste der Finanz- und Wirtschaftspolitik. Neben fiskal. (Mittelbeschaffung der öffentl. Hand) werden auch nichtfiskal. Ziele verfolgt, die die Allokation (z. B. Verbrauchslenkung durch spezielle Verbrauchsteuern), die Distribution (z. B. Umverteilung mithilfe progressiver Einkommensteuertarife), die Wachstums- und Konjunkturpolitik (z. B. erhöhte Abschreibungen, Steuererleichterungen in der Rezessionsphase) betreffen. Eine derartige S. bedeutet ein bewusstes Abweichen von der Forderung nach (weitestgehender) »Neutralität« der Besteuerung. Die mit ihr verbundene Befrachtung der Besteuerung mit nichtfiskal. Funktionen ist zu einem wesentl. Teil verantwortlich für die Kompliziertheit des modernen Steuerrechts.

Steuerprogression, → Progression.

Steuerquote (volkswirtschaftliche S., Steuerlastquote), das Verhältnis der tatsächl. Steuereinnahmen (Steueraufkommen) zu einer Sozialproduktgröße (meist Bruttoinlandsprodukt); dient der Darstellung der relativen Belastung einer Volkswirtschaft durch die Besteuerung.

Steuerrecht, die Rechtsvorschriften, die die Pflichten und Rechte aus dem Steuerrechtsverhältnis regeln. Das allg. S. ist v. a. in der → Abgabenordnung (AO) enthalten, das besondere S., d. h. die die einzelnen Steuern betreffenden Bestimmungen, ist in gesonderten Steuergesetzen erfasst. Die Entscheidung von Streitigkeiten im Bereich des S. obliegt der → Finanzgerichtsbarkeit. Das **internat. S.,** das das nat. Außen-S. und das Recht der Doppelbesteuerungsabkommen (→ Doppelbesteuerung) umfasst, regelt grenzüberschreitende Sachverhalte. **Supranationale S.** bilden die VO und Richtlinien der EU. – In *Österreich* sind die Steuern weitgehend bundesrechtlich in zahlreichen Einzelsteuergesetzen geregelt. In der *Schweiz* bestehen entsprechend der Aufteilung der Steuerhoheit steuerrechtl. Vorschriften des Bundes, der Kantone und der Gemeinden.

Steuerreform, die grundsätzl. Änderung einzelner großer Steuern oder des Steuersystems. Die Notwendigkeit von S. kann sich insbes. ergeben aus (neuen) Erkenntnissen über Mängel und nachteilige Wirkungen der bestehenden, immer wieder kurzfristig und fallweise geänderten Besteuerung sowie aus dem internat. Steuerwettbewerb bei zunehmender Globalisierung und Beweglichkeit der Produktionsfaktoren (insbesondere Kapital). Grundlegende S. in der Bundesrep. Dtl. waren v. a. die Ersetzung der Bruttoallphasen-Umsatzsteuer durch die Mehrwertsteuer (1968) und die Reform der Körperschaftsteuer (1977). Im Gefolge erhebl. Senkungen der Einkommen- und Körperschaftsteuersätze (bei gleichzeitigem Abbau von Steuervergünstigungen) in den USA kam es Ende der 80er-Jahre und Anfang der 90er-Jahre in den meisten Industriestaaten zu ähnl. Tarifsenkungen, in der Bundesrep. Dtl. 1988–90 bei der Einkommensteuer sowie 1988 und 1994 bei der Körperschaftsteuer. Seit 1997 wird die Vermögensteuer in Dtl. nicht mehr erhoben (in Österreich seit 1994); Ende 1997 wurde die lang umstrittene Abschaffung der nach der Wiedervereinigung in den neuen Bundesländern schon nicht mehr erhobenen Gewerbekapitalsteuer für den 1. 1. 1998 beschlossen (Österreich bereits 1994). Unter Hinweis auf den verschärften Standortwettbewerb vorgelegte Pläne und Gesetzentwürfe einer weiteren Absenkung der Einkommen- und Körperschaftsteuersätze bei gleichzeitiger Erweiterung der Bemessungsgrundlage durch Streichung von Steuervergünstigungen scheiterten wiederholt. Noch weiter gehende radikale Reformen des gesamten Steuersystems im Sinne einer konsumorientierten Neuordnung des Steuersystems und einer Abwendung von der die Kapitalbildung benachteiligenden Besteuerung der Einkommensentstehung, wie sie seit Mitte der 80er-Jahre von der Wirtschaftswissenschaft international diskutiert werden, wurden in Ansätzen seit Anfang der 90er-Jahre in den skandinavischen Staaten verwirklicht.

Steuersatz (früher Steuerfuß), Größe, mit deren Hilfe aus der jeweiligen Steuerbemessungsgrundlage die Höhe der Steuerschuld errechnet wird. Der S. kann (bei Mengensteuern) ein Geldbetrag pro Einheit der Steuerbemessungsgrundlage oder (bei Wertsteuern) ein Prozent- bzw. Promillesatz sein.

Steuerschuldner (Steuersubjekt), derjenige, der nach den einzelnen Steuergesetzen die jeweilige Steuer für eigene Rechnung zu entrichten hat. Der Begriff ist enger als der des → Steuerpflichtigen. S. und Steuerzahler sind i. Allg. identisch und fallen nur bei den → Quellensteuern auseinander.

Steuerstab, *Kerntechnik:* ein → Absorberstab.

Steuerstrafrecht, Vorschriften, die Sanktionen für Zuwiderhandlungen gegen die Steuergesetze androhen (§§ 369 ff. AO). Man unterscheidet zw. **Steuerstraftaten,** die im Steuerstrafverfahren behandelt werden (Steuervergehen; Steuerhinterziehung [§ 370], Bannbruch [§ 372], gewerbsmäßiger Schmuggel [§ 373], Steuerhehlerei [§ 374]), und **Steuerordnungswidrigkeiten,** die mit Geldbuße geahndet werden können (z. B. leichtfertige Steuerverkürzung [§ 378], Steuergefährdung [§ 379]). Der **Steuerhinterziehung** macht sich insbesondere schuldig, wer zum eigenen Vorteil oder zum Vorteil eines anderen nicht gerechtfertigte Steuervorteile erschleicht oder vorsätzlich bewirkt, dass Steuereinnahmen verkürzt werden. Durch → Selbstanzeige kann er Straffreiheit erlangen (§ 371). Das Steuerstraf- und Bußgeldverfahren ist in den §§ 385–412 AO geregelt. Im Steuerstraf-

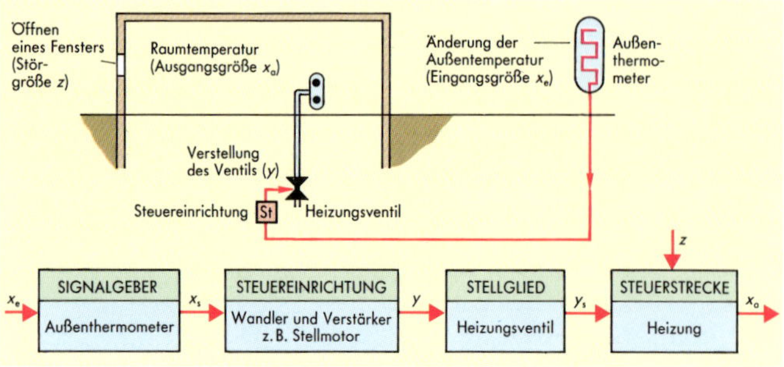

Steuerung 2): schematische Darstellung einer Raumtemperatursteuerung (oben) und das entsprechende Blockschaltbild; x_e Eingangsgröße (Außentemperatur), x_s elektrisches Signal der Eingangsgröße (Einschalten eines elektrischen Stroms), y Stellgröße (Weg- oder Winkeländerung, verbunden mit der Betätigung z.B. eines Hebels), y_s Streckenstellgröße (Durchflussmenge des Heißwassers), z Störgröße (Öffnen des Fensters), x_a Ausgangsgröße (Raumtemperatur)

verfahren ermittelt i.d.R. die Finanzbehörde den Sachverhalt selbst (Steuerfahndung), Strafen dürfen jedoch nur die ordentlichen Gerichte verhängen.

Steuertarif, für bestimmte Einzelsteuern geltende steuergesetzl. Regeln, durch die einer bestimmten Höhe der Steuerbemessungsgrundlage die jeweilige Steuerbelastung zugeordnet wird. Der **Steuerbetragtarif** bestimmt unmittelbar die Höhe der Steuerschuld, der **Steuersatztarif** legt die Durchschnitts- und Grenzsteuersätze fest, aus denen sich die Steuerschuld errechnet. Nach dem Tarifverlauf kann zw. progressiven, proportionalen und regressiven S. unterschieden werden, in formaler Hinsicht zw. Stufen- und Formeltarifen.

Steuerträger, natürl. Person, die durch die Steuer tatsächlich belastet wird. Der S. ist nur dann identisch mit dem Steuerzahler und dem **Steuerdestinatar** (derjenige, der nach Absicht des Gesetzgebers die Steuerlast tragen soll), wenn Steuerüberwälzung unterbleibt.

Steuer|überwälzung, rechtlich zulässige Form der Übertragung der Steuerlast vom Steuerschuldner auf den Steuerträger. Bei der **Vorwälzung** gibt der Anbieter die Steuer über eine Preiserhöhung an den Nachfrager weiter. Bei der Umsatzsteuer und bei speziellen Verbrauchsteuern wird die Vorwälzung i.d.R. vom Gesetzgeber erwartet. Im Falle der **Rückwälzung** wird die Steuer vom Nachfrager auf den Anbieter (Lieferanten) übertragen. Die endgültigen Verteilungswirkungen der Erhöhung oder Neueinführung einer Steuer (die **Steuerinzidenz**) ist i.d.R. schwer abzuschätzen, da durch den Steueranstoß eine Reihe von wirtsch. Reaktionen ausgelöst wird.

Steuerung, 1) *Datenverarbeitung:* →Steuerwerk, →Programmsteuerung, →numerische Maschinensteuerung.

2) *Technik:* Prozess, bei dem Ausgangsgrößen zielgerichtet entsprechend vorgegebenen Eingangsgrößen beeinflusst werden; auch die dazu notwendige Kette von Übertragungsgliedern. Im Ggs. zur Regelung (→Regelungstechnik) ist der Wirkungsweg nicht in sich geschlossen, d.h., der Erfolg des Steuerns wird nicht durch Rückkopplung an das Stellglied der Kette »zurückgemeldet«. S. lassen sich unterscheiden nach der Art der verwendeten Signale **(analoge, digitale, binäre S.)**, nach der Art der genutzten Hilfsenergie der Steuereinrichtung **(pneumat., hydraul., elektr. S.)**, nach dem zu steuernden Objekt oder der zu steuernden Größe **(Mengen-S., Drehzahl-S.)** und nach den in der Steuereinrichtung oder als Stellglied verwendeten Bauelementen **(Transistor-S., Relais-S., Ventil-S.)**. Außerdem gibt es bestimmte Führungsweisen des S.-Prozesses, z.B. **Folge-S.** oder **Programm-S.** Bei der **speicherprogrammierbaren S.** (Abk. SPS) sind die Steuerungsfunktionen als Programme in einem Speicher enthalten; die Programmabarbeitung erfolgt mittels elektron. Schaltungen.

Wallace Stevens

Steuerveranlagung, Verwaltungsverfahren zur Ermittlung der Besteuerungsgrundlagen und Festsetzung der Steuerschuld bei periodisch erhobenen Steuerarten (z.B. Einkommen-, Körperschaft-, Umsatzsteuer). Die S. beginnt i.d.R. mit der Steuererklärung und endet mit dem Zugang des Steuerbescheids.

Steuervergehen, →Steuerstrafrecht.

Steuerverjährung, das Erlöschen der Ansprüche des Steuergläubigers nach Ablauf bestimmter Fristen. Die AO unterscheidet zwischen **Festsetzungs-** (§§169–171) und **Zahlungsverjährung** (§§228–232). Nach Ablauf der Festsetzungsfrist sind eine Steuerfestsetzung, deren Aufhebung und Änderung unzulässig. Die Festsetzungsfrist beträgt ein Jahr für Zölle und Verbrauchsteuern, vier Jahre bei sonstigen Steuern, fünf Jahre bei leichtfertig verkürzten und zehn Jahre bei hinterzogenen Steuern. Fällige Ansprüche aus dem Steuerschuldverhältnis unterliegen der Zahlungsverjährung von fünf Jahren. In allen Fällen beginnt die Frist mit Ablauf des Kalenderjahres, in dem die Steuer entstanden ist oder fällig wurde.

Robert Louis Stevenson: Ausschnitt eines Gemäldes des britischen Künstlers William Blake Richmond (um 1888; London, National Portrait Gallery)

Steuervorauszahlungen, Zahlungen, die vor der →Steuerveranlagung zu entrichten sind und später verrechnet werden, z.B. bei Einkommen-, Körperschaft-, Gewerbe- und Grundsteuer.

Steuerwerk, 1) *Computertechnik:* (Leitwerk) wesentl. Bestandteil der Zentraleinheit (CPU) einer elektron. Datenverarbeitungsanlage, von dem alle Steuerungsfunktionen zentral ausgehen. Das S. erfüllt folgende Aufgaben: Steuerung der Reihenfolge der Befehle eines Programms, Entschlüsselung der Befehle einschl. Adressen- und Befehlsmodifikationen, Ausgabe der für die Befehlsausführung erforderl. digitalen Signale.

2) *Flugzeugtechnik:* →Flugzeug.

Steuerzeichen (Steuermarke), steuerl. Wertzeichen (Banderole), das der Steuerpflichtige an den zu versteuernden Waren anbringen muss (bei Tabakwaren, Vignetten).

Stẹven [niederdt., zu Stab] *der, Schiffsbau:* Bauteil, das vorn (Vor- oder Vorder-S.) und achtern (Achter- oder Hinter-S.) den Schiffsrumpf begrenzt und seine Form mitbestimmt.

Stevenage ['sti:vnɪdʒ], Stadt (New Town) in der Cty. Hertfordshire, England, nördlich von London, 74 400 Ew.; Elektronik-, feinmechan. und Kunststoff verarbeitende Ind.; Flugzeugbau.

Stevens ['sti:vənz], Wallace, amerikan., Lyriker, *Reading (Pa.) 2. 10. 1879, †Hartford (Conn.) 2. 8. 1955; schrieb abstrakte, formbewusste Gedichte, die die Realität als Konstrukt der menschl. Wahrnehmung verstehen und der dichter. Imagination die Funktion der ordnenden Darstellung der chaot. Sinneseindrücke zuweisen; bed. Vertreter der lyr. Moderne in den USA (»Collected poems«, 1954, dt. Auswahl u.d.T. »Die Gedichte unseres Klimas«; »Der Planet auf dem Tisch. Gedichte und Adagia«, Neuausgabe 1983).

Stevenson ['sti:vnsn], Robert Louis Balfour, schott. Schriftsteller, *Edinburgh 13. 11. 1850, †Vailima (bei Apia, Samoa) 3. 12. 1894; hatte großen Erfolg mit spannend-unterhaltsamen Abenteuerromanen (u.a. »Die Schatzinsel«, 1883; »Entführt«, 1886; »Der Erbe von Ballantrae«, 1889) aus der schott. Geschichte, mit der Darstellung einer Persönlichkeitsspaltung in »Der seltsame Fall des Doctor Jekyll und des Herrn Hyde« (Erz., 1886), Südsee-Erzählungen und krit. Schriften. S. hat den Abenteuerroman neu belebt, indem er ein romant. Geschehen in eine realistisch gezeichnete Wirklichkeit hineinstellte.

Steward ['stjʊəd, engl.] *der,* weibl. Form **Stewardess,** Betreuer(in) der Passagiere, bes. auf Schiffen und in Flugzeugen.

Stewart ['stjʊət], **1)** James Maitland, amerikan. Filmschauspieler, *Indiana (Pa.) 20. 5. 1908, †Los Angeles (Calif.) 2. 7. 1997; einer der klass. Hollywoodstars; spielte in Filmkomödien, Western, Hitchcock-Filmen (»Mr. Smith geht nach Washington«, 1939; »Winchester '73«, 1950; »Mein Freund Harvey«, 1950; »Das Fenster zum Hof«, 1954; »Der Mann aus Laramie«, 1955; »Vertigo«, 1959; »Der Mann, der Liberty Valance erschoß«, 1961).

2) Rex, eigtl. William S. jr., amerikan. Jazztrompeter, *Philadelphia (Pa.) 22. 2. 1907, †Los Angeles (Calif.) 7. 9. 1967; von L. Armstrong und B. Beiderbecke beeinflusst; charakteristisch für sein Spiel waren die durch nur halb heruntergedrückte Ventile entstehenden »Quetschtöne«.

3) Rod (Roderick) David, brit. Rocksänger und Songautor, *London 10. 1. 1945; begann in den 1960er-Jahren als Sänger in versch. Gruppen (u.a. bei »The Faces«); daneben Solokarriere mit am Blues orientierten Songs; Kennzeichen ist seine raue Gesangstimme.

4) Thomas, amerikan. Sänger (Bariton), *San Saba (Tex.) 29. 8. 1928; wurde bes. als Verdi- und Wagner-Interpret internat. bekannt.

Stewart|insel ['stjʊət-] (Stewart Island), drittgrößte Insel Neuseelands, durch die Foveaux-

James Stewart

Rod Stewart

Thomas Stewart

Robert Louis Stevenson

»Dr. Jekyll und Mr. Hyde«

Dies ist der Titel eines 1931 gedrehten klassischen Horrorfilms, der ersten Verfilmung der Erzählung »Der seltsame Fall des Doctor Jekyll und des Herrn Hyde« (englisch: »The Strange Case of Dr. Jekyll and Mr. Hyde«) von Robert Louis Stevenson. Thema ist das Problem der Persönlichkeitsspaltung. Es wird an einem Arzt aufgezeigt, der seine Theorie der Trennungsmöglichkeit von Gut und Böse im Menschen an sich selbst mithilfe eines von ihm entdeckten Elixiers praktiziert. Durch die von ihm herbeigeführte Aufspaltung seiner Person in ein gutes und ein böses Ich, in ein Tag- und ein Nachtwesen, gerät er schließlich ins Verderben, da er den Wechsel zwischen beiden auf die Dauer nicht mehr kontrollieren kann.

Steyr: Blick auf die zweitürmige Fassade der 1635–77 erbauten Michaelskirche; die im 16. Jh. umgebaute Bürgerspitalkirche links daneben geht auf das frühe 14. Jh. zurück

straße von der Südinsel getrennt, 1746 km², 540 Ew., Hauptort ist Oban; Schafzucht, Fischerei; Fremdenverkehr, Flugplatz.

Steyler Missionare (Gesellschaft des Göttlichen Wortes, lat. Societas Verbi Divini, Abk. SVD), 1875 von A. Janssen (*1837, †1909) in Steijl (Niederlande) gegr. Kongregation von Priestern und Laienbrüdern für die Mission in nichtchristl. Ländern; Sitz des Generalsuperiors seit 1928 Rom; seit 1889 weibl. Zweig: die **Steyler Missionsschwestern;** heute Niederlassungen in allen Erdteilen.

Steyr
Stadtwappen

Steyr, Stadt mit eigenem Statut und Bezirkshauptstadt in Oberösterreich, an der Mündung der Steyr in die Enns, 39 300 Ew.; Höhere Techn. Bundeslehranstalt, Museen; Fahrzeug-, Motoren-, Maschinenbau, Stahlwaren-, Glas-, keram. u. a. Ind. – Spätgotische Bürgerspitalskirche (1305 geweiht; im 16. Jh. umgebaut), Stadtpfarrkirche St. Ägid und Koloman (1443 ff.), Michaelskirche (1635–77), ehem. Dominikanerkirche (1642–47), Pfarr- und Wallfahrtskirche zum göttl. Christkindl (1702–05), Schloss (an Stelle der Burg; 1727–31), Rathaus (1765–78); im Stadtteil **Gleink** ehem. Benediktinerstift (1111 erstmals erwähnt, 1436 geweiht). – Entstand um die 980 urkundlich erwähnte Burg **Stirapurch;** 1287 Stadtrecht.

Steyr-Daimler-Puch AG, Unternehmen der österr. Kraftfahrzeug-Ind., entstand 1934 aus der Fusion der Steyr-Werke AG (gegr. 1864) mit der Austro-Daimler-Puchwerke AG (gegr. 1899); Großaktionär: Creditanstalt-Bankverein AG; Sitz: Steyr, Verw.sitz: Wien.

StGB, Abk. für **Str**af**g**esetz**b**uch.

STH, Abk. für **s**omato**t**ropes **H**ormon, → Somatotropin.

Stibnit [nach Stibium] *der,* das Mineral → Antimonit.

Stich, 1) *Bautechnik:* Höhe eines Bogens oder Gewölbes.

2) *Grafik:* kurz für → Kupferstich, → Stahlstich.

3) *Hüttentechnik:* einmaliger Durchgang des Walzguts durch die Walzen.

4) *Kartenspiel:* die bei einer Runde ausgespielten Karten, die ein Spieler durch Stechen mit einer höherwertigen Karte erhält.

Stich, Michael, Tennisspieler, *Pinneberg 18. 10. 1968; Sieger des Wimbledonturniers 1991.

Stichbahn, eine von einer Hauptbahn abzweigende Bahnlinie (Endstrecke).

Stichbandkeramik, → bandkeramische Kultur.

Stichel (Grabstichel), *graf. Technik:* Stahlwerkzeug zur Bearbeitung der Platten des Kupfer- oder Stahlstichs oder der Holztafel des Holzstichs.

Stichelhaare, die → Grannenhaare.

Stichentscheid, die oft satzungsmäßige Befugnis des Vors. eines Gremiums, bei Stimmengleichheit den Ausschlag zu geben.

Stichkampf, *Sport:* → Stechen.

Stichkappe, Gewölbekappe, die in ein Deckengewölbe seitlich einschneidet, bes. über Fenster- und Türöffnungen.

Stichlinge (Gasterosteidae), Familie etwa 4–20 cm langer Knochenfische ohne Schuppen, deren Körperseiten mit schmalen Knochenplatten bedeckt sind; charakteristisch sind einzelne kräftige Stacheln vor Rücken- und Bauchflossen. S. leben

Stichlinge: Männchen eines Dreistacheligen Stichlings im »Hochzeitskleid« während der Laichzeit (Länge bis zu 7 cm)

im Meer und Süßwasser der nördl. gemäßigten Zone, bauen zur Laichzeit ein Nest und treiben Brutpflege. Im Meer lebt der 18 cm lange **Meer-** oder **See-S.** (**Dornfisch,** Spinachia spinachia). Als marine Wanderform und auch als isoliert im Binnenland lebende Süßwasserform kommt der bis zu 7 cm lange **Dreistachelige S.** (Gasterosteus aculeatus) vor; er ist ein beliebter Kaltwasseraquarienfisch.

Stichomythie [grch. »Zeilenrede«] *die,* Dialogform im Drama (gelegentlich auch im Epos), bei der Rede und Gegenrede in schneller Folge zw. zwei Personen auf je einen Vers (oder auch auf Halb- und Doppelverse) verteilt sind; rhetor. Ausdrucksmittel der Erregung; häufig im grch. Drama, in der Neuzeit v.a. im Renaissance- und Barocktheater sowie in klassizist. Tragödien.

Stichprobe, Teil einer statist. Gesamtheit, der nach einem bestimmten Auswahlverfahren zustande gekommen ist, meist nach dem Verfahren strenger Zufälligkeit **(Zufalls-S., Sample);** z.B. werden aus der Bev. bei einer Meinungsumfrage zufällig 2000 Personen ausgewählt und befragt. Von der S. dieser Personen wird auf die Meinung der gesamten Bev. geschlossen. Bei der **Repräsentativerhebung** wird die Teilmenge derart ausgewählt, dass sie als Repräsentant der statist. Gesamtheit gelten kann. S. dienen sowohl beschreibenden (Repräsentativstatistik) als auch analyt. Zwecken. Jede **S.-Erhebung** ist als Teilerhebung mit einem zufälligen Fehler **(S.-Fehler)** behaftet, der messbar ist, wenn die S. zufällig gezogen wurde. Im Vergleich zur Vollerhebung erspart die S. Kosten und Zeit. – *S.-Verfahren* bezeichnen sowohl generell die Verfahren der S.-Erhebung als auch die speziellen Auswahlverfahren, nach denen die S. gezogen werden. Zu diesen gehören insbesondere die **Zufallauswahl,** bei der jede in die S. einbezogene Größe die gleiche Chance erhält, erfasst zu werden. Bei heterogener Grundgesamtheit wird die einfache Zufalls-S. durch eine **geschichtete S.** ersetzt, d.h., die Grundgesamtheit wird in sinnvolle Einheiten geteilt, aus denen jeweils eine S. gezogen wird. Das **Quotenverfahren,** ein nichtzufälliges Auswahlverfahren, beinhaltet die gezielte Auswahl des Untersuchungsgegenstandes (z.B. eines zu befragenden Personenkreises) nach bestimmten Merkmalen, die in der ausgewählten Gruppe ebenso häufig auftreten sollen wie in der Grundgesamtheit; dabei ist die Kenntnis der Merkmalsverteilung in der Grundgesamtheit Voraussetzung für die Anwendung des Verfahrens.

Stichtag, als maßgeblich für Berechnungen, Rechtsverhältnisse u.Ä. festgelegter Termin; der Zeitpunkt, auf den sich eine Erhebung bezieht oder zu dem Gesetze o.Ä. in Kraft treten.

Stichwaffen (Stoßwaffen), Nahkampfwaffen für Stich und Stoß, u.a. Speer, Hellebarde, Spieß, Pike und versch. Schwert- und Dolchformen sowie Degen, Rapier, Florett, Bajonett (→Stangenwaffen).

Stichwahl, →Wahlrecht.

Stichwort, *Buchwesen:* jedes sinntragende Wort eines (Buch-)Titels. – In Lexika und Wörterbüchern ein im Druck hervorgehobenes Wort (Begriff, Name, Sache), das erläutert wird.

Stickelberger, Emanuel, schweizer. Schriftsteller, * Basel 13.3.1884, † St. Gallen 16.1.1962; schrieb in der Tradition der schweizer. Realisten histor. Erzählungen und Romane v.a. aus der Zeit der Reformation und des Humanismus.

Emanuel Stickelberger

Sticker [engl.] *der,* selbstklebender Aufkleber.

Stickerei, Verzierung eines textilen Grundmaterials durch aufgelegte oder durchgezogene Fäden oder Bänder, mit der Hand oder Stickmaschinen. Unterschieden wird nach der Art des Grundmaterials, nach dem aufgestickten Material (z.B. Seiden-, Gold-, Pailletten-S.) und nach der Stichart (z.B. Kreuzstich-, Plattstich-, Kettenstich-, Flechtstickerei).

Stickhusten, der →Keuchhusten.

Stickstoff (grch.-lat. Nitrogenium), chem. Symbol **N,** Element aus der fünften Hauptgruppe des →Periodensystems der chemischen Elemente; Ordnungszahl 7, relative Atommasse 14,0067, Dichte von festem S. bei −253 °C 1,0265 g/cm³, Dichte von flüssigem S. beim Siedepunkt 0,8076 g/cm³, Schmelzpunkt −210,0 °C, Siedepunkt −195,8 °C. S. ist ein farb-, geruch- und geschmackloses, in Form zweiatomiger Moleküle, N_2, vorliegendes Gas. Er ist chemisch überaus reaktionsträge; lediglich mit sehr unedlen Metallen wie Lithium verbindet sich S. schon bei Raumtemperatur zu einem Nitrid; mit anderen Metallen und mit den übrigen Elementen reagiert er nur bei höheren Temperaturen oder unter dem Einfluss von Katalysatoren (z.B. bei der Umsetzung mit Wasserstoff zu Ammoniak). S. kommt v.a. elementar als Hauptbestandteil der Luft vor; mit einem Anteil von 78,09 Vol.-% ist er das weitaus häufigste Element der Erdatmosphäre. In der belebten Natur ist chemisch gebundener S. Bestandteil zahlr. biochemisch wichtiger Substanzen, bes. der Proteine und der Nucleinsäuren. Er kann jedoch von pflanzl. und tier. Organismen nur in Form von S.-Verbindungen aufgenommen werden. Technisch gewinnt man S. v.a. durch →Luftzerlegung. Er gelangt in (grün angestrichenen) Stahlbomben in den Handel. S. wird großtechnisch in beträchtl. Umfang als Rohstoff der chem. Industrie verarbeitet, zur Herstellung der S.-Verbindungen Ammoniak, Salpetersäure und Kalkstickstoff, den Ausgangsstoffen für Dünger. Flüssiger S. wird als Kühlmittel verwendet.

S.-Verbindungen enthalten S. mit den Oxidationszahlen −3 bis +5. **Distickstoffmonoxid,** N_2O, das **Lachgas** (früher **Stickoxydul** gen.), entsteht z.B. beim Erhitzen von Ammoniumnitrat. Es gibt

Stiefel (von oben): deutscher Knöpfstiefel (um 1400) und Herrenstiefel für chinesische Adelige aus dem 19. Jh. (beide Offenbach, Deutsches Ledermuseum/Deutsches Schuhmuseum)

leicht Sauerstoff ab und unterhält daher die Verbrennung; beim Einatmen führt es zu narkot. Zuständen. **Stickstoffmonoxid,** NO, entsteht bei sehr hohen Temperaturen aus den Elementen (»Luftverbrennung«) sowie bei der katalyt. Verbrennung von Ammoniak. Mit Sauerstoff (Luft) reagiert Stickstoffmonoxid äußerst rasch zu **Stickstoffdioxid,** NO_2, einem rotbraunen, unangenehm riechenden giftigen Gas, das bei +22 °C zu einer rotbraunen Flüssigkeit kondensiert, die ein starkes Oxidationsmittel ist und als Raketentreibstoff dient. Beim Abkühlen geht es in **Distickstofftetroxid,** N_2O_4, über, das bei −11 °C zu farblosen Kristallen erstarrt. Gemische dieser S.-Oxide mit Luft heißen **nitrose Gase. Distickstoffpentoxid,** N_2O_5, ist das Anhydrid der Salpetersäure und entsteht aus dieser durch Wasserentzug. – NO und NO_2, zusammenfassend als NO_x bezeichnet, sind wesentlich an der →Luftverschmutzung beteiligt.

Zu den Sauerstoffsäuren des S. gehören u.a. →Salpetersäure und →salpetrige Säure. Ihre Salze sind die Nitrate bzw. Nitrite. Wichtige S.-Verbindungen mit Wasserstoff sind →Ammoniak, →Hydrazin, →Hydroxylamin. Die **S.-Wasserstoffsäure,** HN_3, ist eine farblose, sehr giftige Flüssigkeit mit unangenehmem Geruch; ihre Salze sind die **Azide.** Alle Azide sind sehr leicht zersetzlich; die Schwermetallazide detonieren bei Schlag und Stoß. Bei der Umsetzung von S. mit Ammoniak entsteht **Tetraschwefeltetranitrid,** S_4N_4, (»Schwefel-S.«), eine goldgelbe Substanz, die beim Erhitzen oder durch Stoß explosionsartig in ihre Elemente zerfällt.

Verbindungen des S. mit einem Metall (seltener einem Nichtmetall) sind die →Nitride. Kohlenstoffhaltige S.-Verbindungen sind die →Cyanverbindungen und die Thiocyanverbindungen (→Thiocyanate). Von den organ. S.-Verbindungen besitzen u.a. die →Amine, die →Azoverbindungen, die →Nitrile und die →Nitroverbindungen in der präparativen und in der techn. Chemie große Bedeutung.

Stickstoff|fixierung, die Reduktion von atmosphär. Stickstoff (N_2) zu Ammonium-Ionen (NH^+_4) mittels eines Multienzymkomplexes (→Nitrogenase). Die Fähigkeit zur S. besitzen nur Bakterien; Stickstoff fixierende Bakterien leben teils frei in Böden und Gewässern (Azotobacter, Klebsiella, Clostridium, einige Blaualgen), teils in Symbiose mit Pflanzen (Knöllchenbakterien bei Hülsenfrüchtlern; Strahlenpilze bei Erlen und Sanddorn). S. ist die einzige biolog. Reaktion, durch die elementarer Stickstoff in eine von Organismen verwertbare Form gebracht wird.

Stickstoffgruppe, Sammelbez. für die Elemente der fünften Hauptgruppe im Periodensystem der chem. Elemente: Stickstoff (N), Phosphor (P), Arsen (As), Antimon (Sb) und Wismut (Bi), deren Metallcharakter mit steigendem Atomgewicht zunimmt.

Stickstoff oxidierende Bakteri|en (Stickstoffbakterien), Bakterien, die Luftstickstoff zu Ammonium (NH_4^+) reduzieren; leben teils frei in Böden und Gewässern (z.B. Azotobacter), teils in Symbiose mit Pflanzen (Knöllchenbakterien der Hülsenfrüchtler).

Stiefel, Schuhwerk, das mindestens den Knöchel **(Halb-S.),** meist aber die Wade bedeckt, mitunter auch bis über die Knie hinaufreicht **(Kanonen-S.).** Schon im Altertum bekannt, wurden S. zur typ. Fußbekleidung beim Militär, fanden als derbes, schützendes Schuhwerk (Arbeits-S.) sowie als Bestandteil spezieller Kleidung (Reit-S., Jagd-S., Wander-S.) Verwendung. In der Mode traten S. bereits um 1700 als halbhohe **Stiefeletten** auch in der Frauenbekleidung auf.

Stiefkind, Kind, das nur von einem der Ehegatten abstammt (bes. aus einer früheren Ehe), im Verhältnis zum anderen Ehegatten. Dessen Verhältnis zum S. ist eine Form der →Schwägerschaft.

Stiefmütterchen (Wildes S., Viola tricolor), formenreiche Sammelart der Gattung Veilchen im gemäßigten Europa und in Asien, meist auf Äckern und Wiesen; 5–30 cm hohes Kraut; Blüten gestielt, meist bunt, blauviolett, gelb und weiß, selten einfarbig gelb mit bläul. Sporn. Zur Züchtung des 15–30 cm hohen **Garten-S.** (Viola-Wittrockiana-Hybriden, Pensées) mit samtartigen, ein- oder

Stiefmütterchen: Gelbes Veilchen (oben) und Gartenstiefmütterchen

Alfred Stieglitz: »Einwandererdeck« (1907; Chicago, The Art Institute)

mehrfarbigen, auch gefleckten, gestreiften, geflammten oder geränderten Blüten, wurde neben dieser Art auch das **Gelbe Veilchen** (Viola lutea; auf Gebirgswiesen in West- und Mitteleuropa) mit gelben, violetten oder mehrfarbigen Blüten verwendet.

Stieglitz [slaw.] (Distelfink, Carduelis carduelis), bis zu 12 cm großer Finkenvogel mit roter Gesichtsmaske und gelbem Fleck im schwarzen Flügel; in Parkanlagen, Auwäldern und Obstgärten; ernährt sich bes. von Distelsamen sowie Insekten.

Stieglitz, Alfred, amerikan. Fotograf, *Hoboken (N.J.) 1. 1. 1864, †New York 13. 7. 1946; gründete 1902 die »Photo-Secession« und 1905 die »Little Galleries« (»291«), gab 1903–17 die Zeitschrift »Camera work« heraus; förderte viele später bed. Fotografen. Bes. bekannt sind seine Winterbilder von New York und seine Porträts der Malerin Georgia O'Keeffe, mit der er ab 1924 verheiratet war.

Stieler, 1) Adolf, Kartograph, *Gotha 26. 2. 1775, †ebd. 13. 3. 1836. Sein Hauptwerk »S.s Hand-Atlas« erschien 1817–22 in 50, die Hundertjahrausgabe (10. Aufl., 1925) in 108 Blättern.

2) Joseph Karl, Maler, *Mainz 1. 11. 1781, †München 9. 4. 1858; nach Studien in Wien, Paris und Italien in München tätig, seit 1820 bayer. Hofmaler. S. malte v. a. idealisierende Porträts (Goethe, 1828, München, Neue Pinakothek; »Schönheitengalerie« für die Münchener Residenz, 38 Frauenporträts, 1827–50, München, Schloss Nymphenburg). Weitere Bilder Beethoven, Montez

3) Kaspar von (seit 1705), Schriftsteller und Sprachforscher, *Erfurt 25. 3. 1632, †ebd. 24. 6. 1707; veröffentlichte 1660 unter dem Pseudonym Filidor der Dorfferer die Liebesliedersammlung »Die geharnschte Venus ...«, schrieb ferner geistl. Lieder und Schauspiele. In dem lexikal. Werk »Der teutschen Sprache Stammbaum und Fortwachs oder Teutscher Sprachschatz« (1691) verzeichnete er den Wortschatz seiner Zeit.

Stieltjes, Thomas Joannes (Jan), niederländ. Mathematiker, *Zwolle 29. 12. 1856, †Toulouse 31. 12. 1894; arbeitete am Observatorium in Leiden, an den Univ. in Groningen und Toulouse. Von besonderer Bedeutung war seine analyt. Theorie der Kettenbrüche (1894), in der er die als S.-Integral bekannte Verallgemeinerung des riemannschen Integrals einführte.

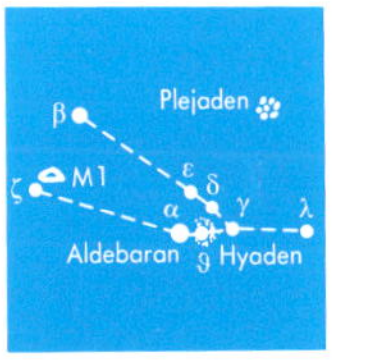

Stier 1): Die markantesten Sterne des Sternbilds; M 1 ist der Crabnebel

Stier, 1) *Astronomie:* (lat. Taurus) Sternbild des nördl. Himmels, Tierkreiszeichen ♉, mit dem Stern 1. Größe Aldebaran (Alpha Tauri), den mit bloßem Auge sichtbaren offenen Sternhaufen Plejaden und Hyaden sowie dem →Crabnebel mit dem Crabpulsar.

2) *Zoologie:* Bulle, geschlechtsreifes männliches Rind; Sinnbild der Kraft, auch der blinden Wut; im Alten Orient, v. a. in Ägypten (→Apis), genoss der S. kult. Verehrung.

Stieglitz (Größe bis zu 12 cm)

Stierkampf (span. Corrida de toros, portugies. Tourada), nach strengen Regeln ausgetragener Schaukampf von Menschen gegen Stiere in der Arena. Die klass. span. Form des S., die mit dem Tod des Tieres endet, gibt es auch in S-Frankreich und Lateinamerika; daneben (in Portugal fast ausschließlich) wird er in unblutiger Form ausgeübt.

Der S. wird durch den feierl. Einzug (Paseo) der Stierkämpfergruppe in reichen Kostümen des 17. Jh. in die Arena eröffnet; als letzte folgen die uniformierten Diener (Chulos, Tuchschwenker). Im ersten Gang (Salida del toro) wird der Stier von den Helfern (Peones) mit einem roten Mantel

Joseph Karl Stieler: Johann Wolfgang von Goethe (1828; München, Bayerische Staatsgemäldesammlungen)

(Capa) gereizt und durch die Arena gejagt. Beim S. zu Pferde sucht dann der berittene Picador (portugies. Cavaleiro) dem gegen das Pferd anstürmenden Stier Lanzenstiche zw. den Schulterblättern anzubringen. Danach versuchen die Banderilleros je zwei mit Bändern geschmückte und mit Widerhaken versehene Spieße (Banderillas) von vorn in den Nacken des Stieres zu stoßen. Dem aufs Äußerste gereizten Stier tritt der Espada (Torero) mit der blanken Waffe, einem etwa 90 cm langen Stoßdegen, und einem an einem Stock befestigten roten Tuch (Muleta) entgegen. Mit ihm reizt er den Stier zu einer bestimmten Reihe von Passagen (Pases). Im letzten Kampfabschnitt (Tercio) gilt es für den Torero, dem Stier den Degen frontal zw. die Schulterblätter zu stoßen (Estocada); geht der Stier danach nur in die Knie, so erhält er vom Matador (»Töter«) den Gnadenstoß, den der portugies. Espada meist nur vortäuscht. – Die Popularität des S. ist, trotz der Kritik von Tierschützern auch in den Ländern mit S.-Tradition, ungebrochen.

📖 HENSEL, G. *u.* LANDER, H.: *S. in Wort u. Bild. Darmstadt* ^{3}*1987.* – ROLLHÄUSER, L.: *Toros, Toreros. Reinbek 1990.*

Adalbert Stifter: Ausschnitt eines Gemäldes des ungarischen Künstlers Bertalan Székely von Ádámos (1863; Linz, Oberösterreichisches Landesmuseum), darunter Autogramm

Stiersucht (Brüllerkrankheit), durch Zystenbildung am Eierstock verursachte Dauerbrunst bei Kühen und Stuten; gekennzeichnet durch gesteigerten Geschlechtstrieb, Unruhe und Lautäußerungen.

Stifel, Michael, Mathematiker, *Esslingen am Neckar um 1487, †Jena 19. 4. 1567; Augustinermönch, dann luther. Prediger, seit 1559 Prof. in Jena; trug durch sein mathemat. Hauptwerk »Arithmetica integra« (1544) wesentlich zur Entwicklung der Algebra bei.

Stift, Maschinenelement zur formschlüssigen Verbindung (Verbindungs-S.), Zentrierung oder gegenseitigen Lagensicherung (Pass-S.) von Maschinenteilen. Man unterscheidet Zylinder-, Kegel-, Spann- und Kerbstifte.

Stift, *kath. Kirchenrecht:* ein mit einer Stiftung dotiertes (ausgestattetes) Kollegium von kanonisch lebenden Klerikern **(S.-Herren, Chorherren** oder **Kanoniker)** mit der Aufgabe des Chordienstes an der S.-Kirche, d.h. an der Domkirche eines Bistums **(Dom-S., Hoch-S.)** oder an einer anderen Kirche **(Nieder-S., Kollegiat-S.).** Innerhalb des S. bildet das **S.-Kapitel** die rechtl. Gemeinschaft seiner vollberechtigten Mitglieder. Die Bez. S. ging auch auf die geistl. Fürstentümer über (das Territorium eines Erzbistums hieß **Erzstift,** das eines geistl. Kurfürstentums **Kurstift**).

Stifter, Adalbert, österr. Schriftsteller, *Oberplan (heute Horní Planá, Böhmerwald) 23. 10. 1805, †Linz 28. 1. 1868; studierte Rechts-, dann Naturwissenschaften in Wien, war Hauslehrer, 1850–65 Inspektor der Volksschulen Oberösterreichs. – Malerisch und dichterisch begabt, pflegte er lebenslang beide Künste, das Dichten zunächst nur als Liebhaberei (»Studien«, sechs Novellenbände, 1844–50). S. ging von Jean Paul und der Romantik aus; sein in der dt. Klassik begründetes eth. und ästhet. Ideal findet sich programmatisch in der Vorrede zur Novellensammlung »Bunte Steine« (2 Bde., 1853). Das Streben nach Humanität, Maß und Ordnung, der Sinn für das Stille und Unscheinbare, der Glaube an das Walten eines »sanften Gesetzes« in der Natur kennzeichnen sein Werk, dem andererseits auch das Tragische nicht fremd ist. S. war Meister der Naturschilderung im Sinne eines »poet. Realismus«; auch in der Menschen- und Geschichtsdarstellung neigte er zur Hervorhebung des Gültigen und Gesetzmäßigen. Seine ep. Kunst gipfelt in dem Bildungs- und Erziehungsroman »Der Nachsommer« (3 Bde., 1857) und dem böhm. Geschichtsepos »Witiko« (3 Bde., 1865–67). Als bildender Künstler war er v.a. Landschaftsmaler; von der romant. Malerei ausgehend, wurde er ein Vorläufer des dt. Impressionismus.

📖 BAUMER, F.: *A. S. München 1989. – A. S., der Zeichner u. Maler. Ein Bilderbuch, bearb. v.* F. BAUMER. *Passau* ^{2}*1994.*

Stifterbildnis, die Darstellung des Auftraggebers eines kirchl. Bauwerks oder eines plast. oder gemalten Ausstattungsstückes in, an oder auf dem gestifteten Werk. Der Stifter wird meist entweder bei der Übergabe der Stiftung (z.B. eines Architekturmodells) an Christus oder Heilige oder kniend in betender Haltung wiedergegeben (oft mit Familie). Als Dedikationsbild erscheint das S. schon in spätantik-frühmittelalterl. Zeit; bis zum ausgehenden MA. zeigt es den Stifter von geringer Größe und in unbed. Position, z. B. am unteren Bildrand. Vom 15. Jh. an gewinnt er in den Figurenkompositionen an ebenbürtigem Rang. Das S. wird damit zum Zeugnis fürstl. und bürgerl. Selbstdarstellung.

Stifterbildnis: Der Ausschnitt eines Anfang des 9. Jh. geschaffenen Wandgemäldes in der Kirche Sankt Benedikt in Mals im Vinschgau zeigt eine Stifterfigur mit Kirchenmodell

Stifterreligion, eine Religion, die auf einen historisch belegten **Religionsstifter** zurückgeführt werden kann, z. B. Buddhismus, Christentum, Dschainismus, Islam, Judentum, Sikhismus.

Stifterverband für die Deutsche Wissenschaft e. V., 1920 gegründete, 1949 wieder errichtete Gemeinschaftsaktion der dt. Wirtschaft zur Förderung der Wiss. in Forschung und Lehre sowie des wiss. Nachwuchses; Sitz: Frankfurt am Main. Die Mittel werden u. a. an die Dt. Forschungsgemeinschaft, den Dt. Akadem. Austauschdienst, die Max-Planck-Gesellschaft, die Studienstiftung des dt. Volkes und die Alexander-von-Humboldt-Stiftung vergeben. Der Verfügungsbetrag belief sich 1996 auf etwa 120 Mio. DM; Zahl der Mitgl. und Förderer: rd. 4000.

Stiftshütte, *A. T.:* auf Luther zurückgehende Bez. für das »Zelt der Begegnung«, Zeltheiligtum Israels während der Wüstenwanderung (2. Mose 33, 7 ff.); Ort der Offenbarung (Allerheiligstes) Gottes gegenüber Mose; beherbergte nach 2. Mose 25 die →Bundeslade.

Stiftsschulen, die →Domschulen des Mittelalters.

Stiftung, im Privatrecht zum einen die Widmung einer Vermögensmasse für einen vom Stifter bestimmten Zweck und zum anderen die aus diesem Vorgang erwachsene Einrichtung. Zu unterscheiden sind die **selbstständige S.,** bei der zur Erreichung des S.-Zwecks eine rechtsfähige Organisation geschaffen wird, und die **unselbstständige S.,** bei der das Vermögen einer vorhandenen Person (z. B. einer Gemeinde) treuhänderisch übertragen wird mit der Bestimmung, es für den S.-Zweck zu verwenden. Die selbstständige S. ist in den §§ 80 ff. BGB und in S.-Gesetzen der Länder geregelt; das S.-Geschäft bedarf staatl. Genehmigung; die S. unterliegt staatl. Aufsicht. – Die **S. des öffentlichen Rechts** ist eine vom Staat einem öffentl. Zweck gewidmete Vermögensmasse. Die Regel ist die rechtsfähige S. des öffentl. Rechts; die Errichtung erfolgt durch Hoheitsakt (Gesetz) oder durch Rechtsgeschäft, das staatl. Genehmigung bedarf. Nicht rechtsfähige S. (unselbstständige S.) des öffentl. Rechts sind die einem öffentl. Verband zur Erfüllung öffentl. Zwecke zugewendeten Vermögen. – Im kath. Kirchenrecht hat die S. weitgehend die gleiche Rechtsstruktur wie die S. des bürgerl. Rechts. In den evang. Kirchen ist die Regelung des S.-Rechts je nach Landeskirche verschieden und erfolgt z. T. noch nach Rechtssatzungen aus der Zeit des landesherrl. Kirchenregiments.

📖 STRACHWITZ, R.: *S.en nutzen, führen u. errichten. Frankfurt am Main u. a. 1994.* – BERNDT, H.: *S. u. Unternehmen. Herne u. a. [5]1995.*

Stiftung Deutsche Sporthilfe, 1967 in Berlin gegr. Sozialwerk des Sports in der Bundesrep. Dtl. zur ideellen und materiellen Förderung von Spitzensportlern; Sitz: Frankfurt am Main.

Stiftung F. V. S. [Abk. für **F**reiherr **v**om **S**tein], eine der größten gemeinnützigen privaten Stiftungen der Bundesrep. Dtl.; gegr. am 7. 12. 1931 von dem Großkaufmann A. C. Toepfer, Sitz: Hamburg. Sie vergibt Preise, Medaillen, Stipendien (europ. Kultur u. a.); 1994 in Alfred Toepfer Stiftung F. V. S. umbenannt.

Stiftung Jugend forscht e. V., 1965 errichtete Stiftung, die jährlich Wettbewerbe auf naturwiss. und ökolog. Gebiet für Jugendliche unter 22 Jahren ausschreibt; Sitz: Hamburg.

Stiftung Kulturfonds [-fɔ̃], 1990 errichtete Stiftung des öffentl. Rechts mit dem Zweck, in den neuen Bundesländern einschl. Berlin Künstler, Künstlergruppen und Kulturschaffende zu fördern; Sitz: Berlin.

Stiftung Mutter und Kind, →Mutter und Kind – Schutz des ungeborenen Lebens.

Stiftung Preußischer Kulturbesitz, 1957 geschaffene Stiftung des öffentl. Rechts in Berlin, die ihre Tätigkeit 1962 aufnahm und deren Zweck die Verw. und Fortentwicklung des ehemals preuß.

George J. Stigler

Kulturbesitzes in Berlin ist. Träger sind die Bundesrep. Dtl. und alle Bundesländer. Die durch die Nachkriegsereignisse getrennten Teile der ehem. staatl. preuß. Sammlungen (u.a. Staatl. Museen, Staatsbibliothek, Geheimes Staatsarchiv, Ibero-Amerikan. Inst., Staatl. Inst. für Musikforschung) wurden 1990 wieder zusammengeführt. Die verwaltungsmäßige Vereinigung der Institutionen in Ost und West erfolgte zum 1. 1. 1992.

Stiftung Volkswagenwerk, ursprüngl. Name der →Volkswagenstiftung.

Stiftung Warentest, staatlich unterstütztes, unabhängiges Warentestinstitut in der Rechtsform einer Stiftung des privaten Rechts (Stifterin ist die Bundesrep. Dtl.); gegr. 1964, Sitz: Berlin. Gemäß Satzung sollen die Verbraucher v.a. über »objektivierbare Merkmale des Nutz- und Gebrauchswertes von Waren und privaten sowie individuell nutzbaren öffentl. Leistungen« (vergleichender Warentest) und über »Möglichkeiten und Techniken der optimalen privaten Haushaltsführung« informiert werden; auch die Umweltverträglichkeit der Produkte soll berücksichtigt, ferner soll über Verbraucherrecht informiert werden. Testergebnisse und Verbraucherinformationen werden u.a. in Zeitschriften (»test«, seit 1966; »FINANZtest«, seit 1990), Sonderheften, Ratgebern und Jahrbüchern veröffentlicht. Die S. W. finanziert sich seit 1974 überwiegend aus den Verkaufserlösen ihrer Veröffentlichungen.

Stijl, De: Theo von Doesburg, »Kontra-Komposition mit Dissonanzen«, Nr. 16 (1925; Den Haag, Gemeentemuseum)

Stiftung Weimarer Klassik, 1992 errichtete Stiftung öffentl. Rechts (Träger: Bundesrep. Dtl., Land Thüringen und Stadt Weimar); Trägerin der vorher in den **Nat. Forschungs- und Gedenkstätten der klassischen dt. Literatur in Weimar, NFG,** zusammengefassten Einrichtungen: Museen, Archive, Inst. (u.a. »Inst. für klassische dt. Literatur«), Bibliotheken (u.a. »Zentralbibliothek der dt. Klassik«), →Goethe- und Schiller-Archiv, →Goethehaus u.a. Stätten des 1953 errichteten →Goethe-Nationalmuseums in und um Weimar.

Stiftzahn (Stiftkrone), →Zahnersatz.

Stigler ['stɪglə], George Joseph, amerikan. Volkswirtschaftler, *Renton (Wash.) 17. 1. 1911, †Chicago 2. 12. 1991; war seit 1944 Prof. (seit 1958 an der University of Chicago) und neben M. Friedman Hauptvertreter der neoliberalen Chicago-Schule. S. erhielt 1982 für seine Arbeiten über die Funktionsweise und Strukturen von Märkten den Nobelpreis für Wirtschaftswiss.; untersuchte auch den Einfluss der Gesetzgebung auf die Märkte sowie Probleme im Grenzbereich zw. Wirtschafts- und Rechtswissenschaft.

Stigma [grch. »Zeichen«, »Brandmal«] *das,* **1)** *Theologie:* Leidensmal Jesu (→Stigmatisation).

2) *Zoologie:* a) Flügel- oder Randmal **(Ptero-S.),** auffälliger Chitinfleck an den Flügeln vieler Insekten (z.B. Libellen, Hautflügler, Wanzen); b) Tracheenöffnung der Spinnen, Tausendfüßer und Insekten; c) Augenfleck (Sehorganelle) bei pflanzl. Flagellaten.

Stigmatisation [grch.] *die,* **1)** *Psychologie:* das Auftreten äußerlich sichtbarer, psychogen bedingter Körpermerkmale (z.B. Hautblutungen) bei Personen mit vegetativen Störungen.

2) *Theologie:* das plötzl. Auftreten der Leidensmale Jesu **(Stigmata)** am Leib eines lebenden Menschen, die nicht zu Entzündungen führen und sich ärztl. Therapie entziehen. Der erste belegte Fall von S. ist Franz von Assisi (1224); seither über 300 Fälle, fast ausschl. Frauen, am bekanntesten Therese Neumann (*1898, †1962).

Stigmatisierung [grch.], *Soziologie:* Zuordnung bestimmter von der Gesellschaft oder einer sozialen Gruppe negativ bewerteter Merkmale (z.B. nichtehelich, vorbestraft) zu einem Individuum, das damit sozial diskreditiert wird.

Stijl, De [də'stɛjl], 1917 gegr. Gruppe niederländ. Künstler, der u.a. die Maler P. Mondrian, T. van Doesburg, die Architekten J. J. P. Oud, R. van't Hoff und der Bildhauer G. Vantongerloo angehörten; auch Name ihrer Zeitschrift (1917–31). Die S.-Bewegung erstrebte geometr. Klarheit und strenge Harmonie, indem sie ihre aufs Äußerste vereinfachten Gestaltungen auf die Grundelemente der Senkrechten, der Waagerechten sowie der drei Grundfarben Rot, Blau, Gelb und der unbunten Farben Schwarz, Weiß und Grau beschränkte und alles Bildhafte, Willkürliche und Zufällige ausschloss; von großem Einfluss auf die moderne Kunst und Architektur. Weitere BILDER Doesburg, Mondrian

Stil [lat. stilus »Griffel« (Schreibgerät), »Stängel«], die charakterist. Eigenart menschl. Leistungen, bes. auf dem Gebiet der Sprache und Kunst, i.w.S. auch für die Art und Weise des Verhaltens.

Der Begriff wird seit dem 18. Jh. verwendet, zunächst für als vorbildlich empfundene künstler. Leistungen, zunehmend zur Kennzeichnung der Eigentümlichkeit von Kunst und Literatur eines Zeitabschnitts (einer Epoche), eines kulturell-geograph. Raumes, einer Stufe individueller künstler. Entfaltung. – Die Lehre von den Mitteln des **Sprachstils** untersucht die durch die Auswahl aller sprachl. Mittel charakterisierte mündl. und schriftl. Verwendungsweise der Sprache. Die Wiss. vom literar. Stil ist die →Stilistik.

Stilb [grch. stílbē »Glanz«, »das Leuchten«] *das,* Einheitenzeichen **sb,** veraltete Einheit der Leuchtdichte; 1 sb = 1 cd/cm² = 10⁴ cd/m² (cd Abk. für Candela). Untereinheit ist das →Apostilb.

Stilett [italien.] *das,* kleiner Dolch mit kurzer, dreikantiger Klinge.

Stilfser Joch (italien. Passo dello Stelvio), Pass in der Ortlergruppe, Italien (ÜBERSICHT Alpenstraßen). Das Gebiet des S. J. ist seit 1935 Nationalpark (918 km²).

Stilicho, Flavius, röm. Feldherr, Wandale, * um 365, † (enthauptet) Ravenna 22. 8. 408; wurde 395 für den unmündigen Honorius Reichsverweser im Weström. Reich. Sein Versuch, nach dem Tod des →Arkadios die Vormundschaftsregierung auch im O zu übernehmen, führte 408 zu seinem Sturz.

Stilisieren, das Gestalten eines Kunstwerks in abstrahierender, nur seine wesentl. Grundstrukturen darstellender Form.

Stilistik *die, Literaturwissenschaft:* die Lehre von der Gestaltung des sprachl. Ausdrucks. Die S. will an ausgewählten Beispielen den Sinn für die Eigentümlichkeiten der Sprache stärken, Verknöcherungen und grobe Verstöße gegen ihren Geist in Sondersprachen aufzeigen und zu einer zeit- und sachgemäßen Ausdrucksform verhelfen.

Still [stɪl], Clyfford, amerikan. Maler, * Grandin (N. D.) 30. 11. 1904, † New York 23. 6. 1980; Vertreter des abstrakten Expressionismus; schuf überdimensionale Bilder mit zentralen, dunklen Farbflächen, die erst an den Rändern durch splittrige Farbflächen gebrochen werden.

Stille, Hans, Geologe, * Hannover 8. 10. 1876, † ebd. 26. 12. 1966; unternahm Forschungsreisen u. a. nach Südamerika; grundlegende Arbeiten zur geotekton. Gliederung der Erdgeschichte und ihrer Orogenesen; schrieb u. a. »Grundfragen der vergleichenden Tektonik« (1924), »Einführung in den Bau Amerikas« (1940), »Die assynt. Tektonik im geolog. Erdbild« (1958).

stille Gesellschaft, *Handelsrecht:* nicht im Handelsregister eingetragene Gesellschaft, bei der sich ein nach außen nicht hervortretender (stiller) Teilhaber am Handelsgewerbe eines anderen mit einer Vermögenseinlage beteiligt (§§ 230–237 HGB). Die Einlage geht in das Vermögen des Geschäftsinhabers über, der allein im Verkehr auftritt und den Gläubigern allein haftet. Der stille Gesellschafter ist am Gewinn und Verlust (bis zur Höhe seiner Einlage) beteiligt. – Ebenso in *Österreich;* in der *Schweiz* wird die s. G. nach Gesellschaftsrecht behandelt (Art. 530 ff. OR).

Stillen (Brusternährung), Ernährung des Säuglings mit →Muttermilch. Die Stilldauer beträgt meist 4–6 Monate.

Stiller Ozean, →Pazifischer Ozean.

stille Rücklagen, *Betriebswirtschaftslehre:* →Rücklage.

Stillhaltung, Stundung kurzfristiger Kredite, die von einer Gläubigergruppe einem Schuldnerland gewährt wird. Im **Stillhalteabkommen** vom 19. 8. 1931 verpflichteten sich die ausländ. Gläubiger zu einer Stundung der den dt. Banken und Firmen gewährten kurzfristigen Kredite **(Stillhaltekredite);** endgültige Regelung seit dem →Londoner Schuldenabkommen.

Stillleben (frz. Nature morte, italien. Natura morta), die Darstellung lebloser oder unbewegter Dinge (Blumen, Früchte, Tiere, Geräte aller Art) in einer ästhet. Anordnung. Nach ihren Inhalten werden **Blumen-S., Küchenstücke** und **Jagd-S.** unterschieden. Seit dem 17. Jh. ist die S.-Malerei eine selbstständige Gattung. Motive in Art des S. finden sich schon in der spätantiken Wandmalerei (Pompeji, Herculaneum), hingegen kaum in der mittelalterl. Kunst. Noch die Arrangements von Pflanzen und Geräten auf Bildern (bes. Marienbildern) Ende des 14. Jh. und bes. im frühen 15. Jh. (J. van Eyck, R. Campin) sind i. d. R. als allegor. Hinweise auf das dargestellte Thema zu verstehen. S. der folgenden Zeit erscheinen als Teil eines größeren Ganzen (Außenseiten von Altarflügeln,

Hans Stille

Clyfford Still: »Painting« (1949; Privatbesitz)

Stillleben

1

2

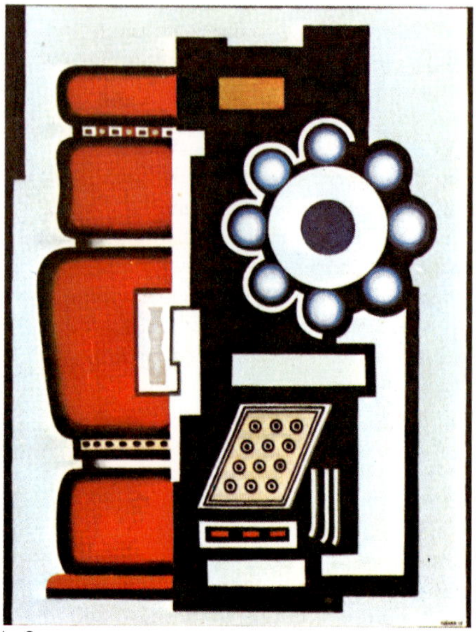

3

| **1** Floris Claesz. van Dyck, »Stilleben« (1613; Haarlem, Frans Hals Museum) | **2** Édouard Manet, »Weiße Pfingstrosen« (1864; Paris, Louvre) | **3** Fernand Léger, »Stilleben mit Kugellager« (1926; Basel, Kunstmuseum)

Holzintarsien als Wandverkleidung). Auch einige kleinformatige, als eigenständige Bilder überlieferte S., wie das »Rebhuhn mit Eisenhandschuhen und Armbrustbolzen« (1504; München, Alte Pinakothek) von J. de' Barbari dienten wohl als Schrankverkleidungen. Zu allg. Blüte kam das S. im 17. Jh. v.a. in den Niederlanden (F. Snijders, P. Claesz, J. Bruegel d.Ä., W. C. Heda, A. Bosschaert, W. Kalf). Im 18. Jh. fand es in der subtilen Kunst J.-B. Chardins zu einem Höhepunkt. Das lebhafte Interesse der Maler des 19. Jh. am S. entzündete sich mehr an den Formenmöglichkeiten der Wiedergabe frei gewählter Gegenstände als an der inhaltl. Bedeutung (G. Courbet, É. Manet, L. Corinth). Unter diesem Gesichtspunkt werden S. bis in das 20. Jh. gemalt (P. Cézanne, G. Braque, P. Picasso, G. Morandi).

📖 *S., hg. v.* E. König *u.* C. Schön. *Berlin 1996.*

Stilllegung, die nicht nur vorübergehende Einstellung des ganzen Geschäftsbetriebes oder wesentl. Teile sowie die Auflösung der Betriebs- und Produktionsgemeinschaft (→Betriebsänderung).

Stillwasser (Stauwasser), →Gezeiten.

Stilus [lat.] *der,* antikes Schreibgerät, ein Griffel aus Knochen, Elfenbein, Holz oder Metall, der an einem Ende spitz ist, um auf die Wachstafel zu schreiben, am anderen Ende falzbeinartig platt, um das Wachs glatt zu streichen und Geschriebenes auszulöschen.

Stimmbänder, Teil des →Kehlkopfes.

Stimmbandlähmung, die →Kehlkopflähmung.

Stimmbruch (Stimmwechsel, Mutation), das Tieferwerden (um etwa eine Oktave) der Stimmlage in der Pubertät bei männl. Jugendlichen; wird hervorgerufen durch das Wachstum des Kehlkopfs und die dadurch bedingte Verlängerung der Stimmbänder.

Stimme, Lautäußerung des Menschen und vieler Tierarten mit bestimmtem Klangcharakter und Signalwert zur Verständigung v.a. unter Artgenossen. Bei der S. des Menschen versetzt durchströmende Luft die Stimmbänder im Kehlkopf in Schwingungen, die durch die Resonanzräume von Rachen, Mund und Nase verstärkt werden. Die Tonhöhe kann durch unterschiedl. Spannen der Stimmbänder, die Klangfarbe durch unterschiedl. Form und Größe der Resonanzräume (Brust-, Kopf-S., Falsett) verändert werden. Nach der Klangfarbe der S. unterscheidet man versch. →Register. Die Tonhöhenbereiche der menschl. S. bezeichnet man als **Stimmlagen** (→Sopran, →Mezzosopran, →Alt, →Tenor, →Bariton, →Bass), die in der Opernpraxis in **Stimmfächer** (z.B. Koloratursopran, Soubrette, lyr. Sopran, Heldentenor, dramat. Alt) unterteilt werden. Der **Stimmumfang** eines Menschen beträgt rd. zwei Oktaven, bei guten Sängern mehr. Zur Entwicklung einer ausgeglichenen, leistungsfähigen Sing-S. gehört eine planmäßige Stimmbildung.

Als S. wird auch der von einem Sänger oder Instrumentalisten auszuführende Teil einer Komposition **(Part, Partie)** bezeichnet; auch satztechn. Bez. (Haupt- und Neben-S., Ober-, Mittel- und Unter-S., Zusatz- und Füll-S.). – Bei Streichinstrumenten Bez. für den →Stimmstock; bei der Orgel svw. →Register.

Stimme der DDR, als »Deutschlandsender« 1948 gegründeter Hörfunksender; heute Teil von DeutschlandRadio.

Stimmenhören, akust. Halluzination, das vermeintl. Hören fremder Stimmen oder der eigenen Gedanken. S. kann ein Symptom psych. (bes. der Schizophrenie) oder bestimmter Hirnerkrankungen sein.

Stimmenkauf, die aktive oder passive Bestechung Stimmberechtigter, als Wählerbestechung nach § 108b StGB, als Abgeordnetenbestechung nach § 108e StGB mit Geld- oder Freiheitsstrafe bis zu fünf Jahren strafbar; im Aktienrecht als Ordnungswidrigkeit mit Geldbuße bedroht.

Stimmer, Tobias, schweizer. Maler und Zeichner, *Schaffhausen 17. 4. 1539, †Straßburg 4. 1. 1584; gilt mit Zeichnungen für den Holzschnitt, auch für Glasmalereien, mit Pinsel- und Federzeichnungen sowie monumentaler Decken- und Fassadenmalerei als der bedeutendste schweizer. Künstler seiner Zeit.

Stimmfächer, →Stimme.

Stimmführung, *Musik:* im mehrstimmigen Satz die Führung der einzelnen Stimmen im Verhältnis sowohl zu sich selbst als auch zu den anderen Stimmen und zum Zusammenklang.

Stimmgabel, ein u-förmig gebogener Stahlstab; wird durch Schlag oder Reibung zu Querschwingungen erregt, die einen an Obertönen armen Stimmton zum Einstimmen von Musikinstrumenten ergeben (→Kammerton).

Stimmhaftigkeit, *Phonetik:* Eigenschaft von Sprachlauten, bei deren Erzeugung die Stimmbänder des Kehlkopfes schwingen. Dem entspricht akustisch ein period. Verlauf des Schallsignals. In der Phonologie ist S. ein unterscheidendes Merkmal der Phoneme. **Stimmlosigkeit** wird i. Allg. negativ als Abwesenheit von S. bestimmt.

Stimmlage, →Stimme.

Stimmlosigkeit, 1) *Medizin:* →Aphonie.

2) *Phonetik:* →Stimmhaftigkeit.

Stimmrecht, die Befugnis, bei einer →Abstimmung oder Wahl mitzustimmen (→Wahlrecht); im *Gesellschaftsrecht* das Recht des Gesellschafters, bei der Beschlussfassung der Gesellschafterversammlung mitzuwirken; in AG nach Aktiennennbeträgen ausgeübt (§ 134 Aktiengesetz).

Stimmritze, *Anatomie:* →Kehlkopf.

Stimmritzenkrampf (Glottiskrampf, Laryngospasmus), Anfall von krampfhafter Verengung oder Verschließung der Stimmritze mit Atemnot oder Atemstillstand, Blauwerden (Zyanose), Angst und Schweißausbruch; meist bei nervaler Übererregbarkeit im Kindesalter (Spasmophilie) oder mechan. Reizung des Kehlkopfs (z. B. Fehlschlucken).

Stimmstock, 1) beim Klavier die Leiste, in die die Stimmwirbel der Saiten eingelassen sind; **2)** bei Streichinstrumenten das Holzstäbchen im Innern des Resonanzkörpers, das die Schwingungen der Saiten von der Decke auf den Boden überträgt (auch Stimme oder Seele genannt).

Stimmton, der durch eine festgelegte Frequenz (Schwingungszahl) definierte Ton, nach dem die Instrumente gestimmt werden (→Kammerton).

Stimmung, 1) *Musik:* die theoret. und prakt. Festlegung der absoluten und der relativen Tonhöhe. Die S. von Instrumenten und der auf ihnen gespielten Musik wird zunächst durch die absolute Tonhöhe bestimmt, die heute i. Allg. durch die Frequenz des →Kammertons a^1 festgelegt ist. Darüber hinaus hängt die S. vom System der von einem Instrument spielbaren und durch ein Musikstück geforderten Tonhöhenverhältnisse, den relativen Tonhöhen, ab. Die S. der meisten Blasinstrumente (Ausnahme u. a. Posaune) und der gestimmten Schlaginstrumente wird überwiegend durch den Instrumentenbau bestimmt und kann nur geringfügig vom Spieler beeinflusst werden. Saiteninstrumente können vor jedem Spiel (z. B. Gitarre, Violine) oder in größeren Zeitabständen (z. B. Klavier, Harfe) gestimmt werden. – In der **reinen S.** sollen die Dreiklänge auf dem Grundton, der Unter- und der Oberquinte »rein« sein; die Frequenzen der Dreiklangstöne (etwa c-e-g, f-a-c und g-h-d) verhalten sich wie 4 : 5 : 6. Dadurch sind alle diaton. Töne einer Tonart festgelegt; auf einem »rein« gestimmten Tasteninstrument erklingt jede

Stimmgabel

Tobias Stimmer: »Die Opferung Isaaks«, Federzeichnung (um 1575; Basel, Kunstmuseum)

Stinkmorchel: Fruchtkörper (Stiel 10–20 cm hoch) mit Hexenei (im Vordergrund)

andere Tonart unrein. Die Pythagoras zugeschriebene **pythagoreische S.** gewinnt die 12 Intervalle der Oktave durch Aneinanderreihung von 12 reinen Quinten und Reduzierung auf eine Oktave. Dabei ergibt sich infolge des pythagoreischen →Kommas eine geringfügige Abweichung gegenüber dem Ausgangston. Das Spielen in allen Tonarten ermöglichte seit dem Ende des 18. Jh. die **gleichschwebend temperierte S.** (gleichschwebende Temperatur), die auf einer physikalisch gleichmäßigen Zwölfteilung der reinen Oktave beruht. – Während im Bereich der tonalen Musik des Abendlandes die gleichschwebend temperierte S. als der bestmögl. Kompromiss angesehen werden muss, ist sie die notwendige Voraussetzung der atonalen Musik. Die Zwölftontechnik z.B. kann nur in temperierter S. realisiert werden.

📖 *Hb. der Grundlagen von S. & Register, hg. vom Schiller-Inst., auf mehrere Bde. ber. Wiesbaden 1996ff.*

2) *Psychologie:* Gefühlslage, die im Ggs. zu anderen Gefühlszuständen (→Gefühl, →Affekt) weniger zielgerichtet ist, länger andauert, die allg. Körperverfassung widerspiegelt und den gleichmäßigen Hintergrund der anderen Erlebnisinhalte gibt.

Stimulantia, die →Anregungsmittel.

Stimulation [lat.] *die,* Reizung, Anregung, entweder durch →Anregungsmittel oder durch besondere Erlebnisse oder Vorstellungen (psych. Stimulation).

stimulierte Emission, *Physik:* →Laser.

Stimulus [lat.] *der,* Anreiz, Antrieb; Reiz.

Stinde, Julius, Schriftsteller, *Kirchnüchel (Kr. Plön) 28. 8. 1841, †Olsberg 5. 8. 1905; schrieb Volksstücke und humorist. Romane (u.a. »Die Familie Buchholz«, 4 Tle., 1884–95).

Sting

Sting [stɪŋ], eigtl. Gordon Matthew Sumner, brit. Rockmusiker (Sänger, Gitarrist, Songschreiber) und Schauspieler, *Wallsend 2. 10. 1951; seit 1985 Solokarriere. In seinen Songs mischen sich moderner Jazz und Rockelemente, Funk und Reggae; spielte in Filmen (u.a. »Die Braut«, 1985; »Die Abenteuer des Barons Münchhausen«, 1988).

Stinkdrüsen, der Haut eingelagerte Drüsen bei manchen Tieren (z.B. Wanzen, Schaben, Stinktier); sie sondern bei Bedrohung ein stark und unangenehm riechendes Sekret ab.

Stinkmorchel (Gichtmorchel, Phallus impudicus), ungiftiger Rutenpilz mit zunächst kugeligem, weißem Fruchtkörper (»Hexenei«), aus dem ein 10–20 cm hoher, weißer, hohler Stiel mit glockenförmigem Hut hervorwächst; die außen am Hut sitzende olivgrüne, schmierige, übel riechende Sporenmasse wird durch Aasfliegen verbreitet; kommt in Wäldern, Parkanlagen und Gärten vor.

Stinknase (Ozäna), chronische, mit Gewebeschwund verbundene Entzündung der Nasenschleimhaut; die Ursache ist ungeklärt. Kennzeichen sind Borkenbildung und die Absonderung eines unangenehm riechenden Sekrets.

Stinkspat, schwarzblaue Varietät des Minerals →Flussspat.

Stinktiere, die →Skunks.

Stinnes, 1) Hugo, Unternehmer, *Mülheim a.d. Ruhr 12. 2. 1870, †Berlin 10. 4. 1924, Enkel von 2). Zunächst im Familienunternehmen tätig, gründete er 1893 ein eigenes Unternehmen, das er durch vertikale Konzentration und Diversifikation zu einem der größten dt. Konzerne ausbaute. Als MdR (Dt. Volkspartei) 1920–24 vertrat S. die Interessen der dt. Montanindustrie.

2) Mathias, Industrieller, *Mülheim a.d. Ruhr 4. 3. 1790, †ebd. 16. 4. 1845, Großvater von 1); begann als Ruhrschiffer, führte als Erster die Schleppschifffahrt auf dem Rhein ein. Später ergänzte er Transport und Handel durch Bergbau. Nachfolger in der Unternehmensleitung wurden die Söhne Mathias S. (*1817, †1853), Gustav S. (*1826, †1878) und Hugo S. (*1842, †1887).

Stinnes-Konzern, Unternehmensgruppe, die im 19. Jh. von M. Stinnes begründet wurde, ihre größte Bedeutung jedoch unter seinem Enkel H. Stinnes vor und nach dem 1. Weltkrieg erreichte; umfasste kurz vor dessen Tod 1535 selbstständige Unternehmen mit 2888 Betriebsstätten in den Bereichen Bergbau, Kohlenhandel, See- und Binnenschifffahrt, Papier- und Zellstoff- sowie Stahl- und Energieerzeugung, ferner Druck-, Verlags-, Banken- und Versicherungswesen. Nach dem Tod von H. Stinnes kam es zu einer Liquiditätskrise, die die Erben zwang, amerikan. Kapital aufzunehmen und der Auflage zuzustimmen, die Hälfte der Anteile der neu gegr. Dachgesellschaft Hugo Stinnes Corp., Baltimore, an die amerikan. Gläubiger abzutreten. 1957 konnte ein dt. Bankenkonsortium die dt. Anteile zurückkaufen. Nachfolgegesellschaft des 1961 liquidierten amerikan. Unternehmens wurde die Hugo Stinnes GmbH, die im gleichen Jahr in eine AG umgewandelt wurde. 1963 wurde der S.-K. aufgelöst; ein Teil des Unternehmens, z. B. die **Stinnes AG** (Handels-, Dienstleistungs- und Transportunternehmen) wurde von der VEBA AG übernommen.

Stinte (Osmeridae), Familie der Lachsartigen Fische mit z. T. kräftigen Zähnen und dünner Beschuppung. Der in Schwärmen lebende **Europ. Stint (Spierling, Stinklachs,** Osmerus eperlanus) ist als »Seestint« an vielen Küsten, bes. in den Häfen N-Europas und des östl. Amerika bekannt; er wird bis 26 cm lang. Als kleinerer »Flussstint« kommt er auch in Flussmündungen und Landseen vor. Eine der größten Arten der S. ist der **Kerzenfisch** (Thaleichthys pacificus). In Nordatlantik, Eismeer und Nordpazifik lebt die **Lodde** (Mallotus villosus), auch **Kapelan** genannt, bis 20 cm lang; Kabeljauköder.

Stipendium [lat.] *das,* steuerfreie Geldunterstützung, die Studierenden u. a. auf bestimmte Zeit oder für bestimmte Zwecke (Auslandsstudium) von Staat, Kirche oder Stiftungen gewährt wird. (→ Ausbildungsbeihilfen)

Stinte (von links): Europäischer Stint (Länge bis zu 26 cm), Lodde (Länge bis zu 20 cm)

Stirling ['stə:lɪŋ], Stadt in Mittelschottland, Verw.sitz der gleichnamigen Local Authority (2196 km²), am Forth, 38800 Ew.; Univ., Museen; Verarbeitung landwirtsch. Produkte, Landmaschinenbau, Teppich-, Gummi-, Isolierstoffind.; Fremdenverkehr. – In der Altstadt Gebäude des 16. und 17. Jh., Kirche Holy Rude (um 1270); Burg (12.–16. Jh.).

Stirling ['stə:lɪŋ], **1)** James, schott. Mathematiker, * Garden (bei Stirling) 1692, † Edinburgh 5. 12. 1770; wichtige Studien über algebraische Kurven 3. Grades und Reihenentwicklungen; fand die Näherungsformel **(stirlingsche Formel)** zur Berechnung der Fakultät für große positive Zahlen:

$$n! \approx n^n e^{-n} \sqrt{2\pi n}.$$

2) James Frazer, brit. Architekt, * Glasgow 22. 4. 1926, † London 25. 6. 1992; einer der bedeutendsten Vertreter der postmodernen Architektur; baute u. a. die Neue Staatsgalerie in Stuttgart (1977–84) und das Wissenschaftszentrum in Berlin (1980–88).

Stirlingmotor ['stə:lɪŋ-] (Heißgasmotor), neben der Dampfmaschine die älteste Wärmekraftmaschine (1818 erstmalig von Robert Stirling, * 1790, † 1878, in Betrieb genommen). Der S. arbeitet im geschlossenen Kreislauf mit einem konstanten Luft- oder Gasvorrat, der von zwei Kolben in einem Zylinder hin- und hergeschoben wird. Auf der einen Zylinderseite wird das Gas (heute meist Helium) an der durch einen Brenner stark erwärmten Wand erhitzt, auf der anderen durch einen Kühler stark gekühlt. Dazwischen ist ein Wärmespeicher (Regenerator) geschaltet, der die Aufgabe hat, dem hinströmenden Gas möglichst viel Wärme zu entziehen und aufzuspeichern, um sie an das rückströmende Gas wieder abzugeben. Ein Rhombengetriebe gewährleistet die richtige Zuordnung der diskontinuierl. Bewegung von Kolben und Verdränger. – Vorteile des S.: äußere Wärmezufuhr (dadurch kontinuierliche Verbrennung

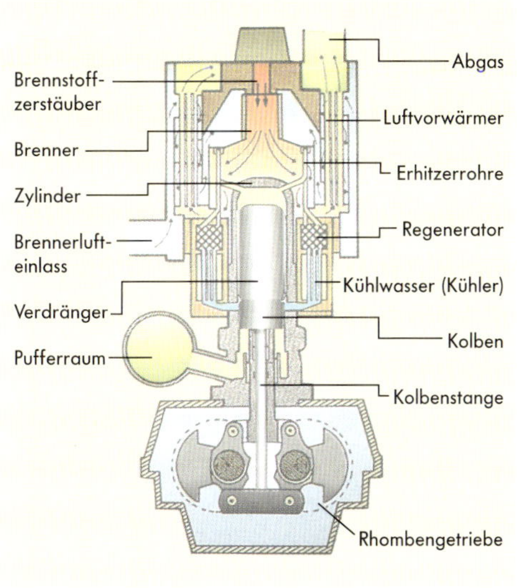

Stirlingmotor: Schnittzeichnung eines Stirlingmotors mit Rhombengetriebe

James Stirling: Die Neue Staatsgalerie in Stuttgart wurde 1977–84 gegenüber dem Landtag von Baden-Württemberg erbaut

von Brennstoffen bei hohem Luftüberschuss möglich), schadstoffarmes Abgas, geringe Geräuschentwicklung, guter Wirkungsgrad; Nachteile: hohe Herstellungskosten, ungünstiges Leistungsgewicht und schwierige Leistungsregelung. S. werden auch in Sonnenkraftwerken eingesetzt.

Stoa

Die Aussagenlogik des Chrysipp

Die Stoiker haben maßgeblich Beiträge für die Entwicklung der Logik geleistet. So entwickelte der Stoiker Chrysipp die erste Aussagenlogik. Dabei stellte er fünf logisch gültige Schlussformen auf, wobei für die Buchstaben p und q beliebige Aussagen eingesetzt werden können:
»Wenn p, dann q, nun p; also q«
»wenn p, dann q; nun nicht q; also nicht p«
»nicht sowohl p als auch q; nun p; also nicht q«
»p oder q; nun p; also nicht q«
»p oder q; nun nicht q; also p.«

Stirn (Frons), bei Wirbeltieren (einschl. des Menschen) über den Augen gelegene, von zwei Schädelknochen bzw. dem Stirnbein geformte Gesichtspartie.

Stirnbein (Frontale), urspr. paariger, beim erwachsenen Menschen verschmolzener vorderer Knochen des Hirnschädels.

Stirner, Max, eigtl. Johann Kaspar Schmidt, Philosoph, *Bayreuth 25. 10. 1806, †Berlin 25. 6. 1856; Junghegelianer, dem theoret. Anarchismus nahe stehend; entwickelte das System eines extremen Individualismus (eth. Solipsismus); schrieb »Der Einzige und sein Eigentum« (1845).

Stirnhöhlen|entzündung, →Nasennebenhöhlenentzündung.

Stirnrad, ein →Zahnrad.

Stirnziegel (lat. Antefix), am antiken Dach der scheibenförmige Abschluss der unteren Deckziegel, verziert mit Palmetten, auch Köpfen.

Stishovit [-ʃ-] *der,* Hochdruckmodifikation von Siliciumdioxid; gilt als Indexmineral der →Stoßwellenmetamorphose und kommt z. B. in Meteoritenkratern vor.

Stoa [grch.] *die,* **1)** *Architektur:* →Portikus.

2) *Philosophie:* die nach ihrem Versammlungsort, der S. Poikile, benannte Philosophenschule, die um 300 v. Chr. von Zenon von Kition in Athen gegründet wurde. Man unterscheidet drei Abschnitte der S.: die ältere S. im 3. Jh. v. Chr. (Zenon, Chrysipp, Kleanthes), die mittlere S. im 2. und 1. Jh. v. Chr. (Panaitios, Poseidonios) und die S. der Kaiserzeit (Seneca, Epiktet, Mark Aurel). Die Lehre der Stoiker **(Stoizismus)** gliederte die Philosophie in Logik, Physik und Ethik. Nach der Ethik der Stoiker gibt es nur eine einzige wahrhafte Glückseligkeit: das Leben im Einklang mit der Allnatur, den Gehorsam gegen das göttl. Gesetz und das es aussprechende Pflichtgebot der Vernunft. Die Form dieser Glückseligkeit ist die Tugend, der Weg zu ihr die Überwindung von Lust und Affekten (grch. apatheia »Apathie«). Als Grundtugenden gelten Gerechtigkeit, Tapferkeit, Beherrschung und Menschlichkeit (Ideal des »Weisen«). Aus der Vorstellung eines ewigen, absolut gültigen Weltgesetzes, des Logos, entwickelte die S. eine umfassende Staats- und Rechtslehre (Naturrecht). Die Religion der S. war pantheist. Naturverehrung. Die S. lieferte auch bed. Beiträge zur Grammatik.

📖 POHLENZ, M.: *Die S. Geschichte einer geistigen Bewegung, 2 Bde. Göttingen* $^{6-7}$*1990–92.* – *Die S. Kommentierte Werkausgabe, hg. v.* W. WEINKAUF. *Neuausg. Augsburg 1994.* – HOSSENFELDER, M.: *S., Epikureismus u. Skepsis. München* ^{2}*1995.*

Stobaios (lat. Stobaeus), grch. Schriftsteller wohl des 5. Jh. n. Chr., aus Stoboi in Makedonien; Verfasser der letzten heidn. »Anthologie« (Sammlung von Auszügen aus den Werken von rund 500 grch. Dichtern und Prosaautoren).

Stochastik [grch.] *die, Statistik:* die auf der Wahrscheinlichkeitstheorie und der mathemat. Statistik beruhende Behandlung zufälliger Ereignisse.

stochastische Musik, von I. Xenakis Mitte der 1950er-Jahre entwickelte Kompositionstechnik, die auf der Grundlage der statist. Wahrscheinlichkeitstheorie und auf den Gesetzen der Kettenreaktion beruht.

stochastischer Prozess, *Statistik:* ein beliebiger, nicht streng determinierter Vorgang, der sich durch eine von der Zeit t (oder einem anderen Parameter) abhängige Zufallsgröße $X(t)$ beschreiben lässt und den Verlauf einer statist. Schwankungen unterliegenden (physikal.) Größe kennzeichnet.

Stöchiometrie [grch.] *die,* Teilgebiet der Chemie, das sich mit der Berechnung der Zusammensetzung chem. Verbindungen und des Umsatzes bei chem. Reaktionen befasst. Wichtige Grundlage der S. ist das Gesetz von der Erhaltung der Masse. Da chem. Stoffe in Form von Teilchen miteinander reagieren und die →Stoffmenge proportional der Teilchenzahl ist, lassen sich aus chem. Formeln oder Reaktionsgleichungen Stoffmengenbeziehungen als mathemat. Gleichungen ableiten. Mithilfe der →molaren Massen oder über die Zustandsgleichung idealer Gase lassen sich Stoffmengen in Massen, Gasvolumina u. a. umrechnen.

Stock [stɔk, engl.] *der,* angelsächs. Bez. für Aktie; Gesamtbetrag einer Anleihe; auch das Grund- oder Stammkapital einer Gesellschaft.

Stock, 1) *Forstwesen:* (Stubben) der nach dem Fällen von Bäumen im Erdboden bleibende Wurzelstock.

2) *Geologie:* ausgedehnte, unregelmäßige Gesteinsmasse, die als Fremdkörper das Nebengestein steil durchsetzt (z. B. Granit-, Salzstock).

Stockach, Stadt im Landkreis Konstanz, Bad.-Württ., im Hegau, 16 200 Ew.; Fasnachtmuseum im Schloss Langenstein; Textil-, Elektronik- und Elektroind., Maschinenbau, Eisengießerei, Aluminium-Umschmelzwerk. – 1150 erstmals, 1283 als Stadt erwähnt.

Stockerau, Stadt in Niederösterreich, nordwestlich von Wien, am N-Rand des Tullner Beckens, 13 600 Ew.; Museen; Maschinen-, Anlagen-, Fahrzeugbau u. a. Industrie.

Stockfisch, durch Lufttrocknung haltbar gemachter, ungesalzener Seefisch.

Stockhausen, Karlheinz, Komponist, *Mödrath (heute zu Kerpen) 22. 8. 1928; studierte u. a. in Paris bei O. Messiaen; seit 1963 künstler. Leiter des Studios für elektron. Musik beim WDR in Köln, 1971–77 Prof. an der Kölner Musikhochschule. – S. war maßgebend an der Entwicklung der Musik nach 1950 beteiligt. Von Werken Messiaens und A. Weberns ausgehend, schuf er zunächst streng serielle instrumentale (»Gruppen für 3 Orchester«, 1955–57) und elektron. Musik (»Gesang der Jünglinge«, 1955/56). Später bezog er zunehmend den Zufall (→Aleatorik) und den Raum als musikal. Kategorie in seine Werke ein und ging in den 60er-Jahren zu improvisierter »intuitiver Musik« über, bei der die Spielvorlagen als Textanweisungen formuliert sind. – Seit Anfang der 70er-Jahre beschäftigte S. sich mit der »Formel-Komposition« (eine bestimmte Tonfolge, die als Formel eines Werkes dient, z. B. »Mantra«, 1970) und mit »szen. Musik« (z. B. »Trans« für Orchester, 1971), bei der die Musiker in das szen. Geschehen einbezogen werden. Diese beiden kompositor. Aspekte münden in den 1977 begonnenen musikdramat. Zyklus »Licht« (»Donnerstag«, 1981; »Samstag«, 1984; »Montag«, 1988; »Dienstag«, 1993; »Freitag«, 1996).

Weitere Werke: 11 Klavierstücke (1952–61); Kontakte für elektron. Klänge (1959/60); Mikrophonie I für Tamtam, 2 Mikrofone, 2 Filter und Regler (1964); elektron. Musik Telemusik (1966); elektron. und konkrete Musik Hymnen (1966/67); Jubiläum für Orchester (1977); Punkte für Flöte, Klarinette, Trompete und Orchester (1993).

Karlheinz Stockhausen

📖 KURTZ, M.: *S. Eine Biographie. Kassel u. a. 1988.* – BLUMRÖDER, C. VON: *Die Grundlegung der Musik K. S.s. Stuttgart 1993.*

Stockholm, 1) Verw.gebiet (Län) in Schweden, 6 490 km², (1995) 1,709 Mio. Einwohner.

2) Hauptstadt und Residenzstadt von Schweden, auf Schären, Inseln und Halbinseln und dem angrenzenden Festland gelegen, zw. Mälarsee und Ostsee, 684 600 Ew.; Sitz der Reg., des Parlaments, des Höchsten Gerichts u. a. Behörden, Sitz der Nobelstiftung; Univ., TH, medizin. Hochschule, Handelshochschule, zwei Kunsthochschulen, Musikhochschule, Hochschule für Theater, Film, Rundfunk und Fernsehen, Sporthochschule, drei Akademien der Wiss. und weitere Akademien und wiss. Forschungsinst., bed. Bibliotheken und Museen (u. a. Freilichtmuseum Skansen, Wasamuseum). S. ist die wichtigste Industriestadt Schwedens, v. a. Maschinenbau, Papier-, Druck-, Nahrungsmittel-, Textil-, Bekleidungs- und chem. Industrie). Regelmäßige Schiffsverbindungen bestehen mit den großen Ostseehäfen sowie über Seen und Kanäle auch mit dem Binnenland. S. ist der wichtigste Straßen- und Bahnknoten Schwedens, für den innerstädt. Verkehr gibt es eine U-Bahn; internat. Flughafen Arlanda.

Stockholm 2) Stadtwappen

Stadtbild: Der alte Stadtkern liegt auf drei felsigen Inseln: Stadsholme (u. a. Königl. Schloss), Helgeandsholme und Riddarholme; bed. Bauwerke: Renaissance-Bürgerhäuser, Börse (Rokoko, 1767–76), Erbfürstenpalais (1783–94), Königliches

Stockholm 2): Ansicht der Insel Riddarholme (links) mit dem Reichsgericht und der auf das 13. Jh. zurückgehende Riddarholmskirche, auf der dahinterliegenden Insel Stadsholme befindet sich das Königliche Schloss; daneben Blick auf ein Einkaufszentrum

Schloss (1697 begonnen), Königl. Oper (1894–98), Reichstagsgebäude (1897–1906), Schauspielhaus (Jugendstil, 1901–08), Stadthaus (1911–23), Domkirche St. Nikolai (im 13. Jh. gegr., 1736–43 barock umgestaltet; St.-Georgs-Gruppe von B. Notke, 1487), Dt. oder St.-Gertruds-Kirche (1636–42), Riddarholmskirche (13. Jh.; seit Gustav II. Adolf Grabstätte der Könige), Klarakirche (1751–53), Adolf-Frederiks-Kirche (1768–74); moderne Bauten: Kulturhauskomplex (1968 bis 1976), Sport- und Kulturzentrum »Globe Arena« (1989), Neubau des Modernen Museums (1998). In der Nähe der Stadt liegen die Schlösser →Drottningholm (17./18. Jh.), Ulriksdal (17. Jh.) und Haga (1786–88). Weitere BILDER Milles, schwedische Kunst

Adolf Stoecker

Geschichte: Das 1252 erstmals bezeugte S. geht der Sage nach auf →Birger Jarl zurück; es entwickelte sich zu einem stark von der Hanse (bes. von Lübeck) beeinflussten Handelsplatz. Der Sieg des Dänenkönigs Christian II. über den schwedischen Reichsverweser Sten Sture d. J. führte zum »Stockholmer Blutbad« (1520). Nach Einnahme der Stadt durch Gustav I. (1523) war S. häufig Residenz der schwed. Könige; seit 1634 (Verlegung der zentralen Behörden nach S.) Hauptstadt.

📖 *S., Fotos v.* F. DRESSLER, *Text v.* R. SCHRÖDER *u. a. München 1993.*

Stockholm International Peace Research Institute ['stɔkhəʊm ɪntə'næʃnl 'pi:s rɪ'sə:tʃ 'ɪnstɪtju:t, engl.], Abk. **SIPRI,** internat. Friedensforschungsinstitut, 1966 als Stiftung vom schwed. Parlament gegr.; veröffentlicht u. a. das SIPRI-Jahrbuch, das die internat. Rüstungsentwicklung dokumentiert.

Stockrose

Stockmaß, mit dem Messstock gemessene Größe in cm von Haustieren, z. B. von Pferden (in Höhe des Widerrists).

Stockport ['stɔkpɔ:t], Stadt im SO der Metrop. County Greater Manchester, Mittelengland, 290 000 Ew.; Schwermaschinenbau, Elektronik-, Textil-, Bekleidungsindustrie. – Kirche Saint Mary (14. Jahrhundert).

Stockpuppe, Spielfigur des →Figurentheaters, die an einem am Rumpf befestigten Stock von unten geführt wird (→Hänneschen-Theater).

Stockrose (Alcea rosea), hochwüchsiges Malvengewächs mit großen weißen, rosa, roten oder braunen Blüten; alte Zierpflanze. Die Blüten wurden früher als Arznei und zum Färben verwendet.

Stockschwämmchen

Stockschwämmchen (Kuehneromyces mutabilis), in Büscheln wachsender gelbbrauner Speisepilz mit dunklem, etwas schuppigem Stiel.

Stockton ['stɔktən], Stadt in Kalifornien, USA, am Unterlauf des San Joaquin River, 222 600 Ew.; Univ.; Mittelpunkt eines Ackerbaugebiets.

Stockton-on-Tees ['stɔktən ɔn 'ti:z], Industriestadt in der Cty. Cleveland, NO-England, am Unterlauf des Tees, 170 200 Ew.; Schwermaschinenbau, Eisen-, petrochem., Düngemittelind.; Seehafen. – 1825 erste öffentl. Dampfeisenbahn der Erde zwischen S.-on-T. und Darlington.

Stoderani, die elbslaw. Stamm, →Heveller.

Stoecker ['stœ-], Adolf, Politiker und Theologe, *Halberstadt 11. 12. 1835, †Gries (heute zu Bozen) 7. 2. 1909; 1874–89 Hof- und Domprediger in Berlin; übernahm 1877 die Leitung der Berliner Stadtmission mit dem Ziel, das Proletariat für die Kirche zu gewinnen; gründete 1878 die Christlichsoziale Arbeiterpartei, deren monarchisch-nationalist. Ausrichtung kaum Widerhall in der Arbeiterschaft fand; durch seinen Antisemitismus wirkte er stärker auf den Mittelstand; 1879–98 Mitgl. des preuß. Abgeordnetenhauses, 1881–93 und 1898–1908 MdR (Deutschkonservative Partei); Mitbegründer des →Evangelisch-sozialen Kongresses.

Stoecklin ['stœ-], Niklaus, schweizer. Maler und Grafiker, *Basel 19. 4. 1896, †ebd. 31. 12. 1982; malte Landschaften im Stil des mag. Realismus, auch Porträts, Stillleben und Wandbilder; fand v. a. mit Plakatentwürfen internat. Anerkennung.

Stoff, 1) *Chemie, Physik:* Bez. für jede in chemisch mehr oder weniger einheitl. Form (als Element, Verbindung oder Gemisch) vorliegende Materie, unabhängig von der äußeren Gestalt, jedoch gekennzeichnet durch charakteristische physikal. und chem. Eigenschaften und Stoffkonstanten.

2) *Literatur:* der vom Schriftsteller erfundene oder von ihm in Mythos, Religion, Geschichte, Zeitereignissen und auch in der Dichtung anderer Autoren gefundene Geschehniszusammenhang, den er einem literar. Werk zugrunde legt.

3) *Textiltechnik:* aus Garnen durch Weben (auch Wirken oder Stricken) hergestelltes flächiges Erzeugnis.

Stoffdruck, der →Textildruck.

Stoffkonstanten, die →Materialkonstanten.

Stoffmenge, Formelzeichen *n,* Basisgröße des Internat. Einheitensystems mit der Einheit →Mol, die die Quantität einer aus gleichartigen Individuen (Atome, Moleküle, Ionen u.a.) bestehenden Stoffportion (Substanzmenge) durch die Anzahl der in ihr enthaltenen Teilchen beschreibt.

Stoffschluss, die Übertragung von Kräften zw. Bauteilen unmittelbar durch die beteiligten Materialien, z.B. beim Schweißen, Löten und Kleben; andere Verbindungsarten sind →Formschluss und →Kraftschluss.

Stoffwechsel (Metabolismus), die Gesamtheit der biochem. Vorgänge, die im pflanzl., tier. und menschl. Organismus oder in dessen einzelnen Teilen ablaufen und dem Aufbau, Umbau und der Erhaltung der Körpersubstanz sowie der Aufrechterhaltung der Körperfunktionen dienen. Die S.-Prozesse verbrauchen Energie, die durch Abbau zelleigener Substanzen exergon (Energie freisetzend, katabolisch) im Vorgang der →Dissimilation gewonnen wird. Die durch die Dissimilation verbrauchten Substanzen und die für Aufbau und Wachstum erforderl. Zellsubstanzen werden durch endergone (Energie verbrauchende, anabol.) Reaktionen im Vorgang der →Assimilation ersetzt. Praktisch lassen sich alle S.-Vorgänge nach Funktionskreisen in Assimilation, Ernährung, Atmung, Verdauung, Resorption und Exkretion unterteilen. Generell unterschieden werden der **Bau-S.** (Aufbau-S., Anabolismus, inzwischen meist Assimilation genannt) vom **Energie-** oder **Betriebs-S.** (auch als Katabolismus, abbauender S. oder Dissimilation bezeichnet), der die beiden Vorgänge der inneren Atmung und der Gärung umfasst.

Beim **Kohlenhydrat-S.** sind v.a. Ab- und Aufbau des Glykogens (Polysaccharidspeicherform) von Bedeutung. Da von der Zelle nur Monosaccharide aufgenommen werden, müssen die mit der Nahrung zugeführten Di- und Polysaccharide im Dünndarm durch Enzyme in Monosaccharide gespalten und in die Blutbahn abgegeben werden. Das wichtigste Monosaccharid des Kohlenhydrat-S. ist Glucose; ein konstanter Glucosespiegel im Blut ist für die Energie verbrauchende Zellfunktion lebensnotwendig. Unter **Fett-S. (Lipid-S.)** versteht man die Vorgänge zum Auf- und Abbau der Fette oder fettartiger Substanzen im Organismus. Er umfasst i.w.S. den S. der komplexen Lipide, d.h. der Phospholipide, Glykolipide, Carotinoide und des Cholesterins, in dem die Fettsäuren als Ausgangsmaterial dienen. Unter **Eiweiß-S.** versteht man die Gesamtheit aller biolog. Vorgänge und biochem. Umsetzungen, die den Auf- und Abbau von Proteinen bei Pflanzen und Tieren sowie beim Menschen betreffen. Der Abbau erfolgt im Magen-Darm-Kanal durch Eiweiß spaltende Enzyme (Proteasen) bis hin zu den resorptionsfähigen Aminosäuren. Der **Nucleinsäure-S. (Nucleotid-S.)** umfasst die →DNS-Replikation und die Biosynthese von RNS. Der **Mineral-S.** umfasst die chem. Umsetzungen der Mineralstoffe und Spurenelemente; er wird bei Tieren und beim Menschen hormonell durch Mineralocorticoide geregelt.

📖 Mehnert, H.: *Der Mensch ist so gesund wie sein S. Was ist S.? Augsburg 1991.*

Stoffwechselkrankheiten (Stoffwechselanomalien), Erkrankungen, die durch Störungen des Gesamt- oder eines Teilstoffwechsels hervorgerufen werden und v.a. durch mangelnden oder unvollständigen Abbau bestimmter Stoffe zu Gewebs- und Organschädigungen oder durch fehlende Synthetisierung lebensnotwendiger Eiweißstoffe zu Ausfallerscheinungen führen, z.B. Gicht, Fettsucht, Diabetes mellitus.

Edmund Stoiber

Walter Stöhrer: »Priapsfigur II« (1977; Privatbesitz)

Stöhrer, Walter, Maler, *Stuttgart 15. 1. 1937; Schüler von HAP Grieshaber. Kennzeichnend ist sein impulsiver Malgestus der freien Linien, die noch figürl. Anklänge erkennen lassen.

Stoiber, Edmund, Politiker (CSU), *Oberaudorf (bei Rosenheim) 28. 9. 1941; seit 1974 MdL in

Bayern, 1978–83 Gen.-Sekr. der CSU, 1982–88 Chef der bayer. Staatskanzlei, 1988–93 Innenmin., seit 1993 MinPräs. von Bayern.

Leopold Stokowski (um 1960)

Stoizismus *der,* die Lehre der Stoiker, →Stoa.

Stoke-on-Trent ['stəʊk ɔn 'trent], Stadt in der Cty. Staffordshire, Mittelengland, am Trent, 244800 Ew.; FH (Polytechnic), im benachbarten Keele Univ.; Zentrum der engl. Steingut- und Porzellanind. in den Potteries, mit Keramikforschungsinstitut und -museum; Aluminium; Metall-, Gummiindustrie.

Stoker ['stəʊkə], Bram, eigtl. Abraham S., irischer Schriftsteller, *Dublin 8. 1. 1847, †London 20. 4. 1912. Welterfolg hatte seine (häufig verfilmte) Vampirgeschichte »Dracula« (1897).

Stokes [stəʊks; nach G. G. Stokes] *das,* Einheitenzeichen **St,** nichtgesetzl. Einheit der kinemat. →Viskosität: $1\,St = 1\,cm^2/s = 10^{-4}\,m^2/s$.

George Gabriel Stokes

Stokes [stəʊks], Sir (seit 1889) George Gabriel, brit. Mathematiker und Physiker, *Skreen (Cty. Sligo, Irland) 13. 8. 1819, †Cambridge 1. 2. 1903; wurde 1849 Prof. in Cambridge und war 1885–90 Präs. der Royal Society; bed. Beiträge zur Hydrodynamik (→stokessches Reibungsgesetz), Optik (→stokessche Regel) und Analysis, in der er den Begriff der gleichmäßigen Konvergenz und den Zusammenhang zw. Oberflächen- und Kurvenintegralen (stokesscher Integralsatz) erarbeitete.

stokessche Regel [stəʊks-; nach G. G. Stokes], Regel, nach der die Wellenlänge einer Photolumineszenzstrahlung meist größer (d.h. die Strahlung energieärmer) ist als die der anregenden Strahlung **(Stokes-Linien),** da die Energie der einfallenden Photonen z.T. für strahlungslose Übergänge verbraucht wird. Nehmen die Photonen Energie des bestrahlten Systems auf, erscheinen **Antistokes-Linien** kürzerer Wellenlänge (z.B. beim →Raman-Effekt).

stokessches Reibungsgesetz [stəʊks-; nach G. G. Stokes], Gesetzmäßigkeit für die Kraft *F,* die eine newtonsche Flüssigkeit der dynam. Viskosität η auf eine mit der Geschwindigkeit υ laminar umströmte Kugel vom Radius *r* ausübt: $F = 6\pi\eta r\upsilon$.

Stokowski, Leopold, eigtl. L. Antonin Stanisław Bolesławowicz, amerikan. Dirigent brit. Herkunft, *London 18. 4. 1882, †Nether Wallop (Cty. Hampshire) 13. 9. 1977; leitete u.a. 1912–36 das Philadelphia Orchestra; einflussreicher Förderer der Neuen Musik.

Stola [lat.] *die,* **1)** *allg.:* schalartiger Umhang; urspr. Übergewand der Römerin.

2) *christl. Liturgien:* schärpenartiger, häufig mit Ornamenten versehener, etwa 2,50 m langer Stoffstreifen; in der kath. Kirche und den anglikan. Kirchen zu den →liturgischen Gewändern gehörend.

Stolberg, 1) Stolberg/Harz, Stadt im Kr. Sangerhausen, Sa.-Anh., im S-Harz, 330 m ü.M., 1600 Ew.; Fremdenverkehr. – Geburtshaus T. Müntzers; Schloss (13./14. Jh., im 16. Jh. umgebaut), Stadtpfarrkirche St. Martini (1484–90), Rathaus (1482, um 1600 erneuert), zahlr. Fachwerkhäuser, u.a. Alte Münze (1535; Heimatmuseum, Thomas-Müntzer-Gedenkstätte). – Um 1200 bei einer Burg entstanden, vor 1300 Stadtrecht.

2) Stolberg (Rhld.), Stadt im Kreis Aachen, NRW, am N-Rand der Eifel, 58100 Ew.; Messing-, Zink-, Bleiverarbeitung, Glas-, Elektro-, Textil-, Kleineisen-, chemisch-pharmazeut. Industrie.

Stolberg, im Harz beheimatetes Uradelsgeschlecht, 1200 erstmals urkundlich erwähnt; die Harzer Linie (seit 1539) teilte sich 1645 in die Linien **S.-Wernigerode** (1677–1804 Abzweigung von S.-Gedern; 1742 Reichsfürsten) und **S.-S.** (1706 Abzweigung von **S.-Roßla;** beide 1893 preuß. Fürsten). – Bedeutende Vertreter:

1) Christian Graf zu S.-S., Dichter, *Hamburg 15. 10. 1748, †Windeby (bei Eckernförde) 18. 1. 1821, Bruder von 2); war Mitgl. des »Göttinger Hains«;

Stolberg/Harz: Fachwerkhäuser und ein erhaltener Turm (Saigerturm) der ehemaligen Stadtbefestigung

Bekanntschaft mit Goethe (gemeinsame Reise in die Schweiz); verfasste Singspiele, Dramen, Gedichte, Übersetzungen aus dem Griechischen.

2) Friedrich Leopold Graf zu S.-S., Dichter, *Bramstedt (heute Bad Bramstedt) 7. 11. 1750, †Schloss Sondermühlen (heute zu Melle) 5. 12. 1819, Bruder von 1); Mitgl. des »Göttinger Hains«; Beziehungen zu Goethe und J. K. Lavater, später zu J. G. Hamann, F. H. Jacobi und J. G. Herder; vertrat zunächst freiheitlich-demokrat. Ideale, stand später der polit. und kirchl. Reaktion nahe;

Christian Graf zu Stolberg-Stolberg (links) und **Friedrich Leopold Graf zu Stolberg-Stolberg:** Kupferstiche (um 1818)

1800 Übertritt zum Katholizismus. S. schrieb anfangs pathetisch-patriot. Lyrik, außerdem Reiseberichte und kirchenhistor. Schriften; Übersetzungen v.a. antiker Literatur (u.a. die »Ilias«).

STỌL-Flugzeuge, →Kurzstartflugzeuge.

Stọllberg, 1) Landkreis im RegBez. Chemnitz, Sachsen, 267 km^2, (1996) 94500 Einwohner.

2) Stollberg/Erzgeb., Krst. des Kreises Stollberg in Sachsen, am Rand des Erzgebirges, 13400 Ew.; elektrotechnisch-elektron. Ind., Gerätebau, Blechverarbeitung, Stahlbau. – Spätgot. Marienkirche (14./15. Jh.). – Unterhalb der Burg Hoheneck (Ende 12. Jh.) entstanden, seit 1343 Stadt.

Stollen, 1) *Berg-* und *Tunnelbau:* ein unterird. Gang, der horizontal oder fast horizontal von der Erdoberfläche in das Gebirge getrieben wird.

2) *Kochkunst:* (Christ-S., Stolle) mitteldt. Weihnachtsgebäck: schwerer, butterreicher Hefekuchen mit Rosinen, Mandeln, auch Zitronat u.a. Zutaten.

3) *Literatur:* Teil einer Strophe, →Aufgesang und Abgesang.

Stollenschrank, mit Türen verschließbares Kastenmöbel, dessen Eckpfosten zu hohen Füßen (»Stollen«) verlängert sind, bes. im 16. Jh. am Niederrhein und in Flandern.

Stọlp, Stadt in Polen, →Słupsk.

Stọlpe *die* (poln. Słupia), Küstenfluss zur Ostsee in Polen, 141 km lang; entspringt auf dem Pommerschen Landrücken, mündet bei Ustka (dt. Stolpmünde).

Stọlpe, Manfred, Politiker (SPD), *Stettin 16. 5. 1936; Jurist, 1982–90 Präs. des Konsistoriums der Evang. Kirche in Berlin-Brandenburg und stellv. Vors. des Bundes der Evang. Kirchen in der DDR; seit 1990 MinPräs. von Brandenburg; entschiedener Verfechter der sozialen Belange der ostdt. Bevölkerung.

Manfred Stolpe

Stọlpen, Stadt im Landkreis Sächs. Schweiz, Sachsen, 6000 Ew.; Landmaschinen- und Großkochanlagenbau, Knopf- und Metallwarenherstellung. – Die auf hohem Basaltfelsen gelegene Burg (12. Jh., ausgebaut 15./16. Jh.; Museum, z.T. Ruine) diente mehrfach als Staatsgefängnis, u.a. für die Mätresse Augusts II., Anna Konstanze Gräfin von Cosel.

Stolpmụnde, Stadt in Polen, →Ustka.

Stọlte, Dieter, Publizist, *Köln 18. 9. 1934; seit 1976 Programmdirektor, seit 1982 Intendant des ZDF.

Stọltenberg, Gerhard, Politiker (CDU), *Kiel 29. 9. 1928; 1957–71 sowie seit 1983 MdB, 1965–69 Bundesmin. für Wiss. und Forschung, 1954–57 und 1971–82 MdL, 1971–82 MinPräs. und 1971–89 CDU-Landesvors. von Schlesw.-Holst., 1982–89 Bundesfinanz-, 1989–92 Bundesverteidigungsminister.

Gerhard Stoltenberg

Stọltzer, Thomas, Komponist, *Schweidnitz (heute Świdnica) zw. 1480 und 1485, †(ertrunken in der Thaya) 1526; Kapellmeister des ungar. Königs, schuf Messen, Motetten, Hymnen, Instrumentalstücke, Lieder; neben H. Finck und L. Senfl der bedeutendste Komponist seiner Zeit.

Stolỵpin, Pjotr Arkadjewitsch, russ. Politiker, *Dresden 14. 4. 1862, †(ermordet) Kiew 18. 9. 1911; ab 1906 Innenmin. und MinPräs.; suchte durch rücksichtslose Polizeiherrschaft die Wirren der Revolution von 1905 zu überwinden. S. leitete eine grundlegende Agrarreform ein, die durch die Auflösung der alten russ. Dorfgemeinde (Mir) zur Entstehung eines selbstständigen Einzelbauerntums führen sollte. Er fiel einem Attentat der Sozialrevolutionäre zum Opfer.

Pjotr Stolypin

Stọlz, Robert, österr. Komponist, *Graz 25. 8. 1880, †Berlin (West) 27. 6. 1975; Theaterkapellmeister in Brünn und Wien, 1938–46 Emigration; schrieb über 60 Operetten und Musicals (u.a. »Venus in Seide«, 1932; »Frühling im Prater«, 1949), zahlr. Filmmusiken (u.a. »Zwei Herzen im Dreivierteltakt«, 1930) und etwa 2000 Lieder, darunter »Die ganze Welt ist himmelblau«, »Im Prater blüh'n wieder die Bäume«. Bild S. 342

Stọlze, Wilhelm, Stenograf, *Berlin 20. 5. 1798, †ebd. 8. 1. 1867; entwickelte in seinem »Theoretisch-pract. Lehrbuch der dt. Stenographie« (2 Tle., 1841) nach F. X. Gabelsberger ein eigenes Stenografiesystem. (→Stenografie)

Stolzenfels, Schloss am Rhein bei Koblenz, Rheinl.-Pf., 1836–40 nach Plänen von K. F. Schinkel in den Ruinen einer 1688/89 zerstörten Burg des 13./14. Jh. errichtet; ein Hauptwerk der dt. Romantik; Innenausstattung in meist neugot. Formen (Museum).

Robert Stolz (1970)

Stoma [grch.] *das, Anatomie:* der →Mund.

Stomatitis [grch.] *die,* Entzündung der Mundschleimhaut, die katarrhalisch mit Rötung und Schwellung **(S. simplex)** oder geschwürig **(S. ulcerosa, Mundfäule)** verlaufen kann. Bei eitriggeschwürigem Schleimhautzerfall kommt es zu unangenehmem Mundgeruch und starker Schmerzhaftigkeit bei Nahrungsaufnahme. Ursachen sind v.a. mangelnde Mundpflege (→Zahnpflege), sanierungsbedürftiges Gebiss, Allgemeinerkrankungen mit herabgesetzter Abwehrlage, spezif. Infektionen oder chron. Vergiftungserscheinungen. Die **S. herpetica** oder **S. aphthosa** ist durch kleine, grauweiße, von rotem Hof umgebene, bei Berührung schmerzhafte Flecken gekennzeichnet.

Tom Stoppard

Stomp [amerikan.] *der, Jazz:* konstante melod. Veränderung derselben rhythm. Formel, von einem afroamerikan. Tanz übernommen.

Stolzenfels: Das nach Plänen von Karl Friedrich Schinkel 1836–40 in den Ruinen einer Burg errichtete Schloss gilt als eines der Hauptwerke deutscher Romantik

Stone [stəʊn], **1)** Edward Durell, amerikan. Architekt, *Fayetteville (Ark.) 9. 3. 1902, †New York 6. 8. 1978; begann als Vertreter des Internat. Stils. Bezeichnend für seine späteren Bauten ist die ornamentale Gestaltung der Fassaden durch Verblendungen (perforierte Ziegel, Metallgitter).

2) Irving, eigtl. I. Tennenbaum, amerikanischer Schriftsteller, *San Francisco (Calif.) 14. 7. 1903, †Los Angeles (Calif.) 26. 8. 1989; schrieb v.a. einfühlsame biograph. Romane, u.a. »Vincent van Gogh. Ein Leben in Leidenschaft« (1934), »Die Tiefen des Ruhms« (1985), die histor. und fiktionale Elemente verbinden.

3) Sir (seit 1978) John Richard Nicholas, brit. Volkswirtschaftler, *London 30. 8. 1913, †Cambridge 6. 12. 1991; 1955–80 Prof. an der Univ. Cambridge; entwickelte gemeinsam mit J. M. Keynes und J. E. Meade die Methode der volkswirtsch. Gesamtrechnung und hatte entscheidenden Anteil an der Erarbeitung eines standardisierten Systems der volkswirtsch. Gesamtrechnung sowie der Erfassung demograph. Daten im Rahmen der OECD und der UN; 1984 Nobelpreis für Wirtschaftswissenschaften.

4) Oliver, amerikan. Regisseur und Filmautor, *New York 15. 9. 1946; zunächst Drehbuchautor, u.a. für »Midnight Express« (Regie: A. Parker); führte Regie u.a. in den Filmen: »Salvador« (1985), »Platoon« (1986), »Wall Street« (1987), »Geboren am 4. Juli« (1989), »John F. Kennedy« (1992), »Zw. Himmel und Hölle« (1993), »Natural Born Killers« (1994), »Nixon« (1995).

Stonehenge ['stəʊnhendʒ], megalith. Anlage aus dem 3./2. Jt. v. Chr. nördlich von Salisbury, Cty. Wiltshire, S-England. In mehreren Bauphasen wurden in einen ursprüngl. Wall- und Grabenring mit radialem Fortsatz, der »Avenue«, fast konzentr. Steinkreise eingefügt. Gut erhalten ist ein äußerer Ring aus 16 (urspr. 30) durch Decksteine verbundenen, 4 m hohen Steinpfeilern und darin eine hufeisenförmige Setzung aus fünf riesigen, torartigen »Trilithen«. Die Gesamtkonzeption der Anlage von S. lässt erkennen, dass sie der Beobachtung des Laufes von Sonne und Mond sowie damit in Zusammenhang stehenden kultischen Zwecken diente. S. wurde von der UNESCO zum Weltkulturerbe erklärt.

📖 GEISE, G. L.: *Die Megalithanlage von S. München* ³*1994.*

Stopfbuchse, Maschinenbauteil zum Abdichten von Wellen, Kolbenstangen u.a.: ein Gehäuse mit verschiebbarem Deckel **(S.-Brille),** in dem eine Packung (Gummi, Leder, Werg u.a.) durch Anziehen des Deckels gepresst wird und die Abdichtung bewirkt.

stopfende Mittel (Antidiarrhoika), Arzneimittel gegen Durchfall, z. B. medizin. Kohle (→aufsau-

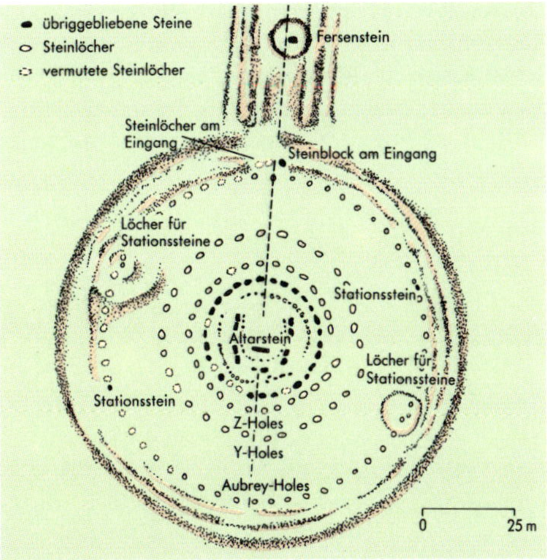

Stonehenge: Schrägluftaufnahme der megalithischen Anlage aus dem 3./2. Jt. v. Chr. und deren Plan

gende Mittel), Opium und seine Zubereitungen, gerbstoffhaltige Mittel wie getrocknete Heidelbeeren.

Stoph, Willi, Politiker (SED), *Berlin 9. 7. 1914; Maurer, seit 1953 Mitgl. des Politbüros der SED, 1952–55 Innen-, 1956–60 Verteidigungsmin., war 1964–73 und 1976–89 MinPräs. sowie 1973–76 Vors. des Staatsrats der DDR. Von Mai 1991 bis Aug. 1992 inhaftiert, wurde er im Nov. 1992 wegen der Tötungen an der ehem. innerdt. Grenze angeklagt; das Verfahren wurde im Aug. 1993 wegen dauernder Verhandlungsunfähigkeit eingestellt.

Stoppard ['stɔpəd], Sir (seit 1997) Tom, urspr. Thomas Straussler, engl. Dramatiker tschech. Herkunft, *Zlín 3. 7. 1937. Frühe Erfolgsstücke wie »Rosenkranz und Güldenstern« (1967, von S. verfilmt 1990), »Der wahre Inspektor Hound« (1968), »Akrobaten« (1972) waren häufig satirisch-parodist. Verarbeitungen (Farcen, Kriminalstücke) bekannter literar. Texte. In späteren Stücken greift S. verstärkt gesellschaftl. und polit. Fragen auf, u. a. »Night and day« (1978), »Gegen die Spielregeln« (1978), »Hapgood« (1988), »Arkadien« (1993).

Stopp|uhr, mechan. oder elektr. Kurzzeitmessgerät zur Ermittlung der Zeitdauer eines Ereignisses. Das Laufwerk (Messmechanismus) wird zu Beginn des Ereignisses bei Null gestartet und am Ende gestoppt. Mit einem mechan. oder elektron. Zählwerk (durch definierten Zeittakt gesteuert) wird die Dauer des Ereignisses (i. Allg. Minuten, Sekunden, $\frac{1}{10}$ s u. a.) angegeben.

Stoptime ['stɔptaɪm, engl.] *die,* im traditionellen Jazz das nur durch Akkordschläge akzentuierte plötzl. Stoppen des Beat und der Melodieinstrumente; die entstehenden Pausen werden durch Solisten mit improvisierten Breaks überbrückt.

Stör, → Störe.

Stora Sjöfallet ['stu:ra 'ʃø:falet], Wasserfälle des Luleälv zw. zwei Gebirgsseen, in N-Schweden; Naturschutzgebiet.

Störche (Ciconiidae), Familie bis etwa 1,4 m hoher, häufig schwarz und weiß gefiederter Stelzvögel, v. a. in ebenen, feuchten Gegenden der gemäßigten und warmen Regionen; ernähren sich v. a. von Fröschen, Kleinsäugern, Eidechsen und Insekten; Schnabel sehr lang. – Zu den S. gehören u. a. Nimmersatte, Marabus und der bis 1,1 m lange, über 2 m spannende **Weiße Storch** (Ciconia ciconia), v. a. in feuchten Landschaften Europas, NW-Afrikas, Kleinasiens sowie Mittel- und

Willi Stoph

Stonehenge

Um 2500 v. Chr. wurde die monumentale Anlage mit einem kreisförmigen Graben von etwa 115 m Durchmesser begonnen. In der zweiten Phase (2000 v. Chr.) errichtete man einen Doppelkreis aus 80 je etwa 2 Tonnen schweren Steinen. Diese Steine wurden auf Flößen etwa 200 km weit aus Wales herbeigeschafft – dass dies möglich ist, haben Archäologen ausprobiert. Die dritte Phase (etwa 1700–1300 v. Chr.) war die schwierigste: 30 Sandsteinblöcke, im Schnitt je 25 Tonnen schwer, wurden in einem weiteren Kreis aufgestellt und mit steinernen Querbalken versehen. In der Mitte wurden drei noch größere Steinpaare mit quer darauf liegenden Decksteinen aufgerichtet. Das Zentrum der Anlage bildete ein Altarstein. Die riesigen Steine des innersten Ringes wurden wahrscheinlich 30 km weit über Eichenstämme transportiert – dabei mussten wohl 1 000 Arbeiter helfen, die hielten, schoben, den Weg ebneten und die schweren Rundhölzer von hinten nach vorn schafften. Die Steingiganten richtete man am Ziel auf, indem man am Fuß eine Grube aushob, die Steine über Gestelle mit Hebeln und Seilen hochzog und in die Grube gleiten ließ, sodass sie stehen blieben – ein gewaltiger Kraftakt. Aber soviel man heute auch über die Errichtung weiß, die genaue kultische Bedeutung der Anlage liegt noch immer im Dunkeln.

O-Asiens; baut seinen Horst auf Bäumen und Dächern, brütet 3–6 Eier aus. Der etwa 1 m lange **Schwarzstorch (Waldstorch,** Ciconia nigra) mit bis auf die weiße Unterseite schwarzem Gefieder lebt vereinzelt in abgelegenen Waldgebieten Eurasiens.

Störche

In der Antike glaubte man, dass flügge Jungstörche ihre Eltern ernährten. Dieses Sinnbild kindlicher Dankbarkeit wurde von der frühchristlichen Tradition übernommen. Der Weißstorch (Hausstorch) gilt seit alters als Glücksbringer, dessen alljährliche Ankunft im Frühjahr freudig begrüßt wird. Im Westen Deutschlands ist er heute allerdings nahezu ausgestorben.

Im jüngeren, insbesondere deutschen Volksglauben gilt der Storch auch als Kinderbringer. Zudem glaubte man, dass Störche nur auf Häusern horsten, in denen Frieden herrscht. Das Horsten der Störche auch auf öffentlichen Gebäuden, besonders auf Tempeln und Kirchen, wurde deshalb von jeher gefördert.

Störche (von oben): Weißer Storch und Schwarzstorch

Storchschnabel, 1) *Botanik:* (Geranium) Gattung der S.-Gewächse, überwiegend in den gemäßigten Gebieten; Kräuter oder Stauden; Teilfrüchte mit verlängertem Fortsatz (»Granne«), der sich bei der Reife spiralig zusammenrollt und dabei den Samen ausschleudert. Einheimisch sind u.a. das 20–50 cm hohe **Ruprechtskraut (Stinkender S.,** Geranium robertianum) mit drüsig behaarten, meist blutroten Stängeln, der 30–60 cm hohe **Wald-S.** (Geranium silvaticum) mit im oberen Teil drüsig behaartem Stängel und rotvioletten Blüten und kleinen rosafarbenen Blüten mit widerl. Geruch und der 20–60 cm hohe **Wiesen-S.** (Geranium pratense) mit blauvioletten Blüten auf Wiesen und an Wegrändern.

2) *Technik:* der →Pantograph.

Store [stɔːə] *der,* engl. Bez. für Laden; in der Schifffahrt Vorrats-, Lagerraum.

Store [ʃtoːr, frz.] *der,* durchsichtiger Fenstervorhang.

Störe (Acipenseridae), Familie der zu den Knorpelganoiden gestellten Ordnung Störe i.w.S. (Acipensiformes) mit Knochenplatten auf dem flachen Kopf (der an der Unterseite ein zahnloses Saugmaul und Bartfäden trägt) und fünf Reihen Knochenschildern an der Seite. Sie leben meist im Meer, steigen zum Laichen in Flüsse auf und sind Nutzfische (→Kaviar). Die bis über 3 m lange Art **S. (Balt. S.,** Acipenser sturio) lebt im Atlantik, im Mittelmeer und an der O-Küste von Nordamerika. Eine reine Süßwasserform ist der bis 1 m lange **Sterlet** (Acipenser ruthenus). Größte Art ist der Europ. →Hausen. Alle Störarten sind vom Aussterben bedroht, im Bereich der Donau auch der bis 4 m lange **Waxdick** (Acipenser güldenstädti).

Störfall, *Kerntechnik:* Bez. für ein Ereignis, bei dessen Eintreten der Betrieb einer kerntechn. Anlage oder auch die Tätigkeit von Personen an ihr nicht fortgeführt werden kann, für dessen sicherheitstechn. Beherrschung die Anlage jedoch ausgelegt ist bzw. Schutzvorkehrungen getroffen wurden. Im Ggs. hierzu ist ein Unfall ein Ereignisablauf, der nicht mehr beherrscht werden kann. (→GAU)

Storfjord [ˈstuːrfjuːr] *der,* stark verzweigter Fjord in W-Norwegen; 110 km lang; ein Seitenzweig ist der →Geirangerfjord. BILD Ålesund

Störklappen, aus Flügel- oder Rumpfoberflächen eines Flugzeuges ausfahrbare Klappen, die die Strömung um das Flugzeug stören sollen, um den Widerstand zu vergrößern (→Bremsklappen) oder den Auftrieb zu vermindern **(Spoiler),** wodurch der Gleitwinkel gesteuert werden kann.

Storm, Theodor, Dichter, *Husum 14. 9. 1817, †Hademarschen (heute Hanerau-Hademarschen, Kr. Rendsburg-Eckernförde) 4. 7. 1888; ab 1843 Rechtsanwalt in Husum, verlor sein Amt (1852) nach der Einverleibung Schleswigs in Dänemark; 1856–64 Kreisrichter in Heiligenstadt, kehrte 1864 als Landvogt in das preußisch gewordene Schleswig-Holstein zurück; ab 1874 Oberamtsrichter in Husum. Seine Lyrik, zw. Spätromantik und Realismus stehend, ist geprägt vom Erlebnis der norddt. Landschaft, durch Unmittelbarkeit des Gefühls und Musikalität der Sprache (»Gedichte«, 1852). In der Folgezeit wandte sich S. der Novelle zu, die er in Form der lyrisch-sentimentalen Stimmungsnovelle (»Immensee«, 1849; »In St. Jürgen«, 1868), der handlungsbetonten und psychologisierenden Schicksalsnovelle (»Der Schimmelreiter«, 1888) bis zur kunstvoll gebauten, sprachlich archaisierenden Chroniknovelle (»Aquis submersus«, 1876) gestaltete. S. gilt als einer der bedeutendsten realist. Erzähler.

Störe: Baltischer Stör (Länge bis über 3 m)

Theodor Storm: Ausschnitt aus einem Gemälde der Malerin Marie von Wartenberg (um 1879; Husum, Nissenhaus)

📖 LAAGE, K. E.: *T. S. Leben u. Werk. Husum* [6]*1993.* – VINÇON, H.: *T. S. mit Selbstzeugnissen u. Bilddokumenten. Reinbek 57.–59. Tsd.,* [13]*1994.*

Stormarn, 1) Landschaft der holstein. Geest nordöstlich von Hamburg.

2) Landkr. in Schlesw.-Holst., 766 km^2, (1996) 211 300 Ew., Krst. ist Bad Oldesloe.

Storno [italien.] *der* oder *das* (Stornierung), *Wirtschaft:* das Rückgängigmachen eines Auftrags (Bestellung, Vertrag) oder einer unrichtigen Buchung (Stornobuchung).

Stornoway ['stɔːnəweɪ], Hafenstadt der Äußeren Hebriden, Schottland, Hptst. der Local Authority Western Isles, auf Isle of Lewis, 8 000 Ew.; Tweedherstellung, Fischerei.

Störstelle, ein Gitterbaufehler in einem Kristall, insbesondere einem →Halbleiter. Man unterscheidet **Eigen-S.** durch Fehlordnung gittereigener Atome (z.B. Gitterlücken oder Versetzungen) und **Fremd-S.** durch Einbau von Fremdatomen auf Gitter- oder Zwischengitterplätzen.

Störtebeker, Klaus, Führer der →Vitalienbrüder.

Störtenbecker, Nikolaus, Maler und Grafiker, *Hamburg 19. 2. 1940; bis 1977 Mitgl. der Gruppe Zebra; besticht bei seinen Darstellungen von Gegenständen und Landschaften durch seine handwerkl. Perfektion.

Storting ['stuːr-] *das,* das von zwei Kammern (»Lagting« und »Odelsting«) gebildete norweg. Parlament.

Störung der Totenruhe, die unbefugte Wegnahme von Leichen, Leichenteilen oder Asche Verstorbener, beschimpfender Unfug an Leichen (sog. Leichenschändung) sowie die Zerstörung oder Beschädigung von Beisetzungsstätten (Grabschändung); nach § 168 StGB mit Freiheitsstrafe bis zu drei Jahren oder mit Geldstrafe bedroht.

Störungen, 1) *Astronomie:* (Perturbationen) die Abweichungen eines Himmelskörpers von der ellipt. Bahn infolge der Massenanziehung durch andere Himmelskörper oder durch ungleichförmige Massenverteilung in den betrachteten Körpern. Neben **period. S.,** die ein Schwanken der Bahn um eine Mittellage bewirken, können auch **säkulare S.** auftreten, die proportional mit der Zeit anwachsen.

2) *Geologie:* tekton. Trennfugen, z.B. Verwerfungen, an denen Bewegungen stattgefunden haben; an den S. können Bewegungsvorgänge erkannt werden.

3) *Meteorologie:* Wirbel (Tiefdruckausläufer und damit verbundene Fronten), oft Anfangsstadium einer Tiefdruckentwicklung.

4) *Physik* und *Technik:* kurzzeitige oder ständige, auch zeitabhängige Beeinflussung eines physikal. oder techn. Systems durch Wechselwirkung mit anderen Systemen oder durch äußere Einwirkung (z.B. →Funkstörungen).

Störungstheorie, Gesamtheit der Methoden zur näherungsweisen (iterativen) Bestimmung der Dynamik physikal. Systeme, die unter dem Einfluss einer geringen Störung stehen. Störungsrechnungen finden bes. in der Himmelsmechanik Anwendung. In der Quantenmechanik werden mithilfe der S. die Eigenzustände von Atomen u.a. mikrophysikal. Systemen durch näherungsweise Lösung der Schrödinger- bzw. Dirac-Gleichung berechnet.

Story ['stɔːrɪ, engl.] *die,* Geschichte, Erzählung, auch Fabel, Handlung, z.B. die Filmstory.

Storz, Gerhard, Literarhistoriker und Schriftsteller, *Rottenacker (Alb-Donau-Kreis) 19. 8. 1898, †Leonberg 30. 8. 1983; war 1958–64 Kultusmin. in Baden-Württemberg, seit 1964 Prof. in Tübingen; bed. Untersuchungen zur dt. Klassik und Romantik; verfasste mit D. Sternberger und W. E. Süskind das sprachkrit. Werk »Aus dem Wörterbuch des Unmenschen« (1957); auch Erzähler, Essayist und Übersetzer.

Gerhard Storz

Stoß, 1) *Bergbau:* Seitenwand eines Grubenbaues und jede Angriffsfläche der Gewinnung.

2) *Physik:* die kurzzeitige Wechselwirkung zw. zusammentreffenden Körpern unter Impuls- und Energieaustausch, die dabei ihre Geschwindigkeit i. Allg. sowohl nach Größe als auch nach Richtung ändern. Beim (vollkommen) **elast. S.** (z.B. Billardkugeln) gilt neben dem Impulssatz der Energieerhaltungssatz, wobei die gesamte kinet. Energie der Körper vor und nach dem S. gleich ist. Beim (vollkommen) **unelast. S.** (z.B. Tonkugeln) wird ein Teil der kinet. Energie der S.-Partner in Wärme umgewandelt. Die infolge des S. eintretende Deformation bleibt erhalten, und die Körper bewegen sich nach dem S. mit gleicher Geschwindigkeit zusammen weiter. – Der S. mikrophysikal. Teilchen spielt als Streuung in der Kern- und Elementarteilchenphysik eine große Rolle (→Compton-Effekt). Auf dem S. von Gasmolekülen basiert die kinet. Gastheorie.

Veit Stoß: Kopf des Apostels Johannes am Mittelschrein des Hochaltars der Marienkirche in Krakau (1477-89)

Stoß, Veit, Bildhauer, Kupferstecher und Maler, *Horb am Neckar(?) 1447/48, †Nürnberg 22. 9. 1533. S. gab 1477 sein ererbtes Nürnberger Bürgerrecht auf und folgte einem Ruf nach Krakau, wo er den Hochaltar für die Marienkirche schuf (vollendet 1489), einen mächtigen, 13 m hohen und 11 m breiten Schnitzaltar, farbig gefasst, mit der vollplast. Darstellung des Todes Mariä im Mittelschrein (Figuren bis zu 2,80 m hoch) und Reliefs aus dem Marienleben auf den Flügeln. Dieser Schnitzaltar weist S. bereits als einen der bedeutendsten Künstler der Spätgotik aus. Andere in Krakau entstandene Arbeiten sind v.a. Steinbildwerke wie das Marmorgrabmal für König Kasimir IV. im Dom (1492). 1496 kehrte S. nach Nürnberg zurück, wo er 1503 wegen Schuldscheinfälschung gebrandmarkt wurde (1506 von Kaiser Maximilian I. rehabilitiert). Zu den wichtigsten in Nürnberg geschaffenen Werken gehören die Sandsteinreliefs aus der Passion in der Sebalduskirche (1499), der »Engl. Gruß« in der Lorenzkirche (1517–18), das Kruzifix in der Sebalduskirche (1520) und der Altar für die Karmeliter (1520–23; Bamberg, Dom). In seinen Spätwerken wird eine Beruhigung seines Temperaments spürbar. Von seinem graf. Werk sind zehn Kupferstiche mit seinen Initialen erhalten.

Veit Stoß: »Der Englische Gruß« (1517-18; Nürnberg, Lorenzkirche)

📖 Stuhr, M. *u. a.: Der Krakauer Marienaltar von V. S. Leipzig 1992.* – Baxandall, M.: *Die Kunst der Bildschnitzer. Tilman Riemenschneider, V. S. u. ihre Zeitgenossen. A. d. Engl. München ³1996.*

Stoßdämpfer, übl. Bez. für →Schwingungsdämpfer an Kraftfahrzeugen zum Dämpfen der durch Fahrbahnunebenheiten hervorgerufenen Schwingungen der Federung. Bevorzugt wird der hydraul. **Teleskop-S.** in Einrohr- oder Zweirohrbauweise: in einem Hydraulikzylinder bewegt sich ein Kolben mit Bohrungen oder Ventilen, wodurch das Hydrauliköl in einen Ausgleichsraum entweicht oder aus diesem angesaugt wird.

Stößel, 1) *Chemie:* →Mörser.

2) *Maschinenbau:* hin- und hergehendes Maschinenteil, z.B. an der Stoßmaschine oder bei Verbrennungsmotoren das kraftübertragende Zwischenstück zw. Nocken und Ventilschaft.

Stoßen, 1) *Fertigungstechnik:* Verfahren der spanenden Metallbearbeitung zur Herstellung von Nuten und Profilen. Nach der Bewegungsrichtung des Werkzeugs unterscheidet man die Senkrecht- und die Waagerechtstoßmaschine.

2) *Gewichtheben:* beidarmige Maximal- und Schnellkraftübung. Die Scheibenhantel muss auf die Brust umgesetzt und dann mit einer schnellen Streckbewegung zur Hochstrecke (Hochhalte) über den Kopf gebracht werden.

Stoßfänger, quer an Front und Heck eines Kraftfahrzeugs angebrachtes Kunststoffbauteil, das die Karosserie abschließt und leichte Stöße und Kollisionen ohne oder mit nur geringen Fahrzeugbeschädigungen abfängt. Der S. hat die früher übl. **Stoßstange** aus verchromtem Stahlblech mit Hartgummileiste fast vollständig abgelöst.

Stoßheber, der →hydraulische Widder.

Stoß|ionisation, *Physik:* →Ionen.

Stoßspannungsgenerator, Gerät zum Erzeugen von Stoßspannungen, wobei die Spannung stetig ohne nennenswerte Schwingungen auf einen Höchstwert (Stoßspannungsstirn) ansteigt und wieder gegen Null abklingt (Stoßspannungsrücken); Anwendung als Hochspannungsprüfanlage (bis zu 10 Mio. V).

Stoßstange, *Kfz-Technik:* →Stoßfänger.

Stoßtrupp, Gruppe bes. ausgerüsteter und ausgebildeter Soldaten für Angriffsunternehmungen mit begrenztem Ziel.

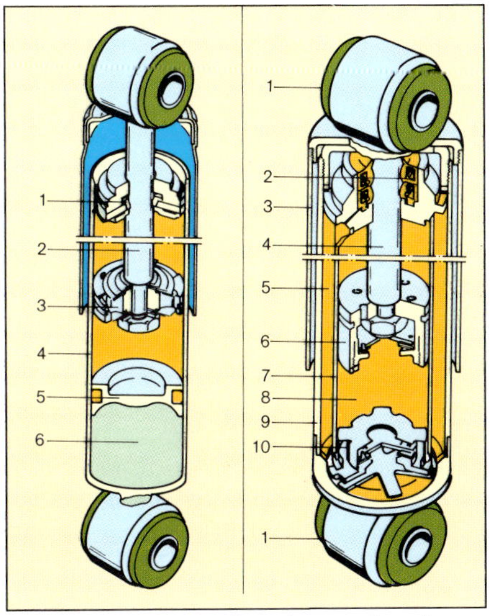

Stoßdämpfer: Teleskopstoßdämpfer in Einrohr- und Zweirohrbauweise; 1 Kolbenstangendichtung, 2 Kolbenstange, 3 Kolben mit Ventilen, 4 Arbeitszylinder, 5 Trennkolben, 6 Gas; Zweirohrstoßdämpfer (links); 1 Ringgelenk, 2 Kolbenstangendichtung, 3 Schutzrohr, 4 Kolbenstange, 5 Ölvorratsraum, 6 Kolben mit Ventilen, 7 Arbeitszylinder, 8 Arbeitsraum, 9 Behälterrohr, 10 Bodenventil (rechts)

Stoßwelle (Schockwelle), insbesondere in Gasen (z.B. bei Explosionen oder Überschallströmungen) auftretende starke Druckwelle (Verdichtungsstoß) mit senkrechter Stoßfront, an der der Druck plötzlich zu einem Höchstwert ansteigt und dahinter sehr stark abnimmt.

Stoßwellenlithotripsie, extrakorporale, *Medizin:* → Lithotripsie.

Stoßwellenmetamorphose (Schockwellenmetamorphose), Mineral- und Gesteinsumwandlung durch Stoßwellen, die von Meteoriteneinschlägen oder Kernexplosionen herrühren und Spitzendrücke bis zu einigen Megabar und Spitzentemperaturen bis zu 20 000 °C erreichen können. Die Umwandlung reicht von der mechan. Beanspruchung der Mineralkörner über die Bildung von Hochdruckmodifikationen und partieller oder völliger Isotropisierung von Mineralen unterhalb ihres Schmelzpunktes (»diaplekt. Gläser«) bis hin zur echten Aufschmelzung (Gesteinsglas) und Verdampfung (Glaskügelchen). S. ist an Gesteinen irdischer Meteoritenkrater (z.B. Ries) und des Mondes nachgewiesen. (→ Strahlenkalk)

Stoßzähne, wurzellose, mehr oder weniger mächtige, ständig nachwachsende Schneidezähne im Ober- und/oder Unterkiefer v.a. bei Rüsseltieren, bei den Männchen der Gabelschwanzseekühe und beim Narwal (hier in Einzahl auftretend).

Stottern, mehrfache Unterbrechung des Redeflusses durch unkoordinierte Bewegungen der Atmungs-, Stimm- und Artikulationsmuskulatur. S. ist die häufigste Sprachstörung im Kindesalter (etwa 1% der Kinder stottern). Gehäuft tritt S. im 3. und 4. Lebensjahr auf, wenn die Denkgeschwindigkeit schneller ist als die Entwicklung der Sprechfähigkeit. – Nicht selten tritt S. verstärkt bei Anwesenheit bestimmter Personen oder unter Stress auf. Beim Kinder-S. werden Sprechbehandlung (Logopädie) und therapeut. Maßnahmen (psycholog. Analyse u.a.) meist kombiniert. Das Erwachsenen-S. kann durch Sprechtechniken kontrolliert werden. Eine dauerhafte Heilung ist i.d.R. an eine längere Psychotherapie gebunden.

Stout [staʊt, engl.] *der,* engl. obergäriges dunkles Starkbier.

Stout [staʊt], Rex Todhunter, amerikan. Schriftsteller, *Noblesville (Ind.) 1. 12. 1886, †Danbury (Conn.) 27. 10. 1975; schrieb Detektivromane mit der Figur des schrulligen Meisterdetektivs Nero Wolfe.

Stowe [stəʊ], Harriet Elizabeth Beecher, geb. Beecher, amerikan. Schriftstellerin, *Litchfield (Conn.) 14. 6. 1811, †Hartford (Conn.) 1. 7. 1896; verfasste den gegen die Sklaverei gerichteten Roman »Onkel Toms Hütte oder Negerleben in den Sklavenstaaten Amerikas« (2 Bde., 1852); daneben u.a. religiös engagierte Romane und Abhandlungen über die gesellschaftl. Stellung der Frau. BILD und INFO S. 348

StPO, Abk. für **St**raf**p**rozess**o**rdnung.

STRABAG Bau-AG, 1923 entstandenes Bauunternehmen, seit 1949 jetziger Name; Sitz: Köln.

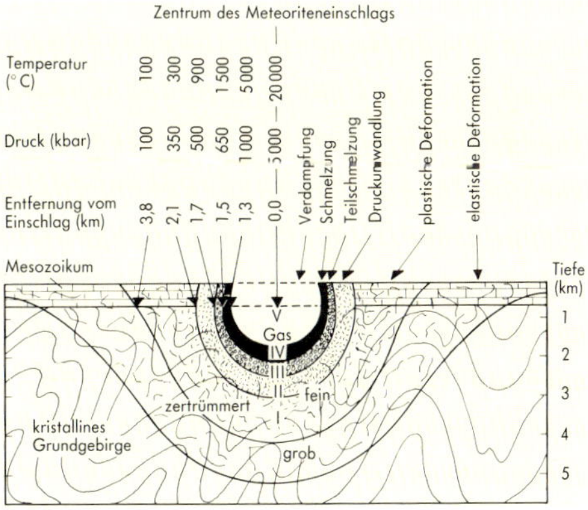

Stoßwellenmetamorphose: schematische Darstellung der Stoßwellenmetamorphose beim Einschlag eines großen Meteoriten

Strabismus [grch.] *der,* das → Schielen.

Strabo (grch. Strabon), grch. Geograph und Historiker, *Amaseia in Pontos (heute Amasya) etwa 64/63 v. Chr., †nach 23 n. Chr.; unternahm zahlr. Reisen. Seine »Geographica« (17 Bücher, weitgehend erhalten) behandelt die damals bekannten Gebiete Europas (u.a. erstmals ausführl.

Darstellung Britanniens und Germaniens), Asiens und Afrikas. Die »Histor. Kommentare« (insges. 47 Bücher) gingen größtenteils verloren.

🕮 Aujac, G.: *Strabon et la science de son temps.* Paris *1966.*

Harriet Beecher Stowe

Strachey ['streɪtʃɪ], Giles Lytton, engl. Schriftsteller, *London 1. 3. 1880, †Inkpen (Cty. Berkshire) 21. 1. 1932; schrieb geistreich-iron. Biographien über historische Persönlichkeiten (»Queen Victoria«, 1921; »Elisabeth und Essex«, 1928).

Strachwitz, Moritz Graf von, Lyriker, *Peterwitz (heute Stoszowice, bei Ząbkowice Śląskie) 13. 3. 1822, †Wien 11. 12. 1847; schrieb patriot., fantasievolle und bildreiche Balladen aus mittelalterl. und nord. Stoff- und Sagenkreisen (»Das Herz von Douglas«).

Straddle [strædl, engl.] *der* (Wälzsprung), *Leichtathletik:* Hochsprungtechnik, bei der der Springer durch starke Körperdrehung bäuchlings die Latte überquert.

Harriet Beecher Stowe

stammte aus einer streng kalvinistischen Predigerfamilie. Ihre Schulausbildung erhielt sie in der von ihrer Schwester gegründeten Mädchenschule in Hartford (Connecticut), wo sie auch kurze Zeit unterrichtete. 1836 heiratete sie einen Theologen aus dem Seminar ihres Vaters, mit dem sie nach Maine zog. Trotz zunehmender Abneigung gegenüber allzu strenger Religionsausübung bestimmten puritanisches Pflichtgefühl und Moral ihr Leben und Werk.

Ihr auf eigenen Beobachtungen in Kentucky beruhender und vom Gedankengut der Bewegung zur Abschaffung der Sklaverei beeinflusster Roman »Onkel Toms Hütte« (1852), ein Werk im Dienste christlicher Nächstenliebe, schildert teils erbaulich-humorvoll, teils anklagend die Lebensbedingungen der schwarzen Sklaven und wurde zu einem der politisch wirksamsten Bücher der amerikanischen Literatur. Das Werk, von der Kritik lange als sentimental und nicht frei von rassistischen Tendenzen angesehen, erfährt in jüngerer Zeit zum Teil eine Neubewertung als subtile Darstellung der Sklaverei und des Rassismus.

Stradella, Alessandro, italien. Komponist, *Rom 1. 10. 1644, †(ermordet) Genua 25. 2. 1682; komponierte Opern, Oratorien (u.a. »Johannes der Täufer«, 1675), Kantaten, Triosonaten und Concerti grossi, die zu den frühesten der Gattung gehören.

Harriet Beecher Stowe

Warum heißt eine U-Bahn-Station in Berlin »Onkel Toms Hütte«?

Der Berlinreisende hat sich vielleicht schon einmal darüber gewundert, der Zehlendorfer tut es nicht: eine U-Bahn-Station namens »Onkel Toms Hütte« – und das kam so: Im Jahre 1880 legte ein Amerikaner in Berlin-Zehlendorf eine veritable Farm an und baute dazu ein stilechtes Blockhaus, für die Anwohner »Onkel Toms Hütte«. Den Amerikaner verwehte die Zeit, der Name blieb.

Stradivari, Antonio, italien. Geigenbauer, *Cremona 1644 (oder 1648/49), †ebd. 18. 12. 1737; Schüler von N. Amati. S. gilt als der bedeutendste Geigenbaumeister überhaupt. Anfangs unter starkem Einfluss von Amati stehend, entwickelte er zw. 1680 und 1700 eine eigene Geigenform, die sich durch vollendete Proportionen, einen leuchtend goldbraunen Lack, durch Klangstärke und eine große Tragweite des Tons auszeichnet. Von seinen Instrumenten sind etwa 540 Violinen, 50 Violoncelli und kaum mehr als 12 Bratschen erhalten. In seiner Werkstatt arbeiteten seine Söhne Francesco (*1671, †1743) und Omobone S. (*1679, †1742).

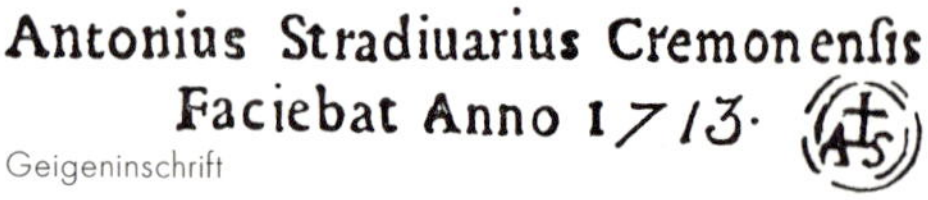

Geigeninschrift

Straelen ['ʃtra:lən], Stadt im Kr. Kleve, NRW, im Niederrhein. Tiefland, 14 800 Ew.; Lehr- und Versuchsanstalt für Gartenbau; Herstellung von Tiefkühlkost; Mittelpunkt eines Blumen- und Gemüseanbaugebiets mit großen Versteigerungen und internat. Fachausstellung.

Straf|anstalt, Justizvollzugsanstalt (JVA), →Strafvollzug.

Straf|antrag, schriftl. Erklärung des in seinen Rechten Verletzten, dass er die Strafverfolgung wegen einer Straftat wünsche; bei →Antragsdelikten Prozessvoraussetzung; zu unterscheiden von der →Anzeige.

Straf|arrest, die leichteste Freiheitsstrafe des Wehrstrafrechts, zw. zwei Wochen und sechs Monaten (§§ 9, 12 Wehrstrafgesetz).

Straf|aufhebungsgründe, in der Person des Straftäters liegende Umstände, die dessen Straflosigkeit trotz objektiver und subjektiver Erfüllung eines Straftatbestandes bewirken und die nach der Begehung einer Straftat auftreten, z.B. der freiwillige Rücktritt vom Versuch (→Strafausschließungsgründe).

Straf|aufschub, Aufschub der Strafvollstreckung. Die Vollstreckung einer Freiheitsstrafe ist aufzuschieben, wenn der Verurteilte in Geisteskrankheit verfällt oder infolge Krankheit von der Vollstreckung eine nahe Lebensgefahr für ihn zu befürchten ist. Vorübergehender S. kann z.B. gewährt werden, wenn dem Verurteilten oder seiner Familie durch die sofortige Vollstreckung erhebl., außerhalb des Strafzwecks liegende Nachteile erwachsen würden (§§ 455 ff. StPO); ähnl. Regelung in *Österreich* und in der *Schweiz.*

Straf|ausschließungsgründe, in der Person des Täters liegende, zur Tatzeit bereits gegebene Umstände, die eine Strafbarkeit nicht eintreten

Antonio Stradivari: Violine des italienischen Geigenbaumeisters (1694; New York, Metropolitan Museum of Art)

lassen, z. B. Strafvereitelung zugunsten eines Angehörigen (§ 258 Abs. 6 StGB); →Strafaufhebungsgründe.

Straf|aussetzung zur Bewährung, gerichtl. Maßnahme, durch die der Vollzug einer Freiheitsstrafe ausgesetzt und dem Verurteilten eine Bewährungsfrist bewilligt wird, nach deren Ablauf bei guter Führung die Strafe erlassen wird (§§ 56 ff. StGB). Die S. z. B. ist möglich bei Freiheitsstrafen bis zu einem Jahr, bei besonderen Umständen in der Tat und in der Persönlichkeit des Verurteilten auch bei Freiheitsstrafen bis zu zwei Jahren. Die Bewährungszeit beträgt zwei bis fünf Jahre. Während dieser Zeit kann der Verurteilte der Aufsicht und Leitung eines Bewährungshelfers unterstellt werden. Die S. z. B. wird widerrufen, wenn der Verurteilte während der Bewährungszeit erneut straffällig wird oder gegen Auflagen und Weisungen gröblich und beharrlich verstößt. Erfolgt kein Widerruf, wird die Strafe nach Ablauf der Bewährungszeit erlassen (Straferlass).

Ferner gibt es die **Aussetzung des Strafrestes zur Bewährung** (§§ 57 ff. StGB), also das Aussetzen der weiteren Vollstreckung einer Freiheitsstrafe zur Bewährung nach der Verbüßung von mindestens der Hälfte der Strafe, oder bei »Lebenslänglichen« von wenigstens 15 Jahren.

Ähnl. Regelungen kennen das *österr.* StGB (§§ 43 ff.) als »bedingte Strafnachsicht« bzw. »bedingte Entlassung«, wobei im ersteren Falle die Probezeit ein bis drei Jahre beträgt, sowie das StGB der *Schweiz* (Art. 41, »bedingter Strafvollzug« bei Freiheitsstrafen von nicht mehr als 18 Monaten).

Strafbefehl, eine richterl. Entscheidung, die auf schriftl. Antrag der Staatsanwaltschaft im Verfahren vor dem Amtsgericht bei Delikten, die nur Vergehen sind, die Strafe oder sonstige Rechtsfolge ohne Hauptverhandlung schriftlich festsetzt. Als Rechtsfolge dürfen im Wesentlichen nur Geldstrafe, Verwarnung mit Strafvorbehalt, Fahrverbot, die Einziehung u. a. strafrechtl. Nebenfolgen, eine Entziehung der Fahrerlaubnis bis zu zwei Jahren sowie, wenn der Angeschuldigte einen Verteidiger hatte, eine Bewährungsfreiheitsstrafe bis zu einem Jahr verhängt werden. Gegen den S. kann binnen zwei Wochen →Einspruch eingelegt werden (§§ 407–412 StPO). Gegen Jugendliche sind S. unzulässig. – In *Österreich* und der *Schweiz* wird das dem S.-Verfahren vergleichbare Verfahren »Mandatsverfahren« genannt.

Strafe, 1) *Erziehung:* Mittel zur Erreichung eines Erziehungsziels; ihre Wirkung ist aber fragwürdig, als Reaktion des Kindes oder Jugendlichen treten oft Fehlanpassung und seel. Schäden auf. Als erstrebenswert gilt eine möglichst repressionsarme Erziehung, Erziehung durch Gespräch, Lob und eigenes Vorbild. Entwürdigende Erziehungsmaßregeln, z. B. übermäßige körperl. Züchtigung oder seel. Misshandlungen, sind unzulässig (§ 1631 BGB).

2) *Recht:* im Rechtssinne eine Sanktion für die schuldhafte Verletzung von Gesetzen oder anderen Normen. Man unterscheidet Vertrags-, Ordnungs-, Disziplinar- und Kriminal-S. Die **Kriminal-S.** wird ausschließlich vom Staat durch richterl. Urteil oder richterl. Strafbefehl wegen einer Straftat verhängt. Haupt-S. des StGB sind die →Freiheitsstrafe und die →Geldstrafe; einzige Neben-S. ist das Fahrverbot. 1992 ist im Zuge der Bekämpfung von illegalem Rauschgifthandel und der organisierten Kriminalität die →Vermögensstrafe (§ 43 a StGB) eingeführt worden. Kriminal-S. ist auch die →Jugendstrafe. Keine S. sind die →Maßregeln der Besserung und Sicherung. Von den Kriminal-S. zu trennen sind ferner die bei Ordnungswidrigkeiten verhängten Geldbußen.

Straftheorien: Über Wesen, Rechtfertigung und Zweck der S. herrscht seit jeher heftiger Meinungsstreit. Die **absoluten Straftheorien** sehen den die S. rechtfertigenden Grund im gerechten Schuldausgleich durch Vergeltung oder »Sühne« **(Vergeltungstheorie).** Die **relativen Straftheorien** sehen den Zweck der S. in der Abschreckung **(Abschreckungstheorie)** und in der Verhütung künftiger Straftaten **(Präventionstheorien).** Die **Vereinigungstheorien** verbinden versch. Strafzwecke.

Straf|freiheitsgesetz, Gesetz, das aus rechtspolit. oder anderen Gründen einen allg. Straferlass für bestimmte Delikte vorsieht. Das S. kann umfassen: a) den Erlass rechtskräftig erkannter, jedoch noch nicht vollständig vollstreckter Strafen (Amnestie), b) die Niederschlagung anhängiger Verfahren (Abolition) und c) die Nichtverfolgung von Straftaten, die noch nicht Gegenstand eines Strafverfahrens sind.

Strafgefangener, →Gefangener, →Strafvollzug.

Strafgesetzbuch, Abk. **StGB,** Gesetzbuch, in dem die hauptsächl. Strafvorschriften eines Staates zusammengefasst sind. In Dtl. gilt das S. vom 15. 5. 1871 i. d. F. v. 10. 3. 1987 (mit späteren Änderungen); es ist seit seinem Erlass durch zahlr. Novellen einschneidend verändert und schrittweise modernisiert worden, v. a. durch fünf **Strafrechtsreform-Gesetze** (1969–75, →Strafrecht). Das S. gliedert sich in den mit Wirkung vom 1. 1. 1975 völlig erneuerten **Allg. Teil** (§§ 1–79 b), der die für alle Delikte gleichermaßen geltenden Voraussetzungen der Strafbarkeit (Vorsatz, Fahrlässigkeit, Irrtum, Versuch u. a.) regelt und die versch. Strafen sowie die →Maßregeln der Besserung und Sicherung behandelt, und einen **Besonderen Teil** (§§ 80–358), der die einzelnen Deliktbeschreibungen (wie Diebstahl, Betrug, Mord) enthält und die Strafandrohungen ausspricht. Eine große Anzahl von Straftatbeständen findet sich auch in anderen Gesetzen (z. B. Wirtschaftsstraf-, Wehrstrafgesetz).

In *Österreich* gilt das neue S. vom 23. 1. 1974 (in Kraft ab 1. 1. 1975). Das *schweizer.* S. stammt vom 21. 12. 1937 (in Kraft ab 1. 1. 1942) und ist durch mehrere Teilrevisionen geändert worden.

Strafkammer, der in Strafsachen entscheidende Spruchkörper beim →Landgericht.

Strafklageverbrauch, Bez. für die negative Sperrwirkung eines materiell rechtskräftigen (→Rechtskraft) Sachurteils, wonach eine erneute Strafverfolgung gegen denselben Täter wegen derselben Straftat unzulässig ist. Dieser Grundsatz der Einmaligkeit der Strafverfolgung ist durch Art. 103 Abs. 2 GG verfassungsrechtlich abgesichert.

Strafmündigkeit, die alters- und entwicklungsbedingte Fähigkeit, für das Unrecht einer strafbaren Handlung einzustehen. Strafunmündig sind Kinder unter 14 Jahren, bedingt strafmündig 14- bis 17-jährige Jugendliche. (→Jugendstrafrecht)

Strafprozess (Strafverfahren, früher peinlicher Prozess, Kriminalprozess), das rechtlich geordnete Verfahren, durch das das Strafrecht im Einzelfall angewendet wird. Gesetzl. Grundlage ist in Dtl. die **S.-Ordnung** (StPO) vom 1. 2. 1877 i. d. F. v. 7. 4. 1987, daneben auch das Gerichtsverfassungs-Ges. Die wichtigsten Grundsätze des modernen S. sind neben dem Anklageprinzip (→Anklageprozess) das →Legalitätsprinzip, die Prinzipien der →Öffentlichkeit, →Mündlichkeit und Unmittelbarkeit der Hauptverhandlung sowie der freien richterl. Beweiswürdigung (→Beweis).

Eine strafbare Handlung wird aufgrund einer Strafanzeige, eines Strafantrags oder von Ermittlungen der Staatsanwaltschaft oder der Polizei verfolgt. Der S. besteht in Dtl. aus drei Hauptabschnitten. In der staatsanwaltschaftlich geleiteten **Vorbereitung der öffentl. Klage** (→Ermittlungsverfahren) wird die Frage geklärt, ob öffentl. Anklage, die im Unterschied zur →Privatklage steht, zu erheben oder das Verfahren einzustellen ist (→Einstellung). Im **Zwischenverfahren** (Eröffnungsverfahren), das mit dem Einreichen der Anklageschrift beginnt, entscheidet das Gericht über die Eröffnung des **Hauptverfahrens,** dessen wesentl. Teil die →Hauptverhandlung ist. Das Verfahren in **höherer Instanz** findet statt, wenn Rechtsmittel eingelegt werden (→Berufung, →Revision, →Beschwerde). Nach →Rechtskraft des Urteils wird die Strafe vollstreckt (→Strafvollstreckung). – Neben diesem »normalen« Verfahren gibt es besondere Arten des Verfahrens wie →Sicherungsverfahren gegen Schuldunfähige oder →objektive Strafverfahren bei Einziehungen und Vermögensbeschlagnahmen. Bei bestimmten Delikten kann ohne mündl. Verhandlung →Strafbefehl erlassen werden.

Die *österr.* StPO vom 23. 5. 1873 in der Wiederverlautbarung vom 9. 12. 1975 hat ähnl. Grundlagen. In der *Schweiz* ist der S. durch versch. kantonale StPO geregelt.

🕮 ROXIN, C.: *Strafverfahrensrecht. Ein Studienbuch. München* [24]*1995.* – ROXIN, C.: *Strafprozeßrecht. München* [15]*1997.*

Strafraum, beim →Fußball der markierte Spielraum in Tornähe mit verschärften Bestimmungen bei Regelverstößen.

Strafrecht (Kriminalrecht, früher peinliches Recht), der Teil der Rechtsordnung, der die Merkmale des strafbaren Handelns festlegt und an sie →Strafe oder →Maßregeln der Besserung und Sicherung als Rechtsfolgen knüpft. Aufgabe des S. ist es, die elementaren Werte des Gemeinschaftslebens zu schützen. Nicht zum S. i. e. S. gehört das Recht der nichtkriminellen Strafen (z. B. Ordnungswidrigkeiten, Disziplinarrecht). Das S. ist heute in den meisten Staaten in einem →Strafgesetzbuch und strafrechtl. Nebengesetzen (z. B. Straßenverkehrsgesetz) geregelt. Den Inhalt der strafrechtl. Rechtsregeln in ihrem inneren Zusammenhang zu entwickeln und zu deuten, ist Aufgabe der Strafrechtswissenschaft.

Das **internat. S.** grenzt den **Geltungsbereich** der nat. Strafgesetze gegen das Ausland ab. Nach dem dt. StGB gilt das dt. S. für Taten, die im Inland begangen wurden (Territorialitätsprinzip, § 3) sowie auf dt. Schiffen und Luftfahrzeugen (§ 4), ferner auch für Taten im Ausland gegen bestimmte inländ. Rechtsgüter (Schutzprinzip, § 5), gegen international geschützte Rechtsgüter (Weltrechtspflegeprinzip, §6), ferner unter bestimmten Voraussetzungen bei Taten im Ausland gegen Deutsche (passives Personalitätsprinzip, §7 Abs. 1) sowie von Deutschen und Ausländern, die nicht ausgeliefert werden (Prinzip der stellvertretenden S.-Pflege, §7 Abs. 2).

Geschichte: In Dtl. war die »Peinliche Gerichtsordnung« Karls V. (→Carolina, 1532) das erste, altdt. und italien. Rechtsgedanken verschmelzende Reichsstrafgesetzbuch, das den Strafprozess und das materielle S. zu einem einheitl. Ganzen verarbeitete. Die von der Carolina angedrohten Strafen waren noch vorwiegend Todes- oder verstümmelnde Leibesstrafen. Das harte Strafsystem wurde seit der Mitte des 17. Jh. gemildert, es entstand die Freiheitsstrafe. Seit dem 18. Jh. wurde die Carolina durch StGB der dt. Territorien ersetzt. Die verstümmelnden Leibesstrafen verschwanden; der Grundsatz →nulla poena sine lege fand allg. Anerkennung. Das 19. Jh. brachte diese Entwicklung zum Abschluss. Begründer der modernen dt. S.-Wissenschaft war P. J. A. von Feuerbach, der zugleich Schöpfer des vorbildl. bayer. StGB von 1813 ist. Das Reichsstrafgesetzbuch vom 15. 5. 1871 schuf zum zweiten Mal ein für das gesamte Reichsgebiet einheitl. S. Es spiegelt den Geist des liberalen Bügertums des 19. Jh. wider und ist bis heute in seinem Besonderen Teil im Wesentlichen in Kraft.

📖 *Bausteine des europ. S., hg. v.* B. SCHÜNEMANN *u.* J. DE FIGUEIREDO DIAS. *Köln u. a. 1995.* – KRÜGER, R.: *Grundstrukturen S. Münster 1996.*

Strafregister, amtl. Verzeichnis strafrechtlich bedeutsamer Entscheidungen von Gerichten oder Verw.behörden; in Dtl. das →Bundeszentralregister. – In *Österreich* gibt es für das ganze Bundesgebiet ein S., das bei der Bundespolizeidirektion Wien durch das S.-Amt geführt wird; Eintragungen wegen Verurteilungen unterliegen grundsätzlich einer Tilgungsfrist zw. fünf und fünfzehn Jahren, bei Jugendstrafen verkürzt. In der *Schweiz* werden S. von den Kantonen geführt, ferner vom Bund das Schweizer. Zentral-S., in das alle Verurteilungen wegen Verbrechen und Vergehen eingetragen werden.

Strafregisterbescheinigung, in Österreich das →Führungszeugnis.

Strafsenat, für Strafsachen (v. a. Revisionen) zuständiger Spruchkörper beim Bundesgerichtshof und bei den Oberlandesgerichten, je nach dem Gegenstand des Verfahrens mit drei oder fünf Berufsrichtern besetzt.

Strafstoß (engl. Penalty), →Fußball.

Straftat (strafbare Handlung, strafrechtliches Delikt), die einen strafgesetzl. →Tatbestand erfüllende (tatbestandsmäßige) rechtswidrige, schuldhafte Handlung. Das StGB teilt die S. nach der Schwere der angedrohten Strafe ein in →Verbrechen und →Vergehen; keine S. sind die →Ordnungswidrigkeiten.

Straftilgung, die Löschung einer Eintragung im →Bundeszentralregister über Verurteilungen. Die S. hat zur Folge, dass die Verurteilung, von Ausnahmen abgesehen, den Betroffenen nicht mehr vorgehalten und nicht mehr zu ihrem Nachteil verwertet werden darf (→Rehabilitation).

Straf|umwandlung, →Strafvollstreckung.

Strafver|eitelung, Straftat, die derjenige begeht, der absichtlich oder wissentlich verhindert, dass ein anderer wegen einer rechtswidrigen Tat einer Strafe oder einer Maßnahme unterworfen wird (Verfolgungsvereitelung), oder der die Vollstreckung einer gegen einen anderen verhängten Strafe oder Maßnahme ganz oder teilweise vereitelt (Vollstreckungsvereitelung). Die S. ist mit Freiheitsstrafe bis zu fünf Jahren oder mit Geldstrafe bedroht (§258 StGB). Die S. zugunsten eines Angehörigen bleibt straffrei.

In *Österreich* (§299 StGB) und in der *Schweiz* (Art. 305 StGB) wird die S. als »Begünstigung« bestraft.

Strafverfahren, der →Strafprozess.

Strafverfolgung, die aufgrund von Strafanzeige, Strafantrag oder aufgrund anderer Erkenntnisse aufzunehmende Ermittlungstätigkeit von Staatsanwaltschaft und Polizei. Die S. unterliegt der Verjährung. Bei ungerechtfertigter S. kann ein Anspruch auf **S.-Entschädigung** gegen den Staat entstehen (Ges. vom 8. 3. 1971); Gegenstand der Entschädigung ist der durch die S.-Maßnahme verursachte Vermögensschaden, im Falle einer Freiheitsentziehung auch der immaterielle Schaden (Strafhaftentschädigung, 20 DM für jeden angefangenen Tag der Freiheitsentziehung; →Rehabilitation).

Strafvollstreckung, alle Maßnahmen zur Verwirklichung der in einem rechtskräftigen Strafurteil festgesetzten Strafen einschl. des →Strafvollzugs und der Beitreibung von Geldstrafen. Vollstreckungsbehörde ist die Staatsanwaltschaft, in Jugendsachen der Jugendrichter. Die Vollstreckungsbehörde fordert den zur **Freiheitsstrafe** Verurteilten zum Strafantritt auf. Stellt er sich nicht oder ist er fluchtverdächtig, so wird gegen ihn Vorführungs- oder Haftbefehl oder ein Steckbrief erlassen (§457 StPO). **Geldstrafen** werden nach den Vorschriften der Justizbeitreibungsordnung vom 11. 3. 1937 vollstreckt. Eine nicht beizutreibende Geldstrafe kann in eine Ersatzfreiheitsstrafe umgewandelt werden **(Strafumwandlung).** – In *Österreich* gelten für die S. die §§3–7 des Strafvollzugs-Ges. vom 26. 3. 1969. Geldstrafen werden nach dem gerichtl. Einbringungs-Ges. (1962) beigetrieben. In der *Schweiz* ist das Recht der S. kantonal verschieden geregelt.

Strafvollzug, die Durchführung einer Freiheitsstrafe vom Strafantritt an; geregelt im S.-Gesetz vom 16. 3. 1976. Ziel des S. ist es, den Strafgefangenen zu befähigen, künftig in sozialer Verantwortung ein Leben ohne Straftaten zu führen; daneben soll der S. auch dem Schutz der Allgemeinheit vor weiteren Straftaten dienen (§ 2). Vorschriften in diesem Sinn betreffen z. B. die Anpassung des Lebens im Vollzug an die allg. Lebensverhältnisse (§ 3 Abs. 1), die Erstellung eines Vollzugsplans zur Förderung der Resozialisierung, die heute eine staatl. Vollzugsaufgabe ist (früher Aufgabe der Gefangenenfürsorge durch Geistliche und Gefängnisvereine, § 7), das Recht auf Besuchsempfang und unbeschränkten Schriftverkehr (§§ 23 ff.), die Möglichkeit der schul. und berufl. Fortbildung in und außerhalb der Anstalt (§§ 37 ff.). Der S. wird in Justizvollzugsanstalten (Abk. JVA) durchgeführt, die von den Landesjustizverw. eingerichtet und unterhalten werden. Die Gefangenen werden in Anstalten des geschlossenen oder des offenen Vollzugs untergebracht; die Verlegung in eine sozialtherapeut. Anstalt ist mit Zustimmung des Gefangenen möglich, wenn dies der Resozialisierung dient. Aus der Arbeitspflicht des Strafgefangenen erwächst ein Anspruch auf Entgelt (§§ 41 ff.). Der Vollzug von freiheitsentziehenden Maßregeln der Besserung und Sicherung ist in den §§ 129 ff. geregelt, der Vollzug von Jugendarrest und Jugendstrafe dagegen in den §§ 90 ff. JGG und in der Jugendarrestvollzugsordnung. – Der *österr.* (S.-Gesetz vom 26. 3. 1969) und der *schweizer.* S. (Art. 37, 374 ff. StGB und kantonales Recht) entsprechen in ihren Grundsätzen dem dt. Strafvollzug.

📖 HAUF, C.-J.: *S. Kurzlehrbuch. Neuwied u. a. 1994.*

Strahlenkalk

Strafzumessung, die nach richterl. Ermessen zu treffende Festsetzung der Strafe **(Strafmaß)** innerhalb des gesetzl. Strafrahmens. Grundlage für die S. ist die Schuld des Täters (§ 46 StGB). Es müssen alle Umstände berücksichtigt werden, die für oder gegen den Täter sprechen, z. B. Ziele und Beweggründe des Täters, das Maß der Pflichtwidrigkeit.

Strahl, Rudi, Schriftsteller, * Stettin 14. 9. 1931; zählte mit seinen Boulevardkomödien zu den meistgespielten Autoren in der DDR (»In Sachen Adam und Eva«, 1970; »Ein irrer Duft von frischem Heu«, 1976; »Das Blaue vom Himmel«, 1989).

Strahl, 1) *Mathematik:* (Halbgerade) Teil einer Geraden, der auf der einen Seite durch einen Punkt der Geraden begrenzt wird und sich nach der anderen Seite ins Unendliche erstreckt.

2) *Physik* und *Technik:* kontinuierl., gerichteter (i. Allg. sich geradlinig ausbreitender), räumlich begrenzter Energie- oder Materiestrom, z. B. ein Flüssigkeits-, Elektronen- oder Lichtstrahl. Der Plural »Strahlen« wird häufig synonym zu → Strahlung verwendet.

Strahl|antrieb, ein Vortriebsverfahren für Fahrzeuge oder Flugkörper, bes. Flugzeuge, bei dem der gerichtete Ausstoß von Masseteilchen (z. B. Luftteilchen) in Form eines Strahls aufgrund der Impulserhaltung eine Reaktionskraft, den Schub, in entgegengesetzter Richtung des Masseabflusses erzeugt (→ Strahltriebwerk).

Strahldichte (Strahlungsdichte), Formelzeichen L, L_e, auf den Raumwinkel $\mathrm{d}\Omega$ und die wirksame Fläche $\mathrm{d}A \cos\varphi$ der strahlenden Fläche bezogener Strahlungsfluss $\mathrm{d}\Phi$ (φ Winkel zwischen Flächennormale und Strahlrichtung): $L = \mathrm{d}^2\Phi/(\mathrm{d}A \cos\varphi\, \mathrm{d}\Omega)$. Die **spektrale S.** ist die Verteilung der S. über die Wellenlänge oder die Frequenz, $L_\lambda = \mathrm{d}L/\mathrm{d}\lambda$ bzw. $L_\nu = \mathrm{d}L/\mathrm{d}\nu$. Die entsprechende photometr. Größe ist die → Leuchtdichte.

Strahlenbehandlung, die → Strahlentherapie.

Strahlenbelastung (Strahlenexposition), Einwirkung von → ionisierender Strahlung auf biolog. Systeme (Mensch, Tier, Pflanze). Unterschieden werden **natürl. S.** und **künstl. S.** (aus zivilisator. und techn. Strahlenquellen durch Kontamination von Umwelt und Lebensmitteln).

Strahlenbiologie (Radiobiologie, Strahlenbiophysik), Wiss.gebiet, das die Wechselwirkungen ionisierender Strahlen mit biolog. Materie untersucht. Schwerpunkte sind die Mechanismen der Auslösung von Mutationen durch Basenveränderungen und die Induktion von Brüchen der DNS sowie deren Reparatur.

Strahlenbündel, Gesamtheit von (Licht-)Strahlen im geometrisch-opt. Sinne, die durch eine Blende begrenzt werden. Sonderfälle sind homozentr., d. h. divergente und konvergente S., die von einem Punkt ausgehen bzw. in einen Punkt zielen, und parallele S., deren Zentrum im Unendlichen liegt.

Strahlendosis, *Physik, Strahlenschutz:* → Dosis.

Strahlenflosser (Aktinopterygier), Unterklasse der Knochenfische mit den meisten heute lebenden Fischen: Knorpelganoiden (Störe), Knochenganoiden (Knochenhechte und Kahlhechte) und Echte Knochenfische (z. B. Aale, Heringe, Lachse, Karpfen, Barsche).

Strahlenkalk, Kalkstein mit 1–10 cm langen kegelförmigen, an der Oberfläche fein gestreiften Gebilden im Bereich der → Stoßwellenmetamorphose.

Strahlen|optik, die geometr. → Optik.

Strahlenpilze (Aktinomyzeten, Actinomycetales), Ordnung v. a. im Boden lebender Bakterien; grampositive, teilweise säurefeste Zellen; zahlr.

Arten liefern Antibiotika, einige rufen S.-Erkrankungen hervor.

Strahlenpilzkrankheit, die →Aktinomykose.

Strahlensätze, Lehrsätze der Elementargeometrie: 1) Werden zwei von einem Punkt *S* ausgehende Strahlen *a* und *b* von zwei Parallelen *c* und *d* geschnitten, so verhalten sich die Längen der auf dem einen Strahl erzeugten Strecken wie die Längen der entsprechenden Strecken auf dem anderen ($\overline{SA}:\overline{SB}=\overline{SC}:\overline{SD}=\overline{AB}:\overline{CD}$). 2) Die Längen der parallelen Strecken zw. den Strahlen verhalten sich wie die Längen der von *S* aus bis zu ihnen gemessenen Strecken eines Strahls ($\overline{AC}:\overline{BD}=\overline{SA}:\overline{SB}$).

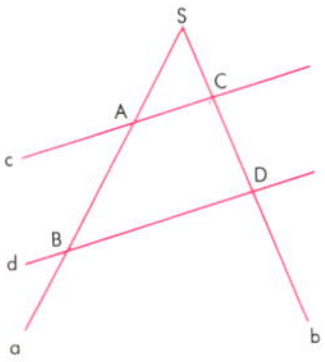

Strahlensätze

Strahlenschäden, *Medizin:* die Summe aller krankhaften Erscheinungen nach Einwirken ionisierender Strahlen auf Teilbereiche oder den gesamten menschl. Organismus. Das Ausmaß der ausgelösten Reaktionen und der bleibenden Schäden ist abhängig von der zugeführten wirksamen Strahlenmenge und -qualität sowie von ihrer räuml. und zeitl. Verteilung. Zu den **Frühreaktionen** nach einer Strahleneinwirkung gehört der **Strahlenkater** (v.a. **Röntgenkater**), der bei Ganzkörperbestrahlung auch unterhalb einer Energiedosis von 0,5 Gy nach einigen Stunden auftreten kann und sich in Übelkeit, Erbrechen, Kopfschmerzen, Schwindelgefühl und allg. Unbehagen äußert. Bei örtl. Bestrahlung mit 3–4 Gy tritt eine akute **Strahlendermatitis,** eine entzündl. Hautreaktion, auf; bei höheren Dosen kommt es zu bleibendem Verlust von Haaren und Nägeln, Verbrennungen sowie Geschwüren (Strahlenulkus). Zu den Folgeerscheinungen gehören Hautschäden **(Strahlen-** oder **Röntgendermatosen)** und nach jahrelanger Latenz auch Krebs **(Strahlen-** oder **Röntgenkarzinom).** Als Folge einer Ganzkörper- oder umfangreichen Teilkörperbestrahlung tritt das akute **Strahlensyndrom (Strahlenkrankheit)** auf; während es bei einer Dosis bis zu 0,3 Gy zu einem völlig rückbildungsfähigen S. kommt, treten ab der krit. Dosis von 1 Gy deutl. Symptome (Fieber, Durchfälle und Blutungen, Geschwüre in Mund und Rachen, Haarausfall, Blutbildungsstörungen, Infektionen) auf; bei einer Dosis von etwa 4 Gy tritt in 50% der Fälle der Tod durch Knochenmarkversagen, Hirnödeme oder Herz-Kreislauf-Schäden ein, ab etwa 7 Gy ist der Verlauf allg. tödlich. Zu den wichtigsten **Spätreaktionen** gehört der nach jahre- oder jahrzehntelanger Latenz auftretende **Strahlenkrebs** in Form des Lungenkrebses durch langfristige Einatmung radioaktiver Gase und Stäube, von Leukämie und Hautkrebs (Basaliome, Plattenepithelkarzinome), von Schilddrüsenkarzinomen und Sarkomen. Eine weitere Spätreaktion stellt die nach einer Latenzzeit auftretende Trübung der Augenlinse **(Strahlenkatarakt, Strahlenstar)** dar. Auch nach Überleben der akuten Symptome einer Strahlenkrankheit kann eine bleibende Schädigung des Erbguts bestehen. – Die *Behandlung* von S. beschränkt sich auf symptomat. Maßnahmen (Ruhigstellung, Infektionsprophylaxe, Infusionen); bei Knochenmarkschäden werden Knochenmarktransplantationen vorgenommen.

Strahlenschutz, Maßnahmen zum Schutz gegen →Strahlenschäden, bes. durch Röntgen- und Gammastrahlen sowie radioaktive Strahlen aller Art. Für jede Strahlungsart besteht eine maximal zulässige Strahlendosis (→Dosis), die bei dauernder Bestrahlung nicht überschritten werden darf, ohne die Gesundheit (bzw. Umgebung) zu gefährden. Unter **Personen-S.** werden alle Maßnahmen verstanden, durch die schädl. Wirkungen von ionisierender Strahlung auf Personen, unter **Material-S.** alle solchen, durch die strahleninduzierte chem. oder physikal. Schäden in Stoffen eingeschränkt werden. Maßnahmen des S. sind beim Umgang mit radioaktiven Stoffen (→radioaktive Abfälle), in der Strahlenchemie, an Kernreaktoren (→Entsorgung), in der Nuklearmedizin und Strahlentherapie sowie bei Verwendung von Radiopharmaka zu beachten.

Gegen äußere Bestrahlung werden Abschirmungsvorrichtungen aus geeigneten Stoffen verwendet, z.B. →Strahlenschutzzellen bei der Arbeit mit radioaktiven Stoffen, Bleibleche und Bleischürzen beim Arbeiten mit Röntgenstrahlen, meterdicke Betonwände bei Teilchenbeschleunigern. Das Tragen von Dosimetern sowie eventuelle Kontaminationsuntersuchungen geben Aufschluss über eingetretene Strahlenbelastungen von Personen. Für den prophylakt. S. werden S.-Mittel (S.-Stoffe) angegeben, die die Strahlenempfindlichkeit von Zellen, Organen und Organismen vermindern, oder die Dekorporierung, d.h. die Entfernung schädl. Radionuklide aus dem Organismus, bewirken.

Recht: S.-Grundsätze und -Regelungen internat. Gremien wie der IAEO, der WHO sowie auch nat. Verordnungen basieren weitgehend auf den Richtlinien und Empfehlungen der Internat. S.-Kommission (**ICRP,** engl. **I**nternational **C**ommission on **R**adiological **P**rotection), deren Grenzwertempfehlungen von 1990 wesentlich auf neuen (und der Extrapolation zukünftiger) Krebssterblichkeitsdaten der Überlebenden von Hiroshima und Nagasaki beruhen. Regelungen zum S. sind in Dtl. u.a. enthalten in der S.-Verordnung i.d.F.v. 30. 6. 1989 (z.B. zum Umgang mit radioaktiven Stoffen, Beförderung, Ein- und Ausfuhr, Errichtung und Betrieb von Anlagen zur Erzeugung ionisierender Strahlen), in der Röntgen-VO vom 8. 1. 1987 und im S.-Vorsorgegesetz vom 19. 12. 1986 (Überwachung der Radioaktivität in der Umwelt,

Maßnahmen zum Bevölkerungsschutz bei unfallbedingter Freisetzung radioaktiver Stoffe).

📖 KIEFER, H. *u.* KOELZER, W.: *Strahlen u. S. Vom verantwortungsbewußten Umgang mit dem Unsichtbaren. Berlin u. a.* [3]*1992.* – RÖTTLE, M.: *S. Überblick über das Arbeits- u. Umweltschutzkonzept. Darmstadt 1993.*

Strahlenschutz|zelle (heiße Zelle), mit Beton, Stahl oder Blei stark abgeschirmte Kammer, in der Arbeiten mit radioaktiven Materialien durchgeführt werden. Die Zellen sind mit Manipulatoren und Maschinen ausgerüstet und, um eine Verseuchung der Umgebung auszuschließen, an Schleusen und Filter angeschlossen. Kleinere Aktivitäten werden in Strahlenschutzkästen ausgeführt, in deren Wände Gummihandschuhe gasdicht eingesetzt sind.

Strahlentherapie (Strahlenbehandlung), Behandlung von Krankheiten durch Bestrahlung des Körpers; i. w. S. jede Anwendung elektromagnet. Wellen, einschl. Mikrowellen, Kurzwellen, Infrarot- und Ultraviolettstrahlung und sichtbaren Lichts, i. e. S. nur der Einsatz ionisierender Strahlung innerhalb der Radiologie. Letzterer umfasst zum einen die Verwendung von Röntgenstrahlen (Röntgentherapie, -behandlung), zum anderen die Radionuklidtherapie in der Nuklearmedizin und die medizin. Nutzung von Elektronen- und Neutronenstrahlen. Zus. mit der chirurg. und der Chemotherapie ist diese Form der S. das Hauptverfahren zur Behandlung bösartiger Geschwülste (Tumoren). Grundlage der S. ist die biolog. Wirkung der ionisierenden Strahlung und die aufgrund der meist höheren Teilungsrate gegenüber dem gesunden Gewebe gesteigerte Strahlenempfindlichkeit des Tumorgewebes; Ziel ist die maximale Schädigung des entarteten Gewebes bei geringer Belastung der gesunden Umgebung und der Haut. Dies wird durch exakte Ausrichtung der Strahlen auf den Tumor, Erstellung eines computergestützten Bestrahlungsplans (v. a. Berechnung der Dosisverteilung im Tumor und seiner Umgebung), gezielte Auswahl der Strahlenart und -energie, Erhöhung der Strahlendosis im Tumor (Herddosis) und Verteilung der erforderl. Gesamtdosis über unterschiedl. Zeiträume (Dosisfraktionierung) angestrebt. – Im Unterschied zur **externen S.** (Bestrahlung durch die Haut) werden bei der **internen S.** strahlende Substanzen in Körperhöhlen oder -gewebe eingebracht (→Radiumbestrahlung, →After-Loading-Technik), oder es wird durch Zuführung der Isotope einer stoffwechselaktiven Substanz in den Körper ein Organ gezielt erreicht (z. B. →Radiojodtherapie).

📖 SACK, H. *u. a.: Bestrahlungsplanung. Stuttgart u. a. 1993.* – RICHTER, E. *u.* FEYERABEND, T.: *Grundlagen der S. Berlin u. a. 1996.*

Strahlentierchen, die →Radiolarien.

Strahlenwaffen, Waffensysteme zur Bekämpfung angreifender Flugkörper mittels Laser- oder Partikelstrahlen.

Strahler, 1) *Physik:* (Strahlungsquelle) eine Vorrichtung oder Materie, die Strahlung (z. B. akust. und elektromagnet. Wellen, Teilchen wie Elektronen, α-Teilchen u. a.) aussendet. Für den S. ist die spektrale bzw. energet. Verteilung der ausgesandten Strahlung kennzeichnend: **Monochromat. S.** emittieren nur Strahlung einer einzigen Wellenlänge (z. B. Laser, Spektrallampen), **selektive S.** die Strahlung eines begrenzten Wellenlängengebietes; bei **kontinuierl. S.** sind in dem abgestrahlten Wellenlängenbereich keine Lücken vorhanden; das gilt bes. für **Temperatur-S.** (z. B. Glühlampen). Ein wichtiger Sonderfall der Temperatur-S. ist der **plancksche S.** (→schwarzer Körper). S. werden oft auch nach dem Wellenlängengebiet bezeichnet, in dem sie arbeiten (**Gamma-S., Ultraviolett-S.** u. a.).

2) *Technik:* Vorrichtung, die die von einer Strahlungsquelle ausgesandte Strahlung in bestimmte räuml. Richtungen lenkt, v. a. in der drahtlosen Nachrichtentechnik (Richt-S., Parabol-S., Horn-S., magnet. und dielektr. Strahler).

Strahlstärke, Formelzeichen I, I_e, der Quotient aus dem von der Strahlungsquelle in einer bestimmten Richtung ausgehenden Strahlungsfluss $\mathrm{d}\Phi$ und dem durchstrahlten Raumwinkelelement $\mathrm{d}\Omega$, $I = \mathrm{d}\Phi/\mathrm{d}\Omega$. Die entsprechende photometr. Größe ist die Lichtstärke.

Strahlstein (Aktinolith), dunkelgrünes, monoklines Mineral aus der Gruppe der Amphibole mit der chem. Zusammensetzung $Ca_2Fe_5[OH|Si_4O_{11}]_2$, entsteht magmatisch oder metamorph.

Strahlstrom, *Meteorologie:* der →Jetstream.

Strahltriebwerk (umgangssprachlich Düsentriebwerk), ein zu den Strahlantrieben gehörendes Triebwerk für Flugzeuge und Flugkörper. Bei allen S., außer beim Raketentriebwerk, dient Luft zur Verbrennung und als wesentl. Anteil der Strahlmasse (»luftatmendes S.«). Ein S. besteht im grundsätzl. aus Laufrad, Verdichter, Brennkammer, Turbine und Schubdüse. Die vom Laufrad

Strahltriebwerk

Etwas Ähnliches gibt es auch im Tierreich. Der Oktopus, ein Krake, nimmt zur Atmung Wasser durch Schlitze in der Körperwand auf. Nachdem es über die Kiemen geflossen ist, gelangt das Wasser in eine Röhre, den so genannten Sipho. Wenn es kräftig aus dem Sipho herausgepresst wird, schießt das Tier in jeder gewünschten Richtung davon, denn der Sipho kann frei gedreht werden.
Normalerweise läuft der Oktopus auf seinen Armen und setzt diesen Mechanismus nur in Gang, wenn er flüchten muss oder schwimmend eine schnelle Beute verfolgen will.

angesaugte Luft wird verdichtet, in der Brennkammer erwärmt, wodurch sie expandiert, und strömt durch die Turbine und Schubdüse aus. In der Turbine wird gerade genug Antriebsleistung für den Verdichter erzeugt, die restliche Energie des Luftstrahls wird in der Düse zum Vortrieb umgesetzt.

Das Antriebsprinzip des am häufigsten verwendeten **Turbinen-Luft-S. (TL-Triebwerk,** auch Turbotriebwerk, Flugturbine) beruht auf dem der Gasturbine. Es ist nur für hohe Fluggeschwindigkeiten wirtschaftlich einsetzbar. Turbinen-Luft-S. gibt es als **Einstrom-Triebwerke** (Einkreis-Triebwerke) und als **Zweistrom-Triebwerke (ZTL-Triebwerke,** auch Zweikreis-, Mantelstrom-, Bypass-Triebwerk). Beim Einstromtriebwerk durchströmt der gesamte Luftdurchsatz nacheinander Verdichter, Brennkammern, Turbine und Schubdüse. Beim Zweistromtriebwerk wird ein kalter Sekundärluftstrom, die Bypass-Luft, in einen das Haupttriebwerk ringförmig umschließenden Kanal geführt und dem Primärstrom, meist in der Düse, zugemischt. Beide Ströme erzeugen den Gesamtschub. Das Nebenstromverhältnis (Bypass-Verhältnis) ist das Verhältnis von sekundärer (kalter) zu primärer (heißer) Luft und liegt bei den in Großraumflugzeugen eingebauten S. zw. 4:1 und 6:1. Triebwerke mit so hohem Nebenstromverhältnis nennt man auch **Bläser-** oder **Fantriebwerke** nach dem ersten großen Laufrad des Niederdruckverdichters, das den Nebenstrom beschleunigt. Das **Front-Fan-Triebwerk** hat gemeinsamen Lufteinlauf für Haupt- und Nebenstrom im Unterschied zum **Aft-Fan-Triebwerk** (Heckgebläsetriebwerk), dessen Nebenstrom durch Verdichter erzeugt wird, die auf eine zusätzl. Turbinenstufe aufgesetzt werden. S. werden in ihrer einfachsten Form als **Einwellentriebwerke** ausgeführt, bei denen Verdichter- und Turbinenläufer auf einer Welle sitzen. **Zweiwellen-S.** und **Dreiwellen-S.** verfügen über zwei oder drei nicht miteinander verbundene und mit unterschiedl. Drehzahlen laufende Rotorsysteme. Um den Gasstrahl auch zum Bremsen verwenden zu können, sind an der Schubdüse Umlenkbleche und Öffnungen angebracht, die nach Bedarf den Gasstrahl seitlich und schräg nach vorn umlenken (Schubumkehr). Für senkrecht startende Flugzeuge werden **Hubtriebwerke** mit vertikal abwärts gerichtetem Abgasstrahl für Start und Landung sowie **Hub-Schub-Triebwerke,** die durch Richtungsänderung des Abgasstrahles die Hubkraft für Start und Landung und die Schubkraft für den Horizontalflug liefern können, verwendet.

Das für kleinere Fluggeschwindigkeiten (rd. 400–800 km/h) geeignete **Propeller-Turbinen-Luft-S. (PTL-Triebwerk,** Propellerturbine, Tur-

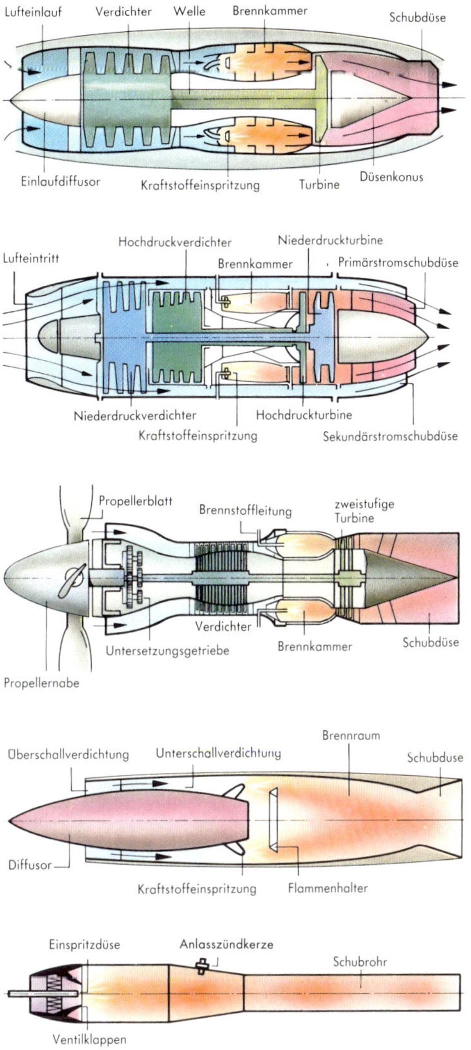

Strahltriebwerk (von oben): Turbinen-Luftstrahltriebwerke; Einstrom-Einwellentriebwerk und Zweistrom-Zweiwellentriebwerk, darunter Propeller-Turbinen-Luftstrahltriebwerk, Staustrahltriebwerk und Pulsstrahltriebwerk

boprop) ist kein reines Luft-S., sondern ein Luftschraubentriebwerk. Die Turbine treibt neben dem Verdichter einen Propeller an, der den Hauptteil der Vortriebskraft erzeugt. Das **Stau-S.** (auch Ram-Jet) hat im Unterschied zu den Turbinen-Luft-S. keine bewegl. Teile (Kompressor, Turbine). Die mit Fluggeschwindigkeit zuströmende Luft wird in einem Überschalldiffusor aufgestaut, in der Brennkammer aufgeheizt und dann in einer Schubdüse durch Expansion beschleunigt. Zum Start benötigt ein Flugzeug mit Stau-S. einen Zusatzantrieb (z.B. Raketen- oder Turbinen-Luft-S.). Der günstigste Arbeitsbereich für das reine Stau-S. beginnt bei mehr als 2,5 Mach. Kombiniert man ein Stau-S. mit einem Turbinen-Luft-S., erhält man die **Staustrahlturbine** (Turbo-Ram-Jet). Das **Puls-S.** oder **Verpuffungs-S.**, (auch Pulse-Jet, Pulsotriebwerk, intermittierendes Luft-S., z.B. Argus-Schmidt-Rohr), ähnelt im Prinzip dem Stau-S., arbeitet jedoch periodisch. Es besteht aus einem einseitig mit Klappenventilen geschlossenen, zum Brennraum ausgebauchten Rohr. Bei geschlossenen Klappenventilen tritt der Gasstrahl nach Zündung des Brennstoff-Luft-Gemischs durch das Rohr aus, bei geöffneten Klappenventilen wird frische Verbrennungsluft eingesaugt. Wegen der großen Lärmentwicklung und des relativ hohen Kraftstoffverbrauchs ist die Verwendung (im 2. Weltkrieg V 1) auf einzelne Motorsegler, unbemannte Flugkörper und Flugmodelle beschränkt.

Stralsund: Bürgerhäuser am Alten Markt

Strahlung, 1) *Meteorologie:* Energieübertragung innerhalb der Atmosphäre oder zw. ihr und ihrer Umgebung (Erdoberfläche, Weltraum) durch elektromagnet. Wellen. Es werden unterschieden: die von der Photosphäre der Sonne emittierte kurzwellige S. (**Sonnen-S., Einstrahlung** mit einer Wellenlänge von etwa 0,2 bis 0,4 µm) und die von der Temperatur abhängige langwellige (infrarote) Ausstrahlung der Erde (**terrestr. S.**, etwa 3,5 bis etwa 100 µm). Die Ausstrahlung in den Weltraum wird durch die **atmosphär. Gegen-S.** vermindert, die darauf beruht, dass die terrestr. S. v.a. vom atmosphär. Wasserdampf und Kohlendioxid absorbiert und nach Umwandlung in Wärmeenergie (Treibhauseffekt) in Form langwelliger S. zum größten Teil zur Erde zurückgestrahlt wird.

2) *Physik:* die freie, d.h. ungeleitete Ausbreitung von Energie in Form von Wellen (**Wellen-S.**, z.B. →elektromagnetische Wellen, Schallwellen) oder Teilchen, wie Elektronen, Neutronen, α-Teilchen, Atome, u.a. (**Teilchen-, Korpuskular-** oder **Partikel-S.**, z.B. kosm. S., radioaktive S.). Jede S. kann sowohl in der einen als auch in der anderen Form beschrieben werden (→Dualismus). Die Stärke einer Wellen-S. wird durch die **S.-Energiedichte** (die in einem Volumenelement des Strahlungsfeldes enthaltene S.-Energie) oder durch die **S.-Intensität** (die je Zeiteinheit durch die Flächeneinheit strömende Energie) gemessen. Für viele Zwecke wird die Energieverteilung im Spektrum einer S., für andere die Gesamt-S. gemessen. Für objektive Messungen sind kalorimetr. (Bolometer) und photometr. S.-Messgeräte (Pyranometer, Photoelemente und -zellen), Radiometer, Pyrometer, Szintillationszähler, Zählrohre, Blasen- und Wilson-Kammer u.a. im Gebrauch.

Strahlungs|charakteristik (Strahlungsdiagramm), →Richtcharakteristik.

Strahlungsdichte, die →Strahldichte.

Strahlungsdruck, der Druck, den eine Strahlung, insbesondere eine Wellenstrahlung (v.a. elektromagnet. oder Schallwellen) beim Auftreffen auf eine reflektierende Fläche als Folge der mit der Reflexion verknüpften Impulsänderung der Strahlungsquanten ausübt. Der S. des Lichts (Lichtdruck) wurde 1901 von P. N. Lebedew nachgewiesen. Der unter Laborbedingungen mit intensivem Laserlicht durch Ablenkung kleiner Partikel demonstrierbare S. erreicht im Innern der Fixsterne die Größenordnung der Gravitation und des Gasdrucks. Der S. der Sonne macht sich z.B. bei der Ausbildung der Kometenschweife bemerkbar, die stets von der Sonne fortweisen. Eine Lichtmühle funktioniert nicht aufgrund des S., sondern nach dem Prinzip eines →Radiometers.

Strahlungsfluss (Strahlungsleistung), Formelzeichen Φ, Φ_e, die je Zeiteinheit von einer Strahlungsquelle abgegebene Strahlungsenergie Q, d.h., $\Phi = dQ/dt$ (t Zeit). Die entsprechende photometr. Größe ist der Lichtstrom.

Strahlungsgesetze, Gesetze über die Beziehungen zw. der Temperatur eines strahlenden Körpers und der in Form von Strahlung ausgesandten Energie. Wichtige S. sind das →kirchhoffsche Strahlungsgesetz, das →plancksche Strahlungsgesetz und das →Stefan-Boltzmann-Gesetz.

Strahlungsgürtel, torusförmige Zone um einen Planeten, in der elektrisch geladene Teilchen (v.a. Elektronen und Protonen) in einem Magnetfeld eingefangen sind und zw. dem magnet. N- und S-Pol oszillieren, wobei sie sich spiralförmig entlang der Magnetfeldlinien bewegen und Synchrotronstrahlung aussenden. Zwischen den beiden seit 1958 bekannten S. (→Van-Allen-Gürtel) der Erde wurde 1992 ein dritter S. entdeckt.

Strahlungsleistung, der →Strahlungsfluss.

Strahlverfahren, Reinigen, Mattieren, Glätten, Aufrauen, Verfestigen von Werkstoffoberflächen durch Aufschleudern kleiner Teilchen (Strahlmittel, z. B. Metall, Sand, Kunststoffe) mit Druckluft, Zentrifugalkraft, Flüssigkeit oder Dampf.

Straits Settlements ['streɪts 'setlmənts, engl.], die ehemaligen, 1826 zu einer administrativen Einheit zusammengefassten brit. Besitzungen an der Malakkastraße (Malakka, Penang, Singapur); zunächst Britisch-Indien angegliedert, 1867–1946 Kronkolonie. Nach deren Auflösung kamen Malakka und Pinang zur Malaiischen Union, Singapur wurde eine eigene brit. Kronkolonie.

Strak [niederdt.] *das* (Straak), *Schiffbau:* kurvenförmiger Verlauf der Schiffslinien (→Linienriss). Im *Flugzeugbau* bezeichnet S. den harmon. Linienverlauf der Außenkonturen.

Stralsund [auch -'zunt] (Hansestadt S.), kreisfreie Stadt in Meckl.-Vorp., 64 400 Ew.; Hafenstadt am Strelasund der Ostsee; FH, Marinetechnikschule der Bundeswehr im Stadtteil Parow; kulturhistor. Museum, Meeresmuseum mit Meeresaquarium; Tierpark, Theater; Werft, Maschinenbau, Fischverarbeitung; Eisenbahnknotenpunkt für den über den Rügendamm nach Saßnitz führenden Verkehr; der Hafen kann nur von Küstenmotorschiffen angelaufen werden. – Im Stadtbild überwiegt die Backsteingotik: Nikolaikirche (13./14. Jh.), Marienkirche (14./15. Jh.), Jakobikirche (Ende 14. Jh.), spätgot. Katharinenkloster (im Wesentlichen 15. Jh., Museum), Rathaus (13. Jh. und 15. Jh. ff.), zahlr. Bürgerhäuser (15.–19. Jh.), Knieper- und Kütertor (beide 15. Jh.) der Stadtbefestigung. – Um 1200 gegr., erhielt 1234 (1240 bestätigt) lüb. Stadtrecht, ab Ende des 13. Jh. Mitgl. der Hanse; kam 1648 an Schweden, 1815 an Preußen. Der Frieden von S. zw. Dänemark und der Hanse (1370) sicherte dieser die Vormacht im Ostseeraum.

Stralsund
Stadtwappen

Stramm, August, Schriftsteller, * Münster 29. 7. 1874, ⚔ in Polesien (?) 1. 9. 1915; Postbeamter; führender Dichter im expressionist. Kreis um H. Waldens Zeitschrift »Der Sturm«. Charakteristisch für seine Lyrik ist eine radikale Verdichtung und Transformation der Sprache; die Dramen verzichten weitgehend auf Kausalität der Handlung. Seine Sprachexperimente waren von großem Einfluss auf den Dadaismus und moderne Dichtung.

Strand, der im Wirkungsbereich der Wellen liegende Teil der Küste, auch an Seen und Flüssen. Der S. umfasst den Uferbereich von der Küstenlinie bis zur **Ufer-** oder **Strandlinie** (an gezeitenlosen Küsten das Mittelwasserniveau, an Gezeitenküsten das Mittelhochwasserniveau). Nach der Art des S.-Materials unterscheidet man Sand-, Kies- oder Geröll-S. und (seltener) Block-S. an Moränenküsten. Infolge des häufigen Wechsels von Überflutung und Trockenwerden hat sich eine bes. angepasste Flora und Fauna angesiedelt. In den gemäßigten Zonen gedeihen Salzpflanzen (z. B. Strandhafer, Salzmiere, Queller), an trop. Küsten häufig Mangrovenwälder. Zur S.-Fauna zählen Tiere, die an den S. gebunden sind oder z. T. im Meer und auf dem Land leben, z. B. Krebse, Seehunde, Möwen, Strandläufer.

Strand [strænd], Paul, amerikan. Fotograf und Dokumentarfilmer, * New York 16. 10. 1890, † Orgeval (bei Paris) 31. 3. 1976; Vertreter der frühen realist. sowie der abstrakten Fotografie; gehörte zur gesellschaftskrit. New Yorker Dokumentarfilmbewegung. Nach seiner Übersiedlung nach Frankreich gestaltete er innovative Fotobücher, u. a. über Italien, Ägypten und Ghana.

Strand|auster, eine Art der →Klaffmuscheln.

Strand|distel, Art der Pflanzengattung →Mannstreu.

Strandläufer: Alpenstrandläufer im Brutkleid (Größe etwa 18 cm)

Strandflieder (Strandnelke, Limonium), Gattung der Bleiwurzgewächse, v. a. in asiat. Trockengebieten. Auf Salzwiesen der Nord- und Ostsee der **Gemeine S.** (Limonium vulgare) mit blauvioletten Kronblättern. Wegen der trockenhäutigen Vor-, Kelch- und Kronblätter wird S. häufig als Trockenblume verwendet.

Strandflöhe, →Flohkrebse.

Strandgut (Strandtrift), das von der See an den Strand geworfene, herrenlose Gut (→Bergung).

Strandhafer (Ammophila arenaria), auf Strand- und Dünensand Europas und Nordamerikas heim., bis meterhohe, steife Süßgrasart.

Strandläufer (Calidris), Gattung kleiner, kurzbeiniger Schnepfenvögel mit dünnem, tastempfindl. Schnabel. Der kurzschnäblige **Küsten-S.** (**Knutt,** Calidris canutus) ist der größte europ. S., der **Alpen-S.** (Calidris alpina) brütet auch an dt. Küsten.

Strandschnecke
(Größe 2-4 cm)

Strandschnecke (Litorina litorea), eine der häufigsten Meeresschnecken in der Brandungs- und Gezeitenzone der europ. Küsten; sie lebt auf Steinen und zw. Tangen.

Strandhafer (Höhe 0,6-1 m)

Strandsee, im Küstengebiet liegender See; entsteht, wenn ein Haff völlig abgeschnürt wird und durch den Zustrom von Fluss- und Grundwasser aussüßt. Meist kommt es zur Verlandung. S. können auch durch Kunstbauten entstehen.

Strandsegeln (Landsegeln), ein dem →Eissegeln verwandter sportl. Wettbewerb auf Sandküsten und Landpisten mit 3- oder 4-rädrigen Segelwagen, die je nach ihrer Segelfläche in fünf Klassen eingeteilt werden. Seit 1963 Europameisterschaften, seit 1970 Weltmeisterschaften.

Strandversetzung, →Küstenversatz.

Straßburg 1) Stadtwappen

Strangeness ['streɪndʒnəs, engl.] *die* (Seltsamkeit, Fremdheitsquantenzahl), Formelzeichen S, Quantenzahl für Elementarteilchen, die zur Klassifizierung der **Strange Particles** (→seltsame Teilchen) eingeführt wurde. Die S. folgt aus der Kombination der elektr. Ladungszahl, der dritten Komponente des Isospins und der Baryonenzahl. Bei den Baryonen ist für die Nukleonen $S = 0$, für Σ- und Λ-Hyperonen $S = -1$, für Ξ-Hyperonen $S = -2$ und für Ω-Hyperonen $S = -3$. Bei den Mesonen haben die Pionen $S = 0$ und die Kaonen $S = \pm 1$. Die S. bleibt bei der starken und der elektromagnet. Wechselwirkung erhalten. Bei der schwachen Wechselwirkung bleibt S nicht erhalten, ändert sich aber maximal um ±1. Das **Strange-Quark** hat die S. $S = -1$, für die anderen →Quarks gilt $S = 0$.

Strang|guss, das kontinuierl. Gießen flüssiger Metalle (Stahl) zu Strängen: Das Metall wird in eine wassergekühlte Kokille gegossen und der erstarrende Strang durch Walzen herausgezogen.

Strangpressen, *Metallverarbeitung:* das Warmumformen eines Blockes zu Strängen (Stäbe, Rohre) mithilfe von Pressmatrizen. – In der Kunststofftechnik das Verarbeiten thermoplast. Formmassen auf der Schneckenstrangpresse (Extruder) zu Tafeln, Bändern, Folien, Schläuchen u.a. Profilen. Dabei wird die Formmasse von einer permanent rotierenden Schnecke in einen beheizten Zylinder eingezogen, aufgeschmolzen und durch die profilgebende Düse zu weiterführenden Anlagen gefördert.

Strangulation [lat.] *die,* Abdrosselung der Luftröhre durch Zupressen des Halses (z.B. beim Erhängen oder Erwürgen).

Stranitzky [-ki], Josef Anton, österr. Volkskomödiant, *Knittelfeld (?) um 1676, †Wien 19. 5. 1726; Wanderkomödiant; leitete ab 1706 eine eigene Truppe und begründete die Altwiener Volkskomödie mit der von ihm neu geschaffenen Gestalt des »Hans Wurst« (→Hanswurst).

Strasbourg [stras'bu:r], Stadt im Elsass, →Straßburg.

Strasburg (Uckermark), Stadt im Landkreis Uecker-Randow, Meckl.-Vorp., im NW der Uckermark, 7200 Ew.; Nahrungsmittelindustrie. – Got. Stadtkirche (13. bis 15. Jh.). – Vermutlich in der 1. Hälfte des 13. Jh. als Stadt gegr.; bis 1994 Kreisstadt.

Strass [nach d. frz. Juwelier Georges Frédéric Stras, *1700, †1773] *der,* stark Licht brechendes Bleiglas (aus Bleioxid, Kieselsäure, Alkali) für Edelsteinimitationen, v.a. von Diamanten.

Straßburg (frz. Strasbourg), **1)** Hptst. der Region Elsass und des frz. Dép. Bas-Rhin, oberhalb der Mündung der Ill in den Rhein, 256000 Ew.; geistiger und wirtsch. Mittelpunkt des Elsass. Sitz

Straßburg 1): Ansicht der Westfassade (1276–1439) des Straßburger Münsters mit dem 1399–1439 erbauten nördlichen Turm; rechts daneben Haus Kammerzell am Münsterplatz

des Europarats, des Europ. Parlaments (im Wechsel mit Luxemburg) und der militär. Kommandobehörde Eurokorps; kath. Bischofssitz (seit 1988 Erzbistum); Univ., zahlr. Forschungsinst., u.a. Kernforschungszentrum; Internat. Inst. für Menschenrechte; Theater, Museen, Kongresszentrum; Großhandelszentrum (Messen); Börse; Elektronikind., Walzwerke, Metall verarbeitende Ind. (bes. Maschinen-, Lokomotiv-, Schiffbau), Holz-, Leder-, Textil-, Nahrungs- und Genussmittelind., Großbrauereien, Verlage, elsäss. Tabakmanufaktur, chem. Industrie auf Erdölbasis (Zwischenstation der Erdölleitung Mittelmeer–Karlsruhe mit zwei Erdölraffinerien); Fremdenverkehr. Der bed. Rheinhafen ist Ausgangspunkt von Rhein-Rhone- und Rhein-Marne-Kanal. Flughafen in Entzheim.

Stadtbild: Dominierend ist das **Straßburger Münster,** eines der mächtigsten Bauwerke des MA., errichtet über dem Grundriss einer 1176 durch Brand beschädigten Basilika aus otton. Zeit (1015, Krypta). Begonnen wurde mit dem spätroman. Chor und dem Querhaus, dessen jüngere Teile bereits im Übergang zur got. Bauweise entstanden. Das Langhaus wurde in den Formen der reifen Gotik erbaut (1275 eingewölbt), wahrte jedoch im Ggs. zu den westl. Vorbildern die Weiträumigkeit des otton. Grundrisses; 1276 Grundsteinlegung zum Westbau. Der wohl von Erwin von Steinbach stammende Plan (Riss B der W-Fassade) wurde nur z.T. und verändert ausgeführt. Von den vorgesehenen zwei Türmen wurde nur der nördl. von U. Ensinger 1399–1419 gebaut und von J. Hültz 1419–39 vollendet. Die Glasmalereien (13.–15. Jh.) sind größtenteils erhalten, so die Kaiserfenster und zwei Fensterrosen (13. Jh.); im südl. Querhaus astronom. Uhr (1547). Die Skulpturen der W-Fassade (um 1275) und des südl. Querschiffs (Engelspfeiler, Ecclesia und Synagoge, nach 1230) gehören zu den bedeutendsten Leistungen der damaligen Bildhauerkunst (Originale im Frauenhausmuseum). Das histor. Zentrum der Stadt, von der UNESCO zum Weltkulturerbe erklärt, liegt zw. zwei Armen der Ill mit z.T. anspruchsvollen Fachwerkbauten, u.a. dem Haus Kammerzell (1589) am Münsterplatz und dem Gerberhaus (»Gerwerstub«, 1651) am Pflanzbad (Rue du Bain-aux-Plantes) im maler. Viertel der Fischer, Gerber und Müller im SW der Altstadt (»La Petite France«), wo die Gedeckten Brücken (Ponts Couverts, 14. Jh.) die Ill überqueren. Weitere sehenswerte Häuser am Stephans- und am Kleberplatz, am Alten Fischmarkt und am Ferkelmarkt; Renaissancehäuser: die Große Metzig (1586, Museum) und der Neue Bau (1582–85, Handelskammer), und Bauten des 18. Jh., u.a. das Schloss Rohan (1730–42, jetzt Museum), ehem. Hanauer Hof (1731, heute Rathaus), Präfektur (Hôtel du Préteur Royal, 1736). Bed. sind ferner die Kirchen St. Thomas (13./14. Jh.), Jung St. Peter (13. Jh.) und St. Wilhelm (15. Jh.). Moderne Bauten sind u.a. das alte (1950–54) und das neue Europahaus (1977), die Synagoge (1955), das Palais de la Musique et des Congrès (1975), das Museum für zeitgenöss. Kunst (1992 ff.). Weitere BILDER de Cotte, Ecclesia und Synagoge, Gotik, Kopernikus, Erwin von Steinbach

Straßburg 1): Das 1977 fertig gestellte neue Europahaus ist Tagungsstätte des Europäischen Parlaments

Geschichte: S., auf dem Boden des röm. **Argentoratum,** gehörte seit 498 zum Fränk. Reich, durch den Vertrag von Verdun zu Lotharingien, später zum Ostfränk. Reich; 1262 wurde es Reichsstadt. Seit dem 14. Jh. war S. bed. kulturelles Zentrum (Wirkungsstätte von Meister Eckart, J. Tauler, später von S. Brant, T. Murner, J. Wimpfeling, J. Geiler von Kaysersberg), führte 1522 die Reformation ein, errichtete 1621 eine Univ., die im 18. Jh. internat. Rang hatte. Ludwig XIV. ließ am 30. 9. 1681 die Reichsstadt besetzen und gliederte sie dem frz. Staatsgebiet ein (Bestätigung durch den Frieden von Rijswijk 1697). 1871–1918 war S. Hptst. des Reichslandes Elsass-Lothringen.

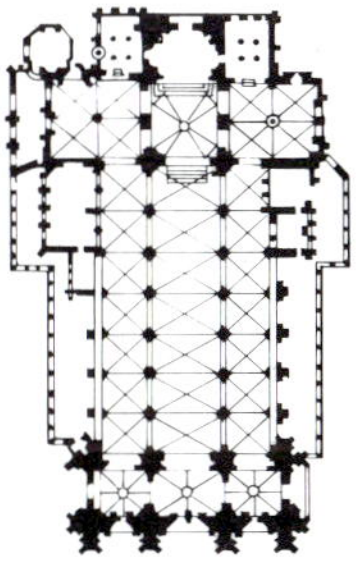

Straßburg 1): Grundriss des Straßburger Münsters

2) Bistum, seit dem 4. Jh. bezeugt, bis 1801 Suffraganbistum von Mainz, dann von Besançon; seit 1871 exemt; im MA. reichstes Domkapitel Deutschlands.

Straßburger Eide, Bündnisschwüre Ludwigs des Deutschen und Karls des Kahlen gegen ihren Bruder, Kaiser Lothar I. (842), durch Nithard in althochdt. und altfrz. Sprache überliefert (ältester Text in altfrz. Sprache).

Straße, befestigter Verkehrsweg für Fahrzeuge und Fußgänger. Je nach Lage werden unterschieden: **Stadt-S. (Orts-S.)** innerhalb bebauter Gebiete (unterteilt in Stadtautobahn, Schnellverkehrs-S., Hauptverkehrs-S., Verkehrs-S., Sammel-S. und Anlieger-S.) und **Land-S.** außerhalb bebauter Gebiete. Nach dem Träger der S.-Baulast unterscheidet man **Bundesfern-S.** (Autobahnen und Bundes-S.; in der Zuständigkeit des Bundes), **Land-S. erster Ordnung** (Landes-S.; Zuständigkeit des jeweiligen Bundeslandes), **Land-S. zwei-**

ter Ordnung (Kreis-S.; Zuständigkeit der Landkreise bzw. kreisfreien Städte), **Gemeinde-S.** (Gemeinde-Verbindungs-S., Orts-S.; Zuständigkeit der Gemeinden) und **Privat-S.** (Zuständigkeit der Grundstückseigentümer).

Recht: →Straßen- und Wegerecht.

Geschichte: Älteste S. sind die prähistor. Bernstein- und Salz-S., die weitgehend den natürl. Bedingungen (Flüsse, Pässe) angepasst waren. Planmäßig angelegte S. hatten zuerst die Ägypter und Babylonier. Die Städte Griechenlands wiesen ein für Kommunikation und Begegnung geschaffenes, geplantes Netz von S. und Plätzen auf. Meister des Straßenbaus waren die Römer. Das Netz der Römer-S. (ÜBERSICHT Alpenstraßen) reichte von der Nordsee bis zur Sahara und vom Atlantik bis Mesopotamien. Es war um 100 n. Chr. 80 000 km lang. Die mittelalterl. S. folgten z. T. den Trassen der verfallenen Römer-S. Auch die Salz-S. blieben in ihrem Zug z. T. bis ins 19. Jh. erhalten. Die Namen der S. verweisen auf Bedeutung, Verlauf und Alter: Königs-S., Heer-S., u. a. Allen S. der vortechn. Zeit sind gerade Strecken, steile Anstiege, der Verlauf auf Bergkämmen und die Ausrichtung auf Furten gemeinsam. – Wichtige S. waren auch die S. der Inkas, die →Seidenstraße und die Karawanenstraßen.

📖 HITZER, H.: *Die S. Vom Trampelpfad zur Autobahn. München 1971.* – LAY, M. G.: *Die Geschichte der S. Aus dem Engl. Frankfurt am Main u. a.* [2]*1994.*

Straßenbahn: zweiachsiger Triebwagen (Baujahr 1907)

Straßenbahn (Trambahn, kurz Tram), eine elektrisch betriebene Schienenbahn für den öffentl. Personenverkehr in Städten und ihrer nahen Umgebung, deren Gleise in der Fahrbahndecke (Rillenschienen) oder auf eigenem Bahnkörper verlegt sind. Die Spurweite der Gleise beträgt 1 435 mm (Regelspur) oder 1 000 mm (Schmalspur, Meterspur). Zum Antrieb der S. dienen i. d. R. Gleichstromreihenschlussmotoren mit einer Leistung bis 75 kW. Die Betriebsspannung (meist zw. 600 und 800 V Gleichstrom) wird dem Fahrdraht mit einem Stromabnehmer entnommen. Der Strom fließt über Überstromselbstschalter (Automaten) als Schutz für die Motoren, den Fahrschalter zur Regelung des Anfahr- und Bremsvorganges und der Fahrgeschwindigkeit, die auf dem Dach des Triebwagens angeordneten Vorwiderstände, die Motoren und die Schienen zurück zum Kraftwerk. Der Fahrschalter hat mehrere Fahr- und Bremsstufen, zunehmend auch eine stufenlose Feinregulierung. **S.-Züge** bestehen z. T. noch aus Trieb- und Beiwagen, meist aber 4- bis 12-achsigen Gelenkwagen. – Verkehrspolit. Vorteile der S. werden im Vergleich zur U-Bahn in den geringeren Investitionskosten und in der kürzeren Bauzeit, dem leichteren Zugang und größerer Akzeptanz in der Bev., im Vergleich zum Omnibus in der größeren Beförderungskapazität, im besseren Fahrkomfort und in der Umweltfreundlichkeit gesehen.

Geschichte: Die ersten S. waren **Pferdebahnen** (1832 in New York, 1854 Paris, 1865 Berlin). Die erste elektr. S., gebaut von W. Siemens, wurde 1881 in Lichterfelde (heute zu Berlin) in Betrieb genommen; der Strom wurde durch die beiden Fahrschienen zugeführt. Der Bügelstromabnehmer wurde seit 1895 vorwiegend angewendet.

📖 *Renaissance der S., hg. v.* R. KÖSTLIN *u. a. Basel 1987.* – MÄURICH, G. *u. a.: S. Berlin* [2]*1990.*

Straßenbau, die planmäßige Herstellung befestigter Verkehrswege für Straßenfahrzeuge.

Straßenplanung: Sie hat lokale, siedlungsstrukturelle und Umweltschutzaspekte zu berücksichtigen und findet ihren Niederschlag in Ausbauplänen und Generalverkehrsplänen. Funktionen des Straßennetzes sind – neben denen anderer Verkehrssysteme – die Bewältigung der zw. den versch. Lebensbereichen anfallenden Transportaufgaben, die flächenhafte Erschließung (in Ergänzung zur linienhaften, z. B. der Eisenbahn) und die Raumordnung. Aus der bisherigen Entwicklung der Netz- und Verkehrsstruktur, der Einwohner- und Beschäftigtenzahl, des Kraftfahrzeugbestandes und den voraussichtl., durch polit. und planer. Zielvorstellungen beeinflussten künftigen Veränderungen werden künftige Netzbelastungen prognostiziert. Grundsatz einer Entwurfsbearbeitung ist die Schaffung optimaler Sicherheitsbedingungen.

Die Linienführung einer Straße ist durch Lage (Lageplan) und Höhe (Höhenplan) festgelegt. Ausgangspunkt jeder Trassierung ist die Wahl einer Entwurfsgeschwindigkeit. Die Elemente des →Straßenquerschnitts sind die Fahrspuren (Fahrstreifen) und Randstreifen. Sie bilden zusammen mit den auf Streckenteile begrenzten Zusatzspuren **(Kriechspuren)** die Fahrbahn. Dazu kommen befestigte Seitenstreifen **(Standspur),** unbefestigte Seitenstreifen **(Bankette),** Radwege, Bürgersteige sowie Bordsteine. – Bei Knotenpunkten werden →Kreuzungen von kreuzungsfreien Verteilerbauwerken unterschieden.

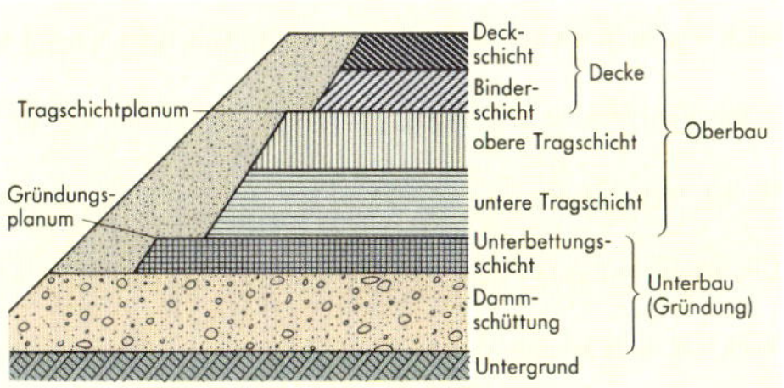

Straßenbau (Straßenbautechnik): Schichten des Ober- und Unterbaus

Straßenbaumaschinen: Beim S. werden Baumaschinen aller Art eingesetzt, v.a. Erdbaumaschinen und Deckenfertiger (Beton- und Schwarzdeckenfertiger). Die beim Erdbau anfallenden Arbeitsschritte werden durch Bagger, Baggerlader, Erdtransportlastwagen, Flachbagger und Bodenverdichter bewältigt.

Straßenbautechnik: Über dem Untergrund (natürlich anstehender, i. Allg. mit Bindemitteln oder durch mechan. Verfestigung verbesserter Boden) liegen der Unterbau (künstlich hergestellter Dammkörper der Straße) und der Oberbau (Tragschichten und die Decke). Tragschichten ohne Bindemittel (Frostschutzschichten, Kies- und Schottertragschichten) bestehen aus mechanisch verdichteten, hohlraumarmen, korngestuften Kies-, Sand- oder Schotter-Splitt-Sand-Gemischen. Neben Tragschichten mit hydraul. Bindemitteln werden solche mit bituminösen Bindemitteln im Heißeinbau hergestellt; diese bestehen aus korngestuften Mineralstoffgemischen und Straßenbaubitumen, Teerbitumen oder hochviskosem Straßenteer als Bindemittel. Die beiden Letzteren sind bei bes. belasteten Straßen notwendig.

Beim Bau neuzeitl. Fahrbahndecken werden Griffigkeit, Ebenheit, Verschleißfestigkeit und Reflexionsverhalten bes. beachtet. Diese Forderungen erfüllen Zementbetondecken und die meisten bituminösen Deckschichten. Die Dicke der **Zementbetondecke** beträgt z.B. bei höchster Belastung 22 cm. Der Beton wird maschinell mit Deckenfertigern in Plattenlängen von 4,0 bis 7,5 m ein- oder zweischichtig eingebaut. Die Platten werden in den Querfugen verdübelt, in den Längsfugen verankert. **Bituminöse Deckschichten** bestehen aus der Binderschicht und der Deckschicht. **Makadamdecken,** urspr. sandeingeschlämmte Schotterstraßen, später je nach Einbringen des Bindemittels als Misch-, Streu- und Tränkmakadam, werden wegen ihres Hohlraumreichtums nicht mehr gebaut. **Asphaltbeton** und **Sandasphalt** sind Gemische aus abgestuften Körnungen, denen im heißen Zustand ein erhitztes Bindemittel zugemischt wird und die heiß (80–180 °C) auf der Straße eingebaut und durch Walzen verdichtet werden. **Gussasphalt** ist eine gießfähige, hohlraumfreie bituminöse Masse, die in heißem Zustand mit einer Einbaubohle, neuerdings bei splittreichem Gussasphalt auch mit Vibrationsbohlen, über die ganze Fahrbahnbreite verteilt und danach mit einer heizbaren Abziehbohle geglättet wird. Gussasphaltdecken haben u.a. eine hohe Verschleißfestigkeit und werden v.a. auf Autobahnen und Straßen mit schwerem Verkehr verwendet. **Mastixdecken** aus **Asphaltmastix,** einer fabrikmäßig hergestellten Mischung aus Steinmehl (Füller), Sand und Bitumen, werden aufgeschmolzen und mit Splitt abgedeckt. (→Baumaschinen)

Straßenbaulast, die öffentl.-rechtl., der Straßenbauaufsichtsbehörde gegenüber bestehende Pflicht, für den Bau, die Verbesserung und den Unterhalt öffentl. Straßen alles zu leisten, was erforderlich und zweckmäßig ist, unter Wahrung sonstiger öffentl. Belange einschließlich des Umweltschutzes. Hierzu gehört auch die Ausstattung der

Straßenbau (Straßenbaumaschinen): Betondeckenfertiger (links) und Schwarzdeckenfertiger für bituminöse Deckschichten

Straßendorf: Die Dörfer im Donaumoos südwestlich von Ingolstadt sind planmäßig angelegt

Straßen mit dem erforderl. Zubehör (Verkehrszeichen, Leiteinrichtungen u. a.). In Dtl. ist der S.-Träger für die Bundesfernstraßen grundsätzlich der Bund; die Gemeinden mit mehr als 80 000 Ew. sind Träger der S. für die Ortsdurchfahrten im Zuge der Bundesfernstraßen. Außerdem obliegt den Ländern die Verw. von Bundesfernstraßen und Bundesautobahnen. Träger der S. von Land(es)- oder Staatsstraßen (Bayern) sind die Länder, für die übrigen Straßen Gemeinden und Städte.

Straßenbenutzungsgebühren, in einigen Ländern (z.B. Italien, Österreich, Frankreich, Schweiz, USA) bei Benutzung der Autobahnen (Autobahngebühren) oder autobahnähnlich ausgebauter Straßen zu entrichtende Gebühren, z. T. als **Maut** bezeichnet. In einigen Ländern der EU (Dtl., Belgien, Dänemark, Luxemburg, Niederlande) werden seit 1. 1. 1995 für die Benutzung ihrer Autobahnen durch in- und ausländ. Lkw über 12 t Gesamtgewicht Autobahnbenutzungsgebühren mittels →Vignette erhoben. Diese »Eurovignette« kann tage-, monats- oder jahresweise erhoben werden (Jahresbetrag 2500 DM). Die sie begründende EG-Richtlinie ist nach einem Urteil des Europ. Gerichtshofs von 1995 nichtig; gleichwohl wird die Erhebung der Gebühr bis zum Erlass einer neuen Richtlinie zugelassen.

Im Hinblick auf die zunehmende besondere Belastung der Straßen durch in- und ausländ. Lkw wurden verschiedentlich zusätzlich zur Kraftfahrzeugsteuer Abgaben auf die Güterbeförderung mit in- und ausländ. Kraftfahrzeugen eingeführt, so in *Österreich* der Straßenverkehrsbeitrag und in der *Schweiz* auf Bundesebene die Schwerverkehrsabgabe (zugleich mit einer Nationalstraßenabgabe bei Fahrzeugen mit einem Gewicht bis zu 3,5 t, »Autobahnvignette« genannt).

Straßendorf, planmäßige oder gewachsene Dorfform, bei der sich die Häuser bzw. Gehöfte zu beiden Seiten der Straße in dichter Folge anordnen. Beim **Straßenangerdorf** bildet die Straße im Dorf einen Anger (Platz).

Straßenhandel, das Feilbieten von Waren auf öffentl. Straßen, Plätzen und Wegen; unterliegt in Dtl. den Beschränkungen des Reisegewerbes (§§ 55 ff. GewO) und des Straßen- und Wegerechts (Sondernutzung). I. w. S. ist auch der Verkauf auf (Wochen-)Märkten S., allerdings gelten hier die Regelungen für den Marktverkehr.

Straßenkarten (Autokarten), topographisch-themat. Karten für den Straßenverkehr; enthalten Angaben über Entfernungen, Straßenbezeichnungen, Gefällstrecken, Autofähren, Aussichtspunkte u. a.; Maßstäbe zw. 1 : 200 000 und 1 : 1 Mio. In **Straßenatlanten** werden S. bestimmter Gebiete zusammengefasst.

Straßenkunst, Gestaltung und Belebung der Stadt durch Plastiken (im Ggs. zum Denkmal **Platzmal** genannt), Fassaden- und Pflasterbemalung, Wasser- und Lichtaktionen, an denen auch Passanten mitwirken können; erste Versuche fanden in den 1960er-Jahren statt.

Straßenlage, Fahrverhalten eines Kraftfahrzeugs in Bezug auf Bodenhaftung, Lenkverhalten, Kurvenlage, Federung, Einflussnahme von Seitenwind.

Straßenmeisterei, den Straßenbauämtern zugeordnete Dienststelle zur Gewährleistung eines ordnungsgemäßen Zustandes der Straßen. Für Autobahnen gibt es **Autobahnmeistereien.**

Straßenquerschnitt, wesentl. Bestandteil des Fahrraumes für den Kraftfahrzeugverkehr. Der S. setzt sich je Fahrstreifen aus dem Raumbedarf des Bemessungsfahrzeuges (2,50 m Breite; 4,00 m Höhe), dem Bewegungsspielraum (0,25–1,25 m Breite; 0,20 m Höhe) und ggf. einem Breitenzuschlag für den Gegenverkehr zusammen. Der Raumbedarf des Bemessungsfahrzeuges bildet mit dem Bewegungsspielraum den Verkehrsraum, der Verkehrsraum und ein von festen Hindernissen frei zu haltender Sicherheitsraum (i. d. R. 1,50 m Breite; 0,30 m Höhe) den lichten Raum.

Straßenroller (Culemeyer-Fahrzeug; nach dem Konstrukteur Johann Culemeyer, * 1883, † 1951), von Zugmaschinen gezogenes Schwerlastfahrzeug mit 32–48 Rädern, Tragfähigkeit über

Straßenroller

100 t, zum Straßentransport von Eisenbahnwagen oder von Lasten mit Lademaßüberschreitung.

Straßentheater, auf Straßen oder Plätzen aufgeführtes Theater, das häufig politisch engagiert ist, auch in agitator. Formen (Agitprop-Theater; →Theater).

Straßen- und Wegerecht, die Gesamtheit der Rechtsvorschriften, die sich auf Herrichtung und Gebrauch öffentl. Straßen einschl. der Wege und Plätze beziehen. Es umfasst insbesondere ein fortentwickeltes Straßenbaurecht, nicht jedoch das →Straßenverkehrsrecht. Geregelt ist es v.a. im Bundesfernstraßen-Ges. i.d.F.v. 14. 4. 1994 und in den Straßen-Ges. der Länder. Öffentl. Straßen unterscheiden sich von Privatstraßen, für die das S.- u. W. nicht gilt, durch ihre Widmung für den öffentl. Verkehr. Diese schließt andere Nutzungen nicht aus, v.a. im innerstädt. Bereich. Die öffentl. Straßen stehen i.d.R. im Eigentum des Straßenbaulastträgers. Besondere Vorschriften gelten für Kreuzungen, Einmündungen und Ortsdurchfahrten. Im Verkehrsinteresse unterliegen angrenzende Grundstücke Beschränkungen, z.B. Anbauverboten. – Das S.- u. W. *Österreichs* entspricht im Wesentlichen dem dt.; es ist im Bundesstraßen-Ges. vom 16. 7. 1971 und in den Straßen-Ges. der Länder geregelt. Wesentl. Bestimmungen über das S.- u. W. enthalten in der *Schweiz* die Bundesverf. (Art. 23, 36–37), das Bundes-Ges. über die Nationalstraßen vom 8. 3. 1960 sowie kantonales Recht.

Straßenverkehr, i.w.S. die Benutzung öffentl. Straßen durch alle Verkehrsteilnehmer, i.e.S. nur durch Kraftfahrzeuge. Unterschieden wird zw. Güter- und Personenverkehr, Fern- und Nahverkehr, Individual- und öffentl. Verkehr. Das S.-Aufkommen hat sich u.a. durch den angestiegenen Güterverkehr, den enorm angewachsenen Individualverkehr und veränderte Mobilitätsbedürfnisse und -zwänge stark erhöht. Eine auf Einschränkung des S. gerichtete Verkehrspolitik wird zwar wegen des hohen Energieverbrauchs beim S. und der mit dem S. selbst wie auch mit dem Ausbau des Straßennetzes verbundenen Umweltbelastung vielfach für notwendig gehalten, stößt jedoch u.a. aufgrund mangelnder Attraktivität der Alternativen, v.a. des öffentl. Personennahverkehrs, der gesellschaftl. Bedeutung des Autos und gegenläufiger Interessen der Kraftfahrzeugind. auf Widerstand.

Straßenverkehrs|abgaben, zusammenfassende Bez. für Steuern **(Straßenverkehrsteuern)** sowie Beiträge und Gebühren (→Straßenbenutzungsgebühren), die den Straßenverkehr belasten, indem sie entweder am Transportvorgang selbst oder aber am Transportmittel und seinen Treibstoffen ansetzen. S. können folgende Zielsetzung haben: 1) S. als Beitrag zur Deckung der Wegekosten; 2) S. als lastabhängige Rationierungsgebühr zur Lenkung der Verkehrsnachfrage (hierher gehören elektronisch gestützte Abrechnungssysteme wie »Roadpricing«); 3) S. als Umweltabgaben zur verursacherorientierten Zuordnung der externen Kosten des Straßenverkehrs bzw. zur Verminderung der vom Straßenverkehr ausgehenden Schadstoffemissionen (z.B. Kohlendioxidabgabe). Älteste und verbreitetste Form von S. sind die Kraftfahrzeug- sowie die Mineralölsteuer.

Straßenverkehrsgefährdung, zusammenfassende Bez. für einige sachlich verwandte Straftatbestände des StGB. So wird wegen gefährl. Eingriffe in den Straßenverkehr (§ 315 b) bestraft, wer die Sicherheit des Straßenverkehrs dadurch beeinträchtigt, dass er Anlagen oder Fahrzeuge beschädigt oder beseitigt, Hindernisse bereitet oder einen ähnl., ebenso gefährl. Eingriff vornimmt. Wegen Gefährdung des Straßenverkehrs (§ 315 c) wird bestraft, wer ein Fahrzeug in fahruntüchtigem Zustand führt oder grob verkehrswidrig und rücksichtslos erhebl. Verkehrsverstöße begeht. Die Taten sind im Regelfall mit Geld- oder Freiheitsstrafe bis zu fünf Jahren bedroht.

Straßenverkehrshaftung (Kraftfahrzeughaftung), die Ersatzpflicht des Halters eines Kfz oder des Fahrers für Schäden, die beim Betrieb eines Kfz entstanden sind. Die gegenüber dem allgemeinen Haftungsrecht verschärfte, als Gefährdungshaftung konzipierte S. beruht auf der Erkenntnis der erhöhten Gefahren, die der Betrieb eines Kfz mit sich bringt. Diese allg. S. ist im Straßenverkehrs-Ges. (StVG) verankert:

Der Halter eines Kfz haftet ohne Rücksicht auf ein etwaiges Verschulden, wenn beim Betrieb seines Fahrzeugs Menschen oder Sachen zu Schaden kommen. Die Ersatzpflicht ist aber ausgeschlossen, wenn der Schaden auf einem unabwendbaren Ereignis beruht, das nicht in einem Versagen des Kfz oder seiner Anlagen besteht.

Die auf dem StVG beruhende Ersatzpflicht ist summenmäßig begrenzt (§ 12). Darüber hinaus besteht nach § 18 StVG und allgemeinem Deliktsrecht eine verschuldensabhängige unbegrenzte Haftung des Fahrers. Nach dem Pflichtversicherungs-Ges. ist der Halter gesetzlich verpflichtet, zur Deckung der durch den Gebrauch des Kfz verursachten Schäden eine Haftpflichtversicherung abzuschließen, aus der der Geschädigte das Versicherungsunternehmen direkt beanspruchen kann. Das Gesetz (§ 12) hat ferner einen Entschädigungsfond eingerichtet, der in Anspruch genommen werden kann, wenn Unfallverursacher nicht ermittelt werden können oder die Deckung einer Haftpflichtversicherung nicht besteht.

In *Österreich* gelten ähnl. Haftungsgrundsätze wie in der Bundesrep. Dtl. (Eisenbahn- und Kraft-

Straßenverkehr
1899 wurde der Taxifahrer Jacob German als erster Amerikaner wegen zu hoher Geschwindigkeit festgenommen, als er in New York mit einem Tempo von knapp 20 km/h durch die Straßen brauste. Der Polizist, der ihn stellte, war mit einem Fahrrad unterwegs.

fahrzeughaftpflicht-Ges. v. 21. 1. 1959, Kfz-Haftpflichtversicherungs-Ges. 1994).

Dasselbe gilt für die *Schweiz* (Bundesgesetz über den Straßenverkehr vom 19. 12. 1958).

Straßenverkehrsrecht, alle Vorschriften, die die Benutzung von öffentl. Straßen, Plätzen u. a. durch Fahrzeuge und Fußgänger für den Verkehr regeln. Rechtsquellen sind für Dtl. hauptsächlich das **Straßenverkehrs-Ges. (StVG)** vom 19. 12. 1952, die **Straßenverkehrsordnung (StVO)** vom 16. 11. 1970 und die **Straßenverkehrs-Zulassungs-Ordnung (StVZO)** i. d. F. v. 28. 9. 1988, jeweils mit späteren Änderungen. – Nach dem StVG müssen Kraftfahrzeuge, die auf öffentl. Straßen betrieben werden sollen, zugelassen sein. Kraftfahrzeugführer benötigen eine Fahrerlaubnis. Für Schäden haftet der Fahrzeughalter bzw. Fahrer (→Straßenverkehrshaftung). Das StVG enthält ferner Straf- und Bußgeldvorschriften. Die StVO hat die Verkehrsregeln zum Inhalt. Die StVZO regelt die Zulassung von Personen und Fahrzeugen zum Verkehr auf öffentl. Straßen.

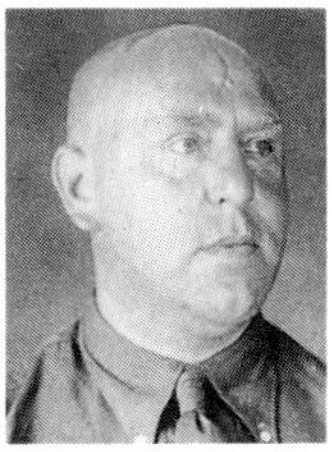

Gregor Strasser

📖 Buschbell, H.: *S. in der Praxis. München 1997.* – Jagusch, H.: *S. München* [34]*1997.*

Strasser, 1) Gregor, Politiker (NSDAP), * Geisenfeld (Kr. Pfaffenhofen a. d. Ilm) 31. 5. 1892, † (ermordet beim Röhm-Putsch) Berlin 30. 6. 1934, Bruder von 2); 1921–32 Mitgl. der NSDAP, war 1923 am Hitlerputsch beteiligt; 1924–33 MdR; baute nach der Wiedergründung der NSDAP die Parteiorganisation in N- und W-Dtl., bes. in Preußen, auf; ab 1928 deren Reichsorganisationsleiter; wurde unbeabsichtigt wegen seiner sozialrevolutionären Tendenzen zum innerparteil. Rivalen Hitlers.

2) Otto, Politiker, * Windsheim (heute Bad Windsheim) 10. 9. 1897, † München 27. 8. 1974, Bruder von 1); 1925–30 Mitgl. der NSDAP, Führer ihres revolutionär-»linken« Flügels; gründete 1930 nach seinem Bruch mit Hitler die »Kampfgemeinschaft revolutionärer Nationalsozialisten« (»Schwarze Front«), nach deren Verbot (1933) bis 1955 im Ausland.

Fritz Straßmann

Straßmann, Fritz, eigtl. Friedrich Wilhelm S., Chemiker, * Boppard 22. 2. 1902, † Mainz 22. 4. 1980; arbeitete über künstl. Radionuklide und Methoden geolog. Altersbestimmung. Als Mitarbeiter von O. Hahn war er 1938 an der Entdeckung der Kernspaltung beteiligt.

Teresa Stratas

Stratas, Teresa, eigtl. Anastasia Strataki, kanad. Sängerin (lyr. Sopran) grch. Herkunft, * Toronto 26. 5. 1938; wurde v. a. als Sängerin des italien. Fachs, in Mozart-Partien sowie als Lulu in A. Bergs gleichnamiger Oper bekannt; auch Konzertsängerin.

Stratege [grch.] *der,* **1)** *allg.:* Feldherr, Heerführer; auch Bez. für jemanden, der nach einem genauen Plan handelt, um ein Ziel zu erreichen.

2) im *antiken Griechenland* Heer- oder Flottenführer, auch hoher Beamter mit militär. und zivilen Aufgaben. In Athen bestand seit Kleisthenes das Kollegium der zehn S., das den Oberbefehl wechselweise innehatte; von großem Einfluss auf die Politik (z. B. Perikles).

Strategic Arms Limitation Talks [strəˈtiːdʒɪk ɑːmz lɪmɪˈteɪʃn tɔːks, engl.], →SALT.

Strategic Arms Reduction Talks [strəˈtiːdʒɪk ɑːmz rɪˈdʌkʃn tɔːks, engl.], →START.

Strategic Defense Initiative [strəˈtiːdʒɪk dɪˈfens ɪˈnɪʃətɪv, engl.], →SDI.

Strategie [grch.] *die,* **1)** *allg.:* der Entwurf und die Durchführung eines Gesamtkonzepts (z. B. Unternehmens-S.); Methode, Vorgehen.

2) *Politik* und *Militärwesen:* i. e. S. militär. Konzept der Kriegführung, die den Plan zur Erreichung eines Kriegszieles entwickelt. Heute spricht man meist von der S. eines Staates oder Bündnisses, die das Verhalten im Frieden, bei einer Krise oder im Kriegsfall betrifft, wobei das militär. Potenzial oder die Militär-S. neben der Diplomatie, der Außen- und Wirtschaftspolitik u. a. nur einen der Faktoren darstellt.

strategische Allianz, meist langfristig angelegte Kooperation von zwei oder mehreren multinationalen Unternehmen zur Wettbewerbsstärkung in einzelnen Geschäftsaktivitäten.

strategische Güter, Produkte, die v. a. unter militär. und industriellem Aspekt von besonderer Bedeutung sind und die in einem Land nicht oder in unzureichendem Umfang vorhanden sind (z. B. Rohstoffe, technologisch hochwertige Produkte).

Stratford-upon-Avon [ˈstrætfəd əˈpɔn ˈeɪvən], Stadt in der Cty. Warwickshire, England, am Avon, 20 900 Ew.; Marktzentrum; bed. Fremdenverkehr. Geburtshaus Shakespeares, Bibliothek und Theater der Shakespeare-Birthplace-Stiftung (jährl. Festspiele von März bis Oktober); Shakespeare-Inst. (der Univ. Birmingham angeschlossen); außerdem Nat. Teddybärenmuseum.

Stratifikation [lat.] *die,* **1)** *Gartenbau:* (Stratifizierung) schichtenweises Einlagern von Samen in feuchten Sand oder Torf bei niedrigen Temperaturen zur Verkürzung der Zeit der Samenruhe.

2) *Hydrologie:* therm. Schichtung (Temperaturschichtung) des Wassers in tiefen stehenden Gewässern, ausgelöst durch temperaturbedingte Dichteunterschiede.

Stratigraphie [lat.-grch.] *die* (Schichtenkunde), **1)** Teil der *histor. Geologie,* der die Gesteine (Schichten) nach ihrer zeitl. und räuml. Bildungsfolge ordnet, meist mithilfe von Fossilien (v. a. Leitfossilien; **Bio-S.**), auch Mikrofossilien **(Mikro-S.)** oder nach petrograph. Methoden **(Litho-S.,** deren Grundeinheit die Formation ist). Die Ergebnisse werden in stratigraph. Tabellen

Johann Baptist Straub: Die heilige Barbara, Stuckfigur am Altar der heiligen Katharina in der Klosterkirche Sankt Marien (1757-65) in Ettal

zusammengefasst, einer chronolog. Skala der Erdgeschichte **(Chrono-S.).** Nach dem **stratigraph. Grundgesetz** sind bei ungestörter Lagerung die tieferen Schichten (Liegendes) älter als die höheren Schichten (Hangendes).

2) *prähistor. Archäologie:* die Abfolge von Kulturschichten u.a. Ablagerungen (z.B. Boden-, Brandschichten), bildet die sicherste Grundlage der →Chronologie.

Stratocumulus [lat.] *der,* Haufenschichtwolke, →Wolken.

Straton von Lampsakos, grch. Philosoph, *Lampsakos um 340, †Athen 270 v.Chr.; führte den Begriff des potenziellen »leeren Raumes« in die peripatet. Physik ein; Hinwendung zu Experiment und Beobachtung.

Stratosphäre [lat.] *die,* →Atmosphäre.

Stratovulkan (Schichtvulkan), aus einer Wechselfolge von Lavalagen und Ascheschichten aufgebauter kegelförmiger Vulkan.

Stratus [lat.] *der,* Schichtwolke, →Wolken.

Straub, 1) Agnes, Schauspielerin, *München 2.4.1890, †Berlin 8.7.1941; leitete ebd. 1935/36 das Agnes-Straub-Theater.

2) [stro:b], Jean-Marie, frz. Filmregisseur, *Metz 8.1.1933; drehte Filme zus. mit seiner Frau Danièle Huillet (*1936), in denen die Musik eine bed. Rolle spielt; u.a. »Moses und Aron« (1974), »Zu früh/Zu spät« (1981), »Antigone« (1992), »Von heute auf morgen« (1997; nach der Oper von A. Schönberg).

3) Johann Baptist, Bildhauer, getauft Wiesensteig (Kr. Göppingen) 25.6.1704, †München 15.7.1784; seit 1737 Hofbildhauer in München; schuf v.a. Bildwerke für Altäre (Dießen a. Ammersee, Fürstenzell, München-Berg am Laim, Schäftlarn, Ettal u.a.), die zu den bedeutendsten Arbeiten des bayer. Rokoko gehören.

Straube, Karl, Organist und Kirchenmusiker, *Berlin 6.1.1873, †Leipzig 27.4.1950; war seit 1902 Organist an der Thomaskirche in Leipzig, 1918–39 Thomaskantor und 1919–41 Direktor des von ihm gegr. kirchenmusikal. Instituts am Leipziger Konservatorium. S., ein bed. Interpret der großen Chorwerke des 18. und 19. Jh., trug entscheidend zur Orgelbewegung des 20. Jh. in Dtl. bei.

Straubing, kreisfreie Stadt und Verw.sitz des Landkreises S.-Bogen, an der Donau, 44500 Ew.; Zentrum des fruchtbaren Dungaus (Gäuboden); Zweigmuseum des Bayer. Nationalmuseums; Maschinen- und Straßenfahrzeugbau, elektrotechn. und Elektronikind., Holz- und Kunststoffverarbeitung; Trabrennbahn; Messe Ostbayernschau; Agnes-Bernauer-Festspiele. – Das alte Stadtbild wird beherrscht durch den got. Stadtturm (14. Jh.), das Rathaus (1382, Fassade v.a. 19. Jh.) sowie die Backsteinbauten der St.-Jakobs-Kirche (Ende 13. Jh. bis 1580) und Karmelitenkirche (um 1370, 1464 Wölbung, 1700 ff. barockisiert), die roman. Peterskirche (um 1200), das Schloss (14. Jh., heute Finanzamt), die barocke Ursulinenkirche (Brüder Asam, 1736–40) und Patrizierhäuser (15.–18. Jh.). – 898 erstmals erwähnt; 1218 Stadtrecht; 1353–1425/29 Residenz des Herzogtums Straubing-Holland.

Straubing Stadtwappen

Straubing-Bogen, Landkreis im RegBez. Niederbayern, 1203 km², (1996) 91700 Ew.; Krst. ist Straubing.

Strauch, bis etwa 3 m hohes Holzgewächs, dessen Sprosse sich nahe der Bodenoberfläche ver-

Stratford-upon-Avon: Das Geburtshaus von William Shakespeare ist heute ein Museum

zweigen. Zwergsträucher (bis 0,5 m hoch, z.B. Heidekraut) wachsen im Hochgebirge, in Heiden und Mooren.

Botho Strauß

Strauch|erbse (Strauchbohne, Cajanus cajan), ind. Hülsenfrüchtler-Art; bis zu 4 m hoher Halbstrauch mit gelben oder rotgelben Blüten in Trauben; 3–8 erbsengroße Samen. Gemüse- und Mehllieferant.

Straus, Oscar, österr. Komponist, *Wien 6. 3. 1870, †Bad Ischl 11. 1. 1954; Theaterkapellmeister u.a. in Berlin, wo er von E. von Wolzogen am neu gegr. Kabarett »Überbrettl« als Komponist und Pianist verpflichtet wurde; seit 1927 in Wien. 1938 emigrierte er über Paris in die USA, 1948 Rückkehr nach Wien; schrieb Operetten (»Ein Walzertraum«, 1907; »Eine Frau, die weiß, was sie will«, 1932); auch Filmmusiken.

Franz Josef Strauß

Strausberg, Stadt im Landkreis Märkisch-Oderland, Brandenburg, auf dem Barnim, am Straussee (Naherholungsgebiet für Berlin), 26 900 Ew.; Heimatmuseum; Bau von hydraul. Hebebühnen, Schneepflügen und elektron. Bauteilen; Akademie der Bundeswehr für Information und Kommunikation (AIK). – Gotische Marienkirche (13.–15. Jh.), klassizist. Rathaus (1818), Reste der Stadtmauer (13. Jh.) mit zwei Toren. – S. entstand bei einer um 1230 erbauten Burg, 1268 als Stadt bezeichnet; war bis 1993 Kreisstadt.

Strauß (Scheitelhöhe bis zu 3 m)

Strauß (Struthio camelus), bis zu 3 m hoher, langhalsiger und langbeiniger, flugunfähiger Vogel, v.a. in Halbwüsten, Steppen und Savannen Afrikas südlich der Sahara; an schnelles Laufen angepasster Laufvogel (bis zu 60–70 km/h), der sich vorwiegend von Blättern, Früchten und Kleintieren ernährt; an den Füßen sind nur die dritte und vierte Zehe entwickelt; Gefieder des Männchens schwarz mit weißen Schmuckfedern an Flügeln und Schwanz; die bis zu 1,5 kg schweren Eier werden vorwiegend vom Männchen bebrütet. – Es entspricht nicht der Realität, dass der S. bei Gefahr seinen Kopf in den Sand steckt.

Johann Strauß (Vater)

Strauß, 1) Botho, Schriftsteller, *Naumburg (Saale) 2. 12. 1944; seit Mitte der 70er-Jahre einer der meistgespielten dt.sprachigen Bühnenautoren, u.a. »Die Hypochonder« (1972), »Trilogie des Wiedersehens« (1976), »Kalldewey, Farce« (1981), »Der Park« (1983), »Besucher. Drei Stücke« (1988), »Schlusschor« (1991), »Das Gleichgewicht« (1993), »Ithaka« (1996); verfasste auch Prosa (»Rumor«, 1980; »Beginnlosigkeit«, 1992, »Die Fehler des Kopisten«, 1997), Gedichte und Essays. Er erhielt 1989 den Georg-Büchner-Preis.

2) David Friedrich, evang. Theologe, *Ludwigsburg 27. 1. 1808, †ebd. 8. 2. 1874; war 1832–35 Philosophierepetent am Tübinger Stift; nach Erscheinen seines Erstlingswerks »Das Leben Jesu ...« (2 Bde., 1835) seiner Stelle enthoben; danach Gymnasialprof. und freier Schriftsteller in Ludwigsburg; unterzog das N. T. und die christl. Glaubensvorstellungen konsequent der histor. Kritik und wurde zum Mitbegründer der →Leben-Jesu-Forschung. Religionsphilosophisch zunächst von Hegel beeinflusst, wandte er sich schließlich ganz vom Christentum ab; war einer der umstrittensten Theologen seiner Zeit.

3) Emil, Schriftsteller, *Pforzheim 31. 1. 1866, †Freiburg im Breisgau 10. 8. 1960; unterstützte den nat.-soz. »Kampfbund für dt. Kultur« und erhielt im nat.-soz. Dtl. zahlr. Ehrungen; schrieb teils zum Realismus, teils zur Neuromantik gehörige Prosa, u.a. Schülerroman »Freund Hein« (1902), »Das Riesenspielzeug« (R., 1935); Schauspiele.

4) Franz Joseph, Politiker, *München 6. 9. 1915, †Regensburg 3. 10. 1988; 1949–78 MdB, 1953–55 Bundesmin. für besondere Aufgaben, 1955/56 für Atomfragen. Als Verteidigungsmin. (1956–62) leitete er die entscheidende Aufbauphase der Bundeswehr; Rücktritt wegen der »Spiegelaffäre«; seit 1961 Landesvors. der CSU, 1963–66 Vors. der Landesgruppe der CSU im Bundestag; 1966–69 Bundesfinanzmin., 1971–78 wirtschaftspolit. Sprecher der CDU/CSU-Fraktion im Bundestag, ab 1978 MinPräs. von Bayern; trat nach Bildung der CDU-FDP-Reg. unter H. Kohl (1982) nicht in diese ein, entwickelte jedoch starke polit. Eigeninitiativen bes. im außen- und deutschlandpolit. Bereich.

5) Johann (Vater), österr. Komponist, *Wien 14. 3. 1804, †ebd. 25. 9. 1849, Vater von 6); unternahm mit seinem Tanzorchester seit 1833 ausgedehnte Konzertreisen und wurde 1835 Hofballmusikdirektor in Wien. Er komponierte v.a. Walzer und Märsche (Radetzky-Marsch) und gilt neben J. Lanner als Begründer des klass. Wiener Walzers.

6) Johann (Sohn), österr. Komponist, *Wien 25. 10. 1825, †ebd. 3. 6. 1899, Sohn von 5); unternahm große Konzertreisen mit eigenem Tanzorchester, übergab aber die Leitung der Kapelle oft seinen Brüdern Josef (*1827, †1870) und Eduard

Johann Strauß
(um 1885)

(*1835, †1916); wirkte als Komponist, Hofballmusikdirektor und Gastdirigent. S. schuf mit den Operetten »Die Fledermaus« (1874), »Eine Nacht in Venedig« (1883) und »Der Zigeunerbaron« (1885) klass. Werke dieser Gattung und wurde zum Vollender des Wiener Konzertwalzers (u. a. »An der schönen blauen Donau«, »Geschichten aus dem Wienerwald«, »Wiener Blut«, »Kaiserwalzer«).

Strauss, Richard, Komponist und Dirigent, *München 11. 6. 1864, †Garmisch-Partenkirchen 8. 9. 1949; ab 1898 Kapellmeister an der Berliner Oper (1908 Generalmusikdirektor); 1919–24 zugleich mit F. Schalk Leiter der Wiener Staatsoper.

S. stand in der spätromant. Tradition (R. Wagner, F. Liszt) und bewegte sich grundsätzlich innerhalb der Tonalität. Er ging jedoch in seinen sinfon. Dichtungen (z. B. »Don Juan«, 1888; »Till Eulenspiegels lustige Streiche«, 1895) sowie in seinen Opern durch die subtile musikalische Ausdeutung von Charakteren, Handlungen und Seelenzuständen über die programmat. Kompositionen von Liszt oder H. Berlioz und, seit den Einaktern »Salome« (1905) und »Elektra« (1909), über Wagners Musikdrama hinaus. Leitmotiv, Technik, Sensibilisierung der Instrumentation, komplizierte Harmonik, Tonartensymbolik und tonmaler. Elemente sind für S. die musikal. Mittel für seine psycholog. Analyse. In den weiteren Werken, die in Zusammenarbeit mit H. von Hofmannsthal entstanden, wandte er sich einem dem mozartschen Geist verwandten Stil zu, unter gleichzeitig erneuter Akzentuierung von Melodie und Singstimme z. B. in der lyr. Komödie »Der Rosenkavalier« (1911) und in der Kammeroper »Ariadne auf Naxos« (1912, 2. Fassung 1916).

Richard Strauss
(1939)

Weitere Werke: Opern: Die Frau ohne Schatten (1919); Intermezzo (1924); Die ägypt. Helena (1928, Neufassung 1933); Arabella (1933); Die schweigsame Frau (1935); Friedenstag (1938); Daphne (1938); Die Liebe der Danae (1940, Uraufführung 1952); Capriccio (1942). – Ballette: Josephslegende (1914); Schlagobers (1924). – Sinfon. Dichtungen: Aus Italien (1886); Macbeth (1888, Neufassung 1890); Tod und Verklärung (1889); Also sprach Zarathustra (1896); Don Quixote (1897); Ein Heldenleben (1898); Symphonia domestica (1903); Eine Alpensinfonie (1915). Konzerte, Kammermusik, Chorwerke, über 200 Klavier- und Orchesterlieder.

Richard Strauss: harmonisches Exzerpt der ersten sieben Takte der Oper »Salome« (1905)

📖 Hartmann, R.: *R. S. Die Bühnenwerke von der Uraufführung bis heute. München 1980.* – Wilhelm, K.: *R. S. persönlich. Eine Bildbiographie. München 1984.* – Krause, E.: *R. S. Gestalt u. Werk. Neuausg. München 1988.*

Straußfarn (Matteuccia struthiopteris), ein Waldfarn an feuchten Standorten der N-Halbkugel; die unfruchtbaren Blätter sind trichterförmig angeordnet, die fruchtbaren straußenfederähnlich.

Straußgras (Agrostis), Gattung der Süßgräser mit lockeren vielblütigen Rispen. Heimisch ist u. a. das **Weiße S.** (Agrostis stolonifera) mit langen oberird. Kriechtrieben auf feuchten Wiesen und Weiden.

Straußgras:
Weißes Straußgras

Strauß und Torney, Lulu von, Schriftstellerin, *Bückeburg 20. 9. 1873, †Jena 19. 6. 1956; seit 1916 ⚭ mit dem Verleger E. Diederichs; schrieb Erzählungen und Romane aus der niederdt. Landschaft sowie Balladen.

Lulu von Strauß und Torney

Straußwirtschaft (Besenwirtschaft, in Österreich: Buschenschank), durch Laubstrauß, Birkenreiser, Besen u. Ä. gekennzeichnete Schankstätte eines Winzers, in der zeitlich befristet selbst erzeugter Wein ausgeschenkt wird.

Strawalde, Maler, Zeichner und Filmregisseur, →Böttcher, Jürgen.

Igor Strawinsky

Strawinsky, Igor Fjodorowitsch, russ. Komponist, *Oranienbaum (heute Lomonossow) 17. 6. 1882, †New York 6. 4. 1971; studierte 1902–08 bei N. Rimski-Korsakow; wurde weltbekannt durch seine für S. Diaghilews Ballets russes geschaffenen frühen Ballettmusiken »Der Feuervogel« (1910), »Petruschka« (1911) und »Le sacre du printemps« (1913). Diese Werke, anknüpfend an die russ. Schule, zeichnen sich durch eine kühne polytonale Harmonik (→Polytonalität) und eine elementar wirkende, kunstvolle Rhythmik aus. Ab 1910 lebte S. v.a. in der Schweiz. Hier entstanden zahlr. kleine, vielfach betont volkstüml., aber auch satirisch-groteske Werke in reduzierter Besetzung (»Die Geschichte vom Soldaten«, 1918, Ballett mit Erzähler). 1920 ging er nach Frankreich. Etwa 1919 begann die Beschäftigung mit älterer Musik, zunächst mit G. B. Pergolesi (»Pulcinella«, 1920, Ballett), dann mit J. S. Bach (Klavierkonzert), schließlich auch mit Werken vom MA. bis zur Romantik. Diese neoklassizist. Phase seines Schaffens fand in »Oedipus Rex« (1927, Opern-Oratorium), in den Konzerten und Sinfonien ihre Höhepunkte und mit der Oper »The rake's progress« (1951) ihren Abschluss. Seit 1939 lebte S. in den USA. In seinem späten Schaffen begann er sich mit der Zwölftontechnik A. Schönbergs und bes. mit dem Werk A. von Weberns zu beschäftigen, übernahm auch deren Satztechniken, ohne seine Eigenart, rhythm. Beweglichkeit und tonale Zentrierung aufzugeben.

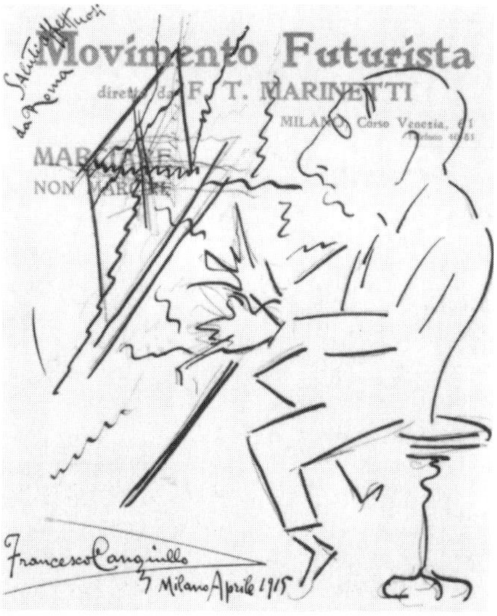

Igor Strawinsky am Klavier: Zeichnung des Italieners Francesco Cangiullo auf dem Titelblatt der von Filippo Tommaso herausgegebenen Zeitschrift »Movimento Futurista« (April 1915)

Weitere Werke: Ballette: Les noces (russ. Tanzszenen 1923); Apollon musagète (1928, revidiert 1947); Der Kuss der Fee (1928, revidiert 1950); Jeu de cartes (1937); Orpheus (1948). – Opern: Die Nachtigall (1914, revidiert 1962); Mavra (1922); Die Sintflut (1962). – Melodrama: Perséphone (1934, revidiert 1949). – Orchester- und Chorwerke: 3 Sinfonien; 2 Klavierkonzerte; Violinkonzert; Konzert für Kammerorchester »Dumbarton Oaks« (1937/38); Threni (1957/58); Messe; Kammer- und Klaviermusik; Lieder; zahlreiche Bearbeitungen.

📖 SCHERLIESS, V.: *I. S. u. seine Zeit. Laaber 1983.* – DÖMLING, W.: *I. S. mit Selbstzeugnissen u. Bilddokumenten. Reinbek* [6]*1994.* – LINDLAR, H.: *Lübbes S.-Lexikon. Bergisch Gladbach 1994.*

Streakkamera ['stri:k-, engl.], Fotodetektor, mit dem der zeitl. Verlauf sehr kurzer Lichtimpulse registriert werden kann.

Stream of Consciousness ['stri:m əv 'kɔnʃəsnɪs; engl. »Bewusstseinsstrom«] *der,* von dem amerikan. Psychologen W. James in seinem Werk »The principles of psychology« (2 Bde., 1890) mit Bezug auf É. Dujardins Roman »Geschnittener Lorbeer« (1888) geprägte Bez. für eine Erzähltechnik, die anstatt eines äußeren, in sich geschlossenen Geschehens die scheinbar unmittelbaren, unkontrollierten, sprunghaften und assoziativen Bewusstseinsvorgänge von Romanfiguren wiedergibt, ohne dass diese auf einen bestimmten Handlungszusammenhang ausgerichtet sind. Diese Darstellungstechnik wurde, oft unter Verwendung des →inneren Monologs oder der erlebten Rede, bestimmend für die Struktur der Arbeiten von u.a. A. Döblin, W. Faulkner, J. Joyce, D. M. Richardson und Virginia Woolf.

Strebe, geneigtes Konstruktionsglied zur Aussteifung eines Bauwerks oder zur schrägen Ableitung von Kräften.

Strebewerk, *Baukunst:* Pfeiler und Mauervorlagen, die den Seitenschub der Gewölbe auffangen, seit der Spätantike verwendet (Konstantinsbasilika, Rom). Das S. der got. Kathedrale besteht aus Strebebögen und -pfeilern sowie Zierelementen (Fialen); die **Strebebögen** übertragen den Seitenschub der Mittelschiffgewölbe auf die **Strebepfeiler** an den Außenwänden der Seitenschiffe.

Strecke, **1)** *Bergbau:* horizontaler Grubenbau von regelmäßigem Querschnitt, wird von einem anderen Grubenbau aus durch Streckenvortrieb angelegt; dient dem Abbau (Abbau-S.), der Förderung (Förder-S.) oder Bewetterung (Wetterstrecke).

2) *Geometrie:* der durch zwei Punkte A und B begrenzte Teil einer Geraden, dessen Länge mit $\overline{AB}$ bezeichnet wird.

3) *Jägersprache:* 1) die Stückzahl des bei einer Jagd oder in einem Distrikt während eines Jahres erlegten Wildes; 2) das nach Beendigung einer Jagd auf der Erde niedergelegte Wild.

4) *Spinnerei:* Vorbereitungsmaschine zum Parallelisieren der Fasern im Faserband.

Streckmetall, ein durch Stanzen und nachträgl. Auseinanderziehen von Stahl- und Aluminiumblechtafeln entstehendes festes Maschenwerk. Es wird als Gitter oder Putzträger, für Bewehrungseinlagen oder Baumatten verwendet.

Streckmuskeln (Extensoren), Muskeln, die in einem Gelenk eine Streckbewegung durchführen; Gegenbewegung durch die Beugemuskeln.

Streckverband, der → Extensionsverband.

Streep [stri:p], Meryl, eigtl. Mary Louise S., amerikan. Schauspielerin, *Summit (N. Y.) 22. 4. 1949; wandlungsfähige Darstellerin, u.a. in den Filmen »Holocaust« (TV-Serie, 1978), »Kramer gegen Kramer« (1979), »Jenseits von Afrika« (1985), »Der Tod steht ihr gut« (1992), »Das Geisterhaus« (1993), »Die Brücken am Fluss« (1995), »Marvins Töchter« (1996).

Streetbands ['stri:tbændz, engl.], im frühen Jazz Bez. für die bei Straßenumzügen, Hochzeiten und Beerdigungen spielenden Kapellen.

Streetbasketball [stri:t-; engl.], aus den USA stammende vereinfachte Form des Basketballs mit einem einzigen Korb und drei Spielern je Team. Ein erzielter Korb zählt einen, falls er hinter der Zweipunktlinie (6,25 m) abgeworfen wurde, zwei Punkte. Bei Korberfolg, Foul oder Regelwidrigkeit übergibt die verteidigende Mannschaft den Ball zum »Check« hinter der Zweipunktlinie.

Streeton [stri:tn], Sir (seit 1937) Arthur, austral. Maler und Grafiker, *Mount Duneed (Victoria) 8. 4. 1867, †Olinda (Victoria) 1. 9. 1943; einer der bedeutendsten austral. Impressionisten, malte v.a. Landschaften und Stillleben.

Strebewerk: Aufriss des Kölner Doms

Strehla, Stadt im Landkreis Riesa-Großenhain, Sachsen, am linken Ufer der Elbe, 4 400 Ew.; Leimwerk, Steingutfabrik, Graugießerei. – Vierflügeli-

Strehla: Blick in den Innenhof des zum großen Teil im 16. Jh. erbauten Schlosses mit einem der drei Treppentürme (rechts)

ges Schloss (15./16. Jh.), spätgotische Stadtkirche (15./16. Jh.). – Neben einer Burg des 10. Jh. um 1200 entstanden, 1210 als Stadt erwähnt.

Strehlen, Stadt in Polen, → Strzelin.

Strehler (Strähler), Werkzeug zur Gewindeherstellung, dessen einzelne Schneidzähne mit zunehmender Schnitttiefe hintereinander am Werkstück angreifen.

Meryl Streep

Strehler, Giorgio, italien. Regisseur, Theaterleiter und Kritiker, *Barcola (heute zu Triest) 14. 8. 1921, † Lugano (Schweiz) 25. 12. 1997; gründete 1947 mit P. Grassi das Piccolo Teatro in Mailand und leitete es bis 1996. Weltbekannt wurden seine Goldoni-Inszenierungen; erarbeitete einen modernen Shakespeare-Stil und führte B. Brecht im italien. Theater ein (»Galilei«, 1963). 1983–89 war S. Leiter des Pariser Théâtre de l'Europe; inszenierte auch Opern an der Mailänder Scala und bei den Salzburger Festspielen.

Giorgio Strehler

Streibl, Max, Politiker, *Oberammergau 6. 1. 1932; in Bayern seit 1962 MdL (CSU), 1970–77 Min. für Landesentwicklung und Umweltschutz, 1977/78 Finanzmin., 1988–93 Ministerpräsident.

Streich, Rita, Sängerin (Koloratursopran), *Barnaul (bei Nowosibirsk) 18. 12. 1920, †Wien 20. 3. 1987; bes. Mozart- und Strauss-Interpretin.

Max Streibl

Streichen und Fallen, *Geologie:* Bez. der geolog. Lagerungsverhältnisse von Gesteinsschichten, Klüften, Erzgängen u.a. Flächen, gemessen mit dem → Geologenkompass. Das **Streichen** ist die Schnittlinie der zu messenden Fläche mit einer angenommenen waagerechten Fläche. Die **Streichrichtung** ist die Abweichung der Schnittlinie von der N-Richtung. Das **Fallen** (oder Einfallen) gibt den Neigungswinkel der zu messenden Fläche gegenüber der Horizontalen an. Die **Falllinie** verläuft immer senkrecht zur Streichrichtung.

Streicher, 1) Johann Andreas, Klavierbauer, *Stuttgart 13. 12. 1761, †Wien 25. 5. 1833; floh 1782 mit Schiller von der Karlsschule; heiratete 1794 Nanette Stein (*1769, †1833, Tochter des Klavierbauers J. A. Stein), verlegte die steinsche Werkstatt nach Wien, die ab 1802 als »Nanette S., née Stein« firmierte und führend im Wiener Klavierbau wurde (Verbesserung der Mechanik; ausgewogener, durchsichtiger Klang).

2) Julius, Politiker (NSDAP), *Fleinhausen (heute zu Dinkelscherben, Kr. Augsburg) 12. 2. 1885, †(hingerichtet) Nürnberg 16. 10. 1946; Lehrer, gründete 1923 das antisemit. Hetzblatt »Der Stürmer«, 1925–40 Gauleiter von Franken; 1946 in Nürnberg zum Tode verurteilt.

Streichgarn, nach speziellem Spinnverfahren hergestelltes Garn von moosigem Aussehen und rauem Griff aus Wolle und/oder Chemiefasern, oft Mischung mit Reißfasern. S.-Gewebe haben eine geschlossene, leicht filzartige Oberfläche.

Streichholz, das →Zündholz.

Streich|instrumente, Musikinstrumente, deren Ton durch Streichen der Saiten mit einem Bogen erzeugt wird, u. a. Geige, Bratsche, Violoncello, Kontrabass, Viola, Gambe, Fiedel sowie zahlreiche nichteurop. Instrumente.

Streichquartett, Musiziergruppe aus zwei Violinen, Viola und Violoncello; auch mehrsätzige Komposition für diese Besetzung. (→Quartett)

Streifen|arten, Lagen unterschiedl. Gefügebestandteile (Mazerale), die kennzeichnend für die versch. Steinkohletypen sind. Man unterscheidet **Vitrit** (Glanzkohle, aus Vitrit, Tellinit und Resinit bestehend), **Clarit** (Halbglanzkohle), **Durit** (harte Mattkohle) und **Fusinit** (holzkohlenartige Substanz mit deutl. Zellstruktur).

Streifenfarn (Asplenium), weltweit verbreitete Gattung der Tüpfelfarngewächse mit z. T. epiphytisch lebenden Arten; heimisch u. a. der **Braunstielige S.** (Asplenium trichomanes) mit schwarzbraunen Blattstielen; in den Tropen der auf Bäumen siedelnde **Nestfarn** (Asplenium nidus) mit lanzenförmigen, pergamentartigen Blättern.

Streik [engl. strike, zu to strike »stoßen«, »schlagen«], allg. die zeitweilige Verweigerung eines geschuldeten oder übl. Verhaltens als Mittel des zivilen Ungehorsams zur Durchsetzung einer Forderung oder als Ausdruck eines Protests (z. B. Hunger-S.; Sitz-S. zur Blockade von militär. Einrichtungen oder des Verkehrs). Im Sinne des *Arbeitsrechts* ist S. als Form des Arbeitskampfes die vorübergehende kollektive Arbeitsniederlegung **(Ausstand)** durch Arbeitnehmer zur Durchsetzung von Forderungen, die sich auf Entlohnung oder Arbeitsbedingungen beziehen. Polit. S., z. B. ein sog. polit. Massen-S. oder die Lähmung des gesamten Wirtschaftslebens durch einen General-S., um bestimmte Entscheidungen staatl. Organe zu erzwingen, sind in Dtl. nur in Ausübung des Widerstandsrechts im Sinne des GG erlaubt. – Voraussetzung für die Zulässigkeit eines S. im arbeitsrechtl. Sinne ist, dass er von einer tariffähigen Vereinigung durchgeführt wird, ein durch Tarifvertrag regelbares Ziel verfolgt, nicht gegen die Friedenspflicht verstößt und den Gegner nicht unangemessen schädigt. Demnach sind ohne Gewerkschaft von Arbeitnehmern unmittelbar durchgeführte Arbeitsniederlegungen **(wilde S.)** unzulässig. Generell kein S.-Recht haben nach vor-

Streik: Streiks und Aussperrungen

Staat	beteiligte Arbeitnehmer in 1 000					verlorene Arbeitstage in 1 000				
	1980	1985	1990	1994	1995	1980	1985	1990	1994	1995
Belgien	27	34	10	6	13	222	127	103	71	100
Dänemark[1]	62	581	37	37	124	187	2 333	98	75	197
Deutschland[2]	45	78	257	401	183	128	35	364	229	247
Finnland	407	170	207	71	127	1 606	174	935	526	869
Frankreich	-	23	19	-	-	1 523	727	528	521	-
Griechenland	1 408	786	1 304	74	52	2 907	1 094	23 441	666	450
Großbritannien	834	791	298	107	174	11 964	6 402	1 903	278	415
Irland	31	169	10	5	32	412	418	223	26	130
Italien[3]	13 825	4 843	1 634	2 614	445	16 457	3 831	5 181	3 374	909
Japan	563	123	84	49	38	1 001	264	145	85	77
Niederlande	26	23	25	22	55	57	89	207	47	691
Österreich	24	36	5	0	0	17	23	9	0	0,1
Portugal[4]	290	199	129[5]	94[5]	-	533	275	147[5]	97[5]	-
Schweden	747	125	73	22	125	4 479	504	770	52	627
Spanien	2 287	1 511[6]	977	5 437	574	6 187	3 224[6]	2 613	6 277	1 457
USA	795	324	185	322	192	20 844	7 079	5 926	5 022	5 771

[1] ohne Arbeitsstreitigkeiten mit weniger als 100 verlorenen Arbeitstagen. – [2] bis einschließlich 1990 früheres Bundesgebiet. – [3] die Zahl der verlorenen Arbeitstage wurde auf der Basis des Siebenstundentages berechnet. – [4] nur Streiks. – [5] ohne Angaben für Madeira und die Azoren. – [6] ohne Angaben für Katalonien

herrschender, jedoch umstrittener Meinung Richter und Beamte. Vor Beginn eines S. ist zunächst eine **Urabstimmung** der betroffenen Gewerkschaftsmitglieder vorgesehen, zu der erst aufgerufen werden darf, wenn die Möglichkeiten für eine gütliche Einigung ausgeschöpft und die Verhandlungen für gescheitert erklärt sind. Noch während der Laufzeit des Vertrages bzw. während der Verhandlungen sind kurze (i. d. R. bis zu zwei Stunden) **Warn-S.** zulässig. Der S. kann in allen Betrieben des S.-Gegners durchgeführt werden oder sich nur gegen bes. wichtige Betriebe richten **(Schwerpunkt-S.).** Eine Form des S. ist der **Dienst nach Vorschrift,** bei dem durch genaueste Beachtung der Dienstvorschriften der Arbeitsablauf verzögert oder lahmgelegt wird. Während des S. (nicht bei Dienst nach Vorschrift) ruhen die Arbeitsverhältnisse der S.-Teilnehmer. Der Streikende hat keinen Anspruch auf Lohn oder Gehalt, auch nicht auf Arbeitslosengeld. Gewerkschaftsmitgl. erhalten S.-Unterstützung von der Gewerkschaft. (→ Aussperrung)

📖 *S. Realität u. Mythos, hg. v.* A. VON SPECHT, *Ausst.-Kat. Dt. Histor. Museum im Zeughaus Berlin, 1992.* – BÜNGER, R. E.: *Der verhandlungsbegleitende Warnstreik. Eine Analyse der neueren Entwicklungslinien im Arbeitskampfrecht. Baden-Baden 1996.*

Streisand ['straɪsənd], Barbra, amerikan. Schauspielerin, Sängerin und Regisseurin, * New York 24. 4. 1942; Star am Broadway in den mit ihr auch verfilmten Musicals »Funny Girl« (1964) und »Hello, Dolly!« (1968); weitere Filme: »Is' was, Doc?« (1972), »Yentl« (1983; auch Regie), »Nuts... Durchgedreht« (1987), »Herr der Gezeiten« (1991; auch Regie); »Liebe hat zwei Gesichter« (1996; auch Regie); auch als Popsängerin erfolgreich.

Barbra Streisand

Streit|axt, axtartige Hieb- und Wurfwaffe mit einer Klinge aus Stein, Knochen oder Metall; spielte als Gebrauchs-, Prunk- und Kultgegenstand von der späten Jungsteinzeit bis ins MA. eine Rolle. Eine Sonderform ist der Tomahawk.

Streitaxt: skythische Prunkaxt aus dem 7. Jahrhundert

Streit|axtkultur, → Schnurkeramik.

Streitgedicht, schon in der Antike belegtes, dann im MA. beliebtes Gedicht, in dem ein Streit zw. Personen oder personifizierten Begriffen, Erscheinungen, Gegenständen ausgetragen wird (Ritter und Bauer, Mensch und Tod, Frühling und Winter, Frau Minne und Frau Welt). Wegen der Dialogform wird das S. oft auch als **Streitgespräch** bezeichnet. S. finden sich bes. in der Vagantendichtung und der roman. Minnedichtung; auch im Orient (bes. in der pers. und arab. Dichtung) bekannt.

Streitgegenstand, der im Zivilprozess geltend gemachte prozessuale Anspruch, der sich nach herrschender Auffassung aus Klageantrag und -grund ergibt. Er ist u. a. maßgebend dafür, worauf sich die Klage erstreckt, in welchem Umfang die gerichtl. Entscheidung in Rechtskraft erwächst, ob das angerufene Gericht für die Entscheidung zuständig ist. Der S. ist entscheidend für die Höhe des → Streitwertes.

Streitgenossenschaft, im Prozessrecht eine Mehrheit von Personen, die gemeinschaftlich klagen oder verklagt werden können **(subjektive Klagenhäufung).** Bei der **einfachen S.** liegt lediglich eine äußere Zusammenfassung mehrerer Prozesse bei Gleichartigkeit der Ansprüche und Verpflichtungen vor. Jeder Streitgenosse ist unabhängig. Bei der **notwendigen** (besonderen, qualifizierten) S. hingegen kann gegenüber allen Streitgenossen nur eine einheitl. Entscheidung ergehen (z. B. Erbengemeinschaft).

Streitkolben, eine aus der Keule entwickelte, v. a. im Spät-MA. in unterschiedlichsten Formen gefertigte Schlagwaffe, deren Kopf (Eisen, Bronze) meist in radiale Blätter geteilt ist.

Streitkräfte, die bewaffneten Verbände eines Staates oder Bündnisses. Sie gliedern sich meist in die drei Teil-S.: Heer (Land-S.), Luftwaffe (Luft-S.) und Marine (Seestreitkräfte).

Streitverkündung, im Zivilprozess die formelle Benachrichtigung eines Dritten vom Schweben eines Prozesses. Eine Partei, die bei Verlust des Prozesses einen Anspruch auf Gewährleistung oder Schadloshaltung gegen einen Dritten erheben zu können glaubt, kann diesem bis zu der rechtskräftigen Entscheidung des Rechtsstreits den Streit verkünden. Tritt der Dritte dem Prozess bei, so wird dies als Nebenintervention (→ Intervention) behandelt, lehnt er ab, so hat das Urteil ihm gegenüber die gleiche Interventionswirkung, wie wenn er beigetreten wäre (§§ 68, 74 ZPO).

Streitwagen, pferdebespannter, für das Kriegswesen im Bereich der altoriental. Hochkulturen während des 2. Jahrtsd. v. Chr. typ. Wagen. Nachdem von den Sumerern bereits im 3. Jahrtsd. v. Chr. schwerfällige, mit zwei oder vier Scheibenrädern ausgestattete S. verwendet worden waren,

Streitwagen: Darstellung des assyrischen Königs Assurnasirpal II. auf Kriegszug, Wandrelief aus Kalach (9. Jh. v. Chr; London, Britisches Museum)

setzte sich um 1600 v. Chr. im Vorderen Orient und östl. Mittelmeerraum der leichte, mit zwei Speichenrädern versehene S. durch. Die Speichenräder der assyr. S. waren mehr als mannshoch. Der Besitz von S. und die Anwendung einer entsprechenden Kampftaktik (Möglichkeit der überraschenden Bewegung und des Kämpfens von der erhöhten Wagenplattform aus) sicherte militär. Überlegenheit und war damit Grundlage der Herrschaftsausübung über andere Völker. Der S. verlor seine Bedeutung durch das Aufkommen der schweren Reiterei. Griechen und Römer nutzten ihn als sportl. Gerät (→ Quadriga).

Streitwert, im Prozessrecht der Wert des → Streitgegenstands (für Gebühren des Rechtsanwalts **Gegenstandswert,** für Gebühren der Gerichte und Notare **Geschäftswert**); vom Gericht festgesetzt, soweit nicht eine bestimmte Geldsumme eingeklagt ist; von Bedeutung für die sachl. Zuständigkeit des Gerichts, die Prozesskosten und die Zulässigkeit eines Rechtsmittels.

Strelasund, Meeresstraße der Ostsee zw. der Insel Rügen und der vorpommerschen Küste bei Stralsund, 2,5 km breit, bis 13 m tief, wird seit 1936 vom Rügendamm überquert.

Strelitzen [russ. »Schützen«], in Russland Mitte des 16. Jh. von Iwan IV. geschaffene Truppe, die mit Feuerwaffen ausgerüstet war; als Leibwache und zum Grenzschutz eingesetzt. Die S. waren in besonderen Siedlungen stationiert, ihre Dienstpflicht war lebenslang und erblich (1681 rd. 55 000 Mann). Nach Aufständen (1648, 1682, 1698) löste Peter I., d. Gr., ihre Einheiten schließlich auf.

Strelitzie: Paradiesvogelblume

Strelitzie (Strelitzia) [nach Charlotte Sophia Prinzessin von Mecklenburg-Strelitz, *1744, †1818], sehr nahe mit den Bananengewächsen verwandte Gattung im südl. Afrika; bis 5 m hohe Gewächse mit sehr großen, ledrigen, länglich-eiförmigen oder lanzenförmigen Blättern; Blüten weiß und blau, von einer kahnförmigen, rötl. oder grünen Blütenscheide umgeben, z. B. die 1–2 m hohe **Paradiesvogelblume** (**Papageienblume,** Strelitzia reginae), die als Schnittblume verwendet wird.

Streptokokken [grch.], kettenförmig angeordnete Kugelbakterien der Gattung Streptococcus, aus der Gruppe der Milchsäurebakterien. Einige S. gehören zur normalen Flora der Schleimhäute des Nasen-Rachen-Raumes und des Darms; andere Arten rufen gefährl. Infektionen wie Kindbettfieber, Sepsis, Mittelohrentzündung, Wundeiterung und Entzündung der Herzinnenhaut hervor. Einige Arten spielen in der Milchwirtschaft als Säurewecker oder Starterkultur sowie bei der Herstellung von Gärfutter eine wichtige Rolle.

Streptolysin [grch.] *das,* rote Blutkörperchen und Hämoglobin zerstörendes Streptokokkenantigen.

Streptomycin [grch.] *das,* Antibiotikum, das von dem Strahlenpilz Streptomyces griseus gebildet wird und bes. gegen Tuberkelbakterien wirksam ist.

Stresa, Kurort am SW-Ufer des Lago Maggiore, in der Prov. Verbano, Italien, 4700 Ew.; 205 m ü. M. – Auf der **Konferenz von S.** (11.–14. 4. 1935) suchten Großbritannien, Frankreich und Italien eine gemeinsame Abwehrpolitik zu vereinbaren, nachdem Hitler die allg. Wehrpflicht eingeführt hatte (**Stresafront**).

Stresemann, nach G. Stresemann benannter Herrenanzug für offizielle Anlässe: schwarzgrau gestreifte Hose ohne Umschlag, schwarzer einreihiger Sakko, schwarze oder graue Weste.

Gustav Stresemann zusammen mit dem französischen Außenminister Aristide Briand (links)

Stresemann, Gustav, Staatsmann, *Berlin 10. 5. 1878, †ebd. 3. 10. 1929; Nationalökonom, war 1907–12, 1914–18 und 1920–29 MdR sowie 1919/20 Mitgl. der Nationalversammlung; schloss sich 1903 der Nationalliberalen Partei an; vertrat als Mitgl. des Alldt. Verbandes im 1. Weltkrieg eine Annexionspolitik im W und O; hatte 1917 wesentl. Anteil am Sturz des Reichskanzlers T. von Bethmann Hollweg; gründete 1918 die DVP und führte sie als Vors. (seit 1918) – obwohl eigtl. Monarchist – aus realpolit. Gründen in die Verantwortung für den Staat der Weimarer Rep.; erreichte als Reichskanzler (bis Nov. 1923) und Außenmin. ab Aug. 1923 deren relative Stabilisierung (1923 Überwindung der Ruhrbesetzung, 1924 Dawesplan, 1925 Locarnopakt, 1926 Aufnahme Dtl.s in den Völkerbund). Er strebte die Revision des Versailler Vertrags im Rahmen eines kollektiven Sicherheitssystems an, scheiterte aber – trotz der vertrauensvollen Zusammenarbeit mit A. Briand – am frz. Bedürfnis nach Sicherheit auf der Basis des Status quo. 1926 erhielt S. zus. mit Briand den Friedensnobelpreis.

📖 BERG, M.: *G. S. Eine polit. Karriere zw. Reich u. Republik. Göttingen u. a. 1992.* – BAUMGART, C.: *S. u. England. Köln u. a. 1994.*

Stress [engl. »Druck«, »Kraft«] *der,* **1)** *Geologie:* einseitiger, gerichteter Druck bei tekton. Vorgängen, wobei es zur Bildung bestimmter Gefüge und von **S.-Mineralen** (z. B. Disthen, Staurolith, Chlorit) kommt. **Antistressminerale:** Andalusit, Cordierit.

2) *Medizin:* von H. Selye 1936 geprägter Begriff für ein charakterist. Reaktionsmuster (Anpassungssyndrom), das Tiere und Menschen als Antwort auf erhöhte Beanspruchung zeigen. Die schädigenden Reize **(S.-Faktoren, Stressoren)** können physikal. (Kälte, Hitze, Lärm), chem. (Schadstoffe, Drogen), medizin. (Infektionen, Verletzungen) oder psych. Art (Isolation, Prüfungen, Leistungsdruck) sein. Die hervorgerufenen Körperreaktionen umfassen eine über den Hypothalamus im Zwischenhirn ausgelöste Überfunktion der Nebennieren (erhöhter Tonus des sympath. Nervensystems, Ausschüttung von Adrenalin, Vergrößerung der Nebennierenrinde mit erhöhter Corticosteroidproduktion) und Schrumpfung des Thymus und der Lymphknoten. Wird dabei die physiolog. Reaktionsbreite des Organismus überschritten, führen die S.-Faktoren zum sog. **Dis-S.,** der einen krankheitsbegünstigenden Wert hat; häufig entstehen Magengeschwüre, Bluthochdruck oder Herzinfarkt.

📖 SELYE, H.: *S. Bewältigung u. Lebensgewinn. Aus dem Engl. München u. a. 1988.*

Stretch [stretʃ; engl. to stretch »dehnen«] *der,* textiles Erzeugnis, mit hohem Dehnungs- und Elastizitätsverhalten, wie Strümpfe, Strumpfhosen, Miederwaren, aus texturierten Chemiefäden, z. B. aus Polyamiden oder Polyestern.

Stretching [ˈstretʃɪŋ, engl.], *Sport* und *Heilgymnastik:* Beweglichkeitstraining, das aus langsam ausgeführten Dehnübungen besteht; die Endstellung wird eine Zeit lang gehalten, wobei die Atmung ruhig und tief sein soll. S. soll die Muskeln entspannen, ihre Elastizität fördern, die Sehnen stärken und Versteifungen der Gelenke aufheben.

Stretta [italien. stretto »eng«, »gedrängt«] *die,* **1)** Bez. für den im Tempo beschleunigten Schlussabschnitt eines Aktfinales in der Oper des 18./19. Jh.; Schlusssteigerung eines Musikstücks.

2) die →Engführung bei der Fuge.

Streuobstwiese, alte Obstbauform mit versch. Obstbaumsorten auf einer Wiese, die wie »verstreut« dastehen; aus Sicht des Natur- und Umweltschutzes ist der Erhalt wichtig, da S. artenreiche Kulturlandschaften darstellen.

Streupflicht, die Verpflichtung, bei Schneefall und Glatteis abstumpfende Mittel auf Bürgersteigen und Straßen zu streuen. Im Bundesfernstraßen-Ges. und in den Straßen- und Wege-Ges. der Länder ist bestimmt, dass die Träger der Straßenbaulast die Straßen bei Schnee- und Eisglätte räumen und streuen sollen. Nach Landesrecht besteht für die Gemeinden unter bestimmten Voraussetzungen eine Räum- und Streupflicht für öffentl. Straßen in der geschlossenen Ortslage. Auf kommunaler Ebene ist die S. häufig durch Satzung den Straßenanliegern auferlegt (v. a. Gehwege).

Streusiedlung, verstreute Gehöftlage, eine Dorfform.

Streuung, 1) *Physik:* die allseitige Ablenkung eines Teils einer gebündelten Strahlung beim Durchgang durch ein Medium infolge Stoßes bzw. Beugung an einem Streuzentrum **(Einfach-S.),** z. B. die S. von Licht beim Auftreffen auf kleine Partikel (Staub, Luftmoleküle) oder raue Oberflächen. In dicken Materieschichten kann ein Teilchen an mehreren Streuzentren gestreut werden **(Mehrfach-** oder **Vielfach-S.).** Bei einer **elast. S.** ändert sich nur der Impuls, wogegen bei der **inelast. S.** die kinet. Energie der Strahlung in andere Formen umgewandelt wird. Bleibt bei der S. von elektromagnet. Wellen die Wellenlänge unverändert, so spricht man von →Rayleigh-Streuung oder →Mie-Streuung; kleine Wellenlängenänderungen treten bei der →Brillouin-Streuung und bei der Raman-S. (→Raman-Effekt) auf; →Compton-Effekt, →Tyndall-Effekt. Ein Maß für die Wahrscheinlichkeit der S. von Teilchen oder Feldquanten in Materie ist der **Streuquerschnitt** (→Wirkungsquerschnitt).

2) *Schießlehre:* Abweichung der aus einer Waffe abgefeuerten Geschosse von der theoret. Flugbahn. Die S. entsteht u. a. durch Ungenauigkeiten in der Fertigung von Waffe und Munition, Witterungseinflüsse, Temperaturänderungen.

3) *Statistik:* Maß für die Abweichung der Merkmale einer Grundgesamtheit oder Stichprobe von derem →Erwartungswert (Mittelwert) $E(X)$. Für eine diskrete Zufallsgröße X folgt für die S., **Varianz** oder **Dispersion:** $\sigma^2 = E[X - E(X)]^2$; die Größe σ wird als **Standardabweichung** (mittlere quadrat. Abweichung) bezeichnet. Von diesen **rechner. S.-Maßen** werden die **lagetyp. S.-Maße,** wie Variations- bzw. Spannweite (Differenz zw. höchstem und niedrigstem Wert) unterschieden.

Stijn Streuvels

Streuvels [ˈstrøːvəls], Stijn, eigtl. Frank Lateur, fläm. Schriftsteller, *Heule (bei Kortrijk) 3. 10. 1871, †Ingooigem (bei Kortrijk) 15. 8. 1969; einer der bedeutendsten Erzähler Flanderns, Autodidakt; entwickelte einen eigenen Stil und eine eigene, westflämisch geprägte Sprache. Seine Prosa gibt eine exakte Beschreibung der Leidenschaften und Handlungsmotive einfacher Menschen, v. a. »Der Flachsacker« (R., 1907), »Die Männer am feurigen Ofen« (Nov., 1926, in »Werkmenschen«).

Streymoy ['strɛjmɔj], Insel der Färöer, →Strømø.

Strich, kennzeichnende Spur, die ein Mineral auf einer rauen weißen Porzellanplatte in der Farbe des fein gepulverten Minerals hinterlässt; Hilfsmittel zur Mineralbestimmung.

Strich, Fritz, schweizer. Literaturhistoriker, *Königsberg (Pr) 13. 12. 1882, †Bern 15. 8. 1963; knüpfte in seinen Werken an H. Wölfflins kunstgeschichtl. Grundbegriffe an (»Dt. Klassik und Romantik oder Vollendung und Unendlichkeit. Ein Vergleich«, 1922; »Goethe und die Weltlit.«, 1946).

Strich|ätzung, nach einer Strichvorlage (ohne Halbtöne) hergestellte Originaldruckplatte aus Metall für den Buchdruck, deren zeichnungsfreie Stellen chemisch oder elektrolyt. vertieft wurden.

Strichcode [-ko:t] (engl. Barcode, früher Balkencode), aus unterschiedlich starken, parallelen Strichen versch. Abstände bestehender Code. Die in einem S. verschlüsselten Informationen können von einem Zeichenleser (z.B. Lichtstift, Scanner, CCD) erfasst und einem Computer zugeleitet werden; Anwendung u.a. zur Artikelnummerierung (z.B. EAN-System) und in der Lagerverwaltung.

Strichvögel, Vögel, die in weitem Umkreis um ihren Brutplatz unter Einfluss von Witterung und Nahrungsquellen umherstreifen; im Unterschied zu den Stand- und Zugvögeln.

Stricken, Anfertigen von bes. leichten, dehnungsfähigen und wärmeisolierenden textilen Flächen aus einem oder mehreren Fäden. Hierbei werden laufend Maschen nacheinander angefertigt, wobei jede neue Schlinge durch die vorher gebildete Masche gezogen wird. Der Faden oder die Fäden laufen waagerecht durch das Erzeugnis; urspr. Handarbeit. **Strickmaschinen** wenden das gleiche Prinzip an. Sie arbeiten mit nacheinander einzeln bewegl., in Reihe geradlinig nebeneinander (Flach-S.) oder im Kreis (Rund-S.) angeordneten Zungennadeln, die durch einen über das Nadelbett gleitenden Schlitten vorgeschoben und zurückgezogen werden. **Flachstrickmaschinen** mit zwei einander dachförmig zugekehrten Reihen auf Lücke stehender Nadeln arbeiten RR (Rechtsrechts)- oder RL (Rechts-links)-Gestricke, solche mit doppelköpfigen Nadeln (Doppelzungennadeln) LL (Links-links)- oder RR- oder RL-Gestricke. Auf Flachstrickmaschinen können Strickteile mit festem Rand gestrickt werden. Handstrickapparate arbeiten nach dem Prinzip der Flachstrickmaschine. **Rundstrickmaschinen** mit einer kreisförmig senkrecht angeordneten Nadelfolge arbeiten RL-Gestricke (Singlejersey), solche mit senkrecht und horizontal angeordneten Nadeln arbeiten RR-Gestricke (Doppeljersey).

Der bischof sprach ir kunnent vil/ dorumb ich mit enbeten wil Jr mussent mich do mit eren vnd einen esel die buch leren. Seyt ir dē himel gemessen hant/ vnd die wege die dar gant. Dorzu dz mere vnd die erden/ nu wil ich innen werden. Wie ich euch kunne wider ston/ habent ir das alles gethon. Das ir mir hie hant vor erzelt/ so thunt ir wol was ir welt. Nu wil ich schowen ouch do by/ ob dz and' alles war sy Lerēt ir dē esel wol/ so nym ich alles dz fur vol Das ir mir hant geseit ee/ vnd mercke dz esz recht stee.

Der Stricker: Seite aus der Schwanksammlung »Die Schwänke des Pfaffen Amis« in der ersten gedruckten Ausgabe von 1482

Stricker, Der, mhd. Dichter, †um 1250; stammte aus dem rheinfränk. Raum; wirkte v.a. in Österreich; schrieb das Epos »Karl der Große« (1220), den Artusroman »Daniel vom blühenden Tal«. Sein eigentl. Gebiet waren die moral. Missstände geißelnde Erzählung, der Schwank, das Bispel, die Fabel. Als Mittelpunkt seiner Schwanksammlung schuf er die Gestalt des Pfaffen Amis, von dessen Streichen später ein Teil auf den Pfaffen von Kalenberg, auf Till Eulenspiegel u.a. überging.

Stricken

Die Kunst des Strickens erreichte das Abendland über das islamische Spanien, wo aus dem 13. Jahrhundert meist rundgestrickte Arbeiten aus Wolle und Seide erhalten sind (Kissenbezüge, Reliquienbeutel). Frühe Zeugnisse des Strickens überliefern mittelalterliche Darstellungen der mit vier Nadeln rundstrickenden Maria, Bodenfunde förderten gestrickte Kopfbedeckungen aus dem 15. Jahrhundert zutage. Aus dem 16. Jahrhundert haben sich, meist aus dem höfischen Bereich, fein gemustert gestrickte Hemden, Jacken und Hosen erhalten, gestrickte Seidenstrümpfe wurden modern. Zum Hausrat gehörten gestrickte Teppiche, Behänge und Decken, und auch für die Volkstrachten erreichten Strickarbeiten größte Bedeutung. Gewerbsmäßige Stricker waren vor allem Männer, die seit dem 16. Jahrhundert zunehmend in Zünften organisiert waren. Die älteste Strumpfstrickergilde ist 1527 in Paris nachweisbar. 1589 wurde in England der Strumpfwirkstuhl erfunden, der jedoch aus Sorge um das Auskommen der Handstricker zunächst verboten blieb und sich nur langsam durchsetzte; erste Flachstrickmaschinen zur Herstellung aller Arten von Strickereien kamen um die Mitte des 19. Jahrhunderts in Gebrauch.

Strickleiternervensystem, segmental gegliedertes Nervensystem der Ringelwürmer und Gliederfüßer; besteht aus Oberschlundganglion, Schlundring und der Bauchganglienkette.

Stridor [lat.] *der,* pfeifendes Atemgeräusch bei Verengung der oberen Luftwege.

Stridulations|organe (Schrillorgane, Zirporgane), der (überwiegend zirpenden) Lauterzeugung dienende Einrichtungen bei meist männl. Insekten; funktionieren durch Gegeneinanderstreichen bestimmter bewegl. Körperteile (Leisten, Kanten, Flügeladern).

Striegau, Stadt in Polen, →Strzegom.

Strigel, Bernhard, Maler, *Memmingen 1460/61, †ebd. 1528; Sohn des in Graubünden und Südtirol tätigen Bildhauers Ivo S. (*1430, †1516); malte Altartafeln und Porträts, auch im Auftrag Maximilians I. – *Werke:* Bildnis des Kaisers (1507; Straßburg, Museum); Familie Kaiser Maximilians I. (1516; Wien, Kunsthistor. Museum); Konrad Rehlingen und seine Kinder (1517, lebensgroß; München, Alte Pinakothek). Bild S. 376

Striktur [lat.] *die, Medizin:* krankhafte Verengung, z. B. der Harnröhre nach Tripper oder der Speiseröhre nach Verätzungen; *Behandlung:* Dehnung mit einem →Bougie oder Operation.

Strindberg [schwed. 'strindbærj], Johan August, schwed. Schriftsteller und Maler, *Stockholm 22. 1. 1849, †ebd. 14. 5. 1912; wuchs in ärmlichsten Verhältnissen auf; schrieb nach dem Reformationsdrama »Meister Olaf« (entstanden 1872; gedruckt 1878) den realistisch-satir. Gesellschaftsroman aus der Stockholmer Boheme »Das rote Zimmer« (1879); 1883–89 Aufenthalt in Paris, der Schweiz, Dtl. und Dänemark; hier schrieb er die Ehenovellen »Die Verheirateten« (2 Bde., 1884–86), autobiograph. Romane, u. a. »Der Sohn einer Magd«

August Strindberg: Ausschnitt einer Lithographie von Edvard Munch (um 1900)

(4 Tle., 1886–1909), die naturalist. Dramen »Der Vater« (1887) und »Fräulein Julie« (1888); 1892–99 Aufenthalt in Berlin, Paris und Österreich; Beschäftigung mit Alchimie und Okkultismus; seine

August Strindberg: »Wellen« (undatiert; London, Christie's)

schwere persönl. Krise 1894–96 schildert er in »Inferno« (1897); Bruch mit der aristotel. Tradition und Experimente mit neuen Formen des Dramas, es entstand u. a. »Nach Damaskus« (Trilogie, 1898–1904), »Totentanz« (1901), »Ein Traumspiel« (gedruckt 1903). Ab 1899 lebte S. endgültig in Stockholm. 1907 gründete er mit dem Theaterleiter A. Falck das »Intime Theater«, für das er ausdrucksstarke Kammerspiele schrieb (»Gespenstersonate«, 1907); weiterhin entstanden histor. Schauspiele über die großen schwed. Könige, die satir. Romane »Die got. Zimmer. Familienschicksale vom Jahrhundertende« (1904) und »Schwarze Fahnen« (1907), das »Ockulta dagboken« (hg. 1977) und »Ein Blaubuch. Die Synthese meines Lebens« (4 Tle., 1907–12), eine Sammlung von Artikeln und Aufsätzen. – Als Maler schuf er v. a. Landschaften und Seestücke. Sein literar. und bildner. Werk hatte nicht nur auf den Naturalismus, sondern auch auf Symbolismus, Expressionismus und Surrealismus starken Einfluss.

📖 Evelein, J. F.: *A. S. u. das expressionist. Stationendrama. New York u. a. 1996.*

stringendo [strin'dʒendo; italien. »drängend«], Abk. **string.,** musikal. Vortragsbezeichnung: allmählich schneller werdend.

stringent [lat.], zwingend, streng, bündig.

Stringer [engl.] *der, Flugzeug-* und *Schiffbau:* eine Längsversteifung der Außenhaut aus Trägern und Winkelprofilen.

Stringtheorie [engl. string »Faden«], Klasse physikal. Theorien, die als fundamentale Gebilde nicht punktförmige Teilchen, sondern submikro-

Bernhard Strigel: »Schlafender Grabwächter« (um 1520; München, Alte Pinakothek)

skop., schwingende »Fäden« **(Strings)** betrachten. Diese werden als Urgebilde des Weltalls angesehen und sollen nach einer mögl. S. als geschlossene Schleifen (Umfang 10^{-33} cm) einen zehndimensionalen Raum bilden, in dem sie miteinander wechselwirken. Möglicherweise gestattet die S. bzw. die mit Anwendung der Supersymmetrie entstandene **Super-S.** eine einheitl. Quantenfeldtheorie aller Wechselwirkungen der Elementarteilchen.

Erwin Strittmatter

Strippingreaktion [engl. to strip »ablösen«], *Physik:* die →Abstreifreaktion.

Strittmatter, 1) Erwin, Schriftsteller, * Bohsdorf (bei Spremberg) 14. 8. 1912, † Schulzenhof (Gem. Dollgow, bei Rheinsberg) 31. 1. 1994; verfasste aus genauer Kenntnis des Dorfmilieus, der Proletarier- und Kleinbürgerwelt in bildkräftiger Sprache v.a. Entwicklungsromane wie »Ochsenkutscher« (1950), »Der Wundertäter« (3 Bde., 1957–80), »Ole Bienkopp« (1963), »Der Laden« (3 Bde., 1983–92); auch Dramen und Kurzprosa (»Selbstermunterungen«, 1981).

Alfredo Stroessner

2) Thomas, Schriftsteller, * Sankt Georgen im Schwarzwald 18. 12. 1961, † Berlin 29. 8. 1995; wurde bes. mit Gegenwartsdramen in der Tradition des krit. Volkstheaters bekannt (»Der Polenweiher«, 1982; »Viehjud Levi«, Uraufführung 1982; »Untertier«, 1992), außerdem »Irrlichter – Schrittmacher« (1992); arbeitete für Film und Fernsehen, schrieb auch Prosa (»Raabe Baikal«, R., 1990; »Milchmusik. Zwei Monologe«, hg. 1996).

Strobochromatographie [grch.] *die,* fotograf. Verfahren zur Aufzeichnung versch. Bewegungsphasen in einer Serie von Blitzlichtaufnahmen auf demselben Farbbild, wobei die einzelnen Phasen farblich differenziert sind.

Stroboskop [grch.] *das,* opt. Gerät zum Sichtbarmachen und Messen der Frequenz periodischer Bewegungsabläufe mithilfe einer Beleuchtung durch period. Lichtblitze; z.B. scheint ein rotierender Körper stillzustehen, wenn er von Lichtblitzen in der jeweils gleichen Winkelstellung beleuchtet wird. Änderungen der Lichtfrequenz täuschen eine langsame Vorwärts- bzw. Rückwärtsbewegung des Körpers vor.

Stroessner, Alfredo, paraguayischer General und Politiker, * Encarnación 3. 11. 1912; wurde 1953 Oberbefehlshaber der Streitkräfte, errichtete 1954 ein diktator. Reg.system; 1989 gestürzt, ging ins Exil nach Brasilien.

Stroganow, russ. Kaufmanns- und Unternehmerfamilie bäuerl. Herkunft; gewann bes. durch Salzsiederei ein riesiges Vermögen und erhielt 1558 von Iwan IV. großen Landbesitz an der Kama (Recht zur Aufstellung einer Privatarmee). Die S. erschlossen weite Gebiete im Ural (Erzgewinnung); in ihrem Auftrag drang →Jermak Timofejewitsch um 1581 nach Sibirien vor. Die im 18. Jh. in den russ. Hochadel aufgestiegenen S. bekleideten hohe Staatsämter. Als bed. Mäzene unterhielten sie u.a. Werkstätten für Ikonenmalerei, in denen Ende des 16. Jh. ein Stil entwickelt wurde, der sich durch dekorative, miniaturhafte, detailreiche Komposition, poesievolle Bildsprache, Betonung graf. Elemente sowie gedämpfte nuancenreiche Farbpalette auszeichnet (**Stroganowstil**).

Stroh, trockene Blätter und Stängel von gedroschenem Getreide, Hülsenfrüchtlern, Öl- und Faserpflanzen; wird als Einstreu, zur Fütterung der Haustiere, für gewerbl. Zwecke (Geflechte, S.-Dächer, S.-Seile) und als Packmaterial verwendet. Es ist reich an Rohfaser (40–50 %) und stickstofffreien Extraktstoffen (30–50 %), arm an Eiweiß (2–5 %) und Fett (1–4 %).

Strohblume (Helichrysum), Gattung der Korbblütler mit trockenen, meist bunt gefärbten Köpfchenhüllblättern. Auf Sandtrockenrasen wächst die **Sand-S.** (Helichrysum arenarium); die **Garten-S.** (Helichrysum bracteatum) stammt aus Australien, als Schnittblume verwendet wird auch **Mangels Sonnenflügel** (Helipterum manglesii).

Strohblumen, die →Immortellen.

Stroheim, Erich von, eigtl. Erich Oswald S., amerikan. Filmschauspieler und -regisseur österr. Herkunft, * Wien 22. 9. 1885, † Maurepas (Dép. Yvelines) 12. 5. 1957; kam um 1906 in die USA.

Stroboskop

Beleuchtet man einen periodischen Vorgang mithilfe eines Stroboskops so, dass die Frequenz des Vorgangs geringfügig niedriger ist als die des Stroboskops, so scheint er rückwärts abzulaufen. Auf diesen Effekt ist z. B. das scheinbare Rückwärtsdrehen von Wagenrädern zurückzuführen, das man manchmal im Film oder nachts im Licht einer Straßenlaterne beobachten kann.

Stroboskop: Bewegungsstudie einer Turnerin auf dem Schwebebalken

Seine Filme beeindrucken durch naturalist. Milieuzeichnung und epische, untheatral. Bild- und Handlungsführung (»Gier«, 1924; »Die lustige Witwe«, 1925); seine Produzenten kürzten seine überlangen Filme radikal; nach 1933 nur noch Schauspieler (»Die große Illusion«, 1937; »Boulevard der Dämmerung«, 1950).

Stroh|hut, aus Stroh, Palmfasern oder Bast hergestellte traditionelle Kopfbedeckung v.a. in trop. und subtrop. Ländern, u.a. als Canotier, Panamahut, Sombrero.

Strohmann, 1) *Kartenspiel:* 1) allg. Ersatz für einen fehlenden Spieler; 2) (Dummy) beim Bridge der Partner des Spielers, der den Kontrakt zu erfüllen hat; er legt nach dem Ausspiel seine Karten offen auf den Tisch.

2) *Zivilrecht:* derjenige, der in verdeckter Treuhänderschaft als Inhaber bestimmter Rechte und Pflichten erscheint, während die wirtsch. Auswirkungen zugunsten und zulasten anderer Personen eintreten. Das Geschäft eines S. ist kein Scheingeschäft. Der S. wird aus seinen Handlungen berechtigt und verpflichtet.

Strohwein, Wein aus Trauben, die nach der Lese einer zusätzl. Trocknung (durch Wasserverdunstung Erhöhung des Zuckeranteils in den Beeren) unterzogen wurden (auf Strohmatten oder Holzgestellen). Die Herstellung von S. (in Dtl. seit 1971 verboten) ist v.a. in Frankreich (Vin de paille, u.a. im Jura), Italien und Spanien (v.a. Bestandteil des Cream Sherry) mancherorts üblich.

Strom, 1) *Elektrotechnik:* (elektr. S.) die gerichtete Bewegung elektr. Ladungsträger (→Elektrizität), quantitativ beschrieben durch Angabe der elektr. →Stromstärke. Die willkürlich festgelegte **techn. S.-Richtung** verläuft vom (positiven) Plus- zum (negativen) Minuspol, der Elektronen-S. läuft entgegengesetzt. Werden die Ladungsbewegungen durch elektr. Felder verursacht, spricht man von **Leitungsströmen,** werden sie durch nichtelektr. Kräfte (z.B. Luftströmungen) hervorgerufen, liegen **Konvektionsströme** vor. Während sich die Ladungsträger beim →Gleichstrom im Mittel konstant in eine Richtung bewegen, führen sie beim →Wechselstrom Schwingungen aus.

2) *Geographie:* großer Fluss.

Stroma [grch.] *das,* **1)** *Botanik:* verdichtetes Pilzmyzel (→Myzel) bei zahlr. Schlauchpilzen.

2) *Zytologie:* das Bindegewebsgerüst der inneren Organe.

Strom|abnehmer, bei elektr. Triebfahrzeugen und Oberleitungsbussen eine Vorrichtung zur Energieentnahme aus der Fahrleitung (Rollen-, Bügel-, Einholm- und Scheren-S.) oder, v.a. bei U-Bahnen, einer seitlich angeordneten Stromschiene (Gleitschuhe).

Stromatolithen [grch.], knollig-schalige Kalkkrusten, die durch Kalkausfällung mariner Cyanobakterien entstanden sind. Der Kalk ist oft in Dolomit umgewandelt, später z.T. auch durch Kieselsäure ersetzt worden (Hornstein). S. sind seit etwa 3,5 Mrd. Jahren bekannt; ältester Beleg für die Photosynthese.

Stromboli: Der 926 m hohe Stromboli zählt zu den aktivsten Vulkanen Europas

Stromboli, eine der →Liparischen Inseln, Italien, 12,6 km², 600 Ew.; besteht aus dem tätigen Vulkan (926 m ü.M.) mit einer Basis in etwa 2300 m Tiefe; Eruptionen erfolgen in Abständen von zehn Minuten; Fremdenverkehr; Weinbau.

Strom|erzeuger, Anordnung von Apparaten und Maschinen zur Umwandlung nichtelektr. in elektr. Energie, insbesondere magnetisch-elektr. Maschinen (Generatoren) zur Umwandlung mechanischer in elektr. Energie.

Stromeyerit [nach Friedrich Stromeyer, *1776, †1835] *der* (Silberkupferglanz), dunkelstahlgraues Mineral der chem. Zusammensetzung $Ag_2S \cdot Cu_2S$, rhombisch (unter 78 °C) oder kubisch (über 78 °C, Hoch-S.); kommt meist derb als Erz der Zementationszone vor.

Strömgren ['strœmgre:n], Svante Elis, schwed. Astronom, *Helsingborg 31. 5. 1870, †Kopenhagen

Erich von Stroheim

Strohblume
Gartenstrohblume
(Höhe 40–80 cm)

Stromlinienform: BMW mit Stromlinienkarosserie, Typ 328 (Baujahr 1938)

5. 4. 1947; ab 1907 Prof. und Direktor der Sternwarte in Kopenhagen, untersuchte Probleme der Himmelsmechanik mithilfe numer. Rechnungen.

Stromkreis, in sich geschlossene Anordnung (Kreis) mit Spannungsquelle, Leitern, Verbrauchern (Widerstände) u. a., in der ein elektr. Strom fließen kann.

Stromlini|en, 1) *Meteorologie, Aerodynamik:* in der Luftströmung gedachte Linien, deren Tangenten überall die Richtung des gerade beobachteten Windes haben; geben den augenblickl. Bewegungszustand der Luft an.

2) *Physik:* gedachte Linien, deren Tangenten in jedem Punkt mit der Richtung der Strömungsgeschwindigkeit übereinstimmen. Bei stationären Strömungen sind die S. identisch mit den Bahnlinien der Teilchen.

Stromlini|enform, strömungstechnisch günstige Körperform mit geringem → Strömungswiderstand und geringer Wirbelbildung. Eine gute S. haben Körper mit gerundetem Bug und spitz auslaufendem Heck (Tropfenform).

Strom|marke, Stromeintritts- bzw. Stromaustrittsstelle an der Haut durch örtl. Verbrennungen infolge eines Elektrounfalls.

Strommesser: 1 Grundschaltung, 2 Schaltung mit Nebenwiderstand, 3 Schaltung mit Wandler; A Messgerät)

Strom|messer (Amperemeter), Instrument mit sehr kleinem Widerstand zum Messen der elektr. Stromstärke in einem Stromkreis, in den es direkt eingefügt wird. Verwendet werden zur Messung von Gleichströmen das Drehspulinstrument, für Wechselströme das Dreheiseninstrument und bis zu sehr hohen Frequenzen der Thermoumformer. Bei Gleichstrom kann der Messbereich durch einen Parallelwiderstand (Nebenwiderstand, Shunt) erweitert werden, durch den ein bekannter Teil des Gesamtstroms fließt. Zur Messung hoher techn. Wechselströme von 50 Hz werden Stromwandler (Messwandler) und für sehr kleine Gleichströme Galvanometer eingesetzt.

Strømø ['sdrœmø:] (färöisch Streymoy), größte Insel der Färöer, Dänemark, 392 km², 20 600 Ew.; die Oberfläche ist glazial überformt (Trogtäler, steile Karwände). Hauptort ist Tórshavn.

Stromquelle, Vorrichtung, die elektr. Strom liefert. Durch mechan. Energie (mithilfe der elektromagnet. Induktion im Generator), chem. Energie (galvan. Element) oder durch Strahlungsenergie (Photo- oder Thermoelement) werden elektr. Ladungen getrennt, sodass ein Pol der S. mit positiver, der andere mit negativer Ladung angereichert wird. Zw. den Polen entsteht daher eine elektr. Spannung, die Quellen-, Ur- oder eingeprägte Spannung (ungenau auch elektromotor. Kraft, Abk. EMK) genannt wird. Jede S. ist zugleich Spannungsquelle. Quellen mit hohem (niedrigem) inneren Widerstand liefern eine von der Belastung unabhängige Stromstärke (Spannung).

Stromrichter, Sammelbez. für Schaltungen, Einrichtungen und Geräte der Leistungselektronik zum Umwandeln und Steuern elektr. Energie, wie Gleichrichter, Wechselrichter, Umrichter, Umformer. S. nutzen die Steuerung von Ladungsträgerströmen in Leistungstransistoren, Siliciumdioden, Thyristoren u. a. Geräten und weisen z. T. Bauelemente zum Anpassen der Spannung (z. B. Gleichrichtertransformator), Drosselspulen zur Verbesserung der Funktion und Kondensatoren zur Glättung der Gleichspannung auf. Halbleiterbauelemente haben die früher häufig verwendeten Dampfentladungsventile (Quecksilberdampfgleichrichter, Thyratron) sowie mechanisch betätigte Schalter (Zerhacker, Kontakt-, Nadel-S.) weitgehend verdrängt. **Gleichrichter** formen Wechsel- oder Drehstrom in Gleichstrom um, **Wechselrichter** Gleichstrom in Wechsel- oder Drehstrom, und **Umrichter** wandeln Frequenz und Phasenzahl. S. für die Änderung der Spannung (z. B. zur Leistungs-, Drehzahlsteuerung) nennt man **Wechselspannungs-** bzw. **Gleichspannungssteller.**

Stromschnelle (Katarakt), seichte, über harten, die Erosion verzögernden Bodenschwellen im Gewässerbett sich ausbildende und turbulent durchflossene Gefällestrecke eines natürl. Wasserlaufs.

Stromstärke, allg. bei einem Strömungsvorgang die durch einen Querschnitt hindurchtretende Menge je Zeit, insbesondere ist die **elektr. S.** I der Quotient aus der durch einen Leiterquerschnitt fließenden elektr. Ladung $\mathrm{d}Q$ und der zugehörigen Zeitdauer $\mathrm{d}t$, $I = \mathrm{d}Q/\mathrm{d}t$; SI-Einheit ist das Ampere (A).

Strom- und Schifffahrtspolizei, Polizeibehörden des Bundes; die **Strompolizei** hat die Aufgabe, die Wasserstraßen in einem für die Schifffahrt erforderl. Zustand zu halten, die **Schifffahrtspolizei,** die durch die Schifffahrt selbst entstehenden, bes. die Sicherheit und Leichtigkeit des Verkehrs betreffenden Gefahren abzuwehren.

Strömungsgetriebe, ein hydrodynam. Wandler aus Kreiselpumpe, Turbine und dazwischengeschaltetem Leitapparat (→Druckmittelgetriebe), z. B. der →Drehmomentwandler.

Strömungslehre, ein Teilgebiet der Mechanik, die Lehre von den Bewegungen flüssiger und gasförmiger Medien. Die S. untersucht phänomenologisch die in durchströmten Rohren, Kanälen und bei der Umströmung von Körpern auftretenden Kräfte, die Entstehung und Ausbreitung von Wellen sowie den physikal. Zustand des strömenden Mediums (z. B. Druck, Dichte, Geschwindigkeit). Die Strömungsvorgänge der inkompressiblen (nicht zusammendrückbaren) Flüssigkeiten bzw. Gase (zusammenfassend als **Fluide** bezeichnet) werden in der →Hydrodynamik bzw. →Aerodynamik behandelt. Als »ideal« werden die Fluide bezeichnet, wenn sie als reibungsfrei angesehen werden können. Bei höheren Geschwindigkeiten (über die halbe Schallgeschwindigkeit) gelten die Gesetze für kompressible Strömungen (→Gasdynamik). Für **wirbelfreie Strömungen (Potenzialströmungen),** bei denen die äußeren Kräfte ein Potenzial haben (wie z. B. die Schwerkraft), gilt die dem Energiesatz entsprechende →Bernoulli-Gleichung. Aus ihr ergibt sich z. B. das torricellische Ausflussgesetz (→Ausfluss).

Bei zähen Fluiden (Fluiden mit innerer Reibung, →Viskosität) unterscheidet man zw. laminaren und turbulenten Strömungen. Bei **laminaren Strömungen** schieben sich Schichten versch. Geschwindigkeiten ohne Wirbelbildung aneinander vorbei. Bei Steigerung der Strömungsgeschwindigkeit in einem Rohr schlägt die zunächst laminare Bewegung plötzlich in eine statistisch ungeordnete **turbulente Strömung** um (→Reynolds-Zahl); dies ist oft mit Wirbelablösung verbunden. – Entscheidend für die Entwicklung der S. war insbesondere die Grenzschichttheorie von L. Prandtl, mit deren Hilfe die mehr mathematisch orientierte Hydrodynamik und die für die Ingenieurpraxis entwickelte Hydraulik wieder zusammengeführt wurden.

Strömungsmaschinen (Turbomaschinen), Maschinen, die als Kraftmaschinen einem stetig strömenden Fluid (Wasser, Dampf, Gas) in einem beschaufelten Laufrad Energie entziehen und sie in mechan. Arbeit umwandeln (Wasser-, Dampf-, Gasturbine) oder als Arbeitsmaschinen Arbeit an dem Fluid verrichten, wodurch der Druck zunimmt (Pumpen, Gebläse, Verdichter). **Therm. S.** arbeiten mit gasförmigen Fluiden, die bei der Verdichtung oder Entspannung merkl. Temperatur- und Dichteänderungen erfahren. Als **hydraul. S.** bezeichnet man Maschinen, in denen die Dichte des Fluids konstant bleibt. **Axiale S.** sind Maschinen, deren Schaufeln achsparallel durchströmt werden, **radiale S.** solche mit radialer Durchströmung.

Im Vergleich zu Kolbenmaschinen eignen sich S. wegen der stetigen Durchströmung und wegen der hohen Drehzahlen und Fluidgeschwindigkeiten für das Verarbeiten großer Volumenströme und pulsationsfreie Förderung. Sie liefern eine Drehbewegung ohne Umweg über einen Kurbeltrieb. Der Aufbau ist deshalb einfacher, das spezif. Bauvolumen und -gewicht der S. ist erheblich kleiner als das der Kolbenmaschinen.

Strömungsrohr, röhrenförmiger Reaktionsapparat, durch den das Reaktionsmedium ohne Rückvermischung hindurchströmt. Die Konzentration der Reaktionspartner ist an jeder Stelle des S. zeitlich konstant, nimmt aber auf dem Weg durch das Rohr ab. Die Verweilzeit ist für alle Moleküle gleich.

Strömungswiderstand, die Kraft, die der Bewegung eines Körpers in einer Flüssigkeit oder einem Gas entgegenwirkt. Der S. der Luft **(Luftwiderstand)** hängt z. B. von Form, Größe, Oberflächenbeschaffenheit (Rauigkeit) und Geschwindigkeit des Körpers sowie von der Luftdichte und – bei hohen Geschwindigkeiten – von der Kompressibilität der Luft ab.

Stromversetzung, *Schifffahrt:* die Abdrift eines Schiffes vom vorberechneten Ort durch Meeres-

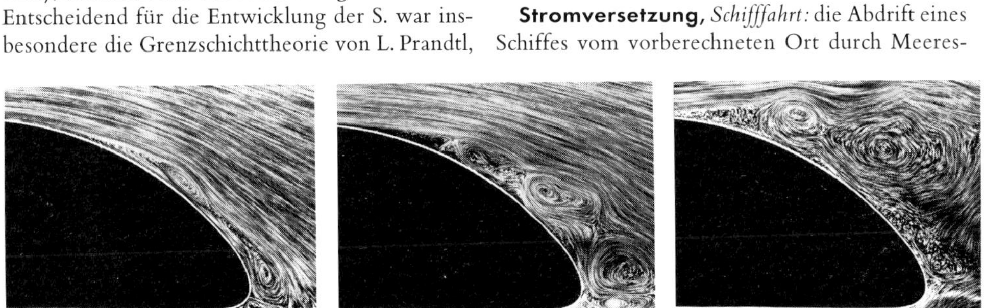

Strömungslehre: Entwicklung des Wirbelsystems hinter einem von Flüssigkeit umströmten Körper

Strophanthus

strömungen. Die heutige Kenntnis der Oberflächenströmungen im Weltmeer beruht weitgehend auf Beobachtungen der Stromversetzung.

Stromwender (Kollektor, Kommutator, Polwender), *Elektrotechnik:* 1) mechan. Schalter zum Umkehren der Stromrichtung in Stromkreisen; 2) i.e.S. zylindr. Konstruktionsteil in S.-Maschinen, das aus voneinander isolierten und mit der Ankerwicklung verbundenen Kupferlamellen zusammengesetzt ist und mit den auf seiner Oberfläche schleifenden Bürsten eine period. Umschaltung (Kommutierung) und damit eine Frequenzwandlung (z.B. Gleich- in Wechselstrom) des zu- oder abgeführten elektr. Stroms bewirkt.

Strontianit [nach dem Ort Strontian, Schottland] *der,* rhomb. Mineral der chem. Zusammensetzung $SrCO_3$ (stets etwas Strontium durch Calcium ersetzt), farblos, gelblich grau, häufig grünlich; Kristalle nadelig, säulig, oft büschelig verwachsen; auch derbe Aggregate.

Strontium [nach dem Mineral Strontianit] *das,* chem. Symbol **Sr,** Element aus der zweiten Hauptgruppe des →Periodensystems der chemischen Elemente (→Erdalkalimetalle); Ordnungszahl 38, relative Atommasse 87,62, Dichte 2,63 g/cm³, Schmelzpunkt 771 °C, Siedepunkt 1385 °C. Reines S. ist ein weiches, silberweiß glänzendes, sehr unedles Metall. An der Luft überzieht es sich rasch mit einer gelbgrauen Schicht von S.-Oxid, SrO, mit Wasser reagiert es unter Wasserstoffentwicklung zu **S.-Hydroxid,** $Sr(OH)_2$. S. findet sich in der Natur selten, v.a. in Form der Minerale →Cölestin und →Strontianit. Es wird durch Schmelzflusselektrolyse von S.-Chlorid, $SrCl_2$, oder durch Reduktion von S.-Oxid, SrO, mit Aluminium dargestellt. Das radioaktive S.-Isotop, ^{90}Sr (Halbwertszeit 29 Jahre), entsteht bei der Kernspaltung des Urans in großer Ausbeute und ist gefährlich, da es wegen seiner chem. Ähnlichkeit mit Calcium in den Knochen angereichert werden kann und die Blut bildenden Zellen schädigt. ^{90}Sr ist ein Betastrahler, der u.a. in Radionuklidbatterien und in der Strahlentherapie eingesetzt wird. In Verbindungen tritt S. zweiwertig auf. **S.-Oxid,** SrO, entsteht beim Oxidieren von S.-Metall und beim Glühen von S.-Carbonat. **S.-Nitrat,** $Sr(NO_3)_2$, wird für Feuerwerkskörper **(rotes bengal. Feuer)** verwendet. **S.-Sulfid,** SrS, ist eine wichtige Grundverbindung für Leuchtstoffe. **S.-Carbonat,** $SrCO_3$, kommt in der Natur als Mineral Strontianit vor; technisch wird es aus S.-Sulfid durch Umsetzen mit Kohlendioxid gewonnen und zu S.-Oxid und weiteren S.-Verbindungen verarbeitet.

Karl Heinz Stroux

Strophanthine [grch.], Sammelbez. für herzwirksame Glykoside aus afrikan. Strophanthusarten; früher dienten sie auch als Pfeilgifte.

Strophanthus [lat.], Gattung der Hundsgiftgewächse; meist tropisch-afrikan. oder asiat., giftige Holzgewächse mit trichterförmigen, fünfzähligen Blüten. Die Samen (z.B. von S. gratus aus Westafrika) liefern →Strophanthine.

Strophe [grch.] *die,* in der Dichtung, bes. in der lyrischen, eine metr. Einheit, die durch Verbindung mehrerer Verse oder Langzeilen entsteht und sich in gleicher Form ein oder mehrere Male wiederholt. (ÜBERSICHT Metrik)

Strosse: Strossenbau mit Bohrwagen und Sprengfahrzeug in einem Salzbergwerk; der arbeitende Bergmann steht auf der Strosse und baut sie von oben her ab, gelöstes Haufwerk fällt auf die nächsttiefer gelegene Strosse

Strosse, *Bergbau:* im Tiefbau unter der Sohle eines Grubenbaus anstehender Teil des Gebirges; im Tagebau treppenförmiger Absatz, auf dem die Großgeräte arbeiten.

Stroux [ʃtrʊks], **1)** Johannes, klass. Philologe, *Hagenau (Unterelsass) 25. 8. 1886, †Berlin 25. 8. 1954; Prof. in Basel, Kiel, Jena, München, Berlin; arbeitete über antike Rhetorik und röm. Recht.

2) Karl Heinz, Regisseur und Theaterleiter, *Hamborn (heute zu Duisburg) 25. 2. 1908, †Düsseldorf 2. 8. 1985; 1939–44 am Staatstheater Berlin, dann in Darmstadt und Wiesbaden, 1955–72 Generalintendant des Düsseldorfer Schauspielhauses.

Strozzi, florentin. Patriziergeschlecht, meist Gegner der Medici und oft in Verbannung, brachte bed. Dichter und Gelehrte hervor (u.a. Giovan Battista S., *1505, †1571). Der Kaufmann und Kunstmäzen Filippo S., gen. il Vecchio (*1428, †1491) ließ seit 1489 von Benedetto da Maiano den **Palazzo Strozzi** in Florenz erbauen. Kranzgesims und Hof stammen von Cronaca.

Struck, Karin, Schriftstellerin, *Schlagtow (heute zu Groß Kiesow, bei Greifswald) 14. 5. 1947; seit 1953 in der Bundesrep. Dtl.; schreibt Romane und Erzählungen, in denen es um Selbstfindung und -verwirklichung der weibl. Zentralgestalten geht, z.T. mit unverhüllt autobiograph. Bezug (»Klassenliebe«, R., 1973; »Die Mutter«, R., 1975; »Lieben«, R., 1977; »Trennung«, Erz., 1978; »Bitteres Wasser«, R., 1988; »Blaubarts Schatten«, R., 1991).

Strudel, in Fließrichtung des Wassers fortschreitende Drehbewegung mit ggf. trichterförmiger, saugender Vertiefung.

Strudellöcher (Strudeltöpfe, Riesentöpfe), senkrechte, oft mehrere Meter tiefe, kesselförmige Hohlformen im Gestein der Flusssohle; entsteht durch sprudelnde Bewegung von Wasser, das Sand und Geröll mit sich führt, bes. in Flussengen.

Strudelwürmer (Turbellaria), weltweit v.a. in Meeres-, Brack- und Süßgewässern verbreitete Klasse etwa 0,5 mm bis maximal 60 cm langer Plattwürmer; mit dichtem Wimpernkleid, mit dessen Hilfe sie sich fortbewegen; u.a. die Planarien.

Struensee [dän. 'sdru:ənsə], Johann Friedrich Graf von (seit 1771), dän. Staatsmann dt. Herkunft, * Halle (Saale) 5. 8. 1737, † (hingerichtet) Kopenhagen 28. 4. 1772; wurde 1769 Leibarzt des geisteskranken Königs Christian VII. von Dänemark, hatte mit Königin Karoline Mathilde ein Liebesverhältnis und wurde nach Verdrängung des Min. J. H. E. v. Bernstorff Geheimer Kabinettsminister. Er begann umfassende Reformen im Geist des aufgeklärten Absolutismus (Abschaffung von Pressezensur und Folter, Verminderung der bäuerl. Frondienste), wurde aber im Jan. 1772 gestürzt.

Johann Friedrich Struensee: Ausschnitt eines Kupferstichs (um 1772)

Strugazki, Arkadi Natanowitsch, russ. Schriftsteller, * Batumi (Georgien) 28. 8. 1925, † Moskau 14. 10. 1991; verfasste mit seinem Bruder Boris Natanowitsch S. (* 1933) Sciencefiction, v.a. Erzählungen und Romane, in denen spannend gestaltete Sujets zeitkritisch mit gegenwartsbezogenen moral. und philosoph. Fragen verknüpft sind (»Der ferne Regenbogen«, Erz., 1964; »Montag beginnt am Samstag«, R., 1965; »Die zweite Invasion der Marsmenschen«, Erz., 1968; »Ein Käfer im Ameisenhaufen«, R., 1980); Verfasser des Drehbuchs zum Film »Stalker« von A. A. Tarkowski nach ihrem Roman »Picknick am Wegesrand« (1972).

Struktogramm *das* (Nassi-Shneiderman Diagramm), *Datenverarbeitung:* graf. Mittel zur Darstellung der logischen Struktur eines Programms. Grundelement des S. ist der als Rechteck dargestellte Strukturblock mit einer Eingangs- und einer Ausgangskante, der für eine Programmaktion (z.B. Anweisung, Prozeduraufruf) steht und in dem diese Funktion benannt oder beschrieben wird. Ein ganzes Programm (oder auch nur ein Teil davon) wird als von oben nach unten verlaufende Aneinanderreihung elementarer Strukturblöcke dargestellt und als zusammengesetzter Strukturblock oder als Sequenz bezeichnet.

Struktur [lat.] *die,* Anordnung der Teile eines Ganzen zueinander; innere Gliederung, Aufbau; Gefüge (z.B. in Sprache, Literatur, Volkswirtschaft). In wiss. Definitionen meint S. 1) ein Beziehungsgefüge und dessen Eigenschaften, 2) ein Ordnungsgefüge und 3) ein System von Zwecken. In naturwiss. und techn. Disziplinen ist S. ein Grundbegriff, der insbesondere den durch Entstehung oder Herstellung bestimmten räuml. Aufbau eines Materials (der Materie) kennzeichnet (z.B. in Kristallographie, Metallurgie, Werkstoffkunde). In der *Chemie* wird der Begriff v.a. bezüglich der Anordnung der Atome und Atomgruppen in einem Molekül verwendet, in der S.-Chemie als Oberbegriff für Konstitution, Konfiguration und Konformation. In der *Physik* bezeichnet S. das relative Gefüge physikal. Systeme (z.B. Molekül-S.), i.w.S. den Aufbau der Materie aus wenigen Grundbausteinen (→ Elementarteilchen). *Mathematische* Grund-S. sind topolog., algebraische und Ordnungs-S., d.h. Mengen, zw. deren Elementen ein System von Relationen und Operationen erklärt ist. In der *Psychologie* bedeutet S. das Wirkgefüge geistig-seel. Anlagen (Begabung, Charakter, gemüthafte Dispositionen) bei individueller oder typolog. Verschiedenheit. In der *Soziologie* wird unter S. die Sozial-S. als relativ stabiles Ordnungsgefüge eines sozialen Systems verstanden.

Arkadi Strugazki

Strukturalismus [lat.] *der,* wiss. Betrachtungsweise, nach der sich wesentl. Erscheinungen der untersuchten Einzelphänomene erst aus ihrer Einbettung in einen Zusammenhang erkennen lassen. Ausgehend von der Sprachwiss. wurde die strukturalist. Analyse der Funktionen eines geordneten Ganzen aus dessen Gesamtaufbau v.a. in den 1960er-Jahren (in Anlehnung an naturwiss. Exaktheit) zum method. Programm versch. Geistes- und Sozialwissenschaften (→ Lacan).

Die strukturalist. *Sprachwissenschaft* fasst Sprachen als strukturierte Zeichensysteme auf und entwickelt entsprechende Methoden zu ihrer Beschreibung. Der europ. S. geht dabei auf F. de Saussure zurück, der Sprache nicht mehr als Ergebnis histor. Entwicklung (Diachronie), sondern als Zusammenwirken gleichzeitiger Einheiten (Synchronie) neu definierte. Sie sei nicht zu fassen im konkreten individuellen Sprechen (Parole), sondern sei vielmehr ein überindividuelles System von Werten, das als soziale Institution in einer Sprachgemeinschaft gelte (Langue). Dieser Ansatz wurde v.a. von der Prager Schule und von der →Glossematik aufgegriffen und weiterentwickelt. Auch der von L. Bloomfield in den 1920er-Jahren begründete amerikan. S. beschreibt Sprache als synchrones System. Aus der beobachtbaren gesprochenen Sprache entwickelt er exakte Analysemethoden, um aus einem Korpus von Äußerungen ohne Rückgriff auf die Bedeutungen dieser Äußerungen die Grammatik einer Sprache zu ermitteln. Diese Methoden haben zum Ziel, Äußerungen in sich wiederholende gleiche Teile zu segmentieren und die Teile nach ihrer Distribution zu klassifizieren. Segmentierung und Klassifizierung haben eine Grammatik zum Ergebnis, die die Formen strukturell beschreibt, ihre Bedeutungen jedoch unberücksichtigt lässt. Die Verdienste des S. liegen v.a. in der Erkenntnis der Systemhaftigkeit der Sprachen und in der Entwicklung theoretisch fundierter Analysemethoden.

In der *Völkerkunde* hat v.a. C. Lévi-Strauss die strukturelle Analyse angewendet und versucht, Sprachsysteme, soziale Ordnungen, Religionen und Mythen der Völker auf kleinste Einheiten, d.h. ihre zu allen Zeiten gleiche Struktur, zurückzuführen.

📖 Deleuze, G.: *Woran erkennt man den S.? Aus dem Frz. Berlin 1992.* – Gramstadt, C.: *»Norm« u. »Limitation« oder wozu taugt der S. noch? Frankfurt am Main u.a. 1995.*

Struktur|analyse, Kurzbez. für →Kristallstrukturanalyse.

strukturelle Gewalt, von dem norweg. Friedensforscher Johann Galtung (*1930) geprägte Bez. für die im gesellschaftl. Aufbau, z.B. als soziale Ungleichheit und Benachteiligung, vorgegebene Gewalt.

strukturell-funktionale Theorie, bes. in den USA (T. Parsons, R. K. Merton) seit Mitte des 20. Jh. entwickelte Theorie der sozialen Systeme, die deren Gesamtzusammenhang als Zusammenspiel von Handlungen erfasst. Als funktional (zweckmäßig) gelten Handlungen, die zum Fortbestand des betreffenden Systems beitragen. Insoweit dieser auch von sozialen Wandlungsvorgängen abhängen kann, standen Leistungsfähigkeit und Grenzen der s.-f. T. zur Diskussion. In der dt. Soziologie wurde sie zur →Systemtheorie weiterentwickelt (N. →Luhmann).

Strukturkrise, wirtsch. Situation einer Branche, in der die Produktionskapazitäten die Nachfrage erheblich übersteigen. Eine S. geht auf einen langfristigen Nachfragerückgang zurück, der u.a. auf Wandlungen der Verbrauchergewohnheiten oder Substitutionskonkurrenz beruht. S. sind i.d.R. mit einer Reduzierung der Produktionskapazitäten und der Beschäftigtenzahlen verbunden.

Strukturpolitik, wirtschaftspolit. Maßnahmen des Staates zur Beeinflussung der regionalen (**regionale S.,** →Regionalpolitik) und sektoralen (**sektorale S.**) Struktur einer Volkswirtschaft. Sektorale S. ist entweder auf den Erhalt bestimmter Wirtschaftszweige (z.B. Kohlebergbau, Landwirtschaft, Stahlind.), die Erleichterung von Strukturanpassungen oder die Förderung zukunftsträchtiger Technologien und Wirtschaftszweige gerichtet und kann als staatl. Einflussnahme auf den Strukturwandel angesehen werden, die negative Folgen dieses Wandels »sozial abfedert« und das Potenzial für wirtsch. Wachstum fördert. Zu den strukturpolit. Maßnahmen gehören u.a. Subventionen und Steuervergünstigungen (z.B. Anpassungshilfen, Investitionszuschüsse, Zinssubventionen, Bürgschaften, Gewerbesteuernachlässe, Finanzhilfen für Forschungsvorhaben, Lohnkostenzuschüsse), Zölle, Kontingente u.a. nichttarifäre Handelshemmnisse, Exportsubventionen, wettbewerbspolit. Maßnahmen (z.B. Preis- und Strukturkrisenkartelle, Preisinterventionen, staatl. Ankauf des Angebotsüberhangs), arbeitsmarktpolit. Maßnahmen, Verstaatlichung von oder vorübergehende Beteiligung an Unternehmen, Reprivatisierung öffentl. Unternehmen, staatl. Investitionslenkung. Träger der S. können Bund, Länder, Gemeinden sowie Institutionen (z.B. ERP-Sondervermögen, Wirtschaftsförderungsgesellschaften) sein.

Strukturwandel, als Teil des sozialen Wandels die mit dem wirtsch. Wachstum verbundenen, nicht auf konjunkturelle oder saisonbedingte Schwankungen zurückgehenden stetigen Veränderungen in der Zusammensetzung (Struktur) der Produktion eines Landes (Produktionsstruktur) nach Wirtschaftszweigen (sektorale Struktur) und nach Regionen oder Wirtschaftsräumen (regionale Struktur), weiterhin die entsprechenden Änderungen der Aufteilung der Beschäftigten (Erwerbsstruktur, Beschäftigungsstruktur) nach Sektoren, Regionen, aber auch nach Qualifikation, Alter und Geschlecht. Die Ursachen des S. liegen v.a. in der Änderung von Umfang und Struktur der Nachfrage in wachsenden Volkswirtschaften, im techn. Fortschritt sowie in den Änderungen bei Preisen und verfügbaren Mengen an Produktionsfaktoren einschließlich natürl. Ressourcen. Ein weiterer Faktor des S. ist die zunehmende internat. Arbeitsteilung. Eine Grundtendenz beim sektoralen S. besteht in der Abnahme der relativen Bedeutung der Landwirtschaft zugunsten des Waren produzierenden Gewerbes, woran sich eine Verschiebung vom industriellen zum Dienstleistungssektor anschließt (Dreisektorenhypothese).

Struma [lat.] *die,* der →Kropf.

Struma *die* (altgrch. Strymon), Fluss auf der Balkanhalbinsel, 408 km lang, entspringt südlich von Sofia, Bulgarien, mündet ins Ägäische Meer.

Strumpf, handgestricktes oder maschinell hergestelltes Bein- und Fußbekleidungsstück **(Socken, Knie-S., lange S.** und **S.-Hose).** S. werden angefertigt aus Wolle, Baumwolle, Chemiefasern. Orthopäd. S. werden mit eingearbeiteten umsponnenen Gummifäden (Gummi-S.) oder Elastomerfäden (Stütz-S.) regulär gestrickt oder gewirkt. – Der S. war bereits in Spätantike und MA. bekannt; im 14. Jh. wurden die Beinlinge mit der Bruche verbunden und um 1500 zur Hose weiterentwickelt. Diese wurde dann in der ersten Hälfte des 16. Jh. in Oberschenkelhose und Strumpf (Knie-S.) getrennt.

Struve, 1) Friedrich Georg Wilhelm von (seit 1862), Astronom, *Altona (heute zu Hamburg) 15. 4. 1793, †Sankt Petersburg 23. 11. 1864, Vater von 5); Gründer der Sternwarte Pulkowo, erforschte die Doppelsterne.

2) Gustav von, Politiker, *München 11. 10. 1805, †Wien 21. 8. 1870; entwickelte sich während des Vormärz zum radikalen Demokraten; scheiterte im Vorparlament 1848 (Frankfurter Nationalversammlung) mit seinem föderativ-republikan. Verfassungsentwurf; leitete 1848/49 (mit F. Hecker) die bad. Aufstände; emigrierte 1849 in die Schweiz und 1851 in die USA (nahm dort am Sezessionskrieg aufseiten der Union teil); 1863 Rückkehr nach Deutschland.

3) Hermann von, Astronom, *Pulkowo (bei Sankt Petersburg) 30. 10. 1854, †Neubabelsberg (heute zu Potsdam) 12. 8. 1920, Sohn von 5); Direktor der Sternwarte Königsberg, Gründer der Sternwarte Berlin-Babelsberg; betrieb Forschungen über das Saturnsystem.

4) Otto, Astronom, *Charkow 12. 8. 1897, †Berkeley (Calif.) 6. 4. 1963; seit 1921 in den USA, arbeitete über interstellare Materie und die physikal. Verhältnisse in Doppelsternsystemen.

5) Otto Wilhelm von, Astronom, *Dorpat (heute Tartu) 7. 5. 1819, †Karlsruhe 16. 4. 1905, Sohn von 1), Vater von 3); Direktor der Sternwarte in Pulkowo, bestimmte die Präzessionskonstante und die Bewegung der Sonne.

Struwwelpeter, Titelgestalt eines Kinderbuchs von H. →Hoffmann.

Strychnin [zu Strychnos] *das,* sehr giftiges, farbloses Alkaloid, $C_{21}H_{22}N_2O_2$, aus den Samen des Brechnussbaumes; wirkt durch Lähmung der hemmenden Synapsen des Rückenmarks und des Zentralnervensystems; als Nitrat wurde es früher als Anregungsmittel angewendet. Höhere Dosen führen zu schweren Vergiftungen mit Krämpfen und ggf. zum Tod durch Atemlähmung.

Strychnos [grch.], Gattung in den Tropen beheimateter Loganiengewächse; Bäume und Sträucher oder Lianen mit häutigen oder ledrigen Blättern; Blüten in Trugdolden oder Trauben stehend. Zur Gattung S. gehören zahlr. durch Alkaloide giftige Arten, z. B. der Brechnussbaum, aus dessen Samen →Strychnin gewonnen wird. Mehrere in Südamerika heim. Arten liefern Curare.

Strzegom [ˈstʃɛgɔm] (dt. Striegau), Stadt in der Wwschaft Wałbrzych (Waldenburg), Polen, im Vorland der Sudeten, 17 200 Ew.; Steinbrüche, Flachsrösterei, Leder-, Papier-, Nahrungsmittelindustrie. – Antoniuskapelle (um 1500), kath. Pfarrkirche St. Peter und Paul (14./16. Jh.), Reste der Stadtmauer (13.–15. Jahrhundert).

Strzelce Opolskie [ˈstʃɛltsɛ ɔˈpɔlskjɛ] (dt. Groß Strehlitz), Stadt in der Wwschaft Opole (Oppeln), Polen, am Annaberg, 21 700 Ew.; Landmaschinenbau, Leder-, Lebensmittelind.; in der Nähe Kalkabbau und großes Zementwerk. – Erhielt 1362 Stadtrecht.

Strzelin [ˈstʃɛlin] (dt. Strehlen), Stadt in der Wwschaft Wrocław (Breslau), Polen, an der Ohle, am Fuß der **Strehlener Berge** (392 m ü. M.), in Niederschlesien, 12 900 Ew.; Granitbruch, Zucker-, Möbelfabrik, Landmaschinenbau.

Stuart [engl. ˈstʊət, ˈstjuːət] (Stewart), schott. Hochadelsfamilie, deren Anfänge bis ins 11. Jh. zurückzuführen sind; benannte sich nach dem Amt des Steward (»Seneschall«). Seit 1371 (beginnend mit Robert II.) auf dem schott. Thron, gelangten die S. 1603 mit dem Sohn Maria Stuarts, Jakob I. (VI.), aufgrund von Erbansprüchen aus der Ehe Jakobs IV. mit Margarete Tudor auch in den Besitz der Krone von England. Nach dem Sturz der Dynastie 1688/89 (Vertreibung und Absetzung Jakobs II.) wurde die kath. Linie der S. 1701 endgültig von der Thronfolge ausgeschlossen und starb 1807 aus. Die prot. Tochter Jakobs II., Königin Anna (1702–14), war die letzte S. auf dem engl. Thron.

Stuart [ˈstjʊət], **1)** Francis, irischer Schriftsteller, *Queensland (Australien) 29. 4. 1902; kämpfte auf irischer Seite gegen England; schrieb psychoanalyt. Romane (»Die Wolkensäule«, 1948; »Das Lächeln«, 1949), auch Romane über die polit. Krisen Irlands (»Memorial«, 1973; »A hole in the head«, 1977; »The high consistory«, 1981).

2) Gilbert, amerikan. Maler, *North Kingstown (R. I.) 3. 12. 1755, †Boston (Mass.) 9. 7. 1828; arbeitete zw. 1775 und 1793 in London und Dublin; kehrte 1793 nach Amerika zurück; porträtierte

Friedrich Georg Wilhelm Struve (zeitgenössische Darstellung)

Gustav Struve (Ausschnitt einer anonymen Lithographie, um 1850)

Gilbert Stuart: »Mr. Grant skating« (1782; Washington, D. C., National Gallery of Art)

führende Persönlichkeiten seiner Zeit mit psycholog. Einfühlungsvermögen.

3) James, gen. Athenian S., englischer Architekt, *London 1713, †ebd. 2. 2. 1788; Initiator des →Greek Revival. Sein Hauptwerk war das Haus Montagu in London (um 1775).

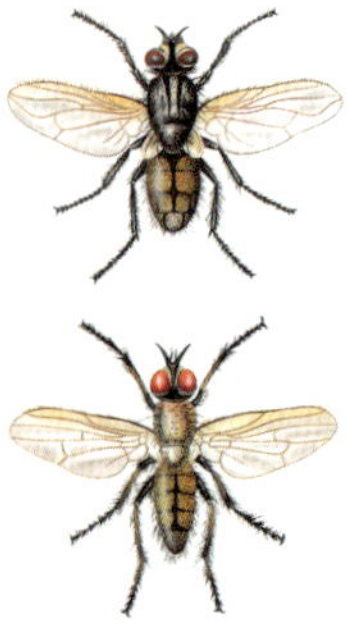

Stubenfliege 1) (von oben): Große Stubenfliege (etwa 8 mm Länge) und Kleine Stubenfliege (4-6 mm Länge)

Stuartkragen, den Kleiderausschnitt im Nacken rahmender, gesteift hoch stehender Kragen der europ. Mode des späten 16. und frühen 17. Jh.; kleinere Variante des Medicikragens.

Stubaier Alpen, vergletscherte Gruppe der Zentralalpen, zw. Ötz- und Wipptal, Tirol, Österreich, der südlichste Teil gehört zu Italien, im Zuckerhütl 3507 m ü. M.; Hauptzugänge: Sellrain-, Gschnitz- und Stubaital.

Stubaital, linkes Seitental des Wipptals in Tirol, Österreich, in den Stubaier Alpen, vom Ruetzbach durchflossen; Hauptort: Fulpmes; Endpunkt der Stubaitalbahn von Innsbruck; Fremdenverkehr. Bei Neustift gabelt sich das S. in das Unterberg- und das Oberbergtal.

Stubbenkammer, Kreidesteilküste von Jasmund, der nordöstl. Halbinsel Rügens, Meckl.-Vorp., mit altem Buchenbestand **(Stubnitz).** Die **Große S.** ist im Königstuhl 121 m ü. M.; Teil des Nationalparks Jasmund.

Stubbins [ˈstʌbɪnz], Hugh Asher jr., amerikan. Architekt, *Birmingham (Ala.) 11. 1. 1912; von W. Gropius, M. Breuer und A. Aalto geprägt. In seinem Werk überwiegen Großbauten, deren Zeichencharakter und Repräsentationswert Vorrang eingeräumt wird (Kongresshalle in Berlin, 1957; Citicorp Center in New York, 1978).

Stubenfliege, 1) (Große S., Musca domestica) v. a. in menschl. Siedlungen weltweit verbreitete, etwa 8 mm lange Vollfliege (→Fliegen); Körper grau mit vier dunklen Längsstreifen auf der Rückenseite des Thorax; lästiges, als Krankheitsüberträger gefährl. Insekt, dessen Weibchen jährlich bis zu 2000 Eier an zerfallenden organ. Substanzen ablegt, wo sich auch die Larven entwickeln.

2) (Kleine S., Hundstagsfliege, Fannia canicularis) 4–6 mm lange Blumenfliege; unterscheidet sich von der Großen S. außer durch die geringere Größe u. a. durch gelbl. Flecken am Hinterleib.

Stuck [von italien. stucco], aus Putzgips, Kalk, Sand und Wasser hergestelltes Material für Plastiken und Innenraumdekoration (mit Innenraumdecken). Das schnelle Abbinden erfordert rasches und sicheres Arbeiten. Im Allg. wird S. aus freier Hand oder mit Schablonen geformt, evtl. auch in Formen gegossen und montiert. Stahldrähte und Holzstücke geben großen Flächen mehr Stabilität.

Geschichte: Die in fast allen Hochkulturen bekannten S.-Techniken lassen sich im Mittelmeerraum bis ins 7.–6. Jt. v. Chr. zurückverfolgen. Im Orient war S. ein bevorzugter Werkstoff der parth., sassanid. und der Gandharaplastik. Bemalte S.-Reliefs sind in Ägypten und auf Kreta sowie auf dem griech. Festland seit dem 2. Jt. v. Chr. bekannt. Die reiche S.-Dekoration der »Tomba dei Rilievi« in Cerveteri (um 300 v. Chr.) ist ein Beispiel der Verwendung von S. in der etrusk. Kunst, und auch im röm. Bereich wurden Wände oft mit S. verkleidet und mit S.-Gesimsen u. a. profiliert. Die Entwicklung der S.-Reliefdekoration ist hier vom frü-

Hugh A. Stubbins jr.: Die 1980 teilweise eingestürzte Kongresshalle in Berlin aus dem Jahr 1956 wurde 1986 wieder aufgebaut, davor die Plastik »Large Butterfly« von Henry Moore (1986)

Franz von Stuck: »Verirrt« (undatiert; Wien, Kunsthistorisches Museum)

hen 1. Jh. v. Chr. bis in die Spätantike zu verfolgen (Pompeji, Farnesina, Hadriansvilla), wo sie sich in enger Verbindung mit der Wandmalerei entwickelte. In der Renaissance wurde die antike S.-Technik in Italien wieder aufgegriffen (Decke von Santo Spirito, Florenz, 1436). Durch wandernde Stuckateure kam der S. zuerst nach Frankreich und Anfang des 17. Jh. nach Dtl.; bald entstanden »Schulen« (Graubünden, Vorarlberg, beide später Bauschulen; Miesbach um 1690; Wessobrunn 1600 bis etwa 1800; Würzburg 1740–77). Seine höchste Blüte erlebte der S. um 1750 in Bayern (Amalienburg, München, 1734, F. Cuvilliés und J. B. Zimmermann; »Wies« b. Steingaden, 1746, D. Zimmermann; Vierzehnheiligen, 1770, J. M. und F. X. Feuchtmayer, G. Üblhör). Weitere BILDER Oaxaca de Juarez, Putto, Straub

📖 *S. u. Rabitz, Redaktion:* D. HEZEL. *Stuttgart ^{4}1994.* – LEIXNER, S. *u.* RADDATZ, A.: *Der Stukkateur. Handbuch für das Gewerbe. Stuttgart ^{3}1995.*

Stuck, Franz von (seit 1906), Maler, Grafiker und Bildhauer, *Tettenweis (Kr. Passau) 23. 2. 1863, †München 30. 8. 1928; bed. Vertreter des Jugendstils in München, wo er 1892 Mitbegründer der Sezession war und ab 1895 an der Akademie lehrte. Er schuf Bilder mit mytholog. und symbolist. Themen, auch Porträts sowie Bronzeplastiken. Als vielseitigen Künstler weist ihn die 1898 vollendete Villa S. in München aus, die er als »Gesamtkunstwerk« gestaltete (heute Museum).

Stücke, *Börsenwesen:* Wertpapiere.

Stückelung, *Börsenwesen:* Aufteilung einer Wertpapieremission auf die Nennbeträge der einzelnen, auf Teilbeträge lautenden Wertpapiere.

Stucken, Eduard, Schriftsteller, *Moskau 18. 3. 1865, †Berlin 9. 3. 1936; Assyriologe und Ägyptologe; bevorzugte in seinem literar. Werk exot., myth. und fantast. Stoffe. In dem Romanepos »Die weißen Götter« (4 Bde., 1918–22) schilderte er den Untergang der Aztekenkultur nach der span. Eroberung Mexikos.

Stuckenschmidt, Hans Heinz, Musikkritiker und -forscher, *Straßburg 1. 11. 1901, †Berlin (West) 15. 8. 1988; 1948–67 Prof. für Musikgesch. an der TU in Berlin; schrieb u. a. »Arnold Schönberg« (1951), »Maurice Ravel« (1966), »Ferruccio Busoni« (1967), »Musik des 20. Jh.« (1969), »Zum Hören geboren« (1979), »Neue Musik« (1981), »Schöpfer klass. Musik« (1983).

Hans Stuckenschmidt

Stückeverzeichnis, Aufstellung des Kreditinstituts (Kommissionär) über die für den Kunden (Kommittent) gekauften und verwahrten Wertpapiere. Mit der Absendung des S. geht das Wertpapiereigentum auf den Kunden über. Das S. entfällt bei Sammelverwahrung.

Stückkosten (Einheitskosten), die auf die betriebl. Leistungseinheit bezogenen Kosten; sie dienen der Kalkulation. → Kostenrechnung

Stücklen, Richard, Politiker (CSU), *Heideck (Kr. Roth) 20. 8. 1916; Ingenieur, 1949–90 MdB,

Stuck (von oben): Das Fragment einer farbigen Stuckwand stammt aus dem antiken Pompeji (um 70 n. Chr.; Neapel, Museo Archeologico Nazionale); Stuckkopf einer weiblichen Figur aus Mykene (links) aus dem 13. Jh. v. Chr. (Athen, Archäologisches Nationalmuseum), daneben ein im klassischen Mayastil gearbeiteter mexikanischer Stuckkopf (300–900 n. Chr.; Mexiko, Anthropologisches Nationalmuseum)

Richard Stücklen

1967–76 Vors. der CSU-Landesgruppe im Dt. Bundestag; 1957–66 Bundesmin. für das Post- und Fernmeldewesen, 1976–79 sowie 1983–90 Vizepräs., 1979–83 Präs. des Bundestags.

Stücklohn, →Lohn.

Stückmaße, →Zählmaße.

Stücknotierung, *Börsenwesen:* →Kurs.

Stückzinsen, Zinsen, die bei Veräußerung festverzinsl. Wertpapiere vom letzten Zinstermin bis zum Tag des Geschäftsabschlusses aufgelaufen sind; werden dem Kaufpreis zugeschlagen und unterliegen dem Zinsabschlag.

stud., Abk. für lat. **stud**iosus [»Studierender«], stets mit der Bez. der Studienrichtung oder Fakultät verwendet, z.B. stud. phil. (philosophiae, der Philosophie).

Studẹnt [lat.], das eingeschriebene (immatrikulierte) Mitgl. einer wiss. Hochschule, Fachhochschule und sonstiger Hochschulen, in der *Schweiz* auch einer höheren techn. Lehranstalt; in *Österreich* auch Bez. für den Schüler einer höheren Schule.

Studẹntenbewegung, Sammelbez. für die etwa ab 1960 in versch. Ländern aufgetretenen und Anfang der 1970er-Jahre abgeklungenen Unruhen unter Studenten mit polit. Aktionen an den Hochschulen, die sich zunächst v.a. gegen schlechte Studienbedingungen, bald aber gegen polit. und soziale Verhältnisse schlechthin richteten; in der Bundesrep. Dtl. manifestierte sie sich v.a. in der →außerparlamentarischen Opposition.

Studẹntenlied, zur Gattung der Ständelieder gehörendes Gesellschaftslied; seit dem 13. Jh. in schriftl. Quellen überliefert (Samml. →Carmina Burana); vorherrschende Themen sind Trinken, Preisung der Univ.städte und des Vaterlandes, Liebe und Müßiggang. Unter den S. erhielten sich vulgärlat. (»Gaudeamus igitur«) und gemischtsprachl. Lieder. Die S. wurden bes. auch als Gruppen- und Rundgesang student. Verbindungen gepflegt.

Studẹntenschaft, die Gesamtheit der an einer Hochschule immatrikulierten Studenten. Die Verwaltung student. Angelegenheiten (z.B. in Studentenwerken und Selbsthilfeeinrichtungen) und die Mitwirkung an der Hochschulselbstverwaltung ist nach Landesrecht unterschiedlich ausgeprägt. Die besonderen Studentenvertretungen (Allg. Studentenausschuss, Studentenparlament) sind z.T. noch als teilrechtsfähig verfasste S. erhalten, sie wurden (zuerst in den Ländern Bayern, Bad.-Württ. und Berlin) jedoch in vielen Bundesländern durch die Landeshochschulgesetze abgeschafft. In einigen Ländern besteht der **Allg. Studentenausschuss (ASTA)** weiterhin, tätig als Exekutivorgan der S. Sein vom **Studentenparlament** gewählter Vorstand beruft Referenten für bestimmte Sachgebiete. Auf Fachbereichs- und Fakultätsebene gibt es die Fachschaften. – Neben historisch älteren Zusammenschlüssen in Verbindungen und Burschenschaften bildeten sich nach dem 1. Weltkrieg S. als Körperschaften des öffentl. Rechts an allen dt. Univ. und techn. Hochschulen, die sich 1919 zur »Dt. S.« vereinigten. 1949 wurde als Dachverband der **Verband Dt. S. (VDS)** in Marburg gegründet und 1975 unter Aufnahme der S. der Ingenieurschulen bzw. FH in **Vereinigte Dt. S. (vds)** umbenannt; 1990 stellte der vds seine Aktivitäten ein. 1993 wurde in Bonn der **Freie Zusammenschluss von Studenten/innenschaften (fzs)** gegründet, der sich als Nachfolgeeinrichtung durchzusetzen sucht.

In *Österreich* ist die S. in der Österr. Hochschülerschaft (ÖH) zusammengefasst. In der *Schweiz* besteht als bedeutendster Dachverband der Verband der schweizer. S. (VSS).

📖 JARAUSCH, K. H.: *Deutsche Studenten, 1800–1970. Frankfurt am Main ²1989.*

Studẹntenwerk, als Anstalt oder Stiftung des öffentl. Rechts bzw. als eingetragener Verein betriebene Einrichtung zur sozialen Betreuung der Studenten. Das S. unterhält Mensen, Studentenwohnheime und -häuser mit Kultureinrichtungen, betreibt Gesundheitsfürsorge und psychotherapeut. u.a. Beratung, Kinderbetreuung, Wohnungs- und Arbeitsvermittlung und verwaltet Stipendien und Darlehen. Die S. sind seit 1950 im **Dt. S.e.V. (DSW)** vereinigt.

studẹntische Verbindungen (Korporationen), Gemeinschaften von Studenten (neuerdings z.T. auch Aufnahme von Studentinnen) und Alten Herren (den i. Allg. berufstätigen Akademikern), deren Grundsätze, Umgangs-, Organisations- und auch Sprachformen von Traditionen aus dem 18. und 19. Jh. geprägt sind. Feste Institutionen sind der Konvent, die Kneipe, Vortragsabende sowie das alljährl. Stiftungsfest mit Kommers, für schlagende Verbindungen außerdem der Pauktag (→Mensur). Es gibt Farben tragende (Couleur) und nicht Farben tragende (sog. schwarze) s. V.; die Mitgl. sind zuerst **Füchse,** nach zwei Semestern werden sie vollberechtigte **Burschen,** im 5. Semester **Inaktive** und nach dem Examen **Alte Herren.**

Geschichte: An den Univ. spielte sich das student. Gemeinschaftsleben früher in der →Burse im Verbund der jeweiligen »Nation« ab. Die Vorläufer der eigentl. s. V. sind seit dem 17. Jh. die alten Landsmannschaften, aus denen sich die Korps entwickelten. Die Befreiungskriege 1813/15 gaben den Anstoß zur Entstehung der **Burschenschaften,** die wegen ihrer nat. und freiheitl. Bestrebungen (z.B. Wartburgfest 1817) seit 1819 von den Reg. scharf verfolgt wurden (Gesamtverband seit 1902

Dt. Burschenschaft, D. B.). Ab 1840 entwickelten sich s. V. der verschiedensten Richtungen (u. a. die neuen Landsmannschaften, ab 1880/85 die Turnerschaften sowie Sängerschaften). Es entstanden Gruppierungen, die die Bestimmungsmensur und den Grundsatz der Genugtuung mit der Waffe (»Satisfaktion«; seit 1945 nicht mehr üblich) ablehnten, u. a. der **Cartell-Verband der kath. dt. Studentenverbindungen** (**CV**; gegr. 1856). Ab 1882 gab es jüd. s. V., ab 1906 den (nicht Farben tragenden) Verband der Studentinnenvereine Dtl.s. – In der Bundesrep. Dtl. entstanden nach 1949 viele zw. 1934 und 1938 aufgelöste s. V. neu. Die Landsmannschaften und Turnerschaften schlossen sich 1951 zum **Coburger Convent (CC)** zusammen. Sie verbanden sich 1951 – außer den kath. Studentenverbindungen – zum **Convent Dt. Korporationsverbände (CDK)**, ihre Altherrenverbände 1950 zum **Convent Dt. Akademikerverbände (CDA).** Die schlagenden Verbände gründeten 1951 die **Arbeitsgemeinschaft Andernach der mensurbeflissenen Verbände (AGA).** – Seit 1990 haben mehrere s. V. ihren Sitz aus den alten Bundesländern an die Orte ihrer Gründung (v. a. in Thüringen und Sachsen-Anhalt) zurückverlegt oder sich dort rekonstituiert.

📖 *Blut u. Paukboden. Eine Geschichte der Burschenschaften, hg. v.* D. HEIHER *u. a. Frankfurt am Main 1997.* – KRAUSE, P.: *»O alte Burschenherrlichkeit«. Graz u. a. [5]1997.*

studentische Vereinigungen, Zusammenschlüsse von Studenten zur Vertretung ihrer sozialen, wirtsch., fachl., kulturellen und polit. Belange; an dt. Hochschulen v. a. in Form kirchlich-religiös ausgerichteter s. V. (Studentengemeinde) oder als den polit. Parteien nahe stehende hochschulpolit. Gruppierungen, wie die **Juso**-Hochschulgruppe (SPD). Der CDU/CSU ist der **Ring Christlich-Demokrat. Studenten** (**RCDS**) verbunden, gegr. 1951; außerdem besteht z. B. der **Bundesverband Liberaler Hochschulgruppen** (**LHG**). – Zu den wichtigsten s. V. zählten der **Sozialist. Dt. Studentenbund** (**SDS,** gegr. 1946), der 1970 in kleinere Gruppierungen zerfiel, und der **Sozialdemokrat. Hochschulbund** (**SHB,** gegr. 1960), der später an polit. Bedeutung verlor; beide standen urspr. der SPD nahe.

Studer ['stju:də], Cheryl, amerikan. Sängerin (Sopran), * Midland (Mich.) 24. 10. 1955; wurde v. a. als Mozart- und Wagner- und Strauss-Sängerin bekannt; auch bed. Lied- und Konzertsängerin.

Studi|e [lat.] *die,* **1)** *allg.:* wiss. Untersuchung.

2) *Kunst:* Entwurf, Vorarbeit zu einem geplanten (größeren) Werk.

Studi|enberatung, die Beratung für Studierende bei der Wahl des Studiums, Planung des Studienverlaufes, Prüfungsbewältigung und Arbeitsmarktaspekten durch Hochschullehrer, z. B. durch bes. ausgebildete Studienberater.

Studi|endirektor, → Studienrat.

Studi|enförderung, die öffentl. (staatl.) oder private materielle Förderung von Studenten zur Ermöglichung des Studiums. Direkte S. wird in der Bundesrep. Dtl. auf der Grundlage des Bundes-Ges. zur individuellen Förderung der Ausbildung (Bundesausbildungsförderungs-Ges., Abk. BAföG, → Ausbildungsbeihilfen) betrieben. Die Hochschulen selbst oder die Dt. Forschungsgemeinschaft fördern mit Doktoranden-, Graduierten- und Habilitationsstipendien den wiss. Nachwuchs. Die Finanzierung teilen sich Bund, Länder, Hochschulen und kirchl., polit., gewerkschaftl. sowie Unternehmensstiftungen. Die indirekte S. wird weitgehend durch das → Studentenwerk betrieben. Daneben bestehen versch. Förderungswerke für die Begabtenförderung im Hochschulbereich, z. B. die → Studienstiftung des deutschen Volkes e. V.

In *Österreich* ist die S. durch das S.-Gesetz 1992 neu geregelt; die Beihilfe wird nach Bedürftigkeit und Erfolg gewährt. In der *Schweiz* gehört die S. zu den Aufgaben der Kantone. Der Bund gewährt nach der Finanzkraft der Kantone gestaffelte Zuschüsse; trotzdem sind die kantonalen Unterschiede beträchtlich.

Studi|enrat, Amtsbez. für das Eingangsamt der beamteten Lehrer an Gymnasien, seit 1965 auch an den berufsbildenden Schulen. Die Anwärter für das Lehramt an höheren Schulen heißen nach der 1. Staatsprüfung Studienreferendar und werden als Anwärter nach der 2. Staatsprüfung Studienassessor, bei Übernahme in den Staatsdienst S.; Beförderungsstufen sind **Ober-S., Studiendirektor** (mit besonderen Aufgaben verbunden) und **Oberstudiendirektor** (u. a. Schulleitung, Leitung von Studienseminaren).

Studi|enstiftung des deutschen Volkes e. V., politisch, konfessionell und weltanschaulich ungebundene Stiftung, gegr. 1925, aufgelöst 1934, wieder gegr. 1948, Sitz: Bonn-Bad Godesberg; fördert aus Mitteln, die v. a. von Bund, Ländern und dem Stifterverband für die Dt. Wissenschaft zur Verfügung gestellt werden, das Studium Hochbegabter. Die Stipendiaten werden nach Vorschlag durch Schule oder Hochschule nach einem mehrstufigen Auswahlverfahren bestimmt.

Studio [italien.] *das,* 1) Künstlerwerkstatt, Atelier (eines Malers); 2) abgeschlossene Einzimmerwohnung (Atelierwohnung); 3) Aufnahme-Raum für Rundfunk-, Fernsehsendungen, Kinofilme, Schallplatten; 4) Versuchsbühne (für modernes Theater); 5) Übungsraum für Tänzer

Studium [lat.] *das,* allg. das wiss. Erforschen eines Sachverhaltes; i. e. S. die Ausbildung an einer Hochschule. Das Hochschulrahmen-Ges. definiert

S. als Vorbereitung auf ein berufl. Tätigkeitsfeld mit dem Ziel, den Studenten Kenntnisse, Fähigkeiten und Methoden so zu vermitteln, dass sie zu wiss. Arbeit, wiss. krit. Denken und zu verantwortl. Handeln befähigt werden. Voraussetzung für das S. ist die Hochschulreife. Das S. wird durch die Studienordnung und die Prüfungsordnungen (Hochschul- und Staatsprüfungen) geregelt.

Studium generale [lat. »allgemeines Studium«], im MA. die Vorform der heutigen Univ. als eine für alle »Nationen« bestimmte Hochschule im Unterschied zum **Studium particulare** (auch **provinciale**) als einer Hochschule mit regionaler Bedeutung; heute Bez. für allgemein bildende Vorlesungen für Studenten aller Fachgebiete.

Karl-Heinrich von Stülpnagel

Stufe, 1) *Bergbau:* kennzeichnendes Stück Gestein oder Erz.

2) *Elektrotechnik:* Baugruppe oder -einheit für eine bestimmte Funktion in einem elektr. oder elektron. System, wie Verstärker-, Filterstufe.

3) *Geologie:* Unterabteilung einer stratigraph. Serie.

4) *Geomorphologie:* stärker geneigtes Stück der Erdoberfläche, das flachere Teile voneinander trennt.

5) *Musik:* die jeweilige Stelle eines Tons innerhalb der siebenstufigen Tonleiter (→Intervall).

6) *Technik:* bei mehrstufigen Kraft- oder Arbeitsmaschinen (Turbinen, Pumpen u.a.) eine Arbeitseinheit, bei mehrstufigen Raketen eine Antriebseinheit.

Stufenbarren, *Sport:* →Barren.

Stufenbezeichnung, *Musik:* die Symbolisierung der Akkorde (Klangstufen) auf den einzelnen Stufen der Tonleiter durch röm. Ziffern, auch mit Zusatzziffern u.a. für Umkehrungen, Septakkorde, Alterationen.

Stufenpsalmen (Gradualpsalmen), die Psalmen 120–134; vielfach als Pilgerlieder der Wallfahrer nach Jerusalem gedeutet.

Stuhl, *Medizin:* →Kot.

Stuhl|entleerung (Stuhlgang, Defäkation), Ausscheidung von v.a. unverdaul., nicht resorbierten, unlösl. Stoffen durch die Afteröffnung nach außen. Die S. ist ein reflektor., willkürlich kontrollierbarer Vorgang, der nach »großen Dickdarmbewegungen« durch die Füllung des Mastdarms eingeleitet wird.

Stuhlweißenburg, Stadt in Ungarn, →Székesfehérvár.

Stuhlzwang, *Medizin:* →Tenesmus.

Stüler, Friedrich August, Baumeister, *Mühlhausen/Thüringen 28. 1. 1800, †Berlin 18. 3. 1865; einer der Hauptvertreter des Historismus um die Jahrhundertmitte in Berlin. Gegenüber seinen noch klassizistisch streng strukturierten öffentl. Bauten wirken seine zahlr. Kirchenbauten in neugot. Stil eklektizistisch. – *Werke:* Entwürfe für den Berliner Dom (1842 ff.); Neues Museum in Berlin (1843–55ff.); Wiederaufbau der Burg Hohenzollern (1850–67); Akademie der Wiss. in Budapest (1862–64); Pläne für die Nationalgalerie in Berlin (1866–76, von H. Strack ausgeführt). Weiteres BILD Hohenzollern

Stulpe, umgeschlagener Rand an Handschuhen oder Stiefeln, Manschette.

Stülpnagel, Karl-Heinrich von, General, *Darmstadt 2. 1. 1886, †(hingerichtet) Berlin 30. 8. 1944; 1940 Vors. der dt.-frz. Waffenstillstandskommission, 1942–44 Militärbefehlshaber in Frankreich; maßgeblich an der Verschwörung gegen Hitler am 20. 7. 1944 beteiligt und zum Tod verurteilt.

Stummel|affen (Guerezas, Colobus), Gattung afrikan. →Schlankaffen mit rückgebildetem Daumen; umfasst vier Arten, darunter der **Nördl. Guereza** (Colobus abyssinicus), der wegen des Fells (schwarz, weiße Seitenmähne) stark bejagt wurde. Alle S. sind bestandsbedroht.

Stummelfüßer (Onychophora), ursprüngliche Gruppe trop. und subtrop. landbewohnender, bis 15 cm langer Gliedertiere, die nachtaktiv an feuchten Orten leben; sie haben an jedem Segment stummelförmige Beine.

Stummfilm, →Film.

Stummheit, das Unvermögen, artikulierte Laute zu bilden; schwerste Form der Sprachstörungen. Zur S. zählen die als Folge von Taubheit entstandene →Taubstummheit, die →Hörstummheit und die →Aphasie als Störung des Gehirns; außerdem können Erkrankungen oder Schädigungen der am Sprechvorgang beteiligten Organe S. verursachen. Psychisch bedingte S. wird als →Mutismus bezeichnet.

Friedrich Stüler: Mitteltrakt der 1862–64 erbauten Akademie der Wissenschaften in Budapest

Stumpf, Carl, Philosoph und Psychologe, *Wiesentheid (Kr. Kitzingen) 21. 4. 1848, †Berlin 25. 12. 1936; Prof. u.a. seit 1894 in Berlin, Schüler

F. Brentanos und H. Lotzes; arbeitete über Musik- und Tonpsychologie; gilt als Begründer der vergleichenden Musikforschung.

Werke: Tonpsychologie, 2 Bde. (1883–90); Gefühl und Gefühlsempfindung (1928); Erkenntnislehre, 2 Bde. (hg. 1939–40).

Stupa: Der Chedi Phra Pathom in Nakhon Pathom gilt mit seiner 127 m hohen Kuppel als höchstes buddhistisches Bauwerk der Erde

stumpfer Winkel, ein Winkel, der größer als ein rechter (90°) und kleiner als ein gestreckter Winkel (180°) ist.

Stunde, Einheitenzeichen **h** [von lat. hora], gesetzl. Einheit der Zeit; 1 h = 60 min = 3600 s.

Stundenbuch, Gebetbuch für Laien, nach den Stundengebeten des Tages geordnet. Die mittelalterl. S. waren reich ausgestattet (Miniaturen). BILD Brüder von Limburg

Stundengebet (Horen), in der kath. Kirche das den Klerikern und Ordensleuten vorgeschriebene Gebet zu bestimmten Tageszeiten (»Stunden«); urspr.: Matutin, Laudes, Prim, Terz, Sext, Non, Vesper, Komplet; **neues S.** nach der Brevierreform (1971): Laudes (Morgenlob), die mittleren oder kleinen Horen (Terz, Sext, Non, = 3., 6. und 9. Stunde), Vesper (Abendlob), Komplet (Nachtgebet). Das urspr. mitternächtl. Gebet (Matutin) wurde zur an keine Stunde gebundenen Lesehore umgestaltet, das Gebet zur 1. Stunde, dem Arbeitsbeginn (Prim), ist entfallen. In den orth. Kirchen ist das S. nur in den Klöstern verbindlich vorgeschrieben, in den evang. Kirchen wird es von bestimmten Gemeinschaften (z. B. der →Michaelsbruderschaft) gepflegt.

Stundenkilometer, unkorrekte Bez. für die Geschwindigkeitseinheit Kilometer je Stunde (km/h).

Stundenkreis (Deklinationskreis), jeder auf dem Äquator senkrecht stehende, durch die Himmelspole gehende Kreis; der **Stundenwinkel** ist der Winkel zw. Meridian und S. eines Gestirns, gemessen längs des Himmelsäquators in Stunden, Minuten und Sekunden von 0^h bis 24^h in Richtung der tägl. Bewegung des Gestirns (BILD astronomische Koordinaten).

Stundung, das vertraglich vereinbarte Hinausschieben der Fälligkeit einer Verbindlichkeit. Steuern können gestundet werden, wenn ihre Einziehung mit erhebl. Härten verbunden ist und der Anspruch durch die S. nicht gefährdet wird.

Stuntman ['stʌntmən, engl.] *der, Film:* Double für gefährl. Szenen und akrobat. Leistungen.

Carl Stumpf

Stupa [Sanskrit] *der,* massiver Kultbau der buddhist. und jainist. Architektur zur Aufnahme von Reliquien, in Indien vermutlich aus älteren Grabhügeln entstanden (→indische Kunst), außerhalb Indiens zu eigenen Formen fortgebildet; in Thailand als **Chedi,** in Sri Lanka als **Dagoba** bezeichnet. (→Pagode, →Tschorten) Weitere BILDER Ayutthaya, Borobudur, buddhistische Kunst, Sukhothai, thailändische Kunst

stupid [lat.] (stupide), beschränkt, ohne geistige Beweglichkeit und Interessen; stumpfsinnig.

Stupor [lat.] *der,* Erstarrung, krankhaftes Fehlen körperl. oder psych. Reaktionen bei wachem Bewusstsein, z. B. bei endogener Depression oder bei Vergiftungen.

Stupa
Der Stupa symbolisiert die Himmelskuppel mit dem heiligen Berg Meru. Der Pfahl in der Mitte stellt die Weltenachse dar, die Himmel und Erde verbindet, der Schirm (Shikara) den kosmischen Baum, der das Zentrum der Welt markiert.

Štúr [ʃtu:r], L'udovít, slowak. Schriftsteller, *Uhrovec (bei Trenčín) 28. 10. 1815, †Modra (bei Preßburg) 12. 1. 1856; Lyriker, Epiker, Philologe und Politiker; begründete die auf dem mittelslowak. Dialekt beruhende slowak. Schriftsprache (»Nauka reči slovenskej«, 1846).

Sture, 1) Sten Gustavsson, gen. Sten S. d. Ä., schwed. Reichsverweser (1470–97 und 1501–03), *um 1440, †Jönköping 14. 12. 1503; behauptete durch den Sieg am Brunkeberg bei Stockholm 1471 über Christian I. von Dänemark die schwed. Unabhängigkeit.

2) Sten Svantesson, gen. Sten S. d. J., schwed. Reichsverweser (1512–20), *um 1492, †bei Stockholm 3. 2. 1520; bekämpfte die dän. Unionsmonarchie; in einer Schlacht gegen Truppen Christians II. von Dänemark 1520 tödlich verwundet.

Stundenbuch

Eines der bekanntesten Stundenbücher ist das von den Brüdern Paul, Hermann und Jan von Limburg illustrierte, aber unvollständig gebliebene Stundenbuch für den Herzog von Berry »Les tres riches heures du Duc de Berry«. Es ist die reichste und kostbarste Handschrift, die der Herzog, ein großer Büchersammler, bei seinem Tode 1416 hinterlassen hat. In den Monatsbildern der »Tres riches heures« werden überlieferte Motive durch eine neue Seh- und Erzählweise realistisch belebt. Die Handschrift war schon zur Zeit ihrer Entstehung sehr berühmt, geriet aber im 16. Jahrhundert in Vergessenheit, bis sie 1856 wieder entdeckt wurde; sie befindet sich heute im Musée Condé in Chantilly.

Umfang acht Seiten — Einzelbezug 2o Pfennig — KURT HEYNICKE

DER STURM

WOCHENSCHRIFT FÜR KULTUR UND DIE KÜNSTE

Redaktion und Verlag Berlin W 9 / Potsdamer Straße 18	Herausgeber und Schriftleiter HERWARTH WALDEN	Ausstellungsräume Berlin W / Königin Augustastr. 51

DRITTER JAHRGANG — BERLIN OKTOBER 1912 — NUMMER 129

Inhalt: **Kandinsky**: Ueber Kunstverstehen / **Karl Borromäus Heinrich**: Menschen von Gottes Gnaden / **Albert Ehrenstein**: Die alte Geschichte / **Günther Mürr**: Gedicht / **Grete Tichauer**: Gedichte / **Alfred Döblin**: Tänzerinnen / **Jacques Rivière**: Baudelaire / Empfohlene Bücher / **Kandinsky**: Sechs Originalholzschnitte / **Franz Marc**: Pferde / Originalholzschnitt

W. Kandinsky: Originalholzschnitt / 1910

Ueber Kunstverstehen

Von Kandinsky

Zu großen Zeiten ist die geistige Atmosphäre von einem präcisen Wunsch, von einer bestimmten Notwendigkeit dermaßen erfüllt, daß man leicht zum Propheten werden kann.

So sind überhaupt die Wendungsperioden, die Zeiten, in welchen die innere, vor dem oberflächlichen Auge versteckte i n n e r e Reife dem geistigen Pendel unsichtbar einen unüberwindlichen Stoß gibt.

Das ist der Pendel, welcher demselben oberflächlichen Auge als ein immer an derselben Stelle hin und her wackelnder Gegenstand erscheint.

Er steigt diesen gesetzmäßigen Berg auf. Bleibt einen Augenblick, einen unaussprechlich kurzen Augenblick, da oben stehen und nimmt den neuen Weg, die neue Richtung an.

In dem unglaublich kurzen Augenblick des Stillstandes kann jeder leicht die neue Richtung prophezeien.

Es ist nur merkwürdig, fast unerklärlich, daß „die große Menge" diesem „Propheten" nicht glaubt.

Alles „Präcise", Analytische, Scharfkantige, Hartbestimmende, im Harten Gesetzliche, das durch Jahrhunderte ging und im neunzehnten Jahrhundert allumfassend uns heute zum Entsetzen sich „entwickelt" hat, ist heute „plötzlich" so fremd, so abgeschlossen, und wie es manchem heute scheint „unnötig" geworden, daß man sich beinahe mit Gewalt den Gedanken, die Erinnerung aufzwingen muß: „es war erst gestern". Und . . . „in mir sind noch manche Ueberreste dieser Zeit zu finden". Diesen letzten Gedanken glaubt jeder von uns ebenso wenig, wie den uns persönlich bevorstehenden Tod. Aber auch das Wissen ist hier nicht leicht.

Ich glaube nicht, daß es heute einen einzigen Kritiker gibt, der nicht weiß, daß „der Impressionismus aus ist". Manche wissen auch, daß er der natürliche Abschluß des naturellen Wollens in der Kunst war.

Es scheint, daß auch die äußeren Ereignisse die „verlorene Zeit" nachholen wollen.

„Die Entwicklung" spielt sich mit einer in Verzweiflung bringenden Geschwindigkeit ab.

V o r d r e i J a h r e n wurde jedes neue Bild vom großen Publikum, vom Kunstkenner, vom Kunstfreund, vom Kunstkritiker beschimpft.

Der Sturm: Titelblatt vom Oktober 1912

Sturges ['stə:dʒes], **1)** John, amerikan. Filmregisseur, *Oak Park (Ill.) 3. 1. 1910, †San Luis Obispo (Calif.) 18. 8. 1992; drehte »Der alte Mann und das Meer« (1958), spannungsgeladene Western (»Der letzte Zug von Gun Hill«, 1958; »Die glorreichen Sieben«, 1960) sowie Kriegsfilme (»Gesprengte Ketten«, 1962; »Der Adler ist gelandet«, 1976).

John Sturges

2) Preston, amerikan. Filmregisseur, *Chicago (Ill.) 29. 8. 1898, †New York 6. 8. 1959; Dramatiker, Drehbuchautor; drehte satir. Komödien (u. a. »Der große McGinty«, 1940; »Die Falschspielerin«, 1941).

Stụ̈rgkh, Karl Graf von, österr. Politiker, *Graz 30. 10. 1859, †(von F. Adler erschossen) Wien 21. 10. 1916; war 1911–16 MinPräs.; verfolgte eine stark obrigkeitsstaatl. Politik zur Erhaltung des Reiches (u. a. Notverordnungen, rigorose Pressezensur).

Stụrlunga Sạga, um 1300 entstandenes Sammelwerk isländ. Sagas, eine wichtige Quelle für die polit. und kulturellen Verhältnisse Islands im 12. und 13. Jh. Hauptbestandteil ist die »Íslendinga saga« von Sturla Thordarson (*1214, †1284), einem Neffen von Snorri Sturluson.

Sturm, starker Wind (nach der Beaufort-Skala der Stärke 9–11 mit Geschwindigkeiten von 20,8 bis 32,6 m/s), der Schäden und Zerstörungen anrichtet.

Stụrm, Anton, Bildhauer, *Faggen (bei Landeck, Tirol) 30. 5. 1690, †Füssen 25. 10. 1757; schuf in beschwingtem Barockstil u. a. die 16 Kaiserfiguren im Kaisersaal der Benediktinerabtei Ottobeuren (1724–27) und die Gestalten der vier Kirchenväter in der Wallfahrtskirche Wies (1753/54).

Sturmabteilung, die →SA.

Sturmbock, *Waffentechnik:* der →Mauerbrecher.

Sturm, Der, von H. Walden in Berlin gegr. Kulturzeitschrift (1910–32), der eine Galerie angegliedert war. Der S. trat für die radikalen Richtungen in Kunst und Dichtung ein (Expressionismus, Futurismus, Kubismus).

Stürmer, *Sport:* in Torspielen ein vorrangig mit Angriffsaufgaben betrauter Spieler.

Stürmer, Der, 1923–45 von J. Streicher in Nürnberg herausgegebenes, wöchentlich erscheinendes antisemit. Hetzblatt, das offiziell nicht zur nat.-soz. Presse zählte; diente der propagandist. Vorbereitung und Begründung der Judenvernichtung.

Sturmflut, durch auflandigen Sturm erzeugter, außergewöhnlich hoher Wasserstand, der in Buchten, Mündungstrichtern der Flüsse und an Flachküsten bes. ausgeprägt ist und oft schwere Verheerungen hervorruft, z. B. die »Marcellusfluten« 1219, 1267 und 1362 an der Nordsee; die große S. 1634, die die Insel Nordstrand zerstörte; die Neujahrsflut 1855, in der Alt-Wangerooge unterging; zuletzt die S.-Katastrophen 1953 an der niederländ. Küste und 1962 in der Dt. Bucht.

Sturmgeschütz, im 2. Weltkrieg verwendetes Panzerfahrzeug ohne Turm mit starr eingebauter Kanone (meist 7,5 cm) zur Panzerabwehr und Unterstützung der Infanterie.

Sturmhaube, ein →Helm.

Sturm und Drang [nach dem Drama »S. u. D.« (1776) von F. M. Klinger] (Geniezeit), von etwa Mitte der 1760er-Jahre bis etwa 1790 reichende Bewegung der →deutschen Literatur.

Sturmvögel (Procellariidae), Familie der Röhrennasen mit schmalen Flügeln, die sie zu ausdauerndem Segelflug befähigen; einige können gut tauchen. Der äußere Nasengang ist zu einer dem Schnabel aufliegenden Röhre verlängert. S. brüten in Felsklüften oder Höhlen, selten frei. Die 38 cm große **Kaptaube** (Daption capensis) bevorzugt südl. Meere. Im Bereich der Nordsee brütet der bis

Sturmvögel: Eissturmvögel (bis zu 50 cm Länge)

50 cm große **Eis-S.** (Fulmarus glacialis). Im Nordatlantik und Mittelmeer ist der **Schwarzschnabel-S.** (**Schwarzschnabelsturmtaucher,** Puffinus puffinus) verbreitet.

Štursa ['ʃtursa], Jan, tschech. Bildhauer, * Nové Město na Moravě (Südmähr. Gebiet) 15. 5. 1880, † (Selbstmord) Prag. 2. 5. 1925; setzte sich mit Symbolismus und Jugendstil auseinander und gelangte zu einem lyr. Neoklassizismus; Denkmäler, Bauplastik, Porträtbüsten und Statuen.

Jan Štursa: »Appassionato«, Kalkstein (1906; Prag, Národní Galerie)

Sturz, *Bautechnik:* der Träger über einer Wandöffnung.

Sturz, Helfrich Peter, Schriftsteller, * Darmstadt 16. 2. 1736, † Bremen 12. 11. 1779; stand 1768–72 in dän. Diensten, seit 1775 oldenburg. Staatsrat; gehörte zum Kreis um F. G. Klopstock in Kopenhagen. Seine Briefe über eine Reise nach England und Frankreich sowie seine Essays über den Grafen J. H. E. von Bernstorff, Klopstock, Rousseau u. a. zeichnen sich durch Klarheit und Eleganz des Stils aus.

Sturzbecher, fußloser Trichterbecher, der, leer getrunken, mit der Öffnung nach unten abgestellt (»gestürzt«) wurde.

Stürze, der Schalltrichter der Blechblasinstrumente.

Sturzflug, *Flugtechnik:* steiler Bahnneigungsflug (mehr als 30% gegenüber der Horizontalen) mit starker Geschwindigkeitszunahme.

Sturzhelm, veraltete Bez. für → Schutzhelm.

Sturzo (Don S.), eigtl. Luigi Boscarelli, italien. Priester und Politiker, * Caltagirone (Prov. Catania) 26. 11. 1871, † Rom 8. 8. 1959; Vorkämpfer des polit. Katholizismus, gründete 1919 den Partito Popolare Italiano (bis 1923 dessen Gen.-Sekr.), ging als Gegner des Faschismus ins Exil, beeinflusste stark die Democrazia Cristiana.

Sturzsee, *Meereskunde:* winderzeugte Wasserwelle, Brecher.

Stutbuch, Register für männl. und weibl. Zuchtpferde mit Stammtafeln.

Stute, weibl. Pferd, Esel, Zebra, Kamel.

Stuttgart, 1) RegBez. in Bad.-Württ., 10558 km², (1996) 3,862 Mio. Ew.; umfasst die Stadtkreise S. und Heilbronn sowie die Landkreise Böblingen, Esslingen, Göppingen, Heidenheim, Heilbronn, Hohenlohekreis, Ludwigsburg, Main-Tauber-Kr., Ostalbkr., Rems-Murr-Kr. und Schwäbisch Hall.

2) Hauptstadt des Landes Bad.-Württ., Stadtkreis und Verw.sitz des RegBez. S., 585600 Ew.; liegt in einem nach NO zum Neckar geöffneten Talkessel, 245 m ü. M.; reicht mit seinen Vororten bis auf die Höhen des Strohgäus, der Filder und des Schönbuchs. S. ist Sitz der Landesreg. sowie vieler Landes-, Bundes- u. a. Behörden sowie Zweitsitz des kath. Bischofs von S.-Rottenburg; Oberfinanzdirektion, Staatsgerichtshof, Verwaltungsgericht, Landessozialgericht; Süddt. Rundfunk; Staatl. Münze; zwei Univ., Staatl. Hochschule für Musik und Darstellende Kunst, Staatl. Akademie der bildenden Künste, FH für Technik, für Druck, für Bibliothekswesen, private FH für Design (Merz-Akademie), kath. Akademie; Max-Planck-Institute für Metallforschung und für Festkörperforschung, Dt. Forschungsanstalt für Luft- und Raumfahrt, Bundesforschungsanstalt für Ernährung; Landesmuseum, Staatsgalerie, Städt. Galerie, Museum für Völkerkunde (Linden-Museum), Museum für Naturkunde (im Schloss Rosenstein), Landesgewerbemuseum, Bibelmuseum, Daimler-Benz-Museum, zoologisch-botan. Garten »Wilhelma«, Landesbibliothek, Hauptstaatsarchiv, Württemberg. Staatstheater u. a. Theater, »Liederhalle«, Sternwarte und Planetarium. – Führend in der Ind. sind Fahrzeugbau und die Elektrotechnik, weiterhin bed. Maschinenbau, Feinmechanik und Optik (Kodak), Papierverarbeitung, Textil- und Bekleidungs-, Nahrungs- und Genussmittelind.; zahlr. Druckereien und Verlage; Kongress- und Tagungsort mit lebhaftem Fremdenverkehr; Fachmessen in den Ausstellungsgebäuden des Höhenparks Killesberg. Daneben hat S. bed. Obst- und Weinbau. Mineralquellen in den Stadtteilen Bad Cannstatt und Berg. Großes Volksfest Cannstatter Wasen. Internat. Flughafen in Leinfelden-Echterdingen; Hafen am kanalisierten Neckar.

Stadtbild: Altes Schloss (Kern 13./14. Jh., 1553 umgebaut); Alte Kanzlei (1543), Prinzenbau (17./18. Jh.; Justizministerium), Stiftsfruchtkasten (1592), Schillerdenkmal (1839, von B. Thorvaldsen) und Stiftskirche (14./15. Jh., nach Kriegszerstörung nur der Chor 1953 rekonstruiert, das Langhaus wurde 1958 modern aufgebaut); Neues Schloss (1746 begonnen, heute Ministerien); spätgot. Kirchen St. Leonhard (1463–74) und Dominikaner-(Hospital-)Kirche (1471–93); evang. Erlöserkirche (1907, von T. Fischer); neoklassizist. Großes Haus

Sturzbecher aus Augsburg (Ende 16. Jh.; Kassel, Staatliche Kunstsammlungen)

Stuttgart 2): Blick auf die im Stadtzentrum gelegenen Schlossanlagen; das im 16. Jh. gestaltete Alte Schloss mit seinen runden Ecktürmen (linke Bildhälfte) geht auf das 13. Jh. zurück, das schräg gegenüberliegende Neue Schloss stammt aus dem 18. Jh., es ist heute Sitz verschiedener Ministerien; zwischen dem Neuen Schloss und dem Großen Haus des Staatstheaters (rechter Bildrand) liegt der Flachbau des baden-württembergischen Landtags

Stuttgart 2) Stadtwappen

(1907–12 als Königl. Oper erbaut, 1956 modernisiert, originale Dekoration 1983/84 rekonstruiert); Hauptbahnhof (1913–27, von P. Bonatz); Weißenhofsiedlung (1926–27, u.a. von Mies van der Rohe, Le Corbusier, W. Gropius), Fernsehturm in S.-Degerloch (1954–55), »Liederhalle« (1954–56, von R. Gutbrod u.a., 1993ff. Erweiterung zum Kongresszentrum); Staatsgalerie (1838–42 erbaut, 1977–84 von →J. Stirling erweitert), Kulturzentrum am Rotebühlplatz (1992 fertig gestellt). Im Stadtteil **Hohenheim** klassizist. Schloss (1785–97, heute Univ.). Westlich von S. das Lustschloss →Solitude.

Geschichte: S. entstand aus einem herrschaftl. Gestüt (vor 950); seit 1160 bezeugt, seit 1286 als Stadt; seit 14. Jh. Mittelpunkt der Grafschaft Württemberg (seit 1482 Hptst. und Residenz), 1492 geschriebenes Stadtrecht. – Das 1905 eingemeindete **Cannstatt** (708 erstmals erwähnt, 1330 Stadtrecht, seit 1933 »Bad«) fußt auf einem röm. Kastell (85 n. Chr. gegründet).

📖 *S. damals – S. jetzt, bearb. v.* H. SCHUKRAFT. *Stuttgart 1994. – S. Unter den Dächern der Stadt, bearb. v.* P. LORENZ. *Leinfelden-Echterdingen 1995.*

Stuttgarter Hundeseuche, →Kanikolafieber.

Stuttgarter Liederhandschrift, →Weingartner Liederhandschrift.

Stuttgarter Schuldbekenntnis, am 19. 10. 1945 vom Rat der EKD vor Vertretern der ökumen. Bewegung abgegebene Erklärung, in der die evang. Kirchen ihre Schuld im Zusammenhang mit den Vorgängen während des Nationalsozialismus in Dtl. öffentlich bekannten; wurde 1947 vom Bruderrat der Bekennenden Kirche durch das **Darmstädter Wort** (»Wort zum polit. Weg unseres Volkes«) ergänzt.

Stutzen, 1) *Männertracht:* kurzer, wollener Wadenstrumpf (ohne Füßlinge), bes. bei alpenländ. Männertrachten.

2) *Technik:* kurzes Ansatzrohrstück.

Stützenwechsel, *Baukunst:* im Langhaus roman. Basiliken der rhythm. Wechsel von Pfeiler und Säule (Rhein. S.), auch von einem Pfeiler und zwei Säulen (Sächs. Stützenwechsel).

Stutzer, *Herrenkleidung:* halblanger, zweireihiger Herrenmantel der 1920er-Jahre, wiederbelebt als Automantel.

Stützgewebe, bei Tieren und beim Menschen das →Bindegewebe, das dem Organismus Festigkeit und Stütze gibt; bei Pflanzen Dauergewebe aus Zellen mit verstärkten, oft verholzten Wänden.

Stutzkäfer (Histeridae), artenreiche Familie meist fast scheibenförmiger, harter, 0,7–20 mm langer Käfer. Die überwiegend glänzend schwarzen S. haben abgestutzte Flügeldecken; die kurzen Fühler sind knieförmig gebogen.

Stützmauer, Bauwerk zum Ableiten des Drucks von Erdmassen in den Untergrund.

Stützungskäufe, i. w. S. alle Käufe (v. a. durch staatl. Institutionen), die darauf abzielen, durch vermehrte Nachfrage den Marktpreis zu stabilisieren; i. e. S. Käufe der Notenbank auf dem Devisenmarkt, um den Kurs einer Währung zu stabilisieren.

Stützweite, *Bautechnik:* →Spannweite.

Stützwurzeln (Stelzwurzeln), den Stamm seitlich abstützende, sprossbürtige Luftwurzeln, bes. bei Mangrovebaum- und Schraubenbaumarten.

Stuyvesant ['stœjvəzant], Petrus (Peter), niederländ. Kolonialpolitiker, *Scherpenzeel (heute zu Weststellingwerf, Prov. Friesland) um 1610, †New York Febr. 1672; wurde 1643 Gouv. von Curaçao, 1646 Generaldirektor der Kolonie Neu-Niederland, der er 1655 das Gebiet Neu-Schweden angliederte; musste 1664 die Kolonie den Engländern übergeben.

StVG, Abk. für **Str**aßen**v**erkehrs-**G**esetz.

StVO, Abk. für **Str**aßen**v**erkehrs-**O**rdnung.

StVZO, Abk. für **Str**aßen**v**erkehrs-**Z**ulassungs-**O**rdnung. (→Straßenverkehrsrecht)

Styling ['staɪlɪŋ, engl.] *das,* äußere Formgebung, Design, Gestaltung.

Styliten [grch.] (Säulenheilige), Asketen, die ihr Leben auf einer Säule (grch. stylos) verbrachten, um Gott näher zu sein (z.B. Symeon, der Stylit, d.Ä., *389/390?, †459).

Stylobat [grch.] *der,* oberste Stufe des Stufenunterbaus (Krepis) beim grch. Tempel.

Stylolith [grch.] *der,* längsseits geriefter Zapfen in Kalksteinen, durch Drucklösung entstanden (Drucksutur).

Stymphalischer See, Karstsee im NO von Arkadien, Griechenland, 3,26 km² (im Herbst größtenteils ausgetrocknet). Nach *grch. Mythos* lebten hier die **stymphalischen Vögel,** die ihre Federn wie Pfeile auf Menschen abschießen konnten; sie wurden von Herakles erlegt oder verjagt.

Styraxbaum (Storaxbaum, Styrax), Gattung der S.-Gewächse in den Tropen und Subtropen (mit Ausnahme Afrikas); immergrüne oder Laub abwerfende Sträucher oder Bäume, u.a. der **Benzoebaum** (Styrax benzoin) in Hinterindien und im Malaiischen Archipel (liefert ein festes Benzoeharz) und der **Echte S.** (Styrax officinalis) in S-Europa und Kleinasien (lieferte früher das Balsamharz Storax).

Styrol *das* (Vinylbenzol, Phenyläthylen), ungesättigter, aliphatisch-aromat. Kohlenwasserstoff, der u.a. im Steinkohlenteer und in Pyrolyseprodukten des Erdöls vorkommt. S. ist eine farblose, schon bei Raumtemperatur leicht polymerisierende Flüssigkeit, die durch Dehydrierung von Äthylbenzol an Eisenoxidkatalysatoren bei etwa 600°C technisch hergestellt wird. Es ist ein wichtiges Monomer zur Herstellung von thermoplast. Kunststoffen (z.B. Polystyrol) und Synthesekautschuk.

Styron ['staɪərən], William, amerikan. Schriftsteller, *Newport News (Va.) 11. 6. 1925; steht in der Erzähltradition des Südens (W. Faulkner, T. Wolfe); gestaltet die Verstrickungen willensstarker, letztlich scheiternder Individuen (»Geborgen im Schoße der Nacht«, R., 1951; »Die Bekenntnisse des Nat Turner«, R., 1967; »Sophies Wahl«, dt. auch u.d.T. »Sophies Entscheidung«, R., 1979, verfilmt); autobiographisch ist »Sturz in die Nacht. Die Geschichte einer Depression« (1990).

Styropor® *das,* Handelsname für einen →Schaumkunststoff aus Polystyrol bzw. Styrol-Copolymerisaten.

Štyrský ['ʃtirski:], Jindřich, tschech. Maler und Grafiker, *Čermná (bei Trutnov) 11. 8. 1899, †Prag 21. 3. 1942; 1934 Mitbegründer der Prager Surrealistengruppe; entwickelte den lyrisch geprägten »Artifizialismus«, bei dem sich geometr. Abstraktion und surrealist. Elemente verbinden.

Styx *der, grch. Mythos:* die älteste Tochter des Oceanos und ein nach ihr benannter Fluss in der Unterwelt. Beim S. schwören die Götter die unverbrüchl. Eide.

Suada [lat.] *die* (Suade), Redefluss.

Suaheli [arab.] (Swahili), **1)** islamisierte Mischbev. in den ostafrikan. Küstengebieten zw. Somalia und Moçambique. – Eine besondere, von Arabien, Indien und Persien beeinflusste **S.-Kultur** prägte sich während des europ. MA. zuerst auf der Inselgruppe Lamu aus. Sie wurde durch den Islam getragen und konzentrierte sich auf Handelsstädte, anfangs v.a. auf Kilwa (12.–15. Jh.) und Sofala, später auch auf Mombasa. Eine polit. Einheit gewann sie nach 1840 im Sultanat Sansibar.

2) (Kisuaheli, Kiswahili) die Sprache der Suaheli, gehört zu den Bantusprachen und hat viele Fremdwörter, bes. aus dem Arabischen, im 20. Jh. auch aus dem Englischen, aufgenommen; urspr. mit arab., heute durchweg mit lat. Schrift geschrieben. S. wurde weithin Verkehrs-, in Tansania und Kenia Amtssprache. Das Standard-S. ist aus dem Unguja-Dialekt von Sansibar hervorgegangen; daneben gibt es an der Küste und im Inland etwa 30 Dialekte. Das S. wird heute von rd. 30 Mio. Menschen gesprochen und ist neben dem Hausa die bedeutendste Verkehrssprache Afrikas.

Suakin (arab. Sawakin), Stadt in der Rep. Sudan, am Roten Meer, 8000 Ew.; früher Transithafen für den Pilgerverkehr nach Mekka; bis zur Gründung von Port Sudan (1906) wichtigster afrikan. Hafen am Roten Meer; in der Nähe Erdgasvorkommen.

Suárez ['sʊarɛθ], Francisco, span. Philosoph und Theologe, *Granada 5. 1. 1548, †Lissabon 25. 9. 1617; seit 1564 Jesuit; bedeutendster Vertreter der span. Barockscholastik. Sein philosoph. Hauptwerk sind die »Disputationes metaphysicae« (1597), die erste systematisch aufgebaute Gesamtdarstellung der Metaphysik, die an den kath. und den prot. Univ. Dtl.s einen bed. Einfluss gewann. Seine moral- und rechtsphilosoph. Schriften sind ein Höhepunkt des spätscholast. Naturrechts.

Suárez González ['su̯arɛð gɔn'θalɛθ], Adolfo, span. Politiker, *Cebreros (Prov. Ávila) 25. 9. 1932; leitete nach dem Tod Francos (1975) als MinPräs. (1976–81) die Demokratisierung Spaniens ein, führte 1977–81 die Union des Demokrat. Zentrums (UCD), gründete 1982 das Demokratisch-

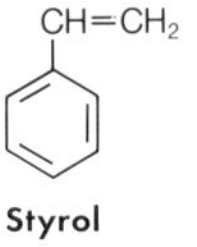

Styrol

William Styron

Francisco Suárez (zeitgenössische Darstellung)

Adolfo Suárez González

Soziale Zentrum (CDS), dessen Vorsitzender er bis 1991 war.

sub... [lat.], unter..., unterhalb, niedriger als.

subaltern [lat.], untergeordnet, ohne eigene Verantwortung.

subantarktische Zone, die südl. →Subpolarzone.

subaquatisch, unter Wasser entstanden oder auftretend.

subarktische Zone, die nördl. →Subpolarzone.

subatomar, kleiner als die Atome.

Subdominante (Unterdominante), *Musik:* die 4. Stufe einer Dur- oder Molltonleiter; auch der über diesem Ton errichtete Dur- bzw. Molldreiklang (in C-Dur f–a–c).

Subduktion [lat.] *die, Geologie:* das Abtauchen von Erdkruste in den Erdmantel. In der →Plattentektonik sind **S.-Zonen** Gebiete, in denen eine Lithosphärenplatte unter eine andere absinkt; oft aktive Erdbebengebiete.

Suberinsäure, die →Korksäure.

subfossil, *Biologie:* in histor. Zeit ausgestorben. Pleistozäne Fossilien gelten als s., wenn sie rezenten Formen phänotypisch und phylogenetisch sehr nahe stehen (viele Schneckenarten).

subglazial, *Geologie:* unter dem Eis entstanden oder auftretend. Subglaziale Erscheinungen sind z.B. Schmelzwässer, Gletschermühlen, -schliffe, Grundmoränen.

Subiaco: Die Fresken der Kirche des Klosters Sacro Speco (San Benedetto) stammen aus dem 13.–15. Jahrhundert

Subiaco, Stadt in der Prov. Rom, Italien, am Aniene, 9000 Ew. – Reste einer röm. Villa aus der Zeit Neros; älteste Teile der Burg (Rocca Abbaziale) aus dem 11. Jh.; Benediktinerklöster: Santa Scolastica (Kirche im 10. Jh. gegr., 1769–76 im Innern völlig erneuert; roman. Campanile erhalten) und Sacro Speco (San Benedetto) mit Ober- und Unterkirche (Fresken des 13.–15. Jh.), Kapelle und Grotte (Fresken des 8./9. Jh.).

subito [italien.], musikal. Vortragsbezeichnung: plötzlich, schnell.

Subjekt [lat.] *das,* **1)** *Musik:* das Thema der →Fuge.

2) *Philosophie:* v.a. in der an Aristoteles orientierten Tradition Bez. für den substanziellen Träger (das Substrat) von Zuständen, Eigenschaften und Wirkungen; im heutigen, erkenntnistheoret. Sinn das »Ich«, das einem »Nicht-Ich« oder Objekt, auf das sich sein Denken oder Handeln ausrichtet, gegenübersteht.

3) *Sprachwissenschaft:* Satzgegenstand (ÜBERSICHT Syntax).

subjektiv [lat.], von persönl. Wertungen bestimmt; einseitig, voreingenommen.

subjektives Recht, →Recht.

Subjektivismus [lat.] *der, Philosophie:* die Lehre, dass Form und Inhalt des Erkennens vom Subjekt bestimmt, d.h., die Gegenstände von ihm erzeugt und Sachverhalte als wirklich und im eth. Sinne als gut bestimmt werden; hierbei wird das Subjekt als reines Denken, Bewusstsein überhaupt oder als Einzelbewusstsein verstanden. Extremformen sind →Solipsismus und →Egoismus.

Subjekt-Objekt-Problem, zentrales Problem der Erkenntnistheorie und des abendländ. Denkens überhaupt, das in der Frage besteht, wie die prinzipiell zweigliedrige Relation zw. (erkennendem) Subjekt und (zu erkennendem bzw. erkanntem) Objekt (Gegenstand) zu bestimmen ist sowie ob und gegebenenfalls inwieweit das Subjekt im Erkennen aktiv Einfluss auf das Objekt nimmt und dieses somit verändert. Die Geschichte der Philosophie führte zu einer Unterscheidung zw. (erkenntnistheoret.) Idealismus und Realismus, je nachdem, ob das Objekt als abhängig oder als unabhängig von dem erkennenden Subjekt angesehen wird. In der modernen Naturwiss., insbesondere durch die →Kopenhagener Deutung der Quantenphysik, wird nur noch ein method. Dualismus von Subjekt und Objekt angenommen, den andere Interpreten (K. Popper, D. Bohm u.a.) jedoch weiterhin als realen ansehen.

Subjektsatz, Nebensatz, der ein Subjekt vertritt.

Subjunktion [lat.] *die, Logik:* die Verknüpfung zweier Aussagen A und B zu einer neuen Aussage der Form »Wenn A, dann B« mittels des Junktors der Bedingung (Subjunktor). Die S. muss als Verknüpfung von Aussagen unterschieden werden von der **Implikation** als einer Metaaussage, die die Beziehung der Folgerung zw. einer Reihe von Hypothesen und einer These bezeichnet.

Subkontinent, größerer Teil eines Erdteils, der aufgrund seiner besonderen Gestalt (halbinselartige Abgliederung) als selbstständige Einheit betrachtet werden kann, z. B. Vorderindien, Arabien.

Subkultur, *Soziologie:* relativ eigenständige Kultur einer kleinen Gruppe innerhalb eines größeren Kulturganzen, die durch eine erhöhte Gruppensolidarität gekennzeichnet und durch ein eigenes Normen- und Wertesystem, Schichtzugehörigkeit, Berufs-, Alters-, Geschlechtsstruktur, regionale Verteilung sowie besondere Lebens- und Verhaltensweisen geprägt ist. Von den durch Ausgrenzung (z. B. von Obdachlosen, Drogenabhängigen) entstandenen unfreiwilligen Formen der S. sind solche einer **Gegenkultur** zu unterscheiden, die bewusst eine der dominierenden Gesellschaft entgegengesetzte Lebensform pflegen.

subkutan [lat.], *Anatomie, Medizin:* unter der Haut liegend oder unter die Haut erfolgend (z. B. Injektionen).

sublim [lat. »in die Höhe gehoben«, »erhaben«], nur mit großem Feinsinn wahrnehmbar, verständlich; von feinem Verständnis zeugend.

Sublimat *das, Chemie:* alte Bez. für Quecksilber(II)-chlorid, $HgCl_2$ (→Quecksilber).

Sublimation *die,* der unmittelbare Übergang eines festen Stoffes in den gasförmigen Zustand (oder umgekehrt) bei der **S.-Temperatur (S.-Punkt).** Die dazu erforderl. Wärmemenge ist die **S.-Wärme (S.-Enthalpie).** Das Ergebnis der Rückverwandlung (Kondensation) des Gases in den festen Zustand heißt **Sublimat.**

Sublimierung, *Psychoanalyse:* nach S. Freud Bez. für einen Abwehrmechanismus, der in der Umwandlung unbewusster sexueller Triebimpulse in geistige oder kulturelle Leistungen besteht.

Subluxation, *Medizin:* unvollständige Verrenkung (Luxation).

submarin [lat.], untermeerisch entstanden oder auftretend.

submers [lat. submersus »untergetaucht«], unter der Wasseroberfläche lebend (z. B. Pflanzen).

Submersion *die, Geologie:* Untertauchen des Festlandes unter den Meeresspiegel durch Senkung der Küste oder Ansteigen des Meeresspiegels.

Submission, Ausschreibung und Vergabe öffentl. Aufträge (→Verdingung).

subnival, 1) unter oder durch Schnee entstanden; 2) der unter der Schneegrenze liegende oder an die nivalen Gebiete sich anschließende Bereich (z. B. die Tundra).

Subordination, 1) *allg.:* Unterordnung; Ggs. Koordination.

2) *veraltend:* Unterordnung, Gehorsam.

Subotica ['subɔtitsa], Stadt in der Wojwodina, Jugoslawien, in der Ebene zw. Donau und Theiß, 100 200 Ew.; kath. Bischofssitz; Wirtschafts- und Rechtshochschule; Handelsplatz in der nördl. Batschka, nahe der Grenze zu Ungarn; Museum; Landmaschinen-, Elektromotoren-, Motorradbau, Textil-, Leder- u. a. Industrie.

Suboxide, unsystemat. Bez. für oft nicht stabile Oxide der Elemente, die weniger Sauerstoff enthalten, als ihrer üblichen Wertigkeit entspricht, z. B. Kohlenoxid (CO).

Subpolarzonen, die Klimazonen, die den Übergang von den gemäßigten zu den Polarzonen bilden, etwa zw. 60° und 70° nördl. und südl. Breite, mit polaren Ostwinden, geringen Niederschlägen und kurzen, kühlen Sommern; auf der Nordhalbkugel (subarkt. Zone) stärker ausgeprägt als auf der Südhalbkugel (subantarkt. Zone).

Subrosion [lat.] *die,* unterird. Auslaugung und Lösung von Salzen oder Gips durch Grundwasser.

subsidiär [lat.], unterstützend; behelfsmäßig.

Subsidiarität *die,* als Fall einer Gesetzeskonkurrenz das Zurücktreten (der Nachrang) einer von mehreren anwendbaren Rechtsnormen (subsidiäre Rechtsnorm) kraft ausdrückl. oder durch Auslegung zu ermittelnder gesetzl. Anordnung.

Subsidiaritätsprinzip, 1) *kath. Kirche:* →Soziallehren der christlichen Kirchen.

2) *Recht:* der Grundsatz, dass eine gesellschaftl. oder staatl. Aufgabe soweit möglich von der jeweils unteren (kleineren) Einheit wahrgenommen wird, z. B. im Verhältnis von Staat und Gemeinde. Im europ. Gemeinschaftsrecht soll das S. die Verteilung der Regelungszuständigkeit zw. der EU auf der einen und den Mitgliedsstaaten auf der anderen Seite bestimmen und dabei einen übertriebenen europ. Zentralismus sowie eine unnötige Regelungsdichte verhindern. Der Maastrichter Vertrag über die Europ. Union nahm das S. als allg. Maxime in die Verträge auf. Art. 3b EG-Vertrag bestimmt, dass die Gemeinschaft in Bereichen, die nicht in ihre ausschl. Zuständigkeit fallen, nach dem S. nur tätig wird, sofern und soweit die Ziele der in Betracht gezogenen Maßnahmen auf der Ebene der Mitgliedsstaaten nicht ausreichend erreicht werden können.

Subsidilen [lat.], im MA. Steuern, später Hilfsgelder, die ein Staat einem anderen aufgrund eines Vertrages **(S.-Vertrag)** zur Verfügung stellt.

Subsistenz [lat.] *die, Philosophie:* das »durch sich und aus sich selbst Bestehen« der →Substanz.

Subsistenzwirtschaft, durch niedriges Entwicklungsniveau der Produktionstechnik und geringe Arbeitsteilung gekennzeichnete landwirtsch. Wirtschaftsform, bei der Produzenten (Großfamilie, Dorfgemeinschaft) weitgehend nur für den Eigenverbrauch (und nicht für den Markt) produzieren; heute v. a. in Entwicklungsländern.

Subskription [lat.] *die,* 1) *Bankwesen:* →Emission.

2) *Buchhandel:* das seit dem 18. Jh. bekannte Verfahren, für ein Werk schon vor seinem Erscheinen

Bestellungen zu sammeln (bes. bei mehrbändigen Werken). Um den Anreiz zu erhöhen, wird der S.-Preis meist um mindestens 15% niedriger bemessen als der spätere Ladenpreis. Der **Subskribent** verpflichtet sich, das Werk komplett abzunehmen.

Subspecies [lat.] *die* (Subspezies), Abk. **ssp.**, *Biologie:* die →Unterart.

Substantiv [lat.] *das* (Nennwort, Hauptwort, Dingwort), eine Wortart, die Gegenständliches (Lebewesen, Dinge) und Nichtgegenständliches (Gedachtes, Begriffliches) bezeichnet. Danach unterscheidet man Konkreta (einschl. Namen) und Abstrakta. Nach den Regeln der dt. Rechtschreibung werden S. mit großem Anfangsbuchstaben geschrieben. Das S. gehört zur Kategorie der Nomen, es ist deklinierbar und die Beziehungen des S. im Satz werden durch die →Deklination geregelt; es kann als Subjekt, Objekt, Attribut, Apposition, Prädikativum oder innerhalb einer adverbialen Bestimmung fungieren. In der dt. Sprache gehört zum S. der →Artikel, durch den das grammat. Geschlecht (Genus) festgelegt ist. Eine Besonderheit des Deutschen ist die Möglichkeit der fast unbeschränkten Neubildungen mittels Zusammensetzungen. Durch **Substantivierung** können andere Wortarten (meist Verben oder Adjektive) zu S. werden, z.B. das Singen, alles Gute.

Substanz [lat.] *die,* **1)** *allg.:* Stoff, Materie, Material; das Vorhandene (Grundstock an Vermögen, verfügbare Kräfte); das Wesentliche, Wichtige; das den Wert oder den Gehalt Ausmachende.

2) *Philosophie:* Fundamentalbegriff der Ontologie: S. bzw. substanzielles Sein ist das, was ein jedes in sich und für sich selbst ist (Aristoteles, Descartes), das im Wechsel der Erscheinungen Beharrende, das im Ggs. zu den Akzidenzien (→Akzidens) unabhängig existiert (→Ens). Auch Gott, das Absolute oder das allen Dingen immanente Wesen gelten als S. (→Spinoza). Versch. moderne Denkrichtungen haben den S.-Begriff vollkommen oder zugunsten einer dynam. Auffassung von Wirklichkeit oder Existenz als Bewegung und Tätigsein aufgegeben.

Substanzsteuern, Steuern, deren Bemessungsgrundlagen (im Ggs. zu Ertrag- und Verkehrsteuern) an Roh- oder Reinvermögensgrößen (Substanz) und nicht am laufenden Einkommen bzw. Ertrag anknüpfen, z.B. Vermögen-, Grund- und Gewerbekapitalsteuer.

Substanzwert (Reproduktionswert), im Rahmen der Bewertung eines Unternehmens die Summe der Wiederbeschaffungswerte (Tageswerte) aller bilanzierungsfähigen Vermögensteile eines Unternehmens nach Abzug der Verbindlichkeiten. Der S. gibt an, welcher Betrag aufgewendet werden müsste, um ein vergleichbares Unternehmen mit gleicher Leistungsfähigkeit zu errichten.

Substitut *der, Wirtschaft:* Assistent oder Vertreter eines Abteilungsleiters im Einzelhandel.

Substitution [lat. »Ersetzung«] *die,* **1)** *allg.:* Ersatz, Einsetzung.

2) *Chemie:* der Austausch von Atomen oder Atomgruppen in einem (meist organ.) Molekül durch gleichwertige andere **Substituenten** unter Erhaltung des gesamten übrigen Atomgerüsts einer chem. Verbindung. S. sind u.a. →Hydrolyse, →Friedel-Crafts-Reaktion und →Veresterung.

3) *Mathematik:* das Ersetzen einer oder mehrerer Größen durch eine oder mehrere andere zur Berechnung oder Vereinfachung mathemat. Ausdrücke, z.B. bei der Integralrechnung.

4) *Psychologie:* Austausch eines Triebobjektes gegen ein Ersatzobjekt, wenn die Triebbefriedigung anders unmöglich ist.

5) *Recht:* österr. für Nacherbschaft.

6) *Sprachwiss.:* Austausch oder Ersatz sprachl. Elemente; dient als sprachwiss. Grundoperation (Ersatzprobe) der Identifizierung, Segmentierung und Klassifizierung sprachl. Einheiten.

7) *Wirtschaft:* Ersetzung von Gütern und Produktionsfaktoren **(S.-Güter, substitutive Güter)** durch andere, die denselben Zweck erfüllen. Die Ersetzbarkeit eines Gutes wird **Substitutionalität** genannt. Ausgelöst werden S. u.a. durch techn. Entwicklungen oder Preisverschiebungen; sie sind auf positive **S.-Effekte** (Kostensenkung, Qualitäts- und Gebrauchswertsteigerung) gerichtet.

Substitutionsrecht, das Recht eines Bevollmächtigten zur Erteilung einer (Unter-)Vollmacht.

Substitutionstherapie, 1) der medikamentöse Ersatz eines vom Körper selbst nicht mehr ausreichend gebildeten Stoffes, z.B. eines Hormons; 2) ärztlich kontrollierte, i.d.R. ambulante Therapie mit Abhängigkeitskranken vom Opiattyp unter Verwendung sog. Ersatzdrogen (Substitute; verwendet werden z.B. das Opiumalkaloid Codein und das Methadon). S. wird aufgrund medizin. und sozialer Indikation durchgeführt, v.a. zur Verbesserung des Gesundheitszustandes und der Lebensverhältnisse.

Substrat [mlat. »Unterlage«] *das,* **1)** *allg.:* Grundlage, Basis.

2) *Biologie:* a) Nährboden, Nährmedium, bes. für Mikroorganismen; b) Bez. für die Verbindung, die durch ein Enzym umgesetzt wird.

3) *Chemie:* 1) Träger bestimmter physikal., chem. oder biolog. Eigenschaften; i.e.S. chem. Substanz, die bei einer enzymat. Reaktion von einem bestimmten Enzym umgesetzt wird; 2) unlösl., meist unbunter Stoff, der am Aufbau von Farblacken beteiligt ist (z.B. Metalloxid bei Krapplack).

4) *Sprachwiss.:* Sprachgut eines (besiegten) Volkes im Hinblick auf den Niederschlag, den es in der übernommenen oder aufgezwungenen Sprache (des Siegervolkes) gefunden hat; Ggs.: Superstrat.

Subsumtion [lat.] *die, Recht:* Unterordnung eines konkreten Sachverhalts unter eine Rechtsnorm.

subtil [lat.], fein, zart; scharfsinnig; spitzfindig.

Subtraktion [lat.] *die,* eine der vier Grundrechenarten, die Umkehrung der Addition, symbolisiert durch das Zeichen – (minus). Bei einer S. $a-b=c$ sind a der **Minuend,** b der **Subtrahend** und c die **Differenz.**

Subtropen, die Klimazonen, die den Übergang von den Tropen zu den gemäßigten Zonen bilden; gürtelförmig um die Erde angeordneter Bereich der Wüsten, warmen Steppen, Winterregengebiete und immerfeuchten sommerheißen Klimate zw. 20–40° nördl. und südl. Breite.

Suburbanisierung, *Siedlungsgeographie:* flächenhafte Ausbreitung städt. Siedlungsweise bzw. Bev. in das ländl. Umland. Die Abwanderung aus den Großstädten führt zur Verstädterung ländl. Gemeinden oder – bei Neugründung von Siedlungen – zur Entstehung von Satelliten- oder Trabantenstädten (→New Towns). →Stadt.

Subventionen [lat.], zweckgebundene Geldleistungen oder geldwerte Leistungen öffentl. Körperschaften an Unternehmen und Wirtschaftszweige, i. w. S. auch an private Haushalte (z. B. Sparförderung) ohne marktübl. Gegenleistung. Diese Transferzahlungen können in Form von Finanzhilfen einschließlich zinsgünstiger Darlehen **(direkte, offene S.)** oder in Form von Steuervergünstigungen o. Ä. **(indirekte, versteckte S.)** erfolgen. S. dienen als Instrument der Wirtschaftspolitik, v. a. der Struktur- und Konjunkturpolitik (z. B. Anregung von Investitionen und Abbau von Arbeitslosigkeit). S. sind in einer Marktwirtschaft umstritten, da sie Wettbewerbsbedingungen verfälschen, unrentable Unternehmen oder Produktionszweige begünstigen und dadurch die sinnvollste Verwendung der Produktionsfaktoren beeinträchtigen. In Dtl. verpflichtet § 12 des Stabilitäts-Ges. die Bundesreg., alle zwei Jahre einen **Subventionsbericht** vorzulegen. Hauptempfänger von S. sind in Dtl. Landwirtschaft, Bergbau, Werften u. a. Bereiche der Ind., Verkehrswesen und Wohnungsbau. Wegen der uneinheitl. begriffl. Abgrenzung schwanken die Angaben über den Umfang der S.: Das Gesamtvolumen der staatl. S. betrug nach dem S.-Bericht (1995) 116,2 Mrd. DM; davon entfielen 36,3 Mrd. DM auf den Bund, 54,1 Mrd. DM auf Länder und Gemeinden, 13,6 Mrd. DM auf das ERP-Sondervermögen und 12,2 Mrd. DM auf anteilige EU-Marktordnungsausgaben. Wirtschaftsforschungsinstitute errechneten ein Volumen von rd. 150 Mrd. DM. Wegen ihres Umfangs und ihrer teilweise umstrittenen Wirkung (»Mitnahmeeffekte«, S.-Betrug) werden immer wieder Forderungen nach S.-Abbau erhoben, aber nur sehr zögerlich umgesetzt.

Subversion [lat.] *die,* auf Umsturz der bestehenden Ordnung zielende Tätigkeit (meist im Verborgenen).

Succinit [lat.] *der,* →Bernstein.

Suceava [su'tʃeava], Hptst. des Bezirks S., NO-Rumänien, 108 000 Ew.; Zentrum der rumän. Bukowina; PH, Kreismuseum; Maschinenbau, Holz-, Papier- u. a. Ind.; internat. Flughafen. – Ruine der Burg der Moldaufürsten (15. Jh.); Miraużikirche (frühere Krönungskirche, im Kern um 1400), Kirche des Georgsklosters (1514–22; mit Wandmalereien von 1527–34), Demetriuskirche (1534/35, Glockenturm 1561), Kloster Zamca der armen. Kolonie (1551, Kirche in moldauischer Tradition). – Im 14. Jh. als Marktflecken gegr., 1388 stark befestigt; 1375–1565 Hptst., ab 1401 Sitz des Metropoliten der Moldau.

Suchbaumstruktur, *Datenverarbeitung:* Gliederungsprinzip von Datenmengen, meist von Datenbanken, zum schrittweisen Auffinden spezieller Daten. Man geht dabei von allg. Oberbegriffen aus und folgt meist einer Reihe von jeweils mehreren angebotenen Verzweigungen. Die dabei erzeugte hierarch. Struktur von »Knoten« und »Kanten« bildet einen sog. Suchbaum.

Suche-Bator [suxə-] (Suhe-Bator), Hptst. des Aimak (Prov.) Selenga im N der Mongolei, am Orchon, 5 km oberhalb seiner Mündung in die Selenga, 14 300 Ew.; Hafen und wichtiger Stapel- und Umschlagplatz an der Transmongol. Eisenbahn; Leder-, Streichholzfabrik.

Sucher, 1) *Fotografie:* Vorrichtung an Kameras zur Auswahl und Betrachtung des vom Objektiv erfassten Bildausschnitts.

2) *Optik:* kleines Hilfsfernrohr mit schwacher Vergrößerung und großem Gesichtsfeld, das zum leichteren Auffinden eines Gestirns am Beobachtungsfernrohr angebracht ist.

Suchoň ['suxɔɲ], Eugen, slowak. Komponist, * Pezinok (bei Preßburg) 25. 9. 1908, † Preßburg 5. 8. 1993. Sein Schaffen ist eng mit der slowak. Folklore verbunden; schrieb die Volksopern »Krútňava« (1949) und »Svätopluk« (1960) sowie Orchesterwerke (u. a. »Sinfon. Fantasie BACH«, 1972), Kammer- und Vokalmusik.

Suchona *die,* Quellfluss der Nördl. →Dwina, 558 km lang.

Sucht, die durch den Missbrauch von Rauschgiften, bestimmten Arzneimitteln und Alkohol zustande kommende zwanghafte psych. und phys. Abhängigkeit, die zu schweren gesundheitl. Schäden führen kann. Die S. ist gekennzeichnet durch

Südafrika

Fläche: 1 221 037 km²
Einwohner: (1995) 41,46 Mio.
Hauptstadt: Pretoria
Verwaltungsgliederung: neun Provinzen
Amtssprachen: Englisch, Afrikaans, Zulu, Xhosa, Tswana, Nord-Sotho, Süd-Sotho, Tsonga, Swasi, Ndebele, Venda
Nationalfeiertage: 27. 4. und 16. 12.
Währung: 1 Rand (R) = 100 Cents (c)
Zeitzone: OEZ

Staatswappen

ZA

Internationales Kfz-Kennzeichen

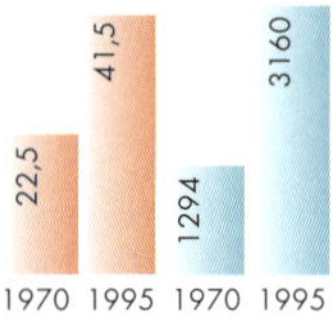

Bevölkerung (in Mio.)

Bruttosozialprodukt je Ew. (in US-$)

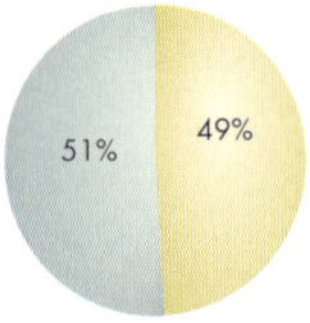

Bevölkerungsverteilung 1995

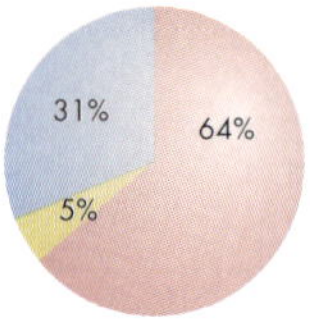

Bruttoinlandsprodukt 1995

ein unbezwingbares Verlangen zur fortgesetzten Einnahme mit der Tendenz zur Steigerung der Dosis sowie Entzugserscheinungen nach Abstinenz. Anstelle von S. wird inzwischen vielfach der von der Weltgesundheitsorganisation vorgeschlagene Begriff **Drogenabhängigkeit** verwendet.

Suchtkrankenhilfe (Drogenhilfe), Betreuung von Menschen, die durch Missbrauch, Gewöhnung oder Abhängigkeit von legalen oder illegalen Suchtmitteln (z.B. Rauschgifte, Alkohol, bestimmte Arzneimittel) oder »nicht stoffgebundene Verhaltensstörungen« (z.B. Ess-, Spiel-, Arbeitssucht) Probleme mit sich und ihrer Umwelt haben, die sie nicht selbst lösen können. Die S. umfasst Prävention (Prophylaxe), Beratung, Behandlung und Nachsorge in unterschiedl. Einrichtungen (z.B. Beratungsstellen, Kliniken, teilstationäre/teilambulante Hilfen, Selbsthilfegruppen).

Suchụmi, Hptst. der Rep. Abchasien innerhalb Georgiens, Hafen, Kurort und Seebad am Schwarzen Meer, 120 000 Ew.; Univ., PH, Forschungsinstitute, mehrere Museen und Theater, botan. Garten; Nahrungsmittel-, Tabak-, Lederwarenind., Obstkonservenfabriken. – Um eine röm. Festung des 1. Jh. n. Chr. entwickelte sich die Stadt **Sebastopolis;** im 16. Jh. von den Türken erobert, 1724 befestigt; 1810 zum Russ. Reich.

Sụcre, verfassungsmäßige Hptst. Boliviens (nicht Reg.sitz; Hptst.funktionen werden von → La Paz wahrgenommen) und Verw.sitz des Dep. Chuquisaca, im Bolivian. Bergland, 2 800 m ü. M., 131 000 Ew.; Sitz des Obersten Gerichtshofs, einer Univ. (gegr. 1624), eines kath. Erzbischofs, Kathedrale (um 1550–1712); Erdölraffinerie, Handelszentrum. – Die kolonialzeitl. Altstadt ist UNESCO-Weltkulturerbe. – S. wurde 1538 auf Befehl F. Pizarros gegründet.

Sụcre, Antonio José de, südamerikan. General und Politiker, *Cumaná (Venezuela) 3. 2. 1795, †Berruecos (bei Pasto, Kolumbien) 4. 6. 1830; wichtigster militär. Mitstreiter S. Bolívars (Sieg bei Ayacucho 1824), 1826–28 Präs. Boliviens, fiel einem Attentat zum Opfer.

Südạfrika (amtliche Namen: engl.: Republic of South Africa; afrikaans: Republiek van Suid-Afrika; Tswana: Republiki Ya Afrika Borwa; Zulu: Iriphabliki Yaseningizimu Afrika u. a.), Staat im S Afrikas, grenzt im N an Namibia und Botswana, im NO an Simbabwe, Moçambique und Swasiland, im O, S und W an den Ind. und Atlant. Ozean. Vom Staatsgebiet umgeben ist das Königreich Lesotho. Zu S. gehören die Prince Edward Islands (mit Marion Island) im südl. Ind. Ozean.

Staat und Recht: S. ist nach der am 27. 4. 1994 in Kraft getretenen vorläufigen Verf. eine parlamentar. Rep. mit präsidialem Reg.system. Staatsoberhaupt und Reg.chef ist der Staatspräs., der von der Nationalversammlung auf fünf Jahre gewählt wird. Die Legislative liegt beim Zweikammerparlament, bestehend aus der Nationalversammlung (400 auf fünf Jahre im Verhältniswahlsystem gewählte Abg.) und dem Senat, dessen 90 Mitgl. durch die Parlamente der Prov. entsandt werden. Beide Kammern bilden die verfassunggebende Versammlung. Die Zusammensetzung des Reg.kabinetts unter Vors. des Staatspräs. ist abhängig vom Parteienproporz des Parlaments. Eine am 8. 5. 1996 beschlossene neue Verf. (ab 1999 in Kraft) verankert wesentl. rechtsstaatl. Prinzipien (u. a. Grundrechte, Gewaltenteilung, Mehrparteiensystem). Zum breit gefächerten Parteienspektrum gehören u. a. der Afrikan. Nationalkongress (ANC), Inkatha-Freiheitspartei (IFP), Nat. Partei (NP), Freiheitsfront, Demokrat. Partei (DP).

Landesnatur: S. hat eine fast 3 000 km lange, wenig gegliederte Küste mit schmalem Küstentiefland. Den größten Teil des Landes nehmen Hochflächen ein, die im Hochveld 1200–1800 m ü. M. erreichen. Sie senken sich nach N zum Kalaharibecken, werden im W, S und O von der Großen Randstufe begrenzt, bes. ausgeprägt in den Drakensbergen (Champagne Castle 3 376 m ü. M.). Die Hauptflüsse Oranje, Vaal und Limpopo haben Bedeutung für die Bewässerung. Das Klima ist weitgehend randtropisch, im äußersten S mediterran geprägt; es wird durch den kalten Benguelastrom an der W- und den warmen Moçambiquestrom an der O-Küste beeinflusst. Die Niederschläge nehmen nach N und W hin ab; sie fallen meist im Sommer, im SW im Winter, an der O-Küste zu allen Jahreszeiten. Entsprechend geprägt sind die Vegetationszonen: an der O-Küste trop. Wälder und Bergwälder, auf dem Hochland Grasfluren und Savannen, nach W übergehend in Trocken- und Dornstrauchsavanne bis zur Wüste. Reste der einst reichen Tierwelt werden heute in Nationalparks geschützt; der größte ist der Krüger-Nationalpark.

Bevölkerung: 1994 waren 76,1% der Bev. Schwarze (v.a. Zulu, Xhosa, Sotho und Tswana), 12,8% Weiße (meist Nachkommen von Niederländern, Briten, Deutschen und Franzosen), 8,5% Coloureds (Mischlinge, v.a. mit Schwarzen und Weißen vermischte Nachkommen der urspr. ansässigen Hottentotten) und 2,6% Asiaten (meist Inder). Von den Weißen sprechen 56% Afrikaans, die übrigen Englisch. Aufgrund der jahrzehntelangen Apartheidpolitik leben die Bev.gruppen immer noch weitgehend getrennt; seit 1991 entwickeln sich bes. in Städten gemischtrassige Raumstrukturen. Die Verstädterung nimmt rasch zu, etwa die Hälfte der Bev. lebt in Städten. – Allg. Schulpflicht besteht vom 7. bis 16. Lebensjahr, der Unterricht erfolgt unentgeltlich; die Einschulungsquote liegt bei 80%. Es bestehen 20 Univ., die heute allen ethn. Gruppen offen stehen (unterrichtet wird in Englisch oder Afrikaans). – 45,8% der Bev. sind Protestanten, 6,4% Katholiken, die Übrigen Anhänger von afrikan. Religionen, des Hinduismus oder des Islam.

Wirtschaft, Verkehr: S. ist das am stärksten industrialisierte Land Afrikas. Schwerpunkte der exportorientierten Wirtschaft sind die verarbeitende Ind. und der Bergbau. Die durch Bewässerung sehr ertragreiche Landwirtschaft deckt den Grundnahrungsbedarf der Bev. und erzeugt einen hohen Exportanteil. Angebaut werden v.a. Mais, Weizen, Äpfel, Süd- und Zitrusfrüchte, Wein- und Tafeltrauben, Gemüse, Zuckerrohr, Baumwolle, Kaffee, Tabak. Große Bedeutung hat die Viehwirtschaft:

Südafrika, Verwaltungsgliederung (Stand 1996)

Provinz	Fläche in km²	Ew. in 1000	Ew. je km²	Hauptstadt
Freistaat	129480	2470	19	Bloemfontein
Gauteng	17010	7171	421	Johannesburg
KwaZulu-Natal	92100	7672	83	Pietermaritzburg
Mpumalanga	79490	2646	33	Nelspruit
Nord-Kap	361830	746	2	Kimberley
Nordprovinz	123910	4128	33	Pietersburg
Nord-West	116320	3043	26	Mafikeng
Ost-Kap	169580	5865	34	Bisho
West-Kap	129370	4118	32	Kapstadt
Südafrika	1219090	37859	31	Pretoria

Karakul- und Wollschafzucht in den ariden Gebieten, Rinderzucht (zur Milch- und Fleischerzeugung) im NO des Landes. Forstwirtschaft hat wegen der geringen Waldfläche wenig Bedeutung. Wichtig sind Küstenfischerei und Hochseefischerei (seit 1977 in der 200-Meilen-Zone). Der Reichtum an rd. 65 versch. mineral. Rohstoffen bildet die Grundlage für den bed. Bergbau, v.a. Gold, Steinkohle, Eisen-, Mangan- und Chromerz, Diamanten, Uran. Kohlekraftwerke liefern rd. 80% des Strombedarfs. Ind.- und Wirtschaftszentrum ist das Bergbaugebiet am Witwatersrand um Johannesburg; hier sind v.a. Standorte von Eisen- und Stahl- sowie chem. Industrie. Weitere Ind.zentren liegen an der Küste: Kapstadt, Durban, Port Elizabeth, East London mit Nahrungsmittel-, Textil- und Bekleidungsind., Erdölraffinerien, Metallverarbeitung, Kfz-Montage, Elektro- und Papierind. Exportiert werden v.a. Metalle und Metallwaren, Minerale, Edelsteine, Nahrungsmittel, Tabak, Chemikalien, Textilien; Haupthandelspartner sind die USA, Dtl., Großbritannien, Japan

Südafrika: Im Kapland (Provinz West-Kap) liegt das bedeutendste Anbaugebiet für südafrikanische Tafeltrauben (links); die Randstufenlandschaft in der Transkei im Osten des Landes wird traditionell weidewirtschaftlich genutzt

Südafrika - Wirtschaft

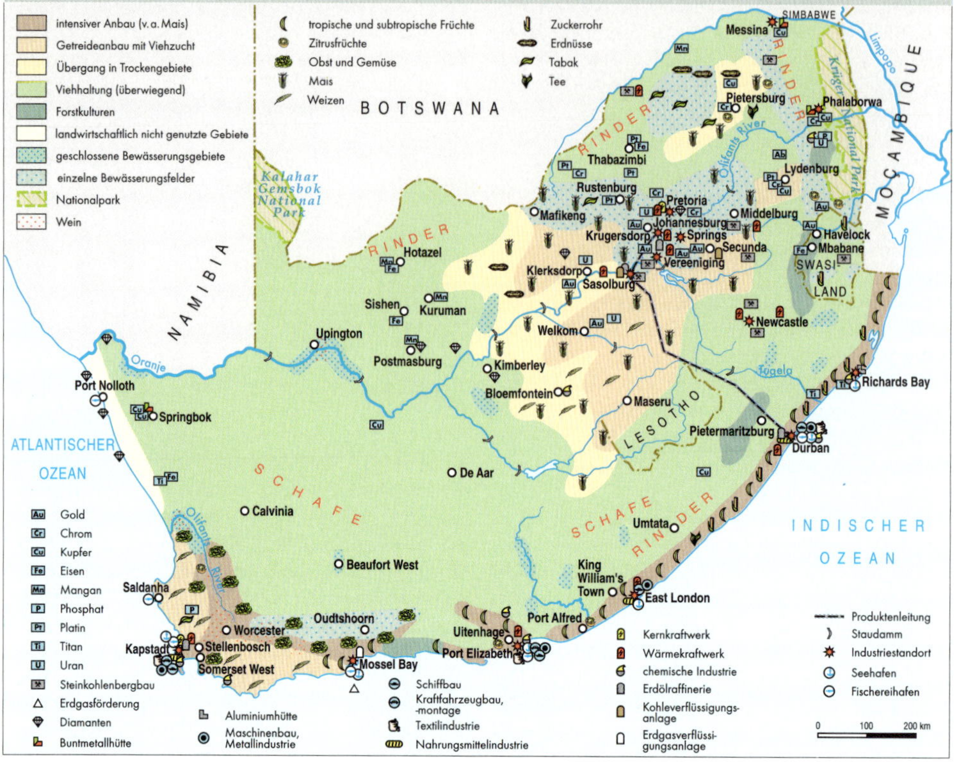

und Italien. – S. besitzt ein sehr gut ausgebautes Verkehrsnetz; das Eisenbahnnetz ist 20319 km lang, davon sind 78% elektrifiziert; das Straßennetz umfasst 360522 km, davon sind 61679 km asphaltiert. Wichtigste Häfen sind Richards Bay, Durban, Saldanha Bay, Port Elizabeth, Kapstadt und East London. Internat. Flughäfen bei Johannesburg (Jan Smuts Airport) sowie bei Kapstadt und Durban.

Geschichte: Die ältesten Bewohner sind Khoisanvölker (Buschmänner, Hottentotten). Seit dem 16. Jh. sind Bantuvölker in S. nachgewiesen. Seit 1652 entstand, ausgehend von einer im Auftrag der niederländ. Vereinigten Ostind. Kompanie angelegten Verpflegungsstation in der Tafelbucht, die niederländ. Kapkolonie, in der sich neben vorwiegend niederländ. auch dt. Einwanderer als Bauern (niederländ.: Buren) niederließen. Die als Viehzüchter halbnomadisch lebenden »Trekburen« und die »sesshaften Weißen« (die sich seit etwa 1800 »Afrikaander« nennen) lebten als Herrenschicht zus. mit den Mischlingen (Coloureds). Die urspr. hier lebenden Hottentotten wurden in Randgebiete abgedrängt, die Buschmänner dezimiert. 1779 begann die Eroberung des Landes der Xhosa; die daraus resultierenden »Kaffernkriege« dauerten fast 100 Jahre und endeten mit der Unterwerfung der Xhosa. 1806 annektierte Großbritannien die niederländ. Kapkolonie. Um der brit. Herrschaft zu entgehen, zogen auf dem »großen Trek« rd. 5000 Buren ab 1835 außer Landes und stießen dabei mit den Ndebele und Zulu zusammen, die nach blutigen Kämpfen unterlagen. Seit 1838 ließen sich die weißen »Vortrekker« in Natal, dem Oranjegebiet und Transvaal nieder und gründeten mehrere Republiken. Die 1839 entstandene Rep. Natal wurde 1842 von Großbritannien besetzt (ab 1856 Kronkolonie mit begrenzter Selbstreg.). Die Südafrikan. Rep. (gegr. 1852; später Transvaal) und den Oranjefreistaat (gegr. 1842) erkannte Großbritannien an. Nach Entdeckung der Diamanten bei Kimberley (1867) annektierten die Kapbehörden das auch vom Oranjefreistaat beanspruchte Gebiet. 1877 geriet die Südafrikan. Rep. als Transvaal Territory unter brit. Herrschaft. 1879 unterwarfen brit. Truppen das Zulukönigreich in Natal, das 1897 annektiert wurde. Nach dem Sieg der Buren (1881) über brit. Truppen musste Großbritannien die Unabhängigkeit der Rep. akzeptieren. Die Burenrepubliken erkannten dagegen die brit. Rechte auf Betschuanaland an, das C. Rhodes (1890–96 Premiermin. der Kapkolonie) erworben hatte. Nach dem brit. Versuch, 1895 im →Jameson Raid die Südafrikan. Rep. zu annektieren, brach 1899 der →Burenkrieg aus, der 1902 mit der Kapitulation der Buren endete; ihre Republiken wurden brit. Kolonien (ab 1907 mit voller Selbstreg.). Am 31. 5. 1910 konstituierte sich als Vereinigung der brit. Kolonien in S. das Dominion Südafrikan. Union; Premiermin. wurde der ehem. Burengeneral L. Botha (bis 1919). Gegen die Beschränkung der Rechte der Schwarzen richtete sich die Gründung des →African National Congress (ANC) 1912.

Bis 1924 regierte die englandfreundl. Südafrikan. Partei, die nach Wahlen der antibrit. Nat. Partei unterlag; MinPräs. wurde J. B. M. Hertzog (1924–39). Als die Nat. Partei 1934 mit der oppositionellen Südafrikan. Partei zur Vereinigten Partei fusionierte, spaltete sich der radikale Flügel ab und ging unter D. F. Malan als »gereinigte« Nat. Partei in Opposition. Sie erlangte 1948 die Reg.gewalt (MinPräs. 1948–54: Malan) und begann die durch strikte Rassentrennung gekennzeichnete Politik der →Apartheid.

Die Schwarzen leisteten unter Führung des ANC bis 1959 gewaltfreien Widerstand, den die Reg. mit immer härteren Staatsschutzgesetzen beantwortete. 1959 spaltete sich der militante Panafrikanist. Kongress (PAC) vom ANC ab. Demonstrationen von Schwarzen führten 1960 zum Massaker von Sharpeville (67 Tote). Nach ihrem Verbot im April 1960 führten ANC und PAC ihren Kampf gegen die Apartheid aus dem Untergrund und dem Exil fort. 1961 trat S. aus dem Commonwealth aus und wurde Republik. Unter Premiermin. B. J. Vorster, der 1966 auf den ermordeten H. F. Verwoerd folgte, begann S. mit der Entlassung der →Homelands in die staatl. Unabhängigkeit. Unter den städt. Schwarzafrikanern und Coloureds sammelte sich neuer Widerstand in der Bewegung »Schwarzes Bewusstsein«. Unruhen unter der schwarzen Jugend, die im Juni 1976 in Soweto ausbrachen, wurden durch die Polizei blutig unterdrückt (mindestens 250 Tote). 1977 verbot die Reg. zahlr. Organisationen der Schwarzen, deren Führer z. T. verhaftet, z. T. ins Exil getrieben wurden.

Unter MinPräs. P. W. Botha (ab 1978) wurde 1984 eine neue Verf. verabschiedet, auf deren Grundlage er zum Staatspräs. gewählt wurde und die den Coloureds und Asiaten begrenzte Mitspracherechte einräumte, die Schwarzen jedoch weiterhin von polit. Verantwortung ausschloss. – Angesichts zunehmender Unruhen, Gewalt und Streiks gegen die Apartheidpolitik verhängte die Reg. 1986 den Ausnahmezustand. In Bezug auf →Namibia, das bis 1966 Mandatsgebiet von S. war (durch UN entzogen) und seitdem widerrechtlich von diesem besetzt gehalten wurde, kam es Ende der 1980er-Jahre zu einer polit. Lösung (1988 Vereinbarung zw. S., Angola und Kuba). Nach dem Rücktritt Bothas 1989 wurde F. W. de Klerk sein Nachfolger; unter dem Druck der wachsenden internat. Isolierung und der eskalierenden Rassenunruhen leitete de Klerk einen allmähl. Abbau der Politik der Apartheid ein, was v. a. auf den Widerstand der Konservativen Partei stieß. Nach Wiederzulassung des ANC (Febr. 1990) begann dessen Führer N. →Mandela im Mai 1990 offizielle Gespräche mit der Reg. über Wege zum Abbau des Rassenkonflikts. Im Juni 1990 wurde der Ausnahmezustand beendet; im gleichen Monat beschloss das Parlament die Aufhebung des Gesetzes über die Rassentrennung in öffentl. Einrichtungen. Daraufhin setzte die EU im April 1991 die 1986 verhängten Wirtschaftssanktionen gegen S. schrittweise außer Kraft. Mit der im Juni 1991 vom Parlament beschlossenen Abschaffung des Erfassungsgesetzes wurde eines der entscheidenden Apartheidgesetze beseitigt. Dennoch blieb die innenpolit. Situation weiter gespannt (u. a. Attacken der militanten »Afrikaaner Weederstandsbeweging« gegen die Reg.politik). Insbes. zw. den politisch uneinigen Organisationen der Schwarzen kam es wiederholt zu blutigen, z. T. ethnisch geprägten Auseinandersetzungen, v. a. zw. der in erster Linie die Zulu repräsentierenden Inkatha-Freiheitspartei und dem von den Xhosa dominierten ANC. Im Dez. 1991 nahm ein Konvent für ein Demokrat. S. (CODESA), der sich aus Vertretern der südafrikan. Reg., der Administrationen der vier für unabhängig erklärten Homelands, der traditionellen Stämme sowie aus Parteien und Schwarzenorganisationen konstituierte, Verhandlungen über eine neue Verf. und eine Übergangsreg. unter

Thabo Mvuyelwa Mbeki

Südafrika: Nach den Wahlen im April 1994 wurde Gathsa Mongosutho Buthelezi (links) Innenminister in der von Nelson Mandela (rechts) gebildeten Regierung der Nationalen Einheit; Frederik de Klerk (Mitte) wurde Zweiter Vizepräsident

Breyten Breytenbach

John M. Coetzee

Nadine Gordimer

Beteiligung schwarzer Politiker auf. Bei einem Referendum am 17. 3. 1992 stimmte die weiße Bev. mit 68,7% für eine Fortführung der Reformpolitik.

Die vor dem Hintergrund von Gewalttaten und polit. Morden im Nov. 1993 beendeten Verf.gespräche ermöglichten den Weg zu einem demokrat., nichtrassist. und vereinten Staat. Ein Übergangsrat bereitete die Parlamentswahlen (26. 4. bis 29. 4. 1994) vor. Stärkste polit. Kraft wurde der ANC (62,7%), gefolgt von der Nat. Partei (NP, 20,4%) sowie der Inkatha Freedom Party (IFP, 10,5%). Diese drei Parteien bildeten gemäß der am 27. 4. 1994 in Kraft getretenen vorläufigen Verf. eine »Reg. der Nat. Einheit«. Am 9. 5. 1994 wählte das Parlament N. Mandela zum Staatspräs. sowie T. Mbeki (ANC) zum Ersten und F. W. de Klerk (NP) zum Zweiten Vizepräs. Im Mittelpunkt der Regierungspolitik stand die Bekämpfung der Armut sowie der Aussöhnung zw. den gesellschaftl. Gruppen. Mit dem friedl. polit. Umbruch trat S. auch aus seiner außenpolit. Isolierung heraus: seit Ende 1993 schrittweise Aufhebung der Wirtschaftssanktionen, Mai 1994 Aufnahme in die OAU, Juni 1994 Aufnahme in das Commonwealth, 23. 6. 1994 Wiederaufnahme in die UNO sowie im Juli 1994 Beitritt zur Südafrikan. Entwicklungsgemeinschaft. Im Dez. 1996 wurde die neue, ab 1999 geltende Verf. angenommen. Zuvor hatte die NP ihre Beteiligung an der »Reg. der Nat. Einheit« aufgegeben, da die nunmehr gewährleistete Mehrparteiendemokratie einer wirkungsvollen Opposition bedürfe.

📖 *The Oxford history of South Africa, hg. v.* M. Wilson *u. a., 2 Bde. Oxford 1969–71.* – Klimm, E. *u. a.: Das südl. Afrika, Bd. 1. Darmstadt 1980. – The geomorphology of Southern Africa, hg. v.* B. P. Moon *u. a. Johannesburg 1988.* – Davenport, T. R. H.: *South Africa, a modern history. Basingstoke* ^{4}*1991.* – Fries, M.: *S. Buchschlag* ^{7}*1991, Nachdr. ebd. 1993. – Kap der kleinen Hoffnung. Das südl. Afrika nach der Apartheid, hg. v.* M. Baiculescu *u.* J. Becker. *Wien 1993.* – Ansprenger, F.: *S. Eine Geschichte von Freiheitskämpfen. Mannheim u. a. 1994.* – Sparks, A.: *Morgen ist ein anderes Land. S.s geheime Revolution. A. d. Engl. Berlin 1995.*

Süd|afrikanische Entwicklungsgemeinschaft (engl. Southern African Development Community, Abk. SADC), regionale Organisation zur wirtsch. und polit. Integration; gegr. 1992 in Windhuk als Nachfolgeorganisation der 1980 gebildeten **Südafrikan. Entwicklungskonferenz (SADCC);** Mitgl.staaten sind Angola, Botswana, Lesotho, Malawi, Moçambique, Namibia, Sambia, Simbabwe, Swasiland, Tansania, die Rep. Südafrika (seit 1994) und Mauritius (seit 1995); Sitz: Gaborone (Botswana).

süd|afrikanische Literaturen, die Literaturen der Rep. Südafrika. Zu den frühen Leistungen gehören neben der in der mündl. Erzähltradition Afrikas verwurzelten Literatur in den afrikan. Sprachen (v. a. Sotho, Xhosa, Zulu, Tswana) auch die für die Missionsschulen geschaffenen didakt. und religiösen Schriften **afrikan. Schriftsteller.** Der Xhosa-Priester und Dichter Tiyo Soga wirkte auch als Übersetzer und verfasste eine Xhosa-Grammatik. David Cranmer Berengs Gedichte (in Sotho) enthalten Elemente der traditionellen mündl. Lobrede. Motiviert von der nat. Bewegung (begr. 1912), die sich unter John Dube formierte, entstand 1910 T. M. Mofolos histor. Roman »Chaka, der Zulu« (gedruckt 1925), der die afrikan. Sichtweise der südafrikan. Geschichte aufzeigte. Politisch motiviert waren auch die Werke von Benedict Wallet Vilakazi und S. T. Plaatje; daraus erwuchs eine Literatur des sozialen Realismus und Protestes (R. R. R. Dhlomo, H. I. E. Dhlomo, Modikwe Dikobe, P. Abrahams, E. Mphahlele); Hauptthema wurde die Entrechtung der Schwarzen. Ab 1951 sammelte die Zeitschrift »African drum« (später »Drum«) die progressiven Kräfte (u. a. Mphahlele, Bessie Head, Casey Motsisi, Miriam Makeba). Mit der verschärften staatl. Unterdrückung erlahmte in den 60er-Jahren das kulturelle Leben; oppositionelle Intellektuelle und Künstler wurden inhaftiert oder mussten ins Exil gehen (D. Brutus, A. La Guma, Raymond Mazisi Kunene, R. Rive, Arthur Kenneth Nortje). Das vom seit den 70er-Jahren erwachten polit. Engagement getragene Theater (»Black Theatre«) erzielte auch internat. Erfolge (Stücke des »Workshop '71«, der »Serpent Players«, von Mthuli Shezi u. a.). Daneben trat die Protestlyrik (O. Mtshali, M. W. Serote, J. D. Matthews). Die polit. Entwicklung polarisierte die südafrikan. Literaturszene (1981 Gründung der »African Writers' Association«). Seit Mitte der 80er-Jahre wird auch der Erfahrung schwarzer Frauen Rechnung getragen. 1987 wurde der »Congress of South African Writers« (COSAW) für Schriftsteller aller Rassen gegründet.

Die **afrikaanse Literatur** entstand als nat. Literatur erst nach dem Burenkrieg (1899–1902). Dem Wegbereiter E. N. Marais folgten J. F. E. Celliers, Totius, C. F. L. Leipoldt und C. J. Langenhoven, der Dichter der Nationalhymne »Die stem van Suid-Afrika«, und der Prosaist D. F. Malherbe mit psycholog. Romanen. J. van Bruggen steht in einer realist. Erzähltradition; Tiergeschichten schrieben Sangiro und die Brüder S. B. und G. C. Hobson. Hauptvertreter der nat. Verinnerlichungsphase der 30er-Jahre, in der die afrikaanse Literatur sich europ. literar. Strömungen öffnete, waren die Brüder W. E. G. Louw und bes. N. P. van W. Louw, neben ihnen C. M. van den Heever, Elisabeth Eybers,

U. Krige, D. Oppermann, G. A. Waterweyer und Ina Rousseau. Die formale Experimentierfreudigkeit und ideolog. Kompromisslosigkeit der literar. Richtung der »Sestigers« führte zur radikalen Erneuerung der afrikaansen Literatur, der mit den Romanen von A. Brink und der Lyrik von B. Breytenbach der internat. Anschluss gelang. In ihrer Nachfolge stehen Wilma Stockenstroem und Johannes Daniel Miles, Elsa Joubert, Dalene Matthee.

Die **englischsprachige Literatur,** die sich nach der brit. Besiedlung der Kapregion entfaltete, verstand sich immer auch als Wahrerin des liberalen Grundgedankens, und ihre Vertreter engagierten sich häufig auch in polit. Hinsicht (T. Pringle, J. Fairbairn). Im 20. Jh. gingen in der Dichtung eigene Wege F. C. Slater, A. S. Cripps und v. a. in seinen frühen Gedichten R. Campbell. Im Roman führten Pauline Smith und Mary Byron die realistisch-gesellschaftskrit. Tradition von Olive Schreiner fort, ebenso P. Fitzpatrick. Sarah G. Millin wagte sich als Erste an das Rassenproblem; ihr folgten A. Paton, W. Plomer, J. M. Coetzee und Nadine Gordimer (Nobelpreis 1991). S. Cloete schrieb das große Epos des Burentrecks von 1838. – Die Anfänge eines bodenständigen Dramas sind mit der Gründung der National Theatre Organization (1947) verknüpft.

📖 GRAY, S.: *Southern African literature. An introduction. New York 1979.* – KANNEMEYER, J. C.: *Die Afrikaanse literatuur. 1652–1987. Kapstadt ²1990.* – VAN WYK SMITH, M.: *Grounds of contest. A survey of South African English literature. Kenwyn 1990.*

Süd|afrikanische Union, 1910–61 Name der Rep. → Südafrika.

Süd|amerika, der viertgrößte Kontinent der Erde, der südl. Teil des Doppelkontinents → Amerika; umfasst einschl. der umgebenden Inseln (auch der Falkland- und Galápagosinseln) insgesamt 17,6 Mio. km², das sind 11,8 % der Landfläche der Erde.

Lage: Das südamerikan. Festland liegt zw. 12° 28' nördl. Breite (Punta Gallinas, Kolumbien) und 53° 54' südl. Breite (Kap Froward auf der Península de Brunswick, Chile) sowie 81° 20' westl. Länge (Punta Pariñas, Peru) und 34° 46' westl. Länge (Ponta de Pedra, Brasilien); die N-S-Ausdehnung beträgt über 7600 km, die W-O-Ausdehnung fast 5000 km. Bezieht man die Inseln mit ein, so gilt Kap Hoorn (56° südl. Breite) im Feuerlandarchipel als die S-Spitze Südamerikas.

Oberflächengestalt: S. wird auf der W-Seite vom Hochgebirge der Anden (→ Kordilleren) durchzogen (im Aconcagua 6959 m ü. M.). Im O überwiegen Mittelgebirge und Tafelländer (Bergland von Guayana, im Pico da Neblina bis 3014 m ü. M.; Brasilian. Bergland, im Pico da Bandeira bis 2890 m ü. M.; Patagon. Tafelland 1000–1500 m ü. M.), zw. denen sich ausgedehnte Tiefländer erstrecken mit den Hauptströmen des Kontinents: Orinoco, Amazonas und Paraguay-Paraná, die zum Atlant. Ozean fließen.

Südamerika

Weißwasserflüsse nennt man mineralreiche und trübe Flüsse Südamerikas, in denen sich aufgrund eines neutralen Säuregrads des Wassers eine vielfältige Flora und Fauna entwickeln kann. Schwarzwasserflüsse hingegen führen zwar klares Wasser, aber in ihnen entfaltet sich wegen des hohen Säuregrads weniger pflanzliches und tierisches Leben.
Der bekannteste Weißwasserfluss ist der Amazonas, der bekannteste Schwarzwasserfluss der Rio Negro.

Klima, Vegetation: Der größte Teil S.s liegt im Bereich der Tropen, der S hat Anteil am gemäßigten, Feuerland am subpolaren Klima. Das Klima im Bereich der Anden wird von der Höhenlage bestimmt. Die W-Küste im N mit extrem hohen Niederschlägen ist in der Mitte unter dem Einfluss des kalten Humboldtstroms wüstenhaft. Östlich der Anden herrschen im feuchtheißen äquatorialen Tiefland (Amazonasbecken) trop. Regenwälder vor; in den Tafel- und Bergländern Savannen (Feucht- und Trockensavannen), lichte Trockenwälder und Buschland; im Argentin. Tiefland sind Grassteppen (Pampa), in O-Patagonien Trocken- und Wüstensteppen, in W-Patagonien immergrüne Wälder verbreitet.

Die *Tierwelt* ist reich an eigenen Arten, u. a. Jaguar, Puma, Guanako (Lama, Alpaka), Faultier, Ameisenbär, Gürteltier, Beutelratte, Brillenbär; Kolibris, Papageien, Kondore; Riesenschlangen.

Bevölkerung: Mischlinge (Mestizen, Zambos, Mulatten) überwiegen. Restgruppen der ursprüngl. Bewohner, der → Indianer, leben unvermischt fast nur noch im mittleren und nördl. An-

Südamerika: Staatliche Gliederung (Stand 1995)

Staat	Fläche in km²	Ew. in 1000	Hauptstadt
Argentinien	2766889	34587	Buenos Aires
Bolivien	1098581	7414	Sucre/La Paz
Brasilien	8511965	161790	Brasília
Chile	756626	14262	Santiago de Chile
Ecuador	270696	11460	Quito
Guyana	214969	835	Georgetown
Kolumbien	1138914	35101	Bogotá
Paraguay	406752	4960	Asunción
Peru	1285216	23780	Lima
Surinam	163820	423	Paramaribo
Uruguay	177414	3186	Montevideo
Venezuela	912050	21844	Caracas
abhängige Gebiete			
von Frankreich			
Französisch-Guayana	91000	147	Cayenne
von Großbritannien			
Falklandinseln	12173	2	Stanley

Südamerika

1

2

3

4

1 Tropischer Bergwald in dem Küstengebirge Serra do Mar bei Teresópolis im Südosten Brasiliens | 2 Der Illampu in der nördlichen Cordillera Real (Bolivien) ist 6485 m hoch und stark vergletschert | 3 Tropischer Regenwald am Maroni, dem Grenzfluss zwischen Surinam und Französisch-Guayana | 4 Blick in das Tal des Río Pampas, einem Nebenfluss des Río Apurímac, in der Westkordillere Perus

denhochland und im Amazonasgebiet. Schwarze (Nachkommen der bes. von Portugiesen eingeführten Sklaven) und Mulatten leben v.a. in Brasilien und den trop. Küstengebieten. Seit dem 19. Jh. wanderten zahlr. Europäer (bes. Spanier, Italiener, Deutsche, Polen) und Asiaten (Japaner, Inder) ein. Die Bevölkerungsverteilung ist bei einer durchschnittl. Bevölkerungsdichte von 21 Ew. je km² sehr ungleich. Obgleich es noch große ungenutzte Gebiete gibt, ist die Anziehungskraft der Ballungsräume und die damit ständig zunehmende Verstädterung groß. Es gibt heute 31 Millionenstädte, davon zehn in Brasilien. Amtssprache ist in Brasilien Portugiesisch, in den übrigen Staaten Spanisch; Ausnahmen sind Guyana (Englisch), Surinam (Niederländisch) und Französisch-Guayana.

Geschichte

Vorgeschichte: Die früheste Besiedlung von S. ist nachgewiesen für etwa 30000 v. Chr (v.a. Monte Verde, Chile). Da die Entwicklung der Kulturareale des Kontinents sehr unterschiedlich war, ist eine einheitl. Periodisierung nicht möglich. Der N war stark den Einflüssen Mesoamerikas ausgesetzt, wo bereits ab 3500 v. Chr. (oder 5000) Mais kultiviert wurde und etwa ab 1500 die Entwicklung der →mesoamerikanischen Hochkulturen begann. Die ältesten Keramiken (um 3000 v. Chr.) wurden in Ecuador und Kolumbien gefunden, seit 1500 v. Chr. war im nördl. S. (Peru) die Metallbearbeitung bekannt und gelangte vermutlich von hier aus erst nach Mesoamerika. Im zentralen Andengebiet begannen Anbau und Tierhaltung (Lamas, Meerschweinchen) um 6000 v. Chr., an der Küste mindestens 2000 Jahre später. Der älteste Hinweis auf den Kartoffelanbau fällt gleichfalls in diese Periode. Aus der Zeit 2500–1800 v. Chr. stammt die älteste bekannte Tempelanlage aus Stein (Chuquitanta, Peru), etwa ab 1000 v. Chr. setzte mit einer Vielzahl techn. Neuerungen (u. a. in Weberei und Metallbearbeitung) die Entwicklung der →andinen Hochkulturen ein. Im trop. Tiefland, wo paläoindian. Kulturen ab 11 000–10 000 v. Chr. nachweisbar sind (Venezuela, Brasilien; umstritten ist die Datierung älterer Funde, bis 40 000 v. Chr.), taucht Keramik um 3000 v. Chr. auf. Insgesamt ist die Vorgeschichte dieser Region noch wenig erforscht. Der äußerste S des Kontinents war bis zur Entdeckung durch die Europäer von nomadisierenden Jägern bewohnt, in N-Chile entstanden ab 4000 v. Chr. Fischerkulturen, ab 500 v. Chr. waren Keramik und Feldbau bekannt.

Die großen Reiche der altamerikan. Kulturen Süd- und Mittelamerikas (→Azteken, →Inka, →Maya) wurden sämtlich durch das Vordringen der Europäer nach 1492 zerstört (ÜBERSICHT Entdeckung und Erforschung).

Der Streit zw. Spanien und Portugal um die Entdeckungen und Eroberungen wurde im Vertrag von Tordesillas (1494) beigelegt, der die Interessensphären voneinander abgrenzte. Die span. und portugies. Sprache und Kultur verdrängten oder überlagerten die autochthonen Traditionen. Im Laufe der Jahrhunderte entstand daraus eine eigene Kultur, die unter dem Namen **Lateinamerika** zusammengefasst wird. Im Bereich der →Westindischen Inseln sowie in Guayana setzten sich seit dem 17. Jh. auch die Interessen anderer europ. Mächte durch: 1621 Gründung der Holländisch-Westind. Kompanie, 1664 der Frz.-Westind. Kompanie.

Span. Kolonialzeit: Die überseeischen Besitzungen in Amerika galten als integraler Bestandteil der span. Monarchie. Durch die Eroberungen und ihre Folgen wurde die indian. Bevölkerung sehr stark dezimiert; um Arbeitskräfte zu gewinnen, wurden aus Afrika schwarze Sklaven herbeigeschafft. 1524 richtete die span. Krone die erste Verwaltungsbehörde für das span. Amerika ein, 1535

Entdeckung und Erforschung Süd- und Mittelamerikas

	Südamerika
1498	Kolumbus entdeckt Südamerika während seiner dritten Reise
1499	A. de Hojeda erkundet (mit Amerigo Vespucci) die N-Küste Südamerikas
1500	V. Y. Pinzón entdeckt die Amazonasmündung
1500	P. A. Cabral gelangt an die Küste Brasiliens (im Gebiet des heutigen Bundesstaates Bahia) und nimmt das Land für Portugal in Besitz
1516	J. D. de Solis entdeckt die La-Plata-Mündung
1520	F. de Magalhães erreicht das südl. Ende des Kontinents
1526–30	S. Caboto fährt den Paraná und den Paraguay aufwärts und erreicht die Gegend des heutigen Asunción
1528–30	Erwerb des Küstengebiets Venezuelas durch die Welser und Erkundung des Landesinnern (G. Hohermuth, N. Federmann u. a.) auf der Suche nach dem Goldland (»El Dorado«)
1532–33	F. Pizarro erobert das Inkareich
1534–36	S. de Benalcázar erobert von Peru aus Ecuador und gründet Guayaquil
1535–37	D. de Almagro gelangt von Peru nach Chile
1536	P. de Mendoza gründet Buenos Aires
1537	P. de Ayolas gründet Asunción, quert den Gran Chaco und erreicht die Anden
1539	Begegnung der Konquistadoren G. J. de Quesada, S. de Benalcázar und N. Federmann in Bogotá auf der Suche nach »El Dorado«
1540–46	P. de Valdivia erobert Chile, 1549–53 Kämpfe gegen die Araukaner
1541–42	G. Pizarro quert von Quinto aus die Anden bis zum östl. Amazonastiefland am Rio Napo
1541–42	F. de Orellana befährt von Peru aus erstmals den Amazonas bis zur Mündung
1547–48	D. M. de Irala erreicht von Asunción aus Bolivien (Gegend des heutigen Sucre)
1558	J. Ladrillero nimmt Teile der W-Küste Patagoniens auf und durchfährt die Magellanstraße zum ersten Mal von W nach O
1616	J. Le Maire umsegelt den Feuerlandarchipel
1691	Pater S. Fritz zeichnet die erste genauere Karte des Amazonas
1735–43	C. M. de La Condamine und P. Bouguer im heutigen Ecuador zur Messung eines Meridiangrads
1781–1801	F. d'Azara in den La-Plata-Ländern
1793–1816	T. Haenke im zentralen andinen Südamerika
1799–1804	A. von Humboldts Forschungsreise
1810–21	W. L. von Eschwege in Brasilien
1817–20	J. B. von Spix und C. F. P. von Martius in Ost-Brasilien und auf dem Amazonas
1838–42	J. J. von Tschudi in Peru, 1857–59 Forschungen in Brasilien, den La-Plata-Ländern, Querung der Anden, dann in Bolivien und Peru
1850–90	A. Raimondi in Peru
1869–70	G. C. Musters erforscht das Innere Patagoniens
1876–82	J. N. Crevaux erforscht Amazonien und Guayana
1903–05,	1911–13, 1924 T. Koch-Grünberg in Brasilien und im nördl. Südamerika
1918–24	M. Gusinde in Feuerland
	Mittelamerika
1492	Kolumbus entdeckt eine der Bahamainseln, Kuba und Haiti, 1493–96 Puerto Rico und Jamaika, 1498–1500 Trinidad und den NO Südamerikas (Pariahalbinsel); 1502–04 die Küste der heutigen Staaten Honduras, Nicaragua, Costa Rica und Panama
1513	V. N. de Balboa quert die Landenge von Panama
1517	H. de Córdoba entdeckt Yucatán
1518	J. de Grijalva umsegelt die N-Küste von Yucatán und gelangt bis in die Gegend von Veracruz; er berichtet von der Mayakultur und vom Reich der Azteken
1519–21	H. Cortez erobert Mexiko
1523–24	P. de Alvarado erobert Guatemala und El Salvador
1528–31	N. de Guzmán erreicht das Gebiet des heutigen mexikan. Staates Sinola und gründet Culiacán

Südamerika

entsandte Karl V. einen Vizekönig nach Neuspanien, das große Teile Nordamerikas, Mittelamerika (ohne Panama) und Venezuela umfasste (Hptst. Mexiko). Zu dem 1543 gegründeten Vizekönigreich Peru gehörte der übrige span. Herrschaftsbereich in S. (Hptst. Lima). Im 18. Jh. wurden zwei weitere Vizekönigreiche gebildet: Neugranada (1717/39, Hptst. Bogotá) umfasste die heutigen Länder Ecuador, Kolumbien, Panama und Venezuela; Río de la Plata (1776, Hptst. Buenos Ai-

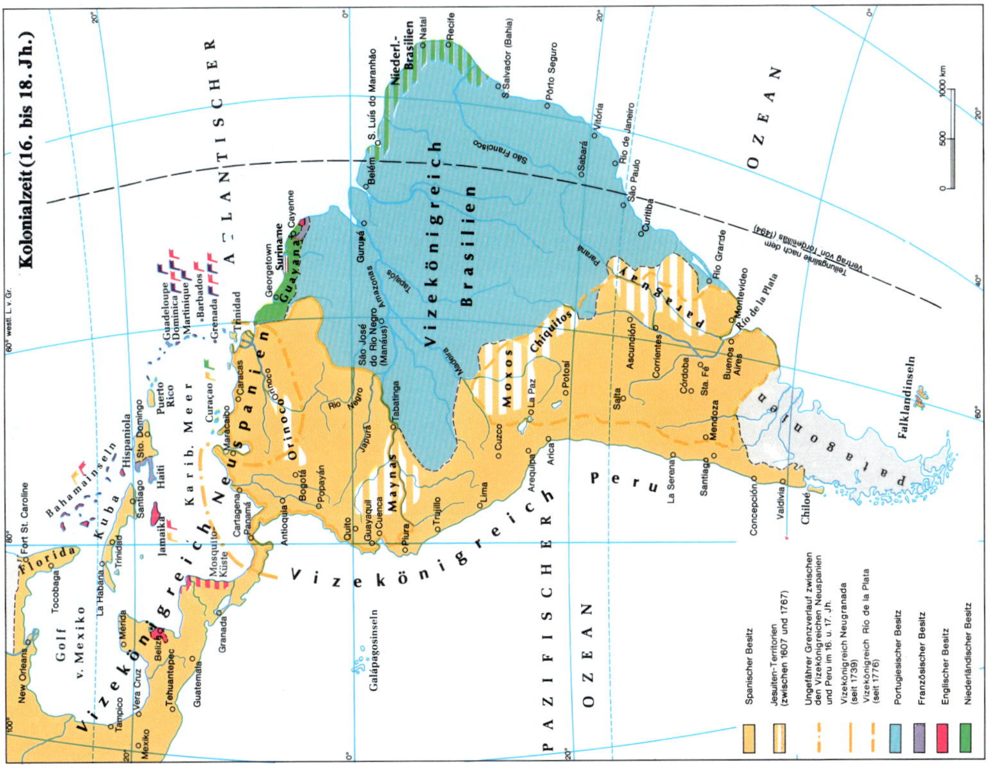
Kolonialzeit (16. bis 18. Jh.)
Vizekönigreich Neuspanien
Vizekönigreich Peru
Vizekönigreich Brasilien
Niederl.-Brasilien
Guayana
Suriname
Cayenne
Mosquito-Küste
Orinoco
Maynas
Moxos
Chiquitos
Paraguay
Patagonien
Falklandinseln
Galápagosinseln
Golf v. Mexiko
Karib. Meer
Florida
Kuba
Hispaniola
Haiti
Sto. Domingo
Puerto Rico
Jamaika
Bahamainseln
Guadeloupe
Dominica
Martinique
Barbados
Grenada
Trinidad
Curaçao
ATLANTISCHER OZEAN
PAZIFISCHER OZEAN
Teilungslinie nach dem Vertrag von Tordesillas (1494)
Spanischer Besitz
Jesuiten-Territorien (zwischen 1607 und 1767)
Ungefährer Grenzverlauf zwischen den Vizekönigreichen Neuspanien und Peru im 16. u. 17. Jh.
Vizekönigreich Neugranada (seit 1739)
Vizekönigreich Río de la Plata (seit 1776)
Portugiesischer Besitz
Französischer Besitz
Englischer Besitz
Niederländischer Besitz
0 500 1000 km

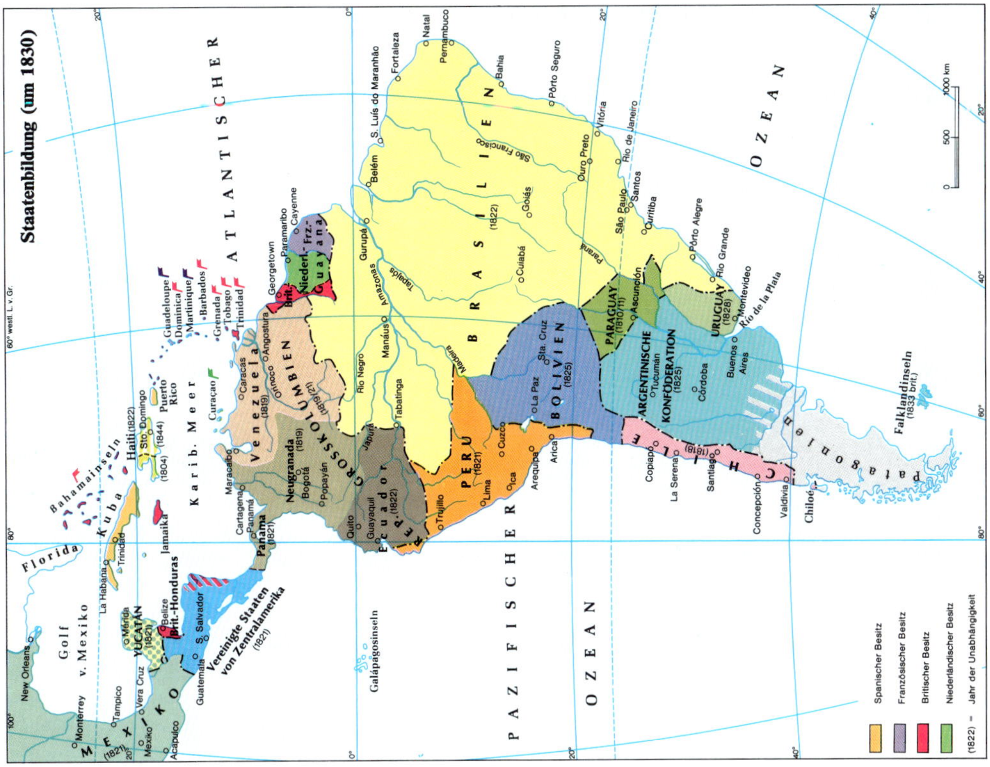
Staatenbildung (um 1830)
MEXIKO (1821)
YUCATÁN (1821)
Brit.-Honduras
Vereinigte Staaten von Zentralamerika (1821)
Panama (1821)
GROSSKOLUMBIEN
Venezuela (1819)
Neugranada (1819)
Rep. Ecuador (1822)
Brit.
Niederl.-
Frz.-
Guayana
BRASILIEN (1822)
PERU (1821)
BOLIVIEN (1825)
PARAGUAY (1810/11)
ARGENTINISCHE KONFÖDERATION (1825)
URUGUAY (1828)
CHILE (1818)
Haiti (1822)
Sto. Domingo (1844)
Patagonien
Falklandinseln (1833 brit.)
Galápagosinseln
Golf v. Mexiko
Karib. Meer
Florida
Kuba
Jamaika
Bahamainseln
ATLANTISCHER OZEAN
PAZIFISCHER OZEAN
Spanischer Besitz
Französischer Besitz
Britischer Besitz
Niederländischer Besitz
(1822) – Jahr der Unabhängigkeit
0 500 1000 km

res) verwaltete die Gebiete der heutigen Länder Argentinien, Uruguay, Paraguay und Bolivien. Die span. Kolonialverwaltung hatte auch die Aufsicht über kirchl. Territorien, z.B. den »Jesuitenstaat« in Paraguay. – Spanien konnte sein überseeisches Imperium über drei Jh. im Wesentlichen behaupten. Als letzte amerikan. Kolonien verlor es 1898 Kuba und Puerto Rico.

Portugies. Kolonialzeit: Nach der Organisation von Handelsniederlassungen, v.a. an der Küste, begannen Besiedlung und Verwaltungsaufbau in Brasilien ab 1549. Auch hier wurden afrikan. Sklaven eingeführt. Im 17./18. Jh. brachten die Streifzüge der sog. Bandeirantes, die auf der Jagd nach Indianersklaven, Gold und Diamanten ins Landesinnere vordrangen, eine Ausdehnung des portugies. Einflussgebiets.

19. und 20. Jh.: Die ersten Erhebungen in den Kolonien in der Folge der Frz. Revolution blieben erfolglos (Ausnahme war die Sklavenbefreiung auf Haiti 1794), erst die Änderung der Herrschaftsstrukturen in Spanien und Portugal nach den Napoleon. Kriegen machte die Bildung selbstständiger Staaten anstelle der Kolonien möglich. Dieser Prozess war v.a. im span. Machtbereich von Gründungen begleitet, die keinen Bestand hatten (so Groß-Kolumbien), Grenzstreitigkeiten sind z.T. bis in die Gegenwart noch nicht vollständig beigelegt. Die Bildung der heute noch existierenden Staaten war im Wesentlichen bis zur Mitte des 19. Jh. abgeschlossen. Erst mit der Auflösung des europ. Kolonialreichs nach dem 2. Weltkrieg kamen neue unabhängige Staaten hinzu. 1948 wurde die →OAS gegründet. Sie trägt mit dazu bei, das Verhältnis der lateinamerikan. Staaten zu den USA zu verbessern, das seit Ende des 19. Jh. durch die Interventionspolitik der USA stark belastet ist. Die Diktaturen, die – oft mit Unterstützung der USA – in vielen Ländern Lateinamerikas herrschten, wurden zwar seit den 70er-Jahren abgelöst oder zu demokrat. Zugeständnissen gezwungen, doch verhindern oft Korruption, Missachtung der Menschenrechte, Guerillatätigkeit, Drogenhandel und die damit zusammenhängenden wirtsch. und sozialen Probleme eine echte Demokratisierung. Seit Mitte der 80er-Jahre verstärkten die Länder ihre regionale Zusammenarbeit, um der Lösung dieser Probleme näher zu kommen (Rio-Gruppe, →Mercosur).

📖 ZEIL, W.: *S. Stuttgart 1986.* – KÖNIG, H.-J.: *Die Entdeckung u. Eroberung Amerikas 1492–1550. Freiburg im Breisgau u.a. 1992.* – NIESS, F.: *Am Anfang war Kolumbus. Gesch. einer Unterentwicklung – Lateinamerika 1492 bis heute. München u.a. 5.–8. Tsd., ²1992.* – HALPERÍN-DONGHI, T.: *Gesch. Lateinamerikas von der Unabhängigkeit bis zur Gegenwart. A.d. Span. Tb.-Ausg. Frankfurt am Main 1994.* – *Handbuch der Dritten Welt, hg. v.* D. NOHLEN *u.* F. NUSCHELER, *Bd. 2: S. Bonn 6.–11. Tsd., ³1995.* – KONETZKE, R.: *Die Indianerkulturen Altamerikas u. die spanisch-portugies. Kolonialherrschaft. Frankfurt am Main 1995.*

süd|amerikanische Indianer, →Indianer.

Sudamina [lat.], *Medizin:* →Friesel.

Sudan *der* (Sudanzone, arab. Bilad es-Sudan), Landschaftsraum im nördl. Afrika, zw. der Sahara im N und dem trop. Regenwald im S, erstreckt sich vom Senegalbecken (Fouta Djalon) im W über 5500 km bis zum Äthiop. Hochland im O. Bergzüge gliedern den S. in West-S. mit Nigerbecken, Mittel-S. mit Tschadbecken, Ost-S. mit Weißnilbecken. Pflanzen- und Tierwelt entsprechen der fast breitenparallelen Anordnung der Klimazonen, von der Dornbuschsavanne (→Sahel) im N über die Trockensavanne bis zur Feuchtsavanne im S. Am S. haben Anteil die Staaten Senegal, Guinea, Mali, Burkina Faso, Nigeria, Niger, Tschad und die Rep. Sudan. – Die ethnisch zersplitterte einheim. negride Bauernbev. hat sich mit hellhäutigen Hirtenvölkern aus dem N vermischt (Berber, Araber, Äthiopide). Großen Einfluss gewann der Islam.

Geschichte: Der S. war vom Altertum an bis etwa 1500 n.Chr. wichtiges Durchgangsgebiet für Handel und Verkehr. Vom 10. bis 19. Jh. bestanden mehrere mächtige Staaten (Gana, Mali, Songhai, Kanem-Bornu, die Hausastaaten und die Staaten Nubiens). Reformbewegungen des Islam (seit dem 10. Jh.) führten im 19. Jh. zur Bildung neuer Staaten, die um 1900 dem frz. oder brit. Kolonialreich einverleibt wurden.

📖 FISCHER, R.: *Gold, Salz u. Sklaven. Die Geschichte der großen Sudanreiche Gana, Mali, Songhai. Oberdorf ²1991.* – *Die Sudanforschung in der Bundesrep. Dtl., hg. v.* M. WAUSCHKUHN *u.* K. WOHLMUTH. *Münster u.a. 1995.*

Sudan (amtlich arab. El-Djumhurijja es-Sudan), Staat in NO-Afrika, grenzt im N an Ägypten, im NO an das Rote Meer, im O an Eritrea und Äthiopien, im S an Kenia, Uganda und die Demokrat. Rep. Kongo, im SW an die Zentralafrikan. Rep., im W an Tschad und im NW an Libyen.

Staat und Recht: S. ist eine islam. Rep. mit Präsidialregime. Ende März 1998 verabschiedete das Parlament eine neue Verf., die u.a. die Rede- und Religionsfreiheit sowie das Recht auf Parteien- und Organisationsfreiheit verbürgt. Die alleinige Anwendbarkeit der Scharia wurde beseitigt.

Landesnatur: S. umfasst den O-Teil der Sudanzone und hat im N Anteil an der Libyschen Wüste; im NO liegt die Nubische Wüste. Die flache Beckenlandschaft wird von Nil, Weißem Nil und Bergnil durchflossen und von Randgebirgen eingefasst: im NO gegen das Rote Meer durch die

Sudan

Fläche: 2 505 813 km²
Einwohner: (1995) 28,1 Mio.
Hauptstadt: Khartum
Verwaltungsgliederung: 9 Regionen
Amtssprache: Arabisch
Nationalfeiertag: 1. 1.
Währung: 1 Sudanesisches Pfund (sud£) = 100 Piastres (PT.)
Zeitzone: OEZ

Red Sea Hills (bis 2229 m ü. M.), im SO durch das Äthiop. Hochland, im S durch die Imatong Mountains (im Kinyeti 3187 m ü. M.); im zentralen Bergland von Kordofan erreichen die Nubaberge 1450 m ü. M. Im S liegt die Überschwemmungs- und Sumpflandschaft des Sudd. S. hat trop. und randtrop. Klima mit einer Regenzeit, im N herrscht Wüstenklima. Vollwüste nimmt etwa 25 % der Landesfläche ein. Weiteres BILD Afrika

Bevölkerung: Die Bev. (Sudanesen) setzt sich aus über 50 ethn. Gruppen mit entsprechend vielen Sprachen zusammen. Es besteht ein konfliktreicher ethnisch-religiöser sowie politisch-wirtsch. Gegensatz zw. den vorwiegend muslim. S.-Arabern (rd. 49 %) im N und den teils animist., teils christl. Südsudanesen (Dinka, Nuba, Bedja, Nuer u. a. Gruppen), Nubiern und Kuschiten. Die Wüstengebiete im N sind fast menschenleer, im Gebiet Khartum und in der Zentralregion leben dagegen fast 30 % der Gesamtbev. auf nur 6,5 % der Gesamtfläche. – Es besteht allg. Schulpflicht, die auf dem Land nur z. T. realisiert wird. Die Analphabetenquote liegt bei 73 %. Es gibt sieben Univ., darunter eine für Frauen in Omdurman.

Wirtschaft, Verkehr: Grundlage bildet die Landwirtschaft, in der über die Hälfte der Erwerbstätigen beschäftigt ist. Ackerbau kann nur auf rd. 5 % der Landesfläche betrieben werden v. a. der Bewässerungsfeldbau (bes. im Gesiragebiet), im S auch Regenfeldbau. Hauptanbauprodukt bes. für den Export ist Baumwolle; für den Eigenbedarf werden v. a. Hirse, Weizen, Erdnüsse, Sesam, Gemüse angebaut. Viehweidewirtschaft (Rinder, Schafe, Ziegen, Kamele) wird von Nomaden betrieben. Der Wald nimmt nur 1 % der Landesfläche ein; das Holz dient vorwiegend als Brennholz. Weltwirtsch. Bedeutung hat die Gewinnung von Gummiarabikum. Geringer Bergbau auf Chrom-, Manganerz, Gold, Glimmer; die Vorkommen von Erdöl und Erdgas sind bisher ungenutzt. Die wenig entwickelte Industrie konzentriert sich um Khartum und in der Zentralregion: Nahrungsmittel-, Leder-, Textil-, chem. Ind.; Erdölraffinerie in Port Sudan. Ausfuhr von Baumwolle, Gummiarabikum, Ölsaaten, Lebendvieh, Häuten und Fellen; Haupthandelspartner sind die EU-Länder, Ägypten und Saudi-Arabien. – Der S. ist verkehrstechnisch wenig erschlossen; das Eisenbahnnetz ist 4874 km, das Straßennetz 73 577 km lang (einschl. Pisten). Binnenschifffahrt streckenweise auf dem Nil und seinen Nebenflüssen; wichtigster Seehafen ist Port Sudan; internat. Flughäfen haben Khartum, Port Sudan und Wadi Halfa.

Geschichte: Das obere Niltal bis zum 4. Katarakt (Nubien) wurde von den Pharaonen kolonisiert. Von etwa 900 bis 300 v. Chr. bestand dort das selbstständige Reich Kusch. Im 6. Jh. drang das Christentum aus Ägypten vor. Es entstand eine Reihe christlich-nub. Staaten. 1315 wurde der nördl. Staat um Dongola, 1504 der südliche um Soba islamisiert. Im 16. Jh. entstand das islam. Reich Fung um Sennar, das 1821 von den Ägyptern

Staatswappen

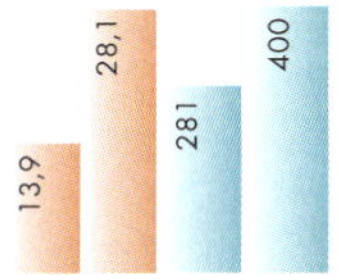

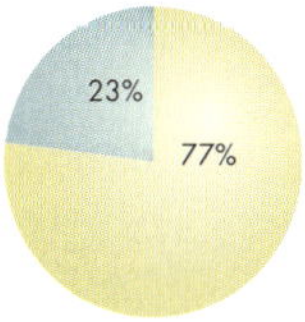

Bevölkerungsverteilung 1992

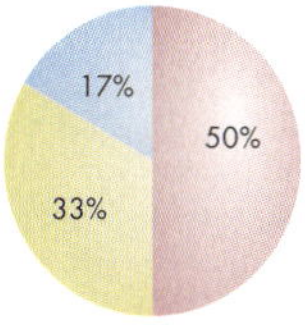

Bruttoinlandsprodukt 1992

erobert wurde. Gegen die ägypt. Herrschaft erhob sich 1881 der →Mahdi und eroberte 1885 Khartum. Sein Nachfolger behauptete seine Herrschaft noch bis 1898, als er von ägypt. Truppen unter Führung des brit. Generals Lord Kitchener geschlagen wurde. 1899–1953 war S. angloägypt. Kondominium, faktisch brit. Kolonie.

1956 gewann S. unter MinPräs. I. al-Ashari (1954–56) die staatl. Unabhängigkeit. 1958 ergriff General J. F. Abboud durch einen Staatsstreich die Macht, musste sie jedoch 1964 nach einem Aufstand in Khartum an eine Zivilreg. abgeben. Nach einem erneuten Staatsstreich 1969 übernahm Oberst J. M. an-Numeiri als Chef eines Revolutionsrats die Führung des Landes und errichtete ein Einparteiensystem (»Sudanes. Sozialist. Union«, SSU). Mit der Gewährung eines Autonomiestatus für den Süd-S. beendete an-Numeiri 1972 den langjährigen Konflikt mit dem christlich-schwarzafrikan. S des Landes. Die anfänglich guten Beziehungen zu Libyen (1971 Niederschlagung eines kommunist. Aufstandes mit libyscher Hilfe) verschlechterten sich in den 70er-Jahren zunehmend; im selben Zeitraum konnte an-Numeiri zahlr. Putschversuche abwehren. Die Anfang der 80er-Jahre wieder zunehmenden Spannungen zw. dem arabisch-islam. N und dem christlich-schwarzafrikan. S sowie die fortschreitende Islamisierung führten zum erneuten Ausbruch des Bürgerkrieges, den das Militär schließlich zum Sturz an-Numeiris (1985) nutzte, einen Militärrat an die Macht brachte und die SSU auflöste. Nach demokrat. Wahlen wurde 1986 eine zivile Reg. unter S. al-Mahdi gebildet. 1989 übernahm nach einem Putsch der Revolutionäre Kommandorat (RCC) unter dem proislamisch eingestellten O. H. Ahmed al-Bashir die Macht. Im Frühjahr 1992 versuchte die Reg. mit einer Militäroffensive gegen die Autonomie für den S fordernde Sudanes. Volksbefreiungsarmee (SPLA), den Bürgerkrieg zu beenden. Mit der Ernennung al-Bashirs zum Präs. im Okt. 1993 (März 1996 im Amt bestätigt) endete formell die Militärherrschaft. Die Reg. suchte weiterhin mit großer militär. Härte, die nach Berichten internat. Beobachter einem Völkermord gleichkam, die Autonomiebewegung im christlich dominierten S zu unterdrücken. Gleichzeitig leistete sie einer radikalen Islamisierung des Landes Vorschub. Ende Sept. 1997 verständigten sich Reg. und die SPLA auf Verhandlungen zur Beendigung des Bürgerkrieges.

Jaafar Mohammed an-Numeiri

Omar Hasan Ahmed al-Bashir

Sudan: Dinka-Dorf mit zylindrischen Kegeldachhäusern im Überschwemmungsgebiet des Sudd am Bergnil im Süden des Landes

Zentralsudan in der 2. Hälfte des 15. Jh.

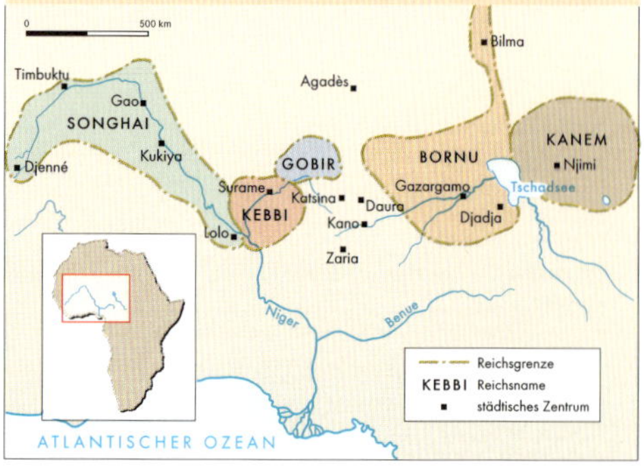

📖 FUCHS, P.: *S. Landschaften, Menschen, Kulturen zw. Niger u. Nil.* *Wien 1977.* – ITEN, O.: *Schwarzer S. Die Stämme der Nuba, Ingessana, Schilluk, Dinka, Nuer, Azande u. Latuka. Kreuzlingen 1978.* – TETZLAFF, R.: *Staatswerdung im S. Münster u. a. 1993.* – *S. Antike Königreiche am Nil, bearb. v.* D. WILDUNG, *Ausst.-Kat. Institut du Monde Arabe Paris. Tübingen 1996.*

Sudan|arabisch, Bez. für die im östl. Sudan gesprochenen arab. Dialekte, die im Wesentlichen die gleichen Besonderheiten wie die Mundarten Oberägyptens aufweisen.

Sudansprachen (sudanische Sprachen), ältere Bez. für Sprachen, die im Sudan zw. dem Atlant. Ozean und Äthiopien gesprochen werden. Man unterschied westl. (Kwa-Sprachen, Benue-Cross, Togo-Restsprachen, Gur-Sprachen, Westatlant. Klassensprachen, Mandesprachen) und östliche S. (Nuba, Dinka u. a.). Der Begriff fasste →Klassensprachen und Nichtklassensprachen zusammen. Heute werden die S. in einem größeren Zusammenhang mit den Bantusprachen gesehen und zu den Niger-Kongo-Sprachen gezählt.

Süd|arabische Föderation, →Jemen (Geschichte).

Süd|asi|en, südlich der innerasiat. Hochregion zw. dem Arab. Meer und dem Golf von Bengalen gelegener Teil Asiens, umfasst den ind. Subkontinent (Vorderindien) einschl. der vorgelagerten Insel Ceylon. Zu S. zählen die Staaten Pakistan, Indien, Bangladesh und Sri Lanka.

Süd|austra|li|en, →South Australia.

Südbeveland (niederländ. Zuid-Beveland), ehem. Insel in der niederländ. Prov. Seeland, zw. Ooster- und Westerschelde, mit dem Festland (1860), Walcheren (1871) und Nordbeveland (1960) verbunden. Hauptort ist Goes.

Südbrookmerland, Gemeinde im Landkreis Aurich, Ndsachs., 17 700 Ew.; Moormuseum Moordorf (Freilichtmuseum); Fremdenverkehr; 1972 durch Zusammenschluss von zehn Gemeinden entstanden.

Sudbury ['sʌdbərɪ], Stadt in der Prov. Ontario, Kanada, nördlich des Huronsees, 92 900 Ew.; Univ.; Mittelpunkt eines großen Nickelminengebiets, in dem auch Kupfer, Gold, Silber und Platin gewonnen werden.

Südchinesisches Meer (chines. Nan Hai), Randmeer des Pazif. Ozeans, zw. S-China, Hinterindien, Borneo, Philippinen und Taiwan; bis 4374 m tief.

Sudd [arab. »Hindernis«] *der,* ausgedehntes Überflutungsgebiet des Weißen Nils im S der Rep. Sudan, etwa 100 000 km², mit dichtem Bewuchs von Papyrusständen, Gras, Schilf und der wuchernden, die Schifffahrt behindernden Wasserhyazinthe.

Süd|dakota, →South Dakota.

Sudden Death ['sʌdn 'deθ; engl. »plötzl. Tod«] *der, Sport:* Spielentscheidung durch das erste gefallene Tor in einem zusätzl. Spielabschnitt beim Eishockey; entspricht dem →Golden Goal im Fußball.

Sudden Infant Death Syndrome ['sʌdn 'ɪnfənt deθ sɪn'drəʊm, engl.], Abk. **SIDS,** der →plötzliche Kindstod.

Süddeutscher Rundfunk, Abk. **SDR,** öffentlich-rechtliche Rundfunkanstalten; gegr. 1924 als »Süddeutsche Rundfunk A. G./Sürag«, neu gegr. 1945 als »Radio Stuttgart«, seit 1949 jetziger Name; Sitz: Stuttgart. Der SDR ist Mitgl. der ARD. Seit 1998 mit dem Südwestfunk zum **Südwestrundfunk** zusammengeschlossen. (→Rundfunk)

Süddeutsche Zeitung, unabhängige, überregional verbreitete Tageszeitung liberaler Richtung; gegr. 1945 in München; Auflage (1996): 470 200 (samstags 687 300).

Sudeck-Syndrom [nach dem dt. Chirurgen Paul Herman Martin Sudeck, *1866, †1945], Knochen- und Weichteilatrophie an den Gließmaßen, bes. an Händen und Füßen, meist als Folge von Verletzungen und Entzündungen; gekennzeichnet durch Schmerzen, Schwellung, später Ernährungsstörungen der Gewebe und Gelenkversteifungen. Die Behandlung umfasst Ruhigstellung, Physiotherapie, Krankengymnastik (aktive Bewegung benachbarter Gelenke) und kann zusätzlich medikamentös unterstützt werden.

Süden, Abk. **S,** eine →Himmelsrichtung.

Sudermann, Hermann, Schriftsteller, *Matzicken (heute Macikai, bei Šilutė, Litauen) 30. 9. 1857, †Berlin 21. 11. 1928; errang als Dramatiker seine größten Erfolge am Beginn des Naturalismus mit den gesellschaftskrit. Schauspielen »Die Ehre« (1889) und »Heimat« (1893). Die der ostpreuß. Heimat verbundenen Romane und Erzählungen bemühten sich um Realismus in der Darstellung des Volkslebens, bleiben aber mod. Tendenzen des Zeitromans verpflichtet (»Frau Sorge«, R., 1887; »Litauische Geschichten«, 1917).

Hermann Sudermann
(zeitgenössische Lithographie)

Süder|oog, Hallig im Wattenmeer südwestlich von Pellworm, Kr. Nordfriesland, Schlesw.-Holst., 63 ha; bewohnte Warft; Vogelschutzgebiet.

Sudeten (poln. und tschech. Sudety), Mittelgebirgssystem zw. dem Elbsandsteingebirge im NW und der Mähr. Pforte im SO, in der Bundesrep. Dtl. (Sachsen), Polen und in der Tschech. Rep., etwa 230 km lang und 30–60 km breit, gegliedert in: West-S. mit Lausitzer Bergland, Lausitzer Gebirge, Jeschken, Iser-, Riesen- (hier in der Schneekoppe mit 1602 m ü. M. die höchste Erhebung) und Bober-Katzbach-Gebirge; Innersudet. Becken mit Waldenburger Bergland, Adler-, Glatzer Schnee- und Eulengebirge; Ost-S. mit Altvatergebirge und Niederem Gesenke. Geologisch sind die S. durch Granite und Schiefer, durch sedimentäre Schichten und Ergussgesteine (bes. Basalte und Porphyre) gekennzeichnet; Erholungs- und Wintersportorte.

Sudetendeutsche, 1902 geprägte Bez. für die dt. Volksgruppe in der damaligen Tschechoslowak. Rep. (1935: 3,1 Mio.), die seit der dt. Ostsiedlung größtenteils im Gebiet des →Sudetenlandes lebte und großen Anteil an der wirtsch. und kulturellen Entwicklung in Böhmen und Mähren hatte; wurde nach 1945 auf der Grundlage von Dekreten der Exilreg. unter E. Beneš und des Potsdamer Abkommens fast vollzählig (bis auf etwa 100 000) vertrieben. – Im Dt.-Tschechoslowak. Nachbarschaftsvertrag von 1992 wurde auf Rückerstattungs- und Entschädigungsansprüche verzichtet.

Süddeutscher Rundfunk

Sudetendeutsche Partei, Abk. **SdP,** polit. Partei in der ČSR, gegr. am 1. 10. 1933 von K. Henlein als **Sudetendt. Heimatfront,** seit 1935 SdP; wurde 1935 stärkste Partei der deutschsprachigen Minderheit; betrieb ab 1937/38 die Eingliederung in das Dt. Reich und unterstützte die Politik Hitlers. Ende 1938 in die NSDAP eingegliedert.

Sudetenland, eine vor 1938 nur sporadisch gebrauchte Bez. für das geschlossene, von Asch im W bis Troppau im O reichende dt. Siedlungsgebiet in Böhmen, Mähren und Schlesien (ČSR); 1938–45 offizielle Bez. für den dt. **Reichsgau S.** mit dem Verw.sitz Reichenberg. – Nach dem Vertrag von Saint-Germain-en-Laye (1919) gegen den Willen der dt. Bev. in die ČSR inkorporiert. Die v. a. von der Sudetendt. Partei geförderte prodeutsche

Stimmung diente Hitler 1938 als Vorwand, um in der nach dt. Kriegsdrohungen gegen die ČSR entstandenen krit. Situation in Europa **(Sudetenkrise)** im Münchner Abkommen die Abtrennung des S. zu erzwingen. 1945 kam das S. wieder an die Tschechoslowakei (heute Teil der Tschech. Rep.).

Süd|europa, geographisch und kulturell vorwiegend mittelmeerisch beeinflusste Teile Europas, bes. die Länder der Iber. Halbinsel, der Apennin und die südl. Balkanhalbinsel. Über die Vorgeschichte →Mittelmeerraum.

Südfall, Hallig im Wattenmeer südöstlich von Pellworm, Kr. Nordfriesland, Schlesw.-Holst., 54 ha; Schafweide und Vogelschutzgebiet. Nördlich von S. lag →Rungholt.

Südfrüchte, Handelsbez. für Obst aus subtrop. oder trop. Ländern, z.B. Ananas, Avocados, Bananen, Datteln, Erdnüsse, Feigen, Granatäpfel, Johannisbrot, Mangos, Oliven, Paranüsse, Pistazien, Rosinen, Zitrusfrüchte.

Karl Sudhoff

Südgeorgi|en (engl. South Georgia), Insel im S-Atlantik, östlich von Feuerland, 3592 km²; bis 2934 m ü.M., z.T. vergletschert; Pelzrobben und Pinguine; brit. Forschungsstation. – S. ist seit 1775 britisch. Das am 3.4.1982 von Argentinien besetzte S. wurde am 25.4.1982 von brit. Truppen zurückerobert; bildet seit 1985 das brit. Territorium South Georgia and South Sandwich Islands.

Sudhoff, Karl, Arzt und Medizinhistoriker, *Frankfurt am Main 26.11.1853, †Salzwedel 8.10.1938; war 1905/25 Prof. in Leipzig, wo er 1905 das erste Institut für Geschichte der Medizin gründete; namhafter Paracelsusforscher.

Südholland (niederländ. Zuid-Holland), die mittlere der westlichen Küstenprovinzen der →Niederlande.

Südostanatolien-Projekt: Der 1992 eingeweihte Atatürkstaudamm am oberen Euphrat hat eine Höhe von 169 m und bildet zusammen mit seinem Wasserkraftwerk den Kern des Südostanatolien-Projekts

Süd-Jemen, →Jemen (Geschichte).

Südkarolina, →South Carolina.

Süd-Korea, →Korea.

Südliche Weinstraße, Landkreis im RegBez. Rheinhessen-Pfalz, Rheinl.-Pf., 640 km², (1996) 107100 Ew.; Verw.sitz ist Landau in der Pfalz.

Südlicht, das südl. →Polarlicht.

Süd-Orkney-Inseln [-ˈɔknɪ-] (engl. South Orkney Islands), Inselgruppe im S-Atlantik, nordöstlich der Antarkt. Halbinsel, 622 km²; gebirgig (bis 2100 m ü.M.) und stark vergletschert; subantarktisch-ozean. Klima; spärl. Vegetation (Flechten, Moose, Algen); Forschungsstation. – 1821 entdeckt, gehörten 1908–62 zur brit. Kronkolonie Falkland Islands and Dependencies, seitdem Teil der Kolonie British Antarctic Territory.

Süd|osseti|en, ehem. autonomes Gebiet in Georgien, erklärte sich 1991 gegen den Willen Georgiens zur unabhängigen **Südosset. Rep.;** 3900 km², (1993) 99000 Ew. (66% Osseten, 29% Georgier); Hauptstadt ist Zchinwali; Gebirgsland (1500–3200 m ü.M.) auf der S-Abdachung des Großen Kaukasus, im S 750–900 m ü.M. gelegene Beckenzone; Schafzucht, Obst-, Weinbau, Weizen-, Mais-, Zuckerrübenanbau; Verarbeitung von Holz und landwirtsch. Produkten; Blei-Zink-Bergbau. – Das 1922 gebildete autonome Gebiet erklärte sich im Sept. 1990 zur »Südosset. Demokrat. Sowjetrepublik«. Auf Bestrebungen S.s, sich mit dem angrenzenden Nordossetien (Territorium der Russ. Föderation) zu vereinen, reagierte Georgien mit der Aufhebung des autonomen Status (Dez. 1990) und der zeitweiligen Verhängung des Ausnahmezustandes (Dez. 1990 bis Nov. 1991). Blutige Konflikte zw. Georgiern und Südosseten seit 1990 führten zu einer starken Fluchtbewegung nach Nordossetien. Nach der Proklamation einer unabhängigen Rep. brachen schwere Kämpfe zw. georg. und südosset. Truppen aus. Im Juli 1992 wurde eine aus Russen, Georgiern und Osseten gebildete Friedenstruppe im Konfliktgebiet stationiert.

Süd|ostanatoli|en-Projekt, türk. Abk. **GAP,** im Aufbau befindl. Bewässerungs- und Energiegewinnungsprogramm in der Türkei, im Flussgebiet von Euphrat und Tigris. 1990 wurde mit dem Wasserstau hinter dem Atatürkstaudamm im oberen Euphrat begonnen (1992 eingeweiht; gesamtes Stauvolumen 48,7 Mrd. m³), die beiden ersten von insgesamt acht Turbinen wurden 1992 in Betrieb genommen. Durch den Urfatunnel (26,4 km) soll Wasser in die fruchtbare aber wasserarme Harranebene geleitet werden. Die Kritik von Umweltschützern richtet sich v.a. gegen die starke Wasserverdunstung, die das lokale Klima beeinträchtigen werde. Eine hohe Luftfeuchtigkeit bedingt mehr landwirtschaftl. Schädlinge, die wiederum einen erhöhten Einsatz von Schädlingsbekämpfungs- und Pflanzenschutzmitteln erforderlich machen. Das übrigbleibende Wasser hat einen erhöhten Salzgehalt und wird den Boden in einigen Jahren versalzen. Die arab. Nachbarstaaten der Türkei, bes. Syrien, befürchten, dass ihre Landwirtschaft durch die geringere Zuflussmenge an Wasser (des Euphrats und seiner Zuflüsse) benachteiligt wird.

Süd|ostasiatischer Sicherheitsvertrag, →SEATO.

Süd|ostasi|en, südlich des zentralasiat. Hochlandes und östlich des Ind. Ozeans gelegener Teil Asiens, umfasst die Halbinsel Hinterindien und den Malaiischen Archipel. Zu S. gehören Birma, Thailand, Kambodscha, Laos, Vietnam, Singapur, Malaysia, Brunei, Indonesien und die Philippinen.

Süd|ostasi|enpakt, →SEATO.

Süd|osteuropa, der SO-Teil Europas, dessen Abgrenzung gegen Mitteleuropa geographisch und historisch nicht übereinstimmend vorgenommen wird. Zu S. zählen die Staaten Slowenien, Kroatien, Jugoslawien (Serbien und Montenegro), Bosnien und Herzegowina, Makedonien, Rumänien, Moldawien, Bulgarien, Albanien, Griechenland und der europ. Anteil der Türkei.

Vorgeschichte: Durch S. vollzog sich ein wechselseitiger Kulturaustausch zw. dem →Mittelmeerraum und →Mitteleuropa. Früheste Zeugnisse der Altsteinzeit sind Geröllgeräte (Vertesszöllös bei Budapest; Dirjovtal in Rumänien). Zu den bed. Fundstätten des Moustérien gehören Krapina (Kroatien), die Betalshöhle bei Postojna (Slowenien), die Halbhöhle Crvena Stjena (Montenegro), die Höhle La Adam in Rumänien. Funde der Mittelsteinzeit (späte Swidrykultur und Tardenoisien) liegen u.a. aus Rumänien und Jugoslawien (Lepenski Vir) vor. Der westbalkan. Kreis mit bemalter Keramik, die der Sesklokultur in Griechenland angehört, und die Körös-Starčevo-Kultur in Serbien lassen eine Verbindung zw. Mitteleuropa und den ägäischen Gebieten erkennen. In Rumänien bestehen Beziehungen zur Tripoljekultur in der Ukraine. Über S. dürfte die Kenntnis des Kupfers wie auch die in den bandkeram. Kulturen der Jungsteinzeit auftretenden Idole (Kult einer Muttergottheit) nach Mitteleuropa gelangt sein. Die Vučedolkultur (Zentrum in Sirmien) fand im mittleren Donauraum und bis Mähren und Böhmen Verbreitung. Auch in der Bronzezeit bildeten sich in S. zahlr. Kulturen heraus. In Rumänien entstanden die Cotofeni-, Glina-, Schneckenberg- und Folteştikultur. Von der Hallstattzeit an lassen sich in S. erstmals Völkerschaften namentlich nachweisen: Thraker, Skythen, Illyrer, die unter grch. Einfluss hierarchisch organisierte Gemeinwesen bildeten (Fürstengräber von Trebenište bei Ohrid, Makedonien). In der La-Tène-Zeit, 3. Jh. v. Chr., führte ein Wanderzug der Kelten über Thrakien und Makedonien bis nach Kleinasien.

Zur *Geschichte* vgl. die einzelnen Länderartikel.

Südpazifisches Forum (engl. South Pacific Forum, Abk. SPF), Organisation unabhängiger Staaten bzw. Länder mit innerer Autonomie des südpazif. Raums zur Erörterung polit., wirtsch. und ökolog. Probleme der Region; gegr. 1971. Mitgl. sind Australien, Cookinseln, Fidschi, Kiribati, Marshallinseln, Mikronesien, Nauru, Neuseeland, Niue, Palau, Papua-Neuguinea, Salomoninseln, Tonga, Tuvalu, Vanuatu und Westsamoa. 1985 wurde der **Vertrag von Rarotonga** über eine kernwaffenfreie Zone im Südpazifik geschlossen. Die Gipfelkonferenzen befassten sich seit dem Ende der 1980er-Jahre mit Umweltfragen (u.a. Bedrohung der Inselstaaten Kiribati, Tonga und Tuvalu durch den Anstieg des Meeresspiegels als Folge des Treibhauseffektes; Schädigung der Fischbestände durch Schleppnetzfangflotten). Auf der Gipfelkonferenz von Sept. 1995 verurteilten die Staats- und Regierungschefs die frz. Atomversuche auf dem Mururoa-Atoll.

Südpol, 1) *Astronomie:* a) der südl. Himmelspol (→Pol); b) bei Himmelskörpern (bes. der Erde) derjenige Durchstoßungspunkt der Rotationsachse mit der Oberfläche des Himmelskörpers, von dem aus gesehen dessen Rotation im Uhrzeigersinn erfolgt.

2) *Geographie:* Der **S. der Erde** ist der am weitesten vom Äquator entfernt liegende Punkt der südl. Halbkugel und der südl. Schnittpunkt aller Meridiane. Auf ihm gibt es nur eine Himmelsrichtung, die nach N; S. und Nordpol sind die einzigen Punkte der Erde, die keine Einteilung in Tage und Tageszeiten haben. Die Sonne geht am S. am 23. 9. auf und am 21. 3. unter und teilt das Jahr in den **Südpolartag** und die **Südpolarnacht.**

3) *Geophysik:* **magnet. S. der Erde, erdmagnet. S.,** →Erdmagnetismus.

4) *Physik:* einer der beiden Pole eines →Magneten.

Südpolargebiet, →Antarktis.

Südpolarmeer, die antarkt. Meeresgebiete des Atlant., Ind. und Pazif. Ozeans.

Südpunkt, *Astronomie:* →Meridian.

Süd-Rhodesi|en (engl. Southern Rhodesia), bis 1964 Name von Rhodesien (→Simbabwe).

Süd-Sandwich-Inseln [-'sænwɪtʃ-] (englisch South Sandwich Islands), 16 unbewohnte vulkan. Inseln am Rande der W-Antarktis, 337 km², stark vergletschert; im O der **Süd-Sandwich-Graben** (Tiefe 8264 m). – 1775 von J. Cook entdeckt; bilden seit 1985 das brit. Territorium South Georgia and South Sandwich Islands.

Südschleswigscher Wählerverband, Abk. **SSW,** 1948 als Vertretung der dän. Minderheit in

Schleswig-Holstein gegründete polit. Partei, hervorgegangen aus dem 1947 gegründeten Südschleswigschen Verein; seit 1962 mit einem Abg. im Landtag vertreten.

Südsee, älteste Benennung des Pazif. Ozeans; heute umgangssprachliche Bez. für den Teil, der die Inseln →Ozeaniens umfasst.

Süd-Shetland-Inseln [-ˈʃetland-], stark vergletscherte gebirgige Inselgruppe vor der Nordküste der Antarkt. Halbinsel, 4622 km²; Forschungsstationen. – Die S.-S.-I. wurden wahrscheinlich schon 1599 entdeckt; gehören seit 1962 zum British Antarctic Territory.

Südsibirische Eisenbahn, russ. Abk. **Jugsib,** elektrifizierte Bahnlinie in Russland, von Magnitogorsk über Akmola (bis 1992 Zelinograd)–Nowokusnezk–Abakan nach Taischet an der Transsibir. Eisenbahn; 1940–66 zu deren Entlastung erbaut, 3084 km lang.

Südslawen, Südgruppe der slaw. Völker: Slowenen, Kroaten, Serben, Bosniaken, Bulgaren und Makedonier.

Südstaaten, die Staaten der USA, die sich als »Konföderierte Staaten von Amerika« 1860/61–65 aus der Union lösten und dieser im →Sezessionskrieg gegenüberstanden; dazu gehörten Alabama, Arkansas, Florida, Georgia, Louisiana, Mississippi, North Carolina, South Carolina, Tennessee, Texas und Virginia (→Vereinigte Staaten von Amerika, Geschichte).

Südsternwarte, die →Europäische Südsternwarte.

Südtirol: Das um 1140 erbaute Schloss Tirol bei Meran im oberen Etschtal ist die Stammburg der Grafen von Tirol

Südtirol (italien. Alto Adige, 1948–72 amtl. dt. Bez. Tiroler Etschland), südlich des Brenners gelegener Teil der ehem. Grafschaft Tirol; entspricht der italien. autonomen Provinz Bozen innerhalb der autonomen Region Trentino-S.; 7400 km², (1995) 450300 Einwohner. Den N-Saum bilden die S-Abdachungen der Ötztaler und Zillertaler Alpen, die W-Grenze die Ortler- und Adamello-Presanella-Gruppen, die den kristallinen Zentralalpen angehören. S. hat im O und S Anteil an den Dolomiten. – Der überwiegende Teil der ländl. Bev. spricht Deutsch, in den größeren Städten (Bozen, Meran, Brixen, Leifers) ist die Mehrheit italienischsprachig. Ladinische Volksgruppen leben im Grödner Tal und im Gadertal. Bei der Volkszählung 1991 gaben 68,0% der Bev. Deutsch als Muttersprache an, 27,6% Italienisch und 4,4% Ladinisch. – Hauptsiedlungs- und Wirtschaftsgebiet sowie Hauptverkehrswege sind die Täler der Etsch und des Eisack. In höheren Lagen v.a. Viehwirtschaft, in den Tälern exportorientierter Wein- und Obstanbau; Metall- und Fahrzeugind. um Bozen und Meran; ganzjähriger Fremdenverkehr.

Geschichte: Über die Entwicklung vor 1919 →Tirol (Geschichte). Im Friedensvertrag von Saint-Germain-en-Laye (10. 9. 1919) musste Österreich S. an Italien abtreten, das damit seine alten Ansprüche auf die Brennergrenze durchsetzte. Gegen die deutschsprachige Bevölkerungsmehrheit in der Provinz Bozen betrieb die faschist. Regierung eine entschlossene Italianisierungspolitik. Nach dem dt.-italien. Umsiedlungsvertrag von 1939 entschieden sich 86% der deutschsprachigen Bev. für die dt. Staatszugehörigkeit und waren damit zur Umsiedlung ins Dt. Reich gezwungen (Option). 1943 wurde das Gebiet der dt. Zivilverwaltung unterstellt, was einer Einverleibung ins Dt. Reich gleichkam, und die Umsiedlung gestoppt. Nach dem 2. Weltkrieg forderte Österreich auf der Pariser Friedenskonferenz mit Italien (1946) vergeblich die Rückgabe der Provinz Bozen. Im Gruber-De-Gasperi-Abkommen vom 5. 9. 1946 sagte Italien der deutschsprachigen Bev. von S. kulturelle und administrative Autonomie sowie wirtsch. Förderung zu. Die Schaffung der Region Trentino-S. und das ihr insgesamt gewährte Autonomiestatut (29. 1. 1948) versetzten jedoch die dt. und ladin. Südtiroler in die Minderheit. Nach österr. Protesten kam es 1956–60 auf Drängen der UN zu Verhandlungen zw. Österreich und Italien, die durch Anschläge extremist. Gruppen aus S. belastet waren. Ergebnis der Verhandlungen war das erweiterte **S.-Paket,** das den Sonderstatus der Region durch Verf.gesetz garantiert und der dt. und ladin. Bev. weitgehende Autonomie gewährt. Durch Noten der italien. und österr. Reg. v.a. zur internat. Verankerung des S.-Pakets wurde der Konflikt 1992 auch völkerrechtlich beendet.

Südtiroler Volkspartei, Abk. **SVP,** Sammlungspartei der dt. und ladin. Bev. Südtirols, gegr. 1945; forderte zunächst das Selbstbestimmungsrecht für Südtirol, hatte wesentl. Anteil an den Autonomieverhandlungen und der Ausarbeitung des Südtirolpakets.

Süd-Victoria-Land, Teil der O-Antarktis, →Victorialand.

Eugène Sue: Ausschnitt eines Stahlstichs (um 1850)

Süd-Vietnam, →Vietnam (Geschichte).

Südwestafrika, dt. →Schutzgebiete im südwestl. Afrika; heute →Namibia.

Südwestafrikanische Volksunion, Partei in Namibia, →SWAPO.

Südwestdeutsche Landesbank Girozentrale [-ʒiːro-], offizielle Kurzbez. **Südwest LB,** universell tätiges öffentlich-rechtl. Kreditinstitut; entstand 1988 durch Zusammenschluss der Bad. Kommunalen Landesbank (gegr. 1917) und der Landesbank Stuttgart (gegr. 1916); Sitz: Mannheim und Stuttgart. Eigentümer sind zu 100 Prozent die baden-württemberg. Sparkassen.

Südwestdeutsche Schule, Schule des →Neukantianismus.

Südwester, wasserdichter Seemannshut mit breiter, meist vorn aufgeschlagener Krempe.

Südwestfunk, Abk. **SWF,** öffentlich-rechtl. Rundfunkanstalt für Rheinl.-Pf. und Teile von Bad.-Württ.; hervorgegangen aus »Radio Koblenz«, gegr. 1945, und dem Sender der frz. Militär-Reg., »Südwest-Funk«, gegr. 1946; seit 1948 jetziger Name; Sitz: Baden-Baden; Mitgl. der ARD. Seit 1998 mit dem Süddeutschen Runkfunk zum **Südwestrundfunk** zusammengeschlossen. (→Rundfunk)

Südwestpfalz, Landkreis im RegBez. Rheinhessen-Pfalz, Rheinl.-Pf., 954 km², (1996) 105 400 Ew.; Krst. ist Pirmasens.

Südwestrundfunk, Abk. **SWR,** öffentlich-rechtl. Rundfunkanstalt, entstanden durch Zusammenschluss des Süddt. Rundfunks und des Südwestfunks aufgrund des zum 1. 1. 1998 in Kraft getretenen Staatsvertrags; Sitz: Stuttgart; Mitglied der ARD; Sendebeginn am 1. 9. 1998 mit einem gemeinsamen dritten Fernsehprogramm sowie je zwei landeseigenen und zwei gemeinsamen Hörfunkprogrammen.

Südzucker AG, größter Zuckerhersteller in Dtl.; 1926 durch Fusion von fünf Zuckerfabriken entstanden; Großaktionäre: Süddt. Zuckerrübenverwertungs-Genossenschaft, Dt. Bank AG; Sitz: Mannheim und Ochsenfurt.

Sue [sy], Eugène, eigtl. Marie-Joseph S., frz. Schriftsteller, *Paris 10. 12. 1804, †Annecy 3. 8. 1857; Schiffsarzt; schrieb Seefahrerromane (u. a. »Der Salamander« 1832); war in ganz Europa erfolgreich mit dem Roman »Die Geheimnisse von Paris« (10 Bde., 1842/43, zuerst in Fortsetzungen im »Journal des Débats«). Die wirksame Verbindung von Sozialkritik und abenteuerl. Handlung findet sich auch in »Der ewige Jude« (10 Bde., 1844/45).

Sueben, →Sweben.

Sues (Suez, arab. As-Suwais), Hafenstadt in Ägypten, am Golf von S., 392 000 Ew.; Univ.; Freihandelshafen, Erdölraffinerien, chem. Ind., Reifen- und Aluminiumwerk; internat. Flughafen; die Altstadt ist 3 km von den Hafenanlagen des →Sueskanals entfernt. – S. wurde 1973 im Jom-Kippur-Krieg zu 80 % zerstört, danach wieder aufgebaut.

Sueskanal, schleusenlose Großschifffahrtsstraße zw. Mittelmeer (Port Said) und Rotem Meer (Sues) durch die Landenge von Sues, Ägypten, unter Ausnutzung des Timsahsees sowie des Großen und des Kleinen Bittersees, 195 km lang, 19,5–20 m tief, 160–190 m breit. Jährlich passieren den S. rd. 20 000 Schiffe. Seit 1980 durch den 5,6 km langen Straßentunnel unter dem S. Verbindung zw. Kairo und der Halbinsel Sinai.

Geschichte: Künstl. Verbindungswege zw. Nil und Rotem Meer hatten seit dem Altertum zeitweise bestanden. Nachdem F. M. Vicomte de Lesseps 1854 vom ägypt. Vizekönig Said Pascha eine vorläufige Konzession für 99 Jahre (ab Inbetriebnahme des Kanals) erhalten hatte, gründete er mit frz. Kapital die S.-Gesellschaft und ließ 1859–69 den S. anlegen. Am 17. 11. 1869 wurde der S. eingeweiht. 1882 besetzte Großbritannien die Kanalzone und baute sie zu einem Stützpunkt aus. – Die von neun Staaten unterzeichnete völkerrechtl. Regelung (Konvention von Konstantinopel, 29. 10. 1888) garantiert die freie Durchfahrt durch den S. für Handels- und Kriegsschiffe aller Flaggen in Kriegs- und Friedenszeiten und verbietet jede Kriegshandlung gegen den S. und seine Nebenanlagen. Nach Abzug der brit. Truppen (1954) wurde die S.-Gesellschaft 1956 von Ägypten verstaatlicht. Nachdem brit. Versuche, die Rechtslage des Kanals zu klären, gescheitert waren, entschlossen sich Frankreich und Großbritannien zu einer militär. Intervention (→Sueskrise; →Nahostkonflikt). Bei Ausbruch des israelisch-arab. Sechstagekrieges (1967) kam es zur Blockade des S. Im Ergebnis des Jom-Kippur-Krieges (1973) gelangte der S. wieder

Südwestfunk

Südwestrundfunk

unter ägypt. Kontrolle; 1975 wurde der seit 1967 ruhende Schiffsverkehr wieder aufgenommen.

📖 FARNIE, D. A.: *East and west of Suez. The Suez Canal in history, 1854–1956. Oxford 1969.* – KÖHLER, W.: *Die Wiedereröffnung des Suez-Kanals. Hamburg 1975.*

Eduard Sueß (zeitgenössischer Holzstich)

Sueskonferenzen, drei Londoner Konferenzen zur Beilegung der Sueskrise (16.–23. 8., 19.–21. 9., 1.–5. 10. 1956). Beschlossen wurde die Konstituierung einer internat. Vereinigung der Sueskanalbesitzer.

Sueskrise, politisch-militärischer Konflikt, der durch die Verstaatlichung der Sueskanalgesellschaft durch Ägypten (Juli 1956) ausgelöst wurde. Die S. führte zum **Sueskrieg** (Okt.–Nov. 1956), in dem brit. und frz. Truppen im Bereich von Sues und Port Said einen Luftlandeangriff gegen Ägypten unternahmen und israel. Streitkräfte die Halbinsel Sinai und den Gazastreifen besetzten. Mit dem von den USA und der UdSSR diplomatisch erzwungenen Rückzug der frz., brit. und israel. Verbände aus den von ihnen besetzten Gebieten und der Entsendung einer UN-Friedenstruppe an die israelisch-ägypt. Grenze wurde die S. im März 1957 beendet.

Sueskanal

Sueß, Eduard, österr. Geologe und Paläontologe, * London 20. 8. 1831, † Wien 26. 4. 1914; wirkte richtunggebend auf die geolog., bes. geotekton. Forschung; schrieb »Die Entstehung der Alpen« (1875), »Das Antlitz der Erde« (3 Bde. in 4 Tlen. und Register-Bd., 1883–1909).

Suess [zy:], Hans, Maler, → Kulmbach, Hans von.

Sueton, Gaius Suetonius Tranquillus, röm. Schriftsteller, * Hippo Regius (?) um 70 n. Chr., † um 130; von seinen zahlr. Werken sind die Biographien der Kaiser von Cäsar bis Domitian (»De vita Caesarum«) vollständig überliefert. In seinem Hauptwerk »De viris illustribus« behandelte er namhafte Vertreter der röm. Literatur.

Suffisance [syfi'zãs, frz.] *die* (Süffisanz), Selbstgefälligkeit, Dünkel; **süffisant,** spöttisch-überheblich, Überlegenheit zur Schau tragend.

Suffix [lat.] *das, Sprachwiss.:* Nachsilbe.

suffizient [lat.], genügend, ausreichend.

Suffolk ['sʌfək], Cty. in O-England, 3797 km², (1995) 658800 Ew.; Verw.sitz ist Ipswich.

Suffragan [lat.] *der* (Suffraganbischof), *kath. Kirche:* der einem Metropoliten unterstellte Bischof einer Diözese. Mit dem Erzbistum des Metropoliten bilden diese Diözesen als **S.-Bistümer** die Kirchenprovinz.

Suffragetten [von lat. suffragium »Stimmrecht«], in Großbritannien die radikalen Kämpferinnen für die polit. Gleichberechtigung der Frau; sie selbst nannten sich **Suffragistinnen.** Die bekannteste Führerin war E. → Pankhurst.

Sufismus *der,* myst. Richtung des Islam, ben. nach den mit einem Büßergewand aus Wolle (arab. suf) bekleideten ersten Anhängern **(Sufis);** erstmals im Zweistromland Anfang des 8. Jh. nachweisbar. Der S. erstrebt eine Verinnerlichung des Islam. Im Mittelpunkt steht der Gedanke der reinen Gottesliebe. Der Sufi versteht sein Leben als Weg, alles zu überwinden, was ihn von Gott trennt, um schließlich über Gebet, Meditation und asket. Übungen in myst. (ekstat.) Selbstentäußerung dessen unmittelbare Nähe zu erleben (Bayazid al-Bistami, † ca. 874). Trotz des zunächst erbitterten Widerstandes der islam. Theologen und Rechtsgelehrten (922 Hinrichtung → Halladjs) breitete sich der S. aus. Einzelne Sufis wurden als wundertätige Heilige verehrt, ihre Grabstätten zu Wallfahrtsstätten. Schließlich begründete → Ghasali die innere Vereinbarkeit von S. und islam. Orthodoxie. Vom 12. Jh. an bildeten sich auf dem Boden des S. die Orden der → Derwische. Von literar.

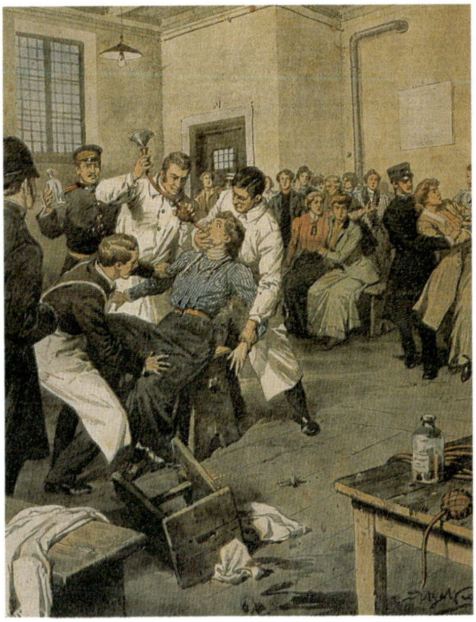

Suffragetten werden während eines Hungerstreiks zwangsernährt, zeitgenössische Darstellung aus dem Jahr 1909

Einfluss war der S. bes. auf die pers. Dichtung (→Djalal od-Din Rumi).

📖 Makowski, S.: *Das erleuchtete Herz des Islam. Die Sufi-Mystik der Erkenntnis u. Liebe. Berlin 1993.* – Schimmel, A.: *Myst. Dimensionen des Islam. Die Gesch. des S. A. d. Engl. Neuausg. Frankfurt am Main 1995.*

Sugambrer (Sugambern, Sigambrer), german. Volk, zw. Sieg und Lippe ansässig. Die im 1. Jh. v. Chr. über den Rhein vorstoßenden S. wurden unter Tiberius 8 v. Chr. von den Römern besiegt und z. T. links des Rheins um Xanten angesiedelt.

Suger [syˈʒe], frz. Staatsmann und Geschichtsschreiber, *bei Paris wohl 1081, †13. 1. 1151; Abt von Saint-Denis (seit 1122), Gesandter und Ratgeber Ludwigs VI., gelangte auch unter Ludwig VII. zu großem Einfluss; bei dessen Kreuzzug 1147–49 war S. Regent. Er schrieb Biographien der beiden Könige.

suggerieren [lat.], jemandem etwas einreden.

Suggestion [lat.] *die,* absichtl. oder unabsichtl., einer rationalen Kontrolle sich weitgehend entziehende Beeinflussung des Denkens, Fühlens, Wollens und Handelns eines Menschen. Die Suggestibilität kann erhöht sein bei willensschwachen und leichtgläubigen Menschen, in Situationen mit abgeschwächter rationaler Kontrolle (Angst, Müdigkeit, Hypnose) und durch eine emotionale Bereitschaft im Interesse einer oft unbewusst gewünschten Selbstveränderung. Darauf beruhen z. B. der Placeboeffekt (→Placebo), aber auch Techniken der Werbung, der öffentl. Meinungsbildung und der Propaganda. Suggestive Wirkungen erzielt man auch durch Auto-S. (→autogenes Training).

Suggestivfrage, Frage, die in der Formulierung schon eine bestimmte Antwort nahe legt.

Suharto

Suharto, indones. General und Politiker, *Kemusu (Zentraljava) 8. 6. 1921; nach der Ausrufung der unabhängigen Rep. Indonesien (1945) Partisanenführer in Mitteljava gegen die niederländ. Streitkräfte; 1962 Kommandant der Truppen zur Befreiung W-Neuguineas; schlug 1965 einen kommunist. Putschversuch nieder und entmachtete allmählich A. Sukarno, den er 1966 als Reg.chef ablöste; wurde 1967 amtierender, 1968 gewählter Staatspräsident (im März 1998 im Amt bestätigt). Nach blutigen Unruhen trat S. am 21. 5. 1998 zurück.

Suhl (Stadtwappen)

Suhl, kreisfreie Stadt in Thür., am SW-Rand des Thüringer Waldes, an der Hasel, 52 600 Ew.; Heimat- und Waffenmuseum in ehem. Malzhaus (Fachwerkbau von 1663), Südthüring. Philharmonie, Schulsternwarte, Tierpark; Herstellung von Jagd- und Sportwaffen, Bau von Elektrofahrzeugen, Kleinkrafträdern, Fahrrädern, Herstellung von Elektro-, medizin. und Feinmessgeräten, Compactdiscs und Möbeln, Nahrungsmittelindustrie. – Pfarrkirche St. Marien (1487–91, barock umgebaut), spätgot. Kirche St. Ullrich (15. Jh.), Kreuzkirche (1731–39), barockes Rathaus (1657), zahlr. Bürgerbauten aus dem 16./17. Jh. – Um 1240 erstmals erwähnt, 1527 Stadtrecht; kam 1583 von Henneberg an die Wettiner, 1815 an Preußen; 1952–90 Hptst. des gleichnamigen DDR-Bezirks. Bild S. 418

Sühne [»Urteil«, »Gericht«], *die,* Wiedergutmachung, Versöhnung; in der Religion der Akt, durch den das gestörte Verhältnis zw. Mensch und Gott (→Sünde) wieder hergestellt wird. (→Buße)

Sühneversuch, der Versuch zur gütl. Beilegung eines Rechtsstreits. Im *Zivilprozess* soll das Gericht in jeder Lage des Verfahrens auf eine gütl. Einigung hinwirken, für die das persönl. Erschei-

Suffragetten

Die Forderung nach dem Stimmrecht der Frauen war ein zentrales Thema der britischen Frauenbewegung seit ihrer Entstehung in den 60er-Jahren des 19. Jahrhunderts bis zum Ersten Weltkrieg. Mit der um 1900 von Emmeline Pankhurst und ihren Töchtern gegründeten Suffragettenbewegung radikalisierten sich die Kampfformen und verbreiterte sich die Massenbasis der britischen Stimmrechtsbewegung. Anders als die gemäßigte »National Union of Women's Suffrage Societies«, deren Vertreterinnen sich Suffragistinnen nannten, setzten die Anhängerinnen der Familie Pankhurst zur Durchsetzung ihrer Ziele auf spektakuläre öffentliche Aktionen: Großdemonstrationen mit mehreren Hunderttausend Teilnehmern zwischen 1908 und 1913, Hungerstreik, Steuerboykott und Gewalt gegen Sachen.

Suhl: Das ehemalige, 1663 erbaute Malzhaus an der Hasel beherbergt heute das Heimat- und Waffenmuseum

nen der Parteien angeordnet werden kann (**Güteversuch;** §279 ZPO). Das gilt auch für das Ehescheidungsverfahren. Im *Strafprozess* ist die Erhebung der Privatklage regelmäßig erst nach erfolglosem S. vor einer Vergleichsbehörde zulässig (§380 StPO). Im *Arbeitsgerichtsverfahren* spricht man von → Güteverfahren.

Otto Suhr

Suhr, Otto, Politiker, * Oldenburg (Oldenburg) 17. 8. 1894, † Berlin (West) 30. 8. 1957; ab 1946 Gen.-Sekr. der SPD Groß-Berlins und Stadtverordneten-Vorsteher (1948–50 von Berlin, West), 1951–55 Präs. des Abg.hauses in Berlin (West), 1949–52 MdB, 1949–55 Direktor der Dt. Hochschule für Politik in Berlin-Dahlem (seit 1958 Otto-Suhr-Institut der FU Berlin); ab Jan. 1955 Regierender Bürgermeister von Berlin (West).

Peter Suhrkamp

Suhrkamp, Peter, Verlagsbuchhändler, * Kirchhatten (heute zu Hatten, Kr. Oldenburg) 28. 3. 1891, † Frankfurt am Main 31. 3. 1959; war Dramaturg, Regisseur, Lehrer, Redakteur; trat 1933 als Herausgeber der Zeitschrift »Die Neue Rundschau« in den S. Fischer Verlag, Berlin, ein, den er ab 1934 (zus. mit G. Bermann Fischer und ab 1936 allein) leitete und der 1943 in Suhrkamp Verlag vorm. S. Fischer umbenannt wurde. Gründete 1950 den **Suhrkamp Verlag,** Frankfurt am Main. Seit S.s Tod leitet S. Unseld den Verlag.

Suisse ['sɥis], frz. Name der → Schweiz.

Suita, Trabantenstadt des japan. Wirtschaftszentrums Ōsaka, Honshū, 340 000 Ew.; Metall-, Papier-, chem. Ind.; großer Rangierbahnhof. Gelände der Weltausstellung von 1970.

Suitbert ['zu:ɪtbɛrt, zu'ɪ:tbɛrt] (Suidbercht, Swidbert), angelsächs. Benediktiner und Missionar, † Kaiserswerth (heute zu Düsseldorf) März 713; wurde 693 (692?) in England zum Bischof geweiht; wirkte zus. mit Willibrord als Missionar bei den Friesen, gründete 710 das Kloster Kaiserswerth; Heiliger, Tag: 4. 9.

Suite ['svi:tə, frz.] *die,* **1)** *allg.:* Zimmerflucht in einem (luxuriösen) Hotel.

2) *Musik:* mehrsätziges Instrumentalstück aus einer Folge von Tanzstücken gegensätzl. Art und Bewegung, aber überwiegend gleicher Tonart. Die S. ging bei den Lautenmeistern des 16. Jh. aus der alten Folge von Reigen und Nachtanz (Pavane und Gaillarde) hervor, denen sich als zweites Paar Allemande und Courante anschlossen. In Dtl. findet sich daneben Anfang des 17. Jh. auch die Variationen-S., bei der die einzelnen Sätze durch frei gehandhabte Variationstechnik verknüpft sind (P. Peuerl, J. H. Schein). Mitte des 17. Jh. wurde die S. in der Grundanordnung Allemande, Courante, Sarabande, Gigue eine Hauptform der Klaviermusik (J. J. Froberger). Unter frz. Einfluss (F. Couperin) wurde die S. bald durch weitere Tanzstücke wie Gavotte, Passepied, Branle, Bourrée, Menuett, Rigaudon, Polonaise, liedartige Sätze (Air) und durch Variationen (Double) einzelner Sätze erweitert (E. Reusner, J. S. Bach, G. F. Händel). Gegen Ende des 17. Jh. wurde der S. öfter ein Einleitungssatz (Präludium, Ouvertüre) vorangestellt. Diese Form gewann als Operneinleitung (J.-B. Lully, J.-P. Rameau, G. F. Händel), andererseits v. a. in Dtl. als Orchester-S. (G. P. Telemann, J. S. Bach, J. F. Fasch, C. Graupner) eine führende Stellung. In der 2. Hälfte des 18. Jh. wurde die S. von anderen zykl. Formen wie Divertimento, Kassation, Serenade abgelöst. S. nennt man seit dem 19. Jh. auch die lose Folge von Teilen aus Balletten (Ballett-S.), Schauspielmusiken und Opern (P. I. Tschaikowsky, F. Schubert, G. Bizet). In der Neuen Musik finden sich Zusammenstellungen neuer Tänze (P. Hindemith), stilisierter Volkstänze und freier Sätze als S. (B. Bartók, A. Schönberg, A. Berg). – Seit dem 17. Jh. gibt es auch einen synonymen Gebrauch von S. und → Partita.

Suitner, Otmar, österr. Dirigent, * Innsbruck 16. 5. 1922; 1964–71 und 1974–91 Generalmusikdirektor der Dt. Staatsoper Berlin; bes. als Wagner- und Strauss-Interpret geschätzt.

Suizid [lat.] *der* oder *das,* der → Selbstmord.

Sujet [sy'ʒɛ, frz.] *das,* Gegenstand, Motiv, Thema einer künstler. Darstellung.

Suk [arab.] *der,* der → Basar.

Suk, 1) Josef, tschech. Violinist und Komponist, * Křečovice (bei Benešov, Mittelböhm. Gebiet) 4. 1. 1874, † Benešov 29. 5. 1935, Großvater von 2); komponierte, beeinflusst von A. Dvorák, R. Strauss und den frz. Impressionisten, u. a. Sinfonien, sinfon. Dichtungen, Kammer- und Klaviermusik, Chorwerke.

2) Josef, tschech. Violinist, * Prag 8. 8. 1929, Enkel von 1); gründete 1974 ein eigenes Kammerorchester; sein Repertoire umfasst v. a. klass. und romant. sowie tschech. Werke.

Sukarnapura, früherer Name der Stadt →Jayapura.

Sukarno, Achmed, indones. Politiker, *Surabaya 6. 6. 1901, †Jakarta 21. 6. 1970; führender Vertreter der indones. Unabhängigkeitsbewegung; gründete 1927 die Nationalpartei Indonesiens; 1933 verbannt; arbeitete 1942–45 mit den Japanern zusammen; rief mit M. Hatta 1945 die Rep. Indonesien aus und wurde deren erster Staatspräs. (bis 1967); setzte 1949 die Anerkennung der Souveränität durch die ehem. niederländ. Kolonialmacht durch; 1959–66 auch Reg.chef; wegen seiner zweideutigen Haltung bei einem kommunist. Putschversuch 1965 schrittweise von der Armee unter General Suharto entmachtet.

Sukhothai, Stadt in N-Thailand, im oberen Menambecken, 22900 Einwohner. – In der Nähe wurden die Reste der Hauptstadt (UNESCO-Weltkulturerbe) des S.-Reichs freigelegt, mit zahlr. buddhist. Klöstern, u. a. das Wat Mahathat, das Hauptheiligtum mit reicher Bauskulptur (14. Jh.).

Sukkubus [lat.] *der* (Succubus), im Aberglauben des MA. der Teufel in Gestalt einer Beischläferin.

Sukkulenten [lat.] (sukkulente Pflanzen, Fettpflanzen), v. a. in Trockengebieten verbreitete Pflanzen, die Wasser über lange Dürreperioden hinweg in bes. großzelligem Grundgewebe speichern können. Man unterscheidet: **Blatt-S.** mit fleischig verdickten Blättern (z. B. Aloe, Agave, Fetthenne), **Stamm-S.,** deren mehr oder weniger verdickte Sprossachsen wegen fehlender oder reduzierter Blätter auch der Assimilation dienen (v. a. Kakteen und Wolfsmilchgewächse), und **Wurzel-S.** (einige Arten der Pelargonie).

Sukhothai: Die Klosteranlage Wat Mahathat aus dem 14. Jh., das bedeutendste Heiligtum Sukhothais, befand sich im Zentrum der Stadt; der Chedi (Bildmitte), die thailändische Form des Stupa, mit seiner Lotosknospenspitze ist typisch für den Sukhothai-Stil

Süleiman I., der Prächtige: Gemälde eines venezianischen Künstlers (um 1530–40; Wien, Kunsthistorisches Museum)

Sukkur, Stadt in der Prov. Sind, Pakistan, am Indus, 190600 Ew.; Nahrungsmittel-, Textilind.; bei S. ein Staudamm (Lloyd Barrage; 1923–32) für Bewässerungszwecke.

Sukowa, Barbara, Schauspielerin, *Bremen 2. 2. 1950; spielte an Bühnen in Darmstadt, Bremen, Frankfurt am Main, München und Hamburg; Darstellerin auch in Filmen, u. a. »Berlin Alexanderplatz« (TV-Film, 14 Tle., 1980), »Die bleierne Zeit« (1981), »Lola« (1982), »Rosa Luxemburg« (1985), »Die Rückkehr« (1990), »M. Butterfly« (1993), »Das Ende der Unschuld« (1997).

Achmed Sukarno

Sukzession [lat.] *die, Recht:* →Rechtsnachfolge, →Staatensukzession.

Sukzessivlieferungsvertrag, einheitl. Kauf- oder Werklieferungsvertrag, durch den sich der eine Vertragspartner zu Teilleistungen, der andere zu gesonderter Zahlung für jede Lieferung verpflichtet.

Sulaimaniya, Hptst. der Prov. S. in NO-Irak, im Kurd. Bergland, 279400 Ew. (v. a. Kurden); Univ.; Handelszentrum, Zementfabrik: Zentrum des kurd. Widerstandes in Irak.

Sulawesi, amtl. indones. Bez. für →Celebes.

Süleiman (türk. Süleyman, Suleiman, Soliman), Name mehrerer osman. Sultane. Bed. v. a.: **S. I.** (auch **S. II.**), **der Prächtige,** bei den Türken **der Gesetzgeber,** Sultan (1520–66), *Trapezunt (heute Trabzon) 6. 11. 1494, †vor Szigetvár (bei Pécs) 7. 9. 1566; erweiterte das Osman. Reich (Eroberungen von Belgrad 1521, Rhodos 1522, Ungarn 1526, Bagdad 1534 u. a.), ließ 1529 vergeblich Wien belagern, beherrschte durch seine Flotte das Mittelmeer und das Rote Meer; förderte Architektur (→Sinan) und Literatur (verfasste unter dem Namen **Muhibbi** etwa 3000 lyr. Gedichte).

Barbara Sukowa

Sulf... [lat. sulfur »Schwefel«], *Chemie:* in Zusammensetzungen Wortelement zur Kennzeichnung von Schwefel in Verbindungen.

Sulfane, Bez. für die sich vom Schwefelwasserstoff (H_2S) ableitenden Polyschwefelwasserstoffe $H–S_n–H$.

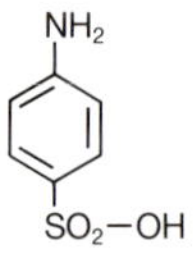

Sulfanilsäure

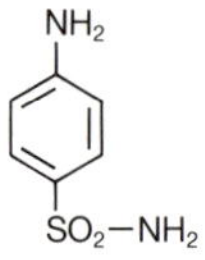

Sulfanilamid

Sulfanilsäure (oben) und Sulfanilamid

Sulfanilsäure (4-Aminobenzolsulfonsäure), durch eine Aminogruppe in p-Stellung substituierte Benzolsulfonsäure. S. dient als Ausgangsstoff für die Synthese von Azofarbstoffen und Arzneimitteln, bes. der →Sulfonamide (über das Zwischenprodukt **Sulfanilamid,** das früher selbst zur Behandlung bakterieller Infektionen verwendet wurde).

Sulfate, Salze und Ester der →Schwefelsäure.

Sulfatierung, Bez. für die Veresterung von Alkoholen mit Schwefelsäure; im Gegensatz zur →Sulfonierung wird die Sulfogruppe $–SO_3H$, bei der S. über ein Sauerstoffatom an den organ. Rest gebunden. Die S. hat große techn. Bedeutung für die Gewinnung der Fettalkoholsulfate (→Fettalkohole).

Sulfide, →Schwefel (Verbindungen).

Sulfidierung, Einfügung von Schwefel in eine organ. Verbindung in Form einer Thiol- (–SH) oder einer Sulfidgruppe (–S–).

Sulfite, die Salze und Ester der schwefligen Säure (→Schwefel, Verbindungen).

Arthur Seymour Sullivan

Sulfonamide, Amidderivate der Sulfonsäuren mit der allg. Formel $R–SO_2–NR'R''$ (R = aliphat. oder aromat. Rest, R', R'' = Wasserstoff oder organ. Reste). S. werden u. a. durch Reaktion von Sulfonylchloriden mit Ammoniak oder Aminen hergestellt. Sie haben in der techn. Chemie große Bedeutung als Zwischenprodukte u. a. bei der Herstellung von Farbstoffen, Textilhilfsmitteln und Schädlingsbekämpfungsmitteln. I. w. S. versteht man unter S. die von der →Sulfanilsäure abgeleiteten Amidverbindungen, die als antibakteriell wirksame Chemotherapeutika verwendet werden. Einfachster Vertreter und Grundkörper dieser S. ist das Sulfanilamid, von dem sich die übrigen S. durch Substitution eines an den Amidstickstoff gebundenen Wasserstoffatoms durch einen organ., meist heterozykl. Rest ableiten.

Sulfonate, Salze oder Ester der →Sulfonsäuren.

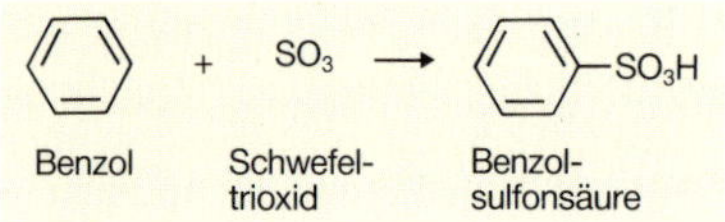

Sulfonierung von Benzol mit Schwefeltrioxid (SO_3)

Sulfonierung, Einführung der Sulfogruppe $–SO_3H$ in organ. Verbindungen unter Bildung von Sulfonsäuren. Zur S. aromat. Verbindungen dienen u. a. Schwefelsäure, Oleum, Schwefeltrioxid (SO_3); aliphat. Sulfonsäuren werden z. B. durch Sulfurylchlorid, SO_2Cl_2, (mit anschließender Abspaltung des Chlors) hergestellt.

Sulfonsäuren, organ. Verbindungen mit der allgemeinen Formel $R–SO_3H$ (R = Alkyl- oder Arylrest), die aus den entsprechenden aliphat. oder aromat. Kohlenwasserstoffen durch →Sulfonierung gewonnen werden. Die S. sind wichtige Zwischenprodukte, z. B. bei der Herstellung von Farbstoffen; aliphat. S. mit langkettigem, unverzweigtem Rest R dienen zur Herstellung von Tensiden.

Sulfonylharnstoffe, organ. Verbindungen mit der allgemeinen Formel $R–SO_2–NH–CO–NH–R'$ (R = meist aromat., R' = aliphat., aromat. oder heterozykl. Rest). Einige S. sind wertvolle orale Antidiabetika, mit denen der leichte Altersdiabetes behandelt werden kann.

Sulfoxide, organ. Verbindungen mit der allg. Formel R–SO–R' (R und R' = aliphat. oder aromat. Reste). Wichtigster Vertreter ist das →Dimethylsulfoxid.

Sulfur *das,* lat. Bez. für →Schwefel.

Sulfurierung, Oberbegriff für die Einführung von Schwefel in organ. Verbindungen. Im Einzelnen werden unterschieden: →Sulfatierung, →Sulfidierung und →Sulfonierung.

Sulinaarm (rumän. Braţul Sulina), mittlerer Mündungsarm der Donau in das Schwarze Meer, Rumänien, 84 km lang; Schifffahrtsweg.

Sulingen, Stadt im Landkreis Diepholz, Ndsachs., 11 800 Ew.; Drahtherstellung, galvanotechn. Betrieb, Schuhfabrik.

Sulitjelma, vergletscherter Gebirgsstock (1913 m ü. M.) im schwedisch-norweg. Grenzgebirge, östlich von Bodø, nördlich des Polarkreises. Am W-Fuß der norweg. Bergwerksort S. (Pyrit und Kupferkies).

Sulky [engl. 'sʌlkɪ] *das, Trabrennen:* einachsiger Einspänner mit Spezialsitz für den Fahrer.

Sulla, Lucius Cornelius, Beiname Felix, röm. Feldherr und Staatsmann, *138 v. Chr., †bei Puteoli (heute Pozzuoli) 78 v. Chr.; erhielt als Konsul 88 den Oberbefehl im Krieg gegen Mithridates VI. von Pontos. Als dieser Befehl durch Volksbeschluss auf Marius übertragen wurde, kam es zum Bürgerkrieg. 87 begann S. den Feldzug gegen Mithridates und brachte bis Ende 86 Griechenland in seine Gewalt. 85 schloss er mit Mithridates den Frieden von Dardanos. Er reorganisierte die Prov. Asia. In Italien besiegte er 82 die Marianer und regierte als Diktator bis 79; dann zog er sich nach Kampanien zurück.

Sullivan ['sʌlɪvən], **1)** Sir (seit 1883) Arthur Seymour, brit. Komponist, *London 13. 5. 1842, †ebd. 22. 11. 1900; wurde v. a. durch seine Operetten (u. a. »Der Mikado«, 1885) bekannt; schrieb auch Opern, Bühnenmusiken, Lieder, Orchester- und Chorwerke.

2) Louis Henri, amerikan. Architekt, *Boston (Mass.) 3. 9. 1856, †Chicago (Ill.) 14. 4. 1924; schuf in der Technik des Stahlskelettbaus den Typus des modernen Geschäftshochhauses nach dem auch in seinen Schriften verfochtenen Grundsatz, dass sich die Form aus der Funktion ergeben müsse.

Sully [sy'li], Maximilien de Béthune, Herzog (seit 1606) von, frz. Staatsmann, *Rosny-sur-Seine (Dép. Yvelines) 13. 12. 1560, †Villebon (Dép. Eure-et-Loir) 22. 12. 1641; kämpfte als Hugenotte an der Seite Heinrichs von Navarra (später Heinrich IV. von Frankreich), ab 1597 dessen Min., reformierte die Finanzen, förderte Gewerbe, Landwirtschaft und Verkehr.

Sully Prudhomme [sy'li pry'dɔm], eigtl. René-François-Armand Prudhomme, frz. Dichter, *Paris 16. 3. 1839, †Schloss Châtenay-Malabry (Dép. Hauts-de-Seine) 7. 9. 1907; Vertreter der →Parnassiens; schrieb zarte Lyrik und Gedankendichtungen in einer oft der Prosa nahe kommenden, wissenschaftlich präzisen Sprache (»Stances et poèmes«, 1865, u.a.). 1901 erhielt er den ersten Nobelpreis für Literatur.

Sully Prudhomme (um 1890)

Sulmona, Stadt in den Abruzzen, Provinz L'Aquila, Italien, 25 500 Ew.; Woll- und Bekleidungsind., Papierfabrik, Herstellung von Pkw-Teilen. – S., das röm. **Sulmo,** ist der Geburtsort Ovids.

Sultan [arab. »Herrscher«] *der,* seit dem 10./11. Jh. Herrschertitel in der islam. Welt, bes. bei Dynastien türk. Ursprungs.

Sultanine [zu Sultan] *die,* gelbe, kernlose Rosine aus der Sultanatraube.

Sulu, Bantuvolk im südlichen Afrika, →Zulu.

Suluinseln, aus etwa 3 000 Inseln bestehender Archipel im äußersten SW der Philippinen; die größten Inseln sind Basilan (1282 km²) und Jolo (893 km²). Die Bev. ist zu 95 % muslimisch; sie lebt weitgehend von Fischfang und Schmuggel, z.T. auch Piraterie.

Sulza, Bad, →Bad Sulza.

Sulzbach-Rosenberg, Stadt im Landkreis Amberg-Sulzbach, Bayern, am O-Rand der Fränk. Alb, 20 800 Ew.; Polizeifachhochschule, Museen; Textil-, Stahl- und Elektroind., Maschinenbau. – Spätgotische Pfarrkirche Mariä Himmelfahrt (14./15. Jh.); Renaissanceschloss (15., 16. und 18. Jh.); spätgot. Rathaus (um 1400); Stadtmauer (14. Jh.) z.T. erhalten. – Sulzbach (im 13. Jh. Stadt) wurde 1934 mit Rosenberg (im 13. Jh. erstmals erwähnt) vereinigt.

Sulzbach/Saar, Stadt im Stadtverband Saarbrücken, Saarland, 19 600 Ew.; Museum Salzbrunnenhaus; Metall verarbeitende Ind., Maschinenbau, Betriebe für Regelungstechnik und für techn. Kfz-Ausstattung, chem. Industrie. Nahebei der »Brennende Berg«, wo seit 1670 wegen eines Flözbrandes zeitweilig Dampf austritt. – 1346 erstmals erwähnt, seit 1946 Stadt.

Sülze, Bad, →Bad Sülze.

Sumach [arab.] *der* (Rhus), Gattung der S.-Gewächse, im gemäßigten Asien, im Mittelmeergebiet und in Nordamerika; sommer- oder immergrüne Bäume oder Sträucher mit meist unscheinbaren Blüten und kleiner, trockener Steinfrucht; viele Arten sind giftig. Als Ziergehölz wird u.a. der **Hirschkolben-S. (Essigbaum,** Rhus typhina) angepflanzt; 5–12 m hoher Baum mit samtig behaarten Zweigen und gefiederten Blättern; Herbstfärbung orange bis scharlachrot; Blüten grünlich, in 15–20 cm langen, dichten Rispen; Früchte rot, in kolbenartigen Ständen. Der **Gerber-S.** (Rhus coriaria) wurde seit der Antike u.a. als Haarfärbe- und Gerbmittel verwendet.

Sumatra [auch 'zu:-] (indones. Sumatera), Insel des Malaiischen Archipels, zweitgrößte der Großen Sundainseln, zu Indonesien gehörend, 425 000 km², mit Nachbarinseln 473 600 km², (1989) 36,9 Mio. Ew. Dem lang gestreckten, nach der Küste steil abfallenden Faltengebirge im W mit mehreren tätigen Vulkanen (Kerinci 3805 m ü.M.) ist im O eine Schwemmlandebene vorgelagert. Tropisch-heißes Klima mit hohen Niederschlägen. Die Vegetation besteht z.T. noch aus Regenwald, der aber weithin Sekundärwald, Grasfluren und Farnheiden gewichen ist. – Die Bev. setzt sich aus den z.T. christl. Batak, den islam. Minangkabau u.a. zusammen; daneben zugewanderte Chinesen; bes. im S zahlr. Umsiedler aus Java. – Neben Reisanbau Plantagenwirtsch. (Tabak, Kautschuk, Kaffee, Tee, Sisalagave und Ölpalmen). Harz- und Edelholzgewinnung. Bodenschätze: Erdöl, Zinn, Bauxit, Kohle. – Zur Geschichte →Indonesien. BILD Asien

📖 *Cultures and societies of North S., hg. v.* R. CARLE. *Berlin 1987.* – SCHOLZ, U.: *Agrargeographie von S. Gießen 1988.*

Sumba (Sandelholzinsel), eine der Kleinen Sundainseln, Indonesien, 11 082 km², 340 000 Ew.; Viehzucht; Ausfuhr von Sandelholz u.a.; Hauptort ist Waingapu.

Sumbawa, eine der Kleinen Sundainseln, Indonesien, 13 980 km², 770 000 Ew.; im Vulkan Tam-

Maximilien de Béthune, Herzog von Sully (zeitgenössischer Kupferstich)

Sumach: Fruchtstand des Hirschkolbensumach

bora 2850 m ü. M.; Anbau von Reis; Pferdezucht (Reiterspiele); Hauptort ist Sumbawa Besar.

Sume, Stadt in der Ukraine, →Sumy.

Sumer, Name für das südl. Mesopotamien (Süd- und Mittelbabylonien) als Land der →Sumerer.

Sumerer, die Bewohner Sumers, ein Volk unbekannter Herkunft, das seit Ende des 4. Jt. v. Chr. nachweisbar ist. Die S. waren maßgeblich an der Schaffung der altoriental. Hochkultur beteiligt. Grundlage war der mithilfe künstl. Bewässerung betriebene Ackerbau. Er erforderte bereits früh eine gemeinsame Arbeit der Bewohner und führte durch die soziale Differenzierung zur Bildung von Stadtstaaten (u. a. Uruk, Kisch, Ur, Lagasch und Umma). An der Spitze dieser Staaten standen Stadtfürsten mit priesterl. Vollmachten. – Die S. entwickelten die →Keilschrift.

James B. Sumner

sumerisch-akkadische Kunst, die seit etwa 3000 v. Chr. in →Babylonien blühende Kunst der Sumerer und die sie um 2350–2150 v. Chr. beeinflussende der semit. Akkader.

sumerische Sprache, die Sprache der Sumerer, die in Keilschrifttexten überliefert ist (seit dem 3. Jt. v. Chr.); sie erlosch als lebende Sprache um 2300, spätestens um 1800 v. Chr.; als Sprache des Kults und der Bildung lebte sie bis in die seleukid. Zeit (1. Jt. v. Chr.) fort. Die s. S. gehört zu den agglutinierenden Sprachen.

Sumgait, Stadt in Aserbaidschan, →Sumqayıt.

Sumitomo-Gruppe, eine der führenden japan. Unternehmenskonglomerate (Keiretsu), hervorgegangen aus einer Unternehmerfamilie, die ab Ende des 17. Jh. Kupferbergbau betrieb. Der S.-Konzern (rd. 25 Großunternehmen) wurde nach dem 2. Weltkrieg aufgelöst. Heute firmieren unter dem Namen Sumitomo rd. 20 Unternehmen, tätig in den Bereichen Handel, Banken und Versicherungen, Schwerindustrie, Schiffbau sowie Elektronik.

Summa [lat.] *die,* in der mittelalterl. Philosophie die zusammenfassende Darstellung eines Wissensgebietes, bes. der Theologie, z. B. die »S. theologiae« von Thomas von Aquin.

summa cum laude [lat. »mit höchstem Lob«], höchstes Prädikat bei der Promotion (→Doktor).

Summand [lat.] *der, Mathematik:* →Addition.

summarisch, zusammenfassend (ohne wichtige Details zu beachten).

Summation [lat.] *die,* Bildung einer Summe.

Summe [lat.] *die, Mathematik:* das Ergebnis einer →Addition. Die S. aus n Summanden wird häufig mithilfe des großen Sigmas (Σ) als S.-Zeichen symbolisiert:

$$\sum_{i=1}^{n} x_i = x_1 + x_2 + \ldots + x_n$$

Summenaktie (Nennwertaktie), auf einen bestimmten Geldbetrag (Nennwert) lautende Aktie. In Dtl. sind nur S. zulässig (§ 6 Aktien-Ges.), in anderen Ländern dagegen auch →Quotenaktien.

Summenbilanz, →Rohbilanz.

Summepiskopat [lat.-grch.], seit dem 17. Jh. bis 1918 in Dtl. die dem evang. Landesherrn als dem **Summus Episcopus** zugeschriebene oberste Jurisdiktionsgewalt zur Leitung der Kirche (Kirchenregiment).

Summer, mit Gleich- oder Wechselstrom betriebener Rufsignalgeber nach Art eines Weckers (Klingel), der jedoch nur einen Summ- oder Schnarrton verminderter Lautstärke abgibt. S. wurden früher auch als einfache Tonfrequenzsender in der Fernmeldetechnik verwendet.

Summerhill ['sʌməhɪl], Internatsschule (seit 1927 in Leiston, Cty. Suffolk); 1924 von A. S. →Neill gegründet.

Sumner ['sʌmnə], **1)** James Batcheller, amerikan. Biochemiker, *Canton (Mass.) 19. 11. 1887, †Buffalo (N. Y.) 12. 8. 1955; isolierte 1926 die Urease als erstes Enzym in kristalliner Form, wofür er 1946 mit J. H. Northrop und W. M. Stanley den Nobelpreis für Chemie erhielt.

2) William Graham, amerikan. Sozialwissenschaftler, *Paterson (N. J.) 30. 10. 1840, †Englewood (N. J.) 12. 4. 1910; ab 1872 Prof. an der Yale University und Mitbegründer der amerikan. Soziologie; befasste sich mit den gruppenspezif. Bräuchen, Sitten und Institutionen (»folkways«) innerhalb der Gesellschaft als Schauplatz des Kampfes ums Dasein; Anhänger des Sozialdarwinismus.

Sumo [japan.] *das,* traditioneller japan., heute professionalisierter Ringkampf zw. i. d. R. 90 und 140 kg schweren Athleten, die im Wettkampf nur einen Lendenschurz tragen und sich mit speziellen Griffen zu Boden zu bringen oder aus dem **Ring** (mit etwa 4,50 m Durchmesser) zu befördern versuchen.

Sumpf, ständig von Wasser durchtränktes, auch permanent oder zeitweise unter Wasser stehendes Gelände mit angepasster Pflanzenwelt.

Sumpfbiber, ein Nagetier, →Nutria.

Sumpfdeckelschnecken (Viviparus), Gattung lebend gebärender Süßwasserschnecken mit bräunl., gebändertem Gehäuse und hornigem Deckel; der rechte Fühler des Männchens ist als Begattungsorgan umgewandelt.

Sumpfdotterblume, ein Hahnenfußgewächs, →Dotterblume.

Sumpferz, →Raseneisenerz, →Brauneisen.

Sumpffieber, die →Malaria.

Sumpfgas, Biogas, das sich durch anaerobe Zersetzungsvorgänge in Sümpfen bildet; ein brennbares Gemisch aus Methan und Kohlendioxid.

Sumpfhühner (Sumpfrallen, Porzana), weltweit verbreitete Gattung etwa 15 bis 25 cm langer

Rallen in vegetationsreichen Sümpfen und Sumpfgewässern; Oberseite vorwiegend bräunlich bis schwarzbraun, oft weiß getüpfelt; Unterseite hell, mit schwarz und weiß gestreiftem Bauch.

Sumpfschildkröten (Emydidae), Familie der Schildkröten, v.a. in den wärmeren Zonen der nördl. Erdhalbkugel; überwiegend wasserbewohnende Reptilien mit meist flach gewölbtem, ovalem Panzer; u.a. die **Europ. S.** (Emys orbicularis), Panzerlänge bis zu 30 cm; Rückenpanzer fast schwarz, gelb getüpfelt oder mit strahlenförmiger Zeichnung; Bauchpanzer bräunlich; in Dtl. unter Naturschutz.

Sumpfschildkröte: Europäische Sumpfschildkröte (Panzerlänge bis zu 30 cm)

Sumpfschnepfen (Gallinago), Gattung etwa 30–40 cm langer Schnepfenvögel; einheimisch ist u.a. die **Bekassine** (Gallinago gallinago), mit Schwanz etwa 27 cm lang, mit langem, geradem Schnabel und schwarzem bis rötlich braunem Rücken. Wegen des »meckernden« Fluggeräusches ihrer Schwanzfedern beim Balzflug auch »Himmelsziege« genannt.

Sumpfschnepfen: Bekassine (Größe etwa 27 cm)

Sumpfwurz (Stendelwurz, Epipactis), Orchideengattung der nördl. gemäßigten Zone; Blüten mit ungespornter Lippe und rötl. oder grünl. Blütenhüllblättern. Die geschützte **Echte S.** (**Sumpfstendelwurz,** Epipactis palustris) mit weißen Blüten wächst auf Flachmooren.

Sumpfzypresse (Sumpfzeder, Taxodium), Gattung der S.-Gewächse mit drei Arten im südl. Nordamerika einschl. Mexiko; hohe Bäume mit nadelförmigen Blättern, die im Herbst, bei der halbimmergrünen **Mexikan. S.** (Taxodium mucronatum) erst nach mehreren Jahren, abgeworfen werden. Die Art **Taxodium distichum** ist ein Charakterbaum der Sümpfe und Flussufer des südöstl. Nordamerika: 30–50 m hoch, mit schmalkegelförmiger Krone; Stamm mit knieförmigen Atemwurzeln. – Die Gattung S. war im Tertiär auch in Mitteleuropa verbreitet und bildet einen wichtigen Bestandteil der Braunkohle.

Sumqayıt (früher Sumgait), Stadt in Aserbaidschan, an der NW-Küste der Halbinsel Apscheron, 236 200 Ew.; Erdöl-, Erdgasverarbeitung, Aluminiumhütte, Stahl-, Walz- und Röhrenwalzwerk.

Sumy (ukrain. Sume), Hptst. des Gebiets S., NO-Ukraine, 307 000 Ew.; PH, Museen und Theater; Maschinenbau-, chem., opt., Textilindustrie.

Sund [niederdt.] *der,* Meerenge, Meeresstraße, z.B. Fehmarnsund.

Sundaer (Sundanesen), jungindonesisches Volk auf W-Java mit hoch entwickelter Kultur; etwa 25 Mio. sunnit. Muslime.

Sundagraben, Tiefseegraben mit der tiefsten Stelle des Ind. Ozeans (Planettiefe, 7455 m), südlich der Inseln Sumatra und Java.

Sunda|inseln, Inseln des →Malaiischen Archipels.

Sundarbans, Ebbe und Flut ausgesetzte Küstenlandschaft in Bengalen, Vorderindien, im S. des Ganges-Brahmaputra-Deltas, mit Mangrovesümpfen und reicher Tierwelt (Tigerreservat); nur spärlich bewohnt. Die Mangrovenlandschaft ist UNESCO-Welterbe.

Sundastraße, Meerenge zw. Java und Sumatra mit vulkan. Inseln, darunter →Krakatau; an der engsten Stelle 22 km breit.

Sünde, die (bewusste) Verletzung bzw. Missachtung eines auf Gott, die Götter bzw. das Heilige zurückgeführten Gesetzes, Gebotes oder gebotenen Treueverhältnisses (→Bund) durch den Menschen, wodurch das im religiösen Verständnis lebensnotwendige Gott-Mensch-Verhältnis zeitweilig gestört oder dauerhaft unterbrochen wird. Schwerwiegende S. sind in den Hochreligionen z.B. die Lästerung des Gottesnamens und die Profanierung hl. Orte und Gegenstände, in den Naturreligionen v.a. die Verletzungen des →Tabus. Voraussetzungen für die Wiederherstellung des Gottesverhältnisses (Versöhnung) sind das individuelle **Sündenbewusstsein, Sündenbekenntnis** (in den christl. Kirchen die →Beichte) und die, in den versch. Religionen rituell unterschiedlich ausgestaltete persönl. **Sühne** als religiöse »Wiedergutmachung« (→Buße). Für die christl. Theologie entspringen die menschl. Einzel-S. der »Ursünde« des Menschengeschlechts (→Erbsünde, →Sündenfall). Die kath. Theologie betont v.a. die Einzel-S. des Menschen (unterschieden in lässl. und schwere S., →Todsünde), die evang. Theologie seine grundsätzl. »sündhafte« Natur als Folgen der ererbten »Ursünde«; für die orth. Theologie ist S. v.a. die Verdunkelung, jedoch nicht völlige Zerstörung der →Gottebenbildlichkeit des Menschen.

📖 Kierkegaard, S.: *Die Krankheit zum Tode. A.d. Dän. Tb.-Ausg. Hamburg 1991.* – Drewermann, E.: *Strukturen des Bösen, 3 Bde. Paderborn u.a.* $^{6-9}$*1986–92.*

Sündenbock, ein Ziegenbock, auf den am Versöhnungstag durch den jüd. Hohepriester (nach

Sündenfall: gotische Miniatur (um 1280; London, Britisches Museum)

3. Mose, 16) symbolisch die Sünden des Volkes übertragen wurden und der anschließend, mit diesen »beladen«, in die Wüste geschickt wurde; im übertragenen Sinn ein Mensch, der für die Schuld anderer büßen muss.

Sündenfall, in der christl. Tradition Bez. für den in 1. Mose 3 geschilderten Ungehorsam des ersten Menschenpaares gegen Gott, in dessen Folge die unmittelbare Gottesgemeinschaft verloren ging. (→Erbsünde)

Sunderland ['sʌndələnd], Hafenstadt in der Metrop. Cty. Tyne and Wear, NO-England, an der Mündung des Wear in die Nordsee, 296 000 Ew.; Polytechnic (FH), Bekleidungs-, Elektro-, Papier-, Keramik- u.a. Ind., Glashütten; im benachbarten Washington modernes Autowerk. – Am N-Ufer der Wearmündung entstand 674 das Kloster Wearmouth. Das durch den Fluss vom Kloster getrennte Land (engl. »sundered«), auf dem sich später eine Stadt entwickelte, hieß Sunderland.

Sundgau [»Südgau«], Landschaft im Oberelsass, Frankreich, das Hügelland zw. Oberrhein. Tiefland, Vogesen und Schweizer Jura. Die Grafschaft S., habsburg. Altbesitz, kam 1648 an Frankreich. 1871–1918 gehörte der S. (ohne Belfort) zu Elsass-Lothringen.

Per Olof Sundman

Sundman, Per Olof, schwed. Schriftsteller, *Vaxholm (bei Stockholm) 4. 9. 1922; seit 1975 Mitgl. der Schwed. Akademie; zeigt sich in seiner Prosa als sachlich registrierender, scheinbar objektiver Beobachter; schrieb Erzählungen und Romane, u.a. »Ingenieur Andrées Luftfahrt« (R., 1967), »Bericht über Sámur« (R., 1977).

Sun Yatsen

Sundsvall, Stadt im schwed. Verw.gebiet Västernorrland, am Bottn. Meerbusen, 94 300 Ew.; Hafen; bed. Standort der Zellstoff- und Papierind., chem. Ind., Maschinenbau, Aluminiumhütte.

Sung (Song), chines. Dynastien, v.a. 960–1279 (→China, Geschichte).

Sungari, Fluss in China, →Songhua Jiang.

Sunion, Kap, Steilkap in Griechenland, S-Spitze der Halbinsel Attika; Ruine des dorischen Poseidontempels (Mitte 5. Jh. v. Chr.).

Sunna [arab. »Brauch«, »Sitte«] *die,* die Gesamtheit der von Mohammed überlieferten, im →Hadith gesammelten Aussprüche, Entscheidungen und Verhaltensweisen; im Islam neben dem Koran Richtschnur für das persönl. und staatl. Handeln.

Sunniten, die größere der beiden Hauptrichtungen des →Islam (etwa 90% der Muslime); verstehen sich als die islam. Orthodoxie und erkennen im Ggs. zu den →Schiiten auch die Nachfolger Mohammeds (Kalifen) als rechtmäßig an, die nicht dessen Nachkommenschaft entstammen. Grundlage ihrer Glaubens- und Pflichtenlehre sind der Koran und die →Sunna.

📖 *Der Islam, Beiträge v.* W. M. Watt *u. a., Bd. 2: Polit. Entwicklungen u. theolog. Konzepte. A. d. Engl. Stuttgart u. a. 1985.*

Sun Ra ['sʌn 'reɪ], eigtl. Herman »Sonny« Blount, amerikan. Jazzmusiker (Pianist, Komponist), *Birmingham (Ala.) 22. 5. 1914 (?), †ebd. 30. 5. 1993; wirkte in den 40er-Jahren in Chicago; sein Mitte der 50er-Jahre gegr. Orchester entwickelte sich bald zur stilbildenden Bigband des Freejazz.

Sunion, Kap: Ruine des aus der Mitte des 5. Jh. v. Chr. stammenden dorischen Poseidontempels

Süntel *der,* Höhenzug im Weserbergland, südwestlich vom Deister, in der Hohen Egge 440 m ü. M., stark bewaldet.

Sun Yatsen (Sun Yat-sen), eigtl. Sun Wen, chines. Revolutionär und Politiker, *Cuiheng (Prov. Guangdong) 12. 11. 1866, †Peking 12. 3. 1925; Arzt, gründete 1894 die »Vereinigung zur Wiederherstellung Chinas«; hielt sich nach dem gescheiterten Aufstandsversuch in Kanton (1895) 16 Jahre im japan. Exil auf. Das von ihm entwickelte revolutionäre Programm zielte auf den Sturz der Qing-

Dynastie und die Errichtung einer Rep. nach den »drei Volksprinzipien« (Nationalismus, Demokratie, soziale Neugestaltung). S. war nach der Revolution von 1911 provisor. Präsident der Rep. China (Jan./Febr. 1912), musste das Amt jedoch an den (ehem. kaiserl.) Marschall Yuan Shikai abgeben. 1912 schuf er die →Kuomintang. Sein Versuch einer »zweiten Revolution« scheiterte 1913. S. Y. ging wieder ins Exil nach Japan, kehrte 1920 zurück und bildete während des Bürgerkriegs in Kanton eine Gegenreg. (1921 deren Präs.). Durch sein Bündnis mit der KP Chinas schuf er sich eine starke polit. Basis und leitete 1923/24 mithilfe sowjet. Berater die Reorganisation der Kuomintang sowie deren Umwandlung in eine Kaderpartei ein.

Suomalaiset, Eigenbez. der Finnen.

Suomenlinna (schwed. Sveaborg), frühere Seefestung bei →Helsinki.

Suomi, finn. Name für Finnland.

super... [lat. »oben«, »über«, »darüber«], in Zusammensetzungen: über..., ober..., äußerst.

Supercomputer [-kɔmpju:tər], Datenverarbeitungsanlage, deren herausragende Rechenleistung über die klass. Großrechner (engl. main frame) hinausgeht. S. besitzen sehr hohe Speicherkapazitäten sowie Rechengeschwindigkeiten von mehreren Mio. oder Mrd. Gleitkommaoperationen pro Sekunde (MFLOPS bzw. GFLOPS); noch leistungsfähigere S. befinden sich in der Entwicklung. S. arbeiten oftmals mit sehr vielen Hochleistungsprozessoren gleichzeitig (→Parallelrechner).

Superfekundation [lat.] *die,* die →Überschwängerung.

Superfetation [lat.] *die,* die →Überfruchtung.

Super G [-dʒi:; G, Abk. von engl. **G**iant »Riese«], *Skisport:* →Superriesenslalom.

Supergravitation, →Gravitation, →Wechselwirkung.

Superhaufen (Galaxien-S.), durch Zusammenballung von Galaxienhaufen gebildete, strukturierte, großräumige Verdichtungen von Materie im Weltall. Komplementär dazu sind entsprechende Verdünnungen (»Blasen«, engl. voids) zw. den S., in denen nur wenige oder gar keine Galaxien gefunden werden. Ein S. (Galaxie 2. Ordnung) ist der lokale S., in dessen Zentrum der Virgohaufen liegt und dem u.a. die →lokale Gruppe angehört.

Superheterodyn-Empfänger, der Überlagerungsempfänger (→Rundfunk).

Super|intendent [lat.] *der,* in den meisten evang. Kirchen der aufsichtsführende geistl. Amtsträger eines Kirchenkreises mit Leitungs- und Verw.aufgaben.

Superionenleiter (Supraionenleiter), Festkörper, die in einem breiten Temperaturintervall unterhalb des Schmelzpunktes eine den flüssigen Elektrolyten und Salzschmelzen (→Ionenleiter) vergleichbare reine Ionenleitfähigkeit besitzen und die Leitfähigkeit normaler Ionenkristalle, z.B. von festem Kochsalz, um 15 bis 17 Größenordnungen übertreffen. Ursache der hohen Ionenbeweglichkeit sind Defekte im Kristallgitter, die entweder durch Verunreinigung mit Fremdatomen oder durch therm. Bewegungen der Gitterbausteine erzeugt werden. Wichtige S. sind z.B. Natrium-β-Aluminiumoxid ($Na_2O \cdot 11\,Al_2O_3$) oder Lithiumnitrid (Li_3N); viele techn. Anwendungsmöglichkeiten, z.B. Festkörperelektrolytbatterien.

Superior [lat.] *der, kath. Kirchenrecht:* der Leiter eines Klosters.

Superior [sju'pɪərɪə], Stadt in Wisconsin, USA, 27100 Ew.; Hafen am Oberen See, mit →Duluth eng verwachsen; Univ., histor. Museum.

Superlativ [lat.] *der, Sprachwiss.:* →Komparation.

Supermarkt, großflächiger Selbstbedienungsladen (mindestens $400\,m^2$ bis zu $800\,m^2$ als Schwellenwert zum Verbrauchermarkt) mit großem Sortiment, bes. für Lebensmittel; in den 1930er-Jahren in den USA entstanden.

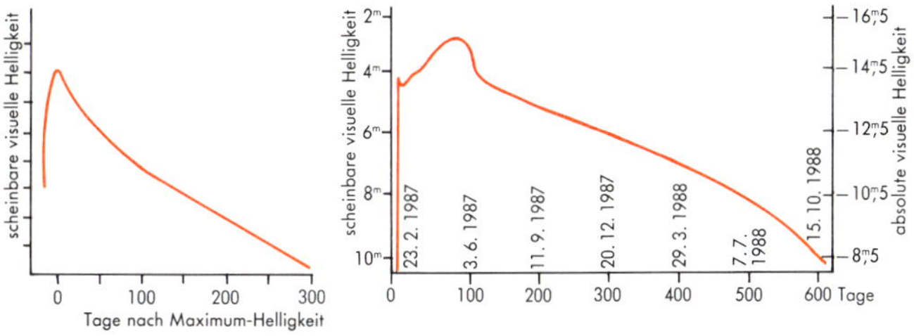

Supernova: Verlauf der Lichtkurve einer Typ-I-Supernova (links) und Verlauf der Lichtkurve der Typ-II-Supernova 1987 A während der ersten 600 Tage nach der Explosion

Supernova, Abk. **SN,** veränderl. Stern (→Veränderliche), der eine plötzl. Helligkeitszunahme von z.T. mehr als 20 Größenklassen erreichen kann. Die Leuchtkraft steigt dabei auf etwa das Milliardenfache an und ist im Helligkeitsmaximum (mindestens) von derselben Größenordnung wie die einer Galaxie. S. werden als sehr späte Stadien der →Sternentwicklung angesehen, die sich im Zusammenhang mit dem nach dem Ende der thermonuklearen Entwicklung auftretenden Gravitationskollaps entwickeln. Dabei wird ein erhebl. Teil der Sternmasse mit hoher Geschwindigkeit (um 10000 km/s) abgestoßen, der in der Folge als sich rasch ausdehnender Emissionsnebel zu beobachten ist, während bei einem Teil der S. der zentrale Teil **(S.-Überrest, S.-Remnant,** Abk. **SNR)** als rasch rotierender →Neutronenstern übrig bleibt, der sich als →Pulsar bemerkbar macht oder zu einem →Schwarzen Loch kollabiert. Vornehmlich nach der Art des Spektrums, aber auch nach dem Verlauf der Lichtkurve werden v.a. zwei

Typen von SN, Typ-I-SN und Typ-II-SN, unterschieden. – S. sind relativ seltene Erscheinungen. Wahrscheinlich tritt in einer durchschnittl. Galaxie etwa alle 100 Jahre, in Galaxien vom Typ unseres Milchstraßensystems etwa alle 30 Jahre eine S. auf. Beispiele von S. im Milchstraßensystem sind die S. von 1054, die als Ursprung des →Crabnebels identifiziert wurde, sowie die S. von 1572 (»Tychonischer Stern«, im Sternbild Kassiopeia) und 1604 (»Keplers Stern«, im Schlangenträger). Die 1987 in der Großen Magellanschen Wolke entdeckte S. vom Typ-II-SN (SN 1987A) ist die erste nahe gelegene S., die in allen Phasen messtechnisch erfasst wird. Die S. SN 1993J war die hellste S. am Nordhimmel seit über 20 Jahren.

Jules Supervielle

S. haben eine große Bedeutung für die Entwicklung von Galaxien, da sie für die Anreicherung der interstellaren Materie mit schweren Elementen verantwortlich sind, die bei den Ausbrüchen freigesetzt werden; außerdem ist ein Großteil der kosm. Strahlung auf sie zurückzuführen.

Super|oxide, frühere Bez. für →Peroxide und →Hyperoxide.

Superphosphat, ältestes (seit 1845 hergestelltes) künstl. Düngemittel, aus Calciumdihydrogenphosphat, $Ca(H_2PO_4)_2$, und Calciumsulfat (Gips), $CaSO_4$.

Superpositionsprinzip (Überlagerungsprinzip), Prinzip der ungestörten Überlagerung bestimmter physikal. Größen gleicher Art am gleichen Ort, z.B. die Überlagerung der Schwingungsamplituden von Wellen (→Interferenz) oder die vektorielle Addition von Kräften.

Super|riesenslalom (Super G) *der, Skisport:* alpine Disziplin, Zwischenform von Abfahrtslauf und Riesenslalom, Neigung höchstens 10%, Höhenunterschied zw. 500 und 630 m für Herren, 350 und 500 m für Damen. Mindestens 30 Tore, Mindestabstand der Tore 25 m, lichte Weite 6–8 m. Olymp. Disziplin für Herren seit 1988.

Super RTL, privater Fernsehsender (→RTL).

superschwere Elemente (überschwere Elemente), hypothetische stabile Elemente mit einer Kernladungszahl *Z*, die größer ist als die der heute bekannten Elemente ($Z > 112$). Nach den theoret. Voraussagen des Schalenmodells der Atomkerne könnten jenseits der bisher bekannten Elemente schwerere Kerne mit außergewöhnl. Stabilität, d.h. langer Lebensdauer, existieren. Dies gilt v.a. für doppelt mag. Kerne (→magische Zahlen). Derartige durch abgeschlossene Nukleonenschalen bedingte »Inseln der Kernstabilität« sind für das dem Blei homologe Element mit $Z = 114$, weiterhin für $Z = 126$ und für $Z = 164$ zu erwarten.

Superschwergewicht, *Sport:* eine Gewichtsklasse im Boxen (Amateure, über 91 kg), Gewichtheben (über 112 kg) und im Ringen (bis 130 kg).

supersonisch, über der Schallgeschwindigkeit (→Gasdynamik).

Superstrat [lat.] *das, Sprachwiss.:* die Sprache von Einwanderern oder Eroberern, die die Sprache einer bodenständigen Bevölkerung überlagert.

Superstringtheorie, →Stringtheorie.

Supersymmetrie, (hypothet.) Symmetrie der Elementarteilchen, die raumzeitl. und innere Symmetrien der Naturgesetze vereinigt und sowohl Bosonen als auch Fermionen als Zustände eines Teilchenmultipletts auffasst. Obwohl in der Natur keine massegleichen boson. und fermion. Teilchen auftreten, d.h. die Symmetrie verletzt ist **(Symmetriebruch),** sind supersymmetr. Erweiterungen bekannter Quantenfeldtheorien von großer Bedeutung, insbesondere durch die resultierenden Kompensationen divergenter Ausdrücke.

Supervielle [syper'vjɛl], Jules, frz. Schriftsteller, *Montevideo 16. 1. 1884, †Paris 17. 5. 1960; schrieb von Symbolismus und Surrealismus beeinflusste Lyrik in melodisch-transparenter Sprache (»Les poèmes de l'humour triste«, 1919; »Gedichte«, dt. Ausw. 1968), poetisch-heitere Prosa (»Der Kinderdieb«, R., 1926), auch Komödien (»Ritter Blaubarts letzte Liebe«, 1932).

Suppè, Franz von, österr. Komponist, *Split (Kroatien) 18. 4. 1819, †Wien 21. 5. 1895; gehört neben J. Strauß (Sohn) und K. Millöcker zu den Meistern der Wiener Operette; komponierte Sinfonien, Bühnenmusiken, eine Messe, ein Requiem, Opern und bes. Operetten, u.a. »Die schöne Galathee« (1865), »Banditenstreiche« (1867), »Boccaccio« (1879) sowie Ouvertüren (»Dichter und Bauer«, 1846).

Franz von Suppè
(um 1890)

Supplement [lat.] *das, Buchwesen:* Ergänzung(sband), Nachtrag.

Supplementwinkel, *Mathematik:* Winkel, der einen anderen Winkel zu 180° ergänzt.

Support [lat.] *der, Fertigungstechnik:* bewegbarer Werkzeugträger an Werkzeugmaschinen, der die Vorschubbewegung ausführt und Werkzeugspanner sowie Werkzeuge trägt.

Suppositorium [lat.] *das* (Zäpfchen), kegel- oder walzenförmige Arzneiform, bei der das Arzneimittel zur rektalen (Einführen in den Mastdarm) oder vaginalen (Einführen in die Scheide) Applikation in eine bei Körpertemperatur schmelzende Grundmasse eingebettet ist. S. sind bes. zweckmäßig in der Kinderheilkunde sowie bei Magenunverträglichkeit der Wirkstoffe.

supra... [lat.], über..., oberhalb.

Suprafluidität (Superfluidität), Zustand von Vielteilchensystemen (sog. Quantenflüssigkeiten), die bei sehr tiefen Temperaturen aufgrund von Quantenfluktuationen ihrer Teilchen nicht in den festen Aggregatzustand übergehen. S. wurde zunächst für das Isotop Helium 4 (^{4}He) nachgewiesen, das bei etwa 4,2 K unter Normaldruck flüssig wird (He I) und bei Abkühlung unter den **Lambda-Punkt** (**λ-Punkt,** $T = 2{,}184$ K, $p = 5 \cdot 10^3$ Pa) ein Gemisch aus wechselwirkungsfreiem supraflüssigem He II und normalflüssigem He I bildet. Bei Annäherung an den absoluten Nullpunkt geht dieses Gemisch in einem →Phasenübergang II. Art unter Abnahme von He I in die ideale, wirbelfreie **Supraflüssigkeit** He II über (Zweiflüssigkeitsmodell). Supraflüssiges He II unterscheidet sich von normal flüssigem He I durch seine verschwindende Viskosität, den verschwindenden Wärmeinhalt und eine hohe Wärmeleitfähigkeit, die etwa 10^8 mal so groß ist wie die von gewöhnl. He I. Supraflüssigkeiten können außerdem nur mit bestimmten Winkelgeschwindigkeiten rotieren. Sie strömen aufgrund der geringen Viskosität reibungsfrei durch enge Kapillaren und kriechen in dünnster Schicht entgegen der Schwerkraft über den Rand von Gefäßen. Die S. ist ein reiner Quanteneffekt, der auf der Eigenschaft von Teilchen mit Bose-Einstein-Statistik (Bosonen) beruht, im Grundzustand (am absoluten Nullpunkt) den gleichen Quantenzustand tiefster Energie einzunehmen. Da die Atome keine therm. Energie besitzen, können sie keinen Impuls mehr übertragen, der zum Übergang in die angeregten Zustände des Systems, die dem normalflüssigen He I entsprechen, ausreicht. Dadurch wird die Wechselwirkung zw. den Atomen in der Supraflüssigkeit unterbunden, sodass die Strömung reibungslos verläuft.

Supraionenleiter, die →Superionenleiter.

supraleitende Magnete, aus supraleitenden Spulen bestehende Elektromagnete, bei denen der das Magnetfeld erzeugende Strom infolge Supraleitung widerstandslos fließt. Dafür eignen sich bes. Niob-Zinn-, Niob-Zirkon- und Niob-Tantal-Legierungen, die auch im Magnetfeld die Supraleitfähigkeit behalten. Verwendung finden s. M. v.a. in der Hochenergiephysik beim Bau von Teilchenbeschleunigern, bei Kernspin-Spektrometern und bei Versuchen zur Kernfusion.

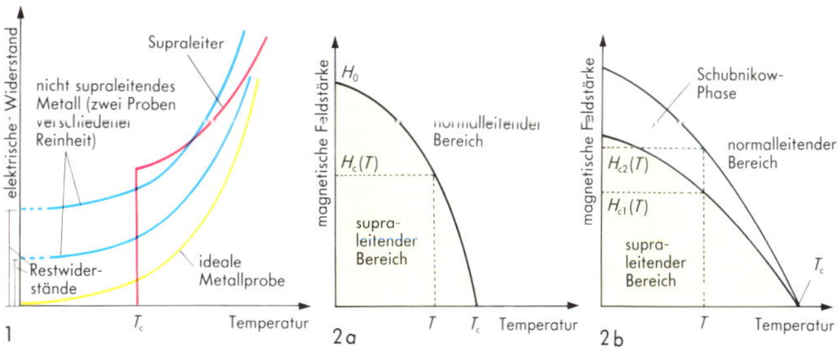

Supraleiter: 1 Diagramm des elektrischen Widerstands von normalen Metallen (blau), einer idealen Metallprobe (gelb) und eines Supraleiters (rot) in Abhängigkeit von der Temperatur und Phasendiagramm in Abhängigkeit von der kritischen magnetischen Feldstärke H_c eines Supraleiters von der absoluten Temperatur T eines Typ-I-Supraleiters (2a) und eines Typ-II-Supraleiters (2b)

Supraleiter, Bez. für viele Metalle, Legierungen, metallähnl. Verbindungen sowie bestimmte organ. Stoffe und Keramiken, die →Supraleitung zeigen. **S. 1. Art (Typ-I-S.)** zeigen unterhalb der krit. magnet. Feldstärke vollständige Feldverdrängung, oberhalb wird der supraleitende Zustand zerstört. Alle reinen Metalle bis auf Niob und Vanadium sind S. 1. Art und lassen sich durch Zulegieren von Fremdatomen in S. 2. Art überführen. Für **S. 2. Art (Typ-II-S.)** existiert neben dem Magnetfeldbereich (unterhalb einer unteren krit. magnet. Feldstärke), in dem das Innere völlig feldfrei bleibt, noch bei erheblich höheren magnet. Feldstärken (bis zu einer oberen krit. magnet. Feldstärke) die **Schubnikow-Phase,** in der das Feld teilweise in den S. eindringt und sich eine Vielzahl von feinen, normal leitenden Flusswirbeln (Flussschläuchen) ausbildet, ohne dass die Supraleitung im verbleibenden Querschnitt des Leiters zusammenbricht. S., die in hohen Magnetfeldern auch noch hinreichend große Strome widerstandsfrei transportieren können und daher für techn. Anwendungen von besonderer Bedeutung sind, werden häufig als **S. 3. Art (Typ-III-S.)** oder auch **harte S.** bezeichnet. – Eine 1986 entdeckte neue Klasse von supraleitenden oxid. Materialien mit wesentlich höheren Übergangstemperaturen T_c sind die **Hochtemperatur-S.** (HTSL), als deren Modellsubstanz die Verbindung $YBa_2Cu_3O_7$ mit $T_c = 92{,}5$ K (−180,5 °C) gilt. Das große Interesse an diesen S. beruht u.a. darauf, dass viele von ihnen bereits durch Kühlung mit flüssigem Stickstoff (77 K) supraleitend werden, was deutlich kostengünstiger ist als die Kühlung mit Helium (4,2 K). Mit Hg-Ba-Ca-Cu-O-Systemen konnten 1993 HTSL realisiert werden, die schon bei 133 K supraleitend werden. HTSL werden technisch bereits in →SQUIDs eingesetzt. Zukünftige Anwendungen: z.B. Einsatz von HTSL als supraleitende Kabel zur Energieübertragung sowie in der Entwicklung

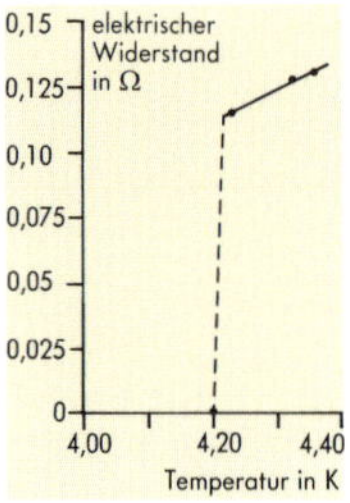

Supraleitung: elektrischer Widerstand einer Quecksilberprobe in Abhängigkeit von der Temperatur (nach Kamerlingh-Onnes)

ultraschneller Computer, in denen supraleitende Josephson-Kontakte als Schaltelemente für Prozessoren und Speicher eingesetzt werden.

Supraleitung, die 1911 von H. Kamerlingh-Onnes entdeckte, praktisch unbegrenzte elektr. Leitfähigkeit (Verschwinden des elektr. Widerstandes) bestimmter Materialien (→Supraleiter) in der Nähe des absoluten Nullpunktes der Temperatur. Bei einer von Stoff zu Stoff versch. **Sprungtemperatur (krit. Übergangstemperatur)** T_c nimmt der elektr. Widerstand sprunghaft auf unmessbar kleine Werte ab. Außerdem wird jedes nicht zu starke äußere Magnetfeld aus dem Innern des Supraleiters vollständig verdrängt (→Meißner-Ochsenfeld-Effekt), durch ein hinreichend hohes Magnetfeld wird die S. dagegen aufgehoben, wenn eine material- und temperaturabhängige krit. magnet. Feldstärke H_c überschritten wird. Neben den Änderungen der elektromagnet. Eigenschaften treten bei der Übergangstemperatur auch Änderungen der Wärmeleitfähigkeit und der spezif. Wärme auf. Eine umfassende Erklärung der S. wurde durch die **BCS-Theorie** (ben. nach J. Bardeen, L. N. Cooper und J. R. Schrieffer) entwickelt, nach der die Leitungselektronen unterhalb von T_c Elektronenpaare bilden. Diese sog. Cooper-Paare besetzen alle einen einzigen quantenmechan. Zustand, den Grundzustand des Supraleiters, in dem sie nicht weiter am Gitter gestreut werden und so zur widerstandslosen Stromleitung, dem Suprastrom, führen. – Die Effekte der S. werden insbesondere beim Bau von Magnetspulen sehr hoher Kraftflussdichten (über 20 Tesla) ausgenutzt, z. B. für Generatoren und Teilchenbeschleuniger. Sie bieten u. a. bei der Realisierung elektron. Bauelemente (Kryoelektronik), wie Sensoren und Filter, außerordentl. Möglichkeiten und dienen der Messung extrem empfindl. Magnetfelder (→SQUID).

📖 Buckel, W.: *S. Grundlagen u. Anwendungen. Weinheim u. a.* ^{5}*1994.*

Supranationalität, Überstaatlichkeit; der Begriff kann als Spezialfall von »Internationalität« aufgefasst werden und wird v. a. für die EU verwendet, deren Recht als eine neue Kategorie zw. staatl. Recht und Völkerrecht betrachtet wird. Kennzeichnend für supranat. Organisationen ist, dass sie Hoheitsrechte besitzen, die ihnen die Mitgliedsstaaten übertragen haben. Die Organe der supranat. Organisationen sind von Weisungen weitgehend unabhängig und können ihre Hoheitsrechte selbstständig gegenüber natürl. und jurist. Personen der Mitgliedsstaaten ausüben, z. B. in der Rechtsprechung.

Supraporte, *bildende Kunst:* →Sopraporte.

Suprastrom, widerstandslos fließender Strom in einem Supraleiter, dessen Ladungsträger die Cooper-Paare (L. N. →Cooper) sind.

Supremat [lat. supremus »der Oberste«] *der* oder *das,* Obergewalt, Oberhoheit, bes. die des Papstes über die Bischöfe.

Suprematismus *der,* um 1913 von K. S. Malewitsch geprägte russ. Richtung der gegenstandslosen Malerei, die auf der absolut reinen, geometr. Abstraktion basiert. In der Definition von Malewitsch ist S. eine elementare Reduktion der abstrakten, konstruktivist. Kunst auf die Grundelemente Quadrat und Kreis als Formwerte, die Äquivalente der »reinen Empfindung« des Künstlers darstellen. 1919 verkündete Malewitsch das Ende des S., der durch die Konstruktivisten in ganz Europa bekannt geworden war.

📖 Malewitsch, K.: *S. Die gegenstandslose Welt. A. d. Russ. Neuausg. Köln 1989.*

Suprematismus: Kasimir Malewitsch, »Suprematische Komposition« (1915; Amsterdam, Stedelijk Museum)

Supreme Court [sjʊˈpriːm kɔːt, engl.] *der,* oberster Gerichtshof in einigen angloamerikan. Staaten, z. B. Kanada, auch in den USA (neben dem S. C. des Bundes mit neun Richtern gibt es auch oberste Gerichtshöfe der Einzelstaaten); in Großbritannien Bez. des obersten Zentralgerichts für England und Wales (S. C. of Judicature).

Surabaya, Hptst. der Prov. Ostjava, Indonesien, 2,03 Mio. Ew.; Univ., TU; der Exporthafen Tanjung Perak ist der zweitgrößte des Landes, Marinestützpunkt, Flughafen; Eisenbahnwerkstätten, Glas-, Nahrungsmittel- u. a. Industrie, Zementfabrik, Erdölraffinerie.

Surakarta (Solo), Stadt in Mitteljava, Indonesien, zw. den Vulkanen Merapi und Lawu, 450 000 Ew.; Univ., Museen; Kunstgewerbe (Batikarbei-

Surinam

Fläche: 163 820 km²
Einwohner: (1995) 423 000
Hauptstadt: Paramaribo
Verwaltungsgliederung: 10 Distrikte
Amtssprache: Niederländisch
Nationalfeiertag: 25. 11.
Währung: 1 Suriname-Gulden = 100 Cent
Zeitzone: MEZ –4 Std. und 30 Minuten

ten), Handelszentrum. – Zwei Sultanshöfe (Kraton; 18 Jh.), niederländ. Fort (1779).

Surat, Stadt im Gliedstaat Gujarat, Indien, an der Mündung der Tapti in den Golf von Khambat, 1,5 Mio. Ew.; Univ.; Textilind. und Kunsthandwerk (Brokat- und Seidenweberei), Hafen. – Im 17. Jh. bedeutendster ind. Seehafen. 1612 gründete hier die engl. Ostind. Kompanie ihre erste Faktorei in Indien.

Sure [arab.] *die,* Abschnitt des → Korans.

Sûreté Nationale [syr'te nasjɔ'nal, frz.] *die,* die dem Innenmin. unterstellte oberste frz. Polizeibehörde, zuständig für öffentl. Sicherheit und Staatsschutz.

Surfen ['sə:fn, engl.] *das,* Wassersportdisziplin, die im Stehen auf einem Kunststoffbrett (Surfbrett, Surfboard) mit steuerbarem Segel ausgeführt wird (Segelsurfing, Windsurfing). Das Allroundsegelbrett im Freizeitsport ist 3,7 m lang, wiegt 15–18 kg und besitzt als weitere Ausstattung Mast, Gabelbaum (Griffleiste, Mastschiene), Schwert und Finne. Das Surfboard für Fortgeschrittene ist höchstens 3 m lang. – Das Segel-S. entwickelte sich Mitte der 1960er-Jahre in den USA in Anlehnung an das → Wellenreiten, verbreitete sich nach 1972 auch in Europa; seit 1980 Welt-, seit 1983 Europameisterschaften (Frauen 1985), seit 1984 olymp. Disziplin (Frauen seit 1992).

Surgut, Stadt im Gebiet Tjumen, Russland, am Ob und an der Nordsibir. Eisenbahn, 261 100 Ew.; Erdöl-, Erdgasförderung; Großkraftwerke (3 300 und 4 800 MW); Fluss- und Flughafen.

Surikate *die,* das Erdmännchen, → Schleichkatzen.

Surinam (amtlich niederländ. Republiek van Suriname), Staat im NO Südamerikas, grenzt im N an den Atlantik, im W an Guyana, im S an Brasilien, im O an Frz.-Guayana.

Staat und Recht: Nach der Verf. von 1987 ist S. eine präsidiale Rep. Staatsoberhaupt ist der vom Parlament auf fünf Jahre gewählte Präs. mit umfassenden Exekutivbefugnissen. Ihm steht der Staatsrat mit Kontroll- und Beratungsfunktionen zur Seite. Der Vizepräs. ist als Reg.chef dem Präs. verantwortlich. Die Legislative liegt bei der Nationalversammlung (51 Abg., auf fünf Jahre gewählt). Parteien: Neue Front (NF, Vierparteienkoalition), Nationaldemokrat. Partei (NDP), Demokrat. Alternative 91 (DA 91).

Landesnatur: S. liegt im Bereich der N-Abdachung des Berglandes von Guayana, das seine größte Höhe im Zentrum des Landes im Wilhelminagebirge erreicht (1280 m ü. M.). Das im N anschließende Hügelland leitet zur mit Sümpfen und Strandwällen durchsetzten Küstenebene über, die durch Anwendung des niederländ. Poldersystems zum Hauptagrargebiet des Landes wurde. Das Klima ist tropisch mit einer großen Regenzeit im Sommer und einer kürzeren im Winter.

Bevölkerung: Die Bev. konzentriert sich auf die Küstenebene, bes. auf die Hptst. und deren Umgebung. Neben den Nachkommen der eingeborenen indian. Bewohner (3 %; Aruak, Kariben) finden sich Kreolen (35 %), Schwarze (10 %; Buschneger oder → Maron), Javaner (16 %), Inder (33 %) Chinesen und Europäer. Schätzungsweise die Hälfte der in S. geborenen Bev. lebt heute in den Niederlanden. – Es besteht Schulpflicht vom 7. bis 12. Lebensjahr, die auch weitgehend wahrgenommen wird; es gibt eine Univ. in Paramaribo (gegr. 1968). – 40 % der Bev. gehören christl. Kirchen an, 26 % sind Anhänger des Hinduismus, 19 % Muslime. Verbreitet sind ferner der Buddhismus sowie traditionelle afrikan. und indian. Religionen.

Wirtschaft, Verkehr: Auf dem Abbau von Bauxit beruhen die Haupteinnahmen (etwa 75 % des Exports). Bauxit wird seit 1915 im östl. Hügelland abgebaut. Förderung und Verarbeitung betreiben die niederländ. Billiton Company und die amerikan. Suralco. Seit Inbetriebnahme (1964) des Kraftwerks am Brokopondostausee des Suriname kann die Weiterverarbeitung in einem Aluminiumwerk am Suriname durchgeführt werden. Der Anteil der Landwirtschaft am Bruttoinlandsprodukt liegt bei nur etwa 10 %. Die Agrarflächen sind fast ganz auf

Staatswappen

SME

Internationales Kfz-Kennzeichen

Bevölkerung (in Tausend) Bruttosozialprodukt je Ew. (in US-$)

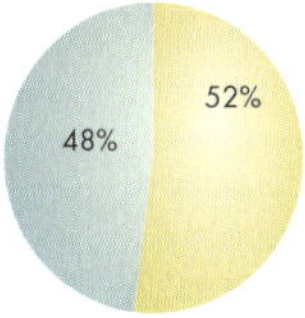

Bevölkerungsverteilung 1992

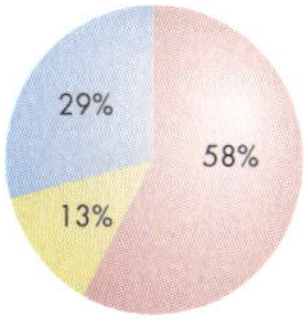

Bruttoinlandsprodukt 1994

die Küstenebene beschränkt. Hauptsächlich werden Reis, Bananen und Zitrusfrüchte angebaut. Die Holzwirtschaft kann auf reiche Vorräte zurückgreifen, da 91% des Landes bewaldet sind. – Wichtigste Handelspartner sind v.a. die Niederlande, die USA und Norwegen. – Das Straßennetz hat eine Länge von rd. 9200 km, davon sind 2300 km asphaltiert. Zwei einspurige, 86 km lange Bahnlinien führen von Onverwacht nach Brownsweg am Brokopondostausee. Die Binnenschifffahrt verfügt über 1500 km schiffbare Flüsse und Kanäle. Wichtigster Hafen ist Paramaribo. Internat. Flughafen ist Zanderij, 50 km südlich der Hauptstadt.

Geschichte: Bei der Aufteilung →Guayanas im Vertrag von London (1816) erhielten die Niederlande S., das als Kolonie **Niederländisch-Guayana** verwaltet wurde; 1863 Abschaffung der Sklaverei; Einwanderung von Chinesen, Indern und Javanern. 1954 erhielt S. den Status eines autonomen, gleichberechtigten Teils des Mutterlandes. 1975 wurde S. unabhängig. Die ersten allg. Wahlen gewann eine Kreol. Koalition. Nach einem Putsch übernahm 1980 ein Militärrat unter D. Bouterse die Macht. In den folgenden Jahren wurde S. von inneren Unruhen erschüttert. Eine 1985 gebildete Nationalversammlung arbeitete eine Verf. aus und ernannte 1987 Bouterse (Nationaldemokrat. Partei, NDP) offiziell zum Staatsoberhaupt. Die Parlamentswahlen im gleichen Jahr gewann das oppositionelle Bündnis Front für Demokratie und Entwicklung (FDO), mit R. Shankar stellte es den Präsidenten. 1990 unterbrach ein gleichfalls von Bouterse geführter Putsch die demokrat. Entwicklung, Neuwahlen 1991 brachten wiederum eine Mehrheit für die FDO. Ihr Kandidat R. Venetiaan wurde Präsidenten. 1995 wurde S. Mitglied der CARICOM. Bei den Präsdentschaftswahlen 1996 setzte sich J. A. Wijdenbosch (NDP) durch.

📖 Hoefte, R.: *Suriname. Oxford u. a. 1990.*

Surkot [syr'ko:, frz.] *das*, im 13./14. Jh. von Männern und Frauen des Adels und der bürgerl. Oberschichten über dem Hauptgewand getragenes ärmelloses Obergewand.

Surrealismus [frz. aus sur »über« und réalisme «Realismus«] *der* (frz. Surréalisme), ein erstmals 1917 von G. Apollinaire verwendeter Name für eine künstlerische Richtung, die auf das Surreale (»Überwirkliche«) zielt.

Literatur: Die Bewegung des S. organisierte sich zunächst 1919 als Pariser Zweig (L. Aragon, A. Breton, P. Soupault, T. Tzara) des Dada. Führer des S. wurde v.a. Breton, der ihm 1924 mit dem »Ersten Manifest des S.« die literarisch-philosoph. Theorie lieferte (»Zweites Manifest«, 1930). Der S. sucht, im Anschluss an die Psychoanalyse S. Freuds, die eigentl. Wirklichkeit des Menschen im Halb-, Vor- und Unbewussten und verwertet Traum- und Rauscherlebnisse und hypnot. Zustände als Quelle der künstler. Eingebung und der Erkenntnis. Der dichter. Akt soll als »psych. Automatismus« im passiven Niederschreiben beliebiger Zurufe aus vorrationalen Tiefenschichten bestehen, unter Verzicht auf Logik, Syntax und literarische Formung. Zentrale Werke des literar. S. (Aragon, P. Éluard, Breton, Soupault) zeigen auch Neuerungen in der Romantechnik auf – Protokoll- und Dokumentcharakter, Collage- und Fragmenttechnik. Von Anfang an verband sich in Frankreich mit dem S. die Herausforderung bürgerl. Normalität. Die wichtigsten Schriften finden sich in der Zeitschrift »La Révolution Surréaliste« (1924–29, ab Heft 3 von Breton allein hg.). 1928/29 wurde die innere Einheit der Bewegung durch polit. Differenzen gesprengt (Annäherung des linken Flügels mit Aragon, Éluard, B. Péret u.a. an die kommunist. Bewegung). Nach dem 2. Weltkrieg existierte der S. als Bewegung nicht mehr, doch sind seine Einflüsse auf die Literatur und die zeitgenöss. Kunst weiterhin wirksam. – Auch in der neueren Lit. anderer Länder entstanden Werke mit surrealist. Gepräge, so im dt. Sprachraum von A. Kubin, H. Kasack, H. E. Nossack, P. Celan, im span. von F. García Lorca und P. Neruda.

In der *bildenden Kunst* steht die Erweiterung des Schaffensprozesses und die damit verbundene

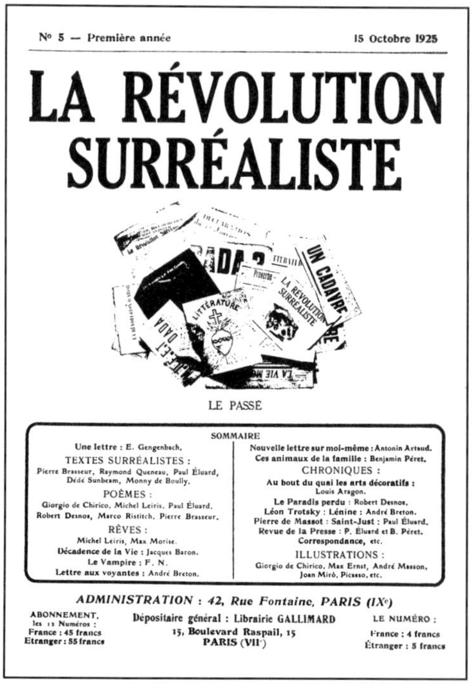

Nº 5 — Première année 15 Octobre 1925

LA RÉVOLUTION SURRÉALISTE

LE PASSÉ

SOMMAIRE

Une lettre : E. Gengenbach.
TEXTES SURRÉALISTES :
Pierre Brasseur, Raymond Queneau, Paul Éluard, Dédé Sunbeam, Monny de Boully.
POÈMES :
Giorgio de Chirico, Michel Leiris, Paul Éluard, Robert Desnos, Marco Ristitch, Pierre Brasseur.
RÊVES :
Michel Leiris, Max Morise.
Décadence de la Vie : Jacques Baron.
Le Vampire : F. N.
Lettre aux voyantes : André Breton.

Nouvelle lettre sur moi-même : Antonin Artaud.
Ces animaux de la famille : Benjamin Péret.
CHRONIQUES :
Au bout du quai les arts décoratifs : Louis Aragon.
Le Paradis perdu : Robert Desnos.
Léon Trotsky : Lénine : André Breton.
Pierre de Massot : Saint-Just : Paul Éluard.
Revue de la Presse : P. Éluard et B. Péret.
Correspondance, etc.
ILLUSTRATIONS :
Giorgio de Chirico, Max Ernst, André Masson, Joan Miró, Picasso, etc.

ADMINISTRATION : 42, Rue Fontaine, PARIS (IXe)

ABONNEMENT, les 12 Numéros : France : 45 francs Etranger : 55 francs

Dépositaire général : Librairie GALLIMARD 15, Boulevard Raspail, 15 PARIS (VIIe)

LE NUMÉRO : France : 4 francs Étranger : 5 francs

Surrealismus: Titelblatt des 5. Heftes der von André Breton herausgegebenen Zeitschrift »La Révolution Surréaliste« von 1925

Surrealismus (von links): Joan Miró, »Der Gentleman« (1924; Basel, Kunstmuseum) und Max Ernst, »Die Horde« (1927; Amsterdam, Stedelijk Museum)

Ausklammerung einer log. Konzeption aus dem künstler. Werk (→Automatismus) im Mittelpunkt: Bildformen und -techniken wurden neu oder weiterentwickelt (→Collage), →Frottage, →Grattage). Die Einflüsse moderner Tiefenpsychologie unterscheiden den S. von der fantast. Malerei vergangener Jahrhunderte (H. Bosch, G. Arcimboldo, Symbolisten des 19. Jh.). In der *Malerei* gehört die →Pittura metafisica mit ihrer verfremdeten Dingwirklichkeit zu den wichtigsten Voraussetzungen; ein weiterer bedeutender Anreger war M. Ernst, selbst ein Hauptvertreter des S. 1925 fand in Paris die erste Gruppenausstellung des S. statt, auf der auch P. Picasso, P. Klee, H. Arp und M. Ray vertreten waren. Es wird zw. zwei Varianten unterschieden: Maler wie Y. Tanguy und S. Dalí stellten nicht zusammengehörige Dinge oder Formen im perspektiv. Raum naturalistisch dar (»verist. S.«); A. Masson, J. Miró, H. Arp u.a. bedienten sich einer abstrakten, symbolhaften Formensprache (»absoluter S.«). In der *Plastik* dominierte die Erfindung des »surrealist. Gegenstands«, der Erfahrungen des Traums konkretisieren sollte (A. Giacometti, M. Ray, Meret Oppenheim) oder sich als alltägl. Objekt den Projektionen aus dem Unterbewusstsein öffnet (→Objet trouvé). Ausläufer der surrealist. Konzeption bestimmten weitgehend die expressiv-totemist. Plastik der 1940er- und 50er-Jahre. Mit M. Ray, R. Ulsac und Brassaï erlangte der S. auch für die *Fotografie* Bedeutung.

Der S. war eine weltweite Erscheinung der modernen Kunst, bes. nachdem während des 2. Weltkrieges Ernst, Masson und Tanguy in die USA emigriert waren. Dort hatte er u.a. Anhänger in J. Cornell, Dorothea Tanning und dem Fotografen F. Sommer. Weitere bed. Vertreter in Europa waren in Belgien R. Magritte und P. Delvaux, in der Tschechoslowakei J. Styrsky und Toyen, in Dänemark W. Freddie, in Schweden M. W. Svanberg. Verglichen mit anderen europ. Ländern wirkte der S. in Dtl. (R. Oelze, E. Ende, M. Zimmermann) weniger nachhaltig. Nach dem 2. Weltkrieg regte der vom S. propagierte Automatismus den →abstrakten Expressionismus an.

Auch im *Film* wurde der Versuch surrealist. Darstellung gemacht, u.a. von L. Buñuel, S. Dalí und J. Cocteau.

📖 *S., hg. v.* P. BÜRGER. *Darmstadt 1982. – Als die Surrealisten noch recht hatten. Texte u. Dokumente, hg. v.* G. METKEN. *Hofheim ²1983.* – CHÉNIEUX-GENDRON, J.: *Le surréalisme. Paris 1984.* – DUPLESSIS, Y.: *Der S. A. d. Frz. Berlin 1992.* – NADEAU, M.: *Geschichte des S. A. d. Frz. Reinbek 1992. – S., Traum des Jahrhunderts, Ausst.-Kat. Galerie Beyeler. Basel 1995. – Les surréalistes. Une génération entre le rêve et l'action, Beiträge v.* J.-L. RESPAIL *u. a. Paris 1995.*

Surrey ['sʌrɪ], Cty. in SO-England, 1679 km², (1995) 1,044 Mio. Ew.; Verw.sitz ist Kingston upon Thames.

Surrogat [lat.] *das,* nicht vollwertiger Ersatz.

Surrogation *die, Recht:* die unmittelbare Ersetzung von Vermögensgegenständen durch andere (die **Surrogate**), die an ihre Stelle treten, ohne dass ein Übertragungsakt erforderlich ist **(dingliche S.).** Eine nur **schuldrechtl. S.** liegt z.B. vor, wenn bei Unmöglichkeit einer geschuldeten Leistung der Gläubiger die Herausgabe des vom Schuldner als Ersatz erlangten oder die Abtretung des Ersatzanspruchs verlangen kann (§281 BGB, z.B. die

Versicherungssumme für den geschuldeten, aber zerstörten Gegenstand).

Surselvisch (Oberländisch), Variante des Bündnerromanischen (→ rätoromanische Sprache).

Surtout [syr'tu, frz.] *der,* im 18. Jh. ein weiter Herrenmantel mit Überfallkragen.

Surtsey ['syrtsɛj; nach Surtr, dem Feuerriesen der nord. Mythologie], Insel vor der S-Küste Islands, eine der Westmännerinseln, 1963–67 durch untermeer. Vulkanausbruch entstanden, 2,3 km², bis 173 m ü. M.

Survey ['sɔːveɪ, engl.] *der,* **1)** *Markt- und Meinungsforschung:* Erhebung, Ermittlung, Befragung.

2) *Wirtschaft:* Sachverständigengutachten im Warenhandel.

Surveyor [sə'veɪə, engl.], Serie amerikan. Mondsonden; 1966–68 landeten fünf Sonden weich, zwei zerschellten. Sie lieferten für das → Apollo-Programm Hinweise zur Landetechnik.

Surtsey: Aufnahme vom 16. November 1963, dem dritten Tag nach dem untermeerischen Vulkanausbruch

Michail Suslow

Susa, 1) Stadt im westl. Piemont, Italien, Prov. Turin, an der Dora Riparia, 6 700 Ew.; Ausgangspunkt der Alpenstraßen über den Mont Genèvre und den Mont Cenis. – S., das röm. **Segusio,** gehörte zum Stammland des Hauses Savoyen.

2) Stadt des Altertums beim heutigen Dorf **Schusch** in SW-Iran; Hptst. von → Elam, um 646 v. Chr. von dem assyr. König Assurbanipal zerstört. Nach der pers. Eroberung (um 550 v. Chr.) eine der Hauptstädte des Reiches der Achaimeniden. Frz. Ausgrabungen (ab 1884) erschlossen Schichten vom 4. Jt. v. Chr. bis ins 7. Jh. n. Chr. Die bemalte Keramik (3900–2400 v. Chr.) wurde bedeutsam für die Datierung der vorderasiat. Frühgeschichte. Aus pers. Zeit blieben zwei königl. Paläste (von Dareios I. und Artaxerxes II.) erhalten. Wandverkleidungen mit farbigen Ziegelreliefs (Reihen von elam. Palastgarden, Stiere, Löwen u. a.) vom Palast des Dareios I. befinden sich mit zahlr. anderen Funden aus S. im Louvre (Paris). → iranische Kunst. BILDER babylonische Kunst, Dareios I.

Susdal: Zu den Baudenkmälern von Susdal gehören die 1720 aus Holz erbaute Nikolai-Kirche (links) und die im 16./17. Jh. mehrfach umgebaute Roschdestwenski-Kathedrale aus dem frühen 13. Jahrhundert

Susah, Stadt in Tunesien, → Sousse.

Susanna, Gestalt des A. T.; nach einem der apokryphen Zusätze zum Buch Daniel eine schöne und gottesfürchtige verheiratete Jüdin in Babylon, die sich zwei jüd. Ältesten verweigerte. Von ihnen des Ehebruchs angeklagt und zum Tode verurteilt, wurde sie durch das Eingreifen Daniels gerettet; Heilige, Tag: 19. 12.

Susdal, Stadt im Gebiet Wladimir, Russland, etwa 15 000 Ew.; Museumsstadt; Fremdenverkehr. – Aus ihrer Blütezeit als Residenzstadt des Fürstentums Rostow-S. (seit 1157 Wladimir-S.) bed. Baudenkmäler (UNESCO-Weltkulturerbe): u. a. Kreml mit Roschdestwenski-Kathedrale (1222–25 über Vorgängerbauten; Umbauten 16./17. Jh.; Bronzetüren des S- und W-Portals, 1230–33), Spasso-Jefimi-Kloster (1352 gegr.), Pokrowski-Kloster (1364 gegr.), Rispoloschenski-Kloster (16.–19. Jh.), Nikolai-Kirche (1720). – Seit 1096 als Stadtfestung bekannt.

Süskind, Patrick, Schriftsteller, * Ambach (heute zu Münsing, Kr. Bad Tölz-Wolfratshausen) 26. 3. 1949; hatte großen Erfolg mit dem Theaterstück »Der Kontrabaß« (1983) sowie dem Roman »Das Parfum« (1985); schrieb außerdem Erzählungen, u. a. »Die Taube« (1987); »Die Geschichte von Herrn Sommer« (1991); Drehbuchautor (u. a. zu dem Film »Rossini«, 1997, mit H. Dietl).

Suslow, Michail Andrejewitsch, sowjet. Politiker, * Schachowskoje (Gouv. Saratow) 21. 11. 1902, † Moskau 25. 1. 1982; wurde 1947 Sekr. des ZK der KPdSU, 1955 Mitgl. ihres Präsidiums (1966 ihres Politbüros). Er unterstützte als führender Parteiideologe zunächst N. S. Chruschtschow, trug aber 1964 zu dessen Sturz bei.

Suso, Henricus, Mystiker, → Seuse, Heinrich.

Suspendierung, → Dienstenthebung.

Suspension [lat.] *die,* **1)** *Chemie:* (Aufschlämmung) grob disperses System (→Dispersion), bei dem kleine Teilchen eines Feststoffs in einer Flüssigkeit fein verteilt (suspendiert) sind.

2) *kath. Kirchenrecht:* die Amts- oder Dienstenthebung eines Klerikers.

Suspensions|ströme (Trübeströme, Trübströme, engl. Turbidity Currents), an den Hängen von Meeres- und Seebecken sich rasch abwärts bewegende Gemische aus Wasser und festen Gesteinsbestandteilen.

Suspensorium [lat.] *das,* beutelartige Bandage (Tragvorrichtung) zur Anhebung und Ruhigstellung erkrankter Körperteile, z.B. des Hodensacks oder der weibl. Brustdrüse.

Susquehanna River [sʌskwɪˈhænə ˈrɪvə], Fluss im NO der USA, 715 km lang, entfließt dem Otsego Lake im Staat New York und mündet in die Chesapeake Bay.

Süßdolde (Myrrhenkerbel, Myrrhenkraut, Myrrhis odorata), bis 1,2 m hohe, nach Anis duftende Staude mit weißen Blüten; in Gebirgen Europas; als Gewürz- und Gemüsepflanze angebaut.

Süßer See, See südöstlich von Eisleben, Sa.-Anh., 2,6 km², bis 7 m tief; Abfluss zur Salza (linker Nebenfluss der Saale); entstand durch Einbruch der Gesteinsdecke aus Buntsandstein nach Auslaugung der darunter liegenden Zechsteinsalze.

Sussex [ˈsʌsɪks], ehem. County an der S-Küste Englands, geteilt in →East Sussex und →West Sussex. – S. war eines der im 5. Jh. entstandenen angelsächs. Königreiche.

Süßgräser, →Gräser.

Süßholz (Süßholzstrauch, Glycyrrhiza glabra), südeurop. und mittelasiat. Schmetterlingsblütler. Seine Wurzel enthält den **Süßholzzucker** (→Glycyrrhicin); dient u.a. zur Gewinnung von Lakrize.

Süßkartoffel, die →Batate.

Süßkind von Trimberg, mhd. Spruchdichter des späten 13. Jh., wohl aus Trimberg bei Bad Kissingen; erhalten sind zwölf Sangsprüche in sechs Tönen; die Darstellung als Jude in der Großen Heidelberger Liederhandschrift ist umstritten.

Süßklee (Hedysarum), Gattung der Schmetterlingsblütler in der nördl. gemäßigten Zone, im Mittelmeergebiet und in Zentralasien; meist Stauden oder Halbsträucher; Blüten in achselständigen Trauben; Futterpflanzen, u.a. der **Alpen-S.** (Hedysarum hedysarum) mit purpurroten Blüten.

Süßmilch, Johann Peter, Pfarrer und Statistiker, *Berlin 3. 9. 1707, †ebd. 22. 3. 1767; wurde durch sein Werk »Die göttl. Ordnung in den Veränderungen des menschl. Geschlechts ...« (2 Tle., 1740) bahnbrechend für die Entwicklung der Bevölkerungsstatistik.

Süßmost, alkoholfreier, meist pasteurisierter Saft aus frischem Obst.

Süssmuth, Rita, Politikerin (CDU), *Wuppertal 17. 2. 1937; Prof. für Pädagogik; seit 1987 MdB, 1986–88 Bundesmin. für Jugend, Familie, Frauen und Gesundheit, 1988 bis 1998 Präsidentin des Dt. Bundestages.

Süß-Oppenheimer, Joseph, jüd. Finanzmann, →Oppenheimer, Joseph Süß.

Süßstoffe, Sammelbez. für synthet. und natürl. Verbindungen, die sich durch einen intensiv süßen Geschmack auszeichnen, jedoch (im Ggs. zu den Zuckern und Zuckeraustauschstoffen) keinen oder nur einen vernachlässigbar geringen Nährwert haben. Die Intensität des süßen Geschmacks wird durch die **Süßkraft** charakterisiert; diese gibt an, um wievielmal süßer ein S. im Vergleich zu Saccharose schmeckt, deren Süßkraft gleich 1 gesetzt wird. – S. werden häufig zum Süßen v.a. von (diätet.) Lebensmitteln, daneben auch von Arzneimitteln (Überdeckung eines vorhandenen unangenehmen Geschmacks), Futtermitteln und einigen Kosmetika (Zahnpasten, Mundwässer) benutzt. – Der am längsten bekannte S. ist das →Saccharin (Süßkraft 550) und dessen Natriumsalz (Süßkraft 450). Weitere zurzeit in Dtl. zugelassene S. sind Natriumcyclamat (→Cyclamate, Süßkraft 30), Aspartam (Süßkraft 200) und Acesulfam (Süßkraft 200). – Heute ist man v.a. bemüht, neue toxikologisch unbedenkl. S. herzustellen oder geeignete Verbindungen unter den Naturstoffen zu finden. Ein lange bekannter natürl. S. ist z.B. das in der Süßholzwurzel enthaltene →Glycyrrhizin.

Süßwaren, Lebensmittel, die einen hohen Anteil an Zucker enthalten, z.B. Zuckerwaren (Bonbons usw.), Kakaoerzeugnisse, Marmelade (mit Gelee, kandierten Früchten, Obstkraut), ferner viele Dauerbackwaren, Speiseeis.

Süßwasser, Wasser mit geringem Gehalt (weniger als 1 g/l) an gelösten mineral. Stoffen, dessen Beschaffenheit für Brauchwasser ausreicht; Ggs.: Salzwasser.

Süßwasserfische, im Süßwasser lebende Fischarten. Einige S. wechseln im Lebenszyklus zw. Süß- und Meereswasser, z.B. →Aale, →Lachse.

Süßwasserpolypen (Hydridae), Familie meist süßwasserbewohnender Nesseltiere. Die bis 3 cm langen Polypen mit ihren bis 25 cm langen Tentakeln sind häufig festsitzend; ohne Medusengeneration, einzeln lebend; Fortpflanzung überwiegend ungeschlechtlich durch Knospung; sehr verbreitet ist die Gattung Hydra (z.B. die etwa 1,5 cm lange Art Grüne Hydra).

Sustainable Development [səˈsteɪnəbl dɪˈveləpmənt, engl.], →nachhaltige Entwicklung.

Sustenpass, Pass zw. Berner und Urner Alpen, Schweiz, 2224 m ü.M. (ÜBERSICHT Alpenstraßen). Südlich des S. liegt das **Sustenhorn** (3503 m ü.M.).

Süßholz

Süßklee: Alpensüßklee

Rita Süssmuth

Suszeptanz *die, Elektrotechnik:* negativer Kehrwert der Induktanz im Wechselstromkreis. Zeichen B_L, SI-Einheit Siemens (S).

Heinrich Sutermeister

Suszeptibilität [lat.] *die,* **1)** (elektr. S.) Formelzeichen χ_e, das Verhältnis des Betrages der Elektrisierung $\boldsymbol{P}/\varepsilon_0$ zu dem der elektr. Feldstärke $\boldsymbol{E}$; $\chi_e = \boldsymbol{P}/(\varepsilon_0 \boldsymbol{E}) = \varepsilon_r - 1$ (ε_r Permittivitätszahl, $\boldsymbol{P}$ elektr. Polarisation, ε_0 elektr. Feldkonstante).

2) (magnet. S.) Formelzeichen χ_m, das Verhältnis des Betrages der Magnetisierung $\boldsymbol{M}=\boldsymbol{J}/\mu_0$ zu dem der magnet. Feldstärke $\boldsymbol{H}$; $\chi_m = \boldsymbol{M}/\boldsymbol{H} = \mu_r - 1$ (μ_r Permeabilitätszahl, $\boldsymbol{J}$ magnet. Polarisation, μ_0 magnet. Feldkonstante).

Sutcliff ['sʌtklɪf], Rosemary, engl. Schriftstellerin, *West Clandon (Cty. Surrey) 14. 12. 1920, †Arundel (Cty. Sussex) 23. 7. 1992; schrieb v. a. Jugendromane, in denen einzelne Epochen der engl. Geschichte sowie Sagenstoffe verarbeitet werden (u. a. »Der Adler der neunten Legion«, 1954; »Scharlachrot«, 1958; »Der Schildwall«, 1956; »Merlin und Artus«, 1981).

Donald Sutherland

Sutermeister, Heinrich, schweizer. Komponist, *Feuerthalen (Kt. Zürich) 12. 8. 1910, †Morges (Kt. Waadt) 16. 3. 1995; Schüler u. a. von C. Orff; schrieb, vom späten G. Verdi sowie von Orff beeinflusst, Opern (u. a. »Romeo und Julia«, 1940; »Titus Feuerfuchs«, 1958; »Le roi Béranger«, 1985), Konzerte, Kammermusik und Vokalwerke.

Sutherland ['sʌðələnd], **1)** Donald, kanad. Schauspieler, *Saint John 17. 7. 1934; im Film Darsteller komisch-hintergründiger oder auch psychopath. Typen (u. a. »M. A. S. H.«, 1970; »Klute«, 1971; »Der Tag der Heuschrecke«, 1975; »Casanova«, 1977; »Im Bann des Zweifels«, 1992).

Earl W. Sutherland

2) Earl Wilbur, amerikan. Physiologe, *Burlingame (Kans.) 29. 11. 1915, †Miami (Fla.) 9. 3. 1974; entdeckte bei seinen Arbeiten zum Adrenalin, dass die Hormone ihre Wirksamkeit mittels des zykl. Adenosinphosphats entfalten. Hierfür erhielt er 1971 den Nobelpreis für Physiologie oder Medizin.

3) Graham, brit. Maler und Grafiker, *London 24. 8. 1903, †ebd. 17. 2. 1980; offizieller Kriegsmaler (1940–45), malte 1946 den gekreuzigten Christus für die Kirche Saint Matthew in Northampton. In seinen vom Surrealismus geprägten Kompositionen aus fremdartigen pflanzl. und kristallinen Formen taucht in immer neuen Abwandlungen das Dornenmotiv auf. Er malte auch Porträts (S. Maugham, W. Churchill, K. Adenauer).

Joan Sutherland

4) Dame (seit 1979) Joan, austral. Sängerin (Koloratursopran), *Sydney 7. 11. 1926; kam 1952 an die Covent Garden Opera in London, gastierte an den bed. Opernhäusern der Welt; trat v. a. als Rossini-, Bellini- und Donizetti-Sängerin hervor.

Sutlej ['sʌtlɪdʒ] *der* (Satledsch), der östlichste der fünf Ströme des Pandschab, größter Nebenfluss des Indus, rd. 1400 km lang, entspringt in Tibet, durchfließt die südtibet. Längstalfurche bis zum Shipkipass, durchbricht den Himalaja, nimmt in Indien den Beas auf, mündet in Pakistan als Panjnad; mehrere Staudämme zur Bewässerung und Energiegewinnung.

Sutra [Sanskrit »Leitfaden«] *das,* in der ind. Literatur knapp formulierter, einprägsamer Lehrsatz; im Buddhismus und Dschainismus werden die Lehrreden der Religionsstifter S. genannt.

Sutri, Gemeinde in der Prov. Viterbo, Italien, 3400 Ew. – Die **Synode von S.** am 20. 12. 1046 bezeichnet den Beginn der Kirchenreform unter dem Einfluss des dt. Königs Heinrich III., der das päpstl. Schisma beseitigte.

Sutschou, Stadt in China, →Suzhou.

Sutter [engl. 'sʌtə], John Augustus, eigtl. Johann August Suter, amerikan. Kolonisator schweizer. Herkunft, *Kandern (Kr. Lörrach) 15. 2. 1803, †Washington (D. C.) 18. 6. 1880, Kaufmann, floh 1834 wegen eines Konkurses aus der Schweiz nach Amerika (Kalifornien) und erwarb von den Mexikanern große Ländereien an der Stelle der heutigen Stadt Sacramento (Kolonie »Neu-Helvetia«). Als 1848 auf seinem Gebiet Gold entdeckt wurde, eigneten sich Goldsucher den Besitz an. Er starb finanziell ruiniert. – Sein Schicksal wurde u. a. von B. Cendrars (1925) und S. Zweig (1927) literarisch behandelt.

Sütterlinschrift, von dem Grafiker L. Sutterlin (*1865, †1917) geschaffene Schreibschrift, die 1935–41 an den dt. Schulen als Grundlage für die »Dt. Schreibschrift« diente.

Graham Sutherland: »Dornenkreuz« (1954; Berlin, Neue Nationalgalerie)

Suttner, Bertha Freifrau von, geb. Gräfin Kinsky, österr. Pazifistin und Schriftstellerin, *Prag 9. 6. 1843, †Wien 21. 6. 1914; gewann mit dem sozialethisch-pazifist. Roman »Die Waffen nieder!«

(2 Bde., 1889) weite Kreise für die pazifist. Bewegung; gründete 1891 die Österr. Gesellschaft der Friedensfreunde (seit 1964 S.-Gesellschaft) und war Vizepräsidentin des »Internat. Friedensbureaus« in Bern. Friedensnobelpreis 1905.

Sutton Coldfield [sʌtn ˈkəʊldfi:ld], Stadt in der Metrop. County West Midlands, England, 86 500 Ew.; Wohnvorstadt für Birmingham mit großem Park; Leichtindustrie.

Sutton Hoo: Der eiserne Maskenhelm mit Bronzeauflagen stammt aus dem frühen 7. Jahrhundert (London, Britisches Museum)

Sutton Hoo [ˈsʌtn ˈhu:], Fundort (1939) eines Schiffsgrabes in SO-Suffolk (England), das in einem 27 m langen Ruderboot die reiche Grabausstattung eines angelsächs. Königs (vermutlich Raedwald von East Anglia) enthielt, in der sich einheim., irische, skandinav., merowing. und ostmediterrane Einflüsse vermischen. Merowing. Goldmünzen weisen auf die Anlage bald nach 625 n. Chr. hin.

Suva, Hptst. von Fidschi, auf der Insel Viti Levu, 80 000 Ew.; Erzbischofssitz; Univ. (gegr. 1968), Fachhochschulen, Museen, botan. Garten; Schiffbau, Holz-, Nahrungsmittelind.; Hafen, internat. Flughafen; bed. Fremdenverkehr.

Süverkrüp, Dieter, Liedermacher und Gitarrist, *Düsseldorf 30. 5. 1934; Gebrauchsgrafiker; seit Anfang der 60er-Jahre Lieder v. a. gegen polit. und wirtsch.-soziale Missstände (»Die Wegwerfgesellschaft«, »Der Baggerführer Willibald«).

Suwałki [suˈvau̯ki], Hptst. der Wwschaft S., Polen, am NO-Rand von Masuren, 64 900 Ew.; Holz-, Bekleidungsindustrie, Brauerei.

Suwŏn [suwʌn], Stadt in Süd-Korea, 644 800 Ew.; Univ.; Zentrum von Landwirtschaft und agrarwiss. Forschung; Textil-, chem. Ind., Maschinenbau, Papierverarbeitung. – Zahlr. histor. Bauten, Königsgräber; Freilichtmuseum.

Suworow, Alexandr Wassiljewitsch, Graf und Fürst, russ. Feldherr, *Moskau 24. 11. 1729 oder 1730, †Sankt Petersburg 18. 5. 1800; erfolgreich in den Türkenkriegen Katharinas II., vertrieb im 2. Koalitionskrieg die Franzosen aus Oberitalien (1799; überquerte den Sankt Gotthard im Winter).

Suzeränität [frz.] *die* (Oberherrlichkeit), die Beziehung eines souveränen Oberstaates (**Suzerän**) zu halbsouveränen Vasallenstaaten.

Suzhou [sudʒoʊ] (Sutschou, 1912–49 Wuxian, Wuhsien), Stadt in der Provinz Jiangsu, China, am Kaiserkanal, 705 500 Ew.; Univ., TH, Forschungsinst. für Seidenraupenzucht; Baumwoll-, Papier-, chem., opt. Industrie; Hafen. – Nordtempelpagode (1625); die künstlerisch gestalteten Gartenanlagen gehören zum UNESCO-Welterbe. – Eines der ältesten Handelszentren Chinas, gegr. im 5. Jh. v. Chr.

Suzuki [suz-], Daisetsu Teitarō, japan. Gelehrter des Zen-Buddhismus, *Kanazawa 11. 11. 1870, †Tokio 12. 7. 1966; lebte ab 1897 elf Jahre in den USA. S. machte den Zen-Buddhismus und die Zen-Meditation im Westen bekannt.

Sv, Einheitenzeichen für →Sievert.

Svalbard [ˈsva:lbar; altnord. »kalte Küste«], norweg. Verw.gebiet, umfasst →Spitzbergen u. a. Inseln.

Svarez, Carl Gottlieb, Jurist, *Schweidnitz (heute Świdnica) 27. 2. 1746, †Berlin 14. 5. 1798; als Mitarbeiter (seit 1771) von J. H. von Carmer an der Schaffung der preuß. Hypothekenordnung (1783), der Allg. Gerichtsordnung (1793) und v. a. des →Preußischen Allgemeinen Landrechts beteiligt.

SVD, Abk. für **S**ocietas **V**erbi **D**ivini, die →Steyler Missionare.

Svealand [»Land der Svear«], histor. Landschaft in Schweden: etwa Mittelschweden.

Svear, Kernstamm der Schweden, seit dem 1. Jh. n. Chr. im Gebiet um den Mälarsee nachzuweisen; unterwarf um 600 die Gauten in S-Schweden und errichtete unter dem in Altuppsala residierenden

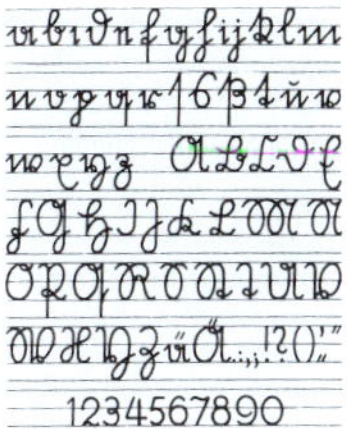

Sütterlinschrift

Bertha von Suttner

Sutton Hoo

Durch die Freilegung des Schiffsgrabs bei Sutton Hoo wurde die Szene des Schiffsbegräbnisses für den legendären Dänenkönig Scyld aus dem Beowulf-Epos eindrucksvoll bestätigt; die Grabbeigaben des Fundes und des Textes entsprechen sich in frappierender Weise:

»Dort lag auf der Reede mit
beringtem Steven,
eisglänzend und ausfahrbereit,
des Edlen Fahrzeug.
Sie legten dann den lieben
Herrscher,
den Schatzspender, in den Schoß
des Schiffes hinein,
den berühmten Mann gegen den
Mast. Kostbare Mitgaben in Fülle
aus fernen Landen
leitete man dorthin.
Nie hörte ich jemals von einem
herrlicher ausgerüsteten Schiff
mit Kampfwaffen und Kampf-
rüstungen,
mit Schwertern und Brünnen.
An seinem Busen lag
eine Menge Kleinodien, die mit
dem König
fernhin ins Reich der Fluten fahren
sollten ...
Dann gaben sie ihm noch ein
goldenes Banner mit,
hoch über dem Haupt, hin ließ
man ihn treiben,
sandte ihn seewärts ...«

Theodor Svedberg

Königsgeschlecht der Ynglinge bis zum 10. Jh. das erste Schwedenreich (»Svea-Rike«, daraus Landesname Sverige).

Svedberg ['sve:dbærj], Theodor, schwed. Chemiker, *Valbo (bei Gävle) 30. 8. 1884, †Kopparberg 26. 2. 1971; Forschungen v. a. über Kolloide, wofür er erstmals Ultrazentrifugen konstruierte, mit denen er u. a. die Molekülmassen von Proteinen bestimmen konnte. S. erhielt für seine Arbeiten über disperse Systeme 1926 den Nobelpreis für Chemie.

Svendborg ['svenbɔr], Hafenstadt im S der dän. Insel Fünen, 42 500 Ew.; Museum, Navigationsschule; Werft, u. a. Metall-, Tabak-, Holz verarbeitende Industrie. – Kirche St. Nikolai (13. Jh.).

Svenska Dagbladet [»Schwed. Tageblatt«], konservative schwed. Tageszeitung, gegr. 1884 in Stockholm.

Svensson, Jón, eigtl. J. Stefán Sveinsson, isländ. Erzähler, *Möðruvellir 16. 11. 1857, †Köln 16. 10. 1944; Jesuit, beschrieb in dt. Sprache in seinen Kinderbüchern über den Jungen Nonni u. a. Werken sein Leben in Island und Dänemark.

Sverdrup, Otto, norweg. Polarforscher, *Bindal (Prov. Nordland) 31. 10. 1854, †Oslo 26. 11. 1930; unternahm 1898–1902 eine Expedition in den Kanadisch-Arkt. Archipel mit der →Fram. Nach ihm wurden die **S. Islands** im Kanadisch-Arkt. Archipel benannt.

Sverige ['sværjə; »Reich der Svear«], schwed. Name für Schweden.

Italo Svevo

Svevo, Italo, eigtl. Ettore Schmitz, italien. Schriftsteller, *Triest 19. 12. 1861, †(Autounfall) Motta di Livenza (Prov. Treviso) 13. 9. 1928; ab 1904 befreundet mit J. Joyce. Sein Frühwerk, u. a. »Ein Leben« (1893), »Ein Mann wird älter« (1898; Neufassung 1927) ist vom frz. Realismus und Naturalismus beeinflusst. Mit seinem Roman »Zeno Cosini« (1923) führte er die Psychoanalyse S. Freuds in die italien. Literatur ein; schrieb auch Bühnenstücke, Novellen und Essays. S. gilt als einer der großen italien. Autoren der klass. Moderne.

📖 *I. S. Ein Paradigma der europ. Moderne, hg. v.* R. Behrens *u.* R. Schwaderer. *Würzburg 1990.*

Svinhufvud [-hʊvʊd], Per Evind, finn. Politiker, *Sääksmäki (Prov. Häme) 15. 12. 1861, †Luumäki (Prov. Kymi) 29. 2. 1944; Jurist, 1914–17 von der zarist. Reg. nach Sibirien verbannt; stand als Senatspräs. im finn. Unabhängigkeitskampf an der Spitze des Staates; 1918 Reichsverweser, 1930/31 MinPräs., 1931–37 Staatspräsident.

Ludvík Svoboda

Svitavy [-vi] (dt. Zwittau), Stadt im Ostböhm. Gebiet, Tschech. Rep., am Fuß der Böhmisch-Mähr. Höhe, 19 900 Ew.; Textilind., Metallverarbeitung.

Svizzera, italien. Name für die Schweiz.

Svoboda, Ludvík, tschechoslowak. General und Politiker, *Hroznatín (bei Třebíc, Südmähr. Gebiet) 25. 11. 1895, †Prag 20. 9. 1979; 1945–50 Verteidigungsmin. und Oberbefehlshaber der Armee; 1949–52 und 1968–76 Mitgl. des ZK der KP; März 1968 bis Mai 1975 Staatspräsident.

SVP, Abk. für →**S**chweizerische **V**olks**p**artei.

Swahili, →Suaheli.

Swakopmund, Stadt in Namibia, an der Mündung des Swakop (315 km lang, periodische Wasserführung) in den Atlantik, 15 500 Ew.; Salz- und Guanogewinnung; Brauerei; Seebad; Wohnviertel für Pendler zur Uranerzmine →Rössing. – Bis 1914 Haupthafen des dt. Schutzgebiets Südwestafrika.

Swami [Hindi] *der,* hinduist. Mönch, Lehrer.

Swanen, Volksstamm der Georgier in zwei abgelegenen Talschaften des Großen Kaukasus (Swanetien); etwa 40 000 Menschen.

Swan River [swɔn 'rɪvə] (Schwanenfluss), Fluss in SW-Australien, 360 km lang, entspringt östlich der Darling Range, mündet bei Fremantle in den Ind. Ozean.

Swansea ['swɔnzɪ] (walis. Abertawe), Industriestadt in Wales, 182 100 Ew., Zentrum des County Borough S. (378 km^2) mit 230 600 Ew.; Hafen an der Swansea Bay, einer Bucht des Bristolkanals; Zweig der Univ. von Wales; Museen; Maschinenbau, Stahl-, Leicht-, chem. Ind., Erdölraffinerie. – Um eine normann. Burg des 12. Jh. entstanden, erhielt 1184 Stadtrecht.

Swapgeschäft ['swɔp-; engl. »Tausch«], zum einen eine Form des Devisentermingeschäfts zur Kurssicherung oder zur kurzfristigen Geldanalge (Devisen-S.), zum anderen als Finanzinnovation der Austausch von Zinszahlungsströmen und/oder Fremdwährungsbeträgen v. a. an internat. Finanzmärkten **(Zinsswaps** und **Währungsswaps).** Beim **Devisen-S.** wird die Differenz zw. dem Termin- und Kassakurs einer Währung **(Swap)** ausgenutzt und ein Kassageschäft mit einem Termingeschäft verknüpft. Liegt der Termin- über dem Kassakurs, wird diese Differenz als Report (Aufschlag, Agio) bezeichnet. Im umgekehrten Fall spricht man von Deport (Abschlag, Disagio). Wird der beim Report positive, beim Deport negative Swap auf den Kassakurs bezogen, erhält man den **Swapsatz.** Auch Notenbanken schließen im Rahmen ihrer Offenmarktpolitik S. mit Geschäftsbanken ab **(Swapsatzpolitik).** Mit der Swapsatzpolitik soll bes. der inländ. Geldmarkt beeinflusst und unterstützt werden.

SWAPO, Abk. für engl. **S**outh **W**est **A**frican **P**eople's **O**rganization (Südwestafrikanische Volksunion), 1958 als »Ovamboland People's Congress« gegründete Befreiungsbewegung in Namibia (seit 1960 heutiger Name); führte ab 1966 einen Guerillakrieg gegen das Besatzungsregime der Rep. Südafrika, der die UN im gleichen Jahr die Treuhandschaft über Namibia entzogen hatten.

Swasiland

Fläche: 17 364 km²
Einwohner: (1995) 855 000
Hauptstadt: Mbabane
Verwaltungsgliederung: 4 Distrikte
Amtssprachen: Swasi (SiSwati) und Englisch
Nationalfeiertag: 6. 9.
Währung: 1 Lilangeni (E, Plural: Emalangeni) = 100 Cents (c)
Zeitzone: OEZ

Von OAU und UN als Sprecherin der namib. Bev. anerkannt, erwirkte die SWAPO 1989 den Abzug der südafrikan. Truppen und die Durchführung freier Wahlen, aus denen sie als Siegerin hervorging. Der Präs. der SWAPO, S. Nujoma, wurde 1990 Staatspräs. des unabhängigen Namibia.

Swarog, eine slaw. Gottheit, vermutlich die Personifizierung der Sonne oder des Feuers.

Swasi (Swazi), Bantuvolk aus der Gruppe der Nguni in Swasiland (etwa 680 000) und den angrenzenden Gebieten der Rep. Südafrika (etwa 1 Mio.); treiben Feldbau und Viehhaltung. Ihre Sprache, das S., gehört zu den Bantusprachen und ist in Swasiland Amtssprache.

Swasiland (Ngwane, engl. Swaziland, amtlich Swasi: Umbuso weSwatini, engl. Kingdom of Swaziland, dt. Königreich S.), Binnenstaat im südl. Afrika, ist im N, W, S und SO von der Rep. Südafrika umgeben, grenzt im NO an Moçambique.

Staat und Recht: Nach der Verf. von 1978 ist S. eine Monarchie. Staatsoberhaupt sowie oberster Inhaber der Exekutive und Legislative ist der König. Er ernennt den Premiermin. und die übrigen Mitgl. der Regierung. Das seit 1978 existierende Zweikammerparlament ohne eigene Befugnisse dient als Beratungsorgan des Monarchen. Es besteht aus Nationalversammlung (55 durch ein Wahlkollegium gewählte, zehn vom König ernannte Abg.) und Senat (zehn von der Nationalversammlung gewählte, 20 vom König ernannte Mitgl.). Obwohl laut Verf. verboten, existieren Oppositionsparteien, z. B. Vereinigte Demokrat. Volksbewegung (PUDEMO) und S. Jugendkongress (SWAYCO).

Landesnatur: S. liegt auf der O-Abdachung der Großen Randstufe des südafrikan. Binnenhochlands (Hochveld) und gliedert sich in vier Landschaften: das bewaldete Bergland des Hochvelds (1000–1800 m ü. M.), das fruchtbare Middleveld (500–1000 m ü. M.), das östl. Lowveld (150–500 m ü. M.) mit Trockensavanne; nach O die Lebombo Range (500–800 m ü. M.). Hauptfluss ist der Usutu mit Nebenflüssen. Das subtrop. Klima ist in den Berggebieten gemäßigt und niederschlagsreich.

Bevölkerung: Rd. 90 % der Bev. sind Swasi, ferner Zulu, Tsonga sowie rd. 1800 Europäer. Es gibt keine allg. Schulpflicht; an die 7-jährige Primarschule schließt die 3- bis 5-jährige Sekundarstufe an; Analphabetenquote um 32 %. In KwaLuseni gibt es eine Univ. mit landwirtsch. Fakultät in Luvengo. Über 77 % der Bev. sind Christen, außerdem Anhänger von traditionellen afrikan. Religionen.

Wirtschaft, Verkehr: Wirtschaftsbestimmend ist die enge Verbindung mit der Rep. Südafrika. Hauptzweig ist die Landwirtschaft, sie nutzt 73 % der Landesfläche (davon 14 % Acker-, 86 % Weideland) und beschäftigt rd. drei Viertel der Bevölkerung. Zur Eigenversorgung dienen v. a. Viehzucht sowie Anbau von Mais und Hirse; als Exportkulturen auf Plantagen (mit Bewässerung) Zuckerrohr, Zitrusfrüchte, Ananas und Baumwolle; bed. Forstwirtschaft (starke Holznutzung). Wichtige Bodenschätze: Asbest, Diamanten, Kohle. In der Ind. bes. Verarbeitung von landwirtsch. Produkten und Holz, ferner Textil-, Metall verarbeitende und chem. Industrie. Ausfuhr von Zucker, Holzprodukten, Früchten, Gemüse, Konserven, Asbest, Diamanten; Haupthandelspartner: Rep. Südafrika, Großbritannien. – Die Eisenbahn hat eine Streckenlänge von 301 km mit Anschluss zur Küste Südafrikas (Durban, Richards Bay) und Moçambiques (Maputo); das Straßennetz umfasst 2881 km (30 % asphaltiert); internat. Flughafen: Matsapa.

Geschichte: Die Swasi wanderten im Rahmen der Nguni-Wanderung um 1750 in das Gebiet des heutigen S. ein, 1868 kamen die ersten Buren ins Land. 1894 übernahm die Burenrep. Transvaal die Verw. von S., das nach dem Burenkrieg 1902 unter brit. Oberhoheit geriet. Seit 1907 hatte S. eine eigene Protektoratsverw. und blieb so außerhalb der 1910 gegr. Südafrikan. Union. 1967 erlangte S. innere Autonomie, 1968 die Unabhängigkeit. Nach dem Tod König Sobhuzas II. (1982) und der Regentschaft seiner Witwen Dzeliwe und Ntombi

Staatswappen

SD

Internationales Kfz-Kennzeichen

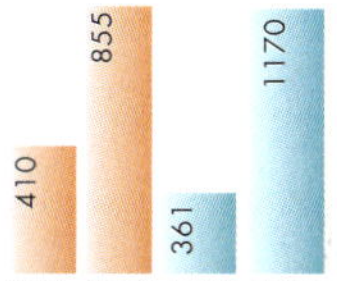

Bevölkerung (in Tausend) Bruttosozialprodukt je Ew. (in US-$)

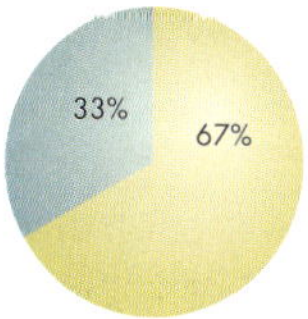

Bevölkerungsverteilung 1992

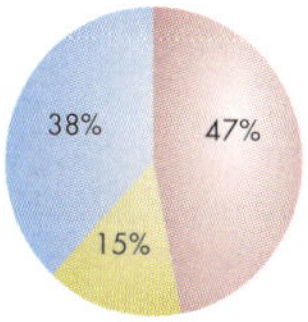

Bruttoinlandsprodukt 1995

Swasiland: Das im Nordwesten gelegene fruchtbare Middleveld wird traditionell landwirtschaftlich genutzt

Mswati III., König von Swasiland

wurde sein Sohn Makhosetive 1986 als Mswati III. König. 1996 kam es wiederholt zu Streiks gegen dessen absolutist. Herrschaft.

🕮 JESKE, J.: *Botswana, Lesotho, Swaziland. München 1977.* – MATSEBULA, J. S. M.: *A history of Swaziland. Kapstadt ³1988.*

Swastika [sanskrit] *die,* altind. Sonnen- und Fruchtbarkeitszeichen; →Hakenkreuz.

Sweben (Sueben, lat. Suebi), Gruppe german. Völker, die im Gebiet der Elbe siedelten. Die S. drangen unter →Ariovist nach Gallien vor, wurden aber 58 v. Chr. zurückgeschlagen. Seit dem 1. Jh. n. Chr. zählte man zu ihnen die Langobarden, Semnonen, Hermunduren, Markomannen und Quaden. Ein Teilstamm der S. ließ sich am Neckar nieder (Suebi Nicretes); aus einer nach Südwest-Dtl. vorgestoßenen Gruppe gingen die späteren →Alemannen hervor.

Swedenborg [-bɔrj], Emanuel, schwed. Naturforscher und Theosoph, *Stockholm 29. 1. 1688, †London 29. 3. 1772; befasste sich mit techn. Konstruktionen (u. a. eines Tauchbootes), Studien zur Kristallographie und Kosmogonie, Anatomie und Seelenanalyse sowie den Problemen des Aufbaus einer Universalwissenschaft. Aus visionären Erlebnissen entstand seine universale Religion: Alles Sein entfaltet sich für ihn in drei abgestuften Reichen (dem himml., geistigen und natürl.); der Mensch steht in der Mitte und vereinigt alle Schöpfungsstufen. Ab 1782 wurden zahlr. Gemeinden der »Neuen Kirche« im Sinne seiner Lehre gegründet (u. a. in England, Dtl., den USA).

🕮 BENZ, E.: *E. S. Naturforscher u. Seher. Zürich 1969.* – *E. S. 1688–1772. Naturforscher u. Kundiger der Überwelt, bearb. v.* H. BERGMANN *u. a. Stuttgart 1988.*

Emanuel Swedenborg (Ausschnitt eines Gemäldes des schwedischen Malers Per Krafft d. Ä., um 1770)

Sweelinck, Jan Pieterszoon, niederländ. Komponist, *Deventer Mai 1562, †Amsterdam 16. 10. 1621; während er sich mit seinen Vokalwerken als letzter Meister der niederländ. Polyphonie erweist, waren seine Orgelwerke (Toccaten, Fantasien, Ricercare u. a.) von großem Einfluss auf die norddt. Organistenschule des 17. Jh.

Swerdlowsk, 1) russ. Gebiet östlich des Ural; Hptst. ist Jekaterinburg.

2) 1924–91 Name der russ. Stadt →Jekaterinburg.

Swertia, die Pflanzengattung →Tarant.

Świdnica [ɕfid'nitsa] (dt. Schweidnitz), Stadt in der Wwdschaft Wałbrzych (Waldenburg), Polen, im Vorland des Eulengebirges, an der Weistritz, 63 000 Ew.; Museum, Theater; Waggonbau, elektro- und feinwerktechn., Maschinenbau-, Lederind., Zuckerraffinerie, Brauerei. – Spätgotische kath. Pfarrkirche (1325–1488; innen barockisiert, 103 m hoher Turm), evang. Friedenskirche (1657–59), Rathaus mit Turm von 1548, Portal der ehem. fürstl. Burg (1537). – Die 1243 erstmals urkundlich erwähnte Stadt S. war 1291–1392 Hptst. des gleichnamigen Herzogtums; seit 1640 Garnisonsstadt; unter Friedrich d. Gr. 1747–54 Ausbau zu einer starken Festung, die 1867 geschleift wurde.

Świdwin ['ɕvid-] (dt. Schivelbein), Stadt in der Wwschaft Koszalin (Köslin), Polen, in Pommern, an der Rega, 15 700 Ew.; Holz-, chem., Bekleidungsindustrie. – Gotische Marienkirche (14. Jh.), Schloss (13.–15. Jh., heute Kulturzentrum mit Theater).

Świebodzice [ɕfjɛbɔ'dʑitsɛ] (dt. Freiburg in Schlesien), Stadt in der Wwschaft Wałbrzych (Waldenburg), Polen, am N-Fuß des Waldenburger Berglandes, Niederschlesien, 24 000 Ew.; Metallind., Maschinenbau, elektrotechn., Textil-, Möbelindustrie. – Erhielt vor 1279 Stadtrecht.

Świebodzin [ɕfjɛ'bodʑin] (dt. Schwiebus), Stadt in der Wwschaft Zielona Góra (Grünberg), Polen, in der östl. Neumark, 21 700 Ew.; Bau von thermotechn. Anlagen und Möbeln, Nahrungsmittel-, Textilindustrie. – 1319 erstmals erwähnt.

Świeradów Zdrój [ɕvjɛ'raduv 'zdruj] (dt. Bad Flinsberg), Stadt in der Wwschaft Jelenia Góra (Hirschberg), Polen, in Niederschlesien, 4 700 Ew.; Kurort im Isergebirge mit Eisenquellen.

Świętochłowice [ɕfjɛntɔxu̯ɔ'vitsɛ] (dt. Schwientochlowitz), Stadt in der Wwschaft Katowice (Kattowitz), Polen, im Oberschles. Ind.-gebiet, 60 200 Ew.; Steinkohlenbergbau, Eisen-, Zinkhütte, Maschinen-, Schiffsmotorenbau.

Swift, Jonathan, irischer Schriftsteller, *Dublin 30. 11. 1667, † (in geistiger Umnachtung) ebd. 19. 10. 1745; seit 1694 anglikan. Geistlicher, wurde 1713 Dekan von Saint Patrick's in Dublin. Sein publizist. Kampf für die Sache der Iren (u. a. »Tuch-

Jonathan Swift: Ausschnitt eines zeitgenössischen Kupferstichs

händlerbriefe«, 1724) machte ihn in Irland zu einer nat. Gestalt. Er verfasste u.a. die Prosasatiren »Des berühmten Herrn D. Schwifts Mährgen Von der Tonne« (1704), eine facettenreiche Allegorie über den Streit der Konfessionen und »Ein ausführl. und wahrhaftiger Bericht über die Schlacht ... zw. den alten und den modernen Büchern ...« (1704), ein witziger Streit um die Vorbildhaftigkeit der Klassiker. Unzufriedenheit mit dem aufklärerisch-optimist. Zeitgeist, hypochondr. Veranlagung, Ehrgeiz und übersteigertes Selbstbewusstsein ließen in S. jene bittere Menschenverachtung heranreifen, die ihren literar. Niederschlag v.a. in seinem Meisterwerk, dem satir. Roman »Des Capitains Lemuel Gulliver Reisen ...« (2 Bde., 1726), fand. Als persönlichstes Werk und – neben den Briefen an

Jonathan Swift: »Gulliver löscht den Schlossbrand im Lande Liliput«, Farblithographie aus einer 1882 in Berlin unter dem Titel »Die Reisen Gullivers« erschienenen Jugendausgabe

»Vanessa« – ein Höhepunkt der Briefliteratur gilt sein »Tagebuch in Briefen an Stella« (1710–13; gedruckt 1784).

📖 SCHUHMANN, K. u. MÖLLER, J.: *J. S. Darmstadt 1981.* – WITTKOP, J. F.: *J. S. in Selbstzeugnissen u. Bilddokumenten. Reinbek 14.–16. Tsd. 1981.*

SWIFT, Abk. für engl. **S**ociety for **W**orldwide **I**nterbank **F**inancial **T**elecommunication, 1973 von 239 Kreditinst. aus 15 Ländern Westeuropas und Nordamerikas gegründete Gesellschaft zur Abwicklung des beleglosen internat. Zahlungsverkehrs; Sitz: Brüssel. SWIFT besteht aus einem elektron. Datenübermittlungsnetz, das von drei Rechenzentren in Belgien, den Niederlanden und den USA gesteuert wird. Derzeit sind über 5000 Banken aus über 130 Ländern Nutzer von SWIFT.

Swimmingpool ['swɪmɪŋpu:l, engl.] *der,* Schwimmbecken.

Jan Pieterszoon Sweelinck (Ausschnitt eines Kupferstichs, um 1624)

Jonathan Swift *hinterließ in seinem Testament Geld zur Errichtung des ersten Narrenhauses in Dublin. In einem Zusatz bedauerte er, nicht genügend Geld hinterlassen zu können, um die ganze Insel mit einer sieben Meter hohen Mauer zu umgeben. Inzwischen gebietet Swift über ausreichende Barschaft: Sein Abbild ziert die irische Zwanzigpfundnote.*

Swinburne ['swɪnbə:n], Algernon Charles, engl. Schriftsteller, *London 5. 4. 1837, †Putney (heute zu London) 10. 4. 1909; begann mit Versdramen, »Chastelard« (1. Teil der »Mary Stuart trilogy«, 1865) und »Atalanta in Calydon« (1865), in denen sich die sprachliche Meisterschaft und die ästhet. Weltanschauung des Dichters ankündigen. »Poems and ballads« (3 Serien, 1866–89) riefen durch ihre leidenschaftl. Erotik stürm. Entrüstung hervor. Die »Lieder vor Sonnenaufgang« (1871) sind ein begeisterter Hymnus auf die republikan. Ideale. Neben weiteren Dramen, in denen er oft Themen der engl. Geschichte gestaltete, schrieb er auch literaturkrit. Arbeiten und Romane.

Swindon ['swɪndn], Stadt in der Cty. Wiltshire, S-England, 91100 Ew.; Museen; Eisenbahnwerkstätten, Maschinen- und Fahrzeugbau, Bekleidungs-, Tabak-, Elektroindustrie.

Swine *die* (poln. Świna), der mittlere und Hauptmündungsarm der Oder zur Ostsee, zw. Usedom und Wollin, Polen.

Swinemünde (poln. Świnoujście), Stadt in der Wwschaft Szczecin (Stettin), Polen, beiderseits der Swine (nahe ihrer Mündung in die Ostsee) auf Usedom und Wollin, 42000 Ew.; Vorhafen von Stettin, Fischerei-, Fährhafen (nach Schweden, Dänemark und Dtl.), See- und Solbad, Fischereimuseum; Fischverarbeitung, Reparaturwerft. – 1181 erstmals erwähnt, 1297 als Hafen bezeugt.

Algernon Charles Swinburne (Ausschnitt eines zeitgenössischen Gemäldes)

Hans Jürgen Syberberg

Swissair

Sydney Stadtwappen

Swing [engl. »das Schwingen«, »Schwankung«] *der,* **1)** *Musik:* a) spezifisch »schwingende« rhythm. Bewegungsart der Jazzmelodie, die bes. durch Anwendung der Offbeat-Technik entsteht; b) in den 1930/40er-Jahren Jazzstil, der die urspr. afroamerikan. Spielweise des traditionellen Jazz mit europ. Musizierformen verband und die Bigband-Tradition im Jazz begründete. Bed. Orchester des S. leiteten u.a. D. Ellington, C. Basie, B. Goodman und F. Henderson.

2) *Wirtschaft:* Toleranzvolumen als Bestandteil zweiseitiger Handels- und Zahlungsabkommen mit dem Ziel, sich einen meist zinslosen Verrechnungsspielraum zum Ausgleich zeitlich unterschiedl. Zahlungseingänge bzw. -ausgänge einzuräumen. Der S. hat den Charakter eines zinslosen Kredits.

Swing-by ['swɪŋ 'baɪ, engl.], ein Raumflugmanöver, → Fly-by.

Swissair ['svisɛːr] (Schweizerische Luftverkehr-AG), nationale Luftverkehrsgesellschaft der Schweiz; gegr. 1931 durch Zusammenschluss der »Ad Astra Aero« und der »Balair«; Sitz: Zürich. (ÜBERSICHT Luftverkehrsgesellschaften)

Swisscom AG, schweizer. Telekommunikationsunternehmen, das in Form einer spezialgesetzl. Aktiengesellschaft betrieben wird; Sitz: Bern. Die S. ist 1998 durch Aufteilung aus den Schweizerischen Post-, Telefon- und Telegrafenbetrieben (PTT; gegr. 1922) hervorgegangen; jetzige Bez. seit Okt. 1997. Bis zu ihrer Umwandlung in eine AG firmierte sie unter der Bez. Telekom PTT. Die Umwandlung in eine AG erfolgte aufgrund des Telekommunikationsgesetzes.

Sydney: Stadt- und Hafenansicht

Switchgeschäfte ['swɪtʃ-; engl. »Umleitung (von Kapital)«], Außenhandelsgeschäfte, die aus devisenwirtsch. Gründen (z.B. fehlende Konvertibilität der Verrechnungswährungen) über ein drittes Land abgewickelt werden.

Syagrius, letzter röm. Feldherr und Statthalter in Gallien (464–486), Herr des Gebietes um Soissons, 486 von Chlodwig I. besiegt.

Sybaris, Ende des 8. Jh. v. Chr. von Achaiern gegründete grch. Ackerbaukolonie in S-Italien, gelangte bald zu Reichtum und Macht. Das Wohlleben der Bewohner wurde allmählich sprichwörtlich (»Sybariten«). 510 v. Chr. wurde S. im Krieg mit Kroton (heute Crotone) zerstört.

Sybel, Heinrich von, Historiker, * Düsseldorf 2. 12. 1817, † Marburg 1. 8. 1895; Schüler L. von Rankes, seit 1844 Prof. (seit 1854 in München); Gründer der »Histor. Zeitschrift« (1859); 1875 Direktor der preuß. Staatsarchive; 1862–64 und 1874–80 Mitgl. des preuß. Abgeordnetenhauses; Vertreter der kleindt. Geschichtsschreibung (u.a. »Entstehung des dt. Königthums«, 1844; »Die Begründung des Dt. Reiches durch Wilhelm I.«, 7 Bde, 1890–94).

Syberberg, Hans Jürgen, Regisseur, * Nossendorf (Kr. Demmin) 8. 12. 1935; umstrittener Außenseiter unter den dt. Filmregisseuren des modernen Films (»Ludwig II.«, 1972; »Karl May«, 1974; »Hitler – ein Film aus Deutschland«, 1975; »Parsifal«, 1982; »Penthesilea«, 1988); als Bühnenregisseur Zusammenarbeit mit E. Clever. Auf dem 5. Weimarer Kunstfest (1994) präsentierte er sein Monodrama »Nietzsche«, auf der documenta X (1997) »Cave of Memory«, eine akust. Rauminstallation zur aktuellen Kunstpolitik in Deutschland.

Sydney ['sɪdnɪ], Hauptstadt von New South Wales, Australien, an der pazif. Küste, als Metrop. Area 3,77 Mio. Ew.; Sitz eines anglikan. und kath. Erzbischofs, drei Univ., Fachhochschulen und wiss. Institute, Konservatorium, Kunstakademie, Oper, Bibliotheken, Museen; wichtigster Hafen sowie bedeutendstes Banken- und Ind.zentrum Australiens (Werften, Maschinen- und Fahrzeugbau, Erdölraffinerien, chem., Metall-, Textil-, Holz-, Papier-, Nahrungs- und Genussmittelindustrie); östl. Endpunkt der transkontinentalen Bahnlinie von Perth; U-Bahn, internat. Flughafen. – In der Altstadt sind zahlr. Bauten des 19. Jh. im viktorian. Stil erhalten; moderne Bauten: u.a. State Theatre (1929), Gebäude der University of New South Wales (1962); Wahrzeichen wurde das 1957–66 nach Plänen von J. Utzon erbaute Opernhaus. – S., die größte und älteste Stadt des Kontinents, ist aus der 1788 gegr. Strafkolonie Port Jackson hervorgegangen; nach dem damaligen brit. Innen- und Kolonialminister Lord Sydney benannt. Austragungsort der XXVII. Olymp. Spiele 2000. Weiteres BILD Brücken

Sydow ['sy:dov], Max von, schwed. Schauspieler, *Lund 10. 4. 1929; bed. Charakterdarsteller am Königl. Dramat. Theater Stockholm; auch im Film, v.a. unter der Regie von I. Bergman (u.a. »Das siebente Siegel«, 1956; »Die Jungfrauenquelle«, 1959; »Pelle, der Eroberer«, 1987; »Die besten Absichten«, 1992; »Hamsun«, 1996).

Max von Sydow

Syenit [grch., nach der antiken Stadt Syene, heute Assuan] *der,* körniges Tiefengestein aus Alkalifeldspat mit etwas Plagioklas sowie Hornblende, Biotit, Pyroxen, untergeordnet Quarz; Verwendung als Bau- und Dekorationsstein.

Syke ['zi:kə], Stadt im Landkreis Diepholz, Ndsachs., im Naturpark Wildeshauser Geest, 23 200 Ew.; Regionalmuseum; Technologiepark.

Sykes-Picot-Abkommen ['saɪks pi'ko-], britisch-frz. Geheimabkommen vom Jan. 1916 (benannt nach den Unterhändlern Sir M. Sykes und C. F. G. Picot) zur Aufteilung des Osman. Reiches nach dem 1. Weltkrieg (9./16. 5. 1916 durch Briefwechsel bestätigt); versprach den Arabern einen eigenen Staat (oder Staatenbund), geteilt in eine brit. und eine frz. Einflusssphäre; Russland sollte die armen. und einige kurd. Gebiete in O-Kleinasien, Frankreich Libanon, W-Syrien sowie SO-Anatolien und Großbritannien Mesopotamien erhalten; Palästina sollte internationalisiert werden (Akko und Haifa als brit. Freihäfen); Italien erhielt S- und SW-Anatolien zugesprochen (1917).

Sykomore [grch.] *die* (Maulbeerfeigenbaum, Ficus sycomorus), afrikan. Feigenart mit geringwertigen Früchten (»Eselsfeigen«), aber wertvollem Holz, das z.B. für altägypt. Mumiensärge verwendet wurde.

Sykosis *die,* eine Hauterkrankung, →Bartflechte.

Syktywkar (bis 1930 Ust-Syssolsk), Hptst. der Rep. Komi innerhalb der Russ. Föderation, nahe der Mündung der Sysola in die Wytschegda, 232 100 Ew.; Univ., Museen, Philharmonie, Theater; u.a. Holz-, daneben Textilind.; Flusshafen.

syl... [grch.], Nebenform von →syn...

Syllabus [grch.] *der, kath. Kirche:* eine 1864 von Papst Pius IX. mit der Enzyklika »Quanta cura« als häretisch veröffentlichte Zusammenstellung von 80 »Zeitirrtümern« (z.B. Indifferentismus, Laizismus, Liberalismus, Rationalismus, Sozialismus); durch die Lehrentwicklung, bes. seit dem 2. Vatikan. Konzil, in den meisten Punkten überholt.

Syllogismus [grch.] *der, Logik:* die einfachste Form des deduktiven →Schlusses. Er besteht darin, dass aus zwei Urteilen **(Vordersätze, Prämissen)** ein drittes **(Schlusssatz, Konklusion)** gefolgert wird. Den beiden Prämissen ist ein Begriff **(Mittelbegriff)** gemeinsam, wodurch die Verknüpfung der beiden anderen Begriffe in einem neuen Urteil möglich wird (Beispiel: Alle Menschen sind sterblich. Sokrates ist ein Mensch. Also ist Sokrates sterblich. – Mittelbegriff ist »Mensch«.). Die Sätze des **modalen S.** enthalten Modaloperatoren wie »möglich« oder »notwendig«; die Schlussform heißt **Modus**.

Syllogistik [grch.] *die, Logik:* von Aristoteles begründete Lehre vom Schluss als Kernstück der traditionellen Logik. Aus der Verbindung von zwei Vordersätzen (Prämissen) geht dabei der Schlusssatz (Konklusion) als log. Folgerung hervor. Die S. stellt in der modernen Logik einen Teil der prädikatenlog. Schlüsse dar.

Sylphe *der,* männl. Luftgeist (→Elementargeister); **Sylphide,** weibl. Luftgeist.

Sylt: Reetgedeckte Häuser gehören zur Dünenlandschaft der nordfriesischen Insel; im Hintergrund die Nordsee

Sylt, größte der Nordfries. Inseln, Schlesw.-Holst., z.T. vor der Küste Dänemarks, 99 km², 40 km lang, bis 13 km breit; im Roten Kliff 52 m ü.M.; durch den →Hindenburgdamm mit dem Festland verbunden; besteht aus Marsch und Geest mit hohen Dünen (im Listland z.T. als Wanderdünen). Durch umfangreiche Küstenschutzmaßnahmen wird versucht, die Kliffküste an der Westseite der Insel zu retten. Große Teile sind Natur- und Landschaftsschutzgebiet; bed. Fremdenverkehr. Hauptort ist Westerland (mit Flugplatz).

Sylvanit [nach Transsylvania, dem lat. Namen für Siebenbürgen] *der* (Schrifterz), stahlgraues bis lichtgelbes monoklines Mineral der chem. Zusammensetzung $AuAgTe_4$, ein häufiges Goldtellurid.

Sylvensteinstausee ['zɪlvən-], Stausee der oberen Isar, in den Bayer. Alpen, 3,9 km² groß, Stauinhalt 104 Mio. m³, regelt die Wasserführung der Isar; mit Kavernenkraftwerk.

Sylvester, andere Schreibweise für →Silvester.

Sylvin (kristallisiert)

Sylvin *der,* weißes oder verschieden gefärbtes, kub. Mineral der chem. Zusammensetzung KCl; das wichtigste Kalisalz (→Chlor).

sym... [grch.], Nebenform von →syn...

Symbionten [grch.], in einer Symbiose lebende Organismen.

Symbiose [grch.] *die, Biologie:* das Zusammenleben artversch., aneinander angepasster Organismen zu gegenseitigem Nutzen. Die bekanntesten Beispiele für pflanzl. S. sind die Flechten, die Knöllchenbakterien und die Pilzwurzel (→Mykorrhiza). S. zw. Tieren und Pflanzen stellen u.a. die Gemeinschaft von Ameisen und Ameisenpflanzen dar, die Blattschneiderameisen mit ihren Pilzgärten sowie Hohl- und Weichtiere mit einzelligen Grünalgen im Körper. Beispiele für tier. S. sind das Zusammenleben von Einsiedlerkrebsen mit Seeanemonen, von Ameisen mit bestimmten Ameisengästen im Ameisennest und von Raubfischen mit Putzerfischen. Im Magen-Darm-Trakt von Nahrungsspezialisten, z.B. Pflanzenfressern oder Blutsaugern, leben Mikroorganismen, die entscheidend bei der Verdauung mitwirken (Bakterien im Pansen des Magens der Wiederkäuer, Flagellaten und Bakterien im Darm von Termiten). I.d.R. bezeichnet man den größeren S.-Partner als Wirt, den kleineren als Symbiont; lebt der Symbiont innerhalb des Wirtskörpers, liegt **Endo-S.** vor, lebt er außerhalb, spricht man von **Ektosymbiose.** Die Übergänge zu anderen Formen des Zusammenlebens wie Parasitismus (→Parasiten), →Kommensalismus, Mutualismus (z.B. das Entfernen von Ektoparasiten aus der Haut von Säugetieren durch Madenhackerstare) sind fließend.

Symbol [grch.] *das,* **1)** *allg.:* ein wahrnehmbares Zeichen oder Sinnbild (Gegenstand, Vorgang, Handlung, Zeichen), das stellvertretend für etwas nicht Wahrnehmbares, einen Sinngehalt, oft einen Komplex von Sinnbezügen steht; i.e.S. jedes Schrift- oder Bildzeichen mit verabredeter oder unmittelbar einsichtiger Bedeutung. In diesem Sinne spielen S. in Relgion, Kunst, Literatur, aber auch in den Naturwissenschaften eine wichtige Rolle, etwa physikal., chem. (→chemische Elemente, →chemische Zeichensprache) und mathemat. S. (→mathematische Zeichen), S. in der Datenverarbeitung oder Technik (z.B. Schaltzeichen). Im tägl. Leben begegnen S. z.B. als Piktogramme und Verkehrszeichen.

2) *Psychologie:* nach S. Freud die verhüllte oder abgewandelte Form, in der verdrängte Bewusstseinsinhalte, Affekte, Triebkomplexe in Gestalt von Fehlhandlungen, Traumsymbolen u.a. wiederkehren; bei C.G. Jung auch die Archetypen des kollektiven Unbewussten.

3) *Theologie:* (Symbolum) in der frühen Kirche Bez. für das →Glaubensbekenntnis; i.w.S. auch Bez. für die →Bekenntnisschriften **(symbol. Bücher).**

Symbolik [grch.] *die,* **1)** *allg.:* sinnbildl. Darstellung, Sinnbildgehalt einer Darstellung; auch die Wiss. von den Symbolen und ihrer Verwendung.

2) *Theologie:* urspr. die Erklärung des Glaubensbekenntnisses **(Symbols);** seit der Reformation Bez. für die Einleitung in die Bekenntnisschriften **(symbolische Bücher),** seit der Aufklärung für die Konfessionskunde bzw. die konfessionellen Unterscheidungslehren in der theologischen Kontroverse.

Symbolismus [grch.] *der,* **1)** *bildende Kunst:* eine in ihren Anfängen bis ins 18.Jh. zurückreichende Kunstrichtung, die als Antithese zur Aufklärung (F. de Goya, W. Blake, J. H. Füssli, P. O. Runge u.a.) entstand. Im ganzen 19.Jh. befand sich der S. im Widerspruch zu der jeweils anerkannten Kunstauffassung, die von rationalist., realist. oder naturalist. Tendenzen bestimmt wurde. Der S. stellte den Glauben an den Wert allg. gültiger Maximen infrage und versuchte, die Welten der Fantasie und des Traums, die sich einer rationalist. Festlegung entziehen, wiederzugeben. Die symbolist. Kunst, stilistisch nicht einheitlich, ist mehr vom Inhalt her zu definieren. Grundlage ihres Ausdrucks war das Gefühl. In enger Beziehung zum literar. S. begegnet der S. in der Malerei nach 1885 bei einer Künstlergruppe um P. Gauguin und

Symbolismus 1): Maurice Denis, »Abend zu Dritt« (1891; Privatbesitz)

É. Bernard. Zu ihren Hauptvertretern gehörten außerdem M. Denis, P. Sérusier, P. Ranson (Gruppe der Nabis), die sich auch in theoret. Schriften äußerten. Der S. war eine gesamteurop. Erscheinung, die keine nat. Eigenheiten entwickelte. Wichtige Vertreter in Frankreich waren außerdem G. Moreau, P. Puvis de Chavannes, O. Redon, A. Rodin, in Belgien J. Ensor, in Dtl. H. von Marées, M. Klinger, F. von Stuck, in Österreich G. Klimt, in der Schweiz A. Böcklin, F. Hodler, in Russland M. A. Wrubel. Die Wirkung des S. reicht weit ins 20. Jh. und beeinflusste bes. den Jugendstil und den Surrealismus.

📖 *S. in Europa, hg. v.* H. A. Peters, *Ausst.-Kat. Museum Boymans-van Beuningen, Rotterdam. Baden-Baden 1976.* – Hofstätter, H. H.: *S. u. die Kunst der Jahrhundertwende. Köln* [4]*1978.*

2) *Literatur:* im letzten Drittel des 19. Jh. in Frankreich entstandene literar. Richtung (v. a. in der Lyrik). Der Begriff S. wurde erstmals 1886 von J. Moréas verwendet. Die Symbolisten, die keine einheitl. Gruppierung bildeten, lehnten jegl. naturalist. und realist. Traditionen ab. Der literar. S. ist wesentlich geprägt von Realitätsflucht und vom Unbehagen an einer vom positivistisch-materialist. Denken geprägten Zeit. Über den Gebrauch poet. Symbole hinaus strebten die symbolist. Dichter nach der Verschlüsselung jegl. Sinnzusammenhangs jenseits konventioneller Bedeutung der Sprache. Dichtung soll die Zusammenhänge zw. den äußeren Erscheinungen der Dinge und den verborgenen Seins- und Bewusstseinsschichten evozieren. Dafür nutzten die Dichter Wörter, deren Klang Assoziationen hervorrufen kann, vieldeutige Metaphern; sie versuchten das Übertragen von Sinneseindrücken aus einem Bereich in den anderen durch Klangfarbe, Satzbau und Sprachmelodie. Symbolist. Intentionen finden sich bereits bei C. Baudelaire, vollendet verwirklicht wurden sie in der frz. Lyrik von A. Rimbaud, P. Verlaine und S. Mallarmé. Führende Symbolisten waren in Belgien M. Maeterlinck, É. Verhaeren, G. Rodenbach, J.-K. Huysmans, in Spanien J. R. Jiménez, F. García Lorca, in Italien G. D'Annunzio, im angloamerikan. Bereich A. Symons, W. B. Yeats, O. Wilde sowie T. S. Eliot und E. Pound. S. Obstfelder, A. Garborg, K. Hamsun u. a. vertraten die neue irrationalist. romantisch-myst. oder individualist. Richtung in Norwegen, in Schweden der spätere A. Strindberg, V. von Heidenstam und Selma Lagerlöf. Symbolisten waren der Kreis »Junges Polen« (S. Przybyszewski u. a.), in Russland A. Blok, A. Bely, in der tschech. Literatur A. Sova.

In Dtl. übersetzte S. George Verlaine, Mallarmé und Baudelaire. Verlaines Forderung nach suggestiver Musikalität wurde vom jungen H. von Hofmannsthal und von R. M. Rilke verwirklicht. Neuromant. Abwendung von der Gegenwarts- und Wirklichkeitsbezogenheit in Lyrik, Epik und Dramatik zeigt sich bei der jungen Ricarda Huch, bei E. Hardt, E. Stucken, A. Schaeffer, H. Hesse u. a. C. Spitteler und G. Hauptmann suchten das Symbolische ins Mythische umzusetzen.

📖 Theisen, J.: *Die Dichtung des frz. S. Darmstadt 1974.* – *The symbolist movement in the literature of European languages, hg. v.* A. Balakian. *Budapest 1982, Nachdr. ebd. 1984.* – Hoffmann, P.: *S. München 1987.* – Debenedetti, J.-M. *u.* Baudiffier, S.: *Les symbolistes. Paris 1990.*

Symmachie [grch.] *die,* im antiken Griechenland Bündnis mehrerer Stadtstaaten, bes. im Hinblick auf einen Kriegsfall.

Symmetrie [grch. »Ebenmaß«] *die,* **1)** *allg.:* Spiegelbildlichkeit, wechselseitige Entsprechung von Teilen in Bezug auf Größe, Form oder Anordnung.

2) *Biologie:* Bei nahezu allen pflanzl. und tier. Organismen lassen sich S. nachweisen. Man unterscheidet drei Grundformen: **Longitudinal-S.** (Metamerie), bei der entlang einer Linie Elemente in immer gleicher Orientierung und gleichen Abständen aufgereiht sind, z. B. beim Skolopender oder in der Gliederung eines Fiederblattes. Bei der **Radiär-** oder **Rotations-S.** werden die S.-Elemente durch Drehung um eine Symmetrieachse zur Deckung gebracht, u. a. Fruchtkörper vieler Pilze, Korallen, Seesterne. Bei rd. 95 % aller Tierarten findet sich die **Bilateral-** oder **Spiegelsymmetrie.** Bilateralsymmetr. Organismen können durch eine Ebene (Medianebene, Sagittalebene) in zwei spiegelbildlich gleiche Hälften zerlegt werden, während die senkrecht zur Medianebene liegende Transversalebene (Frontalebene) keine S.-Ebene darstellt, da Rücken- und Bauchseite versch. voneinander sind; auch der Körper des Menschen ist weitgehend bilateralsymmetrisch gebaut; bei Pflanzen sind es die meisten Blattorgane und die zygomorphen Blüten (Orchideen, Lippenblütler, Rachenblütler u. a.).

3) *Geometrie:* die Eigenschaft einer geometr. Figur, bei einer von der ident. Abbildung verschiedenen geometr. Abbildung auf sich abgebildet zu werden. Sie bezeichnet die spiegelbildl. Lage einer ebenen oder räuml. Figur zu einem Punkt, dem S.-Zentrum **(Punkt-** oder **Zentral-S.),** einer ebenen Figur zu einer Geraden, der S.-Achse **(Achsen-** oder **Axial-S.)** oder einer räuml. Figur zu einer Ebene, der S.-Ebene **(Ebenen-S.).** Symmetr. Punkte liegen auf versch. Seiten gleich weit von S.-Zentrum, -Gerade, -Ebene entfernt. Eine Figur heißt **rotationssymmetrisch,** wenn sie bei Drehung um einen Punkt, den Drehpunkt, auf sich abgebildet wird; ein Sonderfall der **Dreh-S.** ist die Punkt-S. (Drehung um 180°). Figuren, die nach einer Drehung um $360°/n$ (n Zahl der Strahlen) um das S.-Zentrum mit sich selbst zur Deckung kommen, bezeichnet man als **radialsymmetrisch** mit n-strahliger S., das S.-Zentrum heißt n-zählig. Bild S. 444

4) *Physik:* Eigenschaft von Objekten, physikal. Zuständen oder Naturgesetzen, die vorliegt, wenn

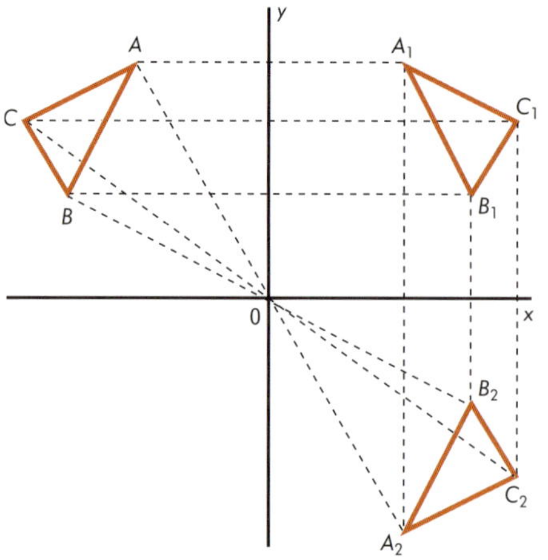

Symmetrie 3) in der Ebene; die aus A, B, C und A_1, B_1, C_1 bestehende Figur ist symmetrisch in Bezug auf auf die y-Achse, die Figur aus A_1, B_1, C_1 und A_2, B_2, C_2 ist symmetrisch zur x-Achse und die Figur aus A, B, C und A_2, B_2, C_2 ist symmetrisch in Bezug auf den Nullpunkt

diese nach Anwendung bestimmter mathemat. Transformationen **(S.-Transformationen)** wieder ihre ursprüngl. Form besitzen. Man unterscheidet zw. räumlichen S. (Drehungen, Spiegelungen, Translationen, z. B. in Raum und Zeit u. a.) und inneren S., die für Elementarteilchen eine wesentl. Rolle spielen (→Erhaltungssätze, →Supersymmetrie).

Symmetrieklassen, ›Kristall.

Symmetrieoperation, eine Bewegung oder Koordinatentransformation, die ein geometr. Gebilde, insbesondere ein Kristallgitter, in sich selbst überführt. Punkte, Geraden, Ebenen, die bei S. ihre Lage nicht ändern, heißen **Symmetrieelemente.** Einfache **S. 1. Art,** denen eigtl. Raumbewegungen entsprechen, sind **Translationen** und **Drehungen;** ihre Symmetrieelemente sind Geraden in Richtung der Translationsbewegung bzw. die Drehachse. Die **Schraubung** (Symmetrieelement Schraubenachse) ist eine aus Translation und Drehung zusammengesetzte S. 1. Art. Einfache **S. 2. Art,** bei denen die Koordinatentransformation durch eine Spiegelung mit nachfolgender eigentl. Raumbewegung bewirkt wird, sind die **Inversion (Spiegelung an einem Punkt)** oder die **Spiegelung an einer Ebene.** Symmetrieelemente sind das Inversions- oder Symmetriezentrum bzw. die Spiegelebene. Zusammengesetzte S. 2. Art sind die **Drehspiegelung** oder **Inversionsdrehung (Drehinversion),** d. h. die Kopplung einer Drehung mit einer Spiegelung oder Inversion (Symmetrieelement Drehspiegelachse), und die **Gleitspiegelung,** d. h. die Kopplung einer Translation mit einer Spiegelung (Symmetrieelement Gleitspiegelebene). Die Menge aller S. eines Körpers hat die Struktur einer algebraischen →Gruppe und wird als Symmetriegruppe dieses Körpers bezeichnet.

symmetrisch [grch. »gleichmäßig«], spiegelungsgleich; in der Mathematik Bez. für die Eigenschaft einer →Relation, eines Polynoms mit mehreren Variablen, bei jeder Vertauschung der Variablen unverändert zu bleiben. (→Symmetrie)

Sympathie [grch. »Mitgefühl«] *die,* Zuneigung, positive Gefühlsreaktion gegenüber Personen, Dingen oder Ideen.

Sympathikus [grch.] *der* (sympathisches Nervensystem), der efferente Anteil des vegetativen Nervensystems der Wirbeltiere (einschl. des Menschen), der meist als Gegenspieler zum →Parasympathikus wirkt. Der S. nimmt seinen Ursprung von den Ganglienzellen in den Seitenhörnern der grauen Substanz des Rückenmarks im Bereich der Brust- und Lendensegmente, deren Neuriten als »weißer Verbindungsstrang« (markhaltiger Spinalnervenast) zu den Ganglien des **Grenzstrangs** (paarige Ganglienkette darstellender Nervenstrang beiderseits der Wirbelsäule) weiterleiten. Von diesen Umschaltstellen des S. aus stellen marklose Fasern als »grauer Verbindungsstrang« die eigentl. Verbindung zu den Erfolgsorganen (glatte Muskulatur, Herz, Drüsen) her. – Der S. befindet sich aufgrund ständiger Impulse, die von bestimmten übergeordneten Regionen des Zentralnervensystems (v. a. vom Hypothalamus sowie von Bezirken des Mittelhirns und des verlängerten Marks) ausgehen, in einem variablen Zustand der Erregung **(Sympathikotonus)** und kann allein oder (meist) im Wechselspiel mit dem Parasympathikus zahlr. Organfunktionen beeinflussen. Dabei bewirkt der S. eine Leistungssteigerung (augenblickl. Höchstleistung) des Gesamtorganismus. Im Einzelnen bewirkt der gesteigerte Sympathikotonus v. a. Pupillenerweiterung, die Erweiterung der Bronchien, eine Steigerung der Herztätigkeit, die Erweiterung der Herzkranzgefäße, eine Hemmung der Aktivität der Drüsen des Magen-Darm-Trakts und seiner Peristaltik, die Kontraktion des Afterschließmuskels, das Erschlaffen der Wandmuskulatur und die Kontraktion des inneren Schließmuskels der Harnblase sowie allg. eine Verengung der Blutgefäße.

sympathisch, 1) *allg.:* Sympathie erweckend.

2) *Anatomie:* zum vegetativen Nervensystem oder zum Sympathikus gehörend, diese betreffend.

Sympatholytika [grch.] (Adrenolytika), Arzneimittel, die aufgrund ihrer chem. Ähnlichkeit mit Noradrenalin und Adrenalin, den natürlichen Überträgerstoffen des Sympathikus, in der Lage sind, die Wirkung einer sympath. Erregung (oder Sympathikusreizung) und auch diejenige von →Sympathomimetika auf das Erfolgsorgan zu verhindern oder aufzuheben. In der Therapie haben v.a. die Beta-S. (sog. Betablocker, Betarezeptorenblocker) eine Bedeutung bei Bluthochdruck, koronaren Durchblutungsstörungen und bestimmten Herzrhythmusstörungen.

Sympathomimetika [grch.] (Sympathikomimetika, Adrenomimetika), Arzneimittel, deren Wirkung einer Erregung des Sympathikus gleicht. **Direkt wirkende S.** können die adrenergen Rezeptoren im Erfolgsorgan (aufgrund ihrer chem. Ähnlichkeit mit den natürl. Überträgerstoffen Noradrenalin und Adrenalin) direkt beeinflussen und somit die Erregung sympath. Neurone bzw. die des Nebennierenmarks imitieren. Dabei sind sog. Alphawirkungen (über Alpharezeptoren; meist die Kontraktion glatter Muskeln; Gefäßverengung) von sog. Betawirkungen (über Betarezeptoren; im Allg. die Erschlaffung glatter Muskeln wie Gefäßerweiterung, Bronchodilatation und Herzerregung) zu unterscheiden.

Symphilie [grch.] *die, Biologie:* Gastverhältnis zw. zwei Tierarten, z.B. zw. Ameisen und ihren Gästen (z.B. Käfer), wobei die Gäste sich pflegen lassen und dafür ein begehrtes Exsudat liefern.

Symphonie, →Sinfonie.

Symphyse [grch.] *die,* knorpelige Knochenverbindung, bes. zw. den Schambeinen des Beckens.

Symposion [grch.] *das,* im alten Griechenland das auf eine festl. Mahlzeit folgende Trinkgelage mit ernsten und heiteren Gesprächen, oft mit Musik und Tanz; heute wiss. Tagung mit Vorträgen und Diskussionen.

Symptom [grch.] *das, Medizin:* Anzeichen, das als subjektiv wahrgenommene Störung des Befindens (z.B. Müdigkeit, Appetitlosigkeit) oder als objektiv feststellbare funktionelle oder organ. Veränderung (z.B. Fieber, Lymphknotenschwellung, Entzündung) auf das Bestehen einer Krankheit hinweist. Das für eine bestimmte Erkrankung kennzeichnende S. wird als **Kardinal-S.** bezeichnet, eine als typ. Krankheitsbild in Erscheinung tretende Gruppe von S. als **Syndrom.**

symptomatisch, *Medizin:* die Symptome betreffend; nur auf die Symptome, nicht auf die Ursache einer Krankheit einwirkend.

syn... [grch.], je nach dem folgenden Laut auch **syl..., sym...,** mit..., zusammen...

Synagoge [grch.] *die,* die sich versammelnde jüd. Gemeinde und ihr Versammlungsort, das Gottesdienstgebäude (hebr. **Beth hak-knesseth,** jidd. **Schul**). Seit der Zerstörung des Tempels in Jerusalem (70 n.Chr.) und der Entstehung der weltweiten jüd. Diaspora sind die S. Zentren jüd. religiösen und gesellschaftl. Lebens. Die Gottesdiensträume sind nach Osten (Jerusalem) ausgerichtet. Wichtigster Teil der Innenausstattung ist der Schrein mit den Thorarollen; davor brennt das »ewige Licht«. (→jüdische Kunst)

Synapse [grch. »Verbindung«] *die,* die morphologisch spezialisierte Kontaktstelle im Nervensystem, die sich zw. Nervenzellen (Neuronen) oder primären Sinneszellen und anderen Nervenzellen oder einem Erfolgsorgan (Muskelzellen, Drüsenzellen) befindet und die Erregungsübertragung von einer Zelle zur anderen ermöglicht. Die S. setzt sich aus zwei Zellanteilen zusammen, der **Prä-S.** und der **Post-S.;** beide berühren sich nicht direkt, sondern zw. präsynapt. und postsynapt. Membran befindet sich ein mehr oder weniger breiter **synapt. Spalt.** Im menschl. Gehirn bildet im Durchschnitt jede Nervenzelle mehrere Hundert synapt. Kontakte aus. Die Erregungsübertragung erfolgt auf biochem. Weg durch Freisetzung von →Neurotransmittern aus den in der Prä-S. eingeschlossenen synapt. Vesikeln. Viele Medikamente (z.B. Psychopharmaka, Blutdruckmittel) wirken durch Beeinflussung der S.-Funktion.

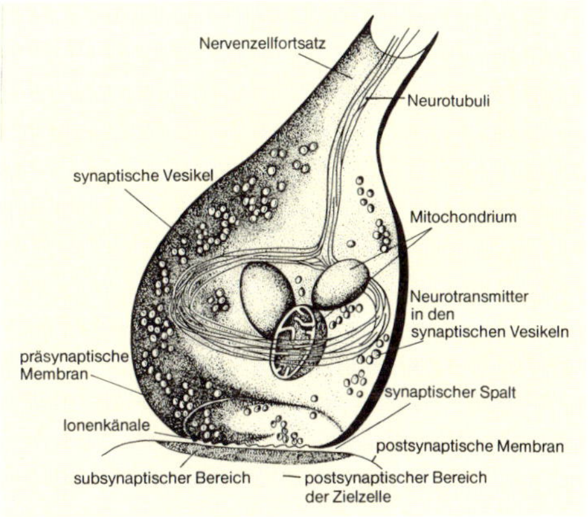

Synapse: Schema einer chemischen Synapse

Synärese [grch.] *die, Geologie:* Rissbildung durch subaquatische osmot. Entwässerung in Tonen, verursacht durch die höhere Salzhaltigkeit des darüber stehenden Wassers.

Synarthrose [grch.] *die, Anatomie:* ununterbrochene und unbewegl. Verbindung zweier Knochen, entweder durch Knochengewebe **(Synostose),** durch Knorpel **(Synchondrose)** oder durch Bänder **(Syndesmose).**

Synästhesie [grch.] *die,* die (Mit-)Erregung eines Sinnesorgans durch einen nichtspezif. Reiz, die zu gleichzeitigem Erleben versch. Sinneseindrücke bei Reizung von nur einem Sinnesorgan führt; häufigste Erscheinungen sind die opt. S. (»Synopsien« oder Photismen), bei denen v.a. durch akust. Eindrücke (Töne, Wörter) opt. Erscheinungen (auch farbig: →Farbenhören) mit erregt werden; umgekehrt können auch opt. Wahrnehmungen sekundäre Gehörserlebnisse (»Phonismen«), akust. Eindrücke Gefühlserlebnisse u.a. hervorrufen.

synchron [grch.], gleichzeitig, zeitgleich.

Synchrongetriebe, ein →Kraftwagengetriebe.

Synchronie [grch.] *die,* die Beschreibung der gleichzeitig bestehenden Erscheinungsformen einer Sprache, im Unterschied zur Diachronie.

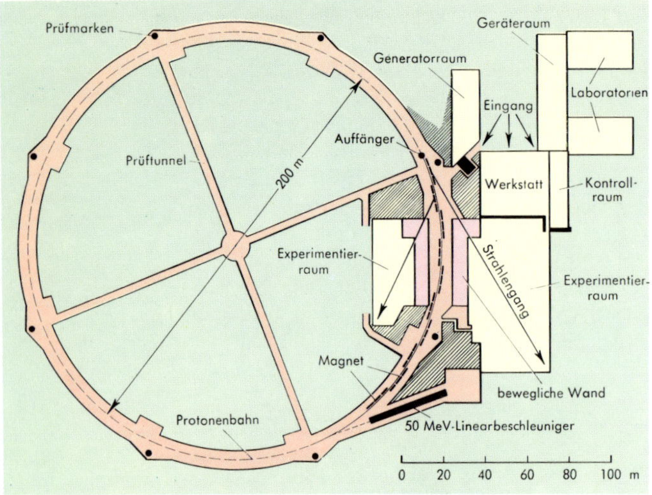

Synchrotron: Grundriss eines Protonensynchrotrons des CERN in Meyrin bei Genf

Synchronisierung [grch.] (Synchronisation), 1) *Elektronik:* das Herstellen des Gleichlaufs zw. zwei Zeitabläufen elektr. Größen in elektron. Geräten oder Systemen (z.B. in Elektronenstrahloszilloskopen oder bei der Fernsehbildübertragung).

2) *Elektrotechnik:* das Angleichen und Überwachen der Amplitude, Frequenz und Phasenlage der Spannungen von Synchronmaschine und Netz oder von zwei Netzen mit Synchronisiereinrichtungen, um Stromstöße beim Zusammenschalten zu vermeiden.

3) *Fotografie:* das Abstimmen von Kameraverschlussöffnung und Blitzlichtzündung, damit die Leuchtzeit des Blitzlichts in die Öffnungszeit des Kameraverschlusses fällt.

4) *Kinetechnik:* alle Maßnahmen für die gleichzeitige Wiedergabe von Bild und Ton, v.a. die gleichzeitige Aufnahme von Bild und Ton **(Voll-S.)** oder das Anfertigen einer Tonaufzeichnung zu bereits vorliegenden Bildfilmen **(Nach-S.),** z.B. um fremdsprachige Filme in die Landessprache umzusetzen.

Synchronizität, *Psychologie:* bei C. G. Jung Bez. für ein nichtkausales Zusammenhangsprinzip (Sinnzusammenhang) zw. Ereignissen, das sich z.B. in der Gleichzeitigkeit äußerer und innerer (Träume u.a.) Ereignisse äußern und u.a. zur Erklärung außersinnl. Wahrnehmungen dienen soll.

Synchronmaschine, hauptsächlich als Kraftwerksgenerator eingesetzte Drehstrommaschine (mitunter auch Wechselstrommaschine), deren Läufer die gleiche Drehzahl wie das Drehfeld hat.

Synchronschwimmen (Kunstschwimmen), Disziplin des Schwimmsports für Athletinnen; exakte Ausführung von Schwimmbewegungen und Figuren mit Musikbegleitung als Solo-, Duo- und Mannschaftswettbewerb (4–8 Teilnehmerinnen); Pflicht und Kür; Punktwertung. Olymp. Sportart seit 1984, Weltmeisterschaften seit 1971.

Synchrotron [grch.] *das,* ringförmiger →Teilchenbeschleuniger zur Durchführung von Streuexperimenten in der Hochenergie- und Schwerionenphysik (→Schwerionenforschung) sowie zur Erzeugung von →Synchrotronstrahlung. Die Teilchen werden durch ein Magnetfeld auf einer Kreisbahn mit nahezu konstantem Radius geführt und auf Beschleunigungsstrecken durch ein hochfrequentes elektr. Wechselfeld phasensynchron beschleunigt. Um eine stabile Kreisbahn der Teilchen zu gewährleisten, muss das Magnetfeld zeitlich anwachsen. Im **Elektronen-S.** erreichen die Elektronen schon nach wenigen Umläufen die Nähe der Lichtgeschwindigkeit und haben dann gleich bleibende Umlauffrequenz, da sich bei der weiteren Beschleunigung nur noch ihre Energie, aber kaum ihre Geschwindigkeit ändert. Im **Protonen-S.** dagegen erreichen die Protonen wegen ihrer großen Ruhemasse erst bei sehr hohen Energien (viele 1000 MeV) die Nähe der Lichtgeschwindigkeit. Da während des Beschleunigungsvorganges die Umlauffrequenz zunimmt, wird die Frequenz des beschleunigenden elektr. Wechselfeldes laufend erhöht (Frequenzmodulation). Die Kreisbahn liegt in einer ringförmigen Vakuumröhre, in die die Teilchen nach Vorbeschleunigung durch einen Linearbeschleuniger eingeschossen werden. Für höchste Energien werden die **AG-Beschleuniger** (Abk. für engl. **a**lternating **g**radient, »alternierender Feldgradient«) angewandt, bei denen der Querschnitt der Teilchenstrahlen durch abwechselnd fokussierende (bündelnde) und defokussierende Magnetfelder sehr klein gehalten und die Bahn stabilisiert wird. Die mit einem S. erreichbaren Teilchenenergien werden durch Strahlungsverluste infolge der Radialbeschleunigung begrenzt, da ein großer Teil der zugeführten Energie als S.-Strahlung wieder abgegeben wird.

Synchrotronstrahlung, elektromagnet. Strahlung, die von beschleunigten, hochrelativist. elektrisch geladenen Teilchen (mit Geschwindigkeiten in der Nähe der Lichtgeschwindigkeit) ausgestrahlt wird. Die S. wurde zuerst in Synchrotrons nachgewiesen, in denen sie von Teilchen emittiert wird, die ein transversales Magnetfeld durchqueren und dadurch auf gekrümmte Bahnen gezwungen werden **(magnet. Bremsstrahlung).** Große Bedeutung hat die S. auch in der Astrophysik, wo sie als Komponente der nichttherm. Radiostrahlung (verursacht durch energiereiche Elektronen in kosm. Magnetfeldern) für einen Teil der Radioemission von Flares, Supernovaüberresten, Quasaren und Radiogalaxien verantwortlich ist.

Für die S., die zunächst nur als störender Verlustfaktor an den Elektronen- und Positronenbeschleunigern der Hochenergiephysik auftrat, wurden inzwischen Anwendungsmöglichkeiten entdeckt, die von der Physik, Chemie und Elektronik (Röntgenlithographie) bis zur Biologie, Meteorologie und Medizin reichen. Hauptvorteile der S. sind u.a. das breite Spektrum vom Hochfrequenzbereich bis zur Röntgen- und Gammastrahlung, die scharfe Bündelung und die Polarisation der Strahlung. Daher werden weltweit Teilchenbeschleuniger gebaut, die nur der Erzeugung von S. dienen, in Dtl. z.B. die beiden Elektronensynchrotrons von **BESSY** (**B**erliner **E**lektronen-**S**peicherung für **Sy**nchrotronstrahlung; BESSY I 800 MeV, BESSY II 1,9 GeV) oder **HASYLAB** am →Deutschen Elektronen-Synchrotron, in Grenoble der europ. Elektronenspeicherring **ESRF** (engl. **E**uropean **S**ynchrotron **R**adiation **F**acility).

Synchrozyklotron, *Physik:* ein →Zyklotron.

Syndikalismus [grch.-lat.] *der,* die Ende des 19. Jh. entstandene Lehre einer revolutionären gewerkschaftl. Arbeiterbewegung, die sich zuerst in Frankreich entwickelte, sich bes. in Italien, Spanien und Südamerika verbreitete, aber auch in Großbritannien und den USA eigene Ausprägungen erfuhr. Der S., dem →Anarchismus eng verbunden **(Anarcho-S.),** vertritt das Prinzip, durch die »direkte Aktion« (Boykott, Sabotage, bes. Generalstreik) den Klassenkampf unmittelbar im ökonom. Bereich zu führen, und lehnt polit. Parteien ab. Die Produktionsmittel sollen vergesellschaftet und durch demokrat. Leitungsorgane der Arbeiter (Arbeitersyndikate) gelenkt werden. Überbetriebl. Aufgaben sollen durch die Gewerkschaften gelöst werden. Der S. geht v.a. auf P. J. Proudhon, M. A. Bakunin und G. Sorel zurück.

Syndikat [grch.] *das,* **1)** *Kriminalität:* geschäftlich getarnte Gangsterorganisation in den USA.

2) *Wirtschaft:* höchste Organisationsform des →Kartells.

Syndikus [grch.] *der,* Rechtsberater bei Verbänden, Genossenschaften, Kammern und Wirtschaftsunternehmen. I.d.R. darf ein S.-Anwalt im Angestelltenverhältnis seinen Arbeitgeber nicht vor Gericht vertreten, weil er nicht die erforderl. rechtl. und persönl. Unabhängigkeit besitzt.

Syndrom [grch.] *das, Medizin:* →Symptom.

Synedrion [grch.] *das,* **1)** Ratsbehörde in altgrch. Bundesstaaten oder Staatenbünden.

2) (lat. Synedrium, hebr. Sanhedrin, Hoher Rat), oberste religiöse, jurist. und polit. Behörde des Judentums vom 2. Jh. v. Chr. bis 425, 71 Mitgl.; Sitz in Jerusalem, seit der Zerstörung des Tempels (70 n. Chr.) in versch. Städten. Vors.: →Hohepriester; →Patriarch.

Synekdoche [grch.] *die,* Redefigur. (ÜBERSICHT Redefiguren)

Synektik [grch.] *die,* in der Unternehmensplanung angewandtes Verfahren zur Ideenfindung, wobei durch Verfremdung des gestellten Problems nach Lösungsmöglichkeiten gesucht wird.

Synergetik [grch.] *die,* von dem Physiker H. Haken (*1927) entwickeltes interdisziplinäres Forschungsgebiet zur Beschreibung komplexer Systeme in Physik, Biologie, Soziologie, Ökonomie u.a. Wissenschaften. Die S. geht vom Zusammenwirken vieler einzelner Elemente bzw. Teilsysteme aus und untersucht mithilfe neuartiger kollektiver Größen und Methoden (wie »Versklavung«) die spontane Ausbildung von Strukturen in komplexen Systemen. Der Ansatz der S. beruht auf der →Selbstorganisation der einzelnen Zustände, wobei der Zusammenhang (die Dynamik) zw. mikroskopisch kooperativem Verhalten und makroskop. Strukturbildung durch »Ordnungsparameter« bestimmt wird. Bes. in den Naturwiss. handelt es sich um offene (nichtlineare) Systeme, die zur Entstehung geordneter Strukturen aus ungeordneten Phasen führen können (z.B. Laser, lebende Zelle).

📖 HAKEN, H.: *Erfolgsgeheimnisse der Natur. Tb.ausg. Reinbek 1995.*

Syn|ergie [grch.], **1)** *allg.:* das Zusammenwirken versch. Kräfte, Stoffe oder Faktoren derart, dass die Gesamtwirkung größer ist als die Summe der Wirkung der Einzelkomponenten.

2) *Wirtschaft:* positives ökonom. Potenzial, das sich aus dem geschickten Zusammenwirken der Produktionsfaktoren ergibt. Von S.-Effekten wird bes. beim Zusammenschluss von Unternehmen oder Unternehmensteilen gesprochen.

Synergismus, *Theologiegeschichte:* die Lehre, nach der der Mensch durch eigenes Bemühen neben der Gnade Gottes an seinem Heil mitwirkt; erstmals im 3. Jh. von Pelagius (→Pelagianismus), später von P. Melanchthon vertreten; steht im Ggs. zur Lehre M. Luthers von der →Rechtfertigung. (→Prädestination)

Synergisten [grch.], **1)** *Anatomie, Physiologie:* gleichsinnig zusammenwirkende (d.h. die gleiche Arbeit verrichtende) Organe, bes. Muskeln.

2) *Chemie, Biochemie, Pharmakologie:* Substanzen, die die Wirkung einer anderen in additiver oder verstärkender Weise ergänzen; z.B. verstärkt Alkohol oft die Wirkung von Arzneimitteln.

Synge [sɪŋ], **1)** John Millington, irischer Dramatiker, *Rathfarnham (bei Dublin) 16. 4. 1871, †Dublin 24. 3. 1909; lebte zeitweilig in Paris, wo er sich dem Studium der kelt. Philologie widmete. Seine poetisch-realist. Dramen sind ein Höhepunkt der kelt. Renaissance: »Reiter ans Meer« (1903), »Die Nebelschlucht« (1904), »Kesselflickers Hochzeit« (1904), »Der Held der westl. Welt« (1907). – Seit 1904 war S. Mitdirektor des Abbey Theatre in Dublin.

John Synge:
zeitgenössische Zeichnung

2) Richard Laurence Millington, brit. Biochemiker, *Liverpool 28. 10. 1914, †Norwich 18. 8. 1994; erhielt für die Entwicklung der Papierchromatographie als Verteilungschromatographie 1952 mit A. J. P. Martin den Nobelpreis für Chemie.

Richard Synge

Synizese [grch. »das Zusammenfallen«] *die* (Synärese), in der antiken Metrik die Zusammenziehung zweier oder mehrerer Vokale zu einer einzigen diphthong. Silbe.

Synklinale [grch.] *die* (Synkline), die Mulde einer geolog. →Falte.

Synkope [grch.] *die,* **1)** ['zynkope], *antike Metrik:* Verkürzung eines drei- oder mehrsilbigen Wortes durch Ausstoßung des (kurzen) Vokals einer Mittelsilbe; in der dt. Verskunst Bez. für vergleichbare prosod. Erscheinungen (z. B. »ew'ger« für »ewiger«).

2) ['zynkope], *Medizin:* kurzzeitige Bewusstseinsstörung aufgrund einer Mangeldurchblutung des Gehirns.

3) [zyn'ko:pə], *Musik:* Verschiebung der Betonung gegenüber der regulären Taktordnung durch die Bindung eines unbetonten an den folgenden betonten Taktwert, über die Taktgrenze hinweg

(♩|♩)

oder innerhalb des Taktes

(♩𝅗𝅥♩=♩♩♩♩).

Anders als in der metrisch freien modernen Musik spielen S. und S.-Phänomene im Jazz eine vielseitige Rolle (→Offbeat, →Ragtime); Jazz ist mit synkopierter Musik jedoch nicht gleichzusetzen.

Synkretismus [grch.] *der,* in der Philosophie die unkrit. Übernahme verschiedenartiger Denkansätze und Lehren (→Eklektizismus) und ihre, oft bestimmten Zeitgeistströmungen folgende Verschmelzung; in der Religionsgeschichte die Vermischung versch. Religionen bzw. einzelner Elemente von ihnen, woraus oft →neue Religionen entstehen, oder, im Rahmen der Mission, die »Anknüpfung« an vorgefundene Traditionen und deren neue Interpretation, z. B. während der kath. Mission in China (→Ritenstreit).

Synod [grch.] *der* (Heiliger S., Heiliger Regierender S.), →russisch-orthodoxe Kirche.

Synode [grch. »Zusammenkunft«] *die* (lat. Konzil), *christl. Kirchen:* die Versammlung von kirchl. Repräsentanten zur Beratung und Entscheidung kirchl. Angelegenheiten. Die *kath. Kirche* verstand bis zum 2. Vatikan. Konzil unter S. v. a. das allg. →Konzil; seither nimmt die Bedeutung von S. als Organen der Beratung und Unterstützung in der Leitung der Kirche über die →Bischofssynode auf gesamtkirchl., die →Pastoralsynoden auf regionaler und die Diözesan-S. auf teilkirchl. Ebene zu. In den *evang. (Landes-)Kirchen* und ihren Zusammenschlüssen (EKD, EKU, VELKD) in Dtl. sind die S. die obersten, gesetzgebenden Organe, bestehend aus gewählten **Synodalen.** In den *orth. (Landes-)Kirchen* ist die S. ebenfalls oberstes Organ (→Ostkirchen).

synodisch [lat.], *Astronomie:* auf die Stellung von Erde und Sonne bezogen, z. B. synod. →Monat, synod. →Umlaufzeit.

Synökie [grch.] *die,* das Zusammenleben zweier oder mehrerer Organismenarten in einer Behausung, ohne dass eine die andere schädigt.

Synonym [grch.] *das,* Wort, das mit einem anderen Wort oder einer Folge von Wörtern derselben Sprache bedeutungsgleich ist (z. B. Samstag – Sonnabend; Freude – Vergnügen).

Synopse (Synopsis) [grch.] *die,* Zusammenschau, vergleichende Übersicht, bes. der Paralleltexte aus dem N. T.

Synoptiker (synoptische Evangelien), *Bibelwiss.:* Bez. für die in Inhalt und Aufbau einander ähnl. drei ersten Evangelien (Matthäus, Markus, Lukas); das Problem ihrer gegenseitigen literar. Abhängigkeit **(synopt. Frage)** wird v. a. mit der →Zweiquellentheorie zu erklären versucht.

Syntagma [grch.] *das,* Konstruktion aufeinander bezogener Wortelemente (z. B. »los-lassen«) oder Redeteile (z. B. »in der Nacht«) innerhalb eines Satzes, die ihre Stellung im Satz ändern kann (z. B. »In der Nacht verließ er das Haus«, »Er verließ das Haus in der Nacht«).

Syntax [grch.] *die,* **1)** *Datenverarbeitung:* die formalen Regeln zur Bildung eines →Programms ohne Berücksichtigung des Inhalts.

2) *Sprachwiss.:* Satzlehre, der Teil der Grammatik, der sich mit dem Bau und der Gliederung des Satzes beschäftigt (vgl. ÜBERSICHT).

Syntax

Satzarten

Aussagesatz: *Der Student arbeitet in der Bibliothek.*
Aufforderungssatz: *Lies das!*
Fragesatz: *Was hat der Redner eben gesagt?*
Wunschsatz: *Wenn der Zug doch endlich käme.*
Ausrufesatz: *Das ist ein ausgezeichneter Einfall!*

Bestandteile eines Satzes

Im Deutschen unterscheidet man im Wesentlichen folgende Satzglieder:
Subjekt (Satzgegenstand): der formale Ansatzpunkt des Geschehens, in der Regel ein Substantiv oder Pronomen im Nominativ;
Prädikat (Satzaussage): immer (mindestens) eine finite (gebeugte) Verbform, oft auch finite und infinite Verbform mit Prädikatsnomen (Satzadjektiv oder Gleichsetzungsnominativ);
Objekt (Satzergänzung): Zielpunkt des verbalen Geschehens, Substantiv oder Pronomen, das in seinem Kasus meist direkt vom Prädikat abhängig ist, der Form nach unterschieden in
Akkusativobjekt (im Satzgefüge Satzteil auf die Frage »wen?«)
Dativobjekt (im Satzgefüge Satzteil auf die Frage »wem?«)
Genitivobjekt (im Satzgefüge Satzteil auf die Frage »wessen?«)
Präpositionalobjekt (Substantiv oder Pronomen mit Präposition);
adverbiale (Umstands-)Bestimmung: Syntagma, das sich entweder auf die Gesamtaussage des Satzes oder nur auf das Verb bezieht, man unterscheidet solche
des Ortes (Lokalbestimmung; »wo?«)
der Zeit (Temporalbestimmung; »wann?«)
der Art und Weise (Modalbestimmung; »wie?«)
des Grundes (Kausalbestimmung; »warum?«);
Attribut (Beifügung): Wort (oder Wortgruppe), das ein Satzglied näher bestimmt; es ist nicht syntaktisch, oft aber inhaltlich notwendig. Als Attribute können auftreten Adjektive, Pronomen, Substantive im Genitiv, Präpositionalgefüge.
Ein substantiv. Attribut, das dem Bezugswort nachgestellt ist, heißt **Apposition (Beisatz).**

Subjekt	*Prädikat (finites Verb)*	*Objekt*	*adverbiale Bestimmung*	*Prädikat (infinites Verb oder Prädikatsnomen)*
Wir	*sehen*	*das Bild, ein Spätwerk,*[2]	*morgen in der Galerie.*	
Der neue[1] *Lehrer*	*hätte*	*dir eine bessere*[1] *Note*		*geben sollen.*
Keiner	*konnte*	*das*		*vorhersehen.*
Er	*ist*			*Schauspieler.*
Die Theater der Stadt[1]	*sind*		*im Sommer*	*geschlossen.*
Es	*geht*	*uns*	*sehr gut.*	
Jedes hier[1]	*wartet*	*auf ein glückliches*[1] *Ende.*		

[1] Attribute. – [2] Apposition

Satzformen

einfacher Satz: *Sie sagte nichts. Sie sagte nichts und setzte sich sofort.*
zusammengesetzter Satz
a) mehrere einfache, in sich grammatisch abgeschlossene Teilsätze, die einander nebengeordnet sind **(Satzverbindung, Parataxe):** *Sie sagte nichts, aber sie blickte ihn fragend an.*
b) Haupt- und Nebensatz, deren Beziehungen untereinander nach inhaltl. und formalen Gesichtspunkten eingeteilt werden können **(Satzgefüge, Hypotaxe):** *Sie sagte nichts, als sie ins Zimmer trat.*
Nebensätze können unterschieden werden
1) nach Art der Verknüpfung
a) **Relativsätze** (eingeleitet durch ein Relativpronomen): *Das Buch, das du mir empfohlen hast, ist leider nicht mehr lieferbar.* Zu den Relativsätzen gehören auch die **Lokalsätze:** *Du kannst dort, wo du dich wohl fühlst, bleiben.*
b) **Konjunktionalsätze** (eingeleitet durch eine Konjunktion): *Ich glaube, dass ich dieses Buch schon gelesen habe.*
c) **indirekte Fragesätze** (eingeleitet durch ein Fragepronomen): *Sage mir, was du gerade liest.*
d) **uneingeleitete Nebensätze:** *Ich glaube, ich kenne diesen Text.*
2) nach der Satzgliedstelle im Hauptsatz, die der Nebensatz einnimmt:
a) **Subjektsätze:** *Wer das gelesen hat, kennt die Zusammenhänge.*
b) **Objektsätze** (z.B. als Akkusativobjekt): *Ich weiß, dass ich dieses Buch lesen sollte.*
c) **Adverbialsätze:** *Als er die Lektüre beendet hatte, war es dunkel geworden.*
d) **Attributsätze:** *Die Bücher, die sie gelesen hat, würden eine Bibliothek füllen.*
3) nach dem inhaltl. Verhältnis zw. Haupt- und Nebensatz, z.B.
a) **Kausalsätze** (Begründungsverhältnis): *Weil der Vortrag so lange dauerte, konnte ich nicht bis zum Ende bleiben.*
b) **Konsekutivsätze** (Folgeverhältnis): *Der Vortrag dauerte mehr als 2 Stunden, sodass ich nicht bis zum Ende bleiben konnte.*
c) **Konzessivsätze** (Verhältnis des unzureichenden Gegengrunds, der Einräumung): *Obwohl ich nicht viel Zeit hatte, hörte ich den Vortrag bis zu Ende.*
d) **Konditionalsätze** (Bedingungsverhältnis): *Wenn der Vortrag interessant gewesen wäre, hatte ich bis zum Ende gewartet.*
e) **Temporalsätze** (Verhältnis der Zeitlichkeit): *Ich ging sofort, nachdem der Vortrag zu Ende war.*
f) **Finalsätze** (Zweck- oder Eignungsverhältnis): *Du musst lauter sprechen, damit ich dich hören kann.*
g) **Modalsätze** (Verhältnis des Mittels oder des Umstands): *Der Redner sprach so überzeugend, dass alle ihm zustimmten.*

Die gleiche Funktion wie Nebensätze können auch **Infinitiv-** oder **Partizipalkonstruktionen** innehaben, z.B. als Finalsatz: *Er sprach lauter, um besser gehört zu werden.* oder als **Konzessivsatz:** *Obgleich von dem Vorwurf überrascht, reagierte er richtig.*

Wortstellung

Im einfachen dt. Aussagesatz ist das finite Verb immer das an 2. Stelle stehende Satzglied. Der 2. Teil des Prädikats steht in der Regel am Satzende. Das gesamte Prädikat bildet damit die **Satzklammer,** die Objekte und adverbiale Bestimmungen einschließt. In Fragesätzen (Entscheidungsfragen), in Aufforderungssätzen und uneingeleiteten Nebensätzen hat das finite Verb die Spitzenstellung inne. Es steht an letzter Stelle in eingeleiteten Nebensätzen und in einigen Formen von Ausrufesätzen. Die übrigen Satzglieder sind in ihrer Stellung relativ frei. Damit kommt der Wortstellung im Deutschen erhebl. stilist. Bedeutung zu.

Synthesizer

Syntexis [grch.] *die,* die völlige oder teilweise Aufnahme und Einschmelzung von fremdem Nebengestein durch ein Magma.

Synthese [grch.] *die,* **1)** *allg.:* Zusammenfügung, gedankl. Verknüpfung einzelner (auch gegensätzl.) Aussagen, Vorstellungen u.Ä. zu einem Ganzen.

2) *Chemie:* natürl. oder künstl. Herstellung chem. Verbindungen aus den Elementen, stufenweise aus einfacheren Verbindungen, durch Umsetzung zw. Verbindungen oder durch Abbau größerer Verbindungen. Als **Total-S.** bezeichnet man die S. eines Naturstoffs im chem. Labor aus möglichst einfachen Ausgangsmaterialien (Edukten).

Synthesefasern, die →Chemiefasern.

Synthesegas, Gemische aus Kohlenoxid und Wasserstoff unterschiedlicher Zusammensetzung, die Ausgangsbasis für die Synthese von Ammoniak, Methanol, Oxoprodukten u.a. sind. Als (Ammoniak-)S. wird darüber hinaus ein Gemisch aus Stickstoff und Wasserstoff im Stoffmengenverhältnis 1:3 bezeichnet. S. wird heute v.a. aus Erdgas (→Steamreforming) oder Rückständen der Erdöldestillation hergestellt. Es kann aber auch durch Vergasung von Kohle (Koks) gewonnen werden.

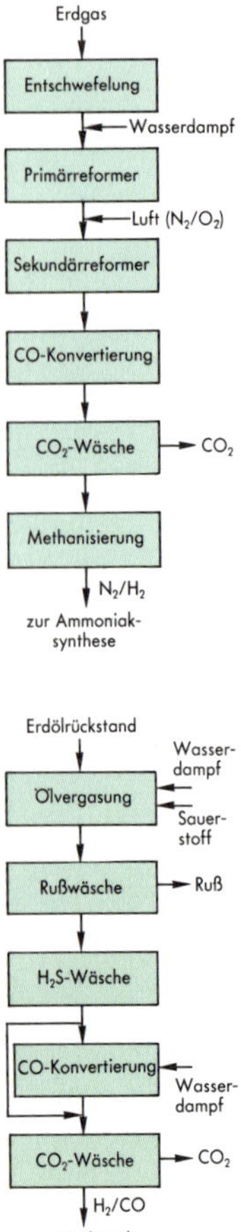

Synthesegas: Beispiele für Synthesegasherstellung

Synthesekautschuk (Kunstkautschuk, engl. Synthetic Rubber, Abk. SR), Sammelbegriff für Thermoplaste mit niedriger →Einfriertemperatur, deren Moleküle sich wie bei Naturkautschuk (→Kautschuk) durch Vulkanisation weitmaschig vernetzen lassen, sodass weichgummiartige synthet. Elastomere (→Kunststoffe) entstehen. Bes. wichtige S. werden aus Butadien (**Butadienkautschuk,** Buna, Abk. **BR** von engl. **B**utadiene **R**ubber), Butadien und Styrol (**Butadien-Styrol-Kautschuk,** Abk. **SBR** von engl. **S**tyrene-**B**utadiene **R**ubber), Butadien und Acrylnitril (**Nitrilkautschuk,** Abk. **NBR** von engl. **N**itrile-**B**utadiene **R**ubber) und Isopren (**Isoprenkautschuk,** Abk. **IR** von engl. **I**soprene **R**ubber) hergestellt. Durch Polyaddition entstandener S. findet sich v.a. unter den Polyurethanen; durch Polykondensation erhält man Siliconkautschuk.

Syntheselöle, Grundöle für Schmierstoffe und artverwandte Produkte (z.B. Isolieröle, Hydrauliköle), die nicht durch Destillation und Raffination aus Erdöl gewonnen, sondern synthetisch hergestellt werden. S. haben häufig einen niedrigeren Fließpunkt, höheren Viskositätsindex und/oder bessere therm. und chem. Stabilität als Mineralöle.

Syntheseteleskop, →Radioteleskop.

Synthesizer ['sɪntesaɪzər, engl. 'sɪnθəsaɪzə] *der,* elektron. Gerät, um Töne zu erzeugen, die Klangstruktur zu verändern oder Klangprogramme zu speichern. S. sind aus einzelnen Modulen aufgebaut, vielfältig kombinierbar und enthalten eine Klaviatur (Keybord) sowie Verstärker, Filter, Hallgeräte, Tongeneratoren u.a. Weitere Anschlüsse für »Fremdgeräte« sind meist vorhanden. Mit einem S. lassen sich die gebräuchlichsten Musikinstrumente nachahmen. – S. können über geeignete Schnittstellen auch in Verbindung mit Computern (z.B. PC) verwendet werden.

synthetisch [grch.], **1)** *allg.:* zu einer Einheit verknüpfend, zusammensetzend.

2) *Chemie:* künstl. (durch Synthese) hergestellt.

synthetische Sprachen, *Sprachwiss.:* Sprachen, die die grammat. Beziehungen der Wörter im Satz durch Flexionselemente der Wörter ausdrücken, z.B. lat. domi (»zu Hause«), während →analytische Sprachen diese durch selbstständige Wörter verdeutlichen (frz. »à la maison«).

synthetisches Urteil, nach I. Kant ein Urteil, dessen Prädikat nicht schon wie im Falle des analyt. Urteils im Subjekt enthalten ist und das somit erkenntniserweiternd ist. Kant unterscheidet s. U. →a posteriori von s. U. →a priori. Während erstere Sätze sich auf Erfahrung stützen, sind letztere

Syrakus 2): das griechische Theater liegt im antiken Stadtteil Neapolis (2. Hälfte des 3. Jh. v. Chr.)

Sätze, die aller Erfahrung als deren Möglichkeitsbedingung zugrunde liegen (etwa das Prinzip der →Kausalität und die Axiome der euklid. Geometrie). Der →logische Empirismus leugnete die Existenz derartiger s. U. a priori: Alle s. U. seien empirisch und daher lediglich a posteriori gültig; mathemat. Sätze seien zwar a priori gültig, aber lediglich analyt. Urteile.

Syphilis [nlat., nach dem Lehrgedicht von G. Fracastoro] *die* (Lues, harter Schanker), als chron. Infektionskrankheit verlaufende, wegen ihrer Spätfolgen die gefährlichste der →Geschlechtskrankheiten; es besteht Meldepflicht. Erreger der S. ist das Bakterium Treponema pallidum. Die Ansteckung erfolgt meist durch Geschlechtsverkehr (erworbene S.) oder diaplazentar (angeborene S.).

Die **erworbene S.** (S. acquisita) verläuft unbehandelt in vier Stadien. Für das **Primärstadium** (zus. mit dem Sekundärstadium auch unter der Bez. **Früh-S.** zusammengefasst) ist der **Primäraffekt** vom Beginn der 3.–6. Woche nach der Infektion an kennzeichnend. Er tritt meist als einzelnes kleines, hartes, gerötetes Knötchen im Bereich der Infektionsstelle auf und entwickelt sich zu einem braunroten, schmerzlosen Geschwür mit hartem Rand **(harter Schanker).** Das **Sekundärstadium** der S. wird durch Hautausschläge (Syphilide) eingeleitet, die ab der 8.–12. Woche nach der Ansteckung (oder etwa 45 Tage nach Erscheinen des harten Schankers) auftreten; daneben dehnt sich die zunächst örtl. Lymphknotenschwellung auf den ganzen Körper aus. Der Hautausschlag besteht aus zahlr. fleckigen oder knötchenförmigen Krankheitsherden und nässenden Papeln (breite Kondylome); sie enthalten wie der Primäraffekt viele S.-Erreger und sind deshalb sehr ansteckend. Das **Tertiärstadium** der S. **(Spät-S.)** tritt oft erst nach jahrelanger (etwa fünf Jahre) völlig erscheinungsfreier Zeit (Latenzperiode) an Haut, Knochen oder inneren Organen auf, meist in Form geschwüriger, zerstörender Veränderungen (Gummigeschwulst, Gumma). Bes. bedrohlich ist der Befall der Aorta mit Bildung eines Aneurysmas. Im **Quartärstadium** der S. **(Neuro-S.)** kommt es zu einem bleibenden Ausfall am Zentralnervensystem. Die S.-Erreger bewirken den Untergang grauer Hirnsubstanz (progressive Paralyse) und syphilit. Befall des Rückenmarks (Tabes dorsalis). – Bei der **angeborenen S.** (S. connata) erfolgt die Ansteckung durch die syphilit. Mutter über den Plazentarkreislauf gegen Ende der ersten Schwangerschaftshälfte.

Die *Behandlung* der S. erfolgt mit hoch dosierten Penicillingaben, bei Penicillinallergie auch mit Tetracyclinen oder Erythromyzin.

Syracuse ['sɪrəkju:s], Stadt im Staat New York, USA, südlich des Ontariosees, 164 000 Ew.; Univ., Kunstmuseum; Handels- und Ind.stadt (Chemikalien, Flugzeugmotoren, Maschinen, elektron. Geräte, Metallwaren).

Syphilis: Holzschnitt Albrecht Dürers zu einem Syphilisflugblatt des Nürnberger Stadtarztes Theodoricus Alsenius (1494)

Syrakus (italien. Siracusa), **1)** Provinz Italiens auf Sizilien, 2 109 km², (1995) 406 800 Einwohner.

2) Hptst. von 1), im SO von Sizilien, auf der der Küste vorgelagerten und mit ihr durch eine Brücke verbundenen Insel Orligia und dem Festland, 127 600 Ew.; Erzbischofssitz; archäolog. Museum, Kunstmuseum; Erdölraffinerie, Maschinenbau, elektrotechnische, Zement-, Nahrungsmittelindustrie. – Dom (Kernbau ist ein Athenatempel, 480–470 v. Chr., der 1093 in eine christl. Basilika umgebaut wurde; seit dem 18. Jh. mit Barockfas-

Die Belagerung von Syrakus (415–413 v. Chr.)

sade), Befestigungsanlagen und Kastell Euryalos (5. Jh. v. Chr.); im antiken Stadtteil Neapolis (»Neustadt«) grch. Theater und Fundamente des Altars Hierons II. (3. Jh. v. Chr.), röm. Theater u. a. Reste antiker Bauten; Steinbrüche aus grch. Zeit, frühchristl. Katakomben und Kirchen, stauf. Kastell. – Als eine der ältesten grch. Kolonien auf Sizilien wurde S. 735 v. Chr. von korinth. Siedlern gegr.; im 5. Jh. gelangte es unter Gelon, der durch seinen Sieg über die Karthager 480 v. Chr. die polit. Vormachtstellung begründete, und Hieron I., an dessen Hof Dichter wie Pindar und Aischylos wirkten, zu großer Bedeutung. In der →Sizilischen Expedition behauptete sich S. gegen Athen (415–413 v. Chr.). Im 4. Jh. führten Dionysios I. und Dionysios II. S. zu einer zweiten Hochblüte und seiner größten Ausdehnung, ein Zustand, den Hieron II. durch ein Bündnis mit Rom für ein halbes Jahrhundert zu festigen verstand. Als seine Nachfolger das Bündnis aufgaben, wurde S. von Rom erobert (212 v. Chr.) und verlor seine Bedeutung. In frühchristl. Zeit war S. ein wichtiges religiöses Zentrum.

🕮 Drögenmüller, H.-P.: *S. Zur Topographie u. Geschichte einer griech. Stadt. Heidelberg 1969.*

Syrien: Ortschaft in der Wüstensteppe Nordsyriens

Syrdarja *der* (im Altertum Iaxartes), Fluss in Mittelasien (Usbekistan, Tadschikistan und Kasachstan), mit dem Naryn 3019 km lang; entsteht im Ferganabecken aus den Quellflüssen Naryn und Karadarja, durchfließt wüstenhafte Gebiete, u. a. am Rand der Südl. Hungersteppe und Kysylkum, mündet wegen der Wasserentnahme für die Bewässerung (mehrere Bewässerungsstauseen, auch Wasserkraftwerke) nur noch in niederschlagsreichen Jahren als Rinnsal in den →Aralsee.

Syri|en (amtlich arab. Al-Djumhurijja al-Arabijja as-Surijja, dt. Arabische Republik S.), Staat in Vorderasien, grenzt im N an die Türkei, im O und SO an Irak, im S an Jordanien, im SW an Israel, im W an Libanon und das Mittelmeer.

Staat und Recht: Nach der Verf. von 1973 ist S. eine sozialist. Volksrep. mit Präsidialsystem. Staatsoberhaupt, Oberbefehlshaber der Streitkräfte und Inhaber der Exekutivgewalt ist der mit weitgehenden Vollmachten ausgestattete Präs. (vom Parlament nominiert, wird er auf sieben Jahre direkt gewählt). Er bestimmt die Richtlinien der Politik, hat das Recht auf Gesetzgebungsinitiative und -veto und ernennt und entlässt die Reg. unter Vorsitz des MinPräs. Die Legislative liegt bei der Volksversammlung (250 Abg., auf vier Jahre gewählt). Einflussreichste Partei ist die syr. Baath-Partei. Sie dominiert auch die Nat. Progressive Front, eine Koalition, zu der außerdem die Syrisch-Arab. Sozialist. Union, die Kommunist. Partei S.s, die Organisation der Sozialist. Unionisten und die Bewegung der Arab. Sozialisten gehören.

Landesnatur: S. umfasst einen 175 km langen Küstenabschnitt am Mittelmeer, dem eine rd. 50 km breite Gebirgszone folgt. Diese fällt zum Syr. Graben mit dem Orontes als Hauptfluss ab, steigt im Antilibanon und Hermon bis auf 2814 m ü. M. an und dacht sich nach O ab. Östlich dieser Zone erstrecken sich z. T. von Lavafeldern bedeckte Tafelländer mit Höhenzügen; im S der vulkan. Djebel Drus (bis 1800 m ü. M.). Das Innere ist heiß und trocken und wird von Wüstensteppe und Wüste

Syrien

Fläche: 185 180 km²
Einwohner: (1995) 14,66 Mio.
Hauptstadt: Damaskus
Verwaltungsgliederung: 14 Distrikte
Amtssprache: Arabisch
Nationalfeiertag: 17. 4.
Währung: 1 Syrisches Pfund (syr£) = 100 Piastres (PS)
Zeitzone: MEZ +2 Std.

eingenommen. Hauptfluss ist der Euphrat. Die Niederschläge ermöglichen nur in den westl. Gebirgszügen Baumwuchs.

Bevölkerung: Die Mehrheit der Bewohner sind Arabisch sprechende Syrer, daneben leben Kurden (6,3 %), Armenier (rd. 4 %), Turkmenen u. a. Bev.gruppen im Land. Weitere Bev.-Gruppen sind die Nomaden und palästinens. Flüchtlinge (derzeit etwa 280 000). – Schulpflicht besteht vom 7. bis 12. Lebensjahr; es gibt vier Univ. (Damaskus, Aleppo, Latakia, Homs); die Analphabetenquote liegt bei 35 %. – Rd. 90 % der Bev. sind Muslime (meist Sunniten der hanafit. oder schafiit. Richtung, ferner Alawiten, Ismailiten, Schiiten), etwa 10 % Christen versch. Richtungen. Die alteingesessene jüd. Bevölkerung ist zum größten Teil nach Israel ausgewandert.

Wirtschaft, Verkehr: Die Landwirtschaft bildet trotz forcierter Industrialisierung in den letzten Jahren die wirtsch. Grundlage des Staates. Sie erbringt etwa 28 % des Bruttoinlandproduktes. Durch die Agrarreformen von 1958 und 1980 wurde die Besitzstruktur grundlegend verändert; privates und genossenschaftl. Eigentum sind vorherrschend. Hauptanbaugebiete sind die Ackerebenen Nord-S. (Neuerschließung in der Landschaft Djesire) und das Euphratgebiet. Hauptanbaukulturen sind Weizen und dank künstl. Bewässerung (Nutzung des Assadstausees) Baumwolle, das wichtigste agrar. Exportprodukt Syriens; Baumkulturen v. a. von Aprikosen (drittgrößter Erzeuger der Welt) und Feigen. Der gesamte zentrale Teil von S. kann nur durch die Weidewirtschaft der Nomaden genutzt werden. – Die bedeutendsten Bodenschätze sind Erdöl, Erdgas und Phosphat. Seit 1973 werden die Phosphatlager bei Palmyra abgebaut. Die 1966 im NO entdeckten Erdölfelder (schweres, schwefelreiches Erdöl) werden seit 1968 ausgebeutet und seit Mitte der 70er-Jahre für den Export genutzt. Das seit 1984 bei Deir ez-Zor im O geförderte leichte und schwefelarme Erdöl wird in den Raffinerien von Homs und Banias verarbeitet. Traditionelle Ind.zweige sind die Nahrungsmittel- und Textilind.; hinzu kommen chem. Ind., Maschinen- und Fahrzeugbau sowie Zement- und Düngemittelproduktion. Das Kunsthandwerk hat große Tradition und ist weltbekannt. Die Ind. konzentriert sich v. a. in Aleppo, Damaskus, Hama und Homs. – S. hat ein 2 750 km langes Eisenbahn- und ein 39 333 km langes Straßennetz. Haupthäfen sind Latakia, Banias und Tartous; internat. Flughafen in Damaskus.

Geschichte: S. war im Altertum die Bez. für das Gebiet zw. Mittelmeer im W und Arabien im O, etwa dem heutigen Aleppo im N und Palästina im S (die Zuordnung Phönikiens ist unterschiedlich). Im 2./1. Jt. v. Chr. lag es im Überschneidungsbereich der Interessen der altorientalischen Mächte. 539 v. Chr. von Persern, 333 v. Chr. von Alexander (III.), d. Gr., unterworfen, setzte die Hellenisierung ein. 301 v. Chr. wurde S. zw. Ptolemäern (N) und Seleukiden (S) geteilt; 195 v. Chr. gänzlich seleukidisch. 64 v. Chr. richtete Pompeius die röm. Provinz Syria (einschließlich Phönikien) ein, der 93 n. Chr. auch Judäa eingegliedert wurde. 194 n. Chr. und im 4. Jh. unter Diokletian wurde die Provinz geteilt. Ab 395 gehörte sie zum Oström.

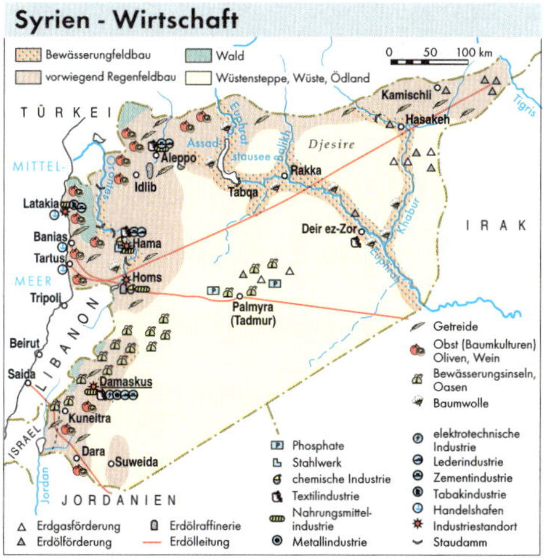

Staatswappen

SYR
Internationales Kfz-Kennzeichen

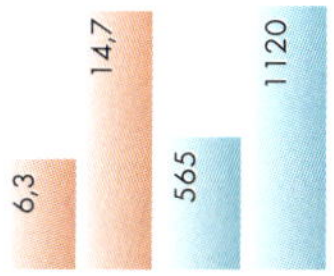

1970 1995 Bevölkerung (in Mio.)
1970 1995 Bruttosozialprodukt je Ew. (in US-$)

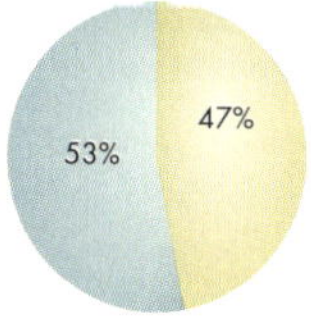

Stadt
Land
Bevölkerungsverteilung 1995

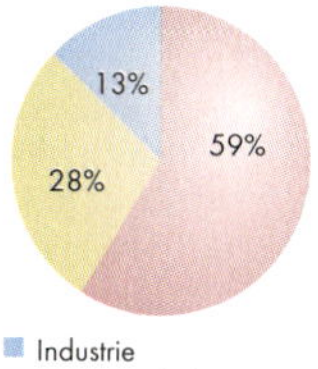

Industrie
Landwirtschaft
Dienstleistung
Bruttoinlandsprodukt 1995

Feisal I.

Hafis al-Assad

(Byzantin.) Reich. Nach der Eroberung durch die muslim. Araber (634–637/640) machten die Omaijadenkalifen 661 Damaskus zur Hptst. ihres Reiches. Nach ihrem Sturz (750) geriet das Land in Abhängigkeit von Ägypten. 1098–1268 gehörten Teile S.s (Küstenstreifen) zum Kreuzritter-Fürstentum Antiochien; 1516/17–1918 war S. Teil des Osman. Reiches. Im Sykes-Picot-Abkommen (1916) wurde S. frz. Einflussgebiet zugesprochen; 1918 von brit. und arab. Truppen (unter Feisal) besetzt; am 18. 3. 1920 Unabhängigkeitserklärung (Königreich S.) und Krönung Feisals I. zum König; April 1920 Festlegung des frz. Völkerbundmandats für S. (Konferenz von San Remo). Nach dem Einmarsch frz. Truppen und der Abdankung Feisals I. (25. 7. 1920) wurde S. 1922–46 frz. Mandatsgebiet und blieb (wechselnd) in mehrere politisch-administrative Untereinheiten aufgeteilt: Libanon (Aug. 1920 zum Separatstaat erklärt), Staat der Nusairier, Staat von Aleppo, Staat von Damaskus, autonome Region der Drusen, Provinz [Sandschak] Alexandrette (1939 an die Türkei). Nach der Niederschlagung des Drusenaufstandes 1925/27 wurde Libanon selbstständig; 1936 syrisch-frz. Vertrag über Unabhängigkeit (von Frankreich nicht ratifiziert). Im 2. Weltkrieg besetzten brit. und freie frz. Truppen S. (Juni/Juli 1941); Sept. 1941 Erklärung der (formellen) Unabhängigkeit (Republik S.); de Gaulle erklärte S. am 1. 1. 1944 erneut für unabhängig, doch räumten die brit. und frz. Truppen erst nach wachsenden Unruhen im April 1946 das Land (volle Unabhängigkeit). 1945 wurde S. Mitglied der UN und der Arab. Liga. 1958 mit Ägypten Bildung der Vereinigten Arab. Republik (VAR; Sept. 1961 nach einem Putsch in S. aufgelöst). Nach einem Militärputsch am 8. 3. 1963 übernahm die Baath-Partei die Macht. Der 3. Israelisch-Arab. Krieg 1967 brachte den Verlust der →Golanhöhen. Im Nov. 1970 stürzte General H. al-Assad in einem unblutigen Putsch (»Korrekturschritt«) die herrschende marxist. Baath-Führungsgruppe; seit März 1971 ist al-Assad Staatspräs. (zuletzt Dez. 1991 wieder gewählt). Nach dem 4. Israelisch-Arab. Krieg (1973) schloss S. 1974 ein Truppenentflechtungsabkommen für die Golanhöhen mit Israel. Die Ablehnung des 2. israelisch-ägypt. Sinai-Abkommens (1975) führte zur Kontroverse mit Ägypten. Die Unterstützung der Palästinenser und das direkte Eingreifen syr. Streitkräfte im libanes. Bürgerkrieg (seit Juni 1976, zunächst zugunsten, seit 1982 zuungunsten der Christen) stärkte die Stellung S. in der arab. Welt. Der Friedensvertrag zw. Ägypten und Israel (1979) führte zur Annäherung S.s an Irak. Der irakisch-iran. Krieg 1980–88 (1. →Golfkrieg), in dem S. im Ggs. zu den anderen arab. Staaten Iran unterstützte, verschärfte erneut die Spannungen zw. S. und Irak (April 1982 Schließung der Grenze) sowie Jordanien (das auf irak. Seite stand). Die Annexion der syr. Golanhöhen durch Israel (Dez. 1981) und die israel. Invasion im Libanon (Juni 1982 bis Juli 1985) verstärkten die Aktivitäten S.s im Libanon (u. a. 1983 Verhinderung eines israelisch-libanes. Separatfriedens) und im arab. Lager. Mit dem Abkommen von Taif (Okt. 1988) wurde S. offiziell zur Schutzmacht Libanons erklärt (Ausbau seines Machtbereichs durch Freundschaftsvertrag vom Mai 1991). Die Annäherung an Ägypten 1989/90, der Beitritt zur antiirak. Allianz im 2. →Golfkrieg 1991 und die Teilnahme an der im Okt. 1991 eingeleiteten Nahostfriedenskonferenz (erstmals direkte israelisch-syr. Verhandlungen über die Rückgabe der Golanhöhen; syr. Vorbedingung für eine Gesamtlösung des →Nahostkonflikts) förderten das Gewicht des sich als Regionalmacht verstehenden S. im Nahen und Mittleren Osten. Die sich nach Abschluss des »Gaza-Jericho«-Autonomieabkommens zw. Israel und der PLO (13. 9. 1993) verstärkenden israel. Bemühungen um eine Friedensregelung mit S. stagnierten nach kurzer Zeit und kamen mit dem Wahlsieg der Konservativen in Israel (1996) zum Erliegen.

📖 WIRTH, E.: *S. Eine geograph. Landeskunde. Darmstadt 1971.* – KLENGEL, H.: *Geschichte u. Kultur Altsyriens. Wien u. a. 1980.* – KLAFF, R.: *Konfliktstrukturen u. Außenpolitik im Nahen Osten. Das Beispiel S. Berlin 1993.* – CHENEVIÈRE, A.: *S. Wiege der Kultur. A. d. Frz. München 1996.*

Syringa [lat.], die Pflanzengattung →Flieder.

Syringomyelie [grch.] *die,* anlagebedingte Erkrankung des Rückenmarks, bes. bei Männern; erste Symptome treten meist zw. dem 20. und 40. Lebensjahr auf. In langsam fortschreitendem Verlauf bilden sich Hohlräume in der grauen Substanz des Rückenmarks, vorwiegend im Hals- und Brustbereich. Krankheitszeichen: Muskelschwund an Händen, Armen, Schultern, Verlust von Schmerz- und Temperaturempfindung, später Lähmungen und Skelettveränderungen.

Syrinx [grch.] *die,* **1)** *Musik:* die →Panflöte.

2) *Zoologie:* für die Vögel (mit Ausnahme der Störche, Strauße und Neuweltgeier) charakterist. Stimmbildungsorgan, das an der Teilungsstelle der Luftröhre in die beiden Hauptbronchien als unterer Kehlkopf ausgebildet ist.

syrische Kirchen, zusammenfassende Bez. für die im antiken syr. Kulturraum mit den Zentren Antiochia und Edessa entstandenen christl. Kirchen. Zu den s. K. gehören die grch.-orth. Kirche von Antiochia (Sitz: Damaskus), die im Gefolge der theolog. Auseinandersetzungen im 5./6. Jh. entstandene ostsyr. (→Nestorianer, auch »assyr.« Kirche gen.) und die westsyr. Kirche (→Jakobiten, eigtl. Syr.-orth. Patriarchat von Antiochia, Sitz: Damaskus) und die aus ihrer Missionstätigkeit entstandene autonome Syr.-orth. Kirche des Ostens in Indien, die →Melchiten sowie die mit der kath. Kirche unierten und teilunierten oriental. Kirchen syr. Tradition: maronit. Ritus: die →Maroniten; westsyr. Ritus: das Syr.-kath. Patriarchat von Antiochia (Sitz: Beirut) und die Syro-Malankar. Kirche in Indien (1930 Abspaltung von der Syr.-orth. Kirche des Ostens und Union mit der kath. Kirche); ostsyr. Ritus: die Chaldäische Kirche (eigtl. Chaldäisch-kath. Patriarchat von Babylon, Sitz: Bagdad) und die Syro-Malabar. Kirche in Indien (→Thomaschristen).

syrische Literatur, die Literatur des christl. Orients in syr. Sprache bis zur arab. Eroberung, geprägt von der bibl. Überlieferung und der synkretist. oriental. Kultur (u. a. der →Gnosis). Sie brachte zahlr. Übersetzungen v. a. aus dem Griechischen und Lateinischen hervor (neben theolog. auch naturwiss., jurist. und philosoph. Schriften); original entstanden theolog. Werke, religiöse Hymnen, Märtyrerakten, Dokumente und Urkunden, auch häret. Schriften. Mit dem Bruch zw. Nestorianern und Monophysiten wuchs die Zahl der theolog. Werke, für die auch die gebundene Rede verwendet wurde. Der Sieg des Islam im Orient beendete das originale Schrifttum in syr. Sprache. Bed. Vertreter: Bardesanes (*154, †222, Hymnen), Afrahat (4. Jh., theolog. Traktate), →Tatian (die Evangelienharmonie »Diatessaron«), →Ephräm der Syrer (4. Jh., Bibelkommentare, Reden, Hymnen).

📖 Macuch, R.: *Geschichte der spät- u. neusyr. Literatur. Berlin 1976.*

syrische Sprache, zum aramäischen Sprachzweig der →semitischen Sprachen gehörende Sprache, deren Ursprungsgebiet im nordwestl. Mesopotamien liegt. Durch das Christentum wurde sie zur Schriftsprache aller seiner Bekenner im aramäischen Gebiet mit Ausnahme der Melchiten in Palästina. Im 5. Jh. schieden christolog. Streitigkeiten die im pers. Reich lebenden Nestorianer von den monophysit. Jakobinern im byzantin. Herrschaftsgebiet; dadurch entwickelten sich das Ost- und Westsyrische zu besonderen Dialekten. Die arab. Eroberung verdrängte das Syrische, das sich nur als Kirchen- und Schriftsprache erhielt; es gibt nur einige Sprachinseln mit neusyr. (neuostaramäischen) Dialekten.

Syrische Wüste (Badijet esch-Scham), das große Wüsten- und Wüstensteppengebiet im N der Arab. Halbinsel, in Syrien, Jordanien und Irak, im W von den Ackerebenen des →Fruchtbaren Halbmondes, im O vom Euphrat begrenzt; Tafelland über kristallinem Sockel. Wichtige Straßen und Pipelines queren das Gebiet.

Syrjänen, früher Bez. für die →Komi.

Syrlin, Jörg d. Ä., Schreiner, Bildschnitzer, Bildhauer, *Ulm um 1425, †ebd. 1491; schuf 1468 den Dreisitz und 1469–74 das Chorgestühl für das Ulmer Münster (doppelreihig mit 89 Sitzen), das mit seinem klaren Aufbau, seinem umfassenden Programm (Zeugen des Alten und Neuen Bundes) und seiner differenzierten künstler. Gestaltung das bedeutendste Chorgestühl der dt. Gotik ist; in den

Jörg Syrlin d. Ä.: Detail vom Chorgestühl des Ulmer Münsters (1469–74)

Wangenbüsten (möglicherweise von M. Erhart) der heidn. Wesen und Sibyllen, der Propheten, Apostel und Märtyrer spiegelt sich die theolog. und humanist. Bildung der Zeit. Die Statuen des Christoffelbrunnens am Weinmarkt und des Fischkastens in Ulm (1482; Originale im Ulmer Stadtmuseum) werden nicht eindeutig S. zugeschrieben. Sein Sohn, Jörg d. J. (*um 1455, †nach 1521), schnitzte Chorgestühle (1493, Kloster Blaubeuren) und Altäre.

Jörg Syrlin d. Ä.: von dessen Sohn Jorg Syrlin d. J. hergestellte Figur aus dem Chorgestühl der Evangelischen Pfarrkirche in Geislingen an der Steige (1512)

Syrmien, Landschaft in der Wojwodina, →Sirmien.

Syros, Insel der Kykladen, Griechenland, 84 km^2, 19 700 Ew.; Hptst. ist Hermupolis; Anbau von Gemüse, Wein, Oliven; lebhafter Schiffsverkehr.

Syrosem [sirɔ'sjɔm, russ.], ein Bodentyp, Rohboden gemäßigter Klimate, der v. a. durch physikal. Verwitterung gebildet wird.

Syrte, zwei Buchten des Mittelmeers an der Küste Nordafrikas: die →Große Syrte und die **Kleine S.,** an der tunesisch-libyschen Küste, zw. Kap Bon und Tripolis, gegliedert in den Golf von Hammamet und den von Gabès, vorgelagert ist die Insel →Djerba.

SYSMIN, Kw. für **Sys**tem zur Stabilisierung **min**eral. Exporterlöse (→STABEX).

System [grch. »gegliedertes Ganzes«] *das,* **1)** *allg.:* ganzheitl. Zusammenhang von Dingen, Vorgängen, Teilen, der entweder in der Natur gegeben (ein Gas, eine Flüssigkeit) oder vom Menschen hergestellt ist (z. B. polit. S.); auch ein auf allg. Grundsätze zurückgeführtes und danach geordnetes Ganzes von Einzelerkenntnissen einer Wiss. oder des menschl. Wissens überhaupt;

System der Pflanzen und Tiere

Die systematischen Kategorien

Reich *(Regnum)*
Unterreich *(Subregnum)*
Stamm/Abteilung *(Phylum/Divisio)*
Unterstamm/Unterabteilung *(Subphylum, Subdivisio)*
Überklasse *(Superclassis)*
Klasse *(Classis)*
Unterklasse *(Subclassis)*
Überordnung *(Superordo)*
Ordnung *(Ordo)*
Unterordnung *(Subordo)*
Überfamilie *(Superfamilia)*
Familie *(Familia)*
Unterfamilie *(Subfamilia)*
Gattung *(Genus)*
Art *(Species)*
Unterart (Rasse) *(Subspecies)*

System, Pflanzenreich
(Lb. der Botanik, begr. von E. Strasburger u. a., 34. Aufl., 1998)

	Prokaryoten
Organisationstyp[1)]	*Bakterien*
A	Archaebakterien (80)[2)]
B	Eubakterien (1 600)
Organisationstyp	*Prokaryotische Algen*
3. Abteilung	Cyanophyta (Blaualgen, 2 000)
4. Abteilung	Prochlorophyta
	Eukaryoten
Organisationstyp	*Schleimpilze* (600)
1. Abteilung	Acrasiomycota
2. Abteilung	Myxomycota (500)
3. Abteilung	Plasmodiophoromycota
Organisationstyp	*Pilze*
4. Abteilung	Oomycota (500)
5. Abteilung	Eumycota
1. Klasse	Chytridiomycetes (500)
2. Klasse	Zygomycetes (500)
3. Klasse	Ascomycetes (Schlauchpilze, 30 000)
4. Klasse	Basidiomycetes (Ständerpilze, 30 000)
	Fungi imperfecti (Deuteromycetes)
Organisationstyp	*Flechten* (20 000)
Organisationstyp	*Eukaryotische Algen*
6. Abteilung	Glaucophyta
7. Abteilung	Euglenophyta (800)
8. Abteilung	Cryptophyta (120)
9. Abteilung	Chlorarachniophyta
10. Abteilung	Dinophyta (1 000)
11. Abteilung	Haptophyta (250)
12. Abteilung	Heterokontophyta (Chrysophyta, 9 500)
13. Abteilung	Rhodophyta (Rotalgen, 4 000)
14. Abteilung	Chlorophyta (Grünalgen, 7 000)
Organisationstyp	*Embryophyten (Grüne Landpflanzen)*
15. Abteilung	Bryophyta (Moose, 24 000)
16. Abteilung	Pteridophyta (Farnpflanzen)
1. Klasse	Psilophytopsida (Urfarngewächse †)
2. Klasse	Psilotopsida (Gabelblattgewächse, 4)
3. Klasse	Lycopodiopsida (Bärlappgewächse, 1 200)
4. Klasse	Equisetopsida (Schachtelhalmgewächse, 32)
5. Klasse	Pteridopsida (Filicopsida, Farne, 10 000)
17. Abteilung	Spermatophyta (Samenpflanzen, 240 000)

Prinzip oder Ordnung, nach der etwas aufgebaut wird.

2) *Biologie:* in der zoolog. und botan. →Systematik die übersichtl., hierarchisch nach dem Grad der (natürl.) verwandtschaftl. Zusammengehörigkeit geordnete und dementsprechend in versch. systemat. Kategorien gegliederte Zusammenstellung der verschiedenartigen Tiere bzw. Pflanzen, die deren stammesgeschichtl. Entwicklung widerspiegeln soll. Die systemat. Grundeinheit ist die **Art,** sie ist als geschlossene Fortpflanzungsgemeinschaft sich miteinander fruchtbar fortpflanzender Individuen definiert. Die nächsthöhere Einheit ist die **Gattung,** in der mehrere Arten zusammengefasst werden. Mehrere Gattungen bilden eine **Familie,** mehrere Familien eine **Ordnung,** mehrere Ordnungen eine **Klasse** und mehrere Klassen eine **Abteilung.** Die zoolog. Systematik kennt die Kategorie Abteilung nicht oder gebraucht diesen Begriff im Sinne von **Stamm.** Die oberste Kategorie ist das **Reich** (Pflanzen- und Tierreich). Nach dem verwendeten Ordnungsprinzip unterscheidet man künstl. S. mit der Anordnung nach Ähnlichkeit und natürl. S. mit der Anordnung nach Verwandtschaft.

3) *Geologie:* →geologische Systeme.

4) *Kybernetik, Physik, Technik:* fundamentaler Begriff, der die Zusammenfassung mehrerer, im Allg. untereinander in Wechselwirkung stehender Komponenten zu einer als Ganzes aufzufassenden Einheit bezeichnet, z. B. **kybernet. S.** (→Kybernetik), **techn. S.** (wie Maschinen, techn. Anlagen, Netzwerke oder Schaltungen), **physikal. S.,** sofern physikal. Objekte betrachtet werden (atomares S., Planeten-S., Vielteilchen-S., thermodynam. S. u. a.) oder in der Informatik die Zusammenfassung von Hard- und Software zu einem Rechensystem. Die S.-Komponenten können von gleicher (homogenes S.) oder unterschiedl. Art (heterogenes S.) sein. Je nachdem, ob das S. mit der Umgebung in Wechselwirkung (Energie- und Materieaustausch) steht oder nicht, unterscheidet man **offene** und **abgeschlossene Systeme.**

5) *Soziologie:* (soziales S.) Begriff, der das zwischenmenschl. Handeln innerhalb eines bestimmten Rahmens sozialer Verhaltens- und Orientierungsmuster analytisch erfasst. Kennzeichen sind die wechselseitige Abhängigkeit aller Elemente (Personen, Institutionen), die Struktur und Kontinuität in den Beziehungen dieser Elemente sowie eine deutl. Abgrenzung von der Umwelt. Das umfassendste soziale S. ist die Gesellschaft, Teil-S. z. B. das polit. S. oder das Wirtschaftssystem.

Systemanalyse, Methode zur Untersuchung der Funktion, Struktur, des zeitl. Verhaltens und der Beeinflussung kybernet., v. a. techn. und ökonom. Systeme unter Zuhilfenahme von Modellsystemen und -methoden. Die S. ermöglicht es, die

Wechselbeziehungen der betrachteten Systeme sowie die dadurch bewirkten (Entwicklungs-)Prozesse quantitativ zu erfassen und spezielle Vorgänge nachzuvollziehen (→Simulation).

Systematik *die,* **1)** *allg.:* planmäßige Darstellung, einheitl. Gestaltung, Gliederung nach sachl. und log. Zusammenhängen.

2) *Biologie:* (Taxonomie) als Teilgebiet der speziellen Zoologie (**Tier-S.,** systemat. Zoologie), als Teilgebiet der speziellen Botanik (**Pflanzen-S.,** systemat. Botanik) Fachgebiet der Biologie, das die Mannigfaltigkeit der Lebewesen beschreibt, gegeneinander abgrenzt und die so gewonnenen Gruppen (Taxa) in einem hierarch. →System (Klassifikation) ordnet. Zur Benennung der Tiere und Pflanzen bedient sich die S. der →Nomenklatur.

systematische Theologie, wiss. Zusammenschau des christl. Glaubens, die auf der Grundlage der Forschungsergebnisse der histor. Teildisziplinen der Theologie (Exegese, Kirchengeschichte) dessen Wesen und prakt. Konsequenzen in ihrer Gesamtheit erfassen und systematisch darstellen will; ist in der evang. Theologie Hauptdisziplin, bestehend aus den Teildisziplinen Dogmatik und theolog. Ethik; besteht in der kath. Theologie als Glaubenslehre aus den Hauptdisziplinen Dogmatik, Fundamental- und Moraltheologie.

Système International d'Unités [sis'tɛːm ɛ̃tɛrnasjɔ'nal dyni'te, frz.], Abk. **SI,** das Internationale Einheitensystem der →SI-Einheiten.

Systemerkrankung, Erkrankung eines ganzen Organsystems, z. B. des Skeletts oder des Blut bildenden Systems.

systemische Therapie, *Psychologie:* Sammelbez. für versch. Ansätze der Psychotherapie, die, an Erkenntnisse der Kybernetik und Systemtheorie anknüpfend, psych. Störungen des Individuums aus gestörten Beziehungsprozessen in der Familie oder einer Gruppe zu erklären und diese Prozesse durch therapeut. Intervention zu verändern suchen. Die s. T. wird bes. in der Familientherapie, manchmal auch in Einzelberatung oder in der Beratung anderer Gruppen angewandt.

systemische Wirkung, die Wirkung von Pflanzenschutzmitteln, die im Saftstrom der Blätter oder Wurzeln befördert und durch Stoffwechselvorgänge abgebaut werden, ohne die Pflanze zu schädigen, diese aber vor Schadorganismen, v. a. Insekten schützen.

System of National Accounts ['sɪstəm əv næʃnl ə'kaʊnts, engl.], Abk. **SNA,** einheitl. Schema der volkswirtsch. Gesamtrechnung, 1953 von den UN aufgestellt zur international vergleichbaren Darstellung wichtiger ökonom. Daten, 1968 überarbeitet und erweitert.

Systemtheorie, interdisziplinäre Erforschung der strukturellen und funktionalen Eigenschaften

System der Pflanzen und Tiere (Fortsetzung)

Entwicklungsstufe[1]	Gymnospermae (Nacktsamer, 800)
1. Unterabteilung	Coniferophytina (Gabel- und Nadelblättrige Nacktsamer, 550)
1. Klasse	Ginkgoopsida (1)
2. Klasse	Pinopsida (Nadelhölzer)
2. Unterabteilung	Cycadophytina (Fiederblättrige Nacktsamer, 200)
1. Klasse	Lyginopteridopsida (Samenfarne †)
2. Klasse	Cycadopsida
3. Klasse	Bennettitopsida (†)
4. Klasse	Gnetopsida
3. Unterabteilung	Angiospermae (Magnoliophytina, Bedecktsamer)
1. Klasse	Dicotyledoneae (Magnoliopsida, Einfurchenpollen – Zweikeimblättrige, 174 000)
2. Klasse	Rosopsida (Dicotyledoneae, »Eudicots«, Dreifurchenpollen – Zweikeimblättrige)
3. Klasse	Liliopsida (Monocotyledoneae, »Monocots«, Einkeimblättrige 66 000)

System, Tierreich
(nach V. Storch und U. Welsch, 1994)

Protozoa (Einzellige Tiere, 40 000)[2]
Zooflagellata
Rhizopoda (Wurzelfüßer)
Sporozoa (Sporentierchen)
Ciliata (Wimpertierchen)

Metazoa (Vielzellige Tiere)
Placozoa
Porifera (Schwämme, 5 000)
Cnidaria (Nesseltiere, 9 000)
Ctenophora (Rippenquallen, 100)
Bilateria

Reihe: Protostomia
Tentaculata (4 000)
Spiralia
Sipunculida
Plathelminthes (Plattwürmer, 12 500)
Mesozoa
Gnathostomulida (100)
Nemertini (Schnurwürmer, 900)
Aschelminthes (Nemathelminthes, Rundwürmer, Schlauchwürmer, 18 000)
Kamptozoa (Entoprocta, 150)
Mollusca (Weichtiere, 130 000)
Aplacophora
Polyplacophora
Monoplacophora
Gastropoda (Schnecken)
Scaphopoda (Kahnfüßer, 350)
Bivalvia (Lamellibranchiata, Muscheln, 10 000)
Cephalopoda (Kopffüßer, 700)
Articulata (Gliedertiere)
Annelida (Ringelwürmer, 17 000)
Tardigrada (Bärtierchen, 200)
Pentastomida (Zungenwürmer, 100)
Arthropoda (Gliederfüßer)
Proarthropoda
Euarthropoda
Trilobitomorpha (†)
Chelicerata (70 000)
Merostomata
Arachnida (Spinnentiere)
Pantopoda (Asselspinnen, 1 000)
Mandibulata
Crustacea (Krebse, 50 000)
Antennata (Tracheata)
Chilopoda (Opisthogoneata, 2 500)
Progoneata
Insecta (Hexapoda, Insekten, 1 000 000)

Incertae sedis
Chaetognatha (Pfeilwürmer, 50)
Pogonophora (Bartwürmer, 70)

Reihe: Deuterostomia
Hemichordata
Echinodermata (Stachelhäuter, 6 000)
Chordata (Chordatiere, 40 000)
Tunicata (Manteltiere, 1 200)
Copelata (Appendicularia, 17)
Acrania (Leptocardii, Cephalochordata)
Vertebrata (Craniota, Wirbeltiere)
Agnatha (Kieferlose)
Gnathostomata (Kiefermünder)
Placodermi (†)
Acanthodii (†)
Chondrichthyes (Knorpelfische, 800)
Osteichthyes (Knochenfische, 20 000)
Tetrapoda (Landwirbeltiere)
Amphibia (Lurche, 3 000)
Reptilia (Kriechtiere, 6 000)
Aves (Vögel, 8 800)
Mammalia (Säugetiere, 5 000)

[1] Entwicklungsstufe/Organisationstyp: Organismengruppen, die in Merkmalen ihrer äußeren und inneren Organisation weitgehend übereinstimmen. – [2] alle Zahlen geben nur die ungefähre Anzahl der Arten an, † ausgestorben

István Szabó

Magda Szabó

Andrzej Szczypiorski

Szeged
Stadtwappen

natürl., sozialer und techn. Systeme. Die S. wird als Teil eines umfassenden systemtheoretisch-kybernet. Konzepts verstanden, mit dessen Hilfe neben den stat. auch die dynam. Aspekte von Systemen erfasst werden. Es bezieht offene, d.h. sich verändernde, Systeme ein sowie Untersuchungen von Ungleichgewichtssituationen und Phänomenen der →Selbstorganisation. Systemtheoret. Betrachtungen auf sozialem Gebiet (Elemente und deren funktionale Bedeutung, Stabilisierung gegenüber der Außenwelt) nahm zuerst N. Luhmann vor.

Systole [grch.] *die,* die mit der →Diastole (als Ruhephase) rhythmisch wechselnde Kontraktionsphase des Herzmuskels vom Beginn der Anspannungszeit bis zum Ende der Austreibungszeit.

Syzygie [grch. »Verbindung«] *die* (Syzygium), *Astronomie:* Konjunktion und Opposition zweier Gestirne, i.e.S. beim Mond die Phasen von Voll- und Neumond.

Szabó [ˈsɔboː], **1)** István, ungar. Regisseur und Drehbuchautor, *Budapest 18. 1. 1939; bedeutender Erneuerer des ungar. Films in den 60er-Jahren; Inszenierung des »Tannhäuser« (1964, mit V. Vasarély) in Paris. – *Filme:* Mephisto (1980), Oberst Redl (1984) und Hanussen (1988) als biograph. Trilogie; außerdem Zauber der Venus (1991).

2) Magda, ungar. Schriftstellerin, *Debrecen 5. 10. 1917; schrieb u.a. sozialkrit. Romane: »Das Fresko« (1958), »Die andere Esther« (1959), »Eine altmod. Geschichte« (1977), »Hinter der Tür« (1987).

Szálasi [ˈsaːlɔʃi], Ferenc, ungar. Politiker, *Kaschau (heute Košice) 6. 1. 1897, † (hingerichtet) Budapest 12. 3. 1946; gründete 1935 die rechtsextreme Hungaristenbewegung (später Pfeilkreuzler); Okt. 1944 bis April 1945 Staatschef; nach Kriegsende von den USA an Ungarn ausgeliefert.

Szamos [ˈsɔmoʃ, ungar.] *der* oder *die* (rumän. Some, dt. Samosch), linker Nebenfluss der Theiß, 435 km lang, entsteht in Siebenbürgen aus den Quellflüssen Großer S. und Kleiner S. und mündet in NO-Ungarn.

Szczawno Zdrój [ˈʃtʃavnɔ ˈzdruj] (dt. Bad Salzbrunn, bis 1935 Obersalzbrunn), Stadt und Mineralbad in der Wwschaft Wałbrzych (Waldenburg), Polen, Niederschlesien, im Waldenburger Bergland, 402–419 m ü.M., 6200 Ew. – Erstmals erwähnt 1316. – Geburtsort von G. Hauptmann.

Szczecin [ˈʃtʃɛtɕin], Stadt in Polen, →Stettin.

Szczecinek [ʃtʃɛˈtɕinɛk] (dt. Neustettin), Stadt in der Wwschaft Koszalin (Köslin), Polen, auf dem Pommerschen Landrücken, 39200 Ew.; Holzverarbeitung, elektrotechn. Ind. – 1310 Stadtrecht; kam 1653 an Brandenburg, 1945 zu Polen.

Szczypiorski [ʃtʃiˈpjɔrski], Andrzej, polnischer Schriftsteller, *Warschau 3. 2. 1924; Teilnehmer am Warschauer Aufstand, ab 1944 im KZ Sachsenhausen. Bed. Prosaist und Publizist; 1977 Berufsverbot, 1981/82 interniert; beschäftigte sich v.a. mit der dt.-poln. und polnisch-jüd. Problematik (»Eine Messe für die Stadt Arras«, R., 1971; »Und sie gingen an Emmaus vorbei«, R., 1974, auch u.d.T. »Der Teufel im Graben«; »Die schöne Frau Seidenman«, R., 1986; »Amerikan. Whiskey«, Erz., Ausw., 1989; »Nacht, Tag und Nacht«, R., 1991; »Selbstporträt mit Frau«, R., 1994).

Szczytno [ˈʃtʃitnɔ] (dt. Ortelsburg), Stadt in der Wwschaft Olsztyn (Allenstein), Polen, 26500 Ew.; Masurenmuseum; Leinen-, Holz-, Lebensmittelind., Elektrogerätebau.

Széchenyi [ˈseːtʃɛːnji], István (Stephan) Graf, ungar. Politiker, *Wien 21. 9. 1791, † (Selbstmord) ebd. 8. 4. 1860; gemäßigt-liberaler Vorkämpfer einer wirtsch. und bürgerl.-demokrat. Umgestaltung Ungarns (u.a. Abbau der Adelsprivilegien); 1825 Mitbegründer der Ungar. Akademie der Wissenschaften.

Szechwan [-tʃuan], Prov. in China, →Sichuan.

Szeged: Der neuromanische Dom mit zwei 93 m hohen Türmen stammt aus dem frühen 20. Jahrhundert

Szeged [ˈsɛ-] (dt. Szegedin), Hptst. des Bez. Csongrád in SO-Ungarn, zu beiden Seiten der Theiß, 178900 Ew.; zwei Univ. und weitere Hochschulen, Nationaltheater, Konservatorium; bed. Ind.zentrum: Verarbeitung landwirtsch. Erzeugnisse (Gewürzpaprika- und Salamiherstellung), Jute-, Hanf-, Baumwoll-, Tabak-, Möbel-, Leder-, Gummiind., Maschinenbau. Verkehrsknotenpunkt. – Demetriusturm (12./13. Jh.), Reste einer Burg (13. Jh.), Marienkirche (Ende 15. Jh.), neuroman. Dom (Anfang 20. Jh.), neubarockes Rathaus (1883), Bürgerhäuser v.a. aus dem 17. Jh. – S., schon im 13. Jh. erwähnt, wurde 1498 königl. Freistadt, 1542–1686 türkisch.

Székesfehérvár ['se:kɛʃfɛhe:rva:r] (dt. Stuhlweißenburg), Hptst. des Bez. Féjer, Ungarn, 30 km nordöstlich des Plattensees, 109 700 Ew.; Aluminiumwalzwerk, Fernseh- und Rundfunkgerätebau u. a. Industrie. – Barocke Sakral- und Profanbauten. – Seit Beginn des 11. Jh. ungar. Landeshptst. und Krönungsort der meisten ungar. Könige des MA. (bis 1539 **Alba Regia** gen.); 1543–1688 unter türk. Herrschaft; seit 1777 Bistum.

Székesfehérvár Stadtwappen

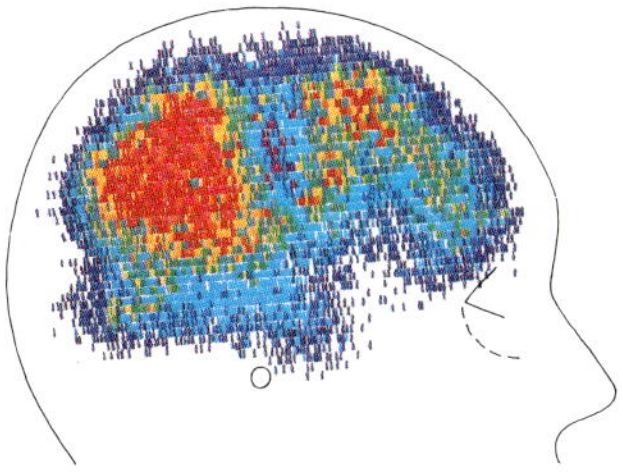

Szintigraphie: Aufnahme eines Gehirns in Falschfarbendarstellung; unterschiedliche Aktivitätsverteilungen werden durch Farbwechsel im Szintigramm sichtbar gemacht

Szekler ['se:k-] (Sekler, ungar. Székely), ungarisch sprechende ethn. Minderheit in SO-Siebenbürgen, im S.-Gebiet, etwa 500 000 (Zahlenangaben schwanken) Personen mit eigenständiger Volkskultur; vermutlich türk. (kuman.?) Herkunft, im 10.–13. Jh. als »Grenzschutz« an den Westhängen der Karpaten angesiedelt; gehörten 1437–1874 zu den drei regierenden Bev.gruppen (»Nationen«) Siebenbürgens.

Szell [sɛl], George, amerikan. Dirigent ungar. Herkunft, *Budapest 7. 6. 1897, †Cleveland (Oh.) 30. 7. 1970; wirkte u. a. in Berlin und Prag, emigrierte 1939 in die USA, 1946–70 Leiter des Cleveland Orchestra, das er zu Weltruhm führte.

Szenario [italien.] *das,* als Planungs- und Prognosetechnik die Zusammenstellung von Annahmen über mögl. Abfolgen von Ereignissen bezüglich des jeweiligen Untersuchungsgegenstands, um die kausalen Zusammenhänge und Entscheidungspunkte herauszuarbeiten.

Szene [grch. →Skene] *die,* **1)** *allg.:* heftige Auseinandersetzung, Vorfall; Bühne bestimmter Aktivitäten (literar. S., polit. S.); charakterist. Lebensbereich (Drogen-S., Hausbesetzer-S.), Außenseitermilieu, Künstlermilieu.

2) *darstellende Kunst:* Gliederungseinheit von Drama, Oper, Film und Hörspiel, durch den →Auftritt einer oder mehrerer Personen gegebene Einheit. **S.-Bilder** sind bei Theaterinszenierungen häufig auf größere Einheiten bezogen (z. B. auf Akte oder Schauplätze).

Szenerie *die,* **1)** *allg.:* beindruckendes Panorama, Rahmen, in dem sich etwas abspielt.

2) *Theater:* Bühnendekoration, Bühnenbild.

Szentgotthárd ['sɛntgotha:rd] (dt. Sankt Gotthard), Ort im Bez. Vas, SW-Ungarn, im Raabtal an der österr. Grenze, 8 200 Ew. – Bei S. siegten die kaiserl. Truppen unter Fürst R. Montecuccoli am 1. 8. 1664 über die Türken.

Szent-Györgyi [ungar. 'sɛn 'djørdji, engl. sɛnt'dʒɔ:dʒɪ], Albert von, eigtl. A. S.-G. von Nagyrapolt, amerikan. Biochemiker ungar. Herkunft, *Budapest 16. 9. 1893, †Woods Hole (Mass.) 22. 10. 1986; Arbeiten u. a. zur Zellatmung, zur Muskelerforschung und zur Erforschung von Vitaminen, speziell von Vitamin P und C; erhielt 1937 den Nobelpreis für Physiologie oder Medizin.

Szepes ['sɛpɛʃ], ungar. Name der →Zips.

Szeryng ['ʃe:rɪŋ], Henryk, mexikan. Violinist poln. Herkunft, *Żelazowa Wola (Wwschaft Warschau) 22. 9. 1918, †Kassel 3. 3. 1988; studierte u. a. bei C. Flesch, J. Thibaud und N. Boulanger; lehrte seit 1948 an der Univ. von Mexiko. Im Rahmen seines breiten Repertoires nahm die Violinmusik von J. S. Bach und W. A. Mozart eine bed. Stellung ein.

Szetschuan, Prov. in China, →Sichuan.

Szilentismus [lat.] *der,* der →Scientismus.

Szilard [si'lɑ:d], Leo, amerikan. Physiker ungar. Herkunft, *Budapest 11. 2. 1898, †San Diego (Calif.) 30. 5. 1964; seit 1938 in den USA; entwickelte ein Verfahren zur Isotopentrennung von künstl. Elementen; regte 1939 die Entwicklung der amerikan. Atombombe an und war in den 40er-Jahren (unter E. Fermi) an der Realisierung der ersten amerikan. Kernreaktoren beteiligt.

Szintigramm [lat.-grch.] *das,* Bilddarstellung einer →Szintigraphie.

Szintigraphie [lat.-grch.] *die,* nuklearmedizin. Verfahren zur bildmäßigen Aufzeichnung der Verteilung gammastrahlender Radionuklide im Körper. Die S. besteht in der Feststellung der stoffwechselabhängigen Verteilung eines durch Injektion oder Einnahme zugeführten kurzlebigen Radionuklids im Körpergewebe mithilfe eines →Szintillationsscanners oder einer →Gammakamera. Krankhaft veränderte Gewebepartien nehmen Radiopharmaka anders an als gesunde. Das resultierende Aktivitätsverteilungsbild heißt **Szintigramm.**

Szintillation [lat.] *die,* **1)** *Astronomie:* bes. in Horizontnähe zu beobachtendes Flimmern der Sterne, das durch →Luftunruhen hervorgerufen wird (→Speckle-Interferometrie).

2) *Physik:* das Auftreten von Lichtblitzen, wenn energiereiche Teilchen- oder elektromagnetische Strahlung auf fluoreszierende Substanzen (→Szintillator) treffen.

Szintillationskamera, die →Gammakamera.

George Szell

Albert Szent-Györgyi

Henryk Szeryng

Szintillationsscanner [-skænə] (Szintiscanner), Gerät zur Herstellung von Szintigrammen, indem mit bewegtem Detektor durch linien-(mäander-)förmige Abtastung die Verteilung und Anreicherung von Radiopharmaka in Organen und Körperteilen flächenartig aufgezeichnet wird. Das resultierende Szintigramm informiert über strukturelle Veränderungen (z.B. Geschwulstbildung) im Körpergewebe.

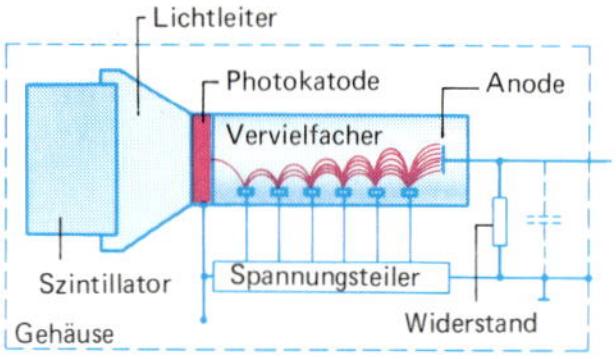

Szintillations-zähler: Funktionsschema

Szintillationszähler, Gerät zur Zählung und Energiemessung energiereicher Elementarteilchen und Photonen durch die in einem →Szintillator ausgelösten Lichtblitze. Diese werden mit einer Photozelle oder einem Photomultiplier elektrisch registriert und elektronisch weiterverarbeitet; zunehmend durch Halbleiterdetektoren ersetzt.

Wisława Szymborska

Szintillator [lat.] *der,* fluoreszierende Substanz in einem Szintillationszähler. Als S. dienen bestimmte organ. Verbindungen (z.B. Anthracen, Transstilben), organ. Lösungen (z.B. Terphenyl oder 2,5-Diphenyloxazol in Toluol) und anorgan. Verbindungen, die meist durch geringe Zusätze von Fremdstoffen aktiviert sind (z.B. Zinksulfid, mit Thallium aktivierte Kristalle aus Natrium-, Kalium- oder Caesiumjodid).

Szklarska Poręba [ˈʃklarska pɔˈrɛmba] (dt. Schreiberhau), Stadt in der Wwschaft Jelenia Góra (Hirschberg), Polen, Luftkurort und Wintersportplatz im Riesengebirge, im Tal der Großen Iser, 450–840 m ü.M., 8200 Ew.; Glas-, Kristallglashütte.

Szolnok [ˈsol-], Hptst. des Bez. Jász-Nagykun-S., Ungarn, an der Theiß, 80900 Ew.; Heilbad mit radioaktiven Thermalquellen; Maschinenbau, Superphosphatwerk, Nahrungsmittel-, Papier-, Zellstoff-Ind.; Bahnknotenpunkt, Binnenhafen.

Szombathely [ˈsombɔthɛj] (dt. Steinamanger), Hptst. des Bez. Vas, W-Ungarn, an der Güns, nahe der Grenze zu Österreich, 85900 Ew.; kath. Bischofssitz; Museen; landwirtsch. Handelszentrum, Landmaschinenbau, Textil-, Schuhindustrie. – Dom und Bischofspalais (beide 18. Jh.). – S. liegt an der Stelle des röm. **Savaria;** Reste einer Isiskapelle (um 188) und einer aus einem röm. Palast entstandenen Basilika mit Fußbodenmosaik (4. Jh.).

Szondi [ˈsondi], Leopold, Psychologe und Psychotherapeut, *Neutra (heute Nitra, Slowak. Rep.) 11. 3. 1893, †Küsnacht (ZH) 24. 1. 1986; entwickelte eine Richtung der Tiefenpsychologie (Schicksalsanalyse); schuf den projektiven **S.-Test:** Aus Abbildungen Trieb- und Geisteskranker muss nach Sympathie und Antipathie eine Auswahl getroffen werden, aufgrund derer die Triebstruktur der Testperson beurteilt wird. Die diagnost. Brauchbarkeit des S.-T. ist umstritten.

SZR, Abk. für →**S**onder**z**iehungs**r**echte.

Szrenica [ʃrɛˈnitsa], Berg im Riesengebirge, →Reifträger.

Szymanowski [ʃym-], Karol, poln. Komponist, *Timoschowka (Ukraine) 6. 10. 1882, †Lausanne 29. 3. 1937; einer der Hauptvertreter der neueren poln. Musik, knüpfte an F. Chopin und A. Skrjabin an und gelangte zu einem romantisch-sensitiven, zw. Impressionismus und Atonalität stehenden Klangstil; komponierte Opern (»Hagith«, 1922; »König Roger«, 1926), Ballette (»Harnasie«, 1935), Orchesterwerke, Kammer- und Klaviermusik, Chorwerke (»Stabat mater«, 1926), Lieder.

Szymborska [ʃim-], Wisława, poln. Lyrikerin, *Bnin (heute zu Kórnik, Wwschaft Posen) 2. 7. 1923; schrieb anfangs stalinist. Propagandagedichte. In ihrer späteren Lyrik, die von privaten Erlebnissen wie auch von existenziellen Erfahrungen des Menschen handelt, gibt sie in schlichter, präziser Sprache eine genaue Beschreibung der alltägl. Dinge (»Salz«, 1973; »Deshalb leben wir«, 1980; »Hundert Freuden«, 1986; »Auf Wiedersehen. Bis morgen«, 1995). S. erhielt 1991 den Goethe-Preis der Stadt Frankfurt am Main, 1996 den Nobelpreis für Literatur.

Karol Szymanowski: Autograph einer Seite aus dem Klavierstück »Shéhérazade« (1917)

Altsemitisch Altgriechisch Römische Kapitalschrift Unziale und karoling. Minuskel

t, T, 1) Konsonant (→Laut), der 20. Buchstabe des dt. u.a. Alphabete (der neunzehnte des lat.); bezeichnet den dentalen stimmlosen Verschlusslaut [t]; kommt auch in Verbindung mit diakrit. Zeichen vor, z.B. als ţ [ts] im Rumänischen.

2) *Börsenwesen:* **T,** Abk. für →**T**axkurs.

3) *Chemie:* **T,** chem. Symbol für →Tritium.

4) *Einheitenzeichen:* **T** für →Tesla, **t** für →Tonne.

5) *Formelzeichen:* ***T*** für Periodendauer, thermodynam. Temperatur, ***t*** für die Zeit und Celsius-Temperatur.

6) *Musik:* **T.,** Abk. für **T**onika, **T**empo und für **T**enor.

7) *Physik:* **t,** Symbol für Triton und das Top-(Truth-)Quark.

8) *Vorsatzzeichen:* **T** für →Tera.

Druckschriftvarianten des Buchstabens **T**

Ta, chem. Symbol für →Tantal.

TA Abfall [Abk. für **T**echnische **A**nleitung **Abfall**], Verwaltungsvorschrift, in der techn. Anforderungen an die Abfallbeseitigung nach einheitl. Standards festgelegt werden; soll die umweltverträgl. Entsorgung gewährleisten.

Taaffe, Eduard Graf von, österr.-ungar. Politiker, * Wien 24. 2. 1833, † Schloss Ellischau (heute zu Nalžovské Hory, Westböhm. Gebiet) 29. 11. 1895; Jugendgefährte Kaiser Franz Josephs I.; 1867, 1870–71 und 1879 Min. des Innern, 1868–70 und 1879–93 MinPräs. Unter ihm kam es zu wichtigen sozialpolit. Neuerungen: Eine Unfall- und Krankenversicherung wurde eingeführt und eine Arbeitszeitbegrenzung gesetzlich verankert.

Tabak (Tabakpflanze, Nicotiana), Gattung der Nachtschattengewächse, v.a. im trop. und subtrop. Amerika; meist Kräuter mit großen, einfachen, oft drüsig behaarten Blättern und in endständigen Trauben oder Rispen stehenden, weißen, gelben, roten oder rosafarbenen Blüten mit langröhriger oder glockiger Krone. Die beiden wirtschaftlich bedeutendsten Arten sind der **Virgin. T.** (Nicotiana tabacum), ein bis zu 3 m hohes Kraut mit lanzettförmigen, zugespitzten Blättern und rosafarbenen Blüten, und der bis zu 1,2 m hohe **Bauern-T.** (**Machorka,** Nicotiana rustica) mit rundlich-eiförmigen Blättern und grünlich gelben Blüten. Alle T.-Arten enthalten das Alkaloid →Nikotin. Zur T.-Gewinnung (für Rauch-T., Schnupf-T., Kau-T.) wird der Virgin. T. heute in zahlr., nach Klima- und Bodenansprüchen sehr unterschiedl. Sorten (z.B. Virginia-, Orient-, Burley-, Kentucky-, Havanna-, Sumatra-, Brasil-T., die jeweils zur Herstellung bestimmter T.-Erzeugnisse verwendet werden) von den Tropen bis in die gemäßigten Zonen (38° s. Breite bis 56° n. Breite) angebaut. In Dtl. findet sich T.-Anbau v.a. in der Vorderpfalz, im Hess. Ried, im Kraichgau, in der Ortenau sowie in Franken. Bauern-T. wird in den GUS-Staaten und in Polen (sowie in den USA zur Nikotingewinnung) kultiviert. – Zur Gewinnung von Rauch-T. findet die Blatternte zeitlich gestaffelt in Abständen von 10–20 Tagen (4–5 Tagen bei Zigarren-T.) für die einzelnen Blattqualitäten statt, die man an der Pflanze (von unten nach oben) als **Grumpen, Sandblatt, Mittelgut, Hauptgut** (Bestgut) und **Obergut** bezeichnet. Als **Nachgut** (Nach-T.) werden die im Sept. geernteten Blätter der zwei oder drei stehen gelassenen Seitentriebe bezeichnet. Nach der Ernte werden die Blätter nach Länge, Farbe und Schadbild sortiert, auf Fäden aufgezogen (sog. **Bandolieren**) und getrocknet. Nach der natürl. oder einer künstl. Trocknung in Trocknungsanlagen werden die Blätter nachsortiert und in Büscheln zusammengelegt; diese werden zu Ballen gepresst und mit Jute umhüllt als **Roh-T.** zur Weiterverarbeitung der T.-Ind. zuge-

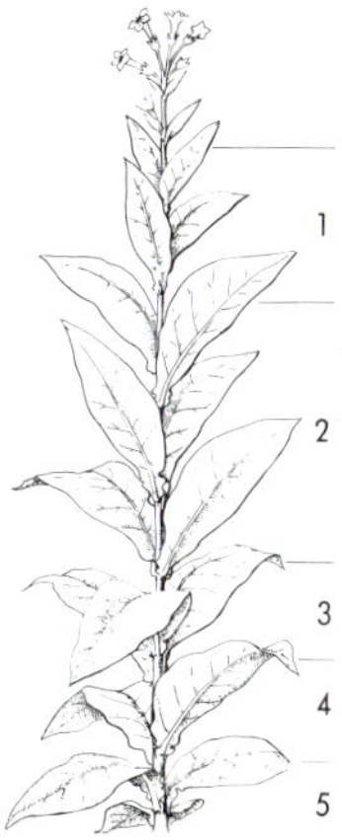

Tabak: Einteilung der Tabakpflanze nach Blattqualitäten; 1 Obergut, 2 Hauptgut, 3 Mittelgut, 4 Sandblatt, 5 Grumpen

Tabak: Virginischer Tabak (Höhe bis zu 3 m)

führt. – Krankheiten der T.-Pflanze sind versch. Virosen (v.a. die →Mosaikkrankheit) und Pilzkrankheiten (v.a. →Blauschimmel).

Aufbereitung: Die T.-Blätter werden zunächst einer mehrere Wochen bis Monate dauernden Fermentation unterworfen, durch die unerwünschte Substanzen (v.a. proteinhaltige Stoffe) abgebaut und gleichzeitig Aromastoffe sowie braune Pigmente gebildet werden. Anschließend werden die T.-Blätter von den stärkeren Blattrippen befreit, danach häufig mit Lösungen aromagebender Substanzen, wie Zucker, Lakritze, Kakao u.a., besprüht (»soßiert«, »gesoßt«) und auf die gewünschte Schnittbreite geschnitten. Zuletzt wird das Schneidgut in Trockenanlagen »geröstet«. Je nach den verwendeten T.-Sorten und der Art der Verarbeitung erhält man sehr unterschiedl. Endprodukte als **Rauch-T.** Zur Herstellung von Zigaretten nimmt man meist schwach gesoßte helle Virginia-, Orient- oder Burley-T.; als Pfeifen-T. werden meist stark gesoßte Kentucky- oder Orient-T. verwendet.

T.-Genuss ist in jeder Form (bes. Rauchen von Zigaretten, Zigarren, Pfeife) gesundheitsschädlich und kann zur Abhängigkeit führen (→Rauchen).

Wirtschaft: Die Welttabakernte beträgt (1995) 6,45 Mio.t. Die wichtigsten Erzeugerländer sind (in 1000t): China (2333), USA (603), Indien (525), Brasilien (453), Türkei (210), Simbabwe (198).

Kulturgeschichte: Nach Europa gelangten die ersten Nachrichten über den T. durch Begleiter von C. Kolumbus. Von den nordamerikan. Indianern wurde der T. in der Pfeife geraucht, von den südamerikan. Indianern auch geschnupft und gekaut. Der T.-Genuss diente v.a. kult. Zwecken. – Den Bauern-T. brachte zuerst F. Hernández de Toledo, der Leibarzt König Philipps II., im 16. Jh. nach Spanien, wo er v.a. als Zierpflanze kultiviert wurde. Der frz. Gesandte in Portugal, J. Nicot, schickte 1560 T.-Samen nach Paris, wo in der Folgezeit am Hof das Schnupfen in Mode kam. Der frz. Arzt und Botaniker J. Dalechamps nannte die Pflanze 1586 Herba nicotiana. T.-Rauchen wurde um 1570 bei niederländ. Seeleuten üblich. Im Dreißigjährigen Krieg verbreiteten schwed. Soldaten das Rauchen in Europa. – Obwohl viele Ärzte T. als Arzneimittel gegen versch. Krankheiten empfahlen (bes. als Desinfiziens vor Pest und gegen Zahnschmerzen, Gicht, Kolik und Tetanus), wurden Anbau und Genuss von T. in vielen Ländern verboten. Das Pfeiferauchen, Schnupfen und T.-Kauen breitete sich im 18. Jh. trotzdem weiter aus. 1828 isolierten die dt. Chemiker Karl Ludwig Reimann (*1804, †1872) und Christian Wilhelm Posselt (*1806, †1877) das Alkaloid Nikotin und erprobten dessen Wirkung an Tieren. Durch die pharmakolog. Erforschung der Wirkungsweise des T. wurden die Risiken der Anwendung erkannt.

📖 PRECHT, K. *u.a.: T. Gewohnheiten, Konsequenzen. St. Gallen u.a. 1993.* – IMMENSACK, R.: *Bibliographie als Geschichte der deutschsprachigen Tabakliteratur von 1579–1995, hg. v.* U. SCHNEIDER. *Braunschweig u.a. 1996.*

Tabakmosaikvirus, Abk. **TMV,** zur Tobamo-Virusgruppe (von Tobacco mosaic) gehörendes, pflanzenpathogenes Virus mit einsträngiger RNS als Genom. Das TMV ist stäbchenförmig (Länge 300 nm; Durchmesser 18 nm); es ruft die →Mosaikkrankheit der Tabakpflanze hervor und ist ein wichtiges Modell für die Erforschung der Viren.

Tabakspfeife, Gerät zum Rauchen von Tabak. Die T. wurde von engl. Kolonisten aus Amerika eingeführt. Aus Holland kamen im 17. Jh. lange Tonpfeifen. Reich verzierte Meerschaumpfeifen waren im 18. Jh. in Mode. Die kurze Shagpfeife aus Bruyèreholz, zuerst bei den angelsächs. Völkern beliebt (seit 1852), fand in der ganzen Welt Verbreitung. (→Wasserpfeife)

Tabakspfeife: Meerschaumpfeife, bei der Holm und Mundstück aus Ebenholz mit Perlmutteinlagen gefertigt sind (um 1830; Bünde, Deutsches Tabak- und Zigarrenmuseum)

Tabaksteuer, Verbrauchsteuer auf im Inland hergestellte oder eingeführte Tabakwaren; seit In-Kraft-Treten des Europ. Binnenmarktes am 1. 1. 1993 geregelt auf der Grundlage des Verbrauchsteuer-Binnenmarkt-Gesetzes. Steuerschuldner ist der Hersteller bzw. der Importeur der Tabakwaren. Die Entrichtung der T. wird durch Steuerzeichen (Banderolen) kenntlich gemacht. Das Aufkommen der in Dtl. dem Bund zufließenden T. betrug 1996 20,697 Mrd. DM. – Auch in *Österreich* und der *Schweiz* werden vom Bund T. erhoben. Das in Österreich seit 1784 bestehende **Tabakmonopol** der Austria Tabakwerke AG (in Bundesbesitz) konnte nach dem Beitritt des Landes zur EU (1995) rechtlich nicht beibehalten werden.

Tabarz/Thür. Wald, Gemeinde und Luftkurort im Landkreis Gotha, Thür., 420 m ü.M., am

Fuß des Inselsbergs, 4200 Ew.; Thüringerwaldbahn (Straßenbahn) von Gotha.

Tabasco, Staat im SO von →Mexiko, in der Golfküstenebene.

Tabascosoße [span.], sehr scharfe Würzsoße aus roten Chilischoten, Essig, Salz u. a.

Tabassaranen, Volk im NO-Kaukasus im S der Rep. Dagestan der Russ. Föderation. Die rd. 98 000 T. sind sunnit. Muslime. Ihre Sprache gehört zur lesg. Gruppe der kaukas. Sprachen.

Tabatiere [frz.] *die,* veraltet für Schnupftabakdose.

Tabelle [lat.] *die,* systematisch angeordnete Übersicht zur Darstellung von Zahlen, Fakten, Namen u. Ä.; im Sport die Rangfolge von Einzelsportlern oder Mannschaften.

Tabelliermaschine, →Lochkarte.

Tabernakel [lat.] *der* oder *das,* **1)** *bildende Kunst:* bes. in der Gotik meist turmartig gefaltetes, offenes Gehäuse für Statuen, oft auch gleichbedeutend mit →Baldachin oder →Ziborium.

2) *kath. Kirche:* Behältnis zur Aufbewahrung des eucharist. Brotes (Allerheiligstes); sein Ort wird durch das →ewige Licht angezeigt.

Tabes dorsalis [lat.] *die* (Rückenmarkschwindsucht), Spätform der Syphilis mit fortschreitendem Schwund von Rückenmarkbahnen und einzelnen Gehirnnerven; Symptome sind Seh-, Gang-, Reflexstörungen und heftige Schmerzattacken, z. B. als Magenkrämpfe (gastr. Krisen).

Tablette [frz.] *die,* meist in flach-zylindr. Form gepresstes Arzneimittel; enthält neben den Arzneistoffen oft noch Füll-, Gleit- und Bindemittel (u. a. Talk, Stärke, Lactose, Gelatine).

Tabor, 1) (tschech. Tábor) Stadt im Südböhm. Gebiet, Tschech. Rep., an der Luschnitz, 35 900 Ew.; Leder-, Tabakindustrie. – Im alten Rathaus (1440–1525) Museum der Hussitenbewegung; Dekanatskirche (1440–1515); im SW der Turm der Burg Kotnov (14. Jh.). – T. entstand 1420 um die seit dem 13. Jh. bekannte Burg als Hussitenlager.

2) (hebr. Har Tavor) Berg in Untergaliläa, Israel, östlich von Nazareth, 588 m ü. M., in vorisraelit. Zeit bed. Kultstätte; nach dem Hebräerevangelium Ort der Versuchung, in der späteren Tradition auch der →Verklärung Jesu.

Tabora, Hauptstadt der Region T., Tansania, 87 000 Ew.; kath. Erzbischofssitz; Handelszentrum; Nahrungsmittel- und Metallindustrie; Bahnknotenpunkt. – 1820 von arab. Sklaven- und Elfenbeinhändlern gegründet.

Tabori [engl. tə'bɔ:rɪ], George, Schriftsteller, Regisseur, Theaterleiter ungar. Herkunft, *Budapest 24. 5. 1914; emigrierte 1936 nach London (brit. Staatsbürger); lebte 1947–71 überwiegend in den USA, seit 1971 im dt.sprachigen Raum; schuf viel beachtete Inszenierungen. Mit seinen Theaterstücken (u. a. »Kannibalen«, 1968; »Mein Kampf. Farce«, 1987; »Weisman und Rotgesicht«, 1990; »Goldberg-Variationen«, 1991; »Die letzte Nacht im September«, 1997) hat T. in der Tradition des Shakespearetheaters und der Kultur des jüd. Witzes den Mordkult von Auschwitz auf die Bühne gebracht; schrieb auch zeitkrit. Romane (»Das Opfer«, 1996, urspr. u. d. T. »Unter dem Stein der Skorpion«, 1945), Essays und Drehbücher. T. erhielt 1992 den Georg-Büchner-Preis.

Tabernakel 2) aus Limoges mit Kreuzigungsrelief, Email auf vergoldetem Kupfer (um 1200; New York, Metropolitan Museum of Art)

Taboriten, radikale Richtung der →Hussiten.

Tabris [auch tɛ'bri:s], Hauptstadt der Prov. Ost-Aserbaidschan, NW-Iran, in fruchtbarer Hochebene, 1360 m ü. M., 1,09 Mio. Ew.; Univ.; Verkehrsknotenpunkt, Handelsstadt; Zentrum der nordwestiran. Teppichherstellung. – Ruine der Zitadelle an der Stelle der Großen Moschee des Wesirs Ali Schah (1312–20; SW-Seite mit Mihrab erhalten); Blaue Moschee (1465 errichtet; durch Erdbeben stark zerstört, 1967–78 restauriert).

Tabu [polynes.] *das,* urspr. Begriff der polynes. Religion, mit seinem Komplement →Mana bezeichnet er eine ihrer religiösen Grundstrukturen; meint das strenge Verbot, Dinge zu berühren, die als Träger »übernatürl. Kraft« gelten. Die Meidung kann bestimmte Personen betreffen (z. B. Häuptlinge, Priester, Kranke), aber auch bestimmte Orte, Handlungen, Tiere u. a.; i. w. S. auch in anderen Religionen ein religiös, magisch oder rituell begründetes Verbot, z. B. den Gottesnamen auszusprechen, bestimmte Speisen zu essen, sexuellen Verkehr auszuüben, »unreine« Personen zu berühren.

George Tabori

Tabucchi [ta'bukki], Antonio, italien. Schriftsteller, *Pisa 23. 9. 1943; Verfasser von kurzen Erzählungen, in denen er die rational kaum fassbaren, rätselhaften Seiten der alltägl. Realität und die Ambivalenz menschl. Kommunikation aus-

Tabulatur 2): Beginn einer »Preambel« von Hans Neusidler aus »Ein neugeordnet künstlich Lautenbuch« (Nürnberg 1536) in deutscher Lautentabulaturschrift, darunter die Übertragung des obersten Tabulatursystems in heutiger Notenschrift

lotet (»Der kleine Gatsby«, 1981; »Kleine Missverständnisse ohne Bedeutung«, 1985); schrieb auch Romane (»Ind. Nachtstück«, 1984; »Lissabonner Requiem«, 1991; »Erklärt Pereira«, 1994; »Der verschwundene Kopf des Damasceno Monteiro«, 1997); Übersetzer F. A. Pessoas.

Tabula rasa [lat.] *die,* **1)** *allg.:* antike Schreibtafel, auf der die in Wachs eingegrabenen Schriftzüge wieder beseitigt sind; **tabula rasa machen,** rücksichtslos Klarheit schaffen.

2) *Philosophie:* erkenntnistheoret. Bez. für die urspr. »leere« Seele (J. Locke u. a.), in die alle Bewusstseinsinhalte durch Erfahrungen und Lernen erst eingeprägt werden.

Tabulator [engl., zu to tabulate »in Tabellenform anlegen«] *der,* Einrichtung an Schreib- und Buchungsmaschinen zum schnellen Bewegen von Wagen oder Universaltypenträgern in eine bestimmte Schreibstellung.

Tabulatur [lat.] *die,* **1)** *Literatur:* das Normenbuch des →Meistersangs.

2) *Musik:* eine Griffschrift, die statt der Noten Buchstaben, Ziffern und Zusatzzeichen verwendet, vom 14. bis 18. Jh. Form der Notation von Musik für mehrstimmig spielbare Instrumente (Orgel, Cembalo, Laute, gelegentlich auch für Harfe und Viola). Hauptformen sind die **Orgel-** oder **Klavier-T.,** bei der Mensuralnoten, Buchstaben und Ziffern benutzt werden, und die **Lauten-T.,** die mit Ziffern bzw. Buchstaben die Kreuzungsstellen von Saiten und Bünden bezeichnet. – Heute noch für volkstüml. Instrumente (Gitarre, Zither, Akkordeon) gebräuchlich.

Tabun [Kw.] *das,* Bez. für einen zu den Nervengasen zählenden Kampfstoff (chemisch der Dimethylphosphoramidocyansäureäthylester). T. wurde im Zweiten Weltkrieg hergestellt, jedoch nicht eingesetzt.

Täby ['tɛ:by:], Stadt im nördl. Vorortbereich von Stockholm, 56 700 Ew. – Mittelalterl. Kirche (13. Jh.) mit Wandmalereien (um 1480); zahlr. Runensteine.

TACAN ['tækæ:n; Abk. für engl. **tac**tical **a**ir **n**avigation], eine im Dezimeterwellenbereich arbeitende Funknavigationshilfe der Militärluftfahrt im Kurz- und Mittelstreckenbereich; liefert →Azimut und Entfernung bezogen auf den Standort der TACAN-Bodenstation. Diese besteht aus einem Drehfunkfeuer nach dem Phasenmessprinzip (→VOR). Der Schnittpunkt der Standlinien Kreis (ermittelt mit elektron. Entfernungsmessung, →DME) und Gerade (ermittelt durch Winkelmessung) ist der Flugzeugstandort.

Tacca [malaiisch] *die,* einkeimblättrige trop. Gattung der T.-Gewächse; Knollenpflanzen mit grundständigen Blättern und einer Dolde dunkelfarbiger Blüten. Die Art Tacca pinnatifida enthält in ihren Sprossknollen rd. 30 % Stärke und wird als Nahrungsmittel verwendet.

tacet [lat. »(es) schweigt«], Abk. **tac.,** *Musik:* Vorschrift, dass eine Orchester-, Chor- oder Solostimme pausiert.

Taching [-tʃiŋ], Erdölfeld in China, →Daqing.

Tachismus [taʃ-] *der,* nach dem 2. Weltkrieg in Paris entstandene Richtung der informellen

Tachismus: Gérard Schneider, »Composition« (1957; Privatbesitz)

Tadschikistan

Fläche: 143 100 km²
Einwohner: (1995) 6,1 Mio.
Hauptstadt: Duschanbe
Verwaltungsgliederung: 2 Regionen, der Hauptstadtbezirk und die Autonome Republik Bergbadachschan
Amtssprache: Tadschikisch
Nationalfeiertag: 9. 9.
Währung: Tadschikistan-Rubel (TR)
Zeitzone: MEZ +4 Std.

Kunst; der T. wurde angeregt vom →Automatismus und bildet eine Parallele zum →Actionpainting. Die **Tachisten** (u.a. G. Mathieu, G. Schneider, Wols) suchten seel. Regungen unmittelbar in Farbflecken (»taches«) auszudrücken und lehnten jede bewusste Formgestaltung ab.

Tachistoskop [grch.] *das, Psychologie:* zur Prüfung der Aufmerksamkeit und des Bewusstseinsumfangs verwendete Vorrichtung, die es ermöglicht, ein Bild für beliebig kurze Zeit dem Auge darzubieten.

Tachometer *der,* auch *das,* ein in Landfahrzeuge eingebautes, meist mit einem Kilometerzähler kombiniertes Instrument zur Anzeige der Fahrgeschwindigkeit. Die notwendige Wegmessung erfolgt über eine Messung der Drehzahl.

Tachtigers ['taxtəxərs, »Achtziger«], Bewegung in der nordniederländ. Literatur von 1880 bis ins 20. Jh. (→niederländische Literatur).

tachy... [grch.], schnell...

Tachykardie [grch.] *die* (Herzjagen), Beschleunigung der Herzfrequenz auf über 100 Schläge in der Minute; krankhaft z.B. bei Herzinsuffizienz, Schock, Schilddrüsenüberfunktion oder Fieber. Als **paroxysmale T.** wird anfallsweises Herzjagen mit bis zu 200 Schlägen/min bezeichnet.

Tachymetrie *die,* Messverfahren mit Tachymetern (→Theodolit).

Tachyon [grch.] *das, Physik:* hypothet. Teilchen, das sich mit Überlichtgeschwindigkeit bewegt.

Tacitus, Publius (?) Cornelius, röm. Geschichtsschreiber, *um 55 n. Chr., †nach 116; Freund Plinius' d. J.; war 88 Prätor, 97 Konsul, später Statthalter der Provinz Asia. 98 veröffentlichte er die Schrift über Germanien (»De origine et situ Germanorum«), die einzige aus der röm. Literatur bekannte länderkundl. Monographie und das wichtigste Zeugnis über Altgermanien. Später wandte sich T. der Kaisergeschichtsschreibung zu. In den »Historien« beschrieb er die Zeit der Flavier. Seine »Annalen« behandeln die Zeit vom Tod des Augustus bis zu dem Neros (14–68). T. knüpfte in Sprache, Stil, Komposition und pessimist. Grundhaltung an Sallust an. Das Handeln der Herrscher suchte er durch Erfassung ihrer psycholog. Motive zu erklären.

📖 *T., hg. v.* V. Pöschl. *Darmstadt ²1986.*

Tackling ['tæklɪŋ; engl. »das Angreifen«] *das,* im Fußball harte, aber erlaubte Spielhandlung eines Abwehrspielers, bei der er einen gegner. Spieler vom Ball trennt, indem er in seine Ballführung (meist von der Seite) hineingrätscht.

Tacoma [tə'kəʊmə], Hafenstadt im Bundesstaat Washington, USA, 185 000 Ew.; zwei Univ.; Holzind., Schiffbau, Kupfer- und Aluminiumschmelze, chem., Nahrungsmittelind.; nahebei der Mount-Rainier-Nationalpark (→Rainier).

Tadelsantrag, im parlamentar. System das Begehren einer Gruppe von Abg. oder des ganzen Parlaments zur Durchführung eines Misstrauensvotums.

Tadschiken, Volk mit →iranischer Sprache in Vorder- und Zentralasien, v.a. in Afghanistan (5,2 Mio.), Tadschikistan (3,2 Mio.) und Usbekistan (1 Mio.), Minderheiten in Iran (50 000), Kirgistan (34 000) sowie China. Die T. sind Ackerbauern, Viehzüchter und Handwerker; vorwiegend sunnit. Muslime.

Tadschikistan (amtlich tadschikisch Respublikai T., dt. Rep. T.), Staat im SO Mittelasiens, Mitglied der Gemeinschaft Unabhängiger Staaten (GUS); grenzt im W und NW an Usbekistan, im N an Kirgistan, im O an China und im S an Afghanistan. Die östl. Landeshälfte bildet die Autonome Republik Bergbadachschan.

Staat und Recht: Nach der am 6. 11. 1994 verabschiedeten Verf. ist T. eine unabhängige Rep. Staatsoberhaupt ist der auf fünf Jahre direkt gewählte, mit weit reichenden Vollmachten versehene Präs. Er vertritt die Rep. nach außen und innen und ernennt und entlässt mit Zustimmung des Parlaments die Reg. Die Legislative liegt beim Parlament, dessen 181 Abg. auf fünf Jahre im Mehrheitswahlsystem gewählt werden. Die Reg. wird von einem Premiermin. geleitet. – Die Kommunist. Partei T.s (CPT), bis 1991 einzig zugelassene

Staatswappen

TJ

Internationales Kfz-Kennzeichen

Bevölkerung (in Mio.)

Bruttosozialprodukt je Ew. (in US-$)

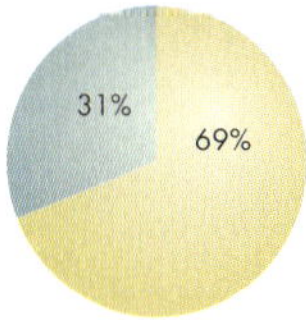

Bevölkerungsverteilung 1992

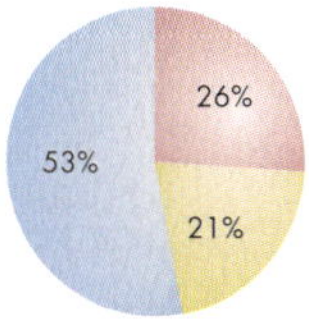

Bruttoinlandsprodukt 1995

30 B 15/13

Partei, verfügt nach wie vor über großen Einfluss, daneben haben sich v. a. die prokommunist. Volkspartei (PPT), die Partei für Volkseinheit und Eintracht (PPUA) und die Partei für wirtsch. und polit. Erneuerung (TPEPR) etabliert; darüber hinaus gibt es (v. a. islam.) Parteien, die im Juni 1993 vom Obersten Gericht T.s verboten wurden, was aber teilweise, so bei der Demokrat. Partei T.s (DPT) rückgängig gemacht wurde.

Landesnatur: T. ist weitgehend ein erdbebengefährdetes Hochgebirgsland. Der gesamte O des Landes gehört zum Pamir, der im westl. Teil stark vergletschert ist (bes. Fedtschenkogletscher) und bis 7495 m ü. M. aufragt, sowie randlich zum westlich anschließenden Alai. Nach W folgen Turkestan- (bis 5621 m ü. M.), Serawschankette (5489 m ü. M.), südlich davon das Hissargebirge (bis 4643 m ü. M.), die das westl. T. zentral durchziehen. Ihre S-Abdachung wird von den in den Amudarja und seinen Oberlauf Pjandsch (bilden die Grenze gegen Afghanistan) mündenden Flüssen in ein abwechslungsreiches Bergland (600–2000 m ü. M.) gegliedert. Im N hat T. Anteil am Ferganabecken, nördlich davon am Tienschan (Kuramingebirge, bis 3769 m ü. M.). – Es herrscht ein sonnenscheinreiches Kontinentalklima mit großen jahres- und tageszeitl. Unterschieden, das sich mit der Höhenlage stark ändert. Die größten Niederschlagsmengen (1600 mm/Jahr) erhalten die S-Hänge des Hissargebirges, niederschlagsarm sind dagegen die unteren Ebenen, die Gebirgskessel und -täler und der östl. Pamir. – Bis zu 600 m ü. M. erstreckt sich die Wüsten- und Halbwüstenzone, in der Vorgebirgszone bis 1200 m ü. M. Wüsten- und Trockensteppe, darüber Steppen-, lichter Waldgürtel, Hochgebirgswiesen und -wiesensteppen.

Bevölkerung: Den Hauptteil bilden (1991) Tadschiken (63,8 %), Usbeken (24,0 %) und Russen (6,5 %); ferner leben in T. Tataren (1,4 %), Kirgisen

(1,3 %), Ukrainer (0,7 %) und Deutsche (0,3 %). Traditionell vorherrschende Religion ist der Islam sunnit. Richtung. Als Folge des auflebenden Nationalismus, verbunden mit zunehmenden Gegensätzen zw. Tadschiken und Usbeken einerseits und islam. und nichtislam. Volksgruppen andererseits, haben bis 1993 295 000 Russisch sprechende Bürger, aber auch zahlr. Usbeken (Massenflucht Ende 1992) u. a. das Land verlassen. Nahezu die gesamte Bev. konzentriert sich auf etwa 10 % der Fläche (Gebirgstäler, -becken, Vorgebirgsregionen). Am dichtesten ist das Hissartal (etwa 30 % der Bev.) besiedelt. – Neben der Akademie der Wiss. gibt es eine Univ. in Duschanbe und neun weitere Hochschulen.

Wirtschaft, Verkehr: T. war in der ehem. Sowjetunion die wirtsch. am schwächsten entwickelte Republik. Die ungenügende Infrastruktur und die von der Moskauer Zentralreg. betriebene einseitige Ausrichtung auf die Lieferung von Baumwolle verhinderten die Entstehung einer ausgewogenen Wirtschaftsstruktur. Ein großer Teil der Bev. lebt unter der Armutsgrenze. Der Übergang zu marktwirtsch. Strukturen fand bisher kaum statt. Durch den Bürgerkrieg ist die Wirtschaft stark zerrüttet. Von der landwirtsch. Nutzfläche (knapp 30 % der Landesfläche) sind nur etwa 15 % Acker-, der weitaus größte Teil extensives Weideland. Die Anbaufläche wird zu etwa 80 % bewässert (40 000 km Bewässerungskanäle, bes. in der Dangarasteppe, im Ferganabecken, im Tal des Wachsch und seines Nebenflusses Jawansu). Größte Bedeutung hat der in Monokultur betriebene Anbau von Baumwolle, deren Anbaufläche in den letzten Jahrzehnten auf Kosten des Getreideanbaus erweitert wurde. Der Verlust von Ackerland durch Bodenversalzung (infolge unsachgemäßer Bewässerung) und -erosion ist groß. Der Anbau von Getreide (Weizen, Reis, Mais), Tabak, Flachs, Jute, Gemüse, Gewürz- und Ölpflanzen (Sesam, Geranium) sowie der Obst- (bes. Zitrusfrüchte) und Weinbau (v. a. in Nord-T.) spielen eine untergeordnete Rolle. In den östl. Gebirgsre-

Tadschikistan: Landschaft nördlich von Duschanbe mit dem Hissargebirge im Hintergrund

gionen dominiert die Viehhaltung (Yaks, Karakulschafe, Schafe, Ziegen, Rinder). Eine beachtl. Bedeutung hat die Seidenraupenzucht. – Etwa $^2/_3$ der gesamten industriellen Bruttoproduktion entfallen auf die Aufbereitung von Baumwolle, Seide und Wolle sowie die Teppichknüpferei und auf die Nahrungsmittelind. (Obstkonserven-, Geraniumölherstellung, Weinkeltereien). Nach 1940 entstanden im westl. Landesteil, bes. im Ferganatal (um Chudschand), in und um Duschanbe und in der Region Kurgan-Tjube neue Ind.zweige wie Buntmetallerzverhüttung (Regar), Aluminiumerzeugung (Jawan), Maschinenbau, Metallverarbeitung und chem. Ind. In großem Umfang erfolgt die Elektroenergieerzeugung durch Wasserkraftwerke (bes. an Wachsch, Syrdarja, Warsob, Murgab). T. besitzt reiche Vorkommen an Uranerz und Gold, dagegen sind die Lagerstätten an Erdöl, Erdgas und Kohle von geringerer Bedeutung und werden wenig genutzt. – Wichtigste Ausfuhrgüter sind Baumwolle, Buntmetalle (Blei, Zink, Wolfram, Wismut, Arsen, Zinn, Antimon, Quecksilber) und Erzeugnisse der Leichtind. Der bis 1991 vorrangige Handel mit Russland wird zunehmend durch den mit islam. Staaten, bes. Iran, Usbekistan und Türkei, ersetzt. – Es gibt nur wenige moderne Verkehrsverbindungen. T. verfügt über (1990) 473 km Eisenbahnstrecken, v.a. im SW des Landes. Der Güterverkehr erfolgt größtenteils mittels Lkw (28 000 km Straßennetz, darunter die beiden Hochgebirgsstraßen »Große Pamirstraße« von Duschanbe nach Chorog in Bergbadachschan und »Ostpamirstraße« von Chorog nach Osch in Kirgistan). Auf dem Pjandsch, Amudarja und Wachsch ist streckenweise (etwa auf 300 km) Schifffahrt möglich. Wichtigster Flughafen bei Duschanbe.

Geschichte: Im Altertum gehörte das Territorium von T. zu den Reichen der Baktrer und Sogdier, kam im 6. Jh. v. Chr. an das pers. Großreich der Achaimeniden und wurde im 4. Jh. v. Chr. von Alexander d. Gr. erobert. Nach der Zeitenwende beherrschten es u.a. die Hephthaliten; im 7./8. Jh. drangen die Araber ein, unter denen die Islamisierung des Gebietes einsetzte. Im 9./10. Jh. bestand das Reich der Samaniden (nach Auffassung der Tadschiken deren erstes selbstständiges nat. Staatsgebilde). Im 13. Jh. fielen die Mongolen in T. ein, seit dem 16. Jh. herrschten die Usbeken. In der 2. Hälfte des 19. Jh. geriet der N unter russ. Herrschaft (Gouv. Turkestan), der S blieb nominell unter der Herrschaft Bucharas, das vom Russ. Reich abhängig war. Nach der Oktoberrevolution 1918 wurde der nördl. Teil der Turkestan. ASSR eingegliedert, andere Teile kamen zu der 1920 etablierten VR Buchara. Die 1924 innerhalb der Usbek. SSR geschaffene Tadschik. ASSR wurde 1929 eine eigenständige Rep. der UdSSR (Tadschik. SSR). Bis Mitte der 30er-Jahre schlug die Rote Armee die nach der Oktoberrevolution entstandene, pantürkisch-islamisch orientierte Basmatschen-Bewegung nieder. Seit den 30er-Jahren wurde die Industrialisierung vorangetrieben. Erst nach Stalins Tod konnte sich eine neue nat. Elite bilden und an den Machtstrukturen partizipieren. Im Zuge eines wieder erwachenden Nationalbewusstseins während der sowjet. Politik der Perestroika erklärte sich T. am 24. 8. 1990 für souverän innerhalb der UdSSR und proklamierte am 9. 9. 1991 seine Unabhängigkeit. Der Kommunist Rahman Nabijew (*1930, †1993), gewann die ersten Präsidentschaftswahlen im Nov. 1991. Im Dez. 1991 trat T. der → GUS bei. Nach schweren Unruhen erzwang die Opposition (Islam. Partei der Wiedergeburt, nationalist. Volksbewegung »Rastochez«, Demokrat. Partei T.) im Mai 1992 zunächst ihre Beteiligung an der Macht (Bildung einer Koalitionsreg.), im Sept. 1992 stürzte sie Präs. Nabijew. Im S des Landes lösten blutige Kämpfe zw. Reg. und islamist., demokrat., nationalist. und kommunist. Kräften, denen sich auch regionale Klans sowie kriminelle Banden anschlossen, einen Flüchtlingsstrom aus, und es kam zum Bürgerkrieg. Im Nov. 1992 wurde der kommunist. Politiker Emomali Rachmanow (*1952) Staatsoberhaupt. Die anhaltenden Bürgerkriegskämpfe v.a. im Grenzgebiet zu Afghanistan eskalierten, als die muslim. Kräfte Unterstützung durch afghan. Mudschaheddin erhielten und 1993 in der Konfliktregion stationierte russ. Truppen auf Anfrage der Reg. in die Kämpfe eingriffen. Bis Mitte 1997 scheiterten alle Versuche, einen dauerhaften Waffenstillstand zu erzielen.

Emomali Rachmanow

📖 *Die neuen zentralasiat. Länder. Kasachstan, Kirgisien, T., Turkmenistan, Usbekistan, hg. vom Informationszentrum des Ifo-Instituts für Wirtschaftsforschung. München 1993.* – Buschkow, W.: *Polit. Entwicklung im nachsowjet. Mittelasien. Der Machtkampf in T. 1989–94. A. d. Russ. Köln 1995.* – *Bürden auferlegter Unabhängigkeit. Neue Staaten im post-sowjet. Zentralasien, hg. v.* G. Mangott *u. a. Wien 1996.* – Götz, R. *u.* Halbach, U.: *Polit. Lexikon GUS. München* ^{3}*1996.* – *Mittelasien. Die Entwicklung in T., Usbekistan, Turkmenistan u. Kyrgysstan seit der Unabhängigkeit, hg. v.* M. Marsall. *Sankt Augustin 1996.* – Reissner, J.: *Bürgerkrieg in T. Ebenhausen 1997.*

Tadsch Mahal, Grabmal, → Taj Mahal.

Taegu [tɛgu], Stadt in Süd-Korea, im Rang einer Prov. (455 km^2), 2,3 Mio. Ew.; Verw.sitz einer Prov.; kath. Erzbischofssitz; zwei Univ.; Mittelpunkt der südkorean. Seidenind. und Seidenraupenzucht, Maschinenbau, elektrotechn. Ind.; Verkehrsknotenpunkt.

Taejŏn [tɛdʒʌn], Stadt in Süd-Korea, im Range einer Prov. (537 km^2), 1,06 Mio. Ew.; außerdem

Verw.sitz einer Prov.; zwei Univ.; Maschinenbau, Textil-, Gerbstoff- und Glasindustrie.

Taekwondo [tɛ-, korean.] *das,* korean. Zweikampfsportart auf der Basis von Fuß- (Tae) und Handtechniken (Kwon); im Ggs. zum Karate liegt der Schwerpunkt auf den vielseitigen Fußtechniken. Im T. als Wettkampfsport werden Männer und Frauen je in acht Gewichtsklassen eingeteilt. Gekämpft wird auf einer 9 m × 9 m großen Fläche. Wertung nach dem K.-o.-System. Erstmalig im Jahr 2000 in Sydney als olymp. Sportart vertreten (in jeweils vier Gewichtsklassen).

Taeuber-Arp ['tɔɪ-], Sophie Henriette Gertrud, schweizer. Malerin und Bildhauerin, *Davos 19. 1. 1889, †Zürich 13. 1. 1943; seit 1921 ⚭ mit H. → Arp; nahm 1916–20 an der Dada-Bewegung in Zürich teil. Ihre Bilder und Reliefs sind geprägt durch die strukturelle Koordination geometr. Grundformen in kräftigen Farben; auch Wandmalereien, Mosaiken, Stickereien, Theaterpuppen.

Tafel [lat. tabula] *die, Geologie:* Teil der Erdkruste aus ungefalteten, überwiegend flach lagernden Schichten über einem kristallinen Sockel.

Tafelaufsatz, Prunkgeschirr zum Schmuck des festlich gedeckten Tisches, das sowohl Gebrauchsgerät als auch reines Schaugerät sein kann; von der Gotik bis zum Ende des 18. Jh. v. a. in Edelmetall ausgeführt, seit dem 18. Jh. auch in Porzellan.

Tafelbauweise, Bau- oder Montageweise, bei der (raumwandgroße) Elemente verarbeitet werden.

Tafelberg, 1) *Astronomie:* (Mensa) Sternbild des Südhimmels.

2) *Geomorphologie:* (span. Mesa) eine isolierte, plateauartige Erhebung, dessen meist tischebene Oberfläche durch eine morphologisch widerständige, flach lagernde Sedimentgesteinsschicht oder Lavadecke gebildet wird, z. B. der T. bei Kapstadt.

Tafelbucht (engl. Table Bay), Hafenbucht am Atlantik, vor Kapstadt, Rep. Südafrika, 9 km breit, 5 km lang; überragt vom **Tafelberg** (Table Mountain), 1 086 m ü. M.

Tafel|ente, Art der → Tauchenten.

Tafelgeschäft (Schaltergeschäft), Geschäft, bei dem Leistung und Gegenleistung sofort (Zug um Zug) erfolgen, bes. der so getätigte Kauf und Verkauf von Wertpapieren oder Devisen.

Sophie Taeuber-Arp: Relief (1936; Basel, Kunstmuseum)

Tafelglas, gezogenes, klar durchsichtiges Flachglas, → Glas.

Tafel|land, Flachland aus horizontal gelagerten Gesteinsschichten. Die Oberfläche bildet meist eine Schichtfläche.

Tafelmalerei, bildl. Darstellung auf flachem, festem Material wie Holz, Ton, Metall, Elfenbein oder versteiftem Malgrund (auf Holzrahmen gespannte Leinwand). Als Maltechnik dienen vorwiegend Temperamalerei und Ölmalerei. Die T. der Antike auf Holz oder Leinwand ist verloren gegangen; Beispiele erhaltener früher T. sind bemalte Tonmetopen der grch. Tempel des 7. Jh. v. Chr. und der etrusk. Tempel, kleine Votivtafeln aus Ton sowie die illusionist. Mumienporträts in Ägypten (1.–4. Jh. n. Chr.), auch die frühchristl. Ikonen (5.–7. Jh.). In Mitteleuropa setzt die T. erst im 12. Jh. mit den in der byzantin. Tradition stehenden gemalten Kruzifixen ein, im 13. Jh. kamen gemalte Antependien und Retabel hinzu. Giotto gilt als Schöpfer des ersten autonomen Tafelbildes, d. h. der kompositionell in sich geschlossenen Bild-

Tafelberg 2): Tafelberg im nördlichen Namibia 120 km westlich von Otjiwarongo

fläche. Altarbilder blieben bis ins 18. Jh. die Hauptaufgabe der T. Ab der 2. Hälfte des 15. Jh. wurde die Holztafel allmählich durch Leinwand als Bildträger verdrängt und so größere Bildformate ermöglicht. Kleinere T. wurden ab dem 17. Jh. auch auf Metall (Kupferplatten) ausgeführt.

Täfelung (Vertäfelung), aus Holztafeln zusammengefügte Verkleidung von Decken und Wänden, auf Leisten oder Latten befestigt. Vom MA. bis ins 18. Jh. gegliedert durch Rahmenelemente und Füllungen, durch Reliefs, Mosaik oder Malerei, auch in architekton. Formen.

Tafilalt (Tafilalet, Tafilelt), Oasengruppe in S-Marokko, südlich des Hohen Atlas, am Oued Ziz und Oued Rheris, rd. 1 400 km², etwa 130 000 Ew. (überwiegend Araber); Hauptort Erfoud; Dattelpalmen (über 1 Mio.), intensive Landwirtschaft.

Tafoniverwitterung, Bildung kugel- bis nierenförmiger Hohlräume, v. a. im Granitgestein; entstehen durch chem. Verwitterung bei ständigem Wechsel von Feuchtigkeit und Trockenheit.

Taft [von italien. taffettà, aus dem Pers.] *der* (früher Taffet), Gewebe aus Naturseide, Halbseide oder Chemiefäden in Leinwandbindung, z. B. für Kleider, Blusen, Abfütterungen (Futtertaft).

Taft [tæft], **1)** Robert Alphonso, amerikan. Politiker, * Cincinnati (Oh.) 8. 9. 1889, † New York 31. 7. 1953, Sohn von 2); Rechtsanwalt, ab 1939 im Senat; war als Führer des konservativen Flügels der Republikan. Partei ein entschiedener Gegner des New Deal (→ Taft-Hartley-Act) und Verfechter einer isolationist. Außenpolitik.

2) William Howard, 27. Präs. der USA (1909–13), * Cincinnati (Oh.) 15. 9. 1857, † Washington (D. C.) 8. 3. 1930, Vater von 1); Rechtsanwalt; Republikaner; ab 1904 Kriegsmin.; initiierte als Präs. die Bekämpfung der großen Trusts und trat nachdrücklich für die Wahrung der amerikan. Interessen in China und Lateinamerika (→ Dollardiplomatie) ein; 1921–30 Oberster Bundesrichter.

Taft-Hartley-Act ['tæft 'hɑ:tlɪ ækt] (amtlich Labor Management Relations Act), ein 1947 in den USA erlassenes Gesetz zur Regelung der Beziehungen zwischen Arbeitnehmern und -gebern; schränkte die Macht der Gewerkschaften ein; Verbot des → Closed Shop.

Tag, 1) der Zeitraum zw. Sonnenaufgang und Sonnenuntergang, im Ggs. zur → Nacht; die T.-Länge hängt von der → Jahreszeit und der geograph. Breite ab; 2) die Dauer einer Umdrehung der Erde, wobei in der Astronomie entsprechend dem jeweiligen Bezugspunkt zw. **Sonnen-T.** (→ Sonnenzeit) und **Stern-T.** (→ Sternzeit) unterschieden wird; 3) eine gesetzl., SI-fremde Einheit der Zeit, Einheitenzeichen d (in der Astronomie auch hochgestellt: ^{d}), die nahezu gleich dem mittleren Sonnen-T. ist, jedoch von der atomar definierten → Sekunde abgeleitet wird: 1 d = 24 h = 1 440 min = 86 400 s.

Tafilalt: Blick auf einen der kleineren Orte der Oasengruppe

Tagalen, jungindonesisches Zweigvolk der → Filipinos, v. a. auf der Insel Luzon, kleinere Gruppen auf den Marianen, den Hawaii-Inseln und in Kalifornien; etwa 13 Mio. T.; Sprache: Tagalog.

William H. Taft

Tagalog, die Sprache der Tagalen. Das durch Entlehnungen aus anderen philippin. Sprachen und dem Englischen (Amerikanischen) modifizierte T. ist in seiner standardisierten Form seit 1946 Amtssprache der Philippinen (seit 1987: **Filipino**). Es gehört innerhalb der austrones. Sprachen zu den malaiopolynes. Sprachen und besitzt viele Lehnwörter aus dem Spanischen und Englischen.

Taganka-Theater (Theater an der Taganka), 1946 in Moskau gegr.; entwickelte sich ab 1964 zum krit. Avantgardetheater unter J. P. Ljubimow.

Taganrog, Hafenstadt im Gebiet Rostow, Russland, an der T.-Bucht des Asowschen Meeres, 291 000 Ew.; Hochschule für Radiotechnik, PH; Stahlwerke (Röhrenwalzwerk), Maschinenbau, chem., Nahrungsmittel- u. a. Industrie.

Tafelmalerei

Wie entstand ein Tafelbild?

Als Bildträger für Malerei benutzte man im späten Mittelalter hauptsächlich Holzbretter, die miteinander zu Tafeln verleimt wurden; Malerei auf Leinwand trifft man erst seit dem 15. Jahrhundert an. Bei Tafelbildern wurde nach dem Auftragen und Schleifen des Kreidegrundes die Bildkomposition in Form einer Zeichnung mit Kohle, Rötel oder mit dem Pinsel festgelegt. Gold- und Silberauflagen konnten über einem Poliment oder Bolus, einer fetthaltigen Erde, mit einem Polierstein oder einem Tierzahn poliert werden und so ihren Glanz erhalten; andere Partien ließen sich über einem Anlegeöl mattvergolden oder -versilbern. Für die Malerei wurden schnell trocknende Temperafarben benutzt, die mit einer Ei-Emulsion gebunden und mit Wasser vermalbar waren; seit dem 15. Jahrhundert kann das Bindemittel auch ölige Bestandteile aufweisen. Abschließend erhielten die Gemälde einen Firnis als transparenten Schutzüberzug. In gleicher Weise erhielten auch die Holzskulpturen ihre Farbfassungen.

Tagblindheit (Nachtsichtigkeit, Nyktalopie), schlechteres Sehen bei hellem Tageslicht als in der Dämmerung, z. B. bei Albinismus.

Tagbogen, *Astronomie:* →Tagkreis.

Tag der Deutschen Einheit, gesetzl. Feiertag, 1954–90 Gedenktag des →Siebzehnten Juni 1953, seit 1990 am 3. 10. als Gedenktag zur Wiederherstellung der dt. Einheit begangen.

Tagebau, bergbaul. Abbaubetrieb an der Erdoberfläche (im Ggs. zum Untertagebau, →Bergbau). Meist muss über der Lagerstätte liegender Abraum beseitigt werden. Lagerstätte und Abraum werden in treppenförmigen Absätzen söhlig fortschreitend abgebaut (→Strosse). Das abzubauende Material wird durch Grabgeräte (Löffel-, Schaufelrad-, Schürfkübelbagger), v. a. jedoch durch Sprengarbeit gelöst. – Zum Laden auf Fördermittel dienen Löffelbagger oder planierraupenähnl. Fahrzeuge mit Ladeschaufeln. Als Fördermittel dominieren als Muldenkipper gebaute Schwerlastkraftwagen. Die Ladegeräte können auch unmittelbar in fahrbare Großbrecheranlagen mit nachgeschaltetem Gurtförderer (Förderband) laden. Schaufelradbagger erfüllen gleichzeitig die Aufgaben des Lösens und Ladens, meist auch einen Teil der Förderarbeit. Größte Schaufelradbagger leisten über 200 000 m^3/Tag. Zum Anschütten von Abraumkippen werden →Absetzer, z. T. auch Abraumförderbrücken eingesetzt. (→Braunkohle)

Tagebau: Schaufelradbagger im Einsatz

Tagebuch, 1) *Handelsrecht:* fortlaufende, nicht nach Konten gegliederte Aufzeichnung von Geschäftsvorfällen.

2) *Literaturwissenschaft:* unmittelbarste Form autobiograph. Aufzeichnung, meist täglich verfasste und chronologisch aneinander gereihte Skizzen, in denen der Autor Erfahrungen mit sich und seiner Umwelt aus subjektiver Sicht festhält. Als relativ autonome literar. Texte können T. betrachtet werden, die schon im Hinblick auf eine spätere Veröffentlichung konzipiert (und damit oft stilisiert) sind. Insbesondere das literar. T. gibt Aufschlüsse über künstler. Schaffensprozesse. – Tagebuchähnl. Formen sind seit der Antike bekannt. Das seit dem späten 17. Jh. bes. in bürgerl. Schichten zunehmend beliebte T. (Diarium) wurde seit Mitte des 18. Jh. wichtiger Bestandteil des literar. und kulturellen Lebens. Neben den »authent.« T. treten in versch. Variationen auch »fingierte« T. als Strukturelemente erzählender Texte oder auch als bestimmendes Kompositionselement (T.-Roman) auf.

📖 HOCKE, G. R.: *Das europ. T. Wiesbaden* [2]*1978. – Das T. u. der moderne Autor, hg. v.* G. ANDERS *u. a. Frankfurt am Main u. a. 1982.*

Tagelied (Wächterlied), Gattung des mittelalterl. Minnesangs, schildert das Scheiden der heimlich Liebenden am Morgen, den der warnende Wächter vom Turm verkündet; durch provenzal. Vorbilder (Aubade) angeregt; Meister des dt. T. sind Wolfram von Eschenbach und Oswald von Wolkenstein.

Tagesgeld, Zentralbankguthaben, das eine Bank einer anderen zur Überbrückung von kurzfristigem Liquiditätsbedarf zur Verfügung stellt und das am nächsten Tag zurückgezahlt werden muss. Im Ggs. dazu wird **tägl. Geld** auf unbefristete Zeit, aber mit Vorbehalt tägl. Kündigung, am Geldmarkt ausgeliehen.

Tagesgeschäft, Bar- oder Kreditgeschäft, bei dem der Gegenstand des Geschäfts sofort zu liefern ist; spezielle Form des →Kassageschäfts.

Tagesheimschule, Form der →Ganztagsschule, in der den Schülern neben Unterricht und Schularbeitenaufsicht Aktivitäten für die Freizeit angeboten werden.

Tageskurs, amtl. Kurs des Ausführungstages beim Kauf oder Verkauf von Wertpapieren.

Tagesrhythmik, auf den 24-Stunden-Tag bezogener Biorhythmus; bleibt auch bei Isolierung von der Außenwelt (etwa im Dauerdunkel) bei Pflanzen und Tieren dank der »inneren Uhr« lange unverändert.

Tagessatz, *Strafrecht:* Rechnungseinheit für die Verhängung von →Geldstrafen (§ 40 StGB).

Tagesspiegel, Der, unabhängige Tageszeitung in Berlin, gegr. 1945 von E. Reger, Edwin Redslob (*1884, †1973) und Walter Karsch (*1906, †1975).

Tageswert (Zeitwert), *Betriebswirtschaftslehre:* Wiederbeschaffungswert von Vermögensgegenständen im Zeitpunkt der Bilanzerstellung (Inventur) oder zum Kalkulationszeitpunkt.

tageszeitung, die, Abk. **taz,** seit 2. 4. 1979 in Berlin erscheinende, überregionale, aus der grünalternativen undogmat. Linken hervorgegangene Tageszeitung.

Tagetes *die,* die Pflanzengattung →Samtblume.

Tagfalter (Tagschmetterlinge), zusammenfassende Bez. für die am Tage fliegenden Schmetterlinge: **Echte T.** mit den wichtigsten einheim. Familien Ritterfalter, Weißlinge, Augenfalter, Edelfalter und Bläulinge; **Unechte T.** mit der Familie Dickkopffalter.

Tagkreis, der von einem Gestirn infolge der Achsendrehung der Erde in 24 Stunden an der Himmelskugel beschriebene (dem Himmelsäquator parallele) Kreis, wird durch den Horizont in **Tag-** und **Nachtbogen** geteilt.

Tahiti: Blick vom Ponte Vénus im Norden der Insel über die Matavaibucht zum Doppelgipfel des 2237 m hohen Orohena

Tagliamento [taʎʎa-] *der,* Fluss in Norditalien, 170 km lang, entspringt in den Karnischen Alpen und mündet ins Adriatische Meer.

tägliches Geld, →Tagesgeld.

Taglilie (Hemerocallis), Gattung der Liliengewächse; schmalblättrige Stauden mit trichterförmigen Blüten an endwärts verästeltem Blütenschaft. Zahlr. Arten sind Gartenpflanzen, u.a. die **Rotgelbe T.** (Hemerocallis fulva) und die **Gelbe T.** (H. lilioasphodelus).

Taglilie: Rotgelbe Taglilie

Taglioni [taʎ'ʎo:ni], Marie, italien. Tänzerin, *Stockholm 23. 4. 1804, †Marseille 22. 4. 1884; verkörperte den von ihrem Vater Filippo T. (*1777, †1871) eingeführten romant. Ballettstil (»La Sylphide«, 1832); eine der stilprägenden Ballerinen ihrer Zeit und Meisterin im Spitzentanz.

Marie Taglioni (Ausschnitt eines zeitgenössischen Gemäldes)

Tagore [engl. tə'gɔ:], **1)** Abanindranath (Bengali: Avanindranath Thakur), ind. Maler, *Kalkutta 7. 8. 1881, †ebd. 5. 12. 1951, Vetter von 2); begründete mit seinem Bruder Gaganendranath T. (*1867, †1938) die »Bengal. Schule«, in der eine von der europ. Kunst möglichst unbeeinflusste moderne ind. Malerei entwickelt werden sollte.

2) Rabindranath (Bengali: Ravindranath Thakur), ind. Dichter und Philosoph, *Kalkutta 6. 5. 1861, †Shantiniketan (West Bengal) 7. 8. 1941, Vetter von 1); entstammte einer bengal. Brahmanenfamilie, studierte in England, gründete 1901 eine private Hochschule (seit 1951 Staatl. Univ.) in Shantiniketan, trat für umfassende Reformen der hinduist. Gesellschaft ein; schrieb in bengal. Sprache Werke aller Gattungen, z.T. von ihm selbst ins Englische übersetzt; Gedichte (rd. 40 Bde.), teils sangbare Naturlyrik, teils mystisch-religiös; lyrisch-symbol. Schauspiele (»Das Postamt«, 1914), zahlr. Erzählungen und Romane sowie philosophisch-pädagog. Schriften; leistete einen bed. Beitrag zur Entwicklung der bengal. Literatursprache; auch die ind. Musik verdankt ihm wesentl. Anregungen. T. erhielt 1913 den Nobelpreis für Literatur.

Rabindranath Tagore

Tagsatzung, 1) *österr. Recht:* der Gerichtstermin im Zivilprozess.

2) *Schweiz:* seit dem 14. Jh. bis 1848 das zentrale Bundesorgan, die Versammlung der Gesandten der »Orte« oder »Stände«.

Tagschmetterlinge, die →Tagfalter.

Tagundnachtgleiche, das →Äquinoktium.

Tagwerk (Mannsmahd), altes dt. Feldmaß, 1 T. = 1,5 Morgen = 4727,618 m^2 (Württemberg), 1 T. = 400 Quadratruten = 3407,272 m^2 (Bayern).

Tahiti, die größte der Gesellschaftsinseln, Frz.-Polynesien, 1042 km^2, (1988) 115800 Ew.; Hauptort ist Papeete (internat. Flughafen). T. ist aus zwei Vulkaninseln zusammengewachsen, im erloschenen Vulkan Orohena 2237 m ü.M., stark zerklüftet. Das Innere ist dicht bewaldet und unbewohnt. In den Küstenebenen werden v.a. Kokospalmen, Bananen, Knollenfrüchte, Zuckerrohr und Vanille angebaut; bed. Fremdenverkehr.

Tai (Taivölker), Völkergruppe vorwiegend paläomongolider Herkunft in Hinterindien und der südchines. Prov. Yünnan (**Thai** in Thailand, **Shan** in Birma, **Dai** in Yünnan und ein Teil der **Lao** in Laos); ihre Zahl wird auf mehr als 50 Mio. geschätzt. Die T. betreiben v.a. Reisbau; ihre Religion ist ein mit Geister- und Ahnenkult durchsetzter Buddhismus. Ihre Sprache, das **Tai,** gehört zu den →sinotibetischen Sprachen.

T'aichung [-tʃ-], Stadt auf Taiwan, in der westl. Küstenebene, 765000 Ew.; drei Univ.; Sitz der Provinzialreg. Taiwans; Ind.standort mit modernem Überseehafen (freie Produktionszone).

Taif, At-, klimatisch begünstigte Oasenstadt im Bergland bei Mekka, Saudi-Arabien, 1700 m ü.M., 300000 Ew.; Sommersitz der saudiarab. Regierung.

Taifun [engl. typhoon, von chines. tai fung »Großer Wind«] *der,* trop. Wirbelsturm über dem westl. Pazifik und Ostasien, bes. zw. Juli und November.

Taiga [russ., aus Turksprachen entlehnt] *die,* boreales Nadelwaldgebiet südlich der nord. Tundra, das sich gürtelförmig von Sibirien über Finnland, Skandinavien bis nach Schottland erstreckt und in Nordamerika fortsetzt.

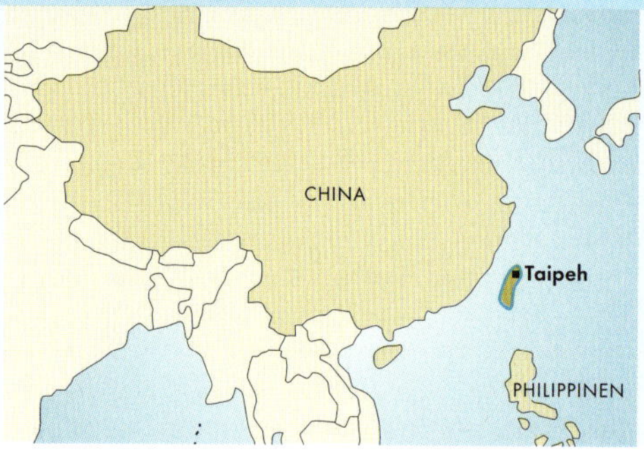

Taiwan

Fläche: 36 000 km^2
Einwohner: (1995) 21,13 Mio.
Hauptstadt: Taipeh
Verwaltungsgliederung: 16 Kreise und 7 kreisfreie Städte
Amtssprache: Chinesisch
Nationalfeiertag: 10. 10.
Währung: 1 Neuer Taiwan-Dollar (NT$) = 100 Cents (¢)
Zeitzone: MEZ +7 Std.

Staatswappen

RC
Internationales Kfz-Kennzeichen

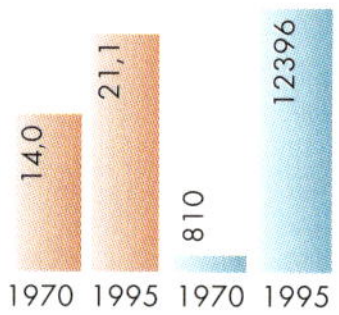

Bevölkerung (in Mio.) Bruttosozialprodukt je Ew. (in US-$)

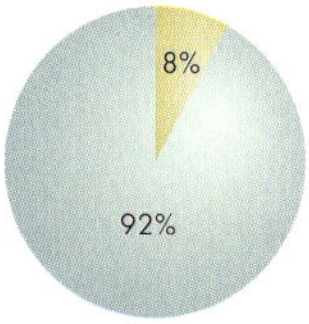

Bevölkerungsverteilung 1992

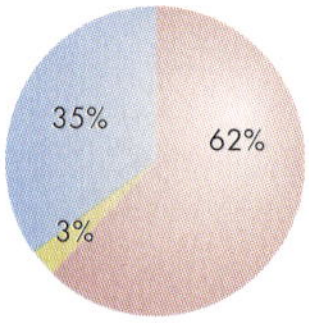

Bruttoinlandsprodukt 1995

Tai Hu [-xu; chines. »Großer See«], durchschnittlich 2400 km^2 großer Binnensee im S der chines. Prov. Jiangsu; mit vielen natürl. und künstl. Wasserläufen, bildet ein natürl. Rückhaltebecken des Jangtsekiang.

Tailfingen, seit 1975 Teil von →Albstadt.

Taille ['taljə, frz.] *die,* **1)** *Anatomie:* beim Menschen zw. Brustkorb und Hüften gelegener schmalerer Teil des Körpers.

2) *frz. Geschichte:* seit 1439 regelmäßige Kriegsabgabe (T. royale) der nicht privilegierten Stände (Bürger und Bauern) an den König.

Taillenwespen ['taljən-] (Apocrita), weltweit verbreitete Unterordnung der Hautflügler mit deutl. Abschnürung des Hinterleibs vom Vorderkörper (»Wespentaille«). Zu den T. gehören die Legwespen und die Stechimmen.

Taimyr, Halbinsel im N Sibiriens, Russland, nördlichster Landvorsprung des asiat. Festlands mit dem Kap →Tscheljuskin; tundrabedeckt, vom Byrrangagebirge (bis 1146 m ü. M.) durchzogen. T., das südlich anschließende Mittelsibir. Bergland und die nördlich vorgelagerte Inselgruppe Sewernaja Semlja bilden den **Autonomen Kreis T. (der Dolganen und Nenzen)** innerhalb der Region Krasnojarsk, 862100 km^2 groß, (1995) 47300 Ew. (8,9% Dolganen, 4,4% Nenzen, 67,1% Russen), mit der Hptst. Dudinka.

T'ainan, Hafenstadt in Taiwan, 685000 Ew.; kath. Bischofssitz; Univ.; Nahrungsmittel-, Erdöl- u. a. Industrie.

Taine [tɛ:n], Hippolyte Adolphe, frz. Kulturkritiker, Historiker und Philosoph, *Vouziers (Dép. Ardennes) 21. 4. 1828, †Paris 5. 3. 1893; war 1864–84 Prof. der Kunstgesch. in Paris, seit 1878 Mitgl. der Académie française; neben A. Comte und E. Renan führender Vertreter des frz. Positivismus, den er auch auf Philosophie und Literatur anwandte. Er entwickelte eine Milieutheorie sozialer und geistiger Phänomene.

Werke: Geschichte der englischen Lit., 4 Bde. (1863–64); Die Entstehung des modernen Frankreich, 6 Bde. (1876–94).

Taipeh [auch -'pe:] (amtl. T'aipei, T'aibei), Hauptstadt von Taiwan, mit 3,3 Mio. Ew. größte Stadt des Landes; Erzbischofssitz; neun Univ., Akademie der Künste, Forschungsinstitute; Nat. Palastmuseum; elektrotechn., elektron., Textil-, chem., Maschinen- u. a. Ind.; Ausstellungs- und Messegelände; internat. Flughafen. Der Hafen von T. ist →Keelung. – Aus drei im 18. Jh. gegründeten chines. Siedlungen entstanden.

Taiping, Stadt im Staat Perak, Westmalaysia, 183200 Ew.; Zinnerzbergbau, Industriepark.

Taipingaufstand, 1851–64 Aufstand zur Durchsetzung eines theokratisch regierten, egalitären Staatswesen im S und SO Chinas; forderte rd. 20 Mio. Opfer. (→China, Geschichte)

Tairow, Alexander Jakowlewitsch, russ. Regisseur, *Romny (Gebiet Sumy, Ukraine) 6. 7. 1885, †Moskau 25. 9. 1950; gründete 1914 (bis 1949 Leiter) das Moskauer Kammertheater, das einen expressiv-bewegten, komödiantischen, mimisch-dekorativen Theaterstil pflegte; schrieb »Das entfesselte Theater« (1921).

Tai Shan [-ʃ-], heiliger Berg Chinas, im O des Berglandes von Shandong, 1545 m ü. M., mit daoist. Tempeln (UNESCO-Weltkulturerbe).

Taiwan [auch taɪ'va:n] (chines. Chunghua Minkuo, dt. Rep. China), Staat in Ostasien; umfasst die vom chines. Festland durch die Formosastraße getrennte Hauptinsel Taiwan (früher Formosa), die →Pescadores, mehrere kleine Inseln sowie die der O-Küste Chinas unmittelbar vorgelagerten Inseln →Quemoy und →Matsu; T. erhebt Ansprüche auf die Spratlyinseln.

Staat und Recht: Nach der Verf. von 1947 (mehrfach revidiert) ist T. eine Republik. Da T. den Alleinvertretungsanspruch aller Chinesen erhebt, existiert ein doppeltes Reg.system aus Nationalreg. und Provinzreg. mit den entsprechenden parlamentar. Körperschaften. Staatoberhaupt ist der für vier Jahre direkt (seit 1994) gewählte Präs. Die Nationalversammlung (334 Mitgl., auf vier Jahre gewählt) entscheidet u. a. über Verf.änderungen. Die Verf. sieht eine Teilung in fünf, von je einem Yüan (Staatsrat) ausgeübte Gewalten vor (Legislative, Exekutive, Justiz, Prüfung und Kontrolle). Der Reg.chef als Vors. des Exekutiv-Yüans wird vom Präs. im Einvernehmen mit dem Legislativ-Yüan (164 Mitgl., davon 128 direkt und 36 nach Parteienproporz gewählt) ernannt. Kontroll- und Prüfungs-Yüan nehmen Funktionen der gesellschaftl. Überwachung und der Beamtenauswahl wahr. Dem Justiz-Yüan untersteht das Gerichtswesen; er ist zugleich Verf.gericht. Einflussreichste Parteien: Kuomintang (KMT, auch Nationalpartei), Demokrat. Fortschrittspartei (DPP).

Landesnatur: Der O der Insel T. wird von einer bewaldeten Hochgebirgskette (Yü Shan 3997 m ü. M.) eingenommen, die nach W über Hügel- und Terrassenland in eine fruchtbare Ebene übergeht, nach O zum Taitunggraben abbricht, der von einem schmalen Küstengebirge begrenzt wird. Subtrop. bis trop. Monsunklima mit heißen Sommern; Jahresniederschläge im N bis über 3000 mm, im SW bei 1800 mm. Häufig treten Taifune auf. Über 50 % der Insel sind waldbedeckt.

Bevölkerung: Die Bevölkerung besteht überwiegend aus Chinesen, die vom Festland eingewandert sind, im westl. Gebirgsvorland leben chines. Hakka. Im Gebirge siedeln Nachkommen der austrones. Urbevölkerung (1990: 338000 Menschen). Über 90 % der Bev. leben in Städten. – Allg. Schulpflicht vom 7. bis 15. Lebensjahr bei kostenlosem Unterricht; 21 Univ., davon 9 in Taipeh. – Die Ew. sind mehrheitlich Konfuzianisten, bed. vertreten sind auch Daoismus und Buddhismus.

Wirtschaft, Verkehr: Neben Japan ist T. heute einer der wichtigsten Ind.staaten im Fernen Osten; es erlebte bis Ende der 1980er-Jahre einen enormen Wirtschaftsaufschwung und zählt heute zu den Schwellenländern Asiens (»Kleine Tiger«). Aufgrund der Armut an Bodenschätzen (vorhanden sind Kohle, Erdöl, Erdgas, Gold) ist die Ind. stark von importierten Rohstoffen abhängig. Die führenden Branchen im verarbeitenden Gewerbe als dem bei weitem wichtigsten Wirtschaftssektor sind neben der Nahrungsmittel-, Textil- und Bekleidungsind. v. a. die exportorientierte Elektro- und Elektronikind., die petrochem. und metallurg. Ind. sowie der Schiff- und Maschinenbau. 40 % der Ind.erzeugung entfallen bereits auf die Hochtechnologiefertigung. Der landwirtsch. Nutzung stehen wegen des Gebirgscharakters nur 25 % der Landfläche zur Verfügung. Angebaut werden v. a. Reis, Champignons, Spargel, Tee, Zuckerrohr, Bananen und Ananas. – T. hat 2526 km Eisenbahnen und rd. 20000 km Straßen. Wichtig ist die Küstenschifffahrt. Haupthäfen: Kaohsiung, Keelung, Hualien, Taichung und Suao. Internat. Flughäfen in Taoyüan (bei Taipeh) und Kaohsiung.

Geschichte: T. mit seiner austrones. Urbevölkerung wurde schon früh von chines. Händlern und Piraten aufgesucht, jedoch erst seit dem 17. Jh. verstärkt von Chinesen besiedelt. 1590 von den Portugiesen entdeckt und »(Ilha) Formosa« (portugies. »schöne Insel«) genannt. Ab 1624 besetzten die Niederländer T., verdrängten die seit 1626 im N ansässigen Spanier und wurden 1661 vom Ming-General Koxinga (Zheng Chenggong) vertrieben. 1683 eroberten die Qing die Insel. Nach dem chinesisch-japan. Krieg (1894/95) musste China T. an Japan abtreten, das die Insel bis 1945 beherrschte. Nach der Kapitulation Japans im 2. Weltkrieg sprachen die Alliierten T. wieder China zu; 1947 blutige Niederschlagung eines Aufstandes der um ihre Unabhängigkeit ringenden Inselbewohner. 1949 flüchtete die durch kommunist. Truppen vom chines. Festland vertriebene Kuomintang-Regierung nach T. und rief dort am 1. 3. 1950 die »Rep. China« **(Nationalchina)** unter Staatspräs. Chiang Kaishek (1950–75) aus. Aufgrund massiver Unterstützung durch die USA, mit der 1954/55 ein Verteidigungspakt geschlossen wurde, sowie einer erfolgreich durchgeführten Landreform (1949–53) entwickelte sich T. zu einem bed. wirtsch. Faktor. Die Auseinandersetzungen mit der VR China kulminierten in der »Quemoykrise« 1958 (Beschießung der zum Territorium Nationalchinas gehörenden Insel Quemoy). 1971 verlor T. seinen Sitz in der Generalversammlung und im Sicherheitsrat der UN an die VR China. Nach dem Tod Chiang Kai-

Taiwan - Wirtschaft

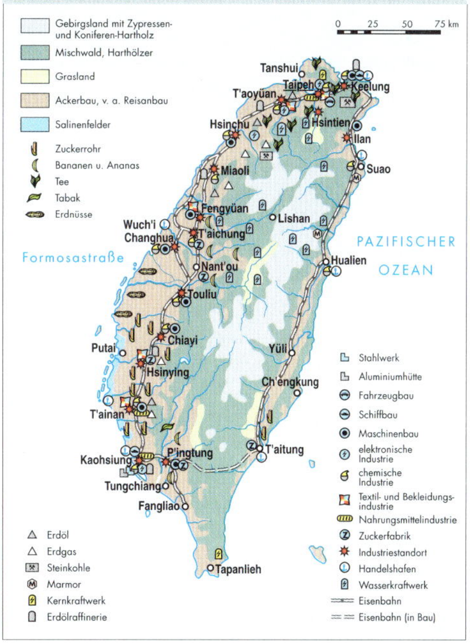

sheks 1975 wurde zunächst Viezepräs. Yen Chia-kan Staatsoberhaupt, 1978 Chiangs Sohn Chiang Ching-kuo (bis 1988). Nachdem die USA zum 1. 1.

Chiang Kai-shek

1979 mit der VR China diplomat. Beziehungen aufgenommen hatten, brachen sie die zu T. ab. 1986 wurde als erste bed. Oppositionspartei die Demokrat. Fortschrittspartei (DPP) gegründet. 1987 wurde das seit 1950 geltende Kriegsrecht aufgehoben und durch neue Sicherheitsgesetze ersetzt. 1989 verabschiedete das Parlament ein neues Parteiengesetz, das die Neugründung von Parteien generell zuließ. Bei den ersten Wahlen nach Aufhebung des Kriegsrechts im Dez. 1989 vereinigten sich 41% der abgegebenen Stimmen auf die Oppositionsparteien (59% auf die Kuomintang). Unter Staatspräs. Lee Teng-hui (seit 1988) entspannte sich das Verhältnis zur VR China (weitgehende Legalisierung des Handels, Ausweitung des Reiseverkehrs). 1991 wurden die 1948 im Bürgerkrieg gegen die Kommunisten eingeführten Notstandsrechte des Staatspräs. aufgehoben und weitere Verf.änderungen beschlossen. Bei den Wahlen zur Nationalversammlung 1991 setzte sich die Kuomintang als klarer Sieger gegenüber der oppositionellen DPP durch, die sich an die Spitze einer Bewegung für die formelle Unabhängigkeit (Lostrennung) T.s von der VR China stellte und dadurch in Konflikt mit der Reg.partei geriet. 1993 wurde Lien Chan MinPräs. In den Parlamentswahlen 1995 errang die Kuomintang zwar die absolute Mehrheit (53% der Stimmen), sah sich aber einer erstarkten Opposition gegenüber (ein Drittel der Abg.mandate ging an die DPP). 1996 fanden die ersten direkten Präsidentschaftswahlen statt. Amtsinhaber Lee Teng-hui wurde wieder gewählt; er bekräftigte die Bereitschaft T.s, mit der Volksrep. China Gespräche über die nat. Wiedervereinigung aufzunehmen.

Lee Teng-hui

🕮 WEGGEL, O.: *Die Geschichte T.s. Vom 17. Jh. bis heute. Köln 1991.* – WEGGEL, O.: *T., Hongkong. München 1992.* – SENFTLEBEN, W.: *T. Reiseführer mit Landeskunde. Neuausg. Dreieich 1995.*

Taiyuan (Taiyüan, 1912–47 Yangqu), Hauptstadt der chines. Provinz Shanxi, am Rand eines äußerst fruchtbaren, an Eisenerz und Steinkohle reichen Talbeckens des oberen Fen He; 1,68 Mio. Ew.; Univ. u.a. Hochschulen; wichtiges Ind.zentrum mit Eisen- und Stahlwerken, Carbidwerk, Textilfabriken, Kunsthandwerk.

Taiz (Tais, Taizz, Taiss), Stadt in Jemen, 178000 Ew.; islam. Univ.; 1948–62 Residenz des Imam.

Taizé [tɛ'ze], Gemeinde in Frankreich, Dép. Saône-et-Loire, Sitz der 1949 von R. →Schutz gegr. Communauté de Taizé.

Taizu (T'ai-tsu), chines. Kaiser (1368–98), der die Ming-Dynastie begründete, →Zhu Yuanzhang.

Taj Mahal [tadʒ-] *der* (Tadsch Mahal), Mausoleum in Agra (etwa 1648 vollendet), das der Großmogul Shah Jahan seiner 1631 verstorbenen Lieblingsfrau Muntaz-Mahal errichten ließ. Das von einer Zwiebelkuppel (58 m hoch) gekrönte Oktogon von 55 m Durchmesser steht auf einer von vier Minaretten eingefassten Plattform. Die Anlage ist in ihrer Form rein safawidisch-persisch, in ihrer Ausstattung jedoch im Mogulstil (UNESCO-Weltkulturerbe).

Tajo ['taxo] *der* (portugies. Tejo), der längste Strom der Iber. Halbinsel, 1007 km (davon 828 km in Spanien); entspringt an der Grenze Neukastiliens und Aragoniens und mündet mit breitem Trichter, der sich unterhalb von Lissabon wieder verengt, in den Atlantik; Stauwerke.

Tajumulco [taxu-] *der,* Vulkan in Guatemala, 4210 m ü.M.; höchster Berg Zentralamerikas; nur Fumarolentätigkeit.

Takamatsu, Hauptstadt der Präfektur Kagawa, Japan, an der NO-Küste der Insel Shikoku, 331000 Ew.; Univ.; Textil-, Holzverarbeitungs- und Lackwarenind.; Fremdenverkehr.

Takasaki, Stadt auf Honshū, Japan, 238100 Ew.; Museum für moderne Kunst; Metallwaren-, Elektro-, Seiden- und Chemiefaserind. – 42 m hohe Kwannonstatue (→Guanyin) auf dem Kwannonzanhügel.

Takel [mnd. takel »(Schiffs)ausrüstung«] *das* (Gien), *seemännisch:* eine schwere →Talje (mit mehr als drei Rollen je Kloben).

Takelage [-'la:ʒə] *die* (Takelwerk, engl. Rig), die gesamte Segeleinrichtung eines Segelschiffs; sie umfasst die Masten mit dem **stehenden Gut** (meist Tauwerk aus Stahldraht oder kurze Ketten), mit dem sie abgestützt sind, und die Segel, die an Rahen oder an Gaffeln und Bäumen durch das **laufende Gut** (traditionell Hanftauwerk) ausgespannt werden.

Takelung, die Art der →Takelage eines Segelschiffs (Rah-, Gaffel-T. usw.) oder -boots, die den Typ (Vollschiff, Bark, Brigg usw.) bestimmt.

Takis, eigtl. T. Vassilakis, grch. Bildhauer, *Athen 29. 10. 1925; lebte 1954 bis in die 1970er-Jahre meist in Paris; schuf kinet. Plastiken, deren

Wirkungsprinzip auf elektromagnet. Kräften und akust. Phänomenen beruht.

Takla Makan, Wüste in Zentralasien, Uigur. Autonome Region Sinkiang, China (→Tarimbecken).

Takoradi, Stadt in Ghana, →Sekondi-Takoradi.

Taj Mahal: Die für die Lieblingsfrau des indischen Mogulkaisers Shah Jahan gebaute und nach ihr benannte, etwa 1648 fertiggestellte Grabanlage in Agra

Takt [lat. tactus »Berührung«], **1)** *Elektronik:* Folge gleicher Impulse (T.-Signal) mit konstanter Pulsfrequenz, die einem Schaltwerk (z.B. Flipflop, Mikroprozessor, Speicher) zugeführt wird und zu dessen Synchronisation dient (z.B. bei der Datenübergabe). Der T. wird von einem T.-Generator erzeugt.

2) *Metrik:* Gliederungseinheit akzentuierender Verse (→Metrik).

3) *Musik:* die Einteilung eines Ablaufs von Tönen in eine meist regelmäßig wechselnde Folge betonter (schwerer) und unbetonter (leichter), i.d.R. gleich langer Zeiteinheiten **(T.-Teile)** und ihre Zusammenfassung in Gruppen von gleich langer Dauer. Die Gliederung ist dann entweder zwei- oder vierteilig (gerade) oder dreiteilig (ungerade). Den Nachdruck erhält jeweils der erste »schwere«, »gute« T.-Teil. Die Zahl der wirkl. Zähl- oder Taktierzeiten (z.B. beim T.-Schlagen) braucht nicht mit den T.-Teilen übereinzustimmen. In der Notenschrift wird jeder T. durch den **T.-Strich** begrenzt. Die T.-Art wird zu Beginn eines Musikstücks und bei T.-Wechsel durch einen Bruch **(T.-Vorzeichnung)** angegeben, dessen Nenner angibt, welcher Notenwert die Zählzeit bildet, und dessen Zähler die Anzahl der Zählzeiten bestimmt. Beginnt ein Tonstück mit einer leichten Zählzeit, so spricht man von einem **Auftakt.** – Der T. solcher Art erlangte erst im 17. Jh. Gültigkeit und ist nur für die klass. und romant. Musik maßgeblich. Die Einwirkung der Volksmusik europ. Randgebiete und außereurop. Musikkulturen auf die neuere Musik ist mit einer Abkehr vom T.-Prinzip verbunden. Sie wurde zunächst deutlich im häufigen T.-Wechsel (z.B. bei I. F. Strawinsky) oder in der Verwendung ungleich langer Schlagzeiten und ungewohnter T.-Arten, wie z.B. $^5/_4$, $^7/_4$, und führte dann dazu, dass man zwar T.-Vorzeichnungen gibt, aber häufig die Ordnung des T.-Prinzips nicht mehr als verbindlich betrachtet. Die Übertragung des Reihenprinzips auf die Folge von Tondauern hat an die Stelle der T.-Rhythmik neue Zeitrechnungen gesetzt.

🕮 GLEICH, C.-C. VON: *Mozart, T. u. Tempo. Neue Anregungen zum Musizieren. München u. a. 1993.*

Taktik [grch.] *die,* **1)** *allg.:* auf genauer Überlegung basierendes Vorgehen und Verhalten.

2) *Militärwesen:* gemäß der geltenden Bundeswehrdefinition die »Lehre von der Führung der Truppen und deren Zusammenwirken im Gefecht sowie die Anwendung dieser Lehre«. Die Formulierung geht zurück auf C. von Clausewitz, der T. als »Lehre vom Gebrauch der Streitkräfte im Gefecht« definierte und sie damit klar von der Strategie – im Sinne ihres damaligen Bedeutungsinhalts (Lehre vom Gebrauch der Gefechte zum Zwecke des Krieges) – abgrenzte.

Die **taktische (Führungs-)Ebene** umfasst die Führungsorgane der Truppenkörper von der Kompanie bis zur Division; der Einsatz der entsprechenden Truppenkörper wird auf Brigade- und Divisionsebene als »Operation« bezeichnet. An die takt. Ebene schließt sich i.d.R. vom Korps aufwärts die operative Ebene an, die seit H. Graf von Moltke als Klammer zw. der takt. und der strateg. Ebene verstanden wird.

taktil [lat.], den Tastsinn betreffend.

taktische Zeichen, *Militärwesen:* symbolartige Kennzeichnungen, mit denen Art und Aufgaben

Taj Mahal

Die Gesamtanlage ist durch ein Hauptportal aus rotem Sandstein betretbar, hinter dem sich ein symmetrischer, 288 m im Geviert messender Garten erstreckt. In der Mitte des Gartens befindet sich ein Podium mit einem Wasserbecken, das auch das Zentrum der Kanäle bildet. An der Nordseite ist das eigentliche Grabmal Taj Mahal errichtet. Der Baukörper aus weißem Marmor erhebt sich auf einem Unterbau, an dessen Ecken je ein Minarett steht. Das Grabmal ist von zwei Bauten aus rotem Sandstein eingerahmt: einer Moschee und einem Versammlungs- und Gästehaus, das aus Gründen der Symmetrie ebenfalls die Form einer Moschee hat. Das Mausoleum beherbergt die Kenotaphe (Grabmal ohne Gebeine zum Gedächtnis eines Toten) und in der Krypta die mit Einlegearbeiten reich verzierten Sarkophage des Shah Jahan und seiner Gemahlin.

William Henry Fox Talbot

von Truppenteilen, Dienststellen, Befehlsstellen, Personen, Führungslinien, Waffen und Gerät, Einrichtungen und Anlagen aller Art sowie Tätigkeiten auf Lagekarten, Gliederungsbildern u.Ä. bezeichnet werden.

Taktmesser, das →Metronom.

Tal, lang gestreckte, offene Hohlform der Erdoberfläche mit i.d.R. gleichsinnigem Gefälle in der Längsachse, geschaffen von einem fließenden Gewässer. Längstäler folgen den Achsen geolog. Mulden oder Sättel, Durchbruchstäler queren Gebirge. Man unterscheidet nach dem Querschnitt Klamm, Schlucht, Cañon, Kerbtal oder V-Tal (mit v-förmigem Querschnitt), Muldental mit breitem, ohne deutl. Grenze in die flachen Talhänge übergehendem Talboden, Sohlen- oder Kastental mit sehr breitem Talboden und scharfem Knick am Fuß der Talhänge sowie das glazial überformte Trogtal oder U-Tal (mit u-förmigem Querschnitt).

Talar [lat.] *der,* urspr. spätröm. langes Obergewand; im 16. Jh. Gelehrtentracht; heute Amtstracht von Richtern, Anwälten, Hochschulprofessoren (bei festl. Anlässen) und Geistlichen.

Taler: 1611 in Lübeck geprägter Reichstaler, Durchmesser 41 mm (Vorder- und Rückseite)

TA Lärm [Abk. für **T**echnische **A**nleitung zum Schutz gegen Lärm], allgemeine Verwaltungsvorschrift, die Messvorschriften und Richtwerte für Geräuschimmissionen enthält.

Talbot ['tɔ:lbət], William Henry Fox, brit. Chemiker, Archäologe und Sprachforscher, *Melbury House (Cty. Dorset) 11. 2. 1800, †Lacock Abbey bei Chippenham (Cty. Wiltshire) 17. 9. 1877; Erfinder des Negativ-positiv-Verfahrens in der Fotografie (ab 1834); befasste sich als einer der Ersten mit der Entzifferung der Keilschrift.

Talca, Stadt in Mittelchile, 171 500 Ew.; Univ., landwirtsch. Zentrum mit kleinen Ind.betrieben; in der Umgebung bed. Weinbau.

Talcahuano [talka'wano], Hafenstadt in Mittelchile, an der Bucht von Concepción, 246 600 Ew.; Marinebasis; Schiffswerften; nahe T. Erdölraffinerie und das Stahlwerk Huachipato.

Tal der Könige (arab. Biban el-Moluk), Tal im Wüstengebirge auf dem westl. Nilufer von Theben mit Felsgräbern ägypt. Könige des Neuen Reichs (18.–20. Dynastie). Die Grabanlagen, bestehend aus langen Korridoren, Sälen und der eigentl. Sargkammer, waren weit (bis 200 m) und tief (bis 100 m) in den Fels hineingearbeitet. Bemalte Reliefs mit religiösen Darstellungen und Texten schmückten die Wände. Von den reichen Grabbeigaben sind nur vereinzelte Reste erhalten, einzig der Grabschatz des Tutanchamun wurde 1922 weitgehend unversehrt gefunden. Durch Reichtum, Erhaltungszustand und Qualität der farbigen Reliefs ragen im T. d. K. vor allem die Gräber von Haremhab und Sethos I. hervor. – In dem benachbarten **Tal der Königinnen** wurden die kleineren Felsgräber der Königinnen und Prinzen angelegt, darunter v.a. das reich dekorierte der Nofretiri. BILDER Ägypten, Haremhab, Hathor, Theben 2)

Talent [griech. tálanton »Waage«] *das,* antikes grch. Handelsgewicht zu 60 Minen, z.B. 1 att. T. = 26,196 kg; auch als Rechnungsmünze üblich. Als neugrch. Gewicht galt 1 T. = 100 Minen = 150 kg.

Talent [mlat. talentum »Gabe«] *das,* Anlage, die zu überdurchschnittl. Leistungen auf künstler. u.a. Gebieten befähigt.

Taler [Kw. von Joachimstaler], europ. Großsilbermünze, die urspr. als Silberäquivalent des rhein. Goldguldens **(Guldiner** oder **Guldengroschen)** zuerst in Hall in Tirol (1484) geprägt wurde; ab 1524 trennten sich schrittweise Silbergulden (= 60 Kreuzer bzw. 21 »Groschen meißnisch«) und T. (seit 1500 = 21 Groschen, seit 1534 = 24 Groschen), der 1566 bis um 1750 als **Reichs-T.** (= 68, ab um 1572 = 72, ab 1580 = 90 Kreuzer) Währungsmünze im Hl. Röm. Reich war. Der preuß. Reichs-T. (ab um 1750 = 24 Groschen) wurde 1838 Vereinsmünze im Dt. Zollverein; 1857–71 als **Vereins-T.** im Dt. Bund (= 3 Mark) letzte dt. T.-Münze (erst 1908 außer Kurs gesetzt). Auswärtige Nachahmungen, schon seit dem 16. Jh. üblich, waren z.B. Crown, Dollar, Ecu, Peso.

Talg (Unschlitt), körnig-feste, meist gelblich weiße Fettmasse, die aus Fettgeweben von Rindern, Schafen u.a. Wiederkäuern ausgeschmolzen und als Brat- und Backfette sowie auch zur Herstellung von Seifen, Kerzen, Lederfettungsmitteln u.a. verwendet wird. T. besteht chemisch v.a. aus Triglyceriden der Palmitin-, Stearin- und Ölsäure.

Talgdrüsen, traubenförmige Drüsen der Lederhaut, die zumeist in Haarbälge ausmünden. Ihr Sekret **(Talg)** hält Haare, Federn und Haut geschmeidig.

Talion [lat.] *die,* Vergeltung von Gleichem mit Gleichem; als Strafrechtsgrundsatz in vielen älteren Rechten enthalten, z.B. im jüd. und im röm. Recht.

Talisman [arab.] *der,* zauberkräftiger, Glück bringender Gegenstand, den man am Körper trägt.

Talje [niederländ.] *die,* seemänn. Bezeichnung für →Flaschenzug, eine kraftsparende Verbindung von Tauwerk (»Läufer«) und Blockwerk (»Blöcke«, Rollen).

Talent

Auch im babylonischen Kulturkreis war das Talent eine grundlegende Einheit: Es gab das Gewicht eines bestimmten Kubus Wasser an, das innerhalb einer bestimmten Zeit aus einem besonderen Gefäß abfloss. Die Kantenlänge dieses Gefäßes diente als Längenmaß (heilige Elle). So war die Einheit der Zeit unmittelbar mit denen der Masse und der Länge verknüpft. Daneben bildete das Talent als Gewicht noch die Grundlage für das Geld- und Münzwesen.

Talk [arab.] *der,* monoklines, gesteinsbildendes Mineral der chemischen Zusammensetzung $Mg_3[(OH)_2|Si_4O_{10}]$, ein Dreischichtsilikat, weiß, grünlich oder grau, fettig anzufühlen, in schaligen, blättrigen oder schuppigen Massen, auch dicht **(Speckstein);** findet fein gemahlen **(Talkum)** als Weißpigment, für Glanz- und Spiegelfarben, Schneiderkreide u.a. Verwendung, außerdem in der Papierherstellung und als Appretur, dient in der Pharmazie als Bestandteil von Pudern und Pasten; entsteht meist bei der hydrothermalen Zersetzung magnesiumreicher ultrabas. Gesteine.

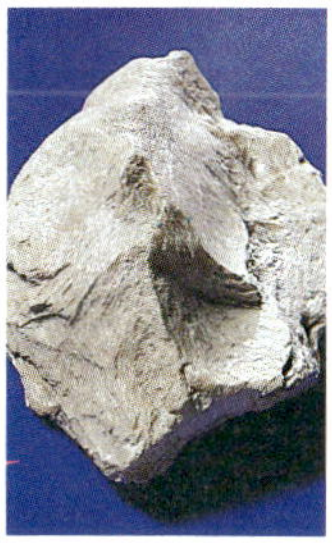

Talk

Charles Maurice de Talleyrand: Ausschnitt eines zeitgenössischen Kupferstichs

Talkshow ['tɔ:kʃəʊ, engl.], in den USA entstandener Typ einer Unterhaltungssendung im Fernsehen, in der ein Gesprächsleiter (Talkmaster, auch Moderator) bekannte Persönlichkeiten zu Äußerungen über private, berufl. oder allg. interessierende Themen anregt.

Tallahassee [tælə'hæsɪ], Hauptstadt von Florida, USA, 137 100 Ew.; Verw.- und Handelszentrum; Staatsuniv. von Florida und agrarwiss.-techn. Univ. – Seit 1824 Hauptstadt.

Talleyrand [tale'rã], Charles Maurice de, Herzog von **T.-Périgord** (seit 1807), Fürst von Benevent (seit 1806), Herzog von Dino (seit 1815), frz. Staatsmann, *Paris 13. 2. 1754, †ebd. 17. 5. 1838; 1788 Bischof von Autun, schloss sich 1789 der Revolution an. 1791 leistete er den Eid auf die Zivilkonstitution des Klerus und wurde daraufhin vom Papst mit dem Kirchenbann belegt. Der Verbindung mit dem entthronten König verdächtigt, ging er 1792 ins Exil nach England und in die USA. 1797–1807 war er Außenmin. des Direktoriums und Napoleons I., dessen Eroberungspolitik v.a. gegen Österreich er ablehnte. 1809 wurde er von Napoleon endgültig entlassen, 1814 trug er entscheidend zur Rückkehr der Bourbonen bei; er nahm als Außenmin. am Wiener Kongress teil, wo es ihm gelang, Frankreichs europ. Stellung wieder zu festigen; doch nach den »Hundert Tagen« veranlasste ihn das Misstrauen Ludwigs XVIII. im Sept. 1815 zum Rücktritt. 1830 betrieb er die Thronbesteigung Ludwig Philipps, als dessen Botschafter in London er die britisch-frz. Zusammenarbeit förderte.

📖 Bernard, J. F.: *T. Aus dem Engl. Neuausg. München 1989.* – Orieux, J.: *T. Die unverstandene Sphinx. Aus dem Frz. Neuausg. Frankfurt am Main 7.–8. Tsd. 1991.*

Tallinn (dt. Reval, russ. Tallin, vor 1918 russ. Rewel), Hauptstadt von Estland, an einer Bucht des Finn. Meerbusens, 442 700 Ew.; kultureller und wirtsch. Mittelpunkt Estlands: Estn. Akademie der Wiss., mehrere Hochschulen, Konservatorium, zahlr. Museen und Theater, Philharmonie, botan. und zoolog. Garten; Filmstudio; Schiff-, Maschinenbau, elektrotechn., Textil-, Papier-, chem., pharmazeut., Nahrungsmittelind., Druckereigewerbe; Verkehrsknotenpunkt, Fischereihafen, neuer Hochseehafen, internat. Flughafen; im NO Seebad **Pirita.** – Im 2. Weltkrieg wurde T. stark zerstört, die Straßenzüge wurden nach einer Bauaufnahme des 18. Jh. rekonstruiert. Beherrschend über der Stadt liegt der Domberg (48 m ü. M.) mit Befestigungsanlagen des 13. Jh. und dem Dom (Schiffe um 1230–40, Chor 1433, Rosenkranzkapelle Mitte des 15. Jh.). In der befestigten Altstadt die Pfarrkirche St. Nikolaus (um 1280), Heiliggeistkirche (14. Jh.) mit Altar von B. Notke (1483); die Olaikirche (13./14. Jh.; nach Bränden im 17. und 19. Jh. erneuert); Schwarzhäupterhaus (15./16. Jh.). Vor der Stadt liegt das ehem. Schloss Katharinental (Kadriorg, 1718–23 für Peter I. erbaut; heute Museum). – Die estn. Siedlung **Lindanisse** wurde 1219 von den Dänen erobert und befestigt. Die in der Nähe entstandene dt. Stadt erhielt 1230 lüb. Recht, trat 1285 der Hanse bei und gehörte seit 1346 dem Dt. Orden. 1561 kam T. mit Estland an Schweden, 1710 an Russland; seit 1918 Hauptstadt Estlands.

Tallinn Stadtwappen

Talma, François-Joseph, frz. Schauspieler, *Paris 15. 1. 1763, †ebd. 19. 10. 1826; bed. Tragöde und

Tallinn: Ansicht der Altstadt aus südlicher Richtung

Talsperre: Große Stauseen der Erde (Auswahl)

Name (Talsperre)	Staat	Fluss	Fläche in km²	Fertigstellung	Stauinhalt in Mio. m³
Voltastaussee (Akosombo)	Ghana	Volta	8482	1965	148000
Smallwood Reservoir	Kanada	Churchill River	6527	1974	28000
Samarer Stausee	Russland	Wolga	6450	1955	58000
Nassersee	Ägypten/Sudan	Nil	5900	1970	165000
Buchtarmastausee	Kasachstan	Buchtarma (Irtysch)	5490	1966	53000
Bratsker Stausee	Russland	Angara	5470	1967	169270
Unterkama-Stausee	Russland	Kama	5400	1978	13000
Karibasee	Simbabwe/Sambia	Sambesi	5230	1960	180000
Rybinsker Stausee	Russland	Wolga	4580	1947	25400
Lac Caniapiscau	Kanada	Caniapiscau	4285	1987	53790
Embalse de Guri	Venezuela	Río Caroní	4250	1985	140000
Sobradinho-Stausee	Brasilien	Rio São Francisco	4214	1980	34100
Wolgograder Stausee	Russland	Wolga	3117	1958	31500
Speichersee von La Grande 2	Kanada	La Grande-Rivière	2835	1978	61700
Cabora-Bassa-Stausee	Moçambique	Sambesi	2800	1974	159000
Sejastausee	Russland	Seja	2740	1973	68400
Zimljansker Stausee	Russland	Don	2700	1955	23900
Tucuruí-Stausee	Brasilien	Rio Tocantins	2420	1982	45800
Sanmen-Stauwerk	China	Hwangho	2350	1962	36000
Tscheboksaryer Stausee	Russland	Wolga	2274	1985	13800
Krementschuger Stausee	Ukraine	Dnjepr	2252	1959	13500
Kachowkaer Stausee	Ukraine	Dnjepr	2155	1955	18200
Krasnojarsker Stausee	Russland	Jenissej	2000	1967	73300
Manicouagan Réservoir	Kanada	Manicouagan	1942	1967	141900
Ust-Ilimsker Stausee	Russland	Angara	1837	1978	59400
Saratower Stausee	Russland	Wolga	1831	1968	12900
Kossou	Elfenbeinküste	Bandama	1750	1972	25000
Williston Lake	Kanada	Peace River	1660	1968	70300
Brokopondostausee	Surinam	Suriname	1560	1964	12400
Oahe Dam	USA	Missouri	1440	1958	29100
Rincón-del-Bonete-Stausee	Uruguay	Río Negro	1400	1946	6600
Itaipú-Stausee	Brasilien/Paraguay	Paraná	1350	1984	29000
Furnas-Stausee	Brasilien	Rio Grande	1350	1962	20900
Kainji-Stausee	Nigeria	Niger	1300	1969	15000
Trés-Marias-Stausee	Brasilien	Rio São Francisco	1130	1961	19300
Atatürk-Stausee	Türkei	Euphrat	1065	1990	48470

Reformer des Bühnenkostüms; gründete als Parteigänger der Frz. Revolution das Théâtre de la République.

Talmud [hebr. »Lehre«] *der,* neben der hebr. Bibel das Hauptwerk des Judentums, entstanden in einem mehrhundertjährigen mündl. und schriftl. Überlieferungsprozess; in seinen beiden Textgestalten ist er das Ergebnis der Sammel- und Lehrtätigkeit der rabbin. Akademien von Palästina (**palästinens. T.,** Endredaktion um 500) und Babylonien (**babylon. T.,** Endredaktion um 600). Der T. besteht aus der →Mischna, dem in 6 »Ordnungen« (Sedarim) und 63 Traktaten thematisch geordneten jüd. Religionsgesetz, und der →Gemara, ihrer vielschichtigen Kommentierung, und umfasst →Haggada und →Halacha. Inhaltlicher Schwerpunkt des T. ist die Ableitung, Begründung, Diskussion und Formulierung von Grundsätzen für ein dem Willen Gottes (der Thora) entsprechendes Leben im umfassenden, über den kultisch-religiösen Bereich hinausweisenden Sinn. Charakteristisch für seinen Stil ist die dialekt. Argumentationsweise und die abschließende Verdichtung des Diskussionsergebnisses in kurzen, prägnanten Lehrsätzen. Wirkungsgeschichtlich von Bedeutung war der babylon. T. Als klass. T.-Kommentar gilt der des Rabbi →Raschi. Er wird in den rabbin. Textausgaben des T. mit abgedruckt und bildet noch heute mit diesem zus. die Grundlage der religionsgesetzl. Entscheidungen im Judentum.

📖 Gradwohl, R.: *Was ist der T.? Einführung in die »Mündliche Tradition« Israels. Stuttgart ^{3}1993.* – Wiesel, E.: *Die Weisheit des T. Geschichten u. Portraits. A. d. Frz. Freiburg im Breisgau u. a. 1996.*

Talon [ta'lɔ̃, frz.] *der,* **1)** *Bankwesen:* Erneuerungsschein, Teil des →Bogens.

2) *Musik:* der →Frosch am Bogen der Streichinstrumente.

3) *Spiele:* Kartenrest (beim Geben); bei Glücksspielen der Kartenstock; beim Dominospiel der Kaufstein.

Talsperre, feste Stauanlage, die die ganze Talbreite eines Flusses abschließt und damit einen Stauraum zur Wasserspeicherung (Stausee) schafft. Jede T. besteht aus dem eigentl. Sperrenbauwerk und den dazugehörigen Betriebsanlagen, zu denen die Betriebsauslässe oder Entnahmebauwerke, die Hochwasserentlastungsanlagen und die Grundablässe gehören. Das Sperrenbauwerk besteht aus der Staumauer oder dem Staudamm und gegebenenfalls einer Dichtungsschürze bis zur wasserundurchlässigen Schicht. Die Höhe der T. richtet sich nach energie- und/oder wasserwirtsch. Bedürfnissen unter Berücksichtigung der Möglichkeiten der Wasserbereitstellung und der Speichermöglichkeiten. T. dienen meist mehreren wasserwirtsch. Zwecken: Bewässerung, Trinkwasserversorgung, Hochwasserschutz, Wasserkraftgewinnung, Niedrigwasseranreicherung von Flüssen, Fischzucht. Die **Staudämme** müssen eine dauernde und hohe Wasserdichtigkeit bieten. Sie können: a) bes. bei geringeren Stauhöhen, aus einheitl., möglichst wasserdichtem Material errichtet werden, b) als Fels-, Stein- oder Grobstoffschüttungen eine Dichtung auf der Wasserseite oder im Kern erhalten, c) nach Art eines Filters aus versch. Stein- und Erdbaustoffen aufgebaut werden. T. mit **Staumauern** in Massivbauweise werden errichtet: a) als »Gewichts«-Staumauern, heute meist in Beton (Standsicherheit nur durch Eigenmasse), b) als »Bogengewichts«-Staumauern aus Beton (Standsicherheit durch Eigenmasse und Übertragung des Staudrucks auf die Widerlager in den Talflanken), c) als »Bogen«-Staumauern meist aus Stahlbeton (Standsicherheit v.a. durch Übertragung des Staudrucks auf die Widerlager), d) als aufgelöste Staumauern versch. Art (Pfeilerstaumauern u.a.) aus Stahlbeton (Standsicherheit durch Übertragung des Staudrucks über Pfeiler in den Untergrund).

📖 KACZYNSKI, J.: *Stauanlagen, Wasserkraftanlagen. Düsseldorf* [2]*1994. – Sicherheitsbericht T. Leitfaden, hg. vom Deutschen Verband für Wasserwirtschaft u. Kulturbau e.V. (DVWK). Bonn 1995.*

TA Luft [Abk. für **T**echnische **A**nleitung zur Reinhaltung der Luft], Verwaltungsvorschrift zum →Bundesimmissionsschutzgesetz, erlassen 1974 (letzte Fassung 1986). Die TA L. enthält Auflagen für die Betreiber von genehmigungsbedürftigen Anlagen; konkret beschrieben werden u.a. Verfahren zur Ermittlung von Emissionen und Immissionen, allg. Emissionswerte für staub- und gasförmige Stoffe, Grenzwerte für bestimmte Luftimmissionen sowie nach dem Stand der Technik festgelegte emissionsvermindernde Einrichtungen (→Luftreinhaltung).

Talung, talartiger Geländeeinschnitt, dem die Gleichsinnigkeit des Sohlengefälles fehlt.

Tamagotchi [-tʃi, japan.] *das* (Cyberküken), Computerspielzeug in Eiform; auf dem Display wird in Strichzeichnung ein Küken dargestellt, das über drei Knöpfe und mithilfe eines Menusystems »versorgt« werden muss.

Tamanrasset: Postgebäude im sudanesischen Lehmbaustil

Tamale, Regionshauptstadt in N-Ghana, 219 000 Ew.; Erzbischofssitz; Technikum; bed. Handels- und Verkehrszentrum; Flugplatz.

Taman, Halbinsel, Landvorsprung in der Region Krasnodar, Russland, zw. Schwarzem und Asowschem Meer, durch die Straße von Kertsch von der Krim getrennt, 2 000 km²; Schlammvulkane (bis 164 m ü.M.).

Tamanrasset (früher Fort Laperine), Oasenstadt in S-Algerien, südwestlich des Hoggar, 40 000 Ew.; Hauptort der Tuareg; Ausgangspunkt für Expeditionen in den Hoggar. – Häuser im sudanes. Lehmbaustil.

Tamarinde [arab.] *die* (Tamarindus indica), ein Johannisbrotgewächs, als Fruchtbaum in den gesamten Tropen angebaut. Das Fruchtmus der Hülsen dient als Nahrungsmittel und zur Herstellung von Limonaden und Fruchtsirup.

Tamariske (Höhe bis zu 10 m)

Tamariske [lat.] *die* (Tamarix), zu den T.-Gewächsen gehörende Strauchgattung der Salzsteppen Südeuropas, Nordafrikas und Asiens, mit schuppenförmigen Blättern und rosa Blütentrauben; als Zierstrauch kultiviert.

Tamaro, Susanna, italien. Schriftstellerin und Filmregisseurin, *Triest 12. 12. 1957; setzt sich in Romanen und Erzählungen mit Problemen der Identitätssuche auseinander (»Geh, wohin dein Herz dich trägt«, 1994, verfilmt; »Anima mundi«, 1997).

Tamatave, Stadt in Madagaskar, → Toamasina.

Tamaulipas, Staat von → Mexiko, an der Grenze zu den USA.

Tamayo [ta'majo], Rufino, mexikan. Maler und Grafiker, *Oaxaca de Juárez 26. 8. 1899, †Mexiko 24. 6. 1991; entwickelte seinen Stil ausgehend von der präkolumb. Kunst und der Volkskunst seiner Heimat, deren Bildwelt er in eine von Kubismus und Surrealismus beeinflusste Formensprache umsetzte; seine Wandbilder stehen dem Muralismo nahe.

Tambach-Dietharz/Thür. Wald, Stadt im Landkreis Gotha, Thür., am NO-Rand des Thüringer Waldes, 460 m ü. M., 4600 Ew.; Erholungs- und Wintersportort; Schrauben- und Glühlampenherstellung, Holz-, Kunststoffverarbeitung.

Oliver Tambo

Tambo, Oliver, südafrikan. Politiker und Bürgerrechtler, *Bizana (Transkei) 27. 10. 1917, †Johannesburg 24. 4. 1993; Jurist, seit 1944 im Widerstand gegen die Apartheid aktiv, gründete 1952 mit N. Mandela die erste schwarze Anwaltskanzlei in Südafrika; 1960–90 im Exil, 1967–91 Präs. des »African National Congress« (ANC), seit Juli 1991 dessen Vorsitzender.

Tambour [tã'bu:r; frz. aus pers.] *der,* **1)** *Baukunst:* zylindr. oder polygonaler, meist von Lichtöffnungen durchbrochener Unterbau einer Kuppel.

2) *Musik:* frz. Bez. für alle Arten von Trommeln sowie für Trommler.

Tambourin [tãbu'rɛ̃, frz.] *das,* **1)** *Musikinstrument:* längl. zylindr. Einhandtrommel mit zwei Fellen; wird v. a. in der Provence zus. mit der Einhandflöte gespielt; seit dem 15. Jh. bekannt.

2) *Tanz:* provenzal. Tanz in lebhaftem $^2/_4$-Takt.

Igor Tamm

Tambourmajor [-bu:r-], urspr. Bataillonstrommler; heute Leiter eines Spielmannszuges.

Tambow, Hauptstadt des Gebiets T., Russland, 316000 Ew.; Hochschulen, Theater, Museen; Chemieanlagen-, Gerätebau, elektrotechn., chem., Nahrungsmittel-, Bekleidungsindustrie. – 1636 als Grenzfestung gegen die Tataren gegründet.

Tambura, Musikinstrument, → Tanbur.

Tamburin [zu Tambour] *das* (Schellentrommel), kleine einfellige Handtrommel, in deren Rahmen 10–20 Schellen oder Metallplättchen eingelassen sind.

Tamerlan, transoxan. Herrscher, → Timur.

Tamilen, dunkelhäutiges Volk in SO-Indien (52 Mio.), Sri Lanka (2,8 Mio.), O- und S-Afrika, Mauritius, Malaysia und Fidschi. Die T. gehören versch. Kasten an und sind v. a. Hindus. Ihre Sprache, das **Tamil,** gehört zu den dravid. Sprachen.

Tamil Nadu, Staat im südl. → Indien, im südöstl. Dekhan; Hptst. ist Madras. – Bis ins 14. Jh. Kernland des südind. Cola-(Tschola-)Reiches; umfasste später im Wesentlichen das Gebiet der britisch-ind. Präsidentschaft Madras. 1947 wurde Madras Staat der Ind. Union. Durch die Gebietsreform von 1956 kamen Teile an Andhra Pradesh, Mysore und Kerala.

Tamina *die,* linker Zufluss des Rheins im Kanton St. Gallen, Schweiz, 26 km, kommt aus dem Sardonagletscher, mündet bei Bad Ragaz; zwei Stauseen (Kraftwerk Mapragg; 280 MW).

Tamm, Igor Jewgenjewitsch, sowjet. Physiker, *Wladiwostok 8. 7. 1895, †Moskau 12. 4. 1971; bed. Arbeiten zur Quantentheorie und Plasmaphysik. T. erhielt 1958 für seine Untersuchungen über den Tscherenkow-Effekt zus. mit P. A. Tscherenkow und I. M. Frank den Nobelpreis für Physik.

Tammerfors, schwed. Name der Stadt → Tampere.

Tammsaare, Anton Hansen, eigtl. A. Hansen, estn. Schriftsteller, *Albu 30. 1. 1878, †Tallin 1. 3. 1940; führte mit seinen realistisch gestalteten Romanen die klass. estn. Literatur zu einem Höhepunkt (u. a. Zyklus »Wahrheit und Gerechtigkeit«, 5 Bde., 1926–33); auch Dramen.

Tammuz [-'muz, hebr.], altoriental. Gottheit, Hirte und Geliebter der Göttin Inanna von Uruk, die ihn den Unterweltsdämonen preisgab; er galt daher als Unterweltsgott und in der Folge auch als dem westsemit. Adonis verwandter Fruchtbarkeitsgott.

Tampa ['tæmpə], Hafenstadt in Florida, USA, an der T.-Bucht, 285200 Ew.; zwei Univ.; Mittelpunkt der Zitrusanbauzone Floridas; Elektronik-, Tabak- u. a. Ind.; führender Hafen Floridas.

Tampere (schwed. Tammerfors), Industriestadt im VerwBez. Häme, SW-Finnland, 176200 Ew.; ev.-luther. Bischofssitz, Univ., TU; Textil-, Schuh-, Papier-, Möbelind., Waffenherstellung; Fremdenverkehr. – Dom (1902–07), Stadttheater (1913), Kalevakirche (1964–66), Bibliothek (1986), Kongress- und Konzertzentrum (1989).

Tampico, Hafenstadt im Staat Tamaulipas, Mexiko, 272000 Ew.; Zentrum eines bed. Erdölfördergebietes mit Erdölraffinerie, Schiffbau, chem. u. a. Industrie.

Tampon [tã'pɔ̃, frz.] *der,* **1)** *Drucktechnik:* pilzförmiges Werkzeug zum Übertragen von Farbe, heute selten angewendet.

2) *Medizin:* Bausch aus Watte, Mull o. Ä., der zur Blutstillung, Drainage oder als Träger von Arzneimitteln in Wundhöhlen oder Hohlorgane eingeführt wird **(Tamponade);** auch zur Menstruationshygiene verwendet.

J. RIZZI